THE NATIVE PROBLEM IN AFRICA

THE NATIVE PROBLEM IN AFRICA

Raymond Leslie Buell

Volume Two

ARCHON BOOKS
1965

First published by The Bureau of
International Research of Harvard University
and Radcliffe College in 1928.

This edition published by Frank Cass & Co. Ltd.,
10, Woburn Walk, London W.C.1.

Published in the United States in 1965
by Archon Books,
The Shoe String Press, Inc.,
Hamden, Connecticut.

First edition 1928
Second impression 1965

Printed in Great Britain

CONTENTS

VOLUME II

SECTION X

FRENCH WEST AFRICA (*Continued*)

SECTION XIII

THE BELGIAN CONGO

SECTION XIV
THE LIBERIAN REPUBLIC

GENERAL APPENDICES

THE NATIVE PROBLEM IN AFRICA

THE NATIVE PROBLEM IN AFRICA

CHAPTER 64

FRENCH MILITARY POLICY

1. *The Border Patrol*

THE military task of France in Africa is no easy one. She must police the vast stretches of the Sahara and the Sahel which are inhabited by restless and unsubjected bands. She is likewise responsible for keeping in hand the nomad peoples who live in such remote places as Tibesti and Borgu, far to the north of Lake Chad. Despite French patrols, dusky warriors periodically pour out of the southern hills of Morocco and the oases of the Sahara and pounce upon the tribes who live at the borders of Mauretania, the Sudan, and the Niger.[1]

In 1916, a revolt of the Senussi sect took place in the Sahara, and in 1922, a pitched battle occurred north of Timbuktu between Moroccan bands and the French Camel Corps responsible for guarding this area, in which ninety per cent of the Camel Corps were wiped out. Reinforcements from Timbuktu finally repulsed the invaders. Since that time, the Sahara has been relatively calm, thanks to the cooperation between the Algerian, Moroccan, and West African Governments.[2]

At the present time, France confides the duty of policing the desert, which separates French territory in the north and in the center of Africa, to eleven picturesque Camel Corps, each having a hundred *tirailleurs* and fifty mounted Camel men—less than two thousand men in all. The problem of controlling the desert will always be difficult. Should anti-French native organizations in Morocco, Senegal, and the Sudan, mutually supplying each other with contraband arms, be established,[3] the French position would become more difficult still. This problem will not be solved until the construction of a Trans-Sahara railway.

As a result of the diplomatic and military achievements of the Third

[1] The situation during the war is described in Bernard "Le Sahara Français pendant la Guerre," and "Deux Episodes de la Guerre au Sahara," *Afrique Français Reseignements Coloniaux,* 1920, no. 8.

[2] The Governors-General of West and Equatorial Africa are now represented at the North Africa Conferences.

[3] Cf. the activities of Abdul Krim who it is believed supplied the Rezzou bands with guns.

Republic, the frontiers of French West Africa were drawn so as to surround a number of foreign territories along the coast. Some of these territories are comparatively large and well policed, such as Sierra Leone and the Gold Coast. Other enclaves are more irritating, such as Spanish Rio Muni, Portuguese Guinea, British Gambia, and Liberia.[4] Frontier difficulties have frequently arisen between France and these territories. According to the French, Rio Muni is a haven for brigand tribes who periodically sally forth into Mauretania. In order to stop these raids, the French recently approached Spain with a view to a treaty granting France the right of "hot pursuit" into Rio Muni—a proposal which Spain declined to accept. The French look with suspicion upon Portuguese Guinea, especially since a number of Germans have recently taken up their residence in Bissao. Several years ago, a Portuguese administrator forced the inhabitants of a French village located near the frontier to move back into Portuguese territory, on the ground that they had illegally emigrated. He lent force to his arguments by burning down a native village. At present, thousands of natives annually enter British Gambia to escape French exactions and to cultivate peanuts upon Gambia soil. Moreover, the port of Bathhurst controls the trade of the French hinterland. These considerations have frequently led to proposals in favor of the cession of British Gambia to the French; but the natives of Gambia have always opposed this solution, and the National Congress of West Africa in 1920 protested against any such transfer.[5]

2. *Origins of the Black Army*

The military needs of France are not only local, important as these needs are. They are also world-wide in the sense that France needs troops to defend her position in Europe and other parts of the world. The population of France is only thirty-nine million, compared with that of Germany which is sixty-three million. Moreover, the population of France is virtually stationary, while the birth rate of Germany is increasing the population to the extent of three hundred thousand a year. These considerations, which were evident long before the War, have led the French Government to turn to its over-seas possessions for man-power to offset German preponderance.

The Colonial Troops, in contrast to the Metropolitan Troops, were definitely organized in 1900 for the purpose of acquiring and policing a

[4] Cf. Vol. II, p. 792.

[5] It resolved: "That it respectfully desires an assurance from His Majesty's Government that under no circumstances whatsoever will it be a consenting party to the integrity of any of the four British West African Colonies being disturbed." Cf. *Resolutions of the National Congress of British West Africa,* March 11 to 29, 1920, p. 8.

colonial empire.[6] As early as 1828 two companies of Ouolofs were sent to Madagascar while in 1838 another company from Senegal was sent to Guiana.[7] African soldiers fought in the Crimean War, in Mexico, and in the War of 1870. Senegalese troops, most of whom were volunteers, were utilized by the French to subjugate the interior of West and Equatorial Africa; and they were used in the Madagascar campaign and in the Morocco war of 1912. Some of the best known men in the French military would have earned their fame by service in the Colonial Troops, such as Generals Mangin, Gallieni, and Lyautey. Senegalese troops won a reputation for fighters when most of them were volunteers.

Recruiting of native soldiers in West Africa was originally carried on under a decree of 1904, which provided that in case sufficient volunteers could not be raised, conscription might be employed.[8]

For a number of years the *Comité de l'Afrique Française*—representing the colonial party—advocated the large scale organization of black regiments. The law of 1905, reducing the military service of Frenchmen to two years, increased the importance of the colonial troops.[9] In 1907, the government appointed a commission to study the recruiting of natives in North Africa as a result of which conscription was introduced into Algeria. The increase of native soldiers in Algeria aroused, however, the fears of French colonists there. They had visions of another insurrection similar to that in 1871. In order to calm these fears, Colonel Mangin suggested that Senegal troops be sent to North Africa as a garrison, following which the thirty-two thousand French troops in Algeria could be taken home to watch the German frontier. "The result," he wrote, "would be the creation of an African army, whose camp would be in Algeria but whose reservoir would be in West Africa." [10] In the same book, entitled *La Force Noire,* he developed the thesis of the Black Army, which should be established to maintain French effectives, compromised by a diminish-

[6] Law of July 7, 1900, printed with other relevant documents in *Troupes Coloniales,* "Organisation Générale," No. I, Charles Lavauzelle, Paris, 1924.

Following the World War, considerable dissatisfaction was expressed with the division of French military forces into two practically independent armies. It was felt that conflicts in command had arisen, and that officers of the troops stationed permanently in the colonies could not adapt themselves, in cases of need, to the widely different military conditions in Europe. Consequently, a number of proposals were made to merge the Metropolitan and the Colonial Troops into a single army, notably by Colonel Jean Fabry. Cf. Rapport relatif à la Constitution des Cadres et Effectifs, No. 6087, *Chambre des Députés,* 1923, p. 73. But all of these proposals have apparently been abandoned, and it has been decided to maintain the existing organization.

[7] G. Pasquier, *L'Organisation des Troupes Indigènes en Afrique Occidentale Française,* Paris, 1912, p. 23.

[8] Decree of November 14, 1904; *Arrêté* of July 17, 1905, *Journal Officiel,* 1905, p. 336.

[9] Pasquier, *cited,* p. 95.

[10] Mangin, *La Force Noire,* Paris, 1910, p. 101.

ing birth rate at home.[11] He declared that black troops would constitute an important factor in a European war. "If the struggle were prolonged, our African forces would constitute almost indefinite reserves, the source of which is beyond the reach of the adversary and which will make it impossible to continue the struggle until we have obtained a first success, and, this success obtained, of reaching a definite victory."[12]

In 1910, the government obtained parliamentary sanction for Colonel Mangin's suggestion when the Chamber voted an appropriation of eight hundred and sixty thousand francs to send Senegalese troops to occupy Algeria, by a vote of three hundred and ninety-nine to ninety-three. MM. Jaurès and Carpot, the latter being the Senegal deputy, strongly opposed the measure.[13] Speakers frankly said that native troops should be used so that French troops in Algeria could be withdrawn to France, and so that the native population could offset the diminishing French birth rate.

Following this vote, the government despatched a battalion to Algeria and sent out Colonel Mangin at the head of a commission to investigate the question of conscription in West Africa. Arriving at Dakar on May 27, 1910, the commission spent five months travelling through the country. It came to the conclusion that it would be possible to find forty thousand men annually for a period of five years in West Africa; but that only a fifth of this number would be needed.[14]

Upon hearing Colonel Mangin's report, the Chamber's Commission on the Army passed a resolution that the recruitment of native troops should be developed; and the *Comité de l'Afrique Française* declared: "In the common interest of national defense, of the pacification of our colonies and the unity of our African domain," the government and parliament "should rapidly and without interruption bring about the augmentation of our black troops."[15] Thus encouraged, the government decided to create a large black army—which was made possible by a decree enacted in 1912.[16] In the report to the President upon this decree authorizing the conscription, the Minister declared that it was caused not only by the necessity of increasing effectives for use in the colony, but also to provide Senegalese contingents to serve abroad. Conscription, according to the report, "will be well received by the population of West Africa, because it is in accord with their old customs and warlike traditions." Under this decree, natives

[11] Mangin, *La Force Noire,* Chaps. I and II.
[12] *Ibid.*, p. 343.
[13] *Chambre des Députés,* February 21, 1910, p. 965.
[14] Cf. the communication of Colonel Mangin, *Afrique Française,* 1910, p. 370.
[15] *Ibid.*, p. 382.
[16] Decree of February 7, 1912, *Journal Officiel,* 1912, p. 195. A decree of February 3 applied conscription to Algeria. It had previously been applied to Indo-China and Madagascar.

between the ages of twenty and twenty-eight could be conscripted for a term of four years.

In commenting upon the participation of Senegalese in the Morocco campaign, Governor-General Ponty declared in 1912: "This generous contribution of French West Africa to the realization of the political designs of the Home Country . . . marks a new phase in the colonial policy of France in Africa. . . ." The system, he believed, would lead to the "establishment of the corps of Black troops which the Home Country needs for the realization of its designs in North Africa. . . ."[17] The 1912 decree provided that recruiting should be done "according to native custom." Full responsibility for presenting conscripts to the Recruiting Commissions was placed upon the chiefs—a system followed throughout the World War.

In 1912, several members of the Chamber, including the deputy from Senegal, attacked the principle of native conscription, which had been imposed, according to one speaker, by decree of the government without any authorization from parliament. M. Carpot, the Senegal deputy—a European—moved a resolution inviting the government to renounce the system of native conscription altogether.[18]

In reply the Minister of Colonies declared that conscription would be applied moderately so as not to injure the native populations. Moreover, the Governor-General of West Africa had stated that conscription was in accordance with the traditions of the natives and that it would not harm West Africa either from the political or economic standpoint.[19] Partly as a result of criticism in the French press, the local government provided that not more than two men per thousand inhabitants should be taken annually.[20] Before the War, the government annually recruited between eight and ten thousand men.[21]

3. *The World War*

When the War broke out, the government instituted a vigorous recruiting campaign in West Africa which by October, 1915, produced thirty thousand men, both volunteers and conscripts, all of whom were sent

[17] Address to the Council of Government, 1912, *Journal Officiel,* 1912, pp. 726, 731.

[18] *Chambre des Députés,* December 19, 1912, p. 3285. He declared "La France—et j'emploie vos expressions, monsieur le ministre—si généreuse et si accueillante aux faibles-ne peut pas obliger les indigènes à participer à la défense de son territoire, alors que ces indigènes la considèrent à tort ou à raison commes les ayants dépossédés de leur terre natale."

[19] *Ibid.,* p. 3308.

[20] *Arrêté* of October 25, 1912. *Journal Officiel,* 1912, p. 674.

[21] Cf. also the Circular No. 109 in regard to such recruiting. *Ibid.,* p. 678.

abroad. On October 9, 1915, a decree was enacted which provided that the natives of West Africa who were not under the colors could enlist if over the age of eighteen in the Senegalese Corps to serve outside of French West Africa for the duration of the War. The time thus served would be deducted from the compulsory service which these natives might later be called upon to perform. Upon enlisting, each native would receive a premium of two hundred francs. In theory, therefore, this decree provided merely for voluntary enlistment.[22] By August, 1916, the government had recruited fifty-one thousand more men, nearly half of whom came from Senegal and the Sudan. In 1917, there were thirty-one Senegalese battalions on the Somme.[23] The increasing demand for men finally led the home government to enact a decree in January, 1918, which extended the age of recruits from eighteen to thirty-five years, authorized the Minister of Colonies to determine the contingent to be raised, and applied the system which hitherto had existed only in West Africa to Equatorial Africa. This decree authorized universal conscription of the able-bodied men.[24]

The government attempted to compensate for this universal recruiting by a series of six decrees issued at the same time, which gave native soldiers a number of privileges such as exemption from the *indigénat* and taxation, granting them under certain circumstances the privilege of naturalization, and providing for the payment of allowances to the families of soldiers. They also authorized the establishment of agricultural and medical schools in West Africa, as well as a sanitorium for invalid soldiers in each colony. Certain employments in the government service were likewise reserved for ex-soldiers.

At the same time, the government created Blaise Diagne, the native

[22] In the report on this decree, the Minister said: "Afin de donner plus d'intensité à ce recrutement et d'utiliser dans une plus large mesure les ressources que peuvent procurer les engagements volontaires, il paraît opportun de prévoir, pour tous les indigènes de l'Afrique occidentale française qui ne sont pas sous les drapeaux, la faculté de contracter des engagements pour la durée de la guerre, et d'accorder à ces engagés, destinés en principe à servir en dehors de leur pays d'origine, des avantages pécuniaires supérieurs à ceux prévus par les décrets des 7 février 1912 et 10 octobre 1914. Dans le même ordre d'idées, il a paru nécessaire d'assurer par une allocation suffisante la subsistance de leur famille." Cf. *Recueil,* 1916, pp. 57-58. For the conscription of the "citizens" in the Four Communes, cf. Vol. I, p. 951.

[23] *Annuaire,* 1922, pp. 51-54.

[24] Decree of January 14, 1918, *Journal Officiel,* 1918, p. 51. The Minister of Colonies wrote to the Governors-General of French West and Equatorial Africa as follows:

"A l'heure où la France, plus que jamais unie dans son effort vers la fin victorieuse de la guerre, donne sans hésitations sa classe 1919 pour la défense du sol, le Gouvernement de la République avait le devoir de demander encore aux courageuses populations de notre Ouest africain une preuve d'attachement et de fidélité. Il sait qu'elles lui donneront sans faiblir les nouveaux soldats dont il a besoin. . . . " *Ibid.,* p. 49.

deputy from Senegal, a Commissioner of the Republic with a rank equal to that of the Governor-General, to carry out propaganda for recruiting. He was instructed to tell natives "what France represents in the world . . . and make them understand that this victory which will save our race will also save theirs." [25] The political effect of this appointment on the development of black prestige was considerable. It led to the resignation of Governor-General Vollenhoven who resented having his authority shared with a native deputy and who opposed further native conscription.[26]

[25] Decree and Circular of January 14, 1918, *ibid.*, 1918, pp. 50, 51.

[26] Cf. *Une Ame du Chef,* À la Mémoire du Capitaine J. Van Vollenhoven, Paris, 1922, by a number of authors. Van Vollenhoven's letter of resignation is printed on page 266. After resigning he joined his regiment and was killed in action on July 19, 1918. Commenting on his resignation, M. Roume (p. 27) says: "He believed that the new recruitment of native troops prescribed at this time would only give an insignificant aid compared with the sacrifices which it required. . . . He was above all convinced that French West Africa should not be called to furnish new contingents until bordering Allied colonies, more densely populated, should participate in the general effort; that it was impolitic in regard to our subjects and against the interest of France to allow our neighbors quietly to prepare themselves to our detriment for the economic struggle following the war."

The following remarks by a member of the General Council of Senegal on this appointment and on the conditions of recruiting are also of interest:

"Messieurs, naguère le Gouvernement français a dépensé 1,500,000 francs pour nous envoyer ici un Commissaire de la République chargé du recrutement des troupes noires. L'on a chanté partout la façon dont se sont poursuivies les opérations de ce recrutement et ses résultats. L'on a pompeusement proclamé qu'il avait amené à la France un contingent de 70,000 hommes! Ce serait certainement magnifique si ce n'était que la plus grande partie des recrues engagées étaient inaptes au point de vue physique, que les conditions dans lesquelles a été effectué leur transport ont été déplorables, ainsi que je l'ai déja exposé ici, et qu'une mortalité considérable a decimé ces hommes dans de telles proportions que 90% d'entre eux n'ont pu être envoyés sur le front.

". . . Mais ce que frappe le plus, c'est la morgue avec laquelle le Commissaire de la République en a usé, exigeant à son arrivée à Dakar que le Gouvernement général et les corps d'administration se rendent à bord pour le recevoir, commandant en souverain à Dakar, gourmandant des officiers supérieurs pour n'être pas venus le recevoir, alors que des raisons de service les en avaient empêchés. Malgré cela, le Commissaire de la République a été partout ovationné, à tel point que nous avons appris que dans un chef-lieu de cercle, à sa descente du train, la femme d'un administrateur s'était abaissée jusqu'à essuyer sa chaussure empoussiérée avec son mouchoir odorant.

"De plus arrivant à Khombole, le Commissaire de la République s'est étonné de ne trouver à la gare aucun des commerçants européens de l'escale pour le recevoir. Que fait-il? Il se rend au marché et les fait sommer de venir le trouver. Quinze d'entre eux viennent, cinq s'abstiennent. Immédiatement, il ordonne à l'administrateur du cercle d'envoyer le gendarme faisant fonction de commissaire de police à leur recherche, de vérifier leur situation militaire et de mettre en route les mobilisables. . . ."

In reply the Secretary General of the Government simply said, "Monsieur le Commissaire de la République avait rang de Gouverneur General et était, par consequent, leur supérieur. . . . Quand un chef ordonne ses ordres sont exécutoires. . . ." *Conseil Général,* December, 1918, p. 147. At that time there was merely an acting Governor-General at Dakar.

In 1924 M. Diagne sued *Les Continents* for libel. It had declared that M. Diagne had received a payment for every soldier recruited. He won damages against the manager of the paper. Cf. *Le Temps,* Nov. 27, 1924, p. 4.

Later on, M. Diagne was appointed to organize a department to care for these troops while in the service and to watch over the loyalty of the African populations. As a result of these efforts, a total of 181,000 men from West Africa were recruited during the period of the War.[27]

4. *The 1919 Decree*

At the close of the War, an inter-ministerial commission estimated that in view of the needs of France the native population in the colonies should furnish a permanent contingent of two hundred and two thousand men of which French West and Equatorial Africa should furnish one hundred thousand.[28] It appears that the French Parliament supported this idea because of the belief that French military service at home could be reduced only if a part of the burden was permanently shouldered by the colonies.[29]

In a decree of 1919 the native subjects of West and Equatorial Africa were made liable to conscription for a term of three years.[30] But in the law of April 1, 1923, the term of military service in France was reduced to eighteen months. The term for natives remained as it was. The discrimination is even greater because of the fact that the black citizens of the Four Full Communes serve only eighteen months in contrast to their brothers of the bush who do three years, and by the fact that the citizens spend their time in a caserne in Senegal while the subjects are all sent to France where the likelihood of death is much greater than if they remained at home. Every citizen is liable to military service when coming of age unless he is within one of the exempt classes; while only the "first portion" of the subjects are liable. But if the Madagascar precedent is followed, natives placed in the "second portion" may be soon obliged to serve three years in a labor battalion. Even if all of the subjects are not taken, in contrast to the citizens, the effect of conscription

[27] During the War, a total of 845,000 natives served in the French army, divided as follows:

Senegalese	181,000
Algerians	175,000
Tunisians	50,000
Indo-Chinese	49,000
Malgaches	41,000
Moroccans	34,000
Somalis	2,000
Pacific natives	1,000

Cf. Jean Fabry, "Rapport relatif à la Constitution des Cadres et Effectifs," *Chambre des Députés, cited,* No. 6087, 1923, p. 79.

[28] *Rapport, Budget Général,* 1921. *Ministère de la Guerre, Sénat,* No. 95 of 1921, p. 26.

[29] *L'Afrique Française* (April, 1921, p. 105), wrote, "La reduction des charges militaires du pays ne sera possible que . . . la constitution d'une armée indigène d'au moins 300,000 hommes en 1923."

[30] Decree of July 30, 1919, *Journal Officiel, cited,* 1919, p. 632. Cf. Vol. II, p. 176.

upon the individual natives conscripted remains. The size of the contingents to be taken is fixed by the Governor-General. It was recognized, however, that the system of recruiting by chiefs, previously followed, had its abuses as it gave "to the native authorities too much arbitrary power, and did not make possible an equitable division of the charges of military service." [31] This system should be done away with in favor of individual recruiting tables (*tableaux des recrutements*), drawn up for each district, by means of which men should be drawn by lot. Propaganda should also be carried out [32] to show that recruiting "is not a tribute collected by force, but a contribution legitimately exacted from all." Moreover, the greatest possible number of natives should be induced to come under the colors so that they would return to civil life "better educated, better disciplined, knowing our language better, and more fit, consequently, for all kinds of work."

5. *The Present System of Conscription*

The number of Africans annually conscripted is now fixed by the Minister of Colonies. The West Africa figure for 1919 was fixed at 23,000. Doubtless because of the anemic condition of the population of French Equatorial Africa, the military demands of France have not been so great upon this country. In 1926, it was obliged to furnish a thousand natives for foreign military service. While volunteers could be taken from a certain number of districts, it appears that most of the conscripts in these contingents came from the Chad colony.[33]

Although there are about 125,000 or 130,000 men in West Africa who annually come of recruiting age, so many of them were physically unfit or employed in industrial work, that after the first two years of 1919 and 1920 it proved impossible to conscript 23,000, with the result that the figure has been progressively reduced until to-day about ten thousand men are annually taken, or about the same figure as before the War.

In every district, the Commandant annually prepares a "census table" of all the men of the district who have during the previous period reached

[31] Report of the President, *ibid.*, p. 632.

[32] Circular 194, *Recueil des Textes concernant le Recrutement des Troupes indigènes en Afrique Occidentale Française*, p. 45. "Tours of propaganda" should be made, "having as an end to draw the attention of the young natives to the advantages which a military career presents to them."

[33] *Arrêté* of 7 September, 1925, *Journal Officiel de l'Afrique Équatoriale Française*, 1925, p. 539. Cf. Dr. Huot, "Valeur Physique du Recrutement Indigène dans Les Colonies du Gabon, du Moyen-Congo, de l'Oubangui-Chari et dans Les Territoires du Tchad," *Annales de Médecine et Pharmacie Coloniales*, Vol. 20 (1922), p. 361. He states that in the Gaboon the Palhouin are the only natives who can be suitably recruited. The others are too under-nourished, etc.

the age of nineteen.[34] These tables are made up from the tax lists and other documents. About 125,000 or 130,000 natives, out of a total population in French West Africa of twelve million, are thus inscribed annually. The Governor-General each year divides the contingent fixed by the Minister of Colonies among each colony, taking into consideration political factors and the number of people. At present, the division is as follows:

Upper Volta	2500	Ivory Coast	1500
Sudan	2000	Dahomey	800
Senegal	1700	Niger	700
Guinea	1850	Mauretania	100

These figures are roughly in proportion to population except in the case of Niger and Mauretania, where, for the most part, conscription is not applied. The nomadic tribes of the latter colony do not as yet appreciate the values of a military training; while, according to an annual report, the population of the Niger continues to show a "very live repulsion" to military service, and "if an exodus *en masse* to British Nigeria is to be prevented, it is indispensable to raise the Niger quota, already fixed below its *true quota,* by means of volunteers."

The preparation of recruiting tables entails an immense amount of work. Pending its completion, most districts relied upon lists prepared by the chiefs, which were admittedly inadequate. By the first of January, 1926, recruiting tables had been prepared for every district. But even now, there is no means of telling how many men are left off the lists. Each year, men coming of age are assembled before mobile recruiting commissions, composed of the administrator, a doctor, and a military officer. While the men are supposedly called at the age of nineteen, it is impossible to determine ages, with the result that frequently the same man will be called up several times. Under the supervision of this commission, the natives listed on the census tables draw lots.[35] They are classified into three groups: the "first portion," the "second portion," and "the exempt." The first portion comprises the ten thousand men obliged to serve in the army for a term of three years;[36] the second portion consists of

[34] And also men not previously inscribed up to the age of twenty-eight.

[35] In order to do away with the abuse of having natives come miles from their homes, these commissions visit each canton in the district, where the men have been collected by the chief. The administrator draws the lots and the doctor proceeds to the medical examination. The work for each canton is now completed in two or three days. The commissions work between one and three months every year examining recruits. The administration assumes the expense of feeding the men before they are incorporated into the army, at the rate of six francs per man per day. Arrêté 53, *Recueil des Textes,* p. 44. But administrators complain that this is insufficient since the men are obliged to wait several days before being taken. Once incorporated, they are fed by the military authority.

[36] Cf. Vol. II, p. 10.

the men otherwise able and liable to serve but who are not needed for the contingent.[37] In other words, the government does not take all of the able-bodied natives of the age of nineteen, but only a percentage. In 1925, out of the 125,000 men of the age of nineteen, ten thousand were placed in the first portion, and 24,600 in the second portion. The remainder, or about one hundred thousand, are exempted, either because of personal reasons, such as being the sole support of a widowed mother, or because they are physically unfit. In the latter case natives are simply *ajournés*. Their fate is postponed until the following year.

The percentage of rejections is much higher than in Europe because of the physical condition of the African native.[38] For example, in one district (Agneby) in the Ivory Coast, one hundred and forty-seven out of three hundred and thirty-seven natives were rejected because of physical infirmity. Out of the remaining one hundred and ninety presented by the administrator to the recruiting commission, one hundred and fifty more were rejected, leaving a contingent of forty men, just sufficient for the first portion, but none for the second. In another district, the administrator rejected at first sight seven hundred and eighteen out of sixteen hundred men brought in by the chiefs, while the recruiting commission, which subsequently examined the eight hundred and eighty-two remaining men, found only one hundred and eighty physically fit. Administrators complain of the growing difficulty in finding the necessary men. It was first estimated that the district of N'Z-comme could furnish a class of fourteen thousand men, but to-day the administration counts on turning out annually only twenty-five hundred.

Once incorporated in the troops, the native soldiers receive a daily wage of seventy-five centimes, or about a dollar a month. They must serve for a period of three years. They are first sent to Saint Louis or some other military center where they are formed into *Détachements de la Relève*. After three months' instruction, they are sent to France, one doctor accompanying each six hundred men. After three months' instruction in a French *caserne,* they are assigned to companies and sent where they are needed, whether to Morocco, Algeria, or Syria. After serving two years, those who remain alive return to Africa where after further service they are discharged, unless they wish to reenlist.

At the present time, there are about forty thousand native soldiers in

[37] The second portion may be called to the colors by the Minister of Colonies, or by the Governor-General in case of a mobilization. But this has as yet not been done. In Madagascar and French West Africa they may be obliged to perform labor for the government. Cf. Vol. II, p. 176.

[38] The military authorities complain that the doctors are too severe in their examination, but the Medical Report on the Colonial Troops for 1925 declared that the doctors assigned to this work were too few to make thorough examinations.

the West Africa troops. Of these, fifteen thousand are stationed on the spot, while the remainder are serving French interests abroad.[39] French troops in West Africa are three times the number of the King's African Rifles who police the whole of British East Africa, and of the West African Frontier Force, who defends British West Africa. The drain on the local population in French West Africa is much greater when one considers that twenty thousand natives are also serving in French armies abroad.

The West Africa troops are divided into twenty regiments of two thousand men each, fourteen of which are abroad. The seven regiments normally stationed in France were sent to Morocco to fight Abdul Krim in 1926. Two regiments are regularly kept in Morocco, two in Algeria, two in Tunis, and one in Syria. There is also a regiment in each colony in the federation. In the Sudan and Senegal, several regiments are stationed. Until recently, the military expense of these colonial troops was not borne by the colonial budget, but by the State. The opposite policy is followed in the British and Belgian possessions; but these territories do not, in contrast to the French, furnish soldiers to the home country. Moreover, because of financial stringencies, the French have modified this policy. West Africa now contributes 7,500,000 francs annually toward this "expense of sovereignty."[40-41]

6. *Effects of Conscription*

Through the aid of Senegalese troops, France built up and to-day holds an empire which probably never would have been won by European soldiers. These troops also assisted France, but to an undetermined extent, to win the World War. From the military standpoint, the policy of native conscription thus has had some advantages.

But these military gains may be exaggerated. Some writers, perhaps unjustly, lay the French defeat in the War of 1870 to generals coming out of the African army.[42] Some authorities believe that because of widely differing environments, it is impossible for colonial troops to adapt themselves to European conditions. A few French experts have already expressed their doubt as to the value of native conscription.[43] It has been estimated that about a fifth of the Senegalese sent to France are temporarily,

[39] In addition, the French maintain a local police of about fifteen thousand men, called "*gardes de cercles,*" similar to the police in British colonies.

[40-41] Cf. Vol. I, p. 939.

[42] The official point of view is that the World War disproved the statements that officers and troops trained in colonies would not adapt themselves to European conditions. *Afrique française, cited,* 1923, p. 81. A semi-official record of the Colonial Army during the War (1914-1918), is printed in *Ibid., Supplement,* 1920, p. 145.

[43] Général Lévé, "La Préparation de la Guerre et l'Armée Indigène," *Revue Politique et Parlementaire,* Vol. III, 1922, p. 373.

at least, incapacitated on account of a change in climate. The Advisory Commission of the Colonies now ranks the Algerians and Tunisians ahead of the Senegalese for infantry service while it places the Senegalese third, fourth, and fifth as far as the cavalry, artillery and engineering corps are concerned, in comparison with other races.[44] This ranking is due in part to the fact that the Senegalese present less resistance to cold than do the natives of Indo-China, Morocco, Tunis, or Algiers. Thousands of them died in France during the War simply from exposure.[45-46] The quartering of such troops upon Germany in the occupied regions following the War created such bad blood that the troops were finally withdrawn.

From the standpoint of the economic development of Africa, the conscription of ten thousand natives automatically reduces the potential labor supply which is already insufficient. French merchants have complained that the administration conscripts men in the midst of a harvest, which results in the loss of the crop.[47] Some administrators testify that the whole economic life of a community is held at a low ebb during the two or three months while these operations take place.[48] The Public Works Department of the government complains that conscription takes its artisans just as they are becoming skilled while leading merchants in Dakar assert that when the native returns from the army, he is lazy and impudent, and that the whole system hinders trade. Recruiting operations absorb a large amount of the time of doctors who otherwise could be devoting their time to productive medical work.

The medical report for the Colonial Troops of 1925 says: "The sanitary state of the recruits on the way to military posts and their regiments has not always been very satisfactory. Notwithstanding the precau-

[44] Fabry, *Rapport* No. 6087, *cited,* p. 81.

[45-46] In 1917 the General Staff ordered the Senegal units to the front in the month of February. Thousands of them suffered merely from the cold, and in one unit of 11,000, 7500 died. After protesting vainly with the Minister of War, M. Diagne the Senegal Deputy, placed the matter before a secret committee of the Chamber, June 29, 1917, at which he said, "C'est un véritable massacre sans utilité auquel ils ont été voués par l'inimaginable légèreté de certains généraux. . . . Non, messieurs, et à moi-même il paraît humiliant que ce pays, qui a donné le spectacle de 1793, ce pays qui a refoulé l'invasion de tous les peuples de l'Europe, se permettre d'accrocher à l'espoir de son salut, à la certitude de sa libération, cette idée que ce seront des noirs du fond de l'Afrique et dans la simplicité primitive d'une mentalité qui s'élève à peine au jour, c'est à ceux-là qu'on doit accrocher salut de ce pays?

"Non, je ne l'accepte pas, je ne tiens pas à vous humilier." Quoted in *Chambre des Députés,* December 20, 1922, p. 4344-4355. This speech was made some time before M. Diagne's appointment as Commissioner of the Republic.

[47] Cf. Minutes, *Union Coloniale Française,* 1923, p. 77.

[48] The administrator of N'Ze-Comme (Ivory Coast) declared that in the month of December (before the recruiting period) forty-eight tons of palm kernels came into the trading post at Domboke and fifty-seven tons in the month of January, but in February, the recruiting month, the amount fell to five tons.

tions taken by the commandant and attentive medical surveillance, the young soldiers present an excessive mortality rate for the most part because of pulmonary affections, diarrhea, dysentery sores, and abscesses. . . ." The report states that casualties would be reduced if the age limit were increased from nineteen to twenty-one. At present, a native recruited at the age of nineteen is too undeveloped to stand up against disease.[49]

Until 1920, and even later, administrators obliged chiefs to obtain men wherever they could be found—a system which led to wholesale brutality, as a result of which literally thousands of natives emigrated to British territory. In 1918, a Dakar newspaper declared: "This detestable recruiting has provoked desertions and exodus *en masse;* it has depopulated entire regions for the benefit of foreign colonies." [50] The establishment of recruiting tables and European recruiting commissions has eliminated many of these abuses. The Governor-General asserts that the *émigrés* are now returning and that the native population assumes this obligation willingly. Nevertheless, the opposition to this obligation is so strong that conscription is not, as we have seen, applied to the most of Mauretania and the Niger. On the other hand, some natives are becoming accustomed to the régime; in 1925 2700 out of a total contingent of 11,000 were volunteers, but this may possibly be due to a desire to escape from the other exactions imposed by the government. Moreover, the number of *bons absents* is large, and in Senegal is increasing. A *bon absent* is a native who fails to respond to the summons of the recruiting commission. Such natives are automatically enrolled as "Good for the Service." In 1924, nearly seventeen thousand out of the one hundred and twenty-six thousand on the lists in West Africa failed to show up. In the same year, a third of the men in the Upper Volta were *bons absents;* while in Senegal, the figure increased from twelve hundred to 4668 in 1926.[51] In determining the importance of these figures one must consider that they apply to a country in which natives constantly move about. The report of the Sudan for 1924 says that "at the announcement of recruiting operations, a great number of young men leave for the Gold Coast where the English propagandist agents receive them for the greater prosperity of their colony." A short time ago, a hundred *tirailleurs* mutinied against an administrator in the Ivory Coast; while in 1923, the opposition to recruiting, the indigénat and taxation was so strong in Porto Novo in Dahomey

[49] Several years ago, the Minister of Colonies considered the suggestion of raising the age of recruiting but decided not to because of the difficulty in filling the contingent.

[50] *Écho de la Côte Occidentale d'Afrique,* November 27, 1918.

[51] In 1925, it was 3281.

that the government felt obliged to declare martial law.[52] The governor of the Ivory Coast writes that the natives still regard conscription as a "detested" obligation.

The effect of serving in France upon the native soldier has been pictured by a number of French writers. The late M. Delafosse, a former governor and a leading authority, recently wrote:

"The Blacks are roughly transported to the White Man's country, totally isolated from their relatives and their *milieu* during two years, are thrown without preparation into the midst of a civilization essentially different from their own, and then are sent home without having learned anything which may be of use to them in making a living, and having, on the contrary, nearly forgotten everything of their former traditions.

"Many of them attempt to remain in France, allured by the fallacious hope of continuing an easy existence without preoccupations of a material nature, to which they have become accustomed in the barracks. But instead they lead a miserable life made up of doubtful expedients, bitterness, and disillusions."[53]

Several French military officers have expressed similar opinions. Colonel Paul Azan[54] has said that when an Algerian soldier is stationed in France, he acquires

"deplorable habits. . . . He becomes vain, clamorous, and undisciplined. . . . On the other hand, he is ruffled by officers who are ignorant of his religion, language, and traditions. . . .

"The contact with the French population does the native as little good. . . . He only associates with the lowest class of men and women; he contracts the habit of drink which he did not have[55] and acquires contempt for the French woman whom he respected in Algeria. If, through good fortune, he comes in contact with higher circles, he is treated as a spoiled child, as a result of the thoughtless attraction for the Frenchman of anything that is exotic. . . ."

A major in the French medical corps, Dr. Louis Dano, has likewise pointed out the physical hardship which military service in France imposes. He declares that a native soldier quartered in the eastern part of France inevitably suffers from the climate, since he lives in a "state of very unstable physiological equilibrium and as a result, a high morbidity. This organic weakening is the result of psychical weakening (*fléchisse-*

[52] See the black-faced supplement, *Journal Officiel, Dahomey, Arrêté* of February 26, 1923, p. 185; terminated July 23, 1923, *Journal Officiel, cited,* 1923, p. 568.

[53] M. Delafosse, "Les Points Sombres de l'Horizon en Afrique Occidentale," *Afrique Française, cited,* 1922, p. 276.

[54] Azan, *L'Armée Indigène Nord-Africaine,* Paris, 1925, p. 28.

[55] He is speaking of Moslems.

ment). Suffering, deprived of space and of sunlight, of the country where he loved to wander aimlessly, immured in a barracks unadapted to his needs, . . . he falls into a passive state, which diminishes his military value. 'Repressions,' as Freud would say, of a sexual and psychical order . . . often terrorize him in frequent neurotic manifestations. . . . He becomes supersensitive to disease, and he is in a poor condition to receive military instruction."[56]

The Senegalese who serve in France are particularly susceptible to tuberculosis as the following coefficients show:

Race	*Tuberculosis Rate—Troops on the Rhine* Per thousand
Europeans	9.55
Moroccans	11.73
Arabs	13.33
Anamites	15.31
Malgaches	13.32
Senegalese	82.32[57]

Likewise the Senegalese have been susceptible in European camps to nervous diseases in the proportion of 2.03 per thousand in contrast to a rate of 0.67 per thousand for Europeans.[58] The total death rate of the Senegalese troops has varied from 42 per thousand in 1921 to 14 in 1922 to 19.4 in 1923.[59]

Moreover, native troops spread among the French population the most serious diseases, such as tuberculosis, syphilis, and malaria. After they are released from military service, some natives wish to remain in France. But as Colonel Azan points out, they no longer have secure food and housing. "When laziness, vice, or disease attacks such a native, he finds himself without a home, savings, or friends. It is nevertheless necessary to eat; . . . and as a result, he pillages, robs, and assassinates. If he does not kill for need, he kills for passion; these impulsive creatures, having

[56] Quoted in Azan, *cited*, p. 29.

[57] Dr. Lasnet, "Notes concernant l'État sanitaire des Divers Contingents, Européens et Indigènes de l'Armée du Rhin," *Annales de Medécine et de Pharmacie Coloniales*, Vol. 20 (1922), p. 275.

[58] *Ibid.*, p. 287. Dr. Lasnet says, "Les psychoses affectives sont les manifestations les plus fréquentes des troubles mentaux chez les indigènes de toutes races; elles se développent le plus souvent sur un terrain tout préparé, chez des débiles ou des dégenérés.

"L'éloignement du pays favorise leur développement, et une émotion de service en est fréquemment la cause déterminante, punition, brimade, et, très souvent, injustice supposée. L'action de l'alcool, sous toutes ses formes et même à dose modérée, est également très nette."

Cf. also Dr. Robineau, "Les Causes de la Morbidité Dans le Battalion de Tirailleurs Sénégalais d'Arles-sur-Rhône," *Ibid.*, Vol. 23 (1925), p. 315.

[59] Dr. Emily, "Note au sujet de l'État Sanitaire des Contingents Indigènes du Corps d'Armée Colonial," *Ibid.*, Vol. 22 (1924), p. 378.

violent desires, far from their homes, are suddenly dominated by savage instincts." The number of crimes committed by natives in France following the War became so great that the prefecture of the Seine believed it necessary to establish a special section for natives living in France.

Colonel Azan summarizes the results of this policy as follows: "decrease in military value, moral and physical damage, contamination of French cities, waste in the resources of the State. . . ."[60] While he was writing primarily of troops from North Africa, his arguments apply with double force to natives from West Africa, whose physical resistance is lower than that of the natives of Algeria and Morocco, and whose customs are more different from those of Europeans.[61]

In his report on the army in 1923, Colonel Fabry admitted that as a result of their sojourn in France, native troops acquired vices, and that especially among those natives who associated with white men and women of a low character, the prestige of the whites declined.[62]

Differences of opinion have arisen over the effect of the conscription policy upon returning native soldiers and upon native society generally. In a public address, the Governor-General of West Africa, M. Carde, has stated that conscription is a good thing for the natives and that they accept the obligation willingly; the native soldiers return "developed morally and intellectually." He continued: "Living a rude existence in barracks or camps, they have become conscious of the necessity of labor and discipline. They have learned that in the home country, the obligation to work is the essential condition of life; and permeated with these ideas, they return to the villages where they become the best auxiliaries of the Administration. The prestige which has come of their residence in France, their travels, their new acquaintances, and their former warlike character leads them to work in the general interest. They not only give advice; they preach by example; they are the first to respond to suggestions from the Government. . . ."[63]

On the other hand, a previous Governor-General who resigned largely because of this policy of recruiting said: "During his sojourn in the army

[60] *Ibid.*, p. 33.

[61] Colonel Azan recommended that the term of service be reduced to nine months, that it have as its end the moral and physical education of the natives, and that the natives should not be stationed in France. *Ibid.*, p. 39.

[62] Fabry, *Rapport, cited*, p. 83.

[63] *Discours à l'Ouverture de la Session du Conseil de Gouvernement*, 1925, p. 10. A French authority also writes: "On a beaucoup exagéré l'effet pernicieux du séjour au régiment sur les jeunes Noirs. On s'est un peu pressé de juger la turbulence de ceux qui revenaient dans leurs villages après la guerre. Cette attitude n'était d'ailleurs pas particulière aux Africains. Depuis les choses se sont arrangées, le tirailleur libéré reprend sa place dans la famille et au champ et on ne peut franchement pas affirmer que le séjour a l'extérieur lui a été pernicieux."

he [the native soldier] has acquired new habits; he acquired them with difficulty, but it is still more difficult for him to throw them off; he had no responsibility; his food and clothing were given to him; he could devote the whole of his salary to phantasies; even his thoughts were regulated. . . ." But upon being discharged, "the ex-soldier can no longer count on anyone but himself; the military administration puts him on the road to his village; but he is no longer able to rely on his former chiefs; he leaves the society of the Whites to enter the society of the Blacks. . . . In the exclusive closed and compartmented society of the native village, the ex-soldier is ignored; he is banished from the community; . . . he is a stranger for whom there is no place in any hut or family. . . . It is not his fault; it is due to the prejudices and to the customs of these races who always hold themselves on the defensive, and who admit to their circle only those whom they have always seen by their side, those who have never left them. Consequently, either the former soldier becomes a poor wretch living a miserable and timid existence, or, if he has acquired a vigorous mind of his own, and the custom of speaking loudly, he does not hesitate to exploit those who surround him. . . ."[64]

The Governor of Dahomey also declared recently that "every year hundreds of young men return to the Colonies having finished their military service, that is to say, having seen the world and having acquired an undeniable physical and intellectual supremacy over their brothers. They have already been scattered throughout the country and there is scarcely a village where one of them cannot be found. While the majority have not lost the sense of discipline, their notion of it is no longer the same. It is no longer an unthinking, passive discipline, but a discipline based on reason and conscience, knowing what orders may be given, and what orders are arbitrary. They have gained a consciousness of their value and they make comparisons. How can they obey a young chief whom they judge to be inferior to themselves?" The solution, according to the Governor, is to make future chiefs first perform their military service—which is the rule now in the School for Sons of Chiefs at Saint Louis. A late Governor-General recently proposed that returned soldiers with good records should be made village chiefs.[65] In a number of cases, this has already been done.

A former governor of West Africa, M. Camille Guy, has pointed out the general effect of conscription as follows: "Every new levy of soldiers deprives the colony of robust workers and potential fathers of families, and

[64] J. V. Vollenhoven, Circulaire au sujet des Tirailleurs Reformés ou Licenciés, *Journal Officiel,* 1917, p. 565. A number of writers have discussed the native soldier in France; cf. Mme. Lucie Cousturier, *Les Inconnus chez moi.*

[65] Governor Merlin, *Journal Officiel, cited,* 1921, p. 74.

the population, far from increasing, will tend to disappear with disconcerting rapidity. . . . Either we wish to make of our West African Empire a reservoir of raw materials and of products, or we wish to make out of it a reservoir of men. But we cannot choose. We now find the raw materials in almost unlimited quantity, but the men in a very limited number.[66]

An administrator from French Guinea writes that as a result of these unlimited levies, "the race is exhausted and the population is reduced." [67]

On this aspect of the question, M. Delafosse was equally outspoken. He said that the inevitable result of native conscription was "the progressive diminution of the population and the equally progressive weakening of the physical qualities inherent in the race." In his opinion, the majority of the natives "have now come to regard military service as they regarded the exactions of the kings and conquerors of old, who conscripted men just as they imposed tribute. . . ." He continued: "Although we have suppressed slavery, the heads of families regard the tax in blood which we exact as much more severe than that which the local princes formerly demanded, because they are now reduced to giving us their own children and they find it difficult to accept this obligation which appears unnatural. Since we ask from them at the same time laborers for the construction of railway lines and for the development of the country, they find our requisitions exaggerated and complain that we take from them all of their young people and that we disintegrate their family and social organization. Many of them are coming to regret the tyranny of an El-Hadj Omar or a Samory, which was more capricious, undoubtedly, but the caprices of which had less general importance and were marked by greater intervals of calm than our own exactions. . . . There is a sufficient number of French citizens in France, it would seem, to fulfil a rôle which belongs only to them and which it is unworthy to impose upon others." [68]

[66] *Bulletin du Comité de l'Afrique française,* 1922, pp. 100, 109.

[67] Quoted by Guy, *ibid.,* p. 109.

[68] M. Delafosse, "Les Points Sombres de l'Horizon en Afrique Occidentale," *Afrique française, cited,* 1922, p. 271.

This article was written at a time when the writer believed that a hundred thousand men would be recruited annually from West Africa.

As a result of such attacks, which were supported by many commercial enterprises, the government has gradually reduced the annual contingent from the sixty thousand demanded to ten thousand, but the effects of conscription upon the latter number of natives still remain.

The reporter of the colonial budget unconsciously indicted the military policy in the colonies, in contrast to the mandates when he said recently: "Although Germany found it necessary to have a great number of regiments to maintain order there [Togo] we, the French, have just recently dissolved the two companies of Senegalese who were still stationed there, so to-day the natives of Togo and the Cameroons are guarded only by native militia. Is it not a beautiful praise of what the French peace may accomplish? (N'est-ce pas le bel éloge qu'on puisse faire de la paix française?)" Cf. M. Archimbaud, *Journal Officiel, cited, Chambre des Députés,* December 17, 1925, p. 4395.

Such have been the various arguments made at different times by the deputy from Senegal,[69] by Jean Jaurès,[70] by Governor-General Van Vollenhoven who resigned partly because of conscription, by a West Africa section of a Colonial Conference organized by the Minister of Colonies, which passed a resolution in 1917 against further conscription in West Africa,[71] by several military men, by commercial enterprises, and by two former Governors, MM. Guy and Delafosse.

It is not impossible that these arguments will finally triumph and that France will do away with her present military policy in the Colonies, in favor of the policy which she now follows in the Mandates.[72]

[69] M. Carpot, *Chambre des Députés, cited,* February 18, 1910, pp. 920 ff.
[70] *Ibid.,* February 21, 1910, pp. 956 ff.
[71] *Conférence Coloniale,* Paris, 1917, p. 38.
[72] Cf. Vol. II, p. 281.

CHAPTER 65

LABOR POLICY

EXCEPT for Equatorial Africa, the French territories have not followed the system of European plantations which is found in British East Africa and in the Belgian Congo. On the contrary, the French have emphasized native production. This policy was first urged by General Faidherbe and it was reiterated in 1912 by Governor-General Ponty who said: "We have renounced the policy of vast concessions which have not given the results which we expected. The native cultivator is above all at the basis of agricultural production. European enterprises should not be established to the detriment of native property."[1] Later, in 1923, Governor-General Carde declared that while plantations might be in certain cases justified, they must remain the exception because of the small population of the community. "We are led to the conclusion that the agricultural development of our possessions in West and Central Africa should chiefly be pursued, if we wish to secure effective and important results, by the native himself."[2]

1. *The Demand for Plantations*

Since the creation of the federation of West Africa, only about forty agricultural concessions greater than two hundred hectares have been granted, and all but twenty-eight of these have been abandoned or otherwise lapsed. To-day there are less than 30,000 hectares held in the form of agricultural concessions.[3] There are, however, large forest concessions in the Ivory Coast where the demand for labor is heavy. A number of large concessions still exist in Equatorial Africa which are discussed elsewhere. Nevertheless, because of this emphasis on native production in the past,

[1] *Journal Officiel*, 1912, p. 736.

[2] M. J. Carde, *Discours à l'Ouverture de la Session du Conseil du Gouvernement*, 1923, p. 29.

[3] Of these, twelve thousand hectares are in Senegal, one concession of four thousand being held by the Chamber of Commerce of Turcoing for sheep grazing. The Société de Culture Tropicale en Afrique has a concession of three thousand hectares for cotton, etc. In the Sudan, the Compagnie de Culture Cotonnière du Niger has a concession of two thousand hectares; while a private individual has recently received a two thousand hectare concession for a cotton irrigation project in Guinea, near Conakry. The Compagnie Agricole de Guinée Française and other companies hold about two thousand hectares in bananas and similar crops.

and the absence of mines in West Africa, the demand for labor by European employers as a rule has been comparatively small.

Parts of French West Africa, particularly the coastal areas of Dahomey, the Ivory Coast, and French Guinea, together with a large part of French Equatorial Africa are rich in palm lands. The palm area of French West Africa, including Togo, covers about 1,750,000 hectares, most of which is in Dahomey and in the Ivory Coast. Government experts estimate that the annual yield in fruit of these palms is nearly three million tons, but that the natives attempt to exploit, whether for domestic use or for export purposes, only 1,254,000 tons. If the natives actually exploited all the available palms, even using native methods—the export of palm products would increase threefold.[4] This production would be much greater if native methods were improved. It is estimated that to prepare the oil and kernels which French West Africa exports to-day, the work of 160,000 women and children during two months is necessary. Taking account of the time they are obliged to spend on household work, their labors on palm oil extend over a period of six or eight months of the year. Despite the fact that the government is attempting to improve methods of palm production,[5] there is a growing sentiment in favor of European plantations, not only because of inferior native methods, but because of native indolence. Officials have recently made a study of a village on the Niger having a population of 171 inhabitants which in 1922 cultivated an area of one hundred and twelve hectares or .65 hectare per inhabitant—a little more than an acre per family. It was found that the area devoted to foodstuffs—one hundred and three hectares—could produce sixty tons of grain which would furnish each inhabitant with a kilo a day which was all that was needed in the way of food. On the other hand, eight hectares produced five tons of peanuts, which sold at three thousand francs. One hectare produced two hundred and fifty kilos of cotton which sold at four hundred and fifty francs. These two crops together nearly covered the tax and other expenses of the village. The work required of the men to cultivate these crops which supplied this food and paid the taxes was estimated to be fifty days for each man, seven days for each woman, and twenty-five days for each child. The remainder of the year, the people had to themselves.[6]

Even after making allowances for inaccuracies in such an estimate, it is obvious that if natives are to become diligent workers they must

[4] M. Yves Henry, *Palmier à Huile,* Gouvernement Général de l'Afrique Occidentale Française, Paris, 1922, p. 13.

[5] Cf. Vol. II, pp. 40 ff.

[6] Estimate of Dr. Forbes, Bélime, *La Production du Coton en Afrique Occidentale Française,* Paris, 1925, pp. 40-41.

acquire new incentives and new wants which will be best developed by the right kind of educational system. But many French commercial interests are too impatient to await this gradual change, particularly because of the rising "menace" of the palm plantations of the Orient—a "menace" which the British also fear. They assert that the plantations of Malaysia soon will produce twice the amount of oil as all the colonies of West Africa put together.[7] In 1919, an expert made a study of the palm oil situation in French West Africa, comparing it with the development of the Dutch East Indies, and he came to the conclusion that unless radical measures were taken, the African industry would disappear.[8] As a result of this and other suggestions, eleven French commercial enterprises, organized as the Union des Fabricants d'Huille, decided to establish experimental palm plantations in French West Africa.

Doubtless because of the Eastern "menace," the Inspector General of Agriculture in West Africa has advocated the introduction of European palm plantations in the forest areas of the Ivory Coast.[9] Elsewhere he does not believe that land for this work can be found. One indication that the French Government is inclined towards the concession policy may be seen in a decree granting a palm concession of ten thousand hectares to a company in French Guinea in 1926.[10] In view of the system of land tenure in the French colonies, there are few legal obstacles to alienating lands regarded by natives as their own but who hold no titles to European concessionaires.

No conclusive data have been presented to show that Far Eastern competition will drive out native oil production in French West Africa.[11] Before the War, it was believed that Far Eastern plantations would drive out of business Congo oil plantations because of the fact that the Far East contains a plentiful labor supply. In fact, the rubber plantations of Africa were ruined largely by Far Eastern competition. It does not appear, therefore, that the introduction of plantations will in itself meet whatever competition comes out of the Orient because of the scarcity and relative inefficiency of African labor. If the Far Eastern plantations succeed in killing off the African industry, the ultimate loss will be much greater if plantations must close down in addition to or instead of small native farms which have no overhead to lose.

[7] Yves Henry, *cited*, p. 21.

[8] "Essais de culture européenne de l'Arachide au Sénégal," *Bulletin des Matières Grasses*, Marseilles, 1924, p. 329.

[9] Yves Henry, *cited*, p. 23. This demand is reiterated by H. Cosnier, *L'Ouest Africain Français, cited*, Paris, 1921, p. 194; and by O. Homberg, "La France dans Cinq Parties du Monde," *Revue des Deux Mondes*, Paris, February 1, 1927, p. 685.

[10] Decree of August 15, 1926, *Journal Officiel*, 1926, p. 831.

[11] Cf. Vol. I, p. 771.

Should, however, the government change its policy in favor of the plantation system, the demand for labor would automatically increase. The present labor policy of the French Government therefore becomes important.[12]

2. *Migratory Labor*

The absence of transportation facilities, making impossible the sale of native produce, has produced the same type of migratory labor in French West Africa as elsewhere on the continent, with the important difference that this labor usually works for native instead of European employers. Thousands of laborers, called navetanes leave the Sudan annually in order to find work harvesting the peanuts of Senegal or of British Gambia, or the cocoa of the Gold Coast. According to some estimates, two hundred thousand French natives have temporarily taken up their residence in British territory.[13] Usually, the navetane leaves his village in the spring and walks sometimes as much as eight hundred kilometers until he comes to a native landowner willing to give him employment. He does not, however, become a wage earner. As a rule, the proprietor rents him land, advances him seed, and feeds and lodges him. In exchange, the navetane agrees to work for the proprietor two or four days out of the week. The remainder of his time he cultivates his own field. In case he works only two days out of the week, he pays to the proprietor ten per cent of the crop which he grows. In the second case, the worker retains his entire production, but returns double the quantity of the seed which he was advanced. A similar system is followed in the production of cocoa in the Gold Coast.

While in theory, a navetane should profit financially from this sojourn, in practice he is subjected to the levies of local chiefs and to taxes of the local administrative officer. Although sometimes he stays away longer, usually the navetane returns home by the end of the year. He does not return until he has acquired the sum the acquisition of which led him to leave his home—usually five hundred francs to "buy" a wife. But even

[12] French West Africa had an experience with Chinese labor similar to that of the Belgian Congo. In 1881, one hundred and eighty-three Chinese masons, carpenters, etc., were imported into the colony. In 1883, a Franco-Chinese corporation was organized to promote Asiatic emigration. Chinese were at one time employed on the Dakar-Saint Louis Railway but without success and were soon replaced by laborers from Piedmont. In 1899, another attempt to import Chinese labor was made. It appears that these Chinese came from Indo-China. As most of them died from disease, the experiment was regarded as tragic and has not been repeated in recent years. G. Deherme, *L'Afrique Occidentale Française,* Paris, 1908, p. 265. Similar experiments have been made in Equatorial Africa, cf. Vol. II, p. 259.

[13] E. Bélime, *cited,* p. 248

if he leaves his place of employment with this sum, he must submit to exactions of villagers on the way home to such an extent that he usually arrives with only a small part of his original fortune. While it appears that a native prefers to work for another native under this system, rather than for a white man, the system presents obvious drawbacks. The development of local agriculture and transport will eliminate the necessity for this kind of emigration.

3. *Government Recruiting*

In the past, a large number of trading, transport, and agricultural firms in West Africa have relied upon the government for labor. It is customary for the administration to furnish commercial houses with laborers to unload the ships which come up the river to Kaolack in Senegal.[14]

The administration also requires each district in the vicinity to furnish a regular number of men to the Compagnie des Cultures Tropicales en Afrique—an agricultural concern.[15] In reply to a frantic request from the Compagnie des Mines de la Falême that if labor was not forthcoming, it would be obliged to close down, Governor-General Merlin telegraphed to the Lieutenant-Governor at Bamako: "In order to evade stop in exploitation mines Falême, I ask you immediately to lend all your assistance to this enterprise to facilitate it in the recruitment of the necessary labor. Render account to me of the action taken."[16]

Several years ago a French merchant whose labor supply was injured by government recruiting for larger enterprises, telegraphed a protest to the Minister of Colonies. In reply, the Governor of the Sudan said that whether in "recruiting laborers destined either to public services or to private agricultural enterprises," the special conditions of the *cercle* were always considered. Thus he did not deny that such recruiting took place.[17]

In 1925,[18] the same official telegraphed that "on my instructions the Delegate at Kayes had furnished commercial or transport firms all the labor they asked for, or more than seven hundred. The complaints of the Messageries Africaines are therefore absolutely unjustified. If this society

[14] *Conseil Colonial,* October, 1923, p. 49.
[15] *Procès-Verbaux,* Conseil des Notables, Cercle de Tambacounda, October 16, 1925.
[16] M. Merlin is now the French member on the Mandates Commission.
[17] "Je crois devoir ajouter que pour le recrutement des travailleurs destinés soit aux services publics, soit aux enterprises agricoles privées, il a toujours été tenu le plus grand compte" etc. Later he wrote: "J'avais été amené à envisager une amélioration des conditions faites aux travailleurs fournis aux planteurs avec l'aide administrative."
[18] Telegram of August 29, 1925.

does not have sufficient labor, it is because it has not asked for it, or has not asked for it soon enough." [19]

The labor system employed on the European cotton plantations of the Sudan has been described by an official writer as follows:

"On December 31, 1923, the number of agricultural workers employed by the Compagnie de Culture Cotonnière, in its plantation at Dire, reached about two thousand, of which one thousand was furnished by administrative recruiting. . . ." The system of recruiting remains what it was during the military occupation; it is the system followed to carry out important public works—the system of requisition. This is defensible when it is a question of providing labor for public works . . . but for a work of agricultural plantations, it is an absurd system which is only justified by custom and also by the brutal fact that it alone until now has given results.

"The conscript is designated by the village chief, which means that he is always recruited from the least desirable element of the population. Ordinarily, he is a former slave or a son of a slave. He does not know where he is sent nor what will be his new condition. Having only a vague notion of the passage of time, the length of his employment will seem to him interminable. If he is a bachelor, he knows that he will return to his village without having saved anything, with the result that the long exile will be a waste of time for him; and if he is married—and the case is frequent—he will be anxious about the welfare of his family. His morale is also very bad. Many conscripted laborers die from simple neurasthenia. Their food upon public and private works is, however, better than what they receive in their villages. The plantations of the Compagnie de Culture Cotonnière du Niger enjoy, moreover, an excellent reputation in this respect. As to the regular and assiduous work which must be carried out, the lack of enthusiasm to serve under European employment is many times due to the constant restrictions imposed upon the native. It is because of the semi-liberty which the 'navetane' enjoys in Senegal that the Sudanese makes a periodic exit in the groundnut season. . . . His state of spirit would be very different if, once his period of employment is terminated, he would receive at his 'liberation' a sum sufficient to permit him to carry out the projects which usually led him to emigrate. On the one hand, conscription strikes blindly; on the other, labor on European plantations yields only an insufficient return which the

[19] "Sur mes instructions délégué Kayes a fourni maisons commerce ou transporteurs tous manoeuvre demandé, soit plus de 700. Réclamation Messafric est donc absolument injustifiés. Si cette société n'a pas eu de main d'oeuvre suffisante c'est qu'elle ne les a pas demandés ou ne les a pas demandés en temps utile." On September 8, 1923, a merchant at Kayes also protested to the government against administrative recruiting, as a result of which natives were emigrating to other colonies where they could feel free.

stores tenaciously consume. Consequently, it is natural that the present system of recruiting labor does not enjoy any popularity. It is, in fact, the ancient Egyptian corvée which existed from the Pharaohs down until the English occupation, and which it was necessary to suppress." [20]

Another French writer describes the existing labor system in French West Africa as follows: "So far one may say generally that the labor which we have employed in West Africa is only the product of force. It is the corvée, the ancient corvée with all its unpopularity and, to speak frankly, with the cortège of injustice of all kinds with which it is fatally accompanied. . . . One may say that the system employed by administration prestations, whether the end is for private or public purposes, is truly deplorable." [21]

While government recruiting for private purposes in French Africa thus takes place, perhaps an exception should be made, temporarily, for the Upper Volta. The annual report for 1923 says that while private recruiting may take place, "the Administration of this colony is unable to exercise pressure to favor the engagement of labor for firms in the Ivory Coast," because of the emigration of natives to the Gold Coast which would be increased by such recruiting, and because of the heavy demands made upon Upper Volta labor in the past. The report implies that in the absence of these factors, government recruiting would take place.[22]

Dissatisfied with the recruiting efforts of the government of West Africa, and inspired by the example of military conscription, the Chamber of Commerce of Bamako prepared a memorandum [23] demanding the creation of a labor army. Before being forced into such an army, the natives should be given the opportunity of signing five or ten year labor contracts either with the government or private employers. Commenting upon this plan, the Lieutenant-Governor of the Sudan premised his conclusions by saying: "Our regard for individual liberty cannot admit the idea of compulsory labor. But it is certain that our African population can and should contribute to the development of their country and furnish France with the raw materials of which she has such a pressing need." He stated that the present economic war was as harsh as the World War, the winning of which was a vital question for France. He therefore proposed that the "second portion" of men called in the military conscription [24] and who now are exempt from service, should be put into a labor corps for a period of three years where they could be at the disposition either of the govern-

[20] E. Bélime, *cited*, p. 254.

[21] General Hélo, *La Colonisation et la Main-d'Oeuvre au Soudan et Haute-Volta*, Paris, 1925, p. 19.

[22] Cf. Vol. I, p. 260, for the limits imposed upon recruiting in French Equatorial Africa.

[23] June 21, 1920.

[24] Cf. Vol. II, p. 11.

ment or private individuals. An additional advantage of this scheme would be that teachers could teach these men "some elements of French." If the natives were allowed to choose, the Governor believed they would nearly all prefer to enter a labor army where they could work near their homes than military service, which meant service overseas. If they had this opportunity, the stream of emigration to Gambia, the Gold Coast, and Nigeria could be stopped. The Governor estimated that such a plan would furnish French West Africa with some forty or forty-five thousand laborers a year.[25] The French government finally accepted in a modified form the labor army idea of the governor of Sudan in a decree of June 3, 1926, relating to Madagascar and of October, 1926, relating to West Africa. These decrees provide that the men in the second contingent may be convoked to "participate in the execution of general works, necessary to the economic development of the Colony." In the report accompanying the Madagascar decree, the Minister of Colonies argued that this work would do the natives good.[26] Presumably this labor will not be used for private enterprise.

In 1926,[27] the government established in each colony of West Africa a labor office "whose mission shall be to facilitate the relations between employers and native workers," and to carry on "propaganda appropriate to satisfy the needs of commercial, industrial and agricultural enterprises."[28] Only those employers who accept the obligations imposed in the labor contracts recommended by the government may benefit from the "intervention" of these offices. Each office will draw up an inventory of the labor resources of the colony and insure a "judicious division of labor" among employers.[29] The Governor-General declared to the Council of Government[30] that these offices would centralize the demand and supply and facilitate "a convenient division of available labor in accordance with the needs of colonization." Apparently it is the intention to place the recruiting of labor in the hands of these government bureaux.

4. *The Protection of Labor*

Before 1926, no legislation of an effective character protected labor in French West Africa. In some parts of this territory, conditions were distinctly bad, especially among the natives working for the fisheries off St. Etienne in Mauretania and the forest concessions in the Ivory Coast.

[25] Ex-Governor Angoulvant advocates compulsory labor also, *Le Monde Colonial Illustré,* February, 1924, p. 98.

[26] Cf. Vol. II, p. 186.

[27] Cf. Decree of October 22, 1925.

[28] Chapter I, Arrêté of March 29, 1926. Réglementation du Travail Indigène.

[29] Cf. Instructions of March 29, 1926.

[30] *Discours, à l'Ouverture de la Session du Conseil de Gouvernement,* 1924, p. 28.

The Governor of the Ivory Coast declared in a recent report: "There is, however, a black side to the picture. This concerns the companies exploiting the forests. Laborers sign contracts for four months during which time they are absent from their homes. Many of them never return, and some villages do not have sufficient men to fight the encroachment of the forest and to make gardens. . . . Their problem is acute." We cannot ruin a flourishing industry, necessary for the home country (Métropole); but on the other hand, the recruiting of laborers necessary to the exploitation of these operations is a grave cause of social disorganization and also of economic disorder." In a circular to the Commandants, he declared that the administrators in the interior had frequently brought to his attention complaints of notables in regard to the exodus of young men and adolescents, many of whom escape from their villages under different pretexts and take refuge in the European centers where they may enjoy complete liberty. "On the contrary, administrators on the coast complain at the conduct of the floating population in the cities."

About thirty per cent of the fifteen thousand or twenty thousand laborers employed in the forest industry on the Ivory Coast desert after being recruited—a condition which seems to show that compulsion exists and that the system is costly to the employer.[31]

In an effort to protect native labor, the government enacted a labor decree of October 22, 1925, which provides that labor contracts cannot be for longer than two years. They must be viséed by the administrator. If an employer wishes to make a written contract with his labor, he must submit to a certain number of obligations, defined by the *arrêté* of March 29, 1926, such as a weekly day of rest, two hours' rest at noon, a minimum wage, a maximum number of hours per day, a stipulated number of days of sick-leave to which an employee is entitled with pay, wages for over-time, compensation for death, a fixed rate of advances as well as of deferred pay and amount of deposits to be paid by the employer to guarantee repatriation, as prescribed by the government regulations in each colony. In addition to his salary, a contract laborer must be provided with daily rations. Women employees are entitled to eight weeks' leave and half pay at child birth. Laborers must be housed according to Administration requirements. The employer is obliged to furnish free medicines, and also a doctor when a certain number—fixed by the Lieutenant-Governor of each colony—is employed.

In order to encourage saving and to give the laborer an incentive to return home, the Governor-General may authorize the monthly retention

[31] Leon Archimbaud, *Rapport, Budget Général de l'Exercice, 1925, Ministère des Colonies,* Chambre des Députés, No. 518, p. 311.

of part of the laborer's wage. The employer employs this deferred pay in the purchase of stamps called *timbre-pecules,* which are pasted in the employee's *livret,* or booklet, which he must carry. On returning to their homes, natives may redeem these stamps through agents of the treasury in which department a *pecule* account is opened. This method of deferred pay seems to be unique.

The value of this decree can be determined only after the *arrêtés* defining the precise obligations of employers are enacted. These obligations apply merely to those who wish contract as opposed to casual labor, and who wish to secure labor from the labor offices.

Apparently the earliest regulations were issued in regard to a *cercle* in Mauretania which prescribed a minimum age of twelve, a ten-hour day, and two hours' rest at noon.[32] Sundays, the Fourteenth of July, and three native holidays must be observed. A native who becomes sick is entitled to one-half of his wage for ten days if his contract is for six months, or for thirty days if it is for one year. If engaged by the day, he is entitled to three days' half pay for serious illness. The employer, however, may terminate the contract after a worker is sick for thirty days in any quarter. The minimum wage for adults is fixed at two francs a day, and for women and children at one and a half francs. Advances cannot exceed one month's wage, and deferred pay is limited to one-tenth of the monthly salary. For every extra hour, a worker is entitled to one-tenth the salary of a normal day, which means that he does not receive any more than the ordinary wage. In case of death from natural causes, fifteen days' pay is paid to the family. If death results from accident, two months' salary and an indemnity is paid. The employer must furnish every worker with a blanket and must provide a doctor in case he employs more than two hundred men, or a dispenser in case he employs between one and two hundred men. A *Conseil d'Arbitrage* is established to settle disputes between employers and employees.[33]

These provisions are not very liberal in regard to overtime work or to the length of the working day, or in regard to accident compensation. These minimum wage provisions do not mean, moreover, a great deal, inasmuch as they are lower than the ordinary market wage. The *arrêté* is silent in regard to the fundamental matter of rations. In other respects, the regulations are of value.

Absence from work, under the general *arrêté* of March 29, 1926, may be legitimate if for sickness, etc., or illegitimate, if for desertion. The

[32] In case of urgency, this period may be increased to twelve hours, subject to overtime pay.

[33] *Arrêté* of November 6, 1926; *Journal Officiel,* December 11, 1926, p. 1069.

latter case may be punished by a deduction in pay, decided by the Council of Arbitration hereafter discussed. If such absence exceeds a period named by the administration, the employer may secure damages against the employee from the Council of Arbitration, or the Council may impose other sanctions, including imprisonment.[34]

In each district, a Council of Arbitration is to be created for the purpose of trying civil disputes between employers and native employees. The Commandant or another functionary is president, and he is assisted by two unpaid assessors, a European and a native, the latter preferably chosen from among the assessors on the native tribunals.[35] Either the employer or the employee may make a complaint in regard to labor matters to this Council, verbally or in writing, stating clearly the object of the complaint. Within a week, the president must cite the parties to appear. The defendant may respond by "mémoire." No fees are charged. When the damages awarded by the Council do not exceed five hundred francs, the decision is final; when they exceed this sum, an appeal may be taken to the Tribunal of First Instance. If a party does not obey a judgment, the Council may, at the request of the opposite party, order imprisonment for one month. Thus if a deserter does not pay his fine, he may be confined—a mid-way solution between the civil and penal sanctions in labor contracts. The penal sanction is to be imposed, therefore, only exceptionally and in each case the president of the Council of Arbitration must transmit the papers to the Parquet. In a circular, the Governor-General declared that if the exercise of this power should be abused, he would suppress it without hesitation. The French have imposed greater restrictions upon the "penal" sanction than either the British or the Belgians.

While civil offenses go to these Councils of Arbitration, criminal offenses go to the French tribunals, unless the employer (and not the employee) consents to trial by the local native tribunal, presided over by the Commandant.[36] It is difficult, however, under the law to distinguish a civil from a criminal case, and what the penalties in the case of crimes are. Moreover, all of these obligations as to treatment of labor do not apply to employers who do not wish to enter into the labor contracts viséed by the administration.

No provision is made for the enforcement of labor legislation by special labor inspectors, such as exist in Kenya, the Belgian Congo, and on the Nigeria and Gold Coast mines. These duties fall upon the inspectors of administrative affairs, the heads of the medical service, and the administrators. If disagreements arise between the inspectors and a party, the

[34] Arts. 11-14. [35] Arts. 12-26, Decree of March 29, 1926. Cf. Vol. I, p. 1012.
[36] Cf. Vol. I, p. 1002.

dispute goes to the Council of Arbitration. Infractions of the decree are punished by fines from one to fifteen francs or by imprisonment for from one to five days. Because of the failure to provide real inspection machinery, and for other reasons mentioned above, this labor legislation will not, probably, be entirely effective.

5. *Native Strikes*

While the industrialization of French West Africa has not reached the point where native labor unions have been formed, strikes and other manifestations of discontent have, nevertheless, occurred, notably on the Thiès-Niger railway. Two such incidents in which European and native employees both joined, occurred in 1925 and led to increases in pay. At the end of the year, a more serious incident, termed a "rebellion," occurred among the Bambara people working for the railway. According to a government report, the head of the service was accustomed to strike the lazy and negligent workers with a riding whip. This method of chastisement did not lead to protests; but when the European overlord tied three Bambaras to a stake—men whom he thought were agitators—the "false rumor" spread that the leaders had been killed, and the camp fell into panic. Calm was only established as a result of the intervention of a detachment of *tirailleurs* led by the manager who also happened to be an officer in the colonial troops. The government ordered the director of the railway to investigate and to submit proposals to prevent the return of such incidents "in the future." Incidents such as these are not confined to French West Africa. The continent is so vast and white men are so isolated from authority that dozens of such occasions must take place which never reach the ears of the outside world.

CHAPTER 66

NATIVE WELFARE

1. *Health and Population*

WITH the exception of sleeping sickness, French West Africa is subject to the same diseases and to the same environmental conditions which have led to the stagnation of population throughout the rest of the continent, and which has made the population of West Africa, having a density of 8.5 per square mile, one of the lowest on the continent. This population is sparse partly because of the wide expanse of desert, partly because of disease, and partly because of lack of nourishment.

It is impossible to state accurately whether or not the population of West Africa is definitely increasing or decreasing, since no accurate censuses have been taken. Some interesting figures may be gathered from the registers kept of births and deaths in the two cities of Saint Louis and of Dakar.

Saint Louis has a more or less permanent population who regard the city as their home. This may explain why the population has been steadily increasing at the rate of about four hundred more births than deaths a year.

In Dakar, on the other hand, one finds a population which is less stable and which consequently has a birth rate which is in most years less than the death rate. The figures follow:

POPULATION OF DAKAR, 1920-1925.

Year	Population	Births per 1000	Deaths per 1000
1920	25,000	42.2	46.4
1921	26,170	34	34
1922	29,625	35.2	35.1
1923	34,000	31.3	27.4
1924	34,000	30	27.3
1925	34,000	31.08	32.79

These figures do not, of course, indicate the mortality in the villages in the country.

In a circular of March 15, 1924, the Governor-General declared that the greatest obstacle to the increase of population was not disease nor the lack of hygiene, but the permanent food shortage which prevails. In an effort to combat this want, the government has followed the example of Java in adopting a "policy of nourishment."[1] It has established Cooperative Societies, and has obliged the natives to cultivate food crops and to create grain reserves. In the Sudan, the government requires the natives to maintain reserves having two hundred kilograms of millet or one hundred kilograms of rice for each adult inhabitant. These reserves, which are merely a development of the traditional family reserves, are drawn upon for seed at the time of planting or for food in time of scarcity.

By such means, periods of scarcity have been tided over and the people saved from famine, notably in 1920. The government is also encouraging the development of fisheries as a new source of food.

2. *Medical Service*

In order to provide for the needs of the European and native population, French West Africa has a medical service of one hundred and thirty-three doctors.[2] About half are military doctors, belonging to the Colonial Troops, who are assigned for duty with the civil administration. The remainder belong to the ordinary civil *cadres.* The number in the medical service is now being increased to one hundred and sixty-five.[3] Before the War, the total number of doctors in the establishment was one hundred and ten. There will shortly be one European doctor for every seventy-two thousand people. In 1924, a total of 13,523 persons were admitted in the hospitals in West Africa, for a total of 346,540 days, while 391,940 persons were treated in dispensaries for a total of 2,213,484 consultations. In the same year, 1,617,508 vaccinations were given. In 1925 the medical service gave 3,369,585 medical consultations.[4]

The French administration has taken into the Service of Medical Assistance a number of Russian doctors, giving them a special status in

[1] Cf. Circulaire au sujet des cultures vivrieres," *Journal Officiel,* 1924, p. 631. In 1925 a Report was presented by Drs. Calmette and Roubaud to the French Academy of Colonial Sciences, on the question of Under-nourishment of the natives in the French possessions, as a result of which the Academy adopted a number of resolutions, stating that to remedy this condition which was fundamental to the birth and death rate, it was "absolutely necessary" to develop foodcrops, and resources in fisheries and livestock, and to follow a rational policy of education and reconstruction of our native races. *Annales de Médecine et de Pharmacie Coloniales,* Vol. 23 (1925), p. 372. This report was made the object of Instructions of the Minister of Colonies relating to the "Étude Hygiénique de la Ration Alimentaire des Populations Indigènes," *Ibid.,* p. 391.

[2] Cf. Vol. II, p. 190.

[3] Cf. *Discours,* Conseil du Gouvernement, *Journal Officiel,* December, 1926, p. 1029.

[4] *Discours* par M. J. Carde, Conseil de Gouvernement, 1926, *cited,* p. 1027.

order to conform to the regulations, and has thus helped to relieve the shortage of French physicians. The employment of Hindu doctors is now being proposed.

In his address to the Council of Government in 1926, M. Carde declared that except for the district of Dakar which maintains two large hospitals, the medical appropriations of each colony should not exceed 12 per cent of the total budget. In 1925, ten per cent of the expenditures of Guinea and the Ivory Coast went to medical work.

Appropriations in the central budget for medical assistance have increased from 7,977,970 francs in 1923 to 18,768,500 francs in 1926—an increase of 150 per cent.[5]

When French West Africa recruits its quota of one hundred and sixty-five doctors, it will have fifty more doctors than Nigeria—a territory having six million more people than French West Africa. The admissions to hospitals in French West Africa are considerably less than admissions in Nigeria; but the number of persons treated in dispensaries (outpatients) is more than twice as large. Compared with the Gold Coast, French West Africa lags behind, taking differences of population into consideration.[6] Per capita expenditures on medical work in French West Africa are less than half of what they are in British West Africa.[7]

France's medical task is particularly difficult because of the epidemics, such as plague in Senegal, yellow and recurrent fever in the Upper Volta and the Niger, cerebro-spinal fever in the Niger, and smallpox in Dahomey. In Senegal, 1373 people died from plague in 1924. In French West Africa, it is believed by the French Minister of Colonies that fifty-five per cent of the total population has venereal disease. There is also a great deal of leprosy, not to speak of malaria. Sleeping sickness in Equatorial Africa [8] and recurrent fever are the two most difficult diseases which the French have to combat.[9] Alcoholism has had a harmful effect upon the native races, while infant mortality and abortions are high because native mothers lack the most elementary knowledge by hygiene.

The French Government realizes that it will never be possible to secure a sufficient number of European doctors to provide for native needs. Consequently, it has begun to train native personnel, in what is, except for the Uganda school, the most impressive medical school in Africa.

[5] Cf. Vol. I, p. 936. [6] Cf. the table, Vol. II, p. 889.

[7] The expenditures on medical and other welfare work in each French colony are shown on p. 208.

[8] Cf. Vol. II, p. 263.

[9] Cf. Circular of December 30, 1924. *Ministère des Colonies.* Cf. Dr. Spire, "Historique des Différentes Épidémies de Fièvre Jaune au Dahomey," *Annales de Médecine et Pharmacie Coloniales,* Vol. 19, 1921, p. 335, and "Note sur L'Épidémie de Peste au Sénégal en 1914," *ibid.,* p. 38.

3. *The Dakar Medical School*

This school for native auxiliary doctors, opened in 1918,[10] is located at Dakar, and is operated in connection with the native hospital. The buildings contain a number of well equipped class rooms, each having its charts and models used in medical instruction. A common room where students may read is also provided.

This school, which is based upon French experience with similar schools in Madagascar and Indo-China, is divided into medical, veterinary, pharmaceutical, and obstetrical sections.[11] Most of the teachers are doctors connected with the native hospital. The veterinary section is located at Bamako. The school is equipped with chemical and physiological laboratories, and with anatomical and dissecting rooms. The students are chosen by competitive examination from among the graduates of the William Ponty School at Gorée. Most of the students therefore, have about eight years' education before they come to the medical school. The term at Dakar is four years for the native doctors and three years for the native midwives, veterinary students and pharmacists. All students must have a knowledge of French, but none of them are required to know or to learn any Latin.

In the first year, the medical students begin as clerks and dressers. From the beginning, emphasis is placed upon practical work. The students put in three hours and a quarter a day at the hospital, and the rest of the time except for recreation in study or classes. In addition to regular hospital work, each student receives three months' laboratory work at the *Institut Pasteur*. In the second year, the time allotted to the study of anatomy is increased, while physics, chemistry, and the elements of other sciences are studied.[12] Between 1922 and 1926, the school graduated about fifty auxiliaries and sixty-two midwives. Many midwives marry the native doctors. A British doctor declared that the results of the teaching of this school were "brilliant where the students of medicine and midwivery are concerned."[13]

In order to hold the students, the government provides them with board, lodging, clothing, tuition, and even pocket money amounting to sixty francs a year. These charges fall upon the general budget of the Federation, but the traveling expenses of the students are borne by the budgets of the

[10] Cf. the decree of January 14, 1918, *Journal Officiel, cited,* 1918, p. 56.

[11] Cf. *arrêté* of May 1, 1924, *Ibid.,* 1924, p. 366.

[12] The full program of the instruction is given in an appendix at the end of this chapter.

[13] Dr. J. M. O'Brien, *An Account of the School for the Training of Africans in Medicine and Surgery,* Accra, p. 31.

colonies from which they come. Upon completing their studies, they return to their homes where they may earn as auxiliary doctors or midwives a total of six or seven thousand francs a year, and even more. It is customary for the government to ask the student to sign a contract agreeing to serve the state for ten years following graduation.

Graduates of these schools are usually placed in charge of dispensaries out in the country, under the supervision of European medical officers, who are supposed to inspect them once a month or oftener. Native midwives are similarly put in charge of maternity centers.

The plan is eventually to have a medical district to correspond with each of the one hundred and fourteen administrative districts in West Africa. Each medical district will have a native hospital in charge of a European doctor. The doctor will spend part of his time inspecting native dispensaries, during which time the hospital will be left with a native auxiliary doctor—a graduate of the Dakar School. The district will be divided up into subdivisions, each of which will have a dispensary and a maternity center in charge of native auxiliaries and midwives. Under these auxiliaries, two types of native *infirmiers,* the sanitary *infirmier* and the woman visitor, who are trained at the capital of each colony and who do not need to have any scientific knowledge, will be placed. The sanitary *infirmier* will travel about the subdivision looking for epidemics and reporting their existence to the native auxiliary in charge of the dispensary. At Bamako, the French have organized a permanent sanitary squad of native guards who in 1925 served more than seven thousand summonses (*procès-verbaux*) for violations of sanitary rules such as the forbidding of stagnant water. Women visitors will visit native women in their villages giving them instruction in the care of children; but they will not assist at child-birth, as this work will be left to the licensed native midwives. It is planned to organize itinerant medical corps equipped with ordinary medicine, serums, and light disinfectants.

So far, the work of these native auxiliaries and midwives has justified the experiment. According to the Medical Report of 1924, "Up to the present, without giving satisfaction in every case . . . the Auxiliary Doctors have for the most part won the esteem of their superiors for the work which they have performed and the conscientiousness with which they have carried out their duties. They have sometimes with justice been reproached with attempting to escape certain daily needs or duties which they consider as belonging entirely to the *infirmiers*. . . .

"The midwives are of a more flexible character and are unquestionably more devoted than the Auxiliary Doctors. . . ." In Dahomey, the native midwives performed seven hundred *accouchements* in 1924. Some midwives have a tendency to stay in a maternity center instead of going out into the villages. Especially in the Sudan, the maternity centers have not been entirely successful because of the conservatism of the native women who prefer to have their children born at home, and out of sight of men. At Bamako in 1924, the midwives performed one hundred and thirteen *accouchements* in native homes as against three in the maternity center. It is all the more important, therefore, for the midwives to go into the homes of the natives.[14]

While this work is under the general supervision of a Chief of Sanitary Services at Dakar, a Chief Medical Officer in each colony supervises the medical officers in charge of the different sanitary districts. The work of these European doctors should, according to the Minister of Colonies, be primarily one of supervision of native personnel who "represent the elements of execution which are essential" for the health of the native population. "Having affinities of language or speaking the same dialect, knowing the mentality, prejudices, and traditions of the natives, the native assistant represents the best means of penetration and of persuasion, and it is chiefly by them that the native races should learn to fight epidemics and social disease." The ideals and organizations of the French African medical service may be observed from the circular printed in the Appendix.[15]

Already as a result of the activities of the French medical service, smallpox has nearly disappeared, and plague, yellow fever, and recurrent fever are in decline. In Equatorial Africa, the medical service is making strenuous efforts to combat sleeping sickness, and with increased activity, no doubt progress will be made.[16] The French medical service is making more determined efforts to train native personnel, and is paying much more attention to maternity work than the British service. The French medical service stresses preventive work and looks at the problem of human health more from a social than a technical point of view.

4. *Native Agriculture*

Except for the concession system in Equatorial Africa, the French have not followed the policy of the British in East Africa or of the Belgians in introducing large European plantations.[17] But they have emphasized production by native farmers. Each colony has an agricultural and veterinary service which maintains experimental farms and instructs natives, with the aid of native personnel, in agricultural methods.

[14] The devotion and tact of some of these midwives are portrayed in a number of interesting letters printed in "Les Sages-Femmes Auxiliares de L'Afrique Occidentale Française," by Mme. Nogue, in the *Bulletin du Comité d'Études Historiques et Scientifiques de l'Afrique Occidentale Française*, 1923, pp. 451 ff.

[15] Cf. Appendix XXVIII. [16] Cf. Vol. II, p. 263. [17] Cf. Chaps. 19, 87.

The government has made an especially serious effort to introduce the use of ploughs in French Guinea. The number of such ploughs increased from twelve in 1918 to four hundred in 1924, and the areas cultivated by this means increased from forty hectares to 1768 hectares during the same period. The government holds an annual ploughing festival at which prizes are awarded.[18] It is establishing twenty farm schools in various parts of the territory.

The number of officials in the various services for the promotion of this aspect of native life is as follows:

NUMBER OF OFFICERS IN THE AGRICULTURAL, VETERINARY, AND FORESTRY DEPARTMENTS OF FRENCH WEST AFRICA

	Agriculture	Veterinary	Forestry
General Government	3	—	—
District of Dakar	7	—	—
Senegal	22	4	—
Guinea	7	3	1
Ivory Coast	11	1	3
Dahomey	7	1	1
Sudan	15	7	—
Upper Volta	8	2	—
Niger	2	1	—
Mauretania	2	—	—
	84	19	5

While the quota of agricultural officers is large in comparison with other territories, the number of veterinary and forestry officers is extremely small.

By far the most important export of West Africa is what the French call *arachides,* what the English call groundnuts, and what the Americans call peanuts. This crop is grown by a native family on an area which does not exceed three acres (a hectare and a half). The land is scraped three or four inches with a kind of hoe. About forty or fifty kilos of seed per hectare are necessary, which produce a yield ranging from five hundred to thirteen hundred kilos an acre. French agricultural officers state that the average yield per hectare of seven hundred kilos, which is low, has been decreasing, and that the commercial content of the oil pressed from this nut is two per cent less to-day than twenty years ago.[19] The cause of this

[18] Léon Archimbaud, *Rapport, Budget General,* 1925, Ministère des Colonies, Chambre des Députés, No. 518, p. 305.

[19] Yves Henry, *L'Amélioration de la Culture de l'Arachide,* Paris, 1922, p. 82. Fearing the competition of the United States in peanut production, the government of French West Africa sent an agricultural officer to study the crop as grown in the United States. His report is printed in the same brochure, P. Ammann, *Mission d'études aux États-Unis.*

situation is the progressive exhaustion of the soil arising out of continuous cultivation, poor seed, and insufficient labor. The native is obliged to grow millet on the soil during the same year. The necessity of growing this crop for food makes it difficult for natives to allow peanut land to lie fallow. Fertilizing is the solution, but it is difficult to get the natives to adopt it.

The government has already taken steps to remedy this situation by improving the quality of seed which it distributes through the *Sociétés de Prévoyance,* and by introducing ploughs. It is carrying on various tests at different government experiment stations. Partly as a result of these efforts, the yield of groundnuts in Senegal increased from 320,000 tons in 1924, to 453,000 tons in 1925.

The second most important agricultural product is palm oil and kernels, which are found in lower Dahomey, and in the forest zone of the Ivory Coast as well as in Togo.[20] Apart from these two products, and several others, the agricultural exports of French West Africa are negligible; and the government has realized that if the native is to become enriched and the mother country benefited, other resources must be found.

5. *Cotton*

Ever since 1903, the French officials have experimented with the growth of cotton in the Sudan. But it has been only since the conclusion of the Thiès-Niger railway, which has made the export of cotton feasible, that these efforts have been made in earnest. Moreover, in the past, the native has produced cotton only for domestic use because the profits from peanuts have been so much greater. But the government believes that by improving the seed and methods of cultivation, cotton returns may be increased.

In order to increase cotton production, the use of compulsory methods such as have been employed in Uganda and the Belgian Congo have been proposed.[21] But in a circular, Governor-General Carde declared that the least that could be said of this legislation was that it would not work, because "it conflicts with our ideas of individual liberty, and also because of reasons of a geographic order which are too often overlooked." He goes on to say, "The Sudan is not an island!" If compulsion were imposed, the natives would simply emigrate, as they had done in the past.[22]

While the government is encouraging native cotton production along "dry farming lines," it believes that the yield from non-irrigated land is

[20] Cf. Vol. II, p. 350. [21] Cf. Vol. I, p. 617, Vol. II, p. 500.

[22] He apparently refers to the results of conscription employed during the War. Cf. Circular of March 15, 1924, *Journal Officiel* 1924, p. 169.

unduly small. Consequently, in 1919 it created an irrigation section in the Department of Public Works to develop an irrigation project in the Sudan in connection with the *Compagnie Générale des Colonies*. Engineers are now attempting to harness the Niger for this purpose. The government believes that for the most part irrigated land should be turned over to European plantations, because natives lack the knowledge to utilize irrigated land. These plantations should serve, however, as centers of instruction for native cultivators.

In pursuance of this policy, the government has granted concessions to at least three large plantations,—a policy which has resulted in the system of forced labor elsewhere described.[23] But they produced half of the cotton exported from the country. The establishment of European plantations upon irrigated land is also liable to involve the expropriation of native owners whose rights are inadequately safeguarded by the French land law. Despite these efforts, the exports of cotton from French West Africa in 1925 were only 1,700 tons in comparison with 6,000 tons from Nigeria and 25,000 tons from Uganda. The ginning and marketing of cotton is for the most part in the hands of the Association Cotonnière Coloniale which has about thirteen ginneries in West Africa. The government has one ginnery in Dahomey; while it has installed about a dozen hand ginneries, capable of operation by natives, in different colonies. About twenty-five other ginneries exist throughout the territory.[24]

6. *Animal Husbandry*

The principal resources of the Sudan consist of one and a half million cattle, two and a half million sheep, and 2,200,000 goats, valued at between three hundred and fifty and four hundred million francs. In 1923, about fifty thousand cattle were exported to Nigeria and the Gold Coast, while in the same year, six hundred and fifty-seven tons of skins were exported to France. For many years, the cattle of the Sudan have been subject to severe epidemics. In March, 1922, the government established a laboratory at Bamako to manufacture serum with which native aids could vaccinate cattle. So far, the results have not been very noticeable.

The native goats of the Sudan produce some wool; and for the last twenty years, the government has occupied itself with the problem of improving its quality. For this purpose, it has established herds of Merino goats, in the hope of eventually producing a cross with the native Macina goat. While cattle are the chief concern of the nomadic tribes of the

[23] Cf. Vol. II, p. 27, and E. Bélime, *La Production du Coton en Afrique Occidentale Française*, p. 251.

[24] In order to promote cotton activity, the government has established a "service des textiles." Arrêté of March 6, 1924, *Journal Officiel*, 1924, p. 183.

Sudan and Niger, sheep are of more importance to Senegal which exports about seventeen thousand head annually. Horses are numerous in Senegal except in sleeping sickness areas. In the Ivory Coast, administrative and veterinary officers grant prizes to the proprietors of the best stock as an incentive to improve their quality. Selected breeding stock is also distributed among the villages.

Veterinary work in each colony is now under a Chef de Service appointed by the Lieutenant-Governor.[25] This service combats rinderpest and pleuro-pneumonia which have periodically decimated cattle in the Sudan, Upper Volta, and Guinea, during the last fifteen years. To prevent the spread of disease, veterinary guards maintain a careful export and import control over cattle.[26]

Upon the outbreak of rinderpest (*bovine peste*) among a herd in one of the colonies, the Lieutenant-Governor may declare the territory in the colony infected, and stop communication with outside areas. The animals within the territory are then enumerated and any new cases reported. The quarantine may only be raised forty days after the complete disappearance of the disease.[27] Great epidemics of pleuro-pneumonia and rinderpest took place in the Ivory Coast in 1919 and 1922. But since the establishment of a sanitary control and quarantine upon the entrance of animals into the territory, no epidemic has occurred.[28]

7. *Sociétés de Prévoyance*

In order to encourage natives to help themselves, particularly along agricultural lines, the French Government in West Africa has brought about the establishment of a number of native cooperative societies called *Sociétés de Prévoyance*. First established in West Africa in 1910, their constitutional organization has been changed by a number of decrees. At present, these societies may be established by the Lieutenant-Governor of each colony.[29] The purpose of these societies is to develop a common interest in agriculture, animal husbandry, and the marketing of products, and to aid poor members when afflicted by sickness, accidents, or natural disasters. The purpose is also to make loans available to members, either in kind or in money, for productive purposes, and likewise to provide

[25] *Journal Officiel*, 1924, p. 763. Cf. also F. Malfroy, "La peste bovine en Afrique occidentale française," *Bulletin du Comité d'Études Historiques et Scientifiques de L'Afrique Occidentale Française*, 1925, p. 439.

[26] Cf. P. C. Pierre, *Notice sur les Maladies Epizootiques en Afrique Occidentale*, Dakar, 1921.

[27] *Arrêté* of October 19, 1920, *Journal Officiel*, 1921, p. 789.

[28] "L'Afrique Occidentale Française," special number, *La Vie Technique, Industrielle, Agricole et Coloniale*, p. 62.

[29] Decree of December 5, 1923, *Journal Officiel, cited*, 1924, p. 45.

insurance against accidents or disasters. Only one such society may be created for each administrative district, but it may comprise sections based on territorial or ethnic groups. Membership in these societies is compulsory for all the native farmers in the district. Dues for the support of the society take the form of an additional tax collected by the government.

The administrator of the district is president of the Council.[30] A European, a representative of the treasury, also acts as treasurer. No society can do business until its statutes have been approved by the government. The operation of these societies is placed under the control of a Central Commission of Surveillance while the president of the Council makes an annual report to the Lieutenant-Governor. Every year, the president draws up a budget and a program of work which the society shall perform.[31]

So far, these societies in West Africa have confined themselves for the most part to the construction of wells and grain magazines, to loans of seeds to members, and to the purchase of ploughs and trucks which members may rent from the society more cheaply than from private firms. No attempts at insurance, marketing, or money loans have apparently been made. It appears that every attempt of the societies to operate farms and industrial enterprises of their own has failed. The chief usefulness of the society is to advance seed and tools to native members. Many societies in Senegal, particularly in the District of Kaolack and Diourbal, appear to work successfully. Elsewhere the natives have not yet learned to take advantage of the institution, particularly in the Sudan. In 1926, there were fifteen such societies in Senegal, having a total of one hundred and thirty-eight sections and 1,010,572 members. These societies owned 5,043,-107 kilos of peanut-seed. And they had a net capital (*actif*) of 9,399,880 francs and an "encaisse" of 2,410,326 francs. The most important of these societies, which began in 1910, is at Sine Saloum. It has twenty-one sections and 203,000 members,[32] and a budget in 1926 shows resources of more than five million francs, half of which consists of reimbursements for grain advanced to members in 1925. The society charges 20 per cent interest on the grain which it advances as seed; that is, the grower must repay the amount of grain he borrowed plus 20 per cent. Interest on loans made in kind is estimated to bring two hundred thousand francs.

[30] Before 1924, the president was chosen from a list of three members presented by the Council and presumably a native. Article 5, Decree of July 4, 1919, *ibid.*, 1919, p. 529. The decree of December 5, 1923, provided that the administrator should be president, thus taking it out of native hands.

[31] Article 23, *Arrêté* of July 30, 1919; *ibid.*, 1919, p. 536.

[32] *Journal Officiel du Sénégal*, September 23, 1926, p. 817.

With this sum the society has constructed a large number of store houses and wells. It has expended sixty thousand francs in the purchase of breeding stock and fertilizer, and in establishing demonstration farms. In 1926, it planned to bore thirty-five new wells.

In some cases, communal plantations have been established both under the auspices and also independently of the societies. The profits of such plantations have frequently gone into the pockets of the chiefs who often exacted forced labor from natives to maintain such plantations.

Even under the most advanced of these cooperative societies, the direction of affairs remains with the European administrator. While some natives may undoubtedly learn the value of cooperation, the chief value of these societies is that they provide a convenient means of obtaining increased revenue from the native to be expended for developing native agriculture. From the political standpoint, it would be more helpful if these societies were amalgamated with the councils of notables. This would give the councils some actual administrative work to do.

8. *Agricultural Credit*

In 1926, the Governor-General of West Africa promulgated a decree organizing agricultural credit for natives in West Africa.[33] It provides that the Lieutenant-Governor may establish a loan fund in each district from which members of loan societies may obtain advances for agricultural purposes. The rate of interest cannot be more than one per cent higher than the rate of the Bank of West Africa. A central fund should also be established at the capital of each colony to which advances without interest may be made by the General Government. It also provides for the establishment of native agricultural associations and agricultural syndicates, in addition to the *sociétés de prévoyance,* the members of which may also make use of this fund, which is, of course, under government control. There is thus a maze of organizations which are not likely to be very effective. Nevertheless, the aim of providing the native with a source of credit which will free him from improvidently mortgaging his lands to European bankers or money-lenders is a desirable one. One cannot pass judgment on the success of the efforts of the French Government in this respect until after the decree has been put into effect.

In establishing many of these welfare organizations, the French have drawn upon their European experience, and, following the policy of assimilation, they have assumed that natives will be able to profit from these enterprises as much as Europeans—a view which to the visitor appears

[33] Decree of May 21, 1926, *Journal Officiel de la République française,* May 27, 1926, p. 5885.

naïve. The British, on the other hand, lean far in the other direction in assuming that the native is too primitive to make intelligent use of European cooperative devices, credit, and mechanical agricultural instruments. Somewhere between the two extremes the truth probably lies.

The government has attempted to promote the virtues of thrift by the establishment of a savings bank, the headquarters of which is in Dakar. In each colony, the head of the Postal Service is the head of the bank. The funds are paid into the Dakar treasury which transmits them to the *Dépôt de Consignations* at Paris, which pays the bank four and a half per cent on the deposits. The bank pays the depositor four per cent, thus taking one-half of one per cent as a fee for its services. In French West Africa, this savings bank has forty branches with four thousand depositors, having total deposits of two million francs, or an average of fifty francs per depositor. Deposits of from one to seventy-five hundred francs are received. This bank has thus about the same number of depositors as the government savings bank on the Gold Coast. The natives in French Africa, as elsewhere, have a tendency to draw their money out from the bank a few weeks after depositing it. Many of them do not learn, therefore, how interest accumulates.

9. *Produce Inspection*

The natives of Senegal have adulterated their peanuts as much as the natives of Kano.[34] Likewise, they have been tempted by early season buyers to pull their vines before the nuts are ripe. In order to stop this premature harvesting, the government at first fixed a date before which traders could not purchase peanuts. But upon the protest of a merchant that this restriction was unconstitutional, inasmuch as it violated the principle of commercial liberty, the government withdrew the decree, and to-day the market is free. At the present time, no peanuts may be exported from Senegal without a certificate. Peanuts are inspected at each port by an official of the Chamber of Commerce. A tax of several centimes is imposed upon these exports to compensate the Chamber for its services. The system is said to have worked well; already the percentage of foreign materials in peanuts has been reduced to four per cent, and it is expected that it will be still further reduced to two per cent. The owners of products adulterated beyond a certain figure are liable to punishment.[35] This prin-

[34] Cf. Vol. I, p. 776.

[35] The Decree of January 11, 1924, authorizes the Governor-General to approve the arrêtés of the Lieutenant-Governors defining the conditions under which products may be exported, so as to guarantee their quality. *Journal Officiel,* 1924, p. 112.

ciple of inspection has been extended to palm kernels, and oil, cocoa, and rubber in various colonies in the federation.

By these means the French administration is thus endeavoring to improve the physical and economic basis of existence in West Africa. Its medical work is notable, and its work in promoting native agriculture, while less effective, is gradually increasing production which, as long as the present methods are followed, will benefit the natives as well as the home country. It is not necessary to add that the financial efforts of the local administration in the promotion of native welfare are strictly dependent upon the volume of trade which, directly and indirectly, is the source of revenue.

The French have also made strenuous efforts in the direction of native education which will now be discussed.

CHAPTER 67

EDUCATION

1. *Its History in Senegal*

WHILE the interest of the British Government in education in Africa dates back only a few years, the French concerned themselves with education in Senegal as early as 1816. In that year, the French Government instructed Colonel Schmaltz to encourage the work of Christianity, since "the purity of its morals favors the progress of civilization." At the same time, the Government sent out a primary teacher to the colony. Soon learning that the bulk of the population were Moslems, it decided to curtail its program of evangelization,[1] but it continued its educational efforts. Instruction at this early date was marked by insistence upon the French language. The Governor reported that while the natives learned to read and write the language faultlessly, they did not understand what they read—a criticism which, to a certain extent, is still true. In an effort to improve matters, the instructor decided to employ the Ouolof language.[2] Upon his arrival in Senegal, the Under-Director observed that the Ouolof language prevailed almost exclusively in the colony, and "even the Europeans spoke Ouolof at least as much as French." For the first ten years, little progress had been made in the school at Saint Louis, which was attributed to the fact that the native language was employed in instruction.[3]

In 1829, an Under-Secretary of Colonies declared that it was the duty of the French as colonists to "efface gradually those differences in education, language, and customs which are the sole obstacles to the *rapprochement* and to the fusion of all classes." And the only way to lead to this result was to give the native inhabitants a knowledge and a use of French. In 1844, one of the Catholic abbeys complained that the Ouolof "lacked all the theological words." It was therefore necessary for the natives to learn French.[4] The native language was soon dropped from the curriculum.

Feeling dissatisfied with the results so far achieved, the Minister de-

[1] Georges Hardy, "l'Enseignement au Sénégal de 1817 à 1854," *Bulletin du Comité d'Études Historiques et Scientifiques*, Gorée, 1921, pp. 96, 280, 481.
[2] *Ibid.*, p. 116. [3] *Ibid.*, p. 124. [4] *Ibid.*, p. 329.

cided, in 1837, to enact some educational reforms, the most important of which was cooperation with Catholic congregations. In 1841, two Catholic brothers took the place of the former lay teachers in the schools at Saint Louis. They received a salary from the government of twelve hundred francs a year, which was later increased. While the government was addicted to the idea of giving the natives a European education, the *Préfet apostolique* who inspected the school at this time warned against the policy of copying programs after European schools. He said that local schools should be harmonized with the immediate needs of the population. ". . . To such people, science is not necessary. But they should learn the necessity and the morality of work in order that no one should ignore the fact that labor is a condition of material and moral happiness of man." [5] If they wished to regenerate Senegal, they must fight against the "prejudices of the natives against the manual professions." But the government did not like these ideas. Instead, it established a College at Saint Louis for the purpose of training native priests. But the college did not long survive the assaults of the practical educators who believed that the country needed a type of education more adapted to the practical needs of the people. Agricultural and technical education was soon favored, and in 1850, the college disappeared.

Meanwhile, difficulties arose over religious questions between the Mohammedans and the Catholic teaching brothers. Some of these brothers declined to take Moslems into the school. Natives asserted that they had been forcibly baptized. The home government supported the missionaries in their efforts to extend Catholic propaganda "as long as it is exercised wisely and not without violent or impolitic means," [6] and criticized the local administration for supporting the construction of a mosque at Saint Louis. This attitude in a country dominated by Mohammedanism naturally hindered the progress of secular education.

By 1854, there were four schools having Catholic brothers as teachers, two at Gorée, and two at Saint Louis, having five hundred and ninety students in all [7]—the result of thirty-seven years of effort.

When Faidherbe became Governor in 1857, he opened a lay school which remained the only such school in Senegal until 1903. In occupying the Sudan, Colonel Gallieni created half a dozen schools in towns which he occupied.[8] These schools had for their purpose the initiation of the populations of the Upper Senegal to the French language. Moreover, the French inserted clauses in a number of treaties of protec-

[5] Quoted, *Ibid.*, p. 158. [6] *Ibid.*, p. 307. [7] *Ibid.*, p. 481.

[8] Lieutenant-Colonel Gallieni, *Deux Campagnes au Soudan Français*, Paris, 1891, p. 624.

torates obliging chiefs to establish schools in which the French language would be taught.[9] About 1900, there was a total of about seventy schools in French West Africa, having an enrollment of about twenty-five hundred students. Before 1903, there were no government schools on the Ivory Coast and French Guinea.[10] The schools were directed either by missions or by about a dozen European teachers employed by the government. The administration gave no organized attention to education. But in 1900, after completing the task of pacifying the Sudan and Senegal, the government turned its attention to this problem. As a result of a report of Lieutenant-Governor M. C. Guy of Senegal, the Governor-General issued three *arrêtés* in 1903,[11] which laid down the basis of education. The first of these organized a system of schools. The others dealt with European and native personnel. These regulations remained the basis of education until 1918.[12]

During this time, it appears that a system of complete decentralization was followed in which each colony in the federation was responsible for its schools. But in 1918, a reorganization took place which centralized the school system at Dakar.[13]

At this time it was planned to train at Dakar all native personnel for government services. But experience showed that these regulations went too far in taking away the initiative in educational matters from each colony. To overcome these difficulties, new *arrêtés* were issued in 1921 and 1924 which form the basis of the present French educational system to-day.[14]

2. *The Present School System*

The basis of primary education in French West Africa is the village school which is of two types: (1) the preparatory school; (2) the elementary school. The aim of the preparatory school is to "diffuse spoken French among the mass of the population." The government states: "French should be imposed upon the greatest possible number of natives and serve as the *lingua franca* throughout the whole extent of French West Africa. Its study is made obligatory for future chiefs. . . . It is not admissible that after forty years of occupation, all of the chiefs, without

[9] Cf. Vol. I, p. 916.
[10] G. Deherme, *L'Afrique Occidentale Française*, p. 107.
[11] Cf. *Arrêté* of June 9, 1903, *Recueil*, 1904, p. 413, organizing the teaching personnel.
[12] In 1912, the Service of Education was reorganized by a series of local arrêtés issued by each government to meet local needs. In this year, the school programs called not only for French but also agriculture and hygiene. Cf. the Arrêté of January 2, 1912, *Journal Officiel*, 1912, p. 30.
[13] *Arrêté* of November 1, 1918, *ibid.*, 1918, p. 573.
[14] Cf. Circular of the Governor-General. May 1, 1924, *ibid.*, 1924, p. 309.

exception, with whom we have daily relations, may not enter into direct conversation with us.

"But our contract does not stop with the chief. It penetrates further into the mass. . . . It is, therefore, necessary to expand spoken French. We must be able to find in the most distant village, along with the chief, some natives at least who can understand our language and express themselves in French without academic pretension. With the aid of returning soldiers to the village, this end may be attained easily and rapidly. Preparatory schools must, therefore, be multiplied, as many children as possible be enrolled," and they must be taught French.[15]

The aim is to open a school wherever thirty pupils below the age of eleven can be found. The regulations require that sons of chiefs and of notables must attend. There is only one class and one course—and that is spoken French. It is in charge either of an instructor (*instituteur*) or of a monitor. Several years are supposed to be passed under this instruction.

The best students from the preparatory school, if below the age of thirteen, are sent to the elementary school of which a large number exist in each colony. Among such nomadic peoples as the Moors and the Touaregs, the French have established camp schools, in addition to the Koranic schools which attempt to instruct these fiery people in the French language. According to the Educational Department, the experience of the last six years with these schools has not been encouraging.[16] These schools are nevertheless continued because of their political as well as educational importance.

The third school is the Regional School, which is found at the capital of each district and which has at least three classes and three different instructors: the preparatory, the elementary, and the middle (*moyen*) course. The *moyen* course is really the distinctive feature of the Regional School since the classes below do work similar to the primary schools in the villages. When a student completes the work of the *moyen* course, which lasts two years, and passes an examination, he is given a Certificate of Primary Studies which entitles him to enter the École Primaire Supérieure at the capital. The holders of this certificate have usually been going to school for six years.

The director of the Regional School is in principle a European teacher or *instituteur,* who holds degrees entitling him to teach in France. For a period of twenty years, the French tried the experiment—which the British follow in Tanganyika to-day—of making the director of this central or

[15] Circular of May 1, 1924, *Ibid.*, p. 311.
[16] *Bulletin de l'Enseignement de l'Afrique Occidentale Française,* No. 157, p. 11.

Regional School responsible for inspecting village schools. But the experiment was a failure, and the French have divorced the two duties.[17-18]

The French school system in the colonies is also characterized by the principle of gratuity. In the Sudan, the cost per pupil is almost two hundred and eight francs a year. Even in the boarding schools, the administration furnishes students with instruction, maintenance, and pocket money free of charge. Under such a system, the number of students is necessarily limited, and they are selected, usually, by competitive examinations. In many British colonies and among many mission schools the opposite policy is followed on the ground that the native should be taught to be self-reliant.

The practical advantage of the French principle is that natives have a greater inducement to complete their education than, for example, in Nigeria, where natives leave school as soon as they have learned a little English.

Finally, the best students from the *cours moyen* of the Regional School, not being more than seventeen years of age, may go to an *école primaire supérieure* at the capital of each colony. Here they are divided into two sections; the first section consists of sons of chiefs and others who plan to end their studies at the school. The second section consists of candidates wishing to become teachers and auxiliary doctors, who complete their education at Gorée and Dakar. Finally, a third section consists of natives who wish to become clerks in the local government service and who complete their education in the colony.

Graduates of the *écoles supérieures* in the various colonies in the federation who wish to become teachers or auxiliary doctors enter the École Ponty which was established at Saint Louis in 1903, but later moved to Gorée. While both types of students follow the same course of instruction in the first year, they are divided, in the second year, into two sections, one of which trains natives, in a two-year course, to be teachers, and the other of which prepares them, in a one-year course, for entrance into the Dakar Medical School.

A Superior Council of Education, composed of government officials and government educators, meets once a year at Dakar. It has only advisory powers in regard to the conduct of schools. Since 1913, the Education Department has published a valuable *Bulletin de l'Enseignement.* Educational progress in French West Africa is shown on the next page. The school population of West Africa is about 2,500,000 (one-fifth of the

[17-18] *Ibid.*, p. 12.

EDUCATIONAL PROGRESS, 1903-1925

Year	Number of Schools	Number of Students
1903	70	2,500
1905	180	6,000
1910	260	10,500
1915	270	15,000
1920	280	20,000
1925	370	30,000 [1, 2]

[1] Of whom twenty-five hundred are girls.
[2] Cf. *Exposé des Motifs, Budget Général,* 1926, p. xvii.

In 1924, the detailed situation was as follows:

111 preparatory schools	11,142	students
134 elementary schools	13,017	"
69 regional and urban schools	4,512	"
7 primary and professional schools	620	"
3 schools of the *Gouvernement Général*	263	"

In addition, there were:

7 orphanages for mulattoes	261	"
116 courses for adults	49,943	"
51 mission schools	5,688	"

There are also 5,498 Koranic schools in the country, having a total enrollment of 41,338 Moslems.

total as estimated in Tanganyika). In 1925, therefore, 1.2 per cent of the population of school age was in attendance at school, or one student for every four hundred inhabitants.

Especially because of the dominance of Mohammedanism in French West Africa, the government has done little with the education of girls. But the French are fully alive to the importance of this type of education. They believe with Saint Simon: "Quand on s'adresse à l'homme, c'est l'individu qu'on instruit. Quand on s'adresse à la femme, c'est une école que l'on fonde."

Between 1920 and 1925, the École William Ponty graduated one hundred and fifty-eight native teachers. At the present time, there are about six hundred native teachers in the territory. Twenty-three of these native teachers have been sent on scholarships to the d'Aix en Provence Normal School in France.

There are now one hundred and ninety-six European teachers in French West Africa, belonging to the educational service of the government, of whom one hundred and twenty-five are men and seventy-one are women. Of this number, one hundred and thirty are detached from the educational service in France. The number of European teachers in French West Africa is remarkable compared with that in other territories on the continent. Working at low salaries and with great devotion, these *instituteurs* are secular missionaries of enlightenment. The government recognizes the ardor of their task by granting them ten months' leave out of thirty months' service—in comparison to the officials in other branches of the government, who receive merely six months out of every twenty-four.

3. *The Curriculum*

Before commenting on the results of this educational system, we shall examine the nature of instruction. The school year lasts ten months, and the ordinary schedule calls for thirty hours a week, of which two and a half hours are spent in recreation. In the program of instruction in the preparatory schools, the subject of "Morale" is placed first. This subject is designed to inculcate the principles of good habits, cleanliness, order, politeness, respect, and obedience, etc. The second subject is the French language, which is taught by the direct method and not by translating words from French into the native language and vice versa. A vocabulary is gradually built up by showing the natives an object and telling them its French name, which the children must repeat over and over again. This is followed by elementary reading and writing, and some arithmetic—up to the first twenty numbers. Drawing and physical education also have a place on the program.

The same general subjects are taught in the elementary school, the children of which are under thirteen. There is more French, which is taught in a way related to the people; i.e., the natives are given the words for food, clothing, and sanitation. They are taught the metric system, and some elementary notions about geometry, such as lines, angles, and triangles. Under the heading of *sciences usuelles,* they learn about the nature of man, animals, vegetables, minerals, objects of food and clothes. Likewise they receive practical lessons in hygiene. Every such school has a school garden where agriculture is taught as well as practiced. Some history and geography is also given, including native folk stories, the condition of the country before the coming of the whites, what the natives owe to the French, and simple ideas of France and the French people. Under the heading of *leçons des choses,* they are taught a sense of direction, geography, the seasons, the people, and the physical nature of the country. The program also calls for drawing, music, manual labor, and physical education.

In the middle course (*cours moyen*) which takes boys below the age of sixteen, practically the same subjects are taught, except that instruction is further advanced. Pupils learn something about the fundamental laws of nature, the composition of water and metals, and the process of combustion. They are taught simple physiology, the nature of mosquitos and malaria, and how vaccination prevents smallpox. In the *cours supérieur*, the final grade, the boys of which are between fifteen and seventeen, more detailed and advanced instruction in all of these subjects is given. In the course on "morale," the nature of society is discussed, and the meaning of such terms as justice, respect, altruism, charity, pity, and compassion. Likewise the need of loyalty to France is emphasized. The history course treats of the occupation of West Africa by the French, and the establishment of the federal government. The development of civilization is also simply discussed: how men first struggled against disease, how they first provided themselves with institutions, law, and government; the importance of modern inventions, navigation, printing, electricity, Pasteur's discoveries, telegraphy, the automobile, and aircraft. The history courses also teach the moral progress of mankind through the abolition of slavery, the family, justice, and social laws. The geography course emphasizes the geography of French West Africa and ends with a brief discussion of the geography of the world, and particularly of France.

In the school for girls—and these are kept separate from those for the boys—sewing, crocheting, the care of children, and other matters relating to the home are emphasized.[19]

The time table of these various subjects is as follows:

TIME TABLE OF SUBJECTS IN NATIVE SCHOOLS OF FRENCH WEST AFRICA[1]

Subjects of Instruction	Course			
	Preparatory Hours	Elementary Hours	Middle Hours	Secondary (Supérior) Hours
"Morale"			1	1
French Language	12	9	8	7
Reading	6	6	4	3
Writing	3	3	1½	1
Arithmetic	5	5	5	5
Elementary sciences[2]		1	2	3
History and geography		½	2	2
Drawing	1	1	1	2
Singing		½	1	1
Manual work		½	1	1
Physical education	½	1	1	1½
Recreation	2½	2½	2½	2½
TOTAL	30	30	30	30

[1] *Journal Officiel*, 1924, p. 320.
[2] *Sciences usuelles.*

[19] Cf. Programmes, *Journal Officiel*, 1924, p. 325.

Thus in the preparatory course, twenty-one hours out of the twenty-seven and a half of actual instruction are given over to the study of French in one form or another. In the other courses, the amount of time is gradually reduced until in the Secondary Course, eleven out of the twenty-seven and a half hours are spent on this subject.

4. *The French Language*

French is not only taught as a subject, but is used as the medium of instruction from the very beginning; the native language of the people is not used at all. This emphasis upon French to the exclusion of the tongue used in the villages and homes of the students is a characteristic of French education in Africa which one does not find either in the British or Belgian colonies. It is justified by its advocates upon nationalistic and utilitarian grounds. The French rightly regard their civilization as being of great cultural value. They believe that the natives, having learned the French language, will think like Frenchmen and will thereby be bound by a cultural tie to the "Métropole." In other words, this insistence upon the French language is a part of the old doctrine of assimilation. Moreover, by learning the French language, the natives will have a key to the vast wealth of knowledge embodied in French literature.

The second reason is utilitarian. A leading French colonial educator, M. Georges Hardy, has said: "There is, in truth, only one worth-while argument in favor of the cause of French . . . and that is that the diversity of the languages spoken in French West Africa makes it materially impossible to educate the natives in a native language." [20]

This argument has already been disproven in other parts of Africa where governments and missionaries instruct the natives in the vernacular. Protestant Missionary Societies have already reduced to writing one hundred and fifty languages in Africa (excluding North Africa) and have translated English books into these languages.[21] This has already been done for Ouolof, the language spoken in Senegal. As a matter of fact, there are several widespread native languages in French Africa which could be comparatively easily employed in the schools: Ouolof in Senegal, spoken by more than a million people, and Bambara in the Sudan, spoken by an equally large number. The Peul, Mandingo and Hausa languages are also widely spoken.

French officials frankly state that abuses now occur through the use

[20] Georges Hardy, *Une Conquête Morale. L'Enseignement en Afrique Occidentale Française,* Paris, 1917, p. 187.

[21] Cf. F. Rowling and C. E. Wilson, *Bibliography of African Christian Literature,* London, 1923.

of interpreters which can be corrected only by expanding a knowledge of French among the inhabitants who then can communicate directly with the officials. This, again, is in striking contrast to British and to a certain extent to Belgian policy, which takes the view that it is much easier for the European official to learn the native language than for the natives to learn the language of the administrator.[22] If the French are to await the spread of French before doing away with the evils of the present interpreter system, they will probably have to wait a very long time.

It is claimed that as a result of this instruction, half of the native population of Dakar and other European centers speaks French. This percentage is probably an over-estimate. It is admitted, however, that very few natives in the country districts know the language. Although natives in the towns use French while at work for Europeans, French educators regretfully admit that in their homes the natives carry on conversation entirely in the native language. There are no signs that the vernacular will pass away. On the other hand, the quality of French spoken by the native of Senegal is infinitely superior to the pidgin English one hears in the British colonies on the West Coast. This may be because of the inherent qualities of the French language, but it appears to be primarily due to the methods of instruction in the schools. The French teaching staff are thoroughly qualified; and they use the direct method of instruction which, while it is inclined toward the development of a regimented intellect, insists upon thoroughness and a good memory. Partly as a result of the stern discipline maintained, and partly because students have their expenses paid, natives remain longer, apparently, than they do in most schools in the British colonies, and hence become more fluent in the language.

There are, however, some Frenchmen who doubt the wisdom of this emphasis upon the French language. Their views have been summarized by M. Hardy (who supports the present policy) as follows:

"Of all the courses in the native school, French demands the most time and trouble and yields the least results. Native pupils can learn to calculate, and many other practical things in the native language. Why should the school

[22] Speaking of Madagascar, the Reporter of the Colonial Budget for the French Chamber of Deputies said in 1922: "The knowledge of Malgach is indispensable for those who wish to enter into relations with the natives. When the Malgaches see that they understand and are understood, they will have confidence. In knowing the language of the country, one escapes from the interpreters, the employment of whom is often dangerous." L. Archimbaud, ***Rapport Budget Général, Ministère des Colonies,*** 1923, ***Chambre des Députés,*** No. 4802, p. 189.

The importance of the native language has been realized by a number of other Frenchmen. The Colonial Congress of Marseilles, meeting in 1906, passed a resolution stating that "French officials in the colonies should be obliged to pass examinations showing that they had an adequate knowledge of the language of the country, . . . within a delay of three years. . . ." ***Compte Rendu des Travaux du Congrès Colonial de Marseille,*** Vol. II, Paris, 1907, p. 609.

concentrate upon words, phrases, and grammar, when a study of more practical things, which will immediately improve the life of the native, is urgently needed and is better understood?"

Moreover, there is a veritable abyss between the native languages of Africa and the French language. These languages express sentiments and thoughts in profoundly different ways. While a child may learn to speak French, he will continue to think in Ouolof or in Bambara. In other words, a foreign language is merely a system of shorthand. A child coming to school lives in two separate worlds: the real world from which he has come, and to which he is passionately attached by the language of the country; and an artificial world—a temporary existence where he for the time being comes into contact with the French language. A native does not assimilate this language and give up his former modes of thought. When lessons on hygiene and agriculture are given in French instead of the native language, the effort of the pupil is just doubled. But when instruction is in the native language, he feels that the conversation of the school teacher is merely a prolongation of the family; "in a word, the life in his mind is no longer divided between two worlds speaking different languages, but it benefits from complete continuity." [23]

This same difficulty has been expressed by a woman professor in the native medical school at Dakar who writes, in regard to instruction in French for students who already hold diplomas from French schools: "A language, to my eyes familiar and which I believe to be simple, represented, for these children, an abyss of complication. . . ." [24]

American experience with the employment of English as a medium of instruction in the Philippine schools has not been encouraging. According to a recent survey of the educational system of the Philippines, the Filipinos have such a "very limited ability to get meaning from the printed page that the possibility of long retention after leaving school is extremely doubtful." [25] The report says that only ten or fifteen per cent of the coming generation will use English in their occupations—the clerical, professional, educational, and governmental employees. "Not more than two or three per cent of the people, most of whom are concentrated in three or four large cities, continue to read English after

[23] Hardy, *cited*, pp. 184-185.

[24] "Regardez vivre un petit enfant qui balbutie les premiers mots de sa langue; il a enregistré un nombre relativement grand de sensations et d'idées longtemps avant de pouvoir les communiquer à ses proches faute de possèder le véhicule, le mot qui désigne chacune d'elles. A quelques exceptions près, nos élèves, malgré de précieuses acquisitions qui sont tout à l'honneur de leur anciens maîtres, sont un peu, vis-à-vis de notre langue, dans la même posture que le balbutiant petit enfant." Mme. Maurice Nogue, *cited*.

[25] *Educational Survey of the Philippines*, Manila, 1925, p. 134.

leaving school." For those who have three years of school, English practically fades out; for those who have seven years, it appears to promise real permanence. But this number is not likely to become widespread.[26]

That something more than administrative convenience is back of the French policy is shown by the fact that the government prohibits private schools from teaching in the native language.[27] The political object of teaching the natives only French is to bind them closely to the mother country. But in teaching the natives English in India, the British Government has failed to retain the allegiance of India to England. In his speech at the opening of the Benares Hindu University in 1916, Gandhi said:

"It is a matter of deep humiliation and shame for me that I am compelled this evening, under the shadow of this great college, in this sacred city, to address my countrymen in a language that is foreign to me.

"I am hoping that this university will see to it that the youths who come to it will receive their instruction through the medium of their vernaculars. Our languages are the reflection of ourselves and if you tell me that our languages are too poor to express the best thought, then I say that the sooner we are wiped out of existence the better for us. Is there a man who dreams that English can ever become the national language of India? (Cries of 'Never')." He then stated that every Indian youth lost six years of his life by being required to secure his knowledge through English.

"The charge against us is that we have no initiative. How can we have any if we are to devote the precious years of our life to the mastery of a foreign tongue? . . .

"Suppose we had received, during the past fifty years, education through our vernaculars; what should we have to-day? We should have to-day a free India; we should have our educated men, not as if they were foreigners in their own land, but speaking to the heart of the nation; they would be working amongst the poorest of the poor, and whatever they would have gained during the past fifty years would be a heritage for the nation."

Languages are so diversified in French Africa that there is no danger that the native languages will be a bond between the natives against the whites. From this standpoint, the more successful the French are in expanding the French language, the more possible will it become for the natives to unite against the European occupants of the territory.

Many thoroughly disinterested Frenchmen say that the mind of the negro is capable of absorbing the same knowledge as the mind of the white. They point to the number of doctors, lawyers and statesmen who belong to

[26] The American Educational Commission nevertheless recommended more thorough methods of teaching English instead of utilizing any native language. *Ibid.*, pp. 166, ff.

[27] Cf. Vol. II, p. 71.

the black race. They assert that in insisting that the natives study the native, rather than a European language, the colonizing power is entrapping them in a retarded civilization, in order to maintain the dominance of the white race.

In reply others would say that no effort should be made to keep a European language from those natives who will benefit from it. But the only natives who can take advantage of the store of knowledge made available through the medium of the French language are those students who have studied in school a comparatively long time. The British and the Belgian Governments both realize that it is essential that these students —the élite—should be taught a European language. But in view of the fact that the vast majority return to their villages after a year or two of school, they believe that instruction in a European language at the sacrifice of instruction in a subject closely affecting native life is so much lost time. The French Minister of War, strangely enough, corroborates these opinions.

In his instructions to commanders of colonial troops, he said:

". . . This problem of teaching language, so simple in appearance, is most difficult when an attempt to solve it is made. . . . After the difficulties which we ourselves experience in familiarizing ourselves with a foreign language, we may appreciate in advance the value of the results of an education founded upon the obligation of learning French by the natives. . . . A foreign language, whose genius is opposed to that of local languages, can only be expanded and maintain itself . . . if the natives have the need or the occasion of using it. But such conditions are realized only in our possessions in North Africa, where, thanks to the proximity of the Home Country, the French colonists are numerous. Elsewhere, the French language degenerates, or is forgotten. It is better to save our time and limit our efforts to teaching native personnel in permanent contact with Europeans."[28]

Moreover, many educators believe that the progress in French of a native who first learns to read and write his own language is much faster than that of a native who starts in with French without first obtaining this knowledge of his native tongue.

5. *Adapted Instruction*

Despite the use of the French language, the French educational system has adapted courses of instruction to the needs of the African much more successfully than has been done in any other territory in Africa. There is no teaching of Latin or of detailed French history in the French colonial schools. Texts and courses have been designed to fit native needs.

[28] *Manuel à l'Usage des Troupes employées outremer*, Paris, 1924, p. 122.

Thus the second reading book in French for the village schools is divided into fifteen different lessons which refer to such subjects as the school, the human body, food (*nourriture*), clothing, habitation, fire and lighting, moral qualities and shortcomings, the village, the animals, the vegetables, methods of travel, the weather.[29] One of the most interesting of the texts prepared for the use of these African schools is a reader entitled: "*Moussa et Gi-Gla, Histoire de deux petits Noirs,*" which is the story of two native boys who accompany a European merchant on a trip throughout West Africa. Through this medium, a description of the country is given, as well as of the river Niger and the benefits it renders to the country, and of the different animals and birds which live on its banks. The voyagers go as far as Timbuktu, "which is the oldest and most famous of all the cities of the Sudan." In one town, the travelers see a caravan of salt coming from the north of Timbuktu. This gives the author of the book an opportunity to explain, through the conversation of the characters, the importance of salt in food. Little Moussa also sees a railway for the first time. The author describes in simple terms the locomotive, the driver, the coaches, and the fuel.

When the travelers reach Dahomey, they attend a native celebration which gives the author a chance to dwell upon human sacrifices in Dahomey, and how much better off the natives are as a result of the French occupation, which suppressed these horrors. Moussa is told that "thanks to the French, our children increase in happiness and security, and they are full of gratitude for those who have driven barbarism, massacre, and sufferings from the country." In one chapter, the palm oil industry of Dahomey is described; in another, the travelers embark upon a steamship at Cotonou where the reader is introduced to this method of transport. Gi-Gla, another native boy, tells a lie in the story for which he is severely punished, and the native learns that "it is to our interest always to tell the truth." Other passages bring in the history of the French occupation of Senegal, and describe plantations of cocoa, coffee, and tea. When the passengers arrive at Dakar, they must pass the customs officials whose duties are defined. They then visit the Palais du Gouvernement where the boys learn how West Africa is governed. They are told that "it is necessary to respect and obey those chiefs who are of your race." [30] In a chapter on Rights and Duties, a European tells the natives: "It is

[29] For some reason, the illustrations in this book, called *Deuxième Livret du l'Écolier Noir,* contain white and not black men and women. In the *Méthode de Lecture et d'Écriture de l'Écolier Africain,* this policy is not followed, but illustrations of natives are inserted.

[30] L. Sonolet and A. Pérès, *Moussa et Gi-gla, Histoire de deux Petits Noir,* Paris, 1919.

always necessary to love those who deserve it, and merit it. Difference in race makes little difference. Goodness has nothing to do with color. It is, on the one hand, an advantage for a native to work for a white man, because the Whites are better educated, more advanced in civilization than the natives, and because, thanks to them, the natives will make more rapid progress, learn better and more quickly, know more things, and become one day really useful men. On the other hand, the Blacks will render service to the Whites by bringing them the help of their arms, by cultivating the land which will permit them to grow crops for Europeans, and also by fighting for France in the ranks of native troops. *"Thus the two races will associate and work together in common for the prosperity and happiness of all.* You who are intelligent and industrious, my children, always help the Whites in their task. This is a duty." [31]

In another chapter, the natives with the European merchant visit an army camp. Here they are told that "you must know that there is no more worthy army than the French army. It is powerful and numerous, since it includes more than 750,000 men in time of peace and about five million in time of war. It is this army which insures security to France and her colonies, which guarantees them against all attack and which, when necessary, punishes her enemies. This is why it must be loved and respected. . . ." Little Moussa is told that of all the native soldiers, whether Arabs, Algerians, Moroccans, Tunisians, or Indo-Chinese, "the Blacks are best.[32] They fight as well as the Frenchmen. Moreover, what difference does the color of the skin make? Is it not the same red blood which flows in the veins of the Blacks and of the Whites? The Senegalese *tirailleurs* are as obedient and disciplined as they are brave. . . . We owe to them in great part our conquest of Africa. They have fought with the most brilliant courage and the most magnificent endurance on the fields of battle in Europe, during the World War."

After hearing these words, Moussa says, *"Je sais bien ce que je ferai maintenant quand je serais grand; je serai soldat."* [33]

Through school readers such as this the French educational service explains to the natives the nature of the obligations which the government has imposed upon them. The military obligations are stressed, partly because this particular book was written immediately following the end of the War—in 1919. The whole setting of the reader is designed to acquaint the native with the environment in which he lives, and thus while it teaches him to read French, it also teaches him, in an elementary way,

[31] *Ibid.*, p. 83.
[32] This statement does not accord with the views of the French military authorities, cf. Vol. II, p. 15.
[33] *Ibid.*, p. 90.

a large number of facts important in his life. Likewise, a history of French West Africa has also been written for the natives;[34] while M. Delafosse translated a number of native folk stories into the French language.

6. *Comparative School Attendance*

Despite the government's emphasis upon education, there are much fewer natives in school in French Africa than in British Africa. The figures are as follows:

Ratio of Average School Attendance to Total Native Population

Place	*Average Attendance*	*Total Native Population*	*Percentage*
French West Africa	35,000[1]	12,273,566	.286
Gold Coast	30,600	2,296,400	1.334
Sierra Leone	11,301	1,539,551	.734
Southern Nigeria	34,256	7,933,199	.432
Belgian Congo	140,000	10,500,000	1.333
Uganda	64,000	3,136,769	2.021
Kenya	42,000	2,500,000	1.17
Tanganyika	97,436	4,106,055	2.371[2]

[1] This includes five thousand students in mission schools.
[2] Except for Tanganyika and the Congo, these figures do not include the attendance in unassisted mission schools, and represent average attendance rather than enrollment.

Any such table is necessarily misleading. The schools in Tanganyika and the Belgian Congo include unassisted schools, the attendance of which is very irregular. The figures for Sierra Leone, the Gold Coast, Southern Nigeria, and French West Africa are, however, comparable, since the British figures include only assisted schools which are subject to government inspection. This table would indicate that the proportion of children in school is considerably less in French West Africa than in these other territories.[35] The reason why the number of pupils under instruction in French territory is comparatively small is due partly to the fact that the government does not encourage missionary enterprise—a subject which will be discussed in the next chapter.

[34] A. Monod, *Histoire de l'Afrique Occidentale Française,* Paris, 1926.
[35] It also appears that the proportion in British East Africa is greater than in British West Africa.

CHAPTER 68

MISSIONARY ENTERPRISE

1. *Extent of Islam*

THE native population of French West Africa contains a much larger percentage of Mohammedans than is found in the British colonies farther south or in East Africa. The process of Islamizing West Africa began in the eleventh century, when this religion was imposed upon the fetish worshippers by a succession of Moslem invaders. In 1921-1922, it was estimated that out of the 12,282,000 inhabitants in French West Africa, 4,639,000 were Mohammedans. Practically all of the Moors, the Touaregs, Ouolofs, Toucouleurs, Sarakille-Soninke, and the Songhays and more than half of the Peuls and the Mandés are Mohammedan. But the Sérères, the Bambaras, the Habés, and especially the Mossis are fetishers or animists. Some French students believe that the progress of Islam in French West Africa, especially in Senegal and the Sudan where it has been strongest, has for some reason been checked. They fear the spread of "anarchist Christians" more than they do the Moslems.[1]

The exact distribution of the Moslems throughout French West Africa is as follows:

DISTRIBUTION OF MOHAMMEDANS THROUGHOUT FRENCH WEST AFRICA

Colony	*Number of Mohammedans*	*Total Population*	*Per cent of Mohammedans*
Mauretania	254,000	261,000	99
Senegal	915,000	1,225,000	75
Sudan	930,000	2,475,000	35
Guinea	1,045,000	1,876,000	66
Ivory Coast	100,000	1,546,000	10
Dahomey	70,000	842,000	8
Upper Volta	444,000	2,973,000	15
Niger	881,000	1,084,000	81[1]

[1] *Ibid.*, 1922-1923, Vol. 53, p. 149.

[1] For reasons of convenience, this discussion covers French Equatorial as well as West Africa. "L'Annuaire du Monde Musulman," *Revue de Monde Musulman*, 1922-1923, Vol. 53, p. 149. The Annuaire makes this interesting observation:

"Enfin, l'avenir des races indigènes de l'A.O.F. dépend de deux processus

The Harris Movement

While Mohammedanism is making little if any progress, Christianity has made some unique gains, entirely without the aid of European missionaries. In 1914, William Wade Harris, a native of Liberia, came to the Ivory Coast and commenced an attack against fetishism in the Lahou district. Claiming to be the envoy of God, he said that the Angel Gabriel had appeared and asked him to go to the animist country.[2] An English writer described him as follows:

"He wore a long white West African gown and turban, and upon his breast was a little black St. Andrew's cross. In one hand he held a long bamboo walking staff with a small cross-piece tied near the top to make it symbolic; in the other hand he carried a Bible. Starting out with only seven shillings and sixpence, he received no money from the people and often refused large gifts from converted chiefs. His manner of life was simple in the extreme: he ate such food as the villagers gave him, and he accepted the hospitality of their dwellings while he remained with them. He was hardened to an outdoor life, and though past middle age, he knew neither fatigue nor illness. He does not appear to have claimed any superiority, or attached any importance to himself. He was just God's messenger. If the superstitious people showed any inclination to regard his reed cross as a fetich, he broke it before their eyes and made a new one to show that there was nothing magical about it. With true African eloquence he exhorted the people to repent. He proclaimed one God, and one Saviour; he denounced fetiches and charms as useless, and he rebuked sin. Holding up his well-worn Bible, he declared it to be God's book; raising aloft his rude cross, he proclaimed the only Saviour. His fiery message was direct and as potent as that of St. John the Baptist—"Repent, for the Kingdom of Heaven is at hand." In most places the response was amazing. Fetich groves were cut down, and their priests were driven away unless they joined the popular movement, which many of them did. At one place, where the people had been in the habit of worshipping a sacred crocodile and feeding it like a fish, they killed the reptile and received baptism.

antagonistes: l'Unification des Afriques françaises à travers le Sahara, au moyen du rail qui doit les emanciper des 'shipbrokers' étrangers de la côte, donnera à l'Islam soudanais une importance impériale; inversement, la penétration du 'panafricanisme' des nègres d'Amérique, à travers le Liberia et les autres enclaves côtières, menace de transformer les animistes paisibles, d'aujourd 'hui en 'anarchistes chrétiens' bien plus xénophobes que les musulmans."

Detailed studies of Mohammedanism in West Africa have been made by M. Paul Marty, notably "L'Islam en Guinée. Fouta-Diallon," *ibid.*, 1915-1916, Vol. XXXIV, p. 68; 1917-1919, Vol. XXXVI, p. 160; 1917-1918, Vol. XXXV, p. 285; 1918-1920, Vol. XXXVIII, p. 102. "Études sur l'Islam et les Tribus du Soudan," *ibid.*, 1912-20, Vol. XXXVII, p. 1; and "Études sur l'Islam au Dahomey," *ibid.*, 1925, Vol. LX, p. 109.

[2] One writer says that in 1910 Harris was travelling through the bush and suddenly found himself confronted with a leopard. Fearing death, he vowed that if God would deliver him, he would enter Christian work,—a prayer that was answered. F. Deauville Walker, *The Day of Harvest*, London, p. 5.

Chiefs were swayed by the enthusiasm and not a few did as Harris bade them. His fame spread far, and he was soon revered as a prophet. Great crowds followed him, and in place after place hundreds gathered to listen to his message."[3]

Harris preached the dignity of labor and obedience to authority, and he condemned alcohol and robbery. According to a French writer he tolerated polygamy but forbade adultery. He said that Sunday should be kept as a day of rest and he insisted that all fetishes should be burned.[4]

Disturbed by the success of Harris' efforts, the French administrator expelled him from the Lahou district. Despite his expulsion, Harris' influence remained behind. Moving into other districts, his success grew partly because of his conquest of a powerful witch doctor at Bonoua. When Harris, despite the efforts of natives, entered this village, he found the witch doctor dancing and gesticulating like a mad man in front of the hut where his fetish was sheltered. But at the sight of Harris, he fled to the bush and has not been seen since. Harris thereupon baptized all of the people of the village, including a wife and nephew of the witch doctor. For a time, the administration sympathized with Harris' efforts because it believed that the witch doctors had been at the bottom of the chronic rebellions on the Ivory Coast. It also supported Harris because he preached obedience to the government and because he attacked the abuse of alcohol.

As in the case of Simon Kimbangu,[5] Harris soon attracted followers who themselves claimed to be "Sons of God." A number of native clerks, discharged from European firms as a result of the commercial depression caused by the War, joined the movement. These "Sons of God" soon spread rumors, according to the French, that the whites were going to leave and that the taxes would be reduced. The government, uneasy because of the War, quickly punished these leaders in sedition, and at the end of 1914 it required Harris to return to Liberia. Nothing more was heard of him until 1927 when a missionary journal published an account of his humble existence near Cape Palmas, Liberia.[6]

The most remarkable feature of this movement has been its permanence. A French administrator, himself apparently unsympathetic to Harris, said that the man's influence extended over a hundred and twenty thousand inhabitants, that by the end of 1916, fetishes had not reappeared, and that churches were more frequented than ever before. He stated that the

[3] Walker, *cited, ibid.*, pp. 7-8.

[4] G. Joseph, "Une Atteinte à l'Animisme," *Annuaire et Mémoires du Comité d'Études Historiques et Scientifiques de l'Afrique Occidentale Française*, 1916, Gorée, p. 344.

[5] Cf. Chap. 94.

[6] "West African Prophet Found," *South Africa Outlook*, May 2. 1927. This article is taken from *The Foreign Field*, the organ of the Wesleyan Society.

transformation was even more remarkable in view of the fact that Islam had been unable to make progress among these people and that it even had begun to decline in certain areas.[7]

In 1924, a missionary connected with the English Wesleyan Society travelled from his station in Dahomey to the Ivory Coast to visit a small number of Fanti Methodists who had left the Gold Coast for French territory, because of business reasons. To his surprise, he found along the rivers and lagoons of the Ivory Coast dozens of independent churches started by Harris in 1914. In each village, the converts had appointed leaders, and in some cases twelve "Disciples," to manage their affairs and conduct worship. Each village containing "Harris Christians" had also constructed churches of mud and thatch or even of stone. Despite the fact that these natives could not read, they had reverently placed the Bible on the reading desk of their churches and in their homes. At least thirty thousand of these illiterate people, knowing little of the meaning of the Christian faith, clung with remarkable tenacity to Harris' religious and moral teachings, and begged for European instruction. In 1925, the Wesleyans responded to this appeal and opened work on the Ivory Coast.[8]

3. *The Extent of Missions*

European missionary enterprise in West Africa is carried on by six societies, the two most important of which are the Wesleyan Methodist Missionary Society working in Dahomey and on the Ivory Coast, an English organization; and the Church and Missionary Alliance, an American society, working in French Guinea.[9] In French West Africa there is a total of forty-eight European Protestant missionaries in comparison with about nine hundred Protestant missionaries in the Belgian Congo. In French West Africa (excluding Togo), there are three hundred and eighty-three Catholic missionaries, including brothers and nuns, in comparison with one thousand and thirteen such missionaries in the Belgian Congo. Apart from the thirty thousand Harris Christians on the Ivory Coast, the total "Christian Community" (Protestant) for French West Africa is listed by the World Missionary Atlas as six hundred and sixty-six—an infinitesimal number.[10] The Roman Catholics lists a much larger number —about one hundred and twenty thousand baptized natives and catechumens [11]—compared with about seventy thousand in the British colony of

[7] G. Joseph, *cited*, p. 348. [8] F. D. Walker, *cited*, p. 78.

[9] Cf. *World Missionary Atlas*, New York, 1925, p. 88.

[10] This is apparently an under-estimate as the Atlas does not list any native Christians for Dahomey, although it lists sixty-seven native workers for that territory. *Ibid.*, p. 77. Cf. Appendix, Vol. II, p. 889.

[11] Cf. table 35, B. Arens, *Manuel des Missions Catholiques*, Louvain, 1925, p. 62.

the Gold Coast and one hundred and thirty thousand in the mandated territory of the Cameroons.

According to the report of the Director of Education there are only five thousand children attending mission schools, whether Catholic or Protestant, in French West Africa, compared with an attendance of one hundred and forty thousand in the Belgian Congo.[12]

In French Equatorial Africa there are one hundred and four European Protestant Missionaries and a Christian community of nearly six thousand. There are 1160 children in school. The Catholics have about two hundred and twenty workers and seventy-five thousand adherents.

American missionaries entered the Gaboon forty years before the arrival of the French Government—in 1842 representatives of the "American Board" established themselves near what is now Libreville. In 1870 they united with the American Presbyterian Church and founded a number of stations upon the Ogowe River—notably at Lambarené. The insistence of the French Government, which established its control about 1883, that French be taught in the schools obliged the American mission for a time to close. It then addressed an appeal to the French Society of Missions, a Protestant organization, to come to its aid. In 1888 this Society sent out three teachers and an artisan whom it placed at the disposition of the American mission. In 1892-93 the American Society turned over a number of its stations to the French Society.[13] After attempting to comply with the French regulations, the Americans finally withdrew altogether from the Gaboon in 1913. In the same year, Dr. Schweitzer established an independent medical mission at Lambarené, which works in close cooperation with the French mission.[14]

With a few exceptions, such as the work of the French mission in the Gaboon, the Wesleyans in Dahomey and the Swedish mission in the Lower Congo, Protestant missionary enterprise in French West and Equatorial Africa is virtually non-existent. This condition strikes one as unusual, in view of the widespread extent of Protestant work in other parts of Africa, not excepting the French Cameroons, a mandated territory.[15]

4. *Attitude of the French Government*

Perhaps this condition is due merely to the fact that Protestant missions have not attempted to enter French territory. But the fact that the

[12] Cf. Vol. II, p. 591.

[13] *Nos Champs de Mission, Société des Missions Évangéliques,* 3d ed., Paris, 1922, pp. 81, 85. The French work is also described by F. Grébert, *Au Gabon,* Paris, 1922, Part IV.

[14] Cf. Albert Schweizter, *On the Edge of the Primeval Forest,* London, 1922.

[15] Cf. Vol. II, p. 358.

American Presbyterians have felt obliged to withdraw their work from the Gaboon and the present difficulties of those Protestant societies at work in French territory would seem to indicate that this condition is due to the unsympathetic attitude of the French Government.

When the administration first entered Senegal, it deliberately encouraged missionary work, employing priests in the schools.[16] But with the establishment of the separation régime in France in 1905, a breach took place between the Vatican and the French Government that led to a policy of strict "neutrality" if not hostility toward missionary and private educational enterprise in the French colonies, which affected Catholics and Protestants alike. The present superiority of Catholic over Protestant work in French territory is partly due to the fact that the Catholics strongly intrenched themselves under the old régime and to the fact that most Catholic missionaries are Frenchmen, while the Protestant missionaries are, except for those under the Paris Missionary Society, foreigners who often are regarded as political agents of "Anglo-Saxonism."[17]

The Swedish Protestant Mission has been the only non-Catholic organization which has been able to work successfully in the Moyen-Congo or the Ubanigi-Shari provinces in Equatorial Africa.[18] This society had, until recently, interminable difficulties with the administration, many of which have, however, been relieved by a change in government officials. Unlike the Belgians, the French do not grant "civil personality" to these missions who cannot therefore hold property in their own name.[19] The difficulty is partially overcome by holding land in the name of an individual.

In order to develop better feelings between the government of French Equatorial Africa and Protestant Societies, the Congo Missionary Conference, made up entirely of British and American missions, except for the Swedish Mission, approached the French authorities in 1925 in regard to holding the annual meeting of the Conference at Brazzaville, directly across from Kinshasa. After communicating the suggestion to the Minister of Colonies, the Brazzaville authorities gave their consent, and even planned to hold an industrial exposition along with the missionary conference. But several months before the Conference was to occur, the Brazzaville authorities telegraphed that the Minister of Colonies had decided to withdraw consent for the missionary conference on the ground that the British

[16] Cf. Vol. II, p. 49.

[17] A more detailed discussion of this question is given in the chapter in regard to the Belgian Congo. Chap. 92.

[18] Cf. P. A. Westlind, *Société de la Missions Suédoise au Congo,* Stockholm, 1922. Some independent Baptists and the African Inland Mission have opened up a station in this territory in the last year.

[19] The same rule is followed in French West Africa.

Government would not accept the position of the French Government in regard to the Cameroons boundary!

A French administrator states that the French Government follows a policy of strict neutrality between religions whether they are animist or whether they are Christian. "This neutrality explains in part the lack of success of religious missions established in French colonies, in relation to those in the British colonies in Africa who, subventioned or acting quasi-officially, have obtained undeniable results." [20]

5. *The Act of Saint Germain*

In 1919, the French Government signed the protocol of Saint Germain, revising the Acts of Berlin and of Brussels, which provided that "freedom of conscience and of all forms of religion are expressly guaranteed to all nations of the Signatory Powers and to those under the jurisdiction of States Members of the League of Nations, which may become parties to the present Convention. Similarly missionaries shall have the right to enter into, and to travel and reside in African territory with a view to prosecuting their calling." The application of the provisions shall be subject only to "such restrictions as may be necessary for the maintenance of public security and order, or as may result from the enforcement of the constitutional law of any of the Powers exercising authority in African territory." [21] It would appear practically that by virtue of the latter clause each party has a wide discretion in interpreting for itself the extent of these obligations.

In 1922, the French Government enacted a decree [22] carrying into effect this treaty, which provides that no private school could be opened without the authorization of the government. Any non-authorized establishment existing before the promulgation of the decree must secure an authorization within the next six months. The director of every private school must deposit with the Governor of the colony a statement in regard to his school, and a list of students and teachers, and he must undertake to apply the programs of instruction followed in the government schools. Article 3 provides: "Education must be given exclusively in French; the employment of native idioms is forbidden." European teachers are required to have exactly the same certificates as government teachers.

[20] G. Joseph, *cited*, 1916, p. 344.

[21] The text is given in the Appendix, Vol. II, p. 889. This clause was not found in the Act of 1885 but was added in 1919.

[22] Decree of February 14, 1922. *Journal Officiel*, 1922, p. 190. In the report to the President in regard to this decree, the acting Minister of the Colonies stated that this decree which made no distinction between nationalities was framed in conformity to the preoccupations which prevailed at the time the Protocol of Saint Germain was drawn up.

Moreover, no church or mission may be established without the authorization of the government. No religious service can be held outside of authorized establishments. According to Article 7, "The French language or Latin or native idioms spoken in the Colony are alone authorized in these services." No evangelistic trip (*tournée de propaganda*) involving appeals for money for the faith can be undertaken except on the personal authorization of the government and in parts of the colony designated by the Lieutenant-Governor. Violation of these provisions is punishable by heavy penalties.

Thus all teachers in mission schools must know the French language, and teach only in French in the mission schools. According to a literal interpretation of the decree, they must also possess a French degree. Even then their activities are dependent upon the good will of the local Governor who apparently may withhold authorization at his pleasure. Under such a system, a Catholic Governor may be hard on Protestants and vice versa.

In an *arrêté* based on this decree, the Governor-General declared that the principal end of private schools in West Africa "was instruction in the French language"; and in addition to giving students the first elements in a general education, the end of these schools was "to strengthen the qualities of character and to develop sentiments of loyalty to France." [23]

It is doubtful whether any missionary society, French or foreign, would care to open schools *primarily* for these purposes. It is also questionable whether the government can legally impose such restrictions upon the educational activities of missionaries under the Protocol of Saint Germain which states that they may freely carry on their activities, subject only to restrictions imposed by necessities of public order.

In French Equatorial Africa the situation has been somewhat different. No decree in regard to private education has been enacted. Before the Act of Saint Germain was ratified, the Governor-General of Equatorial Africa issued an *arrêté* on private schools providing that no school may be opened except upon the authorization of the Governor-General. In case of foreign schools, teachers must demonstrate their knowledge of the French language and must possess diplomas equal in merit to the diplomas granted to teachers in France. The government must be notified of any change in personnel. No school will be authorized unless teaching is given in French. Teaching in any other language is forbidden. No textbook can be employed without the authorization of the administration. This *arrêté* went even further in providing that only an individual or an association incorporated in France in conformity with the laws of July 1, 1901,

[23] *Arrêté* of March 26, 1922. *Ibid.*, 1922, p. 208. This *Arrêté* provides that permission to open a school must be obtained for each new school, etc.

and of December 4, 1920, could apply for permission to open a school—a provision which would exclude foreign missionary societies. At the same time, the government issued another *arrêté* providing for government subsidies to private schools apparently in charge of French societies.[24] In 1924, the general budget of Equatorial Africa appropriated forty-six thousand francs as a subvention for "écoles libres," all of which were presumably Catholic.[25]

In 1921, the Government of French Equatorial Africa issued a decree carrying into effect the Saint Germain convention entitled "Le Régime Publique du Culte," which provided that any person wishing to open a church should make out a declaration to the local administrative officer containing details in regard to the nature of the work he wished to do. Services must be in public, and they must be given in a native or in the French language. No other education than that of religion can be given in such edifices.[26]

In a circular of February 8, 1921, Governor-General Augagneur declared that the French adminstration should accept every aid in the advancement of the native peoples in view of the immensity of the task, provided that private education was surrounded by guarantees which would conserve an *absolute preponderance of French influence in a French country.* He went on to say that the Governors in no case should forward a request from an association to open a school unless that association was established *in France* [his italics]. He expressly declared that no association established outside of France could be allowed to conduct schools officially. France could not enter into official relations with organizations without a legal existence, formed outside of its control, and having ends which were perhaps incompatible with the interests of France.[27]

This circular, which clearly shows official distrust of foreign missionary

[24] *Recueil,* 1922, p. 69.

[25] It is the policy of the French as well as of other governments in Africa to require foreign medical missionaries to obtain national degrees, before practicing in their respective territories; a provision which may be administered in a very restrictive way.

[26] *Arrêté* of May 27, 1921, *Recueil,* 1921, p. 84.

[27] The French is as follows: "J'attire spécialement votre attention sur les dispositions de l'article 2, en ce qui concerne les autorisations d'ouverture sollicitées par des associations.—En aucun cas, vous ne me transmettrez une demande émanant d'une association (article 15) tendant à l'ouverture d'une école, si cette association n'est pas constituée *en France* en conformité des lois sur les associations.—Aucune association établie en dehors de la France et de ses lois ne sera apte à organiser un enseignement en quelque sorte d'ensemble, par un réseau d'écoles officiellement dirigées par elle.—L'État français ne peut pas entrer en relations officielles avec des collectivités sans existence légale, formées en dehors de sa surveillance, constituées pour des buts, dans un esprit, avec des intentions peut-être autres que ceux compatibles avec ses droits matériels et moraux." *Recueil,* 1922, p. 76.

societies, was issued in February, 1921. The *Journal Officiel* of April 20, 1921, promulgated in the territory the law of April 15, 1921, approving the convention of Saint Germain, guaranteeing religious equality to missionaries, foreign and French alike.[28] Despite the provisions of the Act of Saint Germain, it does not appear that the Government of Equatorial Africa has modified the *arrêté* of December 28, 1920, which prohibits foreign missionary societies as such from obtaining permission to open schools. The present situation is that a foreign missionary may personally obtain such permission if he is liked by the Governor, but the school cannot be opened in the name of a foreign missionary society, and it may at any minute be closed. The Act of Saint Germain, of which France is a party, provided that the signatory powers "will protect and favour, without distinction of nationality or of religion, the religious, scientific or charitable institutions and undertakings created and organised by the nationals of the other Signatory Powers and of States, Members of the League of Nations, which may adhere to the present Convention, which aim at leading the natives in the path of progress and civilisation." It would appear that this clause protects the school which is the foundation of all missionary work. If the French regulations in Equatorial Africa are still in force, it would seem that they constitute a violation of the 1919 convention. Likewise the policy of subsidizing French Catholic missions to the exclusion of foreign societies would seem to violate the provisions of the Act.[29]

In enforcing these restrictions, it is reasonable to conclude that France is following a questionable interpretation of an international treaty and injuring the rights of foreign nationals and that it is also retarding the development of education and civilization among its African population. As a result of these restrictions, the number of natives under instruction in mission schools in French Africa, apart from the mandates where a different régime applies, is small in comparison with the numbers under instruction in other territories. In the past, the quality of French education has probably been much higher than that of mission education in British or Belgian territory, and more adapted to native needs. Nevertheless, the educational status of the native in French West and Equatorial Africa is visibly lower than that in British West Africa. The difference is most noticeable in the so-called "intellectual" class. The number of native lawyers and doctors in French Africa can be counted on the fingers of one hand, in contrast to British territory where several hundred may be found. With one or two exceptions, there are no native newspapers in French West Africa such as one finds in British territory.

[28] *Recueil,* 1922, p. 514.
[29] For the same question in the Belgian Congo, see Vol. II, p. 597.

No objection can be taken to the exclusion of English from Protestant mission schools in French territory. If any European language is to be used, it should, naturally, be French. But the exclusion of the native language from the mission schools would appear to be animated by a wish to suppress native as opposed to French culture. The French assert that they thus taboo the native language because of the difficulty in reducing such languages to writing. But if the missionaries wish to take the time to do this work, this argument does not seem to be valid.

When the reorganization of British education, which is now taking place, is completed, the mission schools will be greatly improved. Supported by grants-in-aid, they will effectively supplement government schools. By thus employing missionary resources, the British will probably get more for their money than the French. The French Government now actively cooperates with foreign as well as French missionary societies in their work in the mandates of Togo and the Cameroons by extending to them grants-in-aid, and by allowing the native language to be used.[30] Apparently the chief reason why this policy is not followed elsewhere is fear that foreign Protestants are agents of the English or the American Governments. The statement is frequently made that the salaries of these missionaries are paid by their respective governments! Protestant missionaries are alive to their responsibility in diminishing, as much as possible, these fears. No society, so far as the writer could learn, teaches any European language except French in its schools in French territory. Most societies attempting to work in French colonies or mandates send new missionaries to France first to study the language and to become acquainted with the French people. Suspicion might be further overcome if non-French missions would appoint a French missionary to handle their relations with the local administrators, and if, following the example of the Protestant societies in the Belgian Congo, the French Society of Foreign Missions would act as a liaison in Paris between the French Government and foreign Protestant organizations.[31]

6. *An African Locarno*

Article 15 of the Protocol of Saint Germain provides that the Signatory Powers "will reassemble at the expiration of ten years from the coming into force of the present Convention, in order to introduce into it such modifications as experience may have shown to be necessary." In view of the uncertain wording of the Protocol in regard to the use of the native

[30] Cf. Chap. 80.

[31] Cf. M. E. Allegret, *La Situation Réligieuse des Peuples de l'Afrique Occidentale et Équatoriale Française*, Paris, 1923.

language in the schools, to the recognition of foreign medical and educational degrees, to the acquisition of land, and to the rights of foreign missionary corporations in general, it would seem that some revision is desirable. Although the United States was a signatory to this Convention, the President did not submit it to the Senate for approval. But in view of the large American missionary interests at stake, it would seem that the United States would wish to ratify the treaty which would enable it to attend this Conference. France and other governments concerned might agree to the proposed modifications in this Protocol if in return they secured a territorial guarantee of, or a pledge of non-interference with, their African possessions. In view of the German and Italian colonial movements, and of the perennial Anglo-Saxon "menace," an African Locarno may become necessary. But it seems clear that neither England nor the United States will be disposed to give such a pledge in regard to African territory unless the governments now in control of this territory undertake some precise obligations with a view to making the trusteeship principle effective.

CHAPTER 69

A CHANGING PHILOSOPHY

French policy in Africa has been aimed at the development of a native "élite" by means of a thorough system of education, and at binding this "élite" to the French State by conferring upon its members political and civil privileges which are denied to the mass of the native population. This policy has been based upon the positive belief that through education and sympathy the native could enter into the cultural heritage of France and become a Frenchman himself. The French have assumed that the native is capable of absorbing French culture and of acquiring what was called the *mentalité française,* and the *génie national,* not only because of the human spirit common to all mankind, but because of the inherent assimilative features of French culture as applied by the French educational system.

1. *The Formation of an "Élite"*

The Englishman believes in the cultural superiority of things English just as much as the Frenchman believes in the cultural superiority of things French. The Englishman believes, however, that his superiority is so innate that it cannot possibly be absorbed by people of other races. Consequently, the English, in Africa, at least, have not attempted to force their institutions upon the native peoples, as have the French; they have not fraternized nor mingled their blood with the native races to the same extent as the Latin peoples. The French, on the other hand, believe so strongly in the merits of their culture that, with a proselyting zeal found in the great religions, in the French Revolution, and in Soviet Russia, they wish to expand it throughout the world. As far as government policy is concerned, the British in Africa follow a policy of cultural and political self-determination, in contrast to the French who until recently, at least, have followed a policy of cultural "imperialism"—that is, the wholesale attempt to impose an outside culture upon another people.

In applying this policy, the French have for the most part been disinterested. Many of them still honestly believe that the assimilation policy works for the advancement of the interests and in accordance with the wishes of the natives. As a result of this philosophy and of the fact that in France, education is the leading function of the State, the French from the beginning have taken education in Africa seriously, in contrast to the British who did little with native education until after the World War. The chief end of the French educational system in Africa has been to teach the natives French, so that they will "think" like Frenchmen, and be able to acquire the fruits of French science and literature. The educational system has preached racial equality, but above all, it has preached gratitude and respect for the French State. On the contrary, the British have left educational work to the missionary, whom the native has come to regard as a defender against the government. There is no such division of allegiance in French territory, where mission education is virtually prohibited, in favor of a state educational monopoly.

Once a native in Senegal absorbs French culture, once he obtains the *brevet diplomaire,* or becomes a citizen by naturalization or other means, he enters into the fraternity of Frenchmen. His civil and political status at once changes. He is no longer subject to the rough system of taxation imposed upon the natives in the bush. In French West Africa, he is no longer liable to three years' military service, the most of which is spent in France, but only to eighteen months' service spent with comparative comfort in Senegal. He is no longer liable to the prestations and labor levies of the village régime, nor to the arbitrary courts of the French administrator, nor to the power of the *indigénat.* He falls under the jurisdiction of professional French magistrates and the French codes. He escapes from the uncertainty of land tenure by securing a land title from the French Government. Finally, he is admitted to participate in the government councils, the highest of which is the Colonial Council, of which he may become president, and from the rostrum of which he may denounce government policy almost as he pleases. He may become mayor of one of the four communes, or he may even be elected the Senegalese deputy to the Chamber in Paris.

Outside of the Four Communes of Senegal, citizenship is difficult to acquire. The government has become increasingly severe in the qualifications exacted for naturalization. There is a disposition, therefore, to withhold from the educated natives the privileges so prodigally granted to the *originaires* of Senegal. At the same time, the government follows the policy, if in a different manner, through, for example, the exempting of the educated natives from the system of the *indigénat* and by placing the advanced natives upon a Electoral list where they can vote for members in the Council of Administration in the respective colonies. In Togo [1] the administration is working out a status midway between that of the subject

[1] Cf. Vol. II, p. 312.

and of the citizen, which will carry with it privileges to which the subjects are not entitled. The government holds out the inducement of individual land titles to those natives intelligent enough to receive them, while it follows the policy, in parts of Africa at least, of selecting chiefs upon a basis of education rather than of heredity. The ultimate aim is apparently the creation of native functionaries responsible to the French authority. But while the government has made it more and more difficult for the educated native to come under the judicial, taxation and administrative system which Frenchmen enjoy in the colonies, it has not taken many important steps to change the administrative system which weighs upon the native population as a whole. Consequently, some educated natives in West Africa are beginning to fear that the opportunities for advancement at one time open to the native in Senegal are being closed.

2. *Racial Equality*

But these political considerations are subordinated to the fact that the "assimilated" native acquires a social status of equality with the European in French territory which an educated native cannot acquire in British territory.

The French teach the native to believe that he is the equal of the white man, and that he has become an integral part of the "French spirit." In December, 1926, M. Carde, the Governor-General of French West Africa, declared that as a result of conscription, "Native individualism is being rapidly transformed, the races are mixing, the ideas and institutions of the population are being blended by progress and are becoming welded together and little by little prepared for that amalgam out of which later will be forged a purely French soul." [2]

This fraternizing is not limited to the formal exchange of salutations. There is no color bar in the French colonies. Frenchmen not only have native mistresses, but they marry native wives. They acknowledge sons born to native women out of wedlock, take them into their homes, and send them to France to be educated. White and black men eat at the same table, and argue with each other in the same council hall. A European in Senegal has a difficult time in securing a seat in a first class railway carriage on the train from Dakar to Saint Louis because they are monopolized by dusky Ouolofs, their flowing robes, their bundles, and their wives.

The visitor to the market of Dakar will see European women selling fish to natives; if he enters a restaurant or store, he will see European women waiting on natives and Europeans alike. Both the French and

[2] Address to the Council of Government, December 4, 1926, *Journal Officiel*, 1926, p. 1027.

Belgian colonies have imported a large number of artisans and unskilled European workers who labor side by side with the blacks, and perform work which in British territory is performed by Indians or natives. French women work along with their husbands in stores to a much greater extent than do English women in British territory. This willingness of the Latin to perform work done by natives increases the belief of both in racial equality.

The importance of this attitude toward the educated black cannot be minimized. The African "intellectual" is probably the most sensitive individual in the world. The educational system of which he is the product has set European achievement as the goal toward which he should strive, and has belittled the qualities of native life. Having acquired a school diploma, the African naturally believes he should be admitted into European society, and should even be placed in positions of authority over his less gifted brothers. The British decline to take him into their society, not only because of instinctive prejudice, but because of their firm belief that an individual should attempt to elevate the group to which he traditionally belongs, rather than scuttle this group for a "higher" fraternity. They decline to give the educated commoner any position of authority because the very fact that he has acquired European knowledge has given him, on the one hand, a feeling of superiority, and, on the other, has created an almost impassible gulf between him and the illiterate people.[3] The educated native in the British colony is, therefore, in a difficult position: he is acceptable neither to his tribe, with which he has lost contact, nor to Europeans.

The French have not until recently thought of the possibility nor of the desirability of developing the native group. They have attempted to take the best—the élite—out of the native group and make them part of French society. When the educated native is given privileges of membership in European society, and when he is placed in authority over his brothers, he of course feels sympathetic towards a system which thus favors him. This fundamental difference between the British and French attitudes toward the educated native explains why the British have had such great difficulties with the intellectual classes of Lagos, Freetown, Accra, and Seccondee. They have purposely refrained, after bitter experience,[4] from granting such Africans political power, primarily out of regard for the interests of the uneducated native class. This difference also explains why France has won, for the moment, the devotion of some of the "intelligentsia."

The feeling of this class was expressed several years ago by M. Blaise

[3] This question is discussed in detail in Chap. 43.

[4] Cf. Vol. I, p. 882.

Diagne, the black deputy of Senegal, in a letter to Marcus Garvey, the leader of the movement for an African Republic:

"We French natives wish to remain French, since France has given us every liberty and since she has unreservedly accepted us upon the same basis as her own European children. None of us aspires to see French Africa delivered exclusively to the Africans as is demanded, though without any authority, by the American negroes, at the head of whom you have placed yourself.

"No propaganda, no influence of the blacks or of the whites will take from us the pure sentiment that France alone is capable of working generously for the advancement of the black race. The French native élite, who are responsible for the natives of our colonies, could not allow, without failing in their new duties, the revolutionary theories of separation and of emancipation, to which you have given your name, to introduce trouble and disorder where calm and order are the indispensable factors of the security of all.

"We gladly recognize that the social conditions which are imposed upon the negroes in America are odious and our protests are united with yours, as well as with those of all white Frenchmen, who do not understand the injustice of the American whites toward the negroes."[5]

The same sentiment was eloquently expressed by M. Albert Sarraut, when Minister of Colonies, during the debate on the Togo scandals in the Chamber, when he declared:

"Our colonial empire is calm, peaceful, without trouble; and for a very simple reason. The native population loves us and has confidence in us. They have always loved us. . . . They love us because from the days of Louis XIV to the present time, they have seen the spirit of good will and fraternity written across every order of the French Government. They love us because we have been the first to announce before the world the most noble and humane of all colonial doctrines, which rises up against the cruel dogma of their eternal

[5] Letter of July 3, 1922, *Revue Indigène,* 1922, p. 275.

The French is as follows: "Nous, noirs français, nous sommes partisans de rester des Français, la France nous ayant donné toutes les libertés et nous confondant sans arrière-pensée avec ses propres enfants européens. Aucun de nous n'aspire à voir l'Afrique française livrée exclusivement aux Africains comme la demandent, sans autorité d'ailleurs, les noirs américains à la tête desquels vous vous placez.

"Aucune propagande, aucune influence de noirs ou de blancs ne nous enlevera le sentiment net que la France, seule, est capable de travailler généreusement à l'avancement de la race noire. L'élite noire française, qui a la responsabilité indigène de nos colonies, ne saurait accepter, sans manquer à son nouveau devoir, que les théories de séparatisme et d'émancipation revolutionnaire, auxquelles on donne votre nom, vienne jeter le trouble et le désordre où le calme et l'ordre sont des indispensables facteurs de la sêcurité de tous.

"Cela dit nous recónnaisons volontiers, que les conditions sociales qui sont imposées en Amérique aux Noirs sont odieux et que nos protestations sont solidaires des vôtres, aussi bien d'ailleurs que celles de tous les Français blancs, qui ne comprennent pas l'injustice des Américains blancs contre les noires."

inferiority, of the doctrine which divides humanity into races which are superior and races which are forever inferior."[6]

3. *How Has the System Worked?*

How has the system worked? The black deputy of Senegal is, as we have seen, less mindful of the interests of the natives than was the European deputy, M. Carpot, who attacked conscription, the indigénat system, and other policies which M. Diagne supports.[7] The native mayors and councils of the four communes of Senegal have not demonstrated their administrative capacity to any greater extent than have the natives of Freetown or Lagos.[8] The Colonial Council has engaged in constant rows with the Governor-General at Dakar, and deadlocks have been recurrent.

Except for the Colonial Council, all of the bodies containing native representation which the French have established in Africa are merely advisory bodies, whose principal function is the function of talk. Important as this function is, the natives of French Africa will not remain satisfied only with the right to talk. They will come to demand, as they already have demanded, more and more actual power. They are recognized as part of the French nation, as the "equals" of the whites, but as yet they have no control over the French State. The administration of the colonies remains in the hands of European officials responsible to a European Minister of Colonies, in turn responsible to a parliament composed of an overwhelming majority of Europeans. Even should the black representation in the French Parliament be increased, this would probably not satisfy the demands of the natives for local self-government any more than the representation of Alsace-Lorraine in the French Parliament has satisfied the demand of the people for autonomy. The rigid centralizing tendencies of French administration, which concentrates power in Paris, impedes the granting of local power to black communities—a development which is taking place in British colonies, if in a different form.

In opposing the idea of granting colonial representation in the Chamber of Deputies to Madagascar, a well-known French publicist has declared that

[6] *Chambre des Députés,* March 20, 1922, p. 931. The French is as follows: "Notre empire colonial est paisible, calme, sans troubles; et cela pour une raison très simple; c'est que les populations indigènes nous aiment et ont confiance en nous. Elles nous aiment depuis toujours. . . . Elles nous aiment parce qu'elles ont vu circuler à travers toujours toutes instructions des gouvernements de France. depuis Louis XIV jusqu'à nos jours le même souffle de bonté et de fraternité. Elles nous aiment, parce que nous sommes les premiers à avoir promulgué devant le monde la doctrine coloniale la plus noble et la plus humaine, celle qui s'insurge contre le dogme cruel de leur éternelle infériorité, contre la division de l'humanité en races supérieures et en races à jamais inférieures."

[7] Cf. Vol. II, p. 8. For Diagne's defense of the Togo scandals, cf. Vol. II, p. 299.

[8] Cf. Vol. I, pp. 740, 882.

the object of the French Administration should be "to organize native societies in such a manner that they would be gradually led to the the point where they could legislate on the spot for themselves." He added that any other policy, by which he meant rigid control from Paris, would bring trouble and ruin to the colonies and an unquestionable weakening to the home country."[9]

There is something fundamentally inconsistent between the doctrine of "racial equality" and a policy which confines the power of government to the hands of one race alone. The only justification for the rule of the black continent by the white man is that the latter is "superior" for the moment to the black. As soon as the black becomes "equal" to the white, the white man must withdraw, unless he can make the black man believe that he is an integral part of a white-black community. While the French have accepted the "equality" doctrine, they have shown no intention of turning over the country to the blacks, nor even of associating the blacks upon a basis of equality with the Europeans in the administration of the country. There are fewer natives in the administration in French than in British colonies. In Senegal, the only important positions held by Africans in the central administration[10] are that of Assistant Director of Posts and Telegraphs, and a medical post of Dakar, held by a mulatto, compared with thirty-eight responsible positions in the central administration of the Gold Coast.

The French are probably correct in believing that there are no natives sufficiently educated in West Africa to occupy responsible positions. If this is true, it is a reflection upon the efficacy of the doctrine of assimilation and a disproof of the doctrine of racial equality which the government continues, nevertheless, to preach. While they have been momentarily flattered by the large number of elections in which they may vote, and positions which they may hold in advisory bodies, a number of the educated native class are beginning to realize that political power should logically follow the possession of racial equality. The refusal of the French to admit the logic of this position may explain the bitterness expressed toward the government in the Colonial Council at Saint Louis, which is unequalled in Africa. The "intellectuals" in the two French mandates of Togo and the Cameroons who have known both German and British rule are particularly violent in their complaints and in their demands for a change in government.[11] While the French have succeeded in winning the whole-souled devotion of a portion of the native intelligentsia which has received favors,

[9] J. Chailley, "La répresentation des colonies au Parlement," *Revue Indigène*, 1923, p. 200.

[10] Exclusive of the communes.

[11] Cf. Chap. 81.

they have also succeeded in arousing bitter feeling among another portion. It would be difficult to equal even in Lagos or Freetown the feeling which such Africans as René Maran show toward the French government.

4. *The Effect on the Native Mass*

Even more important than the effect of this policy of assimilation upon the élite is its effect upon the vast majority of natives who never see a school, and who seldom see a European. These natives in the past have been held together by an intricate body of tribal customs and by an organization which has been the product of centuries of experience. In order to gain control of the territory which was occupied by tribal organizations, the French first followed a policy of making treaties with the chiefs promising to respect internal constitutions; but except for the treaties with the Moors, the French have not taken these obligations seriously. The French have had no scruples about ignoring these treaties, and depriving the chiefs of their judicial power or their control over the land, which early decrees recognized. They have justified this course by the claim that native rulers had terribly abused their power, and that lacking security of both life and property, the subjects wished to escape from their rulers to seek shelter in the bosom of a foreign protector.[12] Meanwhile, the process has continued of educating a selected minority who will eventually be admitted to the benefits of the French system. The goal of such a policy as proclaimed in 1926 by M. Carde [13] apparently has been to put the entire native population through this assimilative process until French culture and a New France blossoms forth on the arid plains of West Africa.

Such a theory of assimilation necessarily presupposes a belief in the inherent inferiority of native institutions, and of those natives who have not passed through this assimilative process. An educated native the Frenchman regards as an equal not because of his qualities as a person, but because of the French qualities which he has presumably acquired. The principle of assimilation, therefore, preaches the superiority of things French and the inferiority of things native. This philosophy is reflected in an administration which, while it grants privileges to the élite, is severe upon the native masses who are subject to a large number of exactions in regard to unpaid labor, and military service, and to an arbitrary judicial system, and insecurity in regard to land. It is an interesting paradox that the peoples in Africa who preach the doctrine of racial equality most loudly have gone farthest in injuring native institutions. Whatever the faults of

[12] Cf. Gallieni, *Deux Compagnes au Soudan Français,* Paris, 1891, p. 429.
[13] Cf. Vol. II, p. 79.

British administration have been, their "live and let live" attitude has kept the British from introducing the wholesale oppression of which Latin peoples have been guilty, whether in the case of the Belgians in the Free State, the French in the Congo, or the Portuguese in the Cocoa Islands, not to mention more recent examples.

There is a growing recognition in France, as well as elsewhere, that because of environment and heredity, it is impossible to convert a native into a Frenchman simply by teaching him the French language and by giving him a few years in a French school. The present native groups, which necessarily mold the intellectual processes of their members, are hundreds of years behind European groups in social development. Even when these native groups have achieved the present cultural levels of the European groups, they will not necessarily take—nor should they be expected to take—precisely the same cultural patterns as a European nation, any more than the Japanese or the Chinese, in adapting the fruits of Western culture, are becoming imitation Frenchmen or Englishmen. True racial equality does not mean the imposition of European culture upon the colored races of the world, but it means the encouragement and the development of all cultures, in order to enrich civilization as a whole.

The logical result of the past French policy would be to place educated natives in positions of authority over natives in the bush. This policy is now being followed by the appointing of educated natives as chiefs in Senegal. Those chiefs who sit upon the Colonial Council have proved themselves, however,[14] more willing to increase exactions upon the native population which they should presumably defend, than have the ordinary citizen-members from the cities. Even if France should succeed in training a capable and honest Civil Service of natives to take over the native administration of the country upon European lines, they would soon find, as Governors Ponty and Van Vollenhoven pointed out, that these agents could not command the respect of the natives over whom they were placed, simply because the gap between the élite and the group as a whole is too abysmal.

At the same time, it should be pointed out that the doctrine of assimilation has for the time being a number of advantages. In winning over the devotion of the élite, the French have, to a certain extent, silenced the criticism of the most vocal element in the community—an element which causes the British a great deal of concern. Deprived of their leaders, the uneducated masses are necessarily unorganized and silent. The doctrine of assimilation also enables the French Administration to impose obligations upon the natives which it could not otherwise ethically justify. Thus

[14] Cf. Chap. 59.

conscription has been defended on the ground that it is a means of assimilating the native to French culture, and it is an obligation owed to the home country which is the mother of black and white. The same doctrine has been used to justify the expenditure of native money upon the home government such as voluntary contributions.[15] Last December, the French Minister of Colonies declared: "The Chamber may rest assured that every effort of the Minister of Colonies is directed toward the end of seeing that the French colonies bring to the mother country, as rapidly as possible, the aid which it needs for its recovery and the development of its prosperity."[16] This is not the aim of the Mandate system, nor of any government devoted to the ideal of developing native society until the time when it may stand on its own feet.

5. *The Attack Against the Assimilation Theory*

For many years, the old idea of an authoritarian unitary state, out of which the doctrine of assimilation seems to have arisen, has been powerfully attacked by French scholars. The sociologist Émile Durkheim emphasized the importance of the individual in relation to the group, which was the product of a long social experience.[17] His ideas were developed in the legal field by Duguit[18] and his followers who have taken the position that the State is not an all-powerful, assimilative institution, but simply a federation of groups.[19] In fact, all of the Latin writers on Nationality during the nineteenth and early twentieth centuries who so powerfully supported the right of nations to live their own lives, advocated a philosophy which, with modifications, applies to primitive as well as to European societies.[20]

In the field of thought, the psychologist, Lévy Bruhl, has written a book asserting in opposition to British anthropologists that the mind of primitive man is quite different from that of the European who should, accordingly, not expect the native to react to the same formulæ as a European. The implication of his doctrine is that primitive people are inherently inferior to the civilized races—a doctrine which one does not need to accept in

[15] Cf. Vol. I, p. 938.

[16] *Chambre des Députés, cited,* December 1, 1926, p. 3967. "La Chambre peut être assuré que tous les efforts du ministre des colonies sont tendus vers ce but: voir les colonies françaises apportées à la métropole le plus rapidement possible, l'aide dont elle a besoin pour son relèvement, et le développement de sa prosperité."

[17] Cf. E. Durkheim, *Les Régles de la Méthode Sociologique,* Paris, 1904, pp. 150 f. *Sociologic et Philosophie,* Paris, 1924, pp. 53, 133.

[18] Cf. Duguit, *Traité de Droit Constitutionnel,* second edition, Vols. II and III.

[19] A more recent writer has expressed somewhat the same ideas, Hubert, *Le Principe d'Autorité dans l'Organisation Democratique,* Paris, 1926, pp. 154, 174.

[20] For perhaps the best historical study of this doctrine, cf. R. J. Johannet, *Le Principe des Nationalités,* Paris, 1923.

order to believe that there are fundamental differences between social groups.[21]

French scholars both in Paris and in the field have been making careful studies of primitive anthropology which impress one as being more fruitful than the efforts made in England. The governments of West and Equatorial Africa encourage such studies by administrative officials, which are published in the *Bulletin du Comité d'Études Historiques et Scientifiques de l'Afrique Occidentale Française,*[22] the *Bulletin de la Société des Recherches Congolaises,*[23] and the *Revue du Monde Musulman.*[24]

The philosophy which thus emphasizes the relationship of the individual to a group has apparently come to prevail among writers on colonial affairs. M. Chailley, in an important book on British India, says: "A native policy is based on the principle that, good or bad, people cling to their customs and institutions and that our institutions, no matter how much better they may be, will appear odious to them, if we pretend to impose upon the native, respect for or even use of these institutions; that our civilization, in our opinion so perfect, astonishes or shocks him, and, far from attracting him, drives him further away; that, convinced as we are that it is to his interest to leave his civilization for ours, it is necessary to move slowly, by dint of patience and tact. This tact consists, without ever discouraging him or permitting him to turn back on the road, of attracting him towards us, not by opening his eyes by force, but by persuading him to open them; that is, by making him develop little by little according to his traditions. This is what native policy is."[25]

One of the earliest authors who condemned the policy of assimilation in favor of the policy of the "protectorate" was Jules Harmand, a former French Ambassador, in his book, *Domination et Colonisation,* published in 1910. He wrote "We can only raise the black and yellow races in the social and political hierarchy by a gradual acceleration of their progress and not by a deviation from the ancestral road over which they have come. . . . Only the application of these principles, which are resolutely opposed to assimilation, but which are sympathetically respectful of the mental constitution of peoples, and of the social and political organizations which are the result of their material and moral needs, will be profitable both

[21] Lévy Bruhl, *La Mentalité Primitive,* Paris, 1923. Cf. also his *Les Fonctions Mentales dans les Sociétés Inférieures,* Paris, 1910. Both works have been translated into English. Cf. also Ch. Blondel, *La Mentalité Primitive,* Paris, 1926, Chap. II.

[22] Published quarterly at Gorée.

[23] Usually published every quarter at Brazzaville.

[24] Published quarterly at Paris.

[25] J. Chailley, *L'Inde Britannique,* Paris, 1910, p. 161.

to the ruler and to the subject, and may justify these vast and difficult enterprises." [26]

In 1919, another writer, Professor Vignon, in an important book declared that the policy of assimilation ignored the distinctions between races, societies, religions, and ideas which ethnographic and sociological studies had so clearly explained. It should be supplanted by the "protectorate" policy which he defined as the "art of leading populations, by means of their traditional chiefs, without disturbing them in their beliefs, their method of life and customs, except to reform their customs when they are too contrary to our moral and juridical ideas; . . . the art of leading them slowly, without forcing their pace, toward an improved social, political, and economic state which, however, shall not cease to respond to their mentality and which will conform to the developing powers of their intelligence." [27]

Professor Delafosse developed the same idea in even more striking language in a long article written in 1921. He said that the time had come for France as well as for the other nations of Europe to see whether they were on the right road. New ideas, under the much abused title of the "principles of nationalities," had arisen. "We have now a much clearer and broader idea of the existence, alongside and outside of our society, of other societies, each of whom, as ourselves, has its civilization, its own aspirations, its special needs; and no one can now deny to these societies,

[26] ". . . Tout ce qui est d'ordre moral et sentimental n'est transmissible que dans une mesure très étroite, et à ceux seulement qui, faisant partie de la même souche originelle, ont en outre subi les mêmes impressions séculaires et gravité dans le même cycle civilisateur. L'on ne peut élever des noires ou des jaunes dans la hiérarchie sociale et politique que par une certaine accélération de leur marche et non par déviation du chemin ancestral qu'ils ont parcouru.

"Ce sont ces convictions, dictées par l'observation des faits, qui doivent inspirer la conduite des Européens dans leur expansion lointaine, accomplie par la *domination* de peuples si différents d'eux mêmes. Seule, leur application résolument désassimilatrice, systématiquement respectueuse de la constitution mentale de ces peuples, des organizations politiques et sociales qui sont la résultante de leurs besoins matériels et moraux, peut être profitable en même temps au dominateur et au sujet, et justifier ces vastes et difficiles entreprises." Jules Harmand, *Domination et Colonisation,* Paris, 1910, pp. 71-72.

[27] L. Vignon, *Un Programme de Politique Coloniale,* Paris, 1919, p. 212. The French is as follows: "Une seule politique peut être suivie à l'égard des indigènes: celle du protectorat. Elle est l'art. . . . car c'est un art, . . . de conduire les populations, par l'intermédiaire de leurs chefs naturels, sans les troubler dans leurs croyances, leurs modes de vivre et hibitudes, en se bornant à leur demander de réformer leurs coutumes pour ce qu'elles ont de trop contraire à nos idées morales et juridiques; l'art de leur faire accepter le contact des colons ou d'agir, du moins, de telle sorte qu'elles en souffrent le moins possible; et encore, l'art de les mener lentement, à leur pas, sans qu'elles en pârtissent, vers un état social, politique, économique, meilleur, . . . état qui, toutefois, ne cessera pas de répondre à leur mentalité, demeurera conforme aux facultés évolutives de leur intelligence." Similar ideas are advanced by Octave Homberg, "La France Des Cinq Parties du Monde," I, *Revue des Deux Mondes,* December 15, 1925, p. 882.

however different they may be from French society, the right of maintaining their civilization, of realizing their aspirations, of providing for their needs, according to their genius [génie] and temperament."

He pointed out how in the name of equality of races, amateurs, following this theory, had tyrannically suppressed native institutions and had thus acted as inhumanely as those who preached racial superiority. "This application of the racial equality doctrine was the negation of the principle which recognizes the right of each human society to dispose of itself. . . . We believe that human societies, even though established outside of our microcosm, and upon a basis of which we are ignorant, and which we are often incapable of understanding, should not be suppressed from the earth by the mere will of another society, whatever it may be, and that we have no right either to reduce them to slavery or to impose upon them laws and customs which they reject, which have not been fitted to them, and the forced adoption of which may lead them to death."

In ignoring these considerations, "the native policy followed up to the present in our possessions in Black Africa is injurious to the natives and consequently to ourselves. It has been harmful because it has refused to recognize native society. Hence comes the necessity of a new policy which will take as a point of departure the accurate and profound recognition of native societies and as an aim the maintenance and the reinforcement of these societies and of everything in their institutions of a nature to contribute to their material, intellectual and moral development, it being well understood that this development will have as a corollary the development of our own civilization.

"The rights of native groups on the soil which they occupy should be recognized; these groups should be given every necessary guarantee that they may enjoy these rights in liberty and security. Respect should be accorded to their traditional customs in everything that is not contrary, not to *our* ideal of civilization, but to the welfare of the native societies themselves; native law should be justly applied to local tradition, education should be adapted to native needs and aspirations, and this policy should be accompanied by necessary measures for the improvement of the native health and for native economic development." [28]

Within the last few years, these considerations have dawned upon a number of French administrators, as a result of which French colonial policy has in theory at least been already somewhat affected. Since 1895, the government has attempted to get away from administrative centralization, which is one aspect of the policy of assimilation, by creating the federa-

[28] M. Delafosse, "Sur l'Orientation Nouvelle de la Politique Indigène dans l'Afrique Noire," Renseignements Coloniaux, No. 6, *Afrique Française*, 1921, p. 145.

tions of the colonies of West and Equatorial Africa, the Governors-General of which exercise power hitherto concentrated in the Minister of Colonies in Paris. The government at Dakar for some time attempted to cut down the powers of the natives in the old General Council—an attempt which finally succeeded in 1920 when the Colonial Council was established, reducing the representation of the black citizens one-half. The Dakar government has declined to establish new Colonial Councils or full communes elsewhere in Africa. Likewise at one time it attempted to deprive the natives of the four communes of their right to vote—an attempt which was more than defeated by the cleverness of the black deputy in the French Chamber and the ignorance of the French Parliament, still addicted to the doctrines of the French Revolution, which passed the citizenship law of 1916.[29] But these efforts of the French Government have not been wholly in the direction of repressing the native "élite." The administration has in some cases recognized the importance of developing native institutions and the traditional chiefs—a policy which it now follows in theory toward the Mossi states in the Upper Volta. It is a policy which France already follows in Morocco and Indo-China also. Her native policy in Morocco is inspired by the conception, according to an official writer, that France "is dealing with races which are not *inferior* but different, having an organization, customs, and traditions which are suitable to their own civilization and to which they remain profoundly attached."[30] Some French statesmen assert that the French in Morocco have avoided all the mistakes of the British in India. Instead of imposing French institutions, they are developing local institutions.

It is difficult to understand why a people as logical as the French should apply the "protectorate" policy in one part of Africa, and yet, using diametrically opposed arguments, apply the policy of direct rule to the other parts of Africa. The justification given for this difference is that the native organization and civilization in Morocco is on a higher level than that in West Africa. But this difference is merely one of degree. Moreover, the native organization in British West Africa does not seem to be on a higher level than in French Africa while the native organization in Tanganyika and the Belgian Congo is perhaps even more primitive. This condition has not prevented the British or the Belgians from attempting to develop native institutions. The divergence in policy between Morocco and West Africa is probably due to historical and administrative reasons. The colonies where the assimilative doctrine is applied were

[29] Cf. Vol. I, p. 951.

[30] Lt.-Col. Huot, Director of Native Affairs, *La Renaissance du Maroc, Dix Ans de Protectorat,* Rabat, 1923, p. 176.

acquired many years ago, when the theories of the French Revolution were much stronger in France than they are to-day. Having introduced a policy in a given colony, it seems difficult for the French bureaucracy to make a change. It is an interesting fact that Morocco, where indirect rule has been so successfully applied, is under the control of the French Foreign Office, and not of the Ministry of Colonies, which controls West and Equatorial Africa. There is a partition between these two services which makes it difficult for one to profit from the achievements of the other.

Nevertheless, Governors Ponty and Van Vollenhoven in the circulars previously cited [31] admirably stated the case in favor of native institutions. In 1924, M. Albert Sarraut, Minister of Colonies, similarly declared:

"We cannot, without a profound error, and without mortal risks to ourselves, apply *de plano* to races still to-day so backward, the forms of social and political life which we have reached ourselves only after a long and difficult effort, full of groping, of difficulties, of reaction and of afflictions; and we must not abdicate our power in favor of infirm and inexperienced hands, and impose the same burden and the same difficulties upon our *protegés,* by the premature gift of liberties which they cannot use. Our duty is, on the contrary, to help them escape the torment and the sorrow of the experiences through which we have been obliged to pass before attaining to our present stage of civilization and of social life. . . .

"We are disposed, in proportion as the progress of this mentality permits, to develop these institutions, [advisory councils composed of natives, which the French have established] and to enlarge their field of action." [32]

While this attention to the development of French as opposed to native institutions still shows an attachment to the old doctrines, nevertheless the recognition that there is a fundamental social difference between native and French groups is of great importance.

In equally significant terms, M. Sarraut considers the possibility that the French colonies may eventually become self-governing dominions, such as are found in the British Empire, or that they may even acquire complete independence. ". . . It had been the glory of France to create and to liberate races. Would it not be a considerable advantage to have thus created overseas states or societies in which there would persist . . . the language, the tradition, the lessons, the memory and even the soul of France? And would it not again be an enviable result if thus bound to her grown-up children by durable ties of gratitude and of interest, the

[31] Cf. Vol. I, p. 995.

[32] "L'Oeuvre coloniale de la France," *Études de Colonisation comparée,* Bibliothèque-Congo, Brussels, 1924, p. 22. This was an address at an international conference of colonial authorities, called by Louis Franck, Minister of Colonies in Belgium.

mother country would remain a privileged beneficiary from these economic and political relations without supporting its former responsibilities?"[33] While this statement also shows a devotion to the proselyting zeal upon which the doctrine of assimilation is based, yet in envisioning the possibility that these colonies may wish eventually to go their own way, M. Sarraut has unconsciously admitted that France will not be able to apply literally this doctrine in all of its aspects.

A similar trend is indicated in opinions expressed in connection with native policy in the mandates of Togo and the Cameroons. At the 1925 meeting of the Mandates Commission, the Commissioner of Togo was asked the question whether the object was to turn the native into a European, or whether the native possessed organizations corresponding to his needs other than those of the European, and which it would be wrong to destroy. In reply the Commissioner declared that in his opinion, during development, constant attention must be paid to environment. Account must be taken of the conditions in which the native existed and would exist for a long time.[34]

An early report on the Cameroons said that the policy of the administration consisted in "safeguarding everything of a nature in native societies to favor their normal evolution through their own structure. For this reason, the administration should retain, with the necessary changes, the local political organization."[35]

In 1926, M. Merlin, who had been Governor-General of French West Africa and Indo-China, declared, in approving native policy in Tanganyika before the Mandates Commission:

"If given certain responsibilities by the white man, they, the natives, failed, because very often, as he had pointed out, their standard of morality was not equal to their standard of education. Many Administrators, therefore, were now considering whether they should not discontinue education on European lines and favour a policy of indirect administration by developing the native on the lines. . . . Laws were the result of morals, and therefore to achieve the progress of the mass of the people by working through their chiefs and developing their own traditions would give a less showy but a more durable result. It was a wise policy to cause the African to develop in his own sphere and to work as far as possible through the chiefs, while naturally subjecting those chiefs to very close supervision."[36]

[33] *Ibid.*, pp. 26, ff.

[34] *Minutes of the Sixth Session, Permanent Mandates Commission*, C. 386, M. 132, 1925, VI, p. 25.

[35] *Rapport sur l'administration des territoires occupés du Cameroun*, 1921, p. 42.

[36] *Minutes of the Ninth Session, Permanent Mandates Commission*, C. 405, M. 144. 1926. VI. p. 141.

6. *The Development of a Technique*

It appears that the Indirect Rule, which is the outgrowth of the study of human institutions by French scholars, has come to dominate the best thought of France, and has already made an impression upon some colonial administrators. So far, however, the new policy, confining itself to the enunciation of ideals, has not been transformed into practice. In other words, it lacks a technique. The French Government, particularly in Senegal, still abolishes native states, the most recent example of which is the Kingdom of Saloum,[37] and it shows no inclination to restore to the chiefs their judicial power and their control of land which the French guaranteed to them in early treaties.[38] Under ordinary circumstances, it is only after a considerable lapse of time that the teachings of scholarship come to influence men of action. In the case of French colonial policy, this interval will probably be longer than, for example, in Belgium, where the same transformation has recently taken place, partly because of the presence of negro deputies in the French Parliament, who for personal reasons and out of conviction vigorously support the doctrine of assimilation,[39] and partly because of the administrative disorganization which hitherto has existed within the French Ministry of Colonies.

In 1925, the Senate reporter on the colonial budget declared that the departments in the Ministry of Colonies had "at their disposition neither a service of comparative colonial legislation, nor a service of general information, which would enable them to compare methods and the results of French colonies with those of the British or Dutch colonies." He continued: "They cannot draw up comparative tables of exports and imports of French and foreign colonies." The Ministry was obliged to obtain information about the colonies from private trading firms. The French Colonial Office has an immense library and archives, but neither officials nor scholars can use them because of the lack of an adequate index or filing system.[40] In 1925, the French budget appropriated forty-nine hundred francs ($245) for the Colonial Office Library—a sum which would not even pay for book binding.

Although an administrative reorganization in the Ministry of Colonies has recently taken place, its funds are so limited that it is doubtful whether it has the means to make a thorough study of the native problem. The

[37] Cf. Vol. I, p. 988. [38] Cf. Vol. II, p. 1022.

[39] Cf. the remarks of M. Boisneuf, *Chambre des Députés,* December 20, 1922, p. 4364.

[40] *Rapport, Ministère des Colonies,* par M. de Monzie, No. 154, Sénat, 1925, p. 3. For similar criticisms, cf. the statement of M. Maginot, the Minister of Colonies in 1917, *Conférence Coloniale,* Paris, 1917, p. 3.

appropriations for the Ministry of Colonies, excluding the expense of the colonial troops, declined from about 283,000,000 francs in 1919 to 241,300,000 in 1923. In 1925, the French Colonial Office expended about half of what it expended in 1910, taking into consideration the fall of the franc.[41]

France's financial and economic disorganization, the cruel product of the World War, which she had been obliged to repair almost entirely out of her own resources, has necessarily imposed upon each government office the imperative duty of immediate reconstruction; and for this purpose, the government has been tempted to utilize resources wherever they might be found, either in the colonies or elsewhere. In the long run, there is a vital connection between native policy and trade, but quick returns for a few years may be realized by following a policy which may not be conducive to native interests. With the improvement of the domestic situation, which has already begun to take place in France, there is little doubt that the French Colonial Office and Parliament will make a careful study of native policy with a view to carrying into effect the ideas which have already come to dominate French thought.

In studying this question, the French Government will have to consider the wisdom of maintaining its present conscription policy by which natives from West Africa are obliged to serve nearly twice as long under the colors as the citizens of France. It will have to determine whether or not the maintenance of the system of disciplinary penalties and of a judicial system lacking a penal code can be justified, especially when neither the British nor the Belgians have found it necessary to follow such a system. It will have to consider the wisdom of maintaining the present system of prestations, of taxing women and children, and of recruiting labor for private employers. It must also decide what measures can be taken to restore to the native population of Equatorial Africa the land which has been taken from them by the concession system.[42]

From the positive standpoint, the French Government must consider what measures should be taken to carry into effect the principle of developing native society, which is now in theory accepted. It would do well to study the efforts of the Belgians and the British who after careful detailed studies of each native group are seeking out and restoring to power the traditional chiefs, and who are then bestowing upon the native groups a high degree of judicial and financial power in the form of native courts and treasuries subject to strict European control—a policy animated by

[41] M. Archimbaud, Rapport sur le Budget Général, Ministère des Colonies, *Chambre des Députés, cited*, 1924, p. 6.

[42] Cf. Chap. 72.

the belief that native society will be developed not by imposing upon it advisory councils of European origin, but by imposing some immediate responsibility for actual administration upon existing institutions which are the product of native experience. The French Government must consider whether, in view of this same policy of "Association," the collective rights of native tribes to the land should not be restored, and if it should not employ such widely spoken languages as Ouolof, Peul, or Fang, along with French in the schools. In forming an opinion upon these subjects, the French Government would do well to consider that in occupying French West and Equatorial Africa, it made treaties with the chiefs, in which it promised to respect their judicial power, their power over land and native institutions generally. While these treaties may not have any legal validity in constitutional or in international law,[43] it would appear that they do impose upon France a moral duty to respect and develop the institutions which were supposedly protected by these treaties.

From the economic standpoint, the French Government should consider the wisdom of maintaining the present system of compulsory contributions of West Africa to the home government, and when its financial situation justifies it, it should likewise consider the desirability of extending further credits to all of these African territories, thereby relieving the pressure upon the native population which is now apparently imposed in connection with the construction of public works.

Once these new principles find their application, it is not improbable that the French will be more successful in Africa from the native standpoint than the British. The French have not introduced the system of White Settlement which has so firmly gripped the British territories of South and Central Africa, and which is slowly creeping up the back of East Africa. This system, as we have seen, creates a conflict between European and native interests which is almost insoluble, and which is making the development of native institutions in some of these territories virtually impossible. Once the white farmer digs himself into the highlands of Africa, it will be much more difficult for public opinion in Europe to dislodge or even to control him than, for example, it will be for opinion to induce the French Government to abolish colonial conscription. To the credit of the French, it must be said that they have not adopted the plantation system in their colonies, except in Equatorial Africa. As long as they exclude this system in favor of the native farm, native institutions will have an indispensable economic foundation upon which to grow.

Moreover, the French have a fraternal sympathy for men of a different

[43] Cf. F. Despagnet, *Essai sur Les Protectorats,* Paris, 1896, pp. 247 ff.

color which the English have never shown. Whatever the effect which such a quality may have upon the purity of the home culture, there can be no doubt that it wins the gratitude of the educated native class.

If France reorganizes her native administration in conformity with the policy of "Association" which she has accepted in theory, and at the same time maintains the friendly tolerance and affability toward the colored races which have characterized her in the past, and which the British lack, her ultimate success in developing native society in Africa to a point where it will be able to stand upon its own feet, and at the same time remain upon friendly terms with the other parts of the world, may be greater than that of the British Empire.

APPENDICES—FRENCH WEST AFRICA

APPENDIX XXI

THE CONSTITUTION OF SENEGAL

ARRÊTÉ *promulguant en Afrique occidentale française le décret du 4 décembre 1920, portant réorganisation administrative du Sénégal et créant un Conseil colonial de cette Colonie.*

LE GOUVERNEUR GÉNÉRAL DE L'AFRIQUE OCCIDENTALE FRANÇAISE,
COMMANDEUR DE LA LÉGION D'HONNEUR,

Vu le décret du 18 octobre 1904, réorganisant le Gouvernement général de l'Afrique occidentale française;

Vu le décret du 4 décembre 1920, portant réorganisation administrative du Sénégal et créant un Conseil colonial de cette Colonie,

ARRÊTÉ:

Article premier.—Est promulgué en Afrique occidentale française le décret du 4 décembre 1920, portant réorganisation administrative du Sénégal et créant un Conseil colonial de cette Colonie.

Art. 2.—Le présent arrêté sera enregistré, publié et communiqué partout où besoin sera.

Dakar, le 16 janvier 1921.

M. MERLIN.

RAPPORT

AU PRÉSIDENT DE LA RÉPUBLIQUE FRANÇAISE

Paris, le 4 décembre 1920.

Monsieur le Président,

L'organisation du Sénégal, telle qu'elle résulte des dispositions du décret du 13 février 1904, comporte la division de la Colonie en deux territoires pourvus d'une organisation administrative et financière distincte: les Territoires d'administration directe et les Pays de protectorat. Les premiers administrés par le Lieutenant-Gouverneur assisté d'un Conseil privé, relèvent en outre de la jurisdiction d'un Conseil général, institué par le décret du 4 février 1879; les seconds dotés d'un régime analogue à celui des autres Colonies du groupe sont placés uniquement sous l'autorité du Lieutenant-Gouverneur auprès duquel siège le même Conseil privé transformé en Conseil d'administration par l'adjonction de deux notables indigènes.

Les recettes et les dépenses afférentes à l'administration des divisions territoriales font l'objet de deux budgets distincts dont les modes d'établissement sont également différents.

Créé à une époque où le Sénégal ne possédait, en dehors d'un petit nombre d'escales commerciales, que deux villes ayant atteint un certain développement: Gorée et Saint-Louis et deux autres en voie de formation: Dakar et Rufisque, le Conseil général, appelé aujourd'hui à gérer les finances d'un territoire qui compte 175,000 habitants dans une Colonie dont la population totale représente près d'un million et demi d'individus, n'en demeure pas moins l'élu d'un collège électoral des plus restreints composé uniquement de citoyens français habitant les quatre communes de plein exercice.

D'autre part, la dualité de budgets, conséquence de la différence radicale de régime administratif des deux portions de territoire composant la Colonie, n'a pas manqué d'occasionner, avec le temps, de réelles complications financières; la superposition des deux organisations et même des deux législations qu'elle implique a fini par créer une situation dont les multiples inconvénients sont de tous les instants.

L'institution du Gouvernement général de l'Afrique occidentale française et du budget général qui lui est propre en vertu du décret du 18 octobre 1904 est encore venue aggraver ces inconvénients.

Privé d'une partie considérable de ses ressources, le budget géré par le Conseil général ne peut plus désormais s'équilibrer qu'au moyen de subventions du budget général et du budget des Pays de protectorat, tandis qu'au contraire, ce dernier verse une subvention au budget général. Une organisation aussi compliquée ne peut qu'apporter de la confusion et de l'obscurité dans les budgets et les comptes en même temps qu'elle entraine des augmentations de dépenses injustifiées.

C'est pour ces motifs que les divers Gouverneurs généraux qui se sont succédé depuis plusieurs années à la tête de l'Afrique occidentale française appuyés en cela tout récemment encore par les rapports d'une mission d'inspection, ont préconisé des réformes tendant toutes vers l'unification administrative et financière de la colonie du Sénégal.

Déjà envisagée par mon prédécesseur, retardée par les circonstances inhérentes à l'état de guerre, cette mesure, qui vient de faire l'objet d'une étude attentive de la part de l'administration locale, me paraît pouvoir être aujourd'hui réalisée.

Aux termes du projet élaboré, les Territoires d'administration directe et les Pays de protectorat du Sénégal sont désormais réunis en une Colonie unique, administrée par un Lieutenant-Gouverneur assisté d'un Conseil privé, analogue au Conseil d'administration des autres Colonies du groupe et d'un Conseil nouveau qui, se substituant au Conseil général, prend le nom de "Conseil colonial."

Le Conseil colonial, dont la juridiction s'étend à tout le Sénégal, sera composé, d'une part, de vingt membres élus, non plus seulement par les habitants des communes de plein exercice mais, ainsi qu'il se produit déjà pour les élections législatives, par l'ensemble des citoyens français habitant la

Colonie, et, d'autre part, de vingt membres élus par l'ensemble des chefs de province et de canton.

L'assemblée ainsi constituée exercera les attributions dévolues au Conseil général par le décret du 4 février 1879, sous réserve toutefois, en matière financière, de modifications décidées en application du principe décentralisateur qui a déjà présidé, dans le même ordre d'idées, au décret du 4 juillet 1920.

Une Commission permanente du Conseil colonial, constituée dans la même forme et investie des mêmes pouvoirs que la Commission coloniale du Conseil général actuel, donnera aux travaux du Conseil la continuité nécessaire et assurera un lien constant entre l'assemblée et l'autorité locale.

La réforme générale se complète enfin par la création d'un Conseil du contentieux administratif, institué sur le modèle de ceux des autres Colonies du groupe et dont le fonctionnement reste régi par les prescriptions des décrets des 5 août et 7 septembre 1881, qui ont réglementé cette matière dans nos possessions d'outre mer.

Tels sont, Monsieur le Président, les objets du projet de décret que j'ai l'honneur de soumettre à votre haute sanction.

Tout en réalisant une unité et une simplification dont l'absence se faisait gravement sentir, il affecte en outre un caractère éminemment libéral, puisqu'il place la Colonie tout entière sous la juridiction d'une assemblée locale dont les membres, uniquement recrutés par voie d'élection, seront réellement les représentants qualifiés de l'ensemble de la population.

Le développement du Sénégal ne peut qu'en recevoir une impulsion nouvelle.

C'est pour ce motif que je vous serais reconnaissant de vouloir bien revêtir ce texte de votre signature.

Je vous prie d'agréer, Monsieur le Président, l'hommage de mon profond respect.

Le Ministre des Colonies,
A. SARRAUT.

LE PRÉSIDENT DE LA RÉPUBLIQUE FRANÇAISE,

Vu l'article 18 du sénatus-consulte du 3 mai 1854;

Vu l'ordonnance du 7 septembre 1840 sur le Gouvernement du Sénégal et dépendances;

Vu les décrets des 4 février 1879, 4 mars 1879, 24 février 1885, 17 avril 1897, 11 mai 1903, relatifs au Conseil général du Sénégal; ensemble le décret du 12 août 1885, portant création de la Commission coloniale de ce Conseil;

Vu les décrets des 5 août et 7 septembre 1881, concernant l'organisation et la compétence des Conseils du contentieux administratif dans les Colonies;

Vu les décrets des 15 octobre 1902, 13 juin 1903, 6 mai 1904, relatifs au Conseil privé du Sénégal;

Vu le décret du 13 février 1904, portant modification de limites entre le Sénégal et la Sénégambie-Niger;

Vu le décret du 18 octobre 1904, portant réorganisation du Gouvernement général de l'Afrique occidentale française;

Sur le rapport du Ministre des Colonies,

DÉCRÈTE:

TITRE PREMIER

ORGANISATION GÉNÉRALE

Article premier.—Les Territoires d'administration directe et les Pays de protectorat du Sénégal, tels qu'ils ont été définis par les décrets susvisés des 13 février et 18 octobre 1904, sont réunis en une Colonie unique qui prend le nom de colonie du Sénégal et dont le chef-lieu est à Saint-Louis.

La colonie du Sénégal est administrée par un Lieutenant-Gouverneur placé sous la haute autorité du Gouverneur général de l'Afrique occidentale française.

Le Lieutenant-Gouverneur est assisté d'un Conseil privé et d'un Conseil colonial.

Un Conseil du contentieux administratif siège au chef-lieu de la Colonie.

TITRE II

CONSEIL PRIVÉ

Art. 2.—Le Conseil privé du Sénégal est composé comme suit:

Le Lieutenant-Gouverneur, président;

Le Secrétaire général;

Le Procureur de la République près le Tribunal de 1re instance de Saint-Louis;

Le commandant militaire du Sénégal;

Un chef de service annuellement désigné par le Lieutenant-Gouverneur;

Le président de la Chambre de commerce de Saint-Louis;

Quatre notables dont deux citoyens français et deux sujets français.

Les notables sont nommés par arrêté du Gouverneur général, sur la présentation du Lieutenant-Gouverneur; leur mandat a une durée de deux ans; il est indéfiniment renouvenable; ils doivent savoir parler couramment le français.

Quatre notables, membres suppléants, choisis dans les mêmes conditions et nommés dans la même forme, remplaçent, en cas de besoin, les membres-titulaires.

Art. 3.—Les chefs des Services civils et militaires peuvent être appelés à siéger dans le Conseil à titre consultatif pour toutes les questions intéressant leurs services et notamment à l'occasion du vote du budget.

Dans ce cas, ils prennent rang immédiatement après les fonctionnaires membres du Conseil et, entre eux, d'après leur grade et leur assimilation.

Art. 4.—Un secrétaire archiviste, désigné par le Lieutenant-Gouverneur, est attaché au Conseil, il ne participe pas aux délibérations.

Art. 5.—La compétence du Conseil privé s'étend à l'ensemble de la Colonie. En toute matière il est une assemblée purement consultative.

Le Conseil privé est obligatoirement consulté:

1° Sur le projet de budget des recettes et des dépenses de la Colonie;

2° Sur le compte définitif des recettes et des dépenses de la Colonie, dans les conditions fixées par l'article 345 du décret du 30 décembre 1912;

3° Sur les projets portant création, modification ou suppression d'impôts, taxes et redevances de toute nature perçus ou à percevoir au compte du budget et fixant leur mode de perception;

4° Sur les emprunts à contracter par la Colonie et les garanties pécuniaires à consentir;

5° Sur les projets des travaux qui doivent être exécutés à l'aide des fonds du budget local, ainsi que sur les mémoires, plans et devis les concernant, lorsque le montant de la dépense à engager dépasse 100,000 francs;

6° Sur les marchés et contrats de travaux et de fournitures entrainant une dépense supérieure à 50,000 francs;

7° Sur les modes de gestion et l'affectation des propriétés de la Colonie;

8° Sur les acquisitions, aliénations ou échanges, au compte de la Colonie, de propriétés mobilières et immobilières non affectées à un service public;

9° Sur les baux des biens donnés ou pris à ferme ou à loyer, quelle qu'en soit la durée;

10° Sur les actions à intenter ou à soutenir, au nom de la Colonie, sauf dans le cas d'urgence où le Lieutenant-Gouverneur peut intenter toute action ou y défendre et faire tous actes conservatoires;

11° Sur les transactions qui concernent les droits de la Colonie, le recours à l'arbitrage étant toujours possible sous réserve de l'approbation du Gouverneur général;

12° Sur l'acceptation ou le refus des dons et legs faits à la Colonie, sans charges ni affectations immobilières, quand ces dons ne donnent pas lieu à réclamations;

13° Sur les offres faites par les communes, par des associations ou des particuliers, pour concourir à la dépense des routes, chemins, canaux ou d'autres travaux à la charge de la Colonie;

14° Sur les subventions à allouer communes, sur les fonds du budget local, pour l'exécution de travaux publics;

15° Sur les conditions d'exploitation par la Colonie des Travaux destinés à un usage public, construits avec ses fonds et les tarifs à percevoir;

16° Sur les traités et dispositions relatifs à la concession à des associations, à des compagnies ou à des particuliers de travaux ou de services d'intérêt local et leur exploitation dans la mesure où le domaine privé et les finances de la Colonie sont intéressés;

17° Sur la création, l'entretien et l'exploitation des marchés non communaux;

18° Sur l'établissement et l'entretien des bacs et passages d'eau et la fixation des tarifs à percevoir;

19° Sur le classement des routes construites sur les fonds de la Colonie;

20° Sur les assurances de propriétés mobilières et immobilières de la Colonie;

21° Sur les arrêtés à prendre par le Lieutenant-Gouverneur en matière de police;

22° D'une manière générale sur toutes les matières pour lesquelles les lois et règlements prescrivent la consultation des Conseils privés ou des Conseils d'administration.

Dans les autres cas, le Lieutenant-Gouverneur prend l'avis du Conseil privé, chaque fois qu'il le juge nécessaire.

TITRE III

Conseil colonial

CHAPITRE PREMIER

Formation du Conseil colonial

Art. 6.—Le Conseil colonial du Sénégal est composé comme suit:

Vingt membres élus par les citoyens français habitant la colonie du Sénégal;

Vingt chefs indigènes élus par l'ensemble des chefs de province et de canton de la Colonie.

Art. 7.—Les membres du Conseil colonial sont élus pour quatre ans et, indéfiniment, rééligibles.

Les élections ont lieu le premier dimanche de juin.

Le mandat de conseiller est gratuit. Toutefois, les membres du Conseil colonial peuvent recevoir, pendant la durée des sessions et, indépendamment du remboursement de leurs frais de transport, une indemnité journalière fixée par arrêté du Lieutenant-Gouverneur.

Art. 8.—En vue de ces élections, la colonie du Sénégal est divisée en quatre circonscriptions de vote.

La 1re circonscription ou circonscription du fleuve, qui fournit dix conseillers;

La 2e circonscription ou circonscription de la voie ferrée, qui fournit seize conseillers;

La 3e circonscription ou circonscription du Sine-Saloum, qui fournit douze conseillers:

La 4e circonscription ou circonscription de la Casamance, qui fournit deux conseillers.

Un arrêté du Gouverneur général, pris sur le rapport du Lieutenant-

Gouverneur du Sénégal, après avis du Conseil privé de la Colonie, déterminera les territoires rattachés à chacune de ces circonscriptions.

Art. 9.—Les représentants au Conseil colonial des citoyens français sont élus au scrutin de liste par le suffrage direct universel.

Sont électeurs, tous les citoyens français inscrits sur les listes électorales dressées en vertu du décret du 5 janvier 1910, sur l'électorat politique au Sénégal.

Tout électeur est éligible à la condition d'être âgé de vingt-cinq ans accomplis, de ne pas être pourvu d'un conseil judiciaire et de savoir parler couramment le français.

Art. 10.—Les élections ont lieu conformément à la législation qui régit les élections législatives au Sénégal.

Art. 11.—La 1re circonscription élit six conseillers,

La 2e circonscription élit huit conseillers;

La 3e circonscription élit cinq conseillers;

La 4e circonscription élit un conseiller.

Art. 12.—Les électeurs sont convoqués par arrêté du Lieutenant-Gouverneur en Conseil privé.

L'intervalle entre la publication de l'arrêté de convocation et les élections est de quinze jours au moins.

L'arrêté du Lieutenant-Gouverneur fixe les règles de procédure applicables à l'élection conformément aux prescriptions de la législation générale susvisée.

Art 13.—Nul ne peut être candidat et proclamé élu que dans la circonscription où il est inscrit sur les listes électorales.

Art. 14.—Une commission composée du Secrétaire général de la Colonie, président; du président du Tribunal de première instance et du maire de Saint-Louis, procède au recensement général des votes et en proclame le résultat. Ces opérations sont constatées par un procès-verbal.

Art. 15.—Nul n'est élu au premier tour de scrutin, dans la limite des sièges à pourvoir, s'il n'a réuni: 1° la majorité absolue des suffrages exprimés; 2° un nombre de suffrages égal au quart de celui des électeurs inscrits.

Si un deuxième tour de scrutin est nécessaire, les électeurs de la circonscription sont convoqués à nouveau quinze jours après.

L'élection a lieu alors à la majorité relative quel que soit le nombre des votants.

Art. 16.—En cas d'égalité de suffrages, l'élection est acquise au candidat le plus âgé.

Art. 17.—Tout électeur a le droit d'arguer de nullité les élections de sa circonscription.

Le même droit est dévolu au Lieutenant-Gouverneur dans toutes les circonscriptions.

La procédure à suivre est celle que fixent les articles 37, 38, 39 et 40 de la loi du 5 avril 1884.

Les attributions conférées par la loi au Ministre de l'Intérieur sont dévolues au Ministre des Colonies.

Les attributions dévolues au préfet sont remplies par le Lieutenant-Gouverneur.

Les attributions conférées au Conseil de préfecture sont remplies par le Conseil du contentieux administratif de la Colonie.

Art. 18.—Le représentation au Conseil colonial des chefs de province et de canton est assurée comme suit:

La 1re circonscription élit quatre conseillers;

La 2e circonscription élit huit conseillers;

La 3e circonscription élit sept conseillers;

La 4e circonscription élit un conseiller;

Art. 19.—Dans chaque circonscription, les représentants à désigner sont choisis par l'ensemble des chefs de province et de canton de la circonscription réunis, à cet effet, en un palabre que préside un administrateur désigné par le Lieutenant-Gouverneur et assisté des deux chefs les plus âgés présents à la réunion.

Cette réunion a lieu au jour fixé par l'arrêté du Lieutenant-Gouverneur convoquant les électeurs citoyens français.

Les résultats et le procès-verbal de cette réunion sont transmis, par les soins de son président, au Lieutenant-Gouverneur.

La proclamation des désignations effectuées dans chaque circonscription est faite par arrêté du Lieutenant-Gouverneur en Conseil privé.

Art. 20.—Ne peuvent être choisis, en qualité de représentants des chefs indigènes au Conseil colonial, que les chefs de province ou de canton officiellement nommés à ces emplois par le Lieutenant-Gouverneur exerçant leurs fonctions dans la circonscription où ils ont été désignés et sachant parler couramment le français.

Art. 21.—Est déclaré d'office démissionnaire par le Lieutenant-Gouverneur tout membre du Conseil colonial qui, pour une cause survenue postérieurement à son élection, tombe dans un des cas d'incompatibilité prévus par le présent décret où se trouve perdre la qualité en vertu de laquelle il a été élu.

Art. 22.—Tout conseiller colonial ayant manqué à une session ordinaire ou extraordinaire sans excuse légitime sera déclaré démissionnaire par le Conseil dans la dernière séance de la session.

Art. 23.—La démission d'un conseiller est adressée au président du Conseil colonial qui en donne immédiatement avis au Lieutenant-Gouverneur.

Art. 24.—En cas de vacance par décès, démission ou toute autre cause, il est procédé à des élections ou désignations complémentaires dans les trois mois qui suivent la vacance.

Sont convoqués à cet effet, dans les formes prescrites aux articles précédents, les électeurs de la catégorie et de la circonscription dont faisaient partie le ou les conseillers à remplacer.

Art. 25.—Le mandat de conseiller colonial est incompatible avec celui de membre du Conseil privé de la Colonie et avec l'entreprise des travaux publics rétribués sur les fonds du budget local.

Ne peuvent également être élus au Conseil, dans les conditions spécifiées à l'article 9 du présent décret, les militaires en activité de service, fonctionnaires et employés à un titre quelconque de l'Etat, de la Colonie ou des communes.

Art. 26.—Les membres du Conseil colonial ne peuvent faire l'objet d'aucune mesure individuelle de suspension ou de révocation, mais leur réunion peut être soit suspendue, soit dissoute.

La suspension est prononcée par arrêté du Gouverneur général, sur la proposition du Lieutenant-Gouverneur. Il en est rendu compte au Ministre des Colonies. Elle ne peut excéder un mois.

La dissolution est prononcée par décret, sur la proposition du Lieutenant-Gouverneur du Sénégal, l'avis du Gouverneur général et le rapport du Ministre des Colonies.

Art. 27.—En cas de dissolution, il est procédé à de nouvelles élections dans les trois mois qui suivent la promulgation du décret qui la prononce.

Pendant ce délai, les attributions du Conseil colonial sont exercées par le Lieutenant-Gouverneur en Conseil privé.

Art. 28.—Le mandat des conseillers élus en vertu des articles 24 et 27 n'a de durée que jusqu'à l'époque des élections générales telle qu'elle est déterminée par l'article 7 du présent décret.

CHAPITRE II

Session du Conseil colonial

Art. 29.—Le Conseil colonial se réunit chaque année en session ordinaire sur la convocation du Lieutenant-Gouverneur et à une date fixée par ce dernier.

La durée de la session est de quinze jours; toutefois, le Lieutenant-Gouverneur peut la prolonger par arrêté pris en Conseil privé.

Le Lieutenant-Gouverneur peut également convoquer le Conseil colonial en session extraordinaire. L'arrêté de convocation, pris en Conseil privé, fixe la durée et l'ordre du jour de la session.

Art. 30.—L'ouverture de chaque session est faite par le Lieutenant-Gouverneur ou, à défaut, par son délégué.

Art. 31.—A l'ouverture de chaque session ordinaire de l'année, le Conseil colonial, sous la présidence de son doyen d'âge, le plus jeune membre, faisant fonction de secrétaire, nomme dans son sein, au scrutin secret et à la majorité des voix, un président, deux vice-présidents et deux secretaires.

Le président, un des vice-présidents et un des secrétaires sont choisis par l'assemblée parmi les élus des citoyens français.

L'autre vice-président et l'autre secrétaire sont choisis, dans les mêmes conditions, parmi les élus des chefs indigènes.

En cas d'égalité de suffrages, l'élection est acquise au candidat le plus âgé.

Nul ne peut faire partie du bureau s'il ne sait lire et écrire couramment le français.

Art. 32.—Le Lieutenant-Gouverneur a entrée au Conseil colonial et assiste, s'il le désire, aux délibérations; il est entendu quand il le demande. Il peut déléguer le Secrétaire général pour le représenter.

Les autres chefs d'administration et de service peuvent être autorisés par le Lieutenant-Gouverneur à entrer au Conseil pour y être entendus sur les matières qui rentrent dans leurs attributions respectives.

Art. 33.—Les séances du Conseil colonial sont publiques; néanmoins, sur la demande de trois membres, du président ou du Lieutenant-Gouverneur, le Conseil colonial, par assis et levés, sans débats, décide qu'il se formera en comité secret.

Art. 34.—Le président a seul la police de l'assemblée. Il peut faire expulser de l'auditoire ou arrêter tout individu qui trouble l'ordre. En cas de crime ou délit, il en dresse procès-verbal et le procureur de la République en est immédiatement saisi.

Art. 35.—Le Conseil colonial ne peut délibérer sans la présence effective de la moitié plus un de ses membres.

Si le quorum n'est pas atteint au jour fixé par l'arrêté de convocation, la session est renvoyée de plein droit au troisième jour qui suit. Une convocation spéciale est adressée d'urgence par le Lieutenant-Gouverneur. Les délibérations sont alors valables, quel que soit le nombre des membres présents.

La durée légale de la session court à partir du jour fixé pour la seconde réunion. Lorsque en cours de session, les membres présents ne forment pas la majorité, les délibérations sont renvoyées au surlendemain et alors elles sont valables, quel que soit le nombre de votants. Dans les deux cas, les noms des absents sont inscrits au procès-verbal.

Art. 36.—Le Conseil colonial fait son règlement intérieur. Il règle l'ordre de ses délibérations. Il établit jour par jour un procès-verbal de ses séances.

Art. 37.—Le procès-verbal de la séance rédigé par l'un des secrétaires est arrêté et signé par le président. Il contient les rapports, les noms des membres qui ont pris part à la discussion et l'analyse de leur opinion.

Une ampliation authentique en est immédiatement adressée au Lieutenant-Gouverneur.

Le Conseil colonial doit, en outre, établir, jour par jour, un compte rendu sommaire et officiel de ses séances.

Une copie certifiée des délibérations prises en toute matière par le Conseil colonial est adressée au Lieutenant-Gouverneur par les soins du président de l'assemblée. Cette transmission doit s'effectuer dans le plus bref délai possible et au plus tard dans les quinze jours qui suivent la clôture de la session.

Art. 38.—Tout acte et toute délibération relatifs à des objets qui ne sont pas légalement compris dans les attributions du Conseil colonial sont nuls et de nul effet.

La nullité est prononcée par arrêté du Lieutenant-Gouverneur en Conseil privé. Il en rend compte immédiatement au Gouverneur général.

Art. 39.—Est nulle toute délibération, quelqu'en soit l'objet, prise hors du temps des sessions, hors du lieu des séances.

Le Lieutenant-Gouverneur, par arrêté pris en Conseil privé, déclare la réunion illégale, prononce la nullité des actes, prend toutes les mesures nécessaires pour que le Conseil colonial se sépare immédiatement et transmet son arrêté au procureur de la République pour l'exécution des lois et l'application s'il y a lieu, des peines déterminées par l'article 250 du code pénal.

En cas de condamnation, les membres condamnés sont déclarés, par le jugement, exclus du Conseil, et ne peuvent en faire partie, de nouveau, pendant les cinq années qui suivront la condamnation.

Art. 40.—Toute délibération, tout vœu, ayant trait à la politique sont interdits.

CHAPITRE III

Attributions du Conseil colonial

Art. 41.—Le Conseil colonial donne son avis sur les questions qui lui sont soumises par le Lieutenant-Gouverneur. Il doit être obligatoirement consulté sur la création de communes mixtes et de plein exercice et les changements proposés à leurs limites. Il peut émettre des vœux sur les objets divers qui intéressent l'administration du Sénégal.

Art. 42.—Le Conseil colonial statue:

1° Sur les acquisitions, aliénations de propriétés mobilières et immobilières de la Colonie, quand ces propriétés ne sont pas affectées à un service public;

2° Sur le changement de destination et d'affectation des propriétés de la Colonie, lorsque ces propriétés ne sont pas affectées à un service public;

3° Sur le mode de gestion des propriétés de la Colonie;

4° Sur les baux des biens donnés ou pris à ferme ou à loyer, quelle qu'en soit la durée;

5° Sur les actes à intenter ou à soutenir au nom de la Colonie, sauf dans les cas d'urgence où le Lieutenant-Gouverneur peut intenter toute action ou y défendre, sans délibération préalable du Conseil colonial, et faire tous actes conservatoires;

6° Sur les transactions qui concernent les droits de la Colonie, le recours à l'arbitrage étant toujours possible, sous réserve de l'approbation du Gouverneur général;

7° Sur l'acceptation ou le refus des dons et legs à la Colonie sans charges ni affectations immobilières quand ces dons ne donnent pas lieu à réclamations;

8° Sur le classement, la direction et le déclassement des routes;

9° Sur le classement, la direction et le déclassement des chemins d'intérêt collectif; l'entretien de ces chemins et les subventions qu'ils peuvent recevoir sur les fonds du budget local, le tout sur l'avis des assemblées municipales ou, à défaut, des administrations qui en tiennent lieu;

10° Sur les offres faites par les communes, par des associations ou des particuliers pour concourir à la dépense des routes, chemins, canaux ou d'autres travaux à la charge de la Colonie:

11° Sur la contribution de la Colonie dans la dépense des travaux à exécuter par l'Etat et qui intéressent la Colonie;

12° Sur les projets, plans et devis des travaux exécutés sur les fonds de la Colonie;

13° Sur les assurances des propriétés mobilières et immobilières de la Colonie.

Les délibérations sur ces matières sont définitives et deviennent exécutoires si, dans le délai de deux mois, à partir de la clôture de la session, le Lieutenant-Gouverneur n'en a pas demandé l'annulation pour excès de pouvoir, pour violation des lois et des règlements ayant force de loi.

Cette annulation est prononcée par arrêté du Gouverneur général en Commission permanente du Conseil de Gouvernement.

Art. 43.—Le Conseil colonial délibère, sous réserve de l'approbation du Gouverneur général en Conseil de Gouvernement:

1° Sur le mode d'assiette, les tarifs et les règles de perception et de répartition des taxes ou contributions directes ou indirectes à percevoir au profit de la Colonie;

2° Sur les conditions d'exploitation par la Colonie des travaux destinés à un usage public et les tarifs à percevoir;

3° Sur la création, l'entretien et l'exploitation des marchés non communaux;

4° Sur l'établissement et l'entretien des bacs et passages d'eau et sur la fixation des tarifs à percevoir;

5° Sur l'acquisition, l'aliénation et le changement de destination des propriétés de la Colonie affectées à un service public.

Les délibérations prises par le Conseil colonial sur ces matières ne sont rendues exécutoires que par arrêté du Gouverneur général en Conseil de Gouvernement.

En cas de refus d'approbation, par le Gouverneur général, des délibérations du Conseil colonial sur les matières visées au paragraphe 1er, le Conseil colonial est appelé à en délibérer de nouveau. Jusqu'à l'approbation du Gouverneur général, la perception se fait sur les bases anciennes.

Art. 44.—Le Conseil colonial du Sénégal délibère sous réserve de l'approbation par décret en Conseil d'Etat:

1° Sur les emprunts à contracter par la Colonie et les garanties pécuniaires à consentir;

2° Sur l'acceptation ou le refus des dons et legs faits à la Colonie avec charges ou affectations immobilières ou donnant lieu à des réclamations.

CHAPITRE IV

Du budget

Art. 45.—Le budget local du Sénégal est préparé par le Lieutenant-Gouverneur, délibéré par le Conseil colonial dans les conditions précisées aux articles suivants, arrêté par le Lieutenant-Gouverneur en Conseil privé, et approuvé par le Gouverneur général en Conseil de Gouvernement.

Art. 46.—Le Lieutenant-Gouverneur a seul qualité pour proposer l'inscription et fixer les prévisions des recettes.

Art. 47.—Les dépenses sont classées en dépenses obligatoires et en dépenses facultatives.

Sont obligatoires:

1° Les dettes exigibles;

2° Les frais de représentation du Lieutenant-Gouverneur, le loyer, l'ameublement et l'entretien de son hôtel et les frais de son secrétariat;

3° Les frais de fonctionnement des Services organisés par décret ou par arrêté du Gouverneur général;

4° Les fonds secrets tels qu'ils sont fixés par le Gouverneur général et répartis par le Lieutenant-Governeur;

5° Les subventions, contributions ou contingents au profit de l'Etat ou du Gouverneur général, tels qu'ils sont fixés par les lois et règlements.

L'initiative de toutes les dépenses, même facultatives, appartient exclusivement au Lieutenant-Gouverneur.

Art. 48.—Si le Conseil colonial omet ou refuse d'inscrire au budget un crédit suffisant pour le paiement des dépenses obligatoires, le crédit nécessaire y est inscrit d'office par le Lieutenant-Gouverneur en Conseil privé qui y pourvoit par la réduction des dépenses facultatives.

Art. 49.—Les dépenses facultatives votées par le Conseil colonial ne peuvent être changées ni modifiées sauf dans le cas prévu par l'article précédent et à moins qu'elles n'excédent les ressources ordinaires de l'exercice après paiement des dépenses obligatoires, déduction faite de tout prélèvement ordinaire sur la Caisse de réserve et de toute subvention de l'Etat, du budget général, des autres Colonies, des associations quelconques. Ces changements ou modifications sont opérés par le Lieutenant-Gouverneur en Conseil privé.

Art. 50.—Le Lieutenant-Gouverneur est seul chargé de répartir les secours, indemnités, allocations, gratifications inscrits au budget de la Colonie.

Aucun avantage direct ou indirect, sous quelque forme que ce soit, ne peut être accordé par le Conseil colonial à un fonctionnaire ou à une catégorie de fonctionnaires autrement que sur la proposition de l'administration. Tout vote du Conseil colonial, émis contrairement à la disposition qui précède, est nul et sans effet.

Art. 51.—Si le Conseil ne se réunissait pas ou s'il se séparait avant d'avoir voté le budget, le Lieutenant-Gouverneur l'établirait d'office en Conseil privé, pour le soumettre au Gouverneur général en Conseil de Gouvernement.

Art. 52.—Les crédits qui pourraient être reconnus nécessaires après la fixation du budget sont proposés par le Lieutenant-Gouverneur, délibérés par le Conseil colonial, arrêtés par le Lieutenant-Gouverneur et définitivement réglés par le Gouverneur général.

En cas d'urgence et si le Conseil colonial ne peut être réuni en session extraordinaire, ces crédits sont proposés par le Lieutenant-Gouverneur après avis du Conseil privé, autorisés par le Gouverneur général en Commission permanente du Conseil de Gouvernement et soumis au Conseil colonial dans sa plus prochaine session. Les arrêtés par lesquels les crédits sont ouverts doivent indiquer les voies et moyens affectés au paiement des dépenses ainsi autorisées.

Les crédits ouverts en dehors du budget des dépenses de chaque exercice sont notifiés au trésorier-payeur qui produit à la Cour des comptes, avec le budget local, la copie des arrêtés concernant ces crédits.

Art. 53.—Le Lieutenant-Gouverneur présente au Conseil colonial le compte de l'exercice expiré dans la session ordinaire qui suit la clôture de l'exercice.

Ce compte doit toujours être établi d'une manière conforme au budget du même exercice, sauf les dépenses imprévues qui n'y auraient pas été mentionnées et pour lesquelles il est ouvert des chapitres ou des articles additionnels et séparés.

Art. 54.—Le Conseil colonial examine les comptes d'exercice du Service local.

Les observations que ces comptes peuvent motiver sont directement adressés au Lieutenant-Gouverneur par le président de l'assemblée. Une copie de ces observations est transmise à la Cour des comptes par l'intermédiaire du Gouverneur général et du Ministre des Colonies.

CHAPITRE V

Commission permanente du Conseil colonial

Art. 55.—Le Conseil colonial élit dans son sein une Commission permanente composée de huit membres choisis à raison de:

Quatre parmi les représentants des citoyens français;

Quatre parmi les représentants des chefs indigènes.

Art. 56.—La Commission permanente choisit dans son sein son président et son secrétaire parmi les représentants des citoyens français.

Elle siège dans le local affecté au Conseil colonial et prend, de concert avec le Lieutenant-Gouverneur, toutes les mesures nécessaires pour assurer son service.

Ses séances ne sont pas publiques.

Art. 57.—Le Lieutenant-Gouverneur exerce vis-à-vis de la Commission permanente les attributions dont il est investi à l'égard du Conseil.

Art. 58.—La Commission permanente du Conseil colonial se réunit sur la convocation du Lieutenant-Gouverneur.

Elle ne peut délibérer si la majorité de ses membres n'est présente.

Ses décisions sont prises à la majorité absolue des voix.

En cas le partage des voix, celle du président est prépondérante.

Il est tenu procès-verbal des délibérations.

Art. 59.—Tout membre de la Commission permanente qui manque à deux séances consécutives, sans excuse légitime admise par la Commission, est réputé démissionnaire.

Art. 60.—Les membres de la Commission permanente du Conseil colonial peuvent recevoir, pendant la durée des sessions et indépendamment du remboursement de leurs frais de transport, une indemnité journalière fixée par arrêté du Lieutenant-Gouverneur.

Art. 61.—Le Lieutenant-Gouverneur, ou son délégué, assiste aux séances de la Commission permanente; ils sont entendus quand ils le demandent.

Les chefs de services sont tenus de fournir, après l'autorisation du Lieutenant-Gouverneur, tous les renseignements qui leur seraient réclamés par la Commission sur les affaires placées dans leurs attributions.

Art. 62.—La Commission permanente du Conseil colonial règle les affaires qui lui sont renvoyées par le Conseil colonial, dans les limites de la délégation qui lui est faite par ce dernier. Cette délégation ne doit pas avoir un caractère général. Elle ne peut porter que sur des affaires déterminées. La Commission donne, en outre, son avis au Lieutenant-Gouverneur sur toutes les questions qu'il lui soumet ou sur lesquelles elle croit devoir appeler son attention dans l'intérêt de la Colonie.

Art. 63.—La Commission coloniale, après avoir entendu le Lieutenant-Gouverneur ou son délégué:

1° Donne son avis sur l'époque et le mode de réalisation des emprunts de la Colonie, lorsque la fixation n'en a pas été proposée par le Conseil colonial;

2° Fixe l'époque de l'adjudication des travaux d'utilité locale.

Art. 64.—A l'ouverture de chaque session ordinaire du Conseil colonial, la Commission permanente lui fait un rapport sur l'ensemble de ses travaux et lui soumet toutes les propositions qu'elle croit utiles.

Art. 65.—En cas de désaccord entre la Commission coloniale et l'Administration, l'affaire peut être renvoyée à la prochaine session du Conseil colonial qui statue définitivement.

Dans le cas où la Commission coloniale aurait outrepassé ses pouvoirs, le Conseil colonial pourra être convoqué immédiatement pour statuer sur les faits qui lui sont soumis. Il peut, s'il le juge convenable, procéder à la nomination d'une nouvelle Commission.

CHAPITRE VI

Dispositions transitoires

Art. 66.—Le Conseil privé des Territoires d'administration directe du Sénégal, le Conseil d'administration des Pays de protectorat et le Conseil général du Sénégal cesseront leurs fonctions à la date de l'installation des nouveaux Conseils institués par le présent décret.

Il sera procédé à l'élection des premiers conseillers coloniaux le premier dimanche de juin 1921.

TITRE IV

Conseil du contentieux administratif

Art. 67.—Le Conseil du contentieux administratif du Sénégal, siégeant au chef-lieu est composé, sous la présidence du Lieutenant-Gouverneur ou de son délégué:

D'un inspecteur des Affaires administratives de la Colonie;

Du chef du service des Travaux publics de la Colonie;

D'un fonctionnaire de l'Intendance de la Colonie;

D'un magistrat de la Colonie,

nommés par arrêté du Gouverneur général, après avis du Lieutenant-Gouverneur; la durée de leur mandat est illimitée.

En cas d'absence ou d'empêchement d'un membre du Conseil, il est pourvu à la vacance par arrêté du Lieutenant-Gouverneur.

Le Lieutenant-Gouverneur peut déléguer la présidence du Conseil au Secrétaire général.

Art. 68.—Les fonctions de Commissaire du Gouvernement près le Conseil sont exercées par un fonctionnaire de l'ordre administratif, comptant au moins dix ans de services administratifs et de préférence licencié en droit.

Il est nommé par arrêté du Gouverneur général, sur la présentation du Lieutenant-Gouverneur. En cas d'absence ou d'empêchement, il est remplacé par un fonctionnaire délégué par arrêté du Lieutenant-Gouverneur.

Art. 69.—Les fonctions de secrétaire du Conseil du contentieux sont remplies par un administrateur, un administrateur adjoint ou un agent du cadre des Affaires indigènes placé sous l'autorité du président et nommé par décision du Lieutenant-Gouverneur.

Art. 70.—Les actions intéressant l'Etat, soit en demande, soit en défense, sont soutenues par un fonctionnaire ou officier désigné par le Gouverneur général; les mêmes actions intéressant la Colonie sont soutenues par un fonctionnaire ou officier désigné par le Lieutenant-Gouverneur.

Art. 71.—Le secrétaire du Conseil du contentieux reçoit une indemnité fixée par arrêté du Lieutenant-Gouverneur.

Art. 72.—Sont abrogées toutes dispositions antérieures, contraires à celles du présent décret.

Art. 73.—Le Ministre des Colonies est chargé de l'exécution du présent décret.

Fait à Paris, le 4 décembre 1920.

A. MILLERAND.

Par le Président de la Republique:

Le Ministre des Colonies,

A. Sarraut.

APPENDIX XXII

THE CONSTITUTION OF WEST AFRICA

1. The Federation, 1904

No. 46240.—Décret portant réorganisation du Gouvernement général de l'Afrique occidentale française. Du 18 Octobre 1904.

Le Président de la République Française,

Vu l'article 18 du sénatus-consulte du 3 mai 1854;

Vu le décret du 20 novembre 1882 sur le régime financier des colonies;

Vu le décret du 6 avril 1900, portant réorganisation du personnel des Gouverneurs des colonies;

Vu le décret du 1re octobre 1902, portant réorganisation du Gouvernement général de l'Afrique occidentale française;

Sur le rapport du ministre des colonies,

Décrète:

Art. 1.—Le Gouvernement général de l'Afrique occidentale française comprend:

1. La colonie du Sénégal, qui se compose, d'une part, des territoires d'administration directe formant la circonscription actuelle du Sénégal et, d'autre part, des pays de protectorat de la rive gauche du Sénégal, qui cessent de faire partie de la Sénégambie-Niger;

2. La Colonie de la Guinée française;

3. La colonie de la Côte d'Ivoire;

4. La colonie du Dahomey;

(Ces trois colonies avec leurs limites actuelles);

5. La colonie du Haut-Sénégal et du Niger, qui comprend les anciens territoires du Haut-Sénégal et du Moyen-Niger, et ceux qui forment le troisième territoire militaire. Le chef-lieu sera établi à Bammako;

Cette colonie se compose: (a) des cercles d'administration civile parmi lesquels sont compris ceux qui forment actuellement le deuxième territoire militaire; (b) d'un territoire militaire, dit "territoire militaire du Niger", qui comprend les circonscriptions actuelles des premier et troisième territoires militaires.

6. Le territoire civil de Mauritanie.

Art. 2.—Le Gouverneur général de l'Afrique occidentale française est le dépositaire des pouvoirs de la République dans les colonies ci-dessus énumérées.

Il a seul le droit de correspondre avec le Gouvernement.

Art. 3.—Le Gouverneur général est assisté d'un secrétaire général du Gouvernement général, d'un conseil de gouvernement dont la composition et les attributions sont déterminées par un décret spécial.

Il organise les services, à l'exception de ceux qui sont régis par les actes de l'autorité métropolitaine; il règle leurs attributions.

Il nomme à toutes les fonctions civiles, à l'exception des emplois de lieutenants-gouverneurs, de secrétaires généraux, de magistrats, de directeurs du contrôle et des services généraux, d'administrateurs et de ceux dont la nomination est réservée à l'autorité métropolitaine par des actes organiques. Pour ces divers emplois, les nominations se font sur sa présentation.

Le mode de nomination des comptables du Trésor reste soumis aux dispositions spéciales qui le régissent.

Art. 4.—Le Gouverneur général peut déléguer aux lieutenants-gouverneurs, par décision spéciale et limitative et sous sa responsabilité, son droit de nomination.

Art. 5.—Le siège du Gouvernement général est à Dakar.

Le Gouverneur général détermine, en conseil de gouvernement et sur la proposition des lieutenants-gouverneurs intéressés, les circonscriptions administratives dans chacune des colonies de l'Afrique occidentale française.

Art. 6.—Les colonies composant le Gouvernement général de l'Afrique occidentale française possèdent leur autonomie administrative et financière dans les conditions déterminées ci-après:

Elles sont administrées chacune, sous la haute autorité du Gouverneur général, par un Gouverneur des colonies portant le titre de lieutenant-gouverneur et assisté par un secrétaire général.

Le territoire civil de la Mauritanie est administré par un commissaire du Gouvernement général de l'Afrique occidentale française.

Le territoire militaire dépendant de la colonie du Haut-Sénégal et Niger est administré sous l'autorité du lieutenant-gouverneur par un officier supérieur portant le titre de commandant du territoire militaire.

Art. 7.—Les dépenses d'intérêt commun à l'Afrique occidentale française sont inscrites à un budget général arrêté en conseil de gouvernement par le Gouverneur général et approuvé par décret rendu sur la proposition du ministre des colonies.

Ce budget pourvoit aux dépenses:

1. Du Gouvernement général et des services généraux;

2. Du service de la dette;

3. De l'inspection mobile des colonies;

4. Des contributions à verser à la métropole;

5. Du service de la justice française;

6. Des travaux publics d'intérêt général dont la nomenclature est arrêtée chaque année par le Gouverneur général en conseil de gouvernement et approuvée par le ministre des colonies;

Et 7, aux frais de perception des recettes attribuées au budget général.

Il est alimenté: (a) par les recettes propres aux services mis à sa charge; (b) par le produit des droits de toute nature, à l'exception des droits d'octroi communaux, perçus à l'entrée et à la sortie dans toute l'étendue de l' Afrique occidentale française sur les marchandises et sur les navires. Le mode d'assiette, la quotité et les règles de perception de ces droits seront à l'avenir établis par le Gouverneur général en conseil de gouvernement et approuvés par décret en conseil d'État.

Le budget général peut, en outre, recevoir des contributions des budgets des diverses colonies de l'Afrique occidentale française ou leur attribuer des subventions. Le montant de ces contributions et subventions est annuellement fixé par le Gouverneur général en conseil de gouvernement et arrêté par l'acte portant approbation des budgets.

Art. 8.—Les budgets locaux des colonies de l'Afrique occidentale française sont alimentés par les recettes perçues sur les territoires de ces colonies, à l'exception de celles attribuées au budget général ou aux communes; ils pourvoient à toutes les dépenses autres que celles inscrites à ce budget ou à celles des communes. Ces budgets locaux, établis conformément à la législation en vigueur, sont arrêtés par le Gouverneur général en conseil de gouvernement et approuvés par décret rendu sur la proposition du ministre des colonies.

Les recettes et les dépenses des territoires d'administration directe et des pays de protectorat du Sénégal forment deux budgets distincts: le premier établi conformément à la législation en vigueur dans la colonie actuelle du Sénégal; le second établi par le lieutenant-gouverneur du Sénégal en conseil privé du Sénégal qui fonctionne comme conseil d'administration en ce qui concerne les pays de protectorat après adjonction de deux notables indigènes.

Les recettes et les dépenses de la Mauritanie forment un budget annexe à celui du Gouvernement général.

Art. 9.—Le Gouverneur général est ordonnateur du budget général. Il à la faculté de confier ce pouvoir par délégation spéciale au secrétaire général du Gouvernement général. Il peut déléguer les crédits du budget général aux lieutenants-gouverneurs.

Chaque lieutenant-gouverneur est, sous le contrôle du Gouverneur général, ordonnateur du budget de la colonie qu'il administre.

Le commandant du territoire du Niger est, sous le contrôle du lieutenant-gouverneur du Haut Sénégal, ordonnateur des crédits du budget annexe de ce territoire militaire.

Le commissaire du Gouvernement général en Mauritanie est, sous le contrôle du Gouverneur général, ordonnateur du budget annexe de la Mauritanie.

Les comptes des budgets de l'Afrique occidentale française sont arrêtés par le Gouverneur général en conseil de gouvernement.

Les dispositions du décret du 20 novembre 1882 sur le régime financier des colonies sont applicables aux budgets de l'Afrique occidentale française.

Art. 10.—Le mode de payement, en Afrique occidentale, des depénses intéressant l'un des budgets du Gouvernement général, effectuées par un trésorier-payeur autre que celui chargé de l'administration de ce budget, sera déterminé par un arrêté pris de concert entre le ministre des colonies et le ministre des finances.

Art. 11.—Le trésorier-payeur du Sénégal est trésorier-payeur de l'Afrique occidentale française. Il effectue ou centralise les opérations en recettes et en dépenses du budget général de l'Afrique occidentale française, du budget annexe de Mauritanie, des budgets des territoires d'administration directe, et des pays de protectorat du Sénégal.

Les trésoriers-payeurs effectuent directement les opérations en recettes et en dépenses des budgets de la Guinée française, de la Côte d'Ivoire, du Dahomey, du Haut-Sénégal et Niger et budget annexe militaire du territoire du Niger.

A cet égard, ils ont une gestion personnelle et sont justiciables de la Cour des comptes.

Ils agissent pour le compte du trésorier-payeur du Sénégal en ce qui concerne les opérations du budget général de l'Afrique occidentale française.

Sont maintenues au profit des trésoriers-payeurs des différents budgets locaux les remises qui leur sont actuellement allouées à l'occasion de la perception des droits de toute nature qui frappent les marchandises et les navires à l'entrée et la sortie dans toute l'étendue de l'Afrique occidentale.

Art. 12.—Sont abrogées toutes les dispositions des décrets ou arrêtés antérieurs en ce qu'elles ont de contraire aux présentes dispositions dont l'application sera réglée par des arrêtés du Gouvernement général.

Art. 13.—Le ministre des colonies et le ministre des finances sont chargés, chacun en ce qui le concerne de l'exécution du present décret, qui sera inséré au *Journal officiel* de la *République française*, au *Bulletin des lois* et au *Bulletin officiel* des colonies.

Fait à Paris, le 18 Octobre 1904.

Signé: EMILE LOUBET.

Le Ministre des finances, *Le Ministre des colonies*

Signé: ROUVIER. GASTON DOUMERGUE

---

2. *The Decree of April 20, 1925*

ARRÊTÉ *promulguant en Afrique occidentale française les décrets du 30 mars 1925, portant: 1° création, organisation et fonctionnement des collèges électoraux indigènes en Afrique occidentale française; 2° réorganisation des conseils d'administration des colonies du Soudan français, de la Guinée française, de la Côte d'Ivoire et du Dahomey et créant une commission permanente de ces conseils; 3° modification du décret du 4 décembre 1920, réorganisant le conseil de Gouvernement de l'Afrique occidentale française et la commission permanente de ce conseil; 4° modification du décret du 4 décembre 1920, portant réorganisation administrative du Sénégal et créant un conseil colonial de cette Colonie.*

LE GOUVERNEUR GÉNÉRAL DE L'AFRIQUE OCCIDENTALE FRANÇAISE, COMMANDEUR DE LA LÉGION D'HONNEUR,

Vu le décret du 18 octobre 1904, réorganisant le Gouvernement général de l'Afrique occidentale française;

Vu les décrets des 30 mars 1925, portant 1° création, organisation et fonctionnement des collèges électoraux indigènes en Afrique occidentale française; 2° réorganisation des conseils d'administration des colonies du Soudan français, de la Guinée française, de la Côte d'Ivoire et du Dahomey et créant une commission permanente de ces conseils; 3° modification du décret du 4 décembre 1920, réorganisant le conseil de Gouvernement de l'Afrique occidentale française et la commission permanente de ce conseil; 4° modification du décret du 4 décembre 1920, portant réorganisation administrative du Sénégal et créant un conseil colonial de cette Colonie,

ARRÊTE:

Article premier.—Sont promulgués en Afrique occidentale française les décrets du 30 mars 1925, portant 1° création, organisation et fonctionnement des collèges électoraux indigènes en Afrique occidentale française; 2° réorganisation des conseils d'administration des colonies du Soudan français, de la Guinée française, de la Côte d'Ivoire et du Dahomey et créant une commission permanente de ces conseils; 3° modifications du décret du 4 décembre 1920, réorganisant le conseil de Gouvernement de l'Afrique occidentale française et la commission permanente de ce conseil; 4° modification du décret du 4 décembre 1920, portant réorganisation administrative du Sénégal et créant un conseil colonial de cette Colonie.

Art. 2.—Le présent arrêté sera enregistré, publié et communiqué partout où besoin sera.

Dakar, le 18 avril 1925.

CARDE.

LE PRÉSIDENT DE LA RÉPUBLIQUE FRANÇAISE,

Vu l'article 18 du sénatus-consulte du 3 mai 1854;

Vu l'ordonnance du 7 septembre 1840;

Sur le rapport du Ministre des Colonies,

DÉCRÈTE:

Article premier.—Il est créé dans les colonies ou régions de colonies de l'Afrique occidentale française qui seront désignées ou déterminées par arrêté du Gouverneur général en conseil de Gouvernement ou en commission permanente de ce conseil, un collège électoral ainsi composé:

A.—Les fonctionnaires sujets français appartenant à des cadres régulièrement constituées et justifiant de versements à la caisse locale des retraites depuis cinq ans au moins au 1er janvier de l'année de l'établissement des listes prévues à l'article 3 du présent décret et les retraités de même catégorie.

Ne sont pas compris dans cette catégorie les fonctionnaires ou agents des cadres constituant les forces de police, ainsi que ceux appartenant aux cadres qui ne prévoient aucune connaissance spéciale pour y être agréés et dont les services ou la tâche sont ceux de manœuvres ou de gardiens.

B.—Les chefs de province, de canton ou de groupements de canton.

C.—Les sujets français commerçants patentés qui réunissent les conditions exigées des électeurs appelés à élire les membres des chambres de commerce.

D.—Les sujets français propriétaires de biens urbains immatriculés, dont la valeur est estimée à 5,000 francs au moins.

E.—Les sujets français propriétaires ruraux faisant valoir leur bien d'une façon pérenne et justifiant d'une mise en culture ou d'une exploitation sur une superficie dont l'étendue sera déterminée par arrêté des Lieutenants-Gouverneurs.

F.—Les sujets français membres de l'ordre national de la légion d'honneur ou titulaires de la médaille militaire.

G.—Les sujets français ayant rendu des services exceptionnels à la cause française et nommément désignés par les Lieutenants-Gouverneurs.

Art. 2.—Les sujets français des catégories ci-dessus spécifiées doivent, en outre, remplir, pour être électeurs, les conditions suivantes:

1° Etre âgés de vingt-cinq ans au moins au 1er janvier de l'année de l'établissement des listes électorales prévues à l'article 3 ci-dessous;

2° Etre domicilié dans la colonie où ils sont appelés à voter depuis au moins un an au 1er janvier de cette même année;

3° Ne pas avoir subi de condamnation pour crime; ne pas avoir été condamné pour vol, escroquerie ou abus de confiance; ne pas avoir, dans les cinq années qui précèdent celle de l'établissement des listes électorales, subi une peine d'emprisonnement supérieure à un mois; ne pas être en cours de peine d'internement ou de résidence obligatoire.

Art. 3.—Une commission, nommée par le Lieutenant-Gouverneur, sur la proposition des administrateurs chefs de circonscription, des maires, des administrateurs-maires, dressera, dans chaque cercle ou commune, la liste électorale indigène.

Cette commission sera composée:

1° De l'administrateur chef de circonscription ou du maire ou de l'administrateur-maire, président;

2° D'un magistrat européen ou, à défaut, d'un membre des tribunaux indigènes;

3° D'un membre des chambres de commerce ou d'agriculture, ou, à défaut, d'un commerçant notable;

4° D'un chef indigène:

Art. 4.—La liste est établie annuellement, dans le courant du mois d'octobre, et affichée dans chaque chef-lieu de cercle ou de subdivision et dans chaque mairie, du 15 au 31 octobre.

Toute réclamation, pour être recevable, doit être formulée pendant cette période d'affichage.

Ces réclamations sont présentées oralement ou par écrit aux administrateurs chefs de cercle, aux maires ou aux administrateurs-maires, et consignées sur un registre spécial.

Art. 5.—A l'expiration de ce délai, la commission statue sur les réclamations produites et adresse au Lieutenant-Gouverneur, avant le 15 décembre, la liste arrêtée par ses soins, ainsi que les dossiers des réclamations qu'elle a rejetées.

En cas de partage des voix au sein de la commission, celle du président est prépondérante.

Le Lieutenant-Gouverneur, en conseil d'administration, statue en dernier ressort sur les réclamations qui lui ont été transmises régulièrement, conformément aux dispositions de l'article 4 précédent, et arrêté définitivement la liste électorale.

Cette liste est publiée au *Journal officiel* de la Colonie, et reste seule valable pendant le cours de l'année de sa publication.

Art. 6.—Nul ne peut voter s'il n'est inscrit sur cette liste.

Art. 7.—Le collège électoral indigène participe à l'élection des membres des assemblées, dont les textes organiques prévoient cette participation.

Art. 8.—Le Ministre des Colonies est chargé de l'exécution du présent décret.

Fait à Paris, le 30 mars 1925.

GASTON DOUMERGUE.

Par le Président de la République:

Le Ministre des Colonies,

DALADIER.

LE PRÉSIDENT DE LA RÉPUBLIQUE FRANÇAISE,

Vu l'article 18 du sénatus-consulte du 3 mai 1854;

Vu l'ordonnance du 7 septembre 1840;

Vu le décret du 4 décembre 1920, portant réorganisation des conseils d'administration des Colonies de l'Afrique occidentale française;

Vu le décret du 30 mars 1925, portant création, organisation et fonctionnement du collège électoral indigène;

Sur le rapport du Ministre des Colonies,

DÉCRÈTE:

CONSEIL D'ADMINISTRATION

Article premier.—Les conseils d'administration des colonies du Soudan français, de la Côte d'Ivoire, de la Guinée française et du Dahomey, sont composés comme suit:

Le Lieutenant-Gouverneur, président.

Le Secrétaire général.

Le délégué au conseil supérieur des Colonies.

Le procureur de la République.

Le Commandant militaire de la Colonie.

Un délégué citoyen français élu par la ou les chambres de commerce.

Un délégué citoyen français élu par la ou les chambres d'agriculture, ou à défaut d'organisation de ces chambres par la section agricole des chambres de commerce.

Trois membres sujets français élus par le collège électoral indigène.

Chacun de ces membres est élu dans l'une des trois circonscriptions électorales créées à cet effet dans les régions les plus évoluées de la Colonie par arrêté du Lieutenant-Gouverneur en conseil d'administration.

Nul ne peut être élu s'il n'est âgé de trente ans au moins au 1er janvier de l'année de la réunion du collège électoral et s'il ne sait parler couramment le français.

Le mandat des délégués citoyens français et des membres élus sujets français a une durée de deux ans. Il est indéfiniment renouvelable.

Art. 2.—La composition des conseils d'administration de la Mauritanie, de la Haute-Volta, du Niger telle qu'elle a été fixée par les décrets du 4 décembre 1920, n'est pas modifiée. Toutefois, lorsque la désignation des notables tant européens qu'indigènes de ces assemblées ne pourra, faute de candidats, se réaliser en tout ou partie, elles seront valablement constituées.

Art. 3.—L'inspecteur des Colonies, chef de mission, ou son délégué, a ses entrées aux séances du conseil d'administration où il a voix consultative. Il siège en face du président.

Art. 4.—Les chefs des services civils et militaires peuvent être appelés à siéger dans le conseil, à titre consultatif, pour toutes les questions intéressant leurs services et notamment à l'occasion du vote du budget.

Dans ce cas, ils prennent rang immédiatement après les fonctionnaires, membres du conseil, et entre eux, d'après leur grade et leur assimilation.

Ils ne participent pas aux délibérations.

Art. 5.—Un secrétaire archiviste désigné par le Lieutenant-Gouverneur est attaché à ce conseil. Il ne participe pas aux délibérations.

Art. 6.—En cas d'absence ou d'empêchement du Lieutenant-Gouverneur, le secrétaire général préside le conseil d'administration.

En cas d'absence ou d'empêchement des membres fonctionnaires ou officiers, ils sont remplacés par les fonctionnaires ou officiers exerçant leur intérim ou réglementairement appelés à les suppléer.

Les intérimaries occupent le rang réservé aux titulaires des fonctions qu'ils remplissent, les suppléants prennent rang immédiatement après les fonctionnaires ou officiers membres du conseil et entre eux d'après leur grade ou leur assimilation.

Art. 7.—Le conseil d'administration tient au moins deux sessions par an et se réunit au siège du Gouvernement sur la convocation du Lieutenant-Gouverneur.

Art. 8.—En toutes matières, le Conseil d'administration est une assemblée purement consultative.

Il est obligatoirement consulté:

1° Sur le projet de budget des recettes et des dépenses de la Colonie ainsi que sur le plan de campagne y annexé;

2° Sur le compte définitif des recettes et des dépenses de la Colonie, dans les conditions fixées par l'article 345 du décret du 30 décembre 1912;

3° Sur les projets portant création, modification ou suppression d'impôts, taxes et redevances de toute nature perçus ou à percevoir au compte du budget local et fixant leur mode de perception;

4° Sur les emprunts à contracter par la Colonie et les garanties pécuniaires à consentir;

5° Sur les acquisitions, aliénations ou échanges au compte de la Colonie des propriétés mobilières et immobilières non affectées à un service public;

6° Sur les transactions qui concernent les droits de la Colonie, le recours à l'arbitrage étant toujours possible sous réserve de l'approbation du Gouverneur général;

7° Sur l'acceptation ou le refus des dons et legs faits à la Colonie, sans charges, ni affectations immobilières, quand ces dons ne donnent lieu à réclamations;

8° Sur le fonctionnement des établissements à usage public exploités par les Colonies, ainsi que sur les tarifs à percevoir;

9° Sur les traités et dispositions relatifs à la concession à des associations, à des compagnies ou à des particuliers de travaux ou de services d'intérêt local et leur exploitation dans la mesure où le domaine privé et les finances de la Colonie sont intéressés.

Dans toutes les autres matières, le Lieutenant-Gouverneur prend l'avis du conseil d'administration chaque fois qu'il le juge nécessaire.

COMMISSION PERMANENTE DU CONSEIL D'ADMINISTRATION

Art. 9.—Il est institué dans chaque Colonie du groupe une commission permanente du conseil d'administration dont la composition sous les réserves indiquées à l'article 2 pour les Colonies de la Mauritanie, de la Haute-Volta et du Niger, est la suivante:

Le Lieutenant-Gouverneur, président.

Le Secrétaire général.

Le procureur de la République.

Un membre citoyen français et un membre sujet français présents au chef-lieu au moment de la réunion de la commission.

Le secrétaire archiviste du conseil d'administration.

Art. 10.—Les dispositions des articles 4 et 6 et du paragraphe 1er de l'article 8 s'appliquent à la commission permanente.

Art. 11.—La commission permanente se réunit sur la convocation de son président.

Elle obligatoirement consultée:

1° Sur le mode de gestion et l'affectation des propriétés de la Colonie;

2° Sur les actions à intenter ou à soutenir au nom de la Colonie, sauf dans le cas d'urgence où le Lieutenant-Gouverneur peut intenter toute action ou y défendre et faire tous actes conservatoires;

3° En cas d'urgence et sous réserve de ratification ultérieure en conseil d'administration, sur les matières rentrant dans les attributions du conseil d'administration.

Art. 12.—Le Ministre des Colonies est chargé de l'exécution du présent décret.

Fait à Paris, le 30 mars 1925.

GASTON DOUMERGUE.

Par le Président de la République:

Le Ministre des Colonies,

DALADIER.

LE PRÉSIDENT DE LA RÉPUBLIQUE FRANÇAISE,

Vu l'article 18 du sénatus-consulte du 3 mai 1854;

Vu l'ordonnance du 7 septembre 1840;

Vu le décret du 18 octobre 1904, portant réorganisation du Gouvernement général de l'Afrique occidentale française;

Vu le décret du 4 décembre 1920, réorganisant le conseil de Gouvernement de l'Afrique occidentale française et la commission permanente de ce conseil;

Vu le décret du 30 mars 1925, instituant un collège électoral indigène;

Sur le rapport du Ministre des Colonies,

DÉCRÈTE:

Article premier.—L'article 1er du décret du 4 decembre 1920, réorganisant le conseil de Gouvernement de l'Afrique occidentale française est abrogé et remplacé par les dispositions suivantes:

Article premier.—Le conseil de Gouvernement de l'Afrique occidentale française est composée comme suit:

Le Gouverneur général, président.

Le Secrétaire général du Gouvernement général.

Le Général commandant supérieur des troupes.

Les Lieutenants-Gouverneurs des Colonies du groupe.

Le Commissaire de la République au Togo.

L'Administrateur de la Circonscription de Dakar.

Le Député du Sénégal.

Les délégués élus des Colonies du groupe au conseil supérieur des Colonies.

Le Procureur général, chef du Service judiciaire.

Le Directeur des Finances et de la Comptabilité.

L'Inspecteur général des Travaux publics.

L'Inspecteur général des Services sanitaires et médicaux.

Le Directeur des Affaires politiques et administratives.

Le Directeur des Affaires économiques.

Le président du conseil colonial du Sénégal et un autre membre de cette assemblée non citoyen français élu par cette catégorie de membres.

Deux membres non fonctionnaires, l'un citoyen, l'autre sujet français, des conseils d'administration des Colonies autres que le Sénégal, élus par ces assemblées.

Un délégué citoyen français de la Chambre de commerce de Dakar, élu par cette assemblée.

Un délégué des Chambres de commerce du Sénégal, autres que celle de Dakar, élu par ces assemblées.

Un délégué citoyen français de la Circonscription de Dakar élu par les conseils municipaux de Dakar et de Gorée et pouvant être pris en dehors de ces assemblées.

Le Directeur du Cabinet du Gouverneur général, Secrétaire.

Le mandat des membres élus par les diverses assemblées locales est annuel, il est indéfiniment renouvelable.

Art. 2.—Le paragraphe 1er de l'article 3 du décret susvisé du 4 décembre 1920 est abrogé.

Art. 3.—L'article 8 du décret susvisé du 4 décembre 1920 est abrogé et remplacé par les dispositions suivantes:

Art. 8.—La Commission permanente du conseil de Gouvernement est composée comme suit:

Le Gouverneur général, président.

Le Secrétaire général du Gouvernement général.

Le Général commandant supérieur des troupes.

Le Lieutenant-Gouverneur du Sénégal.

L'Administrateur de la Circonscription de Daker.

Le Député du Sénégal.

Le Procureur général chef du service judiciaire.

Le Directeur des Finances et de la Comptabilité.

L'Inspecteur général des Travaux publics.

L'Inspecteur général des Services sanitaires et médicaux.

Le Directeur des Affaires politiques et administratives.

Le Directeur des Affaires économiques.

Le Président du conseil colonial et l'autre membre élu par cette assemblée.

Le membre élu de la chambre de commerce de Dakar.

Le membre élu des conseils municipaux de Dakar et de Gorée.

Le Directeur du Cabinet du Gouverneur général, secrétaire.

Le Directeur du Contrôle financier a entrée à la commission permanente dans les mêmes conditions qu'au conseil de Gouvernement.

Art. 4.—Le paragraphe 1er de l'article 7 est modifié de la façon suivante: "Le Gouverneur général en Conseil de Gouvernement approuve les budgets locaux des Colonies de l'Afrique occidentale françaice, arrête le budget général, les budgets annexes de ce budget, les budgets spéciaux sur fonds d'emprunt ainsi que les plans de campagne annexés à ces divers budgets."

Art. 5.—Le paragraphe 2 de l'article 12 du décret susvisé est complété de la façon suivante:

"En cas d'urgence, la commission permanente peut être appelée à donner son avis sur les matières rentrant dans les attributions du conseil de Gouvernement, sous réserve de ratifications ultérieures du dit conseil, sauf en ce qui concerne les matières énumérées aux paragraphes 5, 6, 7 et 8 de l'article 7 du même décret pour lesquelles la ratification ultérieure n'est pas obligatoire."

Art. 6.—Le Ministre des Colonies est chargé de l'exécution du présent décret.

Fait à Paris, le 30 mars 1925.

GASTON DOUMERGUE.

Par le Président de la République:
Le Ministre des Colonies,
DALADIER.

LE PRÉSIDENT DE LA RÉPUBLIQUE FRANÇAISE,

Vu l'article 18 du sénatus-consulte du 3 mai 1854;

Vu l'ordonnance du 7 septembre 1840, sur le Gouvernement du Sénégal et Dépendances;

Vu les décrets du 4 février 1879, 4 mars 1879, 24 février 1885, 17 avril 1897, 11 mai 1903, relatifs au conseil général du Sénégal; ensemble le décret du 12 août 1885, portant création de la commission coloniale de ce conseil;

Vu les décrets des 5 août et 7 septembre 1881, concernant l'organisation et la compétence des conseils du contentieux administratif dans les Colonies;

Vu les décrets des 15 octobre 1902, 13 juin 1903, 6 mai 1904, relatifs au Conseil privé du Sénégal;

Vu le décret du 13 février 1904, portant modification des limites entre le Sénégal et la Sénégambie-Niger;

Vu le décret du 18 octobre 1904, portant réorganisation du Gouvernement général de l'Afrique occidentale française;

Vu le décret du 4 décembre 1920, portant réorganisation administratif du Sénégal et créant un conseil colonial de cette Colonie;

Sur le rapport du Ministre des Colonies,

DÉCRÈTE:

Article premier.—Les articles 2, 5, 6, 8, 11, 18, 42, 43, 55 et 62 du décret du 4 décembre 1920, sont abrogés et remplacés par les dispositions suivantes:

Art. 2.—Le Conseil privé du Sénégal est composé comme suit:

Le Lieutenant-Gouverneur, président.

Le Secrétaire général.

Le procureur de la République près le tribunal de première instance de Saint-Louis.

Le commandant militaire du Sénégal.

Un membre notable citoyen français élu par la chambre de commerce de Saint-Louis.

Trois autres membres notables dont un citoyen français et deux sujets français nommés par arrêté du Gouverneur général sur la présentation du

Lieutenant-Gouverneur. Leur mandat a une durée de deux ans; il est indéfiniment renouvelable; ils doivent savoir parler couramment le français.

Trois notables, membres suppléants, choisis dans les mêmes conditions et nommés dans la même forme, remplacent en cas de besoin, les membres titulaires.

Art. 5.—La compétence du conseil privé s'étend à l'ensemble de la Colonie. En toute matière, il est une assemblée purement consultative.

Le conseil privé est obligatoirement consulté:

1° Sur le projet de budget des recettes et des dépenses de la Colonie;

2° Sur le compte définitif des recettes et des dépenses de la Colonie, dans les conditions fixées par l'article 345 du décret du 30 décembre 1912;

3° Sur les projets portant création, modification ou suppression d'impôts, taxes et redevances de toute nature perçus ou à percevoir au compte du budget et fixant leur mode de perception;

4° Sur les emprunts à contracter par la Colonie et les garanties pécunières à consentir;

5° Sur les modes de gestion et l'affectation des propriétés de la Colonie;

6° Sur les acquisitions, aliénations ou échanges au compte de la Colonie, de propriétés mobilières et immobilières non affectées à un service public;

7° Sur les baux des biens donnés ou pris à ferme ou à loyer, quelle qu'en soit la durée;

8° Sur les actions à intenter ou à soutenir, au nom de la Colonie, sauf dans le cas d'urgence où le Lieutenant-Gouverneur peut intenter toute action ou y défendre et faire tous actes conservatoires;

9° Sur les transactions qui concernnent les droits de la Colonie, le recours à l'arbitrage étant toujours possible sous réserve de l'approbation du Gouverneur général;

10° Sur l'acceptation ou le refus de dons et legs faits à la Colonie, sans charges ni affectations immobilières, quand ces dons ne donnent pas lieu à réclamations;

11° Sur les offres faites par les communes, par des associations ou des particuliers, pour concourir à la dépense des routes, chemins, canaux ou d'autres travaux à la charge de la Colonie;

12° Sur les conditions d'exploitation par la Colonie des travaux destinés à un usage public, construits avec ces fonds et les tarifs à percevoir;

13° Sur les traités et dispositions relatifs à la concession à des associations, à des compagnies ou à des particuliers de travaux ou de services d'intérêt local et leur exploitation dans la mesure où le domaine privé et les finances de la Colonie sont intéressés;

14° D'une manière générale sur toutes les matières pour lesquelles les lois et règlements prescrivent la consultation des conseils privés ou des conseils d'administration.

Dans les autres cas, le Lieutenant-Gouverneur prend l'avis du conseil privé, chaque fois qu'il le juge nécessaire.

Art. 6.—Le conseil colonial du Sénégal est composé comme suit:

24 membres élus par les citoyens français habitant la colonie du Sénégal.

16 chefs indigènes élus par l'ensemble des chefs de province et de canton de la Colonie.

Art. 8.—En vue de ces élections, la colonie du Sénégal est divisée en quatre circonscriptions de vote:

La première circonscription ou circonscription du fleuve, qui fournit 10 conseillers;

La deuxième circonscription ou circonscription de la voie ferrée, qui fournit 16 conseillers;

La troisième circonscription ou circonscription du Sine-Saloum, qui fournit 11 conseillers;

La quatrième circonscription ou circonscription de la Casamance, qui fournit 3 conseillers.

Un arrêté du Gouverneur général, pris sur le rapport du Lieutenant-Gouverneur du Sénégal, après avis du conseil privé de la Colonie, déterminera les territoires rattachés à chacune de ces circonscriptions.

Art. 11.—La première circonscription élit 7 conseillers.

La deuxième circonscription élit 11 conseillers.

La troisième circonscription élit 5 conseillers.

La quatrième circonscription élit 1 conseiller.

Art. 18.—La représentation au Conseil colonial des chefs de province et de canton est assurée comme suit:

La première circonscription élit 3 conseillers.

La deuxième circonscription élit 5 conseillers.

La troisième circonscription élit 6 conseillers.

La quatrième circonscription élit 2 conseillers.

Art. 42.—Le Conseil colonial statue:

1° Sur le changement de destination et d'affectation des propriétés de la Colonie, lorsque ces propriétés ne sont pas affectées à un service public;

2° Sur le mode de gestion des propriétés de la Colonie;

3° Sur l'acceptation ou le refus des dons et legs à la Colonie, sans charges ni affectations immobilières, quand ces dons ne donnent pas lieu à réclamations;

4° Sur le classement, la direction et le déclassement des routes;

5° Sur le classement, la direction et le déclassement des chemins de fer d'intérêt collectif; l'entretien de ces chemins et les subventions qu'ils peuvent recevoir sur les fonds du budget local, le tout sur l'avis des assemblées municipales ou, à défaut, des administrations qui en tiennent lieu;

6° Sur les offres faites par les communes, par des associations ou des particuliers pour concourir à la dépense des routes, chemins, canaux ou d'autres travaux à la charge de la colonie;

7° Sur la contribution de la colonie dans la dépense des travaux à exécuter par l'Etat et qui intéressent la colonie;

8° Sur les projets, plans et devis des travaux exécutés sur les fonds de la colonie.

Les délibérations sur ces matières sont définitives et deviennent exécutoires si, dans le délai de deux mois, à partir de la clôture de la session, le Lieutenant-Gouverneur n'en a pas demandé l'annulation pour excès de pouvoir, pour violation des lois des règlements ayant force de loi.

Cette annulation est prononcée par arrêté du Gouverneur en commission du conseil de Gouvernement.

Art. 43.—Le conseil colonial délibère, sous réserve de l'approbation du Gouverneur général en conseil de Gouvernement:

1° Sur le mode d'assiette, les tarifs et les règles de perception et de répartition des taxes ou contributions directes ou indirectes à percevoir au profit de la colonie;

2° Sur les conditions d'exploitation par la colonie des travaux destinés à un usage public et les tarifs à percevoir;

3° Sur l'établissement et l'entretien des bacs et passages d'eau et sur la fixation des tarifs à percevoir;

4° Sur l'acquisition, l'aliénation et le changement de destination des propriétés de la Colonie affectées à un service public.

Les délibérations prises par le conseil colonial sur ces matières ne sont rendues exécutoires que par arrêté du Gouverneur général en conseil de Gouvernement.

En cas de refus d'approbation, par le Gouverneur général, des délibérations du conseil colonial, sur les matières visées au paragraphe 1er, le conseil colonial est appelé à en délibérer de nouveau. Jusqu'à l'approbation du Gouverneur général, la perception se fait sur les bases anciennes.

Art. 55.—Le conseil colonial élit dans son sein une commission permanente composée de huit membres choisis à raison de cinq parmi les représentants des citoyens français, trois parmi les représentants des chefs indigènes.

Art. 62.—La commission permanente statue:

1° Sur les acquisitions, aliénations de propriétés mobilières et immobilières de la colonie, quand ces propriétés ne sont pas affectées à un service public.

2° Sur les baux des biens donnés ou pris à ferme ou à loyer, quelle qu'en soit la durée;

3° Sur les actes à intenter ou à soutenir au nom de la Colonie, sauf dans les cas d'urgence où le Lieutenant-Gouverneur peut intenter toute action ou à y défendre, sans délibération préalable du conseil colonial, et faire tous actes conservatoire;

4° Sur les transactions qui concernent les droits de la Colonie, le recours à l'arbitrage étant toujours possible, sous réserve de l'approbation du Gouverneur général;

5° Sur les assurances des propriétés mobilières et immobilières de la Colonie;

6° Sur la création, l'entretien et l'exploitation des marchés non communaux.

Elle règle, en outre, les affaires qui lui sont renvoyées par le conseil colonial, dans les limites de la délégation qui lui est faite par ce dernier. Cette délégation ne doit pas avoir un caractère général, elle ne peut porter que sur les affaires déterminées. La commission donne enfin son avis au Lieutenant-Gouverneur sur toutes les questions qu'il lui soumet ou sur lesquelles elle croit devoir appeler son attention dans l'intérêt de la Colonie.

Art. 2.—Il sera procédé à l'élection des conseillers coloniaux suivant le mode prévu au présent décret, le premier dimanche de juin 1925.

Art. 3.—Le Ministre des Colonies est chargè de l'exécution du présent décret.

Fait à Paris, le 30 mars 1925.

GASTON DOUMERGUE.

Par le Président de la République:

Le Ministre des Colonies,

DALADIER.

APPENDIX XXIII

THE JUDICIAL SYSTEM

Arrête

Promulguant en Afrique occidentale française le décret du 22 mars 1924, réorganisant la Justice indigène en Afrique occidentale française.

LE GOUVERNEUR GÉNÉRAL DE L'AFRIQUE OCCIDENTALE FRANÇAISE,
COMMANDEUR DE LA LÉGION D'HONNEUR,

Vu le décret du 18 octobre 1904, réorganisant le Gouvernement général de l'Afrique occidentale française.

Vu le décret du 22 mars 1924, réorganisant la Justice indigène en Afrique occidentale française,

ARRÊTE:

Article premier.—Est promulgué en Afrique occidentale française le décret du 22 mars 1924, réorganisant la Justice indigène en Afrique occidentale française.

Art. 2.—Le présent arrêté sera enregistré, publié et communiqué partout où besoin sera.

Dakar, le 22 mai 1924.

CARDE.

LE PRÉSIDENT DE LA RÉPUBLIQUE FRANÇAISE,

Vu l'article 18 du sénatus-consulte du 3 mai 1854;

Vu l'article 4 du décret du 1er décembre 1858;

Vu le décret du 18 novembre 1903, portant réorganisation du service de la Justice dans les Colonies et territoires relevant du Gouvernement général de l'Afrique occidentale française;

Vu le décret du 18 octobre 1904, portant réorganisation du Gouvernement général de l'Afrique occidentale française ensemble le décret modificatif du 4 décembre 1920;

Vu le décret du 2 mai 1906, sur les conventions écrites;

Vu le décret du 12 décembre 1905, sur la répression de la traite et le décret du 26 avril 1923, sur la répression de l'anthropophagie;

Vu le décret du 16 août 1912, portant réorganisation de la Justice indigène en Afrique occidentale française;

Vu le décret du 9 mars 1914, modifiant l'article 2 du décret du 16 août 1912, portant réorganisation de la Justice indigène en Afrique occidentale française;

Sur le rapport du Ministre des Colonies et du Garde des Sceaux, Ministre de la Justice,

Décrète:

Article premier.—Sur toute l'étendue des territoires relevant du Gouvernement général de l'Afrique occidentale française, la Justice est administrée à l'égard des indigènes, tels qu'ils sont définis à l'article suivant, par des juridictions indigènes qui sont des Tribunaux du premier degré, des Tribunaux du deuxième degré, des Tribunaux coloniaux d'homologation et une Chambre spéciale de la Cour d'appel de l'Afrique occidentale française qui reçoit le nom de chambre d'homologation. En outre, les chefs de village ou notables désignés par la coutume exercent un pouvoir de conciliation.

Article 2.—Sont indigènes, dans le sens du présent décret, et justiciables des juridictions indigènes, les individus originaires des possessions françaises de l'Afrique occidentale et de l'Afrique équatoriale ne possédant pas la qualité de citoyens français, et ceux qui sont originaires des pays placés sous mandat ainsi que des pays étrangers, compris entre ces territoires ou pays limitrophes, qui n'ont pas dans leur pays d'origine le statut des nationaux européens.

Le justiciable qui, dès le début de l'instance ne s'est pas prévalu d'un statut susceptible de la soustraire à la juridiction indigène, ne pourra pas attaquer de ce chef le jugement intervenu. Il incombe à l'intéressé de rapporter la preuve du statut invoqué en temps utile. Le cas échéant, il peut être mis en demeure de la faire dans un délai prescrit par décision judiciaire. A l'expiration de ce délai et à défaut de la justification requise, il est passé outre au jugement.

CHAPITRE PREMIER

DE LA CONCILIATION

Art. 3.—En matière civile et commerciale, le chef de village ou le notable du village, du quartier ou du groupe de tentes, désignés à cet effet par la coutume est investi du pouvoir de concilier les parties qui les saisissent de leurs litiges. L'accord intervenu acquiert la force probante des actes sous seing privé, lorsqu'il est constaté par le commandant de cercle ou le chef de subdivision en présence du chef de village ou du notable et des parties, dans les formes établies par le décret du 2 mai 1906. S'il demeure à l'état de convention verbale, il possède la valeur reconnue par la coutume aux conventions de cette nature.

Ce préliminaire de conciliation ne fait obstacle en aucun cas à l'engagement ultérieur des instances.

CHAPITRE II

TRIBUNAUX DU 1er DEGRÉ

Organisation

Art. 4.—Les Tribunaux de 1er degré sont institués par des arrêtés du Lieutenant-Gouverneur de la Colonie, qui fixent le siège et le ressort territorial de chaque Tribunal et en déterminent la composition conformément aux dispositions des articles 5 et 6 ci-après. Il peut être institué plusieurs Tribunaux du 1er degré dans une même subdivision administrative pour des groupements ethniques distincts ou des régions déterminées. Il en est institué un sur le territoire de chaque commune de plein exercice. Ces Tribunaux peuvent tenir des audiences foraines.

Art. 5.—Le Tribunal du 1er degré est composé d'un président et de deux assesseurs ayant voix délibérative. Les fonctions de président sont exercées par le chef de la subdivision administrative ou par tout autre fonctionnaire désigné à cet effet par le chef de la Colonie. Néanmoins, en matière civile et commerciale, le Tribunal peut être présidé par un notable indigène désigné par arrêté du Lieutenant-Gouverneur sur la proposition motivée du commandant de cercle.

Toutefois, en toute matière, le Tribunal du 1er degré siégeant en audience foraine est toujours présidé par le chef de subdivision ou le fonctionnaire désigné à cet effet; il en est de même du Tribunal du 1er degré saisi d'un différend entre indigène et justiciable des Tribunaux français dans le cas prevu à l'article 66 du présent décret.

Les fonctions d'assesseurs ne peuvent être remplies que par des indigènes. Tout emploi rétribué par la Colonie, en dehors de celui de chef de tribu, de province, de groupe, de canton ou de village, ou de magistrat, est incompatible avec l'exercice des fonctions de président indigène ou d'assesseur.

Le Tribunal du 1er degré siégeant en audience foraine ainsi qu'il est prévu à l'article précédent, peut à défaut d'assesseurs désignés dans les conditions de l'article 6 ci-aprés, être constitué avec l'assistance de deux chefs ou notables indigènes par le président dans des conditions arrêtées par le Lieutenant-Gouverneur.

Art. 6.—Au moment de l'institution du tribunal, une liste de douze notables indigènes au moins est arrêtée par le Lieutenant-Gouverneur sur la proposition du commandant de cercle. Elle doit être complétée dans la même forme dès qu'il y a lieu de pourvoir à des vacances ou à des remplacements.

Cette liste est composée de façon que les justiciables du ressort puissent être jugés, autant que possible, par des notables pratiquant leurs coutumes.

Le président indigène et les deux assesseurs titulaires sont désignés sur cette liste par le Lieutenant-Gouverneur. Les notables figurant sur la liste qui n'ont pas été désignés pour exercer ces fonctions reçoivent le titre d'assesseurs adjoints.

En cas d'empêchement momentané, le président indigène est remplacé par le plus ancien des deux assesseurs titulaires. En cas d'empêchement d'un assesseur titulaire et notamment dans le cas où il est appelé à faire fonction de président, il est remplacé par le plus ancien des assesseurs adjoints.

Toutefois, en matière civile et commerciale, lorsque la coutume des parties ou de l'une seulement des parties ne serait pas représentée par les assesseurs appelés à siéger conformément aux dispositions précédentes, ceux-ci sont remplacés, pour le partie de l'audience consacrée à la cause en question par des assesseurs adjoints choisis de manière que, autant que possible, la coutume de chaque partie se trouve représentée au sein du Tribunal.

Au cas où aucun des assesseurs titulaires et assesseurs adjoints ne représenterait la coutume de l'une des parties et où cette coutume serait représentée dans la localité où siège le tribunal, ou à proximité, par un notable indigène jouissant de l'estime publique, le président du Tribunal invite ce notable à siéger, à côté et en plus des deux assesseurs avec voix consultative; il est tenu de le consulter et mention de la consultation et de son résultat est faite au jugement.

Art. 7.—Les membres des Tribunaux du 1er degré ne sont pas soumis à la récusation.

Lorsqu'il existe des motifs d'abstention pour l'un des membres indigènes de ces tribunaux, le commandant de cercle décide si ce magistrat doit s'abstenir; dans l'affirmative, il le remplace par l'un des notables inscrits sur la liste, dans les conditions stipulées à l'article précedent. Lorsque les motifs d'abstention existent à la fois pour la totalité des membres indigènes d'un Tribunal du 1er degré et des notables appelés à les suppléer, la cause est renvoyée par le commandant de cercle devant un Tribunal du même degré de son cercle.

Enfin, lorsque ces motifs existent pour les divers Tribunaux du 1er degré du cercle, il appartient au Lieutenant-Gouverneur de renvoyer devant un Tribunal du même degré d'un autre cercle.

La même procédure est suivie dans le cas de refus de siéger de la part d'un ou plusieurs membres d'un Tribunal du 1er degré.

Matière civile et commerciale

Art. 8.—En matière civile et commerciale, le Tribunal du 1er degré connaît, en premier ressort et à charge d'appel devant le Tribunal du 2e degré, de tous les litiges dont les parties le saisissent.

Avant toute chose, le Tribunal est tenu de tenter de concilier les parties. S'il y réussit, il établit un procès-verbal de conciliation qui a force exécutoire; s'il n'y réussit pas, il instruit et juge l'affaire selon les règles posées à l'article suivant.

Art. 9.—Il n'existe d'autres formes de procédure que celles qui résultent des coutumes locales.

L'instance est exclusivement introduite par une requête adressée, oralement ou par écrit, soit au commandant de cercle ou au chef de subdivision, soit au président du Tribunal, soit au Tribunal siégeant en audience publique.

Les parties sont tenues de comparaître en personne. Toutefois, en cas d'impossibilité ou d'incapacité, elles peuvent se faire représenter par mandataires choisis, à l'exclusion de tous autres, parmi les parents ou parmi les notables indigènes du lieu de leur domicile dont la qualité aura été reconnue par le Tribunal.

Le Tribunal statue comme si toutes les parties étaient présentes, dans le cas ou l'une d'elles, dûment convoquée ne paraît pas ou ne se fait pas représenter comme il est prévu ci-dessus.

Il fixe les moyens d'instruction de l'affaire selon les coutumes locales.

Pour l'instruction et l'audience, il peut être fait appel aux services d'un interprète ou de plusieurs interprètes désignés par le Tribunal avec l'agrément des parties.

Art. 10.—Le délai pour interjeter appel est d'un mois à partir du jour du prononcé du jugement, lorsqu'il est contradictoire.

Si le jugement est rendu contre une partie défaillante, le délai d'un mois court du jour où la notification a été faite à ladite partie à la diligence du président du Tribunal du 1er degré et sous le contrôle du commandant de cercle ou de son délégué.

En cas d'absence dûment constatée de la partie condamnée par défaut, le délai d'appel est porté à trois mois à compter du jour de la notification du jugement à son chef de village ou de groupe dans les formes et conditions ci-dessus prescrites.

Art. 11.—Les parties sont obligatoirement informés par le président du Tribunal de leur droit d'appel et mention de cette notification doit être portée au jugement.

L'appel est formé par une simple déclaration verbale ou écrite au président du Tribunal du 1er degré qui doit le consigner à la suite ou en marge du jugement et en donner avis à la partie intéressée.

Dès que l'appel est formé, une copie du jugement, annoté comme il est dit ci-dessus, est transmise dans le plus bref délai, à la diligence du président du Tribunal du 1er degré, au président du Tribunal du 2e degré qui, dans le délai d'un mois, à compter du jour de la réception du jugement convoque les parties à comparaître devant lui.

L'appelant qui succombe peut être condamné à une amende n'excédant pas 50 francs.

Matière répressive

Art. 12.—En matière répressive, le Tribunal du 1er degré connaît, à charge d'appel devant le Tribunal du 2e dégré, de tous les faits punissables judiciairement à l'exclusion des infractions deservées au Tribunal du 2e degré. Il connaît également des infractions sanctionnées par des peines disciplinaires commises par les anciens militaires, leurs femmes et leurs enfants, soustraits au régime de l'indigénat par application du décret du 14 janvier 1918.

Il ne peut être saisi que par le commandant de cercle ou par le chef de subdivision qui agissent, soit d'office, soit sur la dénonciation des chefs de village, de canton, de tribu, de groupe, de province, soit sur la plainte de la partie lésée.

Article 13.—Le président du Tribunal du 1er degré peut adresser des commissions rogatoires.

Les mandats d'amener et de dépôt sont décernés par le chef de subdivision à la requête du président ou de sa propre initiative s'il exerce lui-même les fonctions de président. Tout mandat doit énumérer: le nom de l'autorité qui l'a décerné, le nom et le sexe de l'indigène auquel il s'applique avec la désignation de sa filiation, de son lieu de naissance et de sa résidence, le motif pour lequel il est décerné; il est daté et signé.

Art. 14.—Le prévenu arrêté préventivement, doit être interrogé sans délai et au plus tard dans les vingt-quatre heures de son arrivée au siège du Tribunal, par le président du Tribunal, qui le place ou le fait placer sous mandat de dépôt ou ordonne son élargissement.

Dans le cas de flagrant délit et dans tous les cas où l'affaire est en état, il est procédé au jugement à la premiére audience régulière qui suit la mise sous mandat de dépôt.

Hors le flagrant délit et si l'affaire n'est pas en état de recevoir un jugement immédiat, le prévenu doit être traduit devant le Tribunal dans les quinze jours de la délivrance du mandat du dépôt. Si, à cette audience, l'affaire est reconnue insuffisament instruite, elle peut être renvoyée par jugement motivé pour être jugée dans un délai de quinze jours. En cas de nécessité, elle peut encore faire l'objet de renvois successifs et de même durée qui doivent être prononcés chaque fois par jugements motivés. Tout jugement de renvoi doit statuer sur le maintien du mandat de dépôt.

Art. 15.—Les prévenus doivent comparaître en personne et présentent eux-mêmes leur défense.

En cas de non comparution, il est statué par défaut, sauf dans le cas où le président estime nécessaire ou utile une nouvelle convocation. Les jugements rendus par défaut, sont anéantis de plein droit lorsque le condamné est arrêté ou se représente avant que la peine soit éteinte par prescription et il est procédé à de nouveaux débats dans la forme ordinaire.

Pour l'instruction et l'audience, il peut être fait appel aux services d'un interprète ou de plusieurs interprètes désignés par le Tribunal.

Art. 16.—Si le jugement est contradictoire, le président du Tribunal, aussitôt après le prononcé de la sentence est tenu de demander au condamné s'il entend interjeter appel. Il doit faire une mention spéciale au jugement de l'accomplissement de cette formalité. Le condamné peut faire séance tenante sa déclaration d'appel qui est consignée à la suite ou en marge du jugement. Si l'appel n'est pas interjeté à l'audience, il peut encore être fait par déclaration au chef de subdivision ou au commandant de cercle, dans les quinze jours qui suivent. Cette déclaration est inscrite comme il est dit ci-dessus.

L'appel peut être interjeté dans les mêmes formes et délais, par la partie lésée, en ce qui concerne la partie du jugement statuant sur les restitutions, les dommages-intérêts et autres intérêts civils, en vertu des dispositions de l'article 63.

Le droit d'appel est également ouvert au commandant de cercle, qui doit en faire la déclaration dans un délai de deux mois, à compter de la date du prononcé du jugement. Cette déclaration doit être inscrite à sa date sur le registre des jugements d'appel rendus en matière répressive.

L'appel émanant du condamné seul ne peut jamais avoir pour conséquence une aggravation de son sort.

Art. 17.—En cas d'appel, les condamnés détenus sont transférés au chef-lieu du cercle avec les pièces du procès et une copie du jugement. Ils sont jugés dans le mois qui suit la date de leur arrivée, qui doit être mentionnée dans le jugement d'appel.

Les condamnés non détenus sont convoqués par les soins du président du Tribunal du 2e dégré dans le délai le plus bref à la diligence du président du Tribunal du 1er degré; si l'état de leur santé ou une autre cause de force majeure les empêche de répondre à la convocation, ils en informent le président du Tribunal du 2e degré, qui, alors, peut juger sur pièces.

CHAPITRE III

TRIBUNAUX DU 2e DEGRÉ

Organisation

Art. 18.—Au chef-lieu de chaque cercle et dans chaque commune de plein exercice, il est institué un Tribunal indigène dit Tribunal du 2e degré, composé d'un président qui est le commandant de cercle, ou, dans une commune de plein exercice, un fonctionnaire désigné à cet effet par le Lieutenant-Gouverneur, et de deux assesseurs indigènes ayant voix consultative. Ceux-ci doivent être obligatoirement consultés, et mention de cette consultation et de son résultat est insérée au jugement. Ils sont désignés par le Lieutenant-Gouverneur sur une liste de dix notables au moins établie et tenue au complet dans les conditions prévues à l'article 6 pour les Tribunaux du 1er degré. Sur cette liste ne peut figurer aucun indigène exerçant un emploi rétribué par la Colonie, à l'exception de celui de chef de tribu, de province, de canton, de village ou de groupe ou de magistrat.

En cas d'empêchement dûment justifié, le président du Tribunal du 2e degré est remplacé par le fonctionnaire ou officier appelé à le suppléer momentanément dans ses fonctions administratives, à la condition que celui-ci n'ait pas rendu le premier jugement, s'il s'agit de statuer sur un appel.

En cas d'empêchement des assesseurs ou de leur refus de siéger ou en vue d'assurer la représentation des coutumes des parties au sein du Tribunal, il est procédé comme il a été dit aux articles 6 et 7 pour les Tribunaux du 1er degré.

Art. 19.—Les présidents des Tribunaux du 2e degré peuvent tenir des audiences foraines dans une localité quelconque de leur ressort. Les assesseurs sont alors choisis facultativement parmi ceux du Tribunal du 2e degré ou parmi ceux des Tribunaux du 1er degré à la condition, s'il s'agit d'un appel, que ceux-ci n'aient pas connu de l'affaire en premier ressort.

Le Lieutenant-Gouverneur de chaque Colonie peut autoriser les commandants de cercle à déléguer la présidence du Tribunal du 2e degré siégeant en audience foraine soit au fonctionnaire adjoint au commandant de cercle soit au chef de la subdivision où se tient l'audience, à la condition que celui-ci n'ait pas rendu le premier jugement s'il s'agit de statuer sur un appel.

Art. 20.—Les membres des Tribunaux du 2e degré ne sont pas soumis à la récusation.

Lorsqu'il existe des motifs d'abstention pour l'un des assesseurs, le président décide si ce magistrat doit s'abstenir et dans l'affirmative, le remplace par l'un des notables inscrits sur la liste permanente selon les règles posées pour les Tribunaux du 1er degré aux articles 6 et 7.

Matière civile et commerciale

Art. 21.—En matière civile et commerciale le Tribunal du 2e degré connaît de l'appel de tous les jugements des Tribunaux du 1er degré de son ressort.

La comparution des parties et l'instruction sont soumises aux dispositions prévues à l'article 9.

Matière répressive

Art. 22.—En matière répressive, le Tribunal du 2e degré connaît de l'appel des jugements des Tribunaux du 1er degré de son ressort. Il connaît en outre directement:

1° De toutes les infractions qualifiées crimes, qui sont notamment:

a) Les attentats à la vie humaine et les coups, blessures ou violences de nature à entraîner la mort;

b) Les faits de pillage en bande et à main armée;

c) Les incendies volontaires;

d) Les rapts, enlèvements et séquestrations de personne;

e) Les empoisonnements de puits, de citernes, sources et eaux potables;

f) Les mutilations affectuées sur la personne humaine;

2° Des actes d'anthropophagie prévus et réprimés par le décret du 26 avril 1923 et des faits de traite prévus et réprimés par le décret du 12 décembre 1905;

3° Des infractions dont les auteurs ou les victimes sont des fonctionnaires indigènes ou des indigènes exerçant soit les fonctions de chef de tribu, de province ou de canton, soit celles de magistrat, soit un emploi détribué par la Colonie;

4° Des infractions commises par les militaires indigènes de complicité avec d'autres indigènes non militaires;

5° Des infractions commises au préjudice de l'Etat, de la Colonie ou d'une Administration publique.

Art. 23.—Le Tribunal du 2e degré est saisi exclusivement par le commandant de cercle qui agit: en appel, comme il a été spécifié aux articles 16 et 17; en premier ressort, soit d'office, soit sur la dénonciation d'un représentant de l'autorité, soit sur la plainte de la partie lésée.

Le président du Tribunal du 2e degré peut adresser des commissions rogatoires. Il décerne les mandats d'amener et de dépôt, lesquels sont établis conformément aux dispostions stipulées à l'article 13.

Art. 24.—Le prévenu arrêté préventivement doit être interrogé sans délai, et, au plus tard, dans les vingt-quatre heures de son arrivée au siège du Tribunal, par le commandant de cercle ou par le fonctionnaire ou l'officier qui le remplace.

A la suite de cet interrogatoire, il est mis sous mandat de dépôt ou relaxé.

Dans le cas de flagrant délit et dans tous les cas où l'affaire est en état, il est procédé au jugement à la première audience régulière, qui suit la mise sous mandat de dépôt.

Si l'affaire n'est pas en état d'être jugée à cette audience, une instruction préalable est obligatoirement ouverte.

Cette instruction, faite par le commandant de cercle ou par un officier de police judiciaire, ou par un fonctionnaire désigné par le commandant de cercle, comprend: les interrogatoires des prévenus et les dépositions des témoins consignés dans les procès-verbaux réguliers, les rapports d'expertise, les procès-verbaux de constat et de vérification et tous autres documents réunis pour la manifestation de la vérité.

Dès la clôture de l'instruction et à la première audience régulière, le prévenu est traduit devant le Tribunal du 2e degré pour être jugé. Si le jugement nécessite plusieurs audiences, les renvois, dûment motivés, sont constatés dans le jugement.

Art. 25.—Le prévenu comparaît en personne.

Tout prévenu peut se faire assister, devant le Tribunal du 2e degré, d'un défenseur choisi par lui parmi ses parents ou parmi les habitants indigènes notables du lieu de son domicile, dont la qualité aura été reconnue par le Tribunal.

Lorsque le prévenu est traduit devant le Tribunal pour fait qualifié crime, le président doit l'avertir qu'il a le droit de se faire assister, à l'audience, d'un défenseur choisi par lui, conformément aux dispositions du paragraphe précedent. Cet avertissement devra être mentionné aux dispositifs dans le jugement qui constatera, en outre, la présence du défenseur ou le refus par le prévenu, de se faire assister d'un défenseur.

En cas de non comparution, il est statué par défaut. Si le condamné est repris ou se représente avant que la peine soit éteinte par prescription, les jugements rendus dans ces conditions sont anéantis de plein droit et il est procédé à de nouveaux débats dans la forme ordinaire.

Pour l'instruction ou audience, il peut être fait appel aux services d'un interprète ou de plusieurs interprètes désignés par le Tribunal.

Art. 26.—Tous les fonctionnaires et tous les agents de l'autorité dans le cercle sont tenus de donner au commandant de cercle avis de tous les crimes et de toutes les infractions pouvant être déférées aux Tribunaux.

CHAPITRE IV

TRIBUNAUX COLONIAUX ET CHAMBRE D'HOMOLOGATION

Art. 27.—Les jugements des Tribunaux du 1er et 2e degré ne sont pas susceptibles de pourvoi en cassation, mais il est institue au chef-lieu de chaque Colonie, un Tribunal colonial d'homologation et à la Cour d'appel de l'Afrique occidentale française, une Chambre spéciale dite Chambre d'homologation, appelée à statuer, dans les conditions ci-après, sur l'homologation ou l'annulation des jugements rendus par les Tribunaux indigènes.

Art. 28.—Le Tribunal colonial d'homologation se compose.

1° Du président du Tribunal de 1re instance de la Colonie, président;

2° D'un administrateur en chef ou administrateur des Colonies et d'un suppléant du même ordre, nommés à la fin de chaque année pour l'année suivante par le Lieutenant-Gouverneur, après avis du Procureur de la République;

3° D'un assesseur indigène parlant français et d'un suppléant remplissant les mêmes conditions, choisis par le président sur une liste de cinq notables dressée à la même époque par le Lieutenant-Gouverneur.

Pour juger le Tribunal est formé par le président, l'assesseur fonctionnaire ou son suppléant et l'assesseur indigène ou son suppléant. Chacun des deux assesseurs à voix délibérative.

Les fonctions du Ministère public, sont exercées par le Procureur de la République ou son substitut, celles de greffier, par le greffier du Tribunal de 1re instance.

Exceptionnellement et jusqu'à ce que le chef-lieu de la Mauritanie soit doté d'un Tribunal de 1re instance distinct de celui du chef-lieu du Sénégal, le président du Tribunal colonial d'homologation du Sénégal présidera également le Tribunal colonial d'homologation de la Mauritanie où les fonctions du Ministère public et celles de greffier sont exercées par le même magistrat et le même greffier qu'au Tribunal colonial d'homologation du Sénégal, les assesseurs devant, par ailleurs, être distincts.

Art. 29.—La Chambre d'homologation se compose:

1° Du vice-président de la Cour d'appel ou de son remplaçant, président;

2° De deux conseillers titulaires et de deux suppléants désignés à la fin de chaque année pour l'année suivante, par le président de la Cour après avis du Procureur général;

3° De deux fonctionnaires et de deux suppléants nommés à la même époque par le Gouverneur général après avis du Procureur général;

4° De deux assesseurs indigènes parlant français, choisis par le président de la Chambre sur une liste de douze notables dressée à la même époque par le Gouverneur général.

Les fonctions du Ministère public sont exercées près cette Chambre, par le Procureur général ou l'un des membres de son Parquet, celles de greffier sont remplies par le greffier de la Cour ou l'un des commis-greffiers.

Pour juger, la Chambre est formée par le président, deux conseillers titulaires ou suppléants, deux assesseurs fonctionnaires ou leurs suppléants et les deux assesseurs indigène.

Les assesseurs indigènes ont voix délibératives.

Art. 30.—Le Tribunal colonial et la Chambre d'homologation sont saisis, le premier par le Procureur de la République, la seconde par le Procureur général des affaires soumises d'office à leur examen dans la quinzaine de la réception du dossier transmis par le Lieutenant-Gouverneur pour les affaires ressortissant au Tribunal colonial et par le Gouverneur général pour les affaires ressortissant à la Chambre.

Ce dossier doit comprendre:

Une copie du jugement certifiée par le président du Tribunal indigène et, s'il y a eu instruction préalable, les plaintes ou dénonciations, l'interrogatoire de l'inculpé, les procès verbaux d'information, le tout accompagné d'un rapport du président du Tribunal indigène relatant les faits de la cause, les incidents qui ont pu surgir à l'audience et toutes les circonstances propres à éclairer la religion du Tribunal colonial ou de la Chambre.

Art. 31.—Le Tribunal colonial ou la Chambre statue dans le mois, sur le rapport d'un de ses membres, le Ministère public entendu.

Les débats ont lieu et l'arrêt est rendu, le tout en audience publique, sans la comparution des parties qui peuvent produire tous mémoires utiles ou se faire représenter par un avocat défenseur.

Article 32.—En matière répressive, le Tribunal colonial d'homologation est saisi d'office, en vue de leur homologation ou, s'il y a lieu, de leur annulation:

1° Des jugements contradictoires des Tribunaux du 2ᵉ degré comportant des condamnations à une durée d'emprisonnement ou d'interdiction de séjour de trois ans au moins et de dix ans au plus, en ce qui concerne seulement ces condamnations;

2° Des jugements des Tribunaux du 1ᵉʳ dégré comportant les mêmes condamnations, quand il n'en a pas été fait appel, et avec la même restriction;

3° Des jugements des Tribunaux du 2ᵉ degré portant condamnation à une peine d'emprisonnement ou d'interdiction de séjour même inférieure à trois ans et non supérieure à dix ans ou simplement à une amende, pour infraction au décret du 12 décembre 1905 sur la traite ou au décret du 26 avril 1923 sur l'anthropophagie;

4° Des jugements des mêmes Tribunaux ayant prononcé contre des fonctionnaires indigènes ou des indigènes exerçant soit les fonctions de chef de tribu, de province ou de canton, soit celles de magistrat, soit un emploi retribué par la Colonie, des peines égales ou supérieures à un an d'emprisonnement ou d'interdiction de séjour ou à 500 francs d'amende, mais non supérieures à dix ans d'emprisonnement ou d'interdiction de séjour, quelle que soit la nature de l'infraction.

Art. 33.—En même matière, la Chambre d'homologation est saisie d'office, en vue de leur homologation ou, s'il y a lieu, de leur annulation:

1° De tout jugement contradictoire d'un Tribunal du 2e degré portant condamnation à mort ou à une durée d'emprisonnement ou d'interdiction de séjours supérieure à dix ans;

2° Des jugements des Tribunaux du 1er degré comportant les mêmes condamnations, quand il n'en a pas être fait appel.

Art. 34.—Le Procureur de la République peut, au surplus, déférer au Tribunal colonial d'homologation par le moyen du pourvoi en annulation, et pour quelque motif que ce soit, tous les jugements rendus en matière répressive par les Tribunaux du 1er et du 2e degré. Le Procureur général possède le même pouvoir auprès de le Chambre d'homologation.

Les décisions rendues en suite de ce pourvoi, produisent leur effet à l'égard de toutes parties, lorsque le pourvoi a été formé dans le délai d'un mois à partir de la date de transmission au Procureur de le République par le Lieutenant-Gouverneur de l'expédition du jugement, ou dans le délai de trois mois à partir de la date de la transmission au Procureur général par le Gouverneur général après l'expiration de ce délai, le pourvoi ne peut être formé que dans l'intérêt du condamné ou dans l'intérêt de la loi.

Art. 35.—Le Tribunal colonial et la Chambre d'homologation possèdent, chacun dans son domaine, un pouvoir souverain d'appréciation; aucune nullité n'est prescrite formellement en matière répressive indigène.

Lorsque l'annulation est prononcée pour vice de compétence, l'affaire est renvoyée devant le Tribunal qui doit en connaître.

Lorsque l'annulation est prononcée pour toute autre cause, le Tribunal colonial ou la Chambre a la faculté, soit d'évoquer et de statuer sur le fond, si l'affaire est reconnue en état, soit de renvoyer devant le Tribunal qui en a connu, en indiquant les causes de l'annulation et s'il y a lieu, les points insuffisamment établis ou reconnus erronés sur lesquels devra porter le nouvel examen des juges.

Les Tribunal saisi, après l'arrêt de renvoi, est tenu de se conformer aux indications de cet arrêt. Lorsque, après de nouveaux débats, il a rendu son second jugement, le dossier est de nouveau soumis, selon le cas, au Tribunal colonial ou à la Chambre qui homologue ou annule et, dans ce dernier cas, évoque l'affaire et statue au fond.

Le Tribunal colonial ou la Chambre peut, dans tous les cas, avant de statuer, ordonner les compléments d'instruction qui lui paraissent nécessaires:

il ou elle y fait procéder par l'un de ses membres ou par les présidents des Tribunaux indigènes, ou par les officiers de police judiciaire.

Art. 36.—Lorsque le Tribunal colonial ou la Chambre homologue ou statue au fond après annulation, extrait de l'arrêt est délivré, dans la huitaine, selon le cas, au Procureur de la République ou au Procureur général, qui le transmet, pour exécution, au Lieutenant-Gouverneur ou au Gouverneur général.

Art. 37.—En matière civile, lorsqu'un Tribunal indigène a manifestement excédé sa compétence ou violé une des prescriptions du présent décret, le Procureur de la République peut se pourvoir devant le Tribunal colonial d'homologation qui doit, en cas d'annulation, renvoyer les parties à se pourvoir comme elles l'entendront.

Le pourvoi du Procureur de la République doit, à peine de nullité, être formé dans le délai de six mois à compter de la date du jugement.

Art. 38.—Dans le cas ou un Tribunal français aura excédé sa compétence en connaissant d'une affaire relevant des juridictions indigènes en dehors des conditions déterminées par l'article 66 du présent décret, le Procureur général peut se pourvoir en annulation devant la Cour d'appel siégeant conformément aux dispositions de l'article 8 du décret du 10 novembre 1903.

En cas d'annulation, la Cour renvoie l'affaire devant la juridiction indigène compétente; expédition de l'arrêt est délivrée, dans la quinzaine au Procureur général, qui la transmet pour exécution au Gouverneur général.

Le pourvoi du Procureur général, doit, à peine de nullité, être formé dans le délai d'un an à compter de la date du jugement.

Art. 39.—La déclaration du pourvoi formé par le Procureur de la République, soit d'office, soit à la requête des parties ou de l'Administration, en vertu des articles 34 et 37, est déposée au greffe du Tribunal de 1er instance et inscrite sur un registre à ce destiné.

S'il s'agit d'un pourvoi formé par le Procureur général, en vertu des articles 34 et 38, la déclaration est déposée et inscrite dans les mêmes conditions au greffe de la Cour.

Art. 40.—La Chambre d'homologation statue également sur les demandes de réhabilitation.

La réhabilitation peut-être demandée par tout condamné, à l'expiration d'un délai de cinq ans à partir de l'exécution de sa peine.

La requête est adressée au Lieutenant-Gouverneur qui recueille l'avis du commandant de cercle où réside le requérant et la transmet, avec ses propositions au Procureur général, en y joignant les expéditions des jugements de condamnation, les extraits des registres d'écrou des lieux où les peines ont été exécutées, et, s'il y a lieu, la justification du payement des amendes ou la preuve de l'exécution de la contrainte par corps.

Les arrêts de réhabilitation sont notifiés aux intéressés par le Lieutenants-Gouverneurs ou leurs délégués en présence de notables. Mention de ces arrêts est faite en marge des jugements effacés par la réhabilitation.

CHAPITRE V

DES JUGEMENTS ET DE LEUR EXÉCUTION

Art. 41.—En toute matière, les jugements des Tribunaux indigènes doivent être motivés et contenir: les noms de tous les juges et la coutume des juges indigènes; le nom et la qualité de l'interprète ou de chacun des interprètes qui ont prêté leur ministère; le nom et le sexe, l'âge, au moins approximatif, la profession, le domicile et la coutume du prévenu ou de chacune des partis, avec ses déclarations ou conclusions, l'exposé sommaire des faits et des circonstances de temps et de lieu; le nom, le sexe, l'âge au moins approximatif, la profession et le domicile de chacun des témoins, ainsi que le degré éventuel de sa parenté avec le prévenu ou l'une des parties et la mention du serment qu'il a prêté si la coutume le prévoit et enfin sa déposition; l'énoncé de la coutume et, éventuellement, la disposition du décret dont il est fait application.

En matière répressive, ces jugements doivent indiquer, en outre, l'autorité qui a saisi le Tribunal: la date de l'arrestation du prévenu et celle de la mise sous mandat de dépôt; l'interrogatoire de l'inculpé et ses moyens de défense; le cas échéant, les circonstances atténuantes dont le Tribunal a tenu compte, pour réduire la peine prévue; enfin, les mentions prescriptes par le décret, notamment aux articles 11, 16, 17, 18 et 25.

Art. 42.—Les témoins doivent prêter serment lorsque la coutume le prévoit. Dans tous les cas, ils sont passibles de condamnation pour faux témoignage commis à l'audience.

Le Tribunal qui constate l'infraction a compétence pour la juger, sous réserve de l'exception prévue à l'article 51 *in fine*.

Le serment ne peut jamais être déféré au prévenu.

Les parties peuvent prêter serment si la coutume l'admet.

Le serment ne peut être déféré à un témoin que la coutume en dispense en raison de ses liens de parenté ou d'alliance avec le prévenu ou l'une des parties.

Art. 43.—Les débats de toute affaire, de leur ouverture au prononcé du jugement, sont suivis par les mêmes juges. Ils doivent être recommencés si l'un des juges se trouve empêché au cours de l'instance et s'il est nécessaire de le remplacer.

Art. 44.—Les jugements des Tribunaux du 1er et du 2e degré sont transcrits à leur date sur un registre spécial coté et paraphé par le commandant de cercle.

Il est délivré à toute partie qui en exprime le désir, une copie du jugement qui la concerne, certifiée conforme par le chef de subdivision, s'il s'agit d'un jugement rendu par le Tribunal du 1er degré ou par le commandant de cercle s'il s'agit d'un jugement rendu par le Tribunal du 2e degré.

Art. 45.—Le chef de la subdivision adresse mensuellement, au commandant de cercle, le relevé des jugements rendus dans le cours de chaque mois, en matière répressive, par le Tribunal du 1er degré.

Le commandant de cercle adresse, dans les mêmes conditions, au Lieutenant-Gouverneur, le relevé des jugements rendus en matière répressive par le Tribunal du 2e degré. Il y joint les relevés du mois précédent des Tribunaux du 1er degré.

Ces relevés doivent contenir le résumé des indications mentionées à l'article 41.

Ils sont communiqués par le Lieutenant-Gouverneur au Procureur de la République et ensuite transmis au Gouverneur général, lequel les communique au Procureur général.

Art. 46.—Les fonctions de greffier n'existent pas auprès des Tribunaux du 1er et du 2e degré. Le président de chacun de ces Tribunaux peut être assisté d'un secrétaire pour la rédaction matérielle des jugements et des notes d'audience, la mention des déclarations d'appel, l'établissement des mandats, la tenue des registres mentionnés à l'article 44, la délivrance des expéditions aux parties.

Art 47.—Les jugements devenus définitifs sont visés pour exécution par le chef de subdivision si c'est un Tribunal du 1er degré qui a statué définitivement et par le commandant de cercle si c'est le Tribunal du 2e degré qui a statué.

Est réputé définitif, tout jugement d'un Tribunal du 1er degré dont il n'a pas été fait appel dans les délais fixés, et tout jugement d'un Tribunal du 2e degré lorsque l'un ou l'autre n'a pas à être déféré d'office au Tribunal colonial ou à ìa Chambre d'homologation en vertu des articles 32 et 33 du présent décret, sous réserve toutefois des dispositions de l'article 57.

En dehors du ressort du Tribunal qui a rendu le jugement il est pourvu à son exécution par les soins de l'autorité administrative, sur le vu de la copie délivrée par le commandant de cercle ou par le chef de subdivision et, par eux, dûment certifiée.

Art. 48.—En matière civile et commerciale, les juridictions indigènes appliquent exclusivement la coutume des parties. En cas de conflit de coutumes, il est statué:

1° Dans les questions intéressant le mariage et le divorce ou l'attribution des enfants et le sort de l'épouse en cas de rupture du mariage par divorce, répudiation ou décès de l'un des conjoints, selon la coutume qui a présidé à la négociation du contrat de mariage, ou s'il n'y a pas eu contrat, selon la coutume de la femme;

2° Dans les questions relatives aux successions et testaments selon la coutume du défunt;

3° Dans les questions relatives aux donations, selon la coutume du donateur;

4° Dans les questions concernant les contrats autres que celui du mariage, selon la coutume la plus généralement suivie dans le lieu où est intervenu le contrat;

5° Dans les autres matières, selon la coutume du défendeur.

Art. 49.—En matière répressive, les juridictions indigènes appliquent:

1° L'amende, jusqu'à un maximum de 5,000 francs;

2° L'interdiction de séjour, pour une durée qui ne peut excéder vingt ans;

3° L'emprisonnement à temps, pour une durée qui ne peut excéder vingt ans;

4° L'emprisonnement à perpétuité;

5° La peine de mort.

L'amende peut se cumuler avec l'interdiction de séjour ainsi qu'avec l'emprisonnement à temps.

L'emprisonnement à perpétuité et la peine de mort ne peuvent, en aucun cas, être infligés par les Tribunaux du 1er degré.

Article 50.—Avant de prononcer la sentence, le Tribunal s'enquiert de la sanction éventuellement prévue par la coutume du lieu pour l'infraction commise et, autant que possible, proportionne l'importance de la condamnation à la gravité de cette sanction. Il a qualité pour prononcer la condamnation qui lui paraît équitable dans le cas où la coutume n'aurait prévu aucune sanction pour l'infraction commise.

Art. 51.—Les juridictions indigènes appliquent, en outre, en matière répressive:

1° Les peines édictées pour les infractions prévues par les règlements de police et l'administration;

2° Une peine de 16 à 500 francs d'amende ou de six jours à un mois d'emprisonnement, pour sanctionner le faux témoignage, l'outrage au Tribunal ou à l'un de ses membres, l'injure aux témoins, les actes susceptibles de troubler l'audience—tels que le tumulte—l'injure ou les voies de fait. La condamnation est prononcée séance tenante et immédiatement exécutoire. Lorsque l'auteur de ces infractions n'est pas indigène au sens du présent décret, le Tribunal qui constate l'infraction dresse un procès-verbal qui est transmis au Parquet de la juridiction française du ressort.

Art. 52.—En cas de conviction simultanée de plusieurs infractions, la peine la plus forte, selon l'ordre établi à l'article 49, est seule prononcée.

Toutefois, lorsque les infractions sont sanctionnées par l'emprisonnement à temps et l'amende ou par l'une de ces deux peines seulement, le Tribunal a la faculté de prononcer la confusion ou le cumul des peines encourues; dans ce dernier cas, le total des peines cumulées ne peut jamais dépasser le maximum de l'emprisonnement à temps et celui de l'amende.

Ces règles doivent être observées alors même que les infractions font l'objet de jugements distincts, dès que toutes les infractions sont antérieures au premier jugement.

Les peines prononcées pour évasion sont toujours cumulées avec les peines encourues ou en cours d'exécution.

Art. 53.—En cas d'admission de circonstances atténuantes le Tribunal substitue à la peine, qui, sans cela, aurait été encourue, une peine inférieure d'un ou de deux degrés dans l'échelle des pénalités indiquées à l'article 49, ou bien diminue la durée de l'emprisonnement ou de l'interdiction de séjour ou le taux de l'amende.

Art. 54.—La majorité pénale est celle qui est fixée par la coutume la plus généralement suivie dans le ressort du Tribunal. Le prévenu qui n'a point atteint la majorité pénale est absous comme ayant agi sans discernement; il peut en être de même du prévenu qui, quoique ayant atteint la majorité pénale défine comme ci-dessus, est âgé ou paraître âgé de moins de seize ans.

Dans l'un et l'autre cas, il est remis à ses parents ou renvoyé dans une maison de correction pour y être élevé et détenu pendant le nombre d'années que le jugement déterminera et qui, toutefois, ne pourra excéder l'époque où il aura atteint sa vingtième année.

Art. 55.—Lorsqu'une juridiction indigène prononce l'interdiction de séjour, l'autorité administrative notifie au condamné, avant sa libération, l'interdiction d'une ou plusieurs régions déterminées ou l'assignation d'une résidence obligatoire dans l'une quelconque des Colonies relevant du Gouvernement général de l'Afrique occidentale française.

La désignation des lieux interdits ou de la résidence obligatoire est faite par le Gouverneur général, lorsque les lieux interdits ou la résidence à assigner dépendent d'une Colonie autre que celle dans laquelle a été engagée la procédure; par les Lieutenants-Gouverneurs dans le cas contraire.

Art. 56.—La contrainte par corps peut être exercée en matière civile et commerciale par application des coutumes locales. Elle a lieu en matière répressive pour le recouvrement des amendes et des frais.

En aucun cas, la contrainte par corps ne peut être exercée sur les personnes normalement justiciables des juridictions francaises qui, conformément à la latitude qui leur est offerte par l'article 66 du présent décret, auraient porté leurs litiges devant une juridiction indigène.

Le Gouverneur général fixe par arrêté pris en Conseil de Gouvernement ou en Commission permanente, après avis des Lieutenants-Gouverneurs et du Procureur général, les limites dans lesquelles s'exerce la contrainte par corps, sans qu'elle puisse, en aucun cas, excéder deux années.

Seuls, les contraignables condamnés en matière répressive peuvent être employés à des travaux d'utilité publique.

Art. 57.—En matière répressive, l'exécution des jugements des tribunaux indigènes est suspendue pendant toute la durée de la procédure devant le Tribunal Colonial ou la Chambre d'homologation, que le Tribunal ou la Chambre ait été saisi d'office ou par le moyen du pourvoi. Toutefois le prévenu qui a subi une condamnation d'interdiction de séjour ou d'emprisonnement est maintenu en état de détention préventive jusqu'au jour où cette procédure est terminée. Au cas où elle se termine par un acquittement ou par une peine d'interdiction de séjour ou d'emprisonnement égale ou inférieure en durée à la détention subie, il est remis en liberté immédiatement. Dans le cas contraire, la durée de la détention préventive est comprise dans la durée de la condamnation définitive.

Il en est de même lorsqu'il est fait appel devant le Tribunal du 2e degré d'un jugement répressif du Tribunal du 1er degré.

Les personnes ainsi maintenues en état de détention préventive à la suite d'une condamnation soumise à la procédure de l'appel ou de l'homologation peuvent être astreintes à un travail compatible avec leur condition.

De toutes façons, la durée de la détention préventive est décomptée à partir du jour de l'arrestation et est défalquée de la durée de la condamnation.

Art. 58.—En tout état de la procédure antérieure au jugement définitif, la liberté provisoire peut être accordée, avec ou sans caution, par le Chef de la Colonie ou par le commandant de cercle.

Pour les affaires portées d'office ou sur pourvoi devant le Tribunal colonial ou la Chambre d'homologation, elle est prononcée, selon le cas, par le Procureur de la République ou le Procureur général.

Art. 50.—En matière répressive, les autorités administratives de chaque Colonie, chargées de l'exécution des jugements, prescrivent les mesures d'exécution des peines, à la condition d'observer les dispositions générales du décret et celles du jugement.

Toutefois il est sursis d'office à l'exécution des arrêts de condamnation comportant la peine capitale. Le Gouverneur général transmet sans délai, avec son avis, le dossier de la procédure au Ministre des Colonies, pour l'exercice du droit de grâce du Chef de l'Etat.

Art. 60.—La loi du 14 août 1885 sur les moyens de prévenir la récidive est applicable aux condamnés des juridictions indigènes. Les arrêtés de mise en liberté conditionnelle et de révocation prévus par l'article 3 de ladite loi sont pris par le Gouverneur général après avis du Lieutenant-Gouverneur, du Procureur général, du fonctionnaire chargé de la prison, s'il s'agit de mise en liberté, après avis du Procureur général s'il s'agit de révocation.

Art. 61.—L'emprisonnement est subi soit dans un pénitencier indigène, soit dans les locaux disciplinaires, soit sur des chantiers de travaux d'utilité publique.

En quelque lieu qu'ils subissent leur peine d'emprisonnement, les condamnés sont astreints, autant que le permet leur état de santé, à des travaux d'utilité publique.

Art. 62.—Le droit de recours en grâce auprès du Chef de l'Etat est ouvert aux condamnés des juridictions indigènes.

Art. 63.—Les juridictions indigènes saisies en matière répressive statuent d'office, sur les restitutions et, à la demande des parties lésées, sur les dommages et sur toutes autres actions civiles ayant leur cause dans les crimes ou délits dont elles sont saisies.

Art. 64.—La prescription en matière civile et commerciale est de cinq ans.

En matière répressive, l'action publique se prescrit, sauf interruption, par dix ans pour les crimes, trois ans pour les délits, un an pour les contraventions.

La prescription de la peine est fixée à vingt années en matière de crime, à dix années en matière de délit, à deux années en matière de contravention.

CHAPITRE VI

DISPOSITIONS GÉNÉRALES

Art. 65.—Les audiences des juridictions indigènes sont publiques à moins que cette publicité ne soit dangereuse pour l'ordre ou les mœurs, auquel cas la Cour ou les Tribunaux le déclarent par arrêt ou jugement préalable.

Dans tous les cas, les arrêts ou jugements sont prononcés publiquement et doivent être motivés.

Art. 66.—En matière civile et commerciale, les indigènes peuvent, d'un commun accord, porter leurs litiges devant les Tribunaux français. Cet accord est constaté par une convention, dans les conditions fixées par le décret du 2 mai 1906. Il est statué, dans ce cas, conformément à loi française.

En même matière, les différends entre justiciables des Tribunaux français et justiciables des Tribunaux indigènes peuvent, d'un commun accord, être portés devant les Tribunaux indigènes. Dans ce cas, le Tribunal du 1er degré est obligatoirement présidé par le chef de subdivision ou le fonctionnaire désigné à cet effet.

L'accord est constaté par une convention analogue à celles qui sont prévues par le décret du 2 mai 1906.

Il est fait application des coutumes locales.

Art. 67.—Il est interdit aux huissiers de faire un acte quelconque de leur ministère à la requête d'un indigène non justiciable des Tribunaux français contre un autre indigène relevant également des juridictions indigènes, sans avoir été mis en possession préalable de la copie, dûment certifiée, de la convention établie conformément aux dispositions du décret du 2 mai 1906, spécifiant que les deux intéressés ont consenti à porter le différend dont il est question devant les Tribunaux français.

L'acte de l'huissier devra mentionner explicitement les parties de l'accord intervenu en vertu desquelles son ministère est rendu valable.

Art. 68.—Les Lieutenants-Gouverneurs et le Procureur général, chef du Service judiciaire, surveillent et contrôlent le fonctionnement de la Justice indigène; ils rendent compte au Gouverneur général des irrégularités qu'ils constatent.

Art. 69.—Le Gouverneur général fixe par arrêté pris en Conseil de Gouvernement ou en Commission permanente les mesures d'application du présent décret; il fixe de la même manière les taxes et frais de Justice.

Art. 70.—Sur le territoire d'une commune de plein exercice, les attributions conférées par le présent décret au chef de subdivision et au commandant de cercle sont exercées respectivement par le fonctionnaire désigné par le Lieutenant-Gouverneur pour présider le Tribunal du 1er degré et le fonctionnaire désigné par le Lieutenant-Gouverneur pour présider le Tribunal du 2e degré.

CHAPITRE VII

DISPOSITION TRANSITOIRE

Art. 71.—Les instances engagées avant la promulgation du présent décret dans la Colonie de l'Afrique occidentale française continueront à être soumises aux règles édictées par le décret du 16 août 1912.

Art. 72.—Demeurent abrogés les articles 31 et 46 à 77 inclus (titre VI), du décret du 10 novembre 1903 et des décrets des 5 juin 1906 et 20 décembre 1907, déjá abrogés par l'article 54 du décret du 16 août 1912. Sout abrogés, en outre, le décret précité du 16 août 1912, le décret du 9 mars 1914 et toutes dispositions contraires du présent décret.

Art. 73.—Le Ministre des Colonies et le Garde des Sceaux, Ministre de la Justice, sont chargés, chacun en ce qui le concerne, de l'exécution du présent décret.

Fait à Paris, le 22 mars 1924.

A. MILLERAND.

Par le Président de la République:

Le Ministre des Colonies,
A. SARRAUT.

Le Garde des Sceaux, Ministre de la Justice,
Maurice COLRAT.

APPENDIX XXIV

NATIVE LAND TITLES

Constatation des Droits Fonciers des Indigènes en Afrique Occidentale Française

RAPPORT

AU PRÉSIDENT DE LA RÉPUBLIQUE FRANÇAISE

Paris, le 8 octobre 1925.

Monsieur le Président,

Le décret de 24 juillet 1906 qui a organisé en Afrique occidentale française le régime de la propriété foncière sur la base de l'immatriculation n'a pas reçu des indigènes tout l'accueil qu'on en escomptait, par suite, semble-t-il, des difficultés qu'offre pour eux la complexité de la procédure établie et des frais qu'elle entraîne et, par suite, aussi des dispositions parfois contraires à leurs habitudes sociales que comporte cette réglementation.

Pour remédier à cette situation et munir les intéressés d'un titre qui serait établi à moins de frais en conformité de leurs règles coutumières, le gouverneur général de l'Afrique occidentale française a été amené à envisager un mode spécial de constatation des droits fonciers des indigènes et à préparer ainsi, sans toucher à la législation existante, la transition entre la tenure coutumière actuelle et le régime de la pleine propriété au sens de notre code.

En raison des modifications que ce nouveau régime est susceptible, malgré tout, d'apporter à l'état de choses actuel, il m'a semblé qu'il convenait de ne lui donner qu'un caractère provisoire, et le projet de décret, que j'ai l'honneur de soumettre à votre haute approbation prévoit son application pendant une durée de cinq années seulement; on attendra de la sorte l'expérience pour constater les lacunes de la réglementation à intervenir et savoir s'il y a lieu de persévérer dans cette voie.

Veuillez agréer, monsieur le Président, l'hommage de mon profond respect.

Le ministre des colonies,

André Hesse.

Le Président de la République française,

Vu l'article 18 du sénatus-consulte du 3 mai 1854;

Vu le décret du 18 octobre 1904 portant réorganisation du gouvernement général de l'Afrique occidentale française;

Vu les décrets du 1er mars 1919, des 4 décembre 1920 et 13 octobre 1922 organisant les colonies de la Haute-Volta, de la Mauritanie et du Niger;

Vu le décret du 23 octobre 1904 portant organisation du domaine en Afrique occidentale française;

Vu le décret du 24 juillet 1906 organisant le régime de la propriété foncière en Afrique occidentale française;

Vu le décret du 2 mai 1906 instituant un mode de constatation des conventions passées entre indigènes en Afrique occidentale française;

Vu le décret du 16 novembre 1924, ensemble le décret du 22 mars 1924, organisant le service des tribunaux français et de la justice indigène en Afrique occidentale française;

Sur le rapport du ministre des colonies,

Décrète:

Art. 1er.—En Afrique occidentale française, lorsque la tenure du sol ne présente pas tous les caractères de la propriété privée, telle qu'elle existe en France, et lorsque les terres qui en font l'objet sont détenues suivant les règles du droit coutumier local, les détenteurs ont la faculté de faire constater et affirmer leurs droits au regard des tous tiers moyennant l'observation des dispositions suivantes:

Art. 2.—Le requérant adresse, à cet effet, au chef de la circonscription ou, dans les communes de plein exercice, au représentant de l'administration désigné par le lieutenant gouverneur, une demande écrite ou verbale contenant autant que possible ses noms, âge, profession, domicile, lieu de naissance, filiation, état de famille, avec l'indication sommaire de la ou des terres qu'il désire soumettre à la réglementation instituée par le présent décret, des droits qu'il y exerce et de tous renseignements concernant l'origine de ces droits.

Récépissé est donné à l'intéressé de sa demande qui est inscrite avec un numéro d'ordre sur un registre ad hoc tenu au chef-lieu de chaque circonscription administrative. Le requérant est informé d'avoir à délimiter son terrain à l'aide de jalons ou de tous autres points de repère suffisants.

Préalablement à la procédure indiquée ci-après, les dossiers des demandes, ainsi constituées, sont, en vue de sauvegarder les droits de l'Etat, transmis au lieutenant-gouverneur.

Art. 3.—Au jour fixé par le chef de circonscription, ce dernier ou son représentant, après avoir prévenu les chefs et notables du lieu, fait, sur place et publiquement, toutes constatations relatives au terrain déclaré, quant à sa nature, sa superficie, sa description, ses limites, la revendication dont il est l'objet.

Sommation est faite aux assistants de révéler tous droits opposables à ceux dont la reconnaissance est demandée, sous peine des sanctions prévues à l'article 10 ci-après. Procès-verbal est dressé de ces opérations, et lecture publique en est donnée et traduite, s'il y a lieu, après quoi il est signé par le représentant de l'administration qui invite le requérant, le chef ou son remplaçant, l'interprète et les opposants à le signer également, soit en français, soit en écriture du pays, s'il ne savent autrement.

Les oppositions reçues sur place sont mentionées sur ledit procès-verbal; avis est donné que tous oppôsants présents ou à venir pourront faire valoir leurs droits à la condition d'en saisir, dans le délai de trois mois, par l'intermédiaire du chef de la circonscription, le tribunal du premier degré qui juge en la forme ordinaire.

Art. 4.—Si, dans les trois mois, aucune opposition n'a été formée, ou, en cas d'opposition, après mainlevée volontaire ou prononcée par les tribunaux indigènes, si, d'autre part, la terre considérée n'est pas revendiquée par l'État conformément à l'article 10 du décret du 23 octobre 1904, les pièces établies, avec, s'il y lieu, copie des décisions de justice, sont numérotées et réunies en un livret auquel est joint, dans la mesure du possible, un plan des lieux.

Les indications portées au livret ainsi constitué sont sommairement transcrites sur un registre spécial dûment coté et paraphé par le commandant de cercle, chaque inscription étant datée et faite sous un numéro particulier.

Copie de l'inscription au registre spécial est remise à l'intéressé sur sa demande.

Art. V.—Le titre ainsi obtenu par le requérant a la valeur des actes conclus dans la forme établie par le décret du 2 mai 1906 pour les conventions entre indigènes et confirme son possesseur dans les droits qu'il énumère. Il vaut tant que dure l'occupation effective du bénéficiaire ou de ses ayants droit.

Aucune dépossession ne peut être faite qu'en vertu d'un jugement ou d'une convention dans la forme des actes ci-dessus spécifiés.

Art. 6.—Le bénéfice des dispositions ci-dessus peut également être étendu à tous les immeubles bâtis.

Art. 7.—Tous faits, conventions ou sentences ayant pour effet de constituer, transmettre, déclarer, modifier ou éteindre un des droits ainsi constitués, d'en changer le ou les titulaires ou les conditions et dont les intéressés veulent faire constater l'existence donnent lieu à une inscription qui est reproduite sur le registre spécial et sur le titre remis au détenteur: un feuillet nouveau est accolé au livret décrit à l'article 4 et un certificat d'inscription est remis, en outre, au bénéficiaire.

Art. 8.—En cas de perte du titre ou du certificat, il n'en est délivré duplicata que sur décision des tribunaux indigènes.

Art. 9.—Les pièces établies en vue de la procédure ci-dessus décrite, expéditions et certificats sont dispensés des droits de timbre et d'enregistrement.

Art. 10.—Toute déclaration sciemment mensongère faite en vue d'obtenir ou de faire obtenir le titre prévu à l'article 5, tout déplacement de bornes d'un terrain délimité conformément à l'article 3, sont sanctionnés de peines pouvant aller jusqu'à trois ans de prison et 2,000 francs d'amende.

Art. 11.—Les tribunaux indigènes sont exclusivement compétents pour connaître des difficultés susceptibles de s'élever à propos des modalités d'application du présent décret.

Par exception aux dispositions du décret du 22 mars 1924 et dans l'intérêt des parties, le droit d'appel est ouvert au commandant de cercle dans les mêmes conditions que pour les intéressés.

Art. 12.—Lorsque le bénéfice des dispositions ci-dessus est réclamé par plusieurs codétenteurs ou par l'un d'eux seulement, les intéressés sont invités au préalable à déterminer, dans une convention passée en la forme indiquée par le décret du 2 mai 1906, le mode d'occupation et d'administration qui régit l'immeuble déclaré, et, le cas échéant, les droits particuliers qui peuvent être concédés à l'un d'entre eux. A défaut d'accord, le litige est porté devant les tribunaux indigènes qui décident de la suite à donner à l'affaire.

Art. 13.—La présente institution ne touche en rien aux dispositions du décret du 24 juillet 1906 sur le régime foncier.

Art. 14.—Le présent décret recevra son application à partir du 1er janvier 1926 et pendant une période de cinq ans.

Art. 15.—Le ministre des colonies est chargé de l'exécution du présent décret qui sera publié au *Journal officiel* de la République française et à celui du gouvernement général de l'Afrique occidentale française et inséré au *Bulletin officiel* du ministère des colonies.

Fait à Rambouillet, le 8 octobre 1925.

Gaston DOUMERGUE.

Par le Président de la République:

Le ministre des colonies,

André Hesse.

APPENDIX XXV

FRENCH LABOR LAW

RÉGLEMENTATION

DU

TRAVAIL INDIGÈNE

EN

AFRIQUE OCCIDENTALE FRANÇAISE

ARRÊTÉ *promulguant en Afrique occidentale française le décret du 22 octobre 1925, réglementant le travail indigène en Afrique occidentale française.*

LE GOUVERNEUR GÉNÉRAL DE L'AFRIQUE OCCIDENTALE FRANÇAISE, COMMANDEUR DE LA LÉGION D'HONNEUR,

Vu le décret du 18 octobre 1904, réorganisant le Gouvernment général de l'Afrique occidentale française;

Vu le décret du 22 octobre 1925, réglementant le travail indigène en Afrique occidentale française,

ARRÊTE:

Article premier.—Est promulgué en Afrique occidentale française, le décret du 22 octobre 1925, réglementant le travail indigène en Afrique occidentale française.

Art. 2.—Le présent arrêté sera enregistré, publié et communiqué partout où besoin sera.

Dakar, le 29 mars 1926.

CARDE.

RAPPORT

AU PRÉSIDENT DE LA RÉPUBLIQUE FRANÇAISE

Paris, le 22 octobre 1925.

Monsieur le Président,

Les conditions d'emploi de la main-d'œuvre dans les entreprises privées n'ont, jusqu'à ce jour, fait l'objet, en Afrique occidentale française, d'aucune réglementation d'ensemble. Il n'existe, à l'heure actuelle, sur le travail des indigènes, en dehors de certaines dispositions de la législation forestière spéciale à la Côte d'Ivoire, que des mesures locales ne s'inspirant d'aucun principe commun et manifestement devenues insuffisantes.

Il a paru d'autant plus indispensable de combler cette lacune que le développement économique croissant des Colonies du groupe Ouest-Africain, par la multiplication des entreprises diverses qu'il suscite, nécessite l'utilisation d'une main-d'œuvre de plus en plus abondante, et pose ainsi, en matière de travail indigène, des problèmes dont la solution ne saurait dépendre, sans inconvénients réels, d'appréciations divergentes.

Mais la réglementation à élaborer touchait à des intérêts trop nombreux et trop importants pour que sa préparation ne fût pas entourée de toutes les garanties nécessaires. Aussi fut-il procédé, par les soins du Gouvernement général de l'Afrique occidentale française, à une consultation très large, tant auprès des Lieutenants-Gouverneurs des Colonies qu'auprès des Chambres de commerce, organes autorisés de la colonisation et des Conseils de notables, représentants qualifiés de la population indigène. Cette étude fut poursuivie par une commission locale, puis par le Conseil de Gouvernement de l'Afrique occidentale française et, enfin, par les services de nos Départements respectifs.

L'ensemble de ces travaux a conduit à préparer un projet de décret qui, s'en tenant à la fixation des principes directeurs, laisse au Gouverneur général de l'Afrique occidentale française le soin de déterminer par arrêté les conditions d'application de la réglementation, afin que celle-ci puisse être modelée sur place d'après l'évolution économique et sociale rapide de ces pays encore neufs. Au surplus, en raison de la diversité des colonies constituant le Groupe Ouest-Africain, colonies qui sont parvenues à des stades de développement bien différents, et en conformité d'une saine politique de décentralisation, le vaste champ des détails d'exécution a été placé dans les attributions des Lieutenants-Gouverneurs.

C'est dans ces conditions que nous avons l'honneur de soumettre à votre haute sanction le projet de décret ci-joint, base même d'une réglementation qui, fortement pénétrée des sentiments de justice et d'humanité et s'attachant à concilier les divers intérêts, également respectables, en présence, est appelée, par là même, semble-t-il, à contribuer grandement à la mise en valeur du pays.

Nous vous prions d'agréer, Monsieur le Président, l'hommage de notre profond respect.

Le Ministre des Colonies,
ANDRÉ HESSE.

Le Garde des Sceaux, Ministre de la Justice,
DE MONZIE.

LE PRÉSIDENT DE LA RÉPUBLIQUE FRANÇAISE,

Vu les articles 2 et 18 du sénatus-consulte du 3 mai 1854;

Vu l'article 4 du décret du 1er décembre 1858;

Vu le décret du 18 octobre 1904, portant réorganisation du Gouvernement général de l'Afrique occidentale française; ensemble les actes modificatifs subséquents;

Vu le décret du 16 novembre 1924, portant réorganisation de la justice française en Afrique occidentale française;

Vu le décret du 22 mars 1924, portant réorganisation de la justice indigène en Afrique occidentale française;

Vu le décret du 17 juin 1895, modifié le 12 janvier 1897, réglementant le recrutement et l'émigration hors du Sénégal des travailleurs indigènes originaires de la colonie, et les décrets des 25 octobre 1901 et 14 octobre 1902, réglementant le recrutement et l'émigration des indigènes de la Côte d'Ivoire et du Dahomey;

Vu le décret du 10 juin 1911, tendant à réprimer en Afrique occidentale française les détournements d'avances de salaires commis par les indigènes;

Sur le rapport du Ministre des Colonies et du Garde des Sceaux, Ministre de la Justice,

Décrète:

TITRE PREMIER

DU RÉGIME DU TRAVAIL

Article premier.—Le recours au travail des indigènes dans les entreprises commerciales, industrielles et agricoles en Afrique occidentale française peut avoir lieu, soit par simple engagement d'après les usages locaux, soit par conventions verbales ou écrites, soit par contrats de travail tels qu'ils sont définis ci-après:

Toutes conventions relatives à ce travail sont de la compétence des conseils d'arbitrage qui font l'objet du titre III du présent décret.

Seuls les contrats de travail peuvent bénéficier du visa administratif.

Art. 2.—Les engagements de travail peuvent être résiliés:

1° Par le consentement mutuel des parties;

2° Par la volonté de l'une des parties dans les cas prévus par les conventions conclues entre elles;

3° Dans les cas prévus par la réglementation locale visée à l'article 37 du présent décret;

4° Par décision des conseils d'arbitrage.

Dans le cas de contrat ayant reçu le visa de l'administration, avis de la résiliation est donné par l'employeur dans le plus bref délai à l'autorité administrative locale qui a opposé son visa.

Art. 3.—Afin de constituer au travailleur un pécule payable à l'expiration de son engagement dans son lieu de résidence, il peut être opéré sur son salaire une retenue mensuelle dont les conditions seront réglées par arrêté du Gouverneur général de l'Afrique occidentale française.

Cette retenue est employée à l'achat de timbres spéciaux, dits "timbres-pécules", institués à cet effet en Afrique occidentale française, et qui sont apposés sur des carnets individuels dits "carnets de pécule", établis au nom de chaque travailleur.

Art. 4.—Il est ouvert, dans la comptabilité du trésorier général de l'Afrique occidentale française et des trésoriers-payeurs des colonies du Groupe un compte de portefeuille intitulé "Timbres-pécules du travail L/C de dépôt", qui servira à constater l'entrée et la sortie des figurines.

En conformité du décret du 30 décembre 1912, il est ouvert dans la comptabilité du trésorier général de l'Afrique occidentale française, aux opérations hors budget, trois comptes de correspondants administratifs sous la dénomination "Timbres-pécules du travail, L/C de distribution", "Divers travailleurs coloniaux, L/C de pécules" et "Divers comptables, L/C de timbres-pécules".

Le compte "Timbres-pécules du travail, L/C de dépôt" est débité, par le crédit du compte "Timbres-pécules, L/C de distribution", du montant des timbres entrés en portefeuille. La sortie des figurines est constatée par une écriture en sens inverse ou par un débit au compte "Divers comptables, L/C de timbres-pécules" en même temps que par un crédit au compte "Timbres-pécules du travail, L/C de dépôt", suivant qu'il s'agit d'une vente directe ou d'une remise de timbres aux trésoriers-payeurs du groupe.

Le compte "Timbres-pécules, L/C de distribution", non susceptible de justification à la dépense, sera justifié en recette par les talons des récépissés auxquels seront annexés les bordereaux d'envoi des figurines établis par l'administration.

Le compte "Divers travailleurs coloniaux, L/C de pécule" est credité par le débit des comptes "Caisses" ou "Envois au C. P. C." de la valeur des timbres sortis, suivant qu'il s'agit d'une vente directe ou d'une remise de figurines aux trésoriers-payeurs.

Le compte "Divers travailleurs coloniaux, L/C de pécule" est débité de la valeur des carnets de pécule remboursés aux travailleurs à leur retour dans leurs foyers ou à leurs ayants droit.

Ce compte, non susceptible de justification à la recette, sera justifié en dépenses par les carnets dûment acquittés par les parties prenantes.

Le compte "Divers comptables, L/C de pécules", non susceptible de justification à la recette, est justifié au débit par le procès-verbal d'envoi auquel sera rattaché ultérieurement l'accusé réception du comptable destinataire.

Le remboursement des carnets de pécule est effectué dans toute l'Afrique occidentale française par: 1° le trésorier général; 2° les divers trésoriers-payeurs, préposés du trésor et agents spéciaux des colonies du groupe.

Dans l'intérieur de chaque colonie du groupe, le trésorier-payeur intéressé, qui opère pour le compte du "trésorier général", centralise les opérations de réception des figurines, de vente de timbres et de remboursement de carnets effectuées par l'intermédiaire de ses préposés ou agents spéciaux.

TITRE II

DU CONTRAT DE TRAVAIL

Art. 5.—Sont qualifiés contrats de travail, aux termes du présent décret, les contrats passés entre employeurs, d'une part, et travailleurs indigènes, d'autre part, pour un travail déterminé, dans une entreprise commerciale, industrielle ou agricole, et emportant pour la personne ou la société qui la dirige l'inscription au rôle des patentes ou la possession d'un titre régulier d'exploitation, à la condition que l'engagé, par la nature du travail à fournir, ne se trouve pas lui-même dans l'obligation de payer patente.

Sont exclus de la présente définition les contrats ou engagements pour fourniture de denrées ou produits déterminés à acheter par l'engagiste, le louage pour un service domestique personnel ou occasionnel.

Sont également exclus de la présente définition les contrats stipulant une durée de travail effectif inférieure à quinze jours par mois.

Art. 6.—La durée de l'engagement par voie de contrats, tels qu'ils viennent d'être définis, ne doit pas être inférieure à trois mois, ni supérieure à deux ans.

Art. 7.—Les contrats de travail doivent obligatoirement et sous peine de nullité contenir les énonciations suivantes:

1° Les nom, prénom, nationalité, profession et domicile de l'employeur, et, s'il agit pour le compte d'une société, la date et la nature de ses pouvoirs;

2° Les nom, prénom, surnom, âge, sexe de l'employé, les noms de son village et du chef de village, tels qu'ils figurent au rôle de l'impôt de capitation, le nom de la subdivision administrative à laquelle appartient le village, les renseignements signalétiques propres à faire reconnaître l'employé, tels que marques et cicatrices relevées sur sa personne;

3° La nature exacte du travail à fournir et la région où il doit être exécuté;

4° La constatation médicale de l'aptitude physique dans tous les cas où un médecin est présent au lieu d'engagement;

5° La durée du contrat;

6° Le taux du salaire, les époques et le mode de payement et, en cas de salaire à la tâche, l'indication du salaire minimum et éventuellement de primes de rendement;

7° La détermination exacte de la ration alimentaire;

8° Les conditions de vêtement et, s'il y a lieu, de logement;

9° La déclaration que l'engagé est libre de tout engagement antérieur;

10° L'engagement par l'employeur de faciliter, suivant des modalités arrêtées de concert avec le chef de l'unité administrative intéressée, le recouvrement des impôts de l'employé pendant la durée du contrat et des impôts dont il pourrait être redevable au moment de l'engagement;

11° Le cas échéant, la mention des clauses particulières au contrat.

Indépendamment des charges spéciales ainsi assumées par lui lors de la signature du contrat, l'employeur reste soumis à toutes les obligations générales stipulées dans la règlementation locale visée à l'article 37 du présent décret.

Art. 8.—Les contrats sont établis en langue française, en triple exemplaire, sur formules fournies par l'engagiste et conformes au modèle établi par l'autorité administrative.

Un exemplaire est destiné à l'employeur, le second au travailleur, le troisième étant conservé par l'employeur pour être déposé éventuellement aux archives de l'unité administrative où peut être apposé le visa.

Art. 9.—Les contrats de travail peuvent être soumis au visa de l'administration à la requête de l'une ou l'autre des parties contractantes. L'administration peut, dans certains cas, exiger elle-même ce visa. Le visa est donné par le chef de l'unité administrative, soit du lieu où le contrat est passé, soit du lieu où l'indigène est employé.

Art. 10.—Le chef de l'unité administrative, avant d'apposer son visa, s'assure de l'identité du contractant et de sa libre volonté de contracter. Il donne lecture du contrat et, toutes les fois où cela sera possible, le fait traduire aux parties.

L'employeur a la faculté de se faire représenter par un mandataire de son choix régulièrement autorisé. Mention est faite de ces formalités et les signatures sont certifiées. S'il s'agit d'illettrés, mention en est faite.

Art. 11.—Le contrat de travail prend fin de plein droit à l'expiration de la durée stipulée. En cas de renouvellement aux mêmes clauses du contrat venu à expiration, visé ou non, l'apposition du visa sous forme de "vu pour renouvellement" sur les trois exemplaires réglementaires vaut nouveau contrat.

TITRE III

DES CONSEILS D'ARBITRAGE

Art. 12.—Il est institué en Afrique occidentale française des conseils d'arbitrage qui connaissent des contestations individuelles ou collectives entre les travailleurs indigènes et leurs employeurs, relatives aux conventions règlementant les rapports entre employeurs et travailleurs indigènes. Ils prononcent sur l'interprétation des conventions, leur validité et sur les voies d'exécution nécessaires.

La compétence des conseils d'arbitrage est fixée par le lieu d'exécution de l'engagement.

Art. 13.—Les conseils d'arbitrage sont créés par arrêté du Lieutenant-Gouverneur de chaque colonie sur la proposition des commandants de cercle. Les arrêtés de création fixent, pour chaque conseil, son siège et sa juridiction territoriale.

Art. 14.—Le conseil d'arbitrage est composé:

du commandant de cercle ou du chef de subdivision, président, ou d'un fonctionnaire désigné par arrêté du Lieutenant-Gouverneur;

d'un colon assesseur titulaire et d'un colon assesseur suppléant, de nationalité française;

d'un assesseur indigène titulaire et d'un assesseur indigène suppléant choisis de préférence parmi les assesseurs indigènes titulaires ou suppléants des tribunaux indigènes de la circonscription.

Un fonctionnaire désigné par le président est attaché au conseil en qualité de secrétaire.

Art. 15.—Les assesseurs colons et indigènes, titulaires et suppléants, sont désignés chaque année par arrêté du Lieutenant-Gouverneur sur une liste de présentation soumise par le commandant de cercle et comportant autant que possible un nombre de noms double de celui des assesseurs, titulaires ou suppléants, à désigner. Ils doivent prêter serment avant d'entrer en fonctions entre les mains du chef de la circonscription de leur résidence. En cas de nécessité, le serment est prêté par écrit.

Les fonctions d'assesseurs, titulaires et suppléants, aux conseils d'arbitrage sont gratuites.

Art. 16.—L'action est introduite par lettre ou par déclaration verbale au secrétaire ou au président du conseil. La requête écrite est enregistrée sur un registre spécial; si elle est verbale, elle est transcrite sommairement sur ledit registre. Dans les deux cas, le demandeur est tenu d'exposer clairement l'objet de sa demande et les moyens à l'appui.

Le secrétaire délivre récépissé de la lettre ou de la déclaration.

Art. 17.—Dans les huit jours qui suivant l'enregistremente de la requête, le président cite les parties dans le délai le plus court, à jour qu'il fixe. La citation est faite dans la forme administrative; elle doit contenir, pour la partie adverse, l'exposé sommaire de la requête et les moyens à l'appui.

Art. 18.—Les parties peuvent comparaître en personne ou par mandataire dûment autorisé. Le défendeur peut répondre par mémoire. Les audiences sont publiques. Le président dirige les débats. La police de la salle d'audience et des débats appartient au président qui l'assure dans les conditions fixées par les articles 11 et 12 du code de procédure civile.

Art. 19.—La récusation des assesseurs peut être demandée pour une des causes prévues à l'article 378 du code de procédure civile.

Toutefois, en vue de prévenir tout retard aux débats, la citation indique aux parties la composition du conseil et les parties sont tenues de faire connaître sans délai au président si elles entendent récuser tel ou tel assesseur et les motifs allégués. Le président statue par simple ordonnance, de même qu'il peut, d'office, suivant les éléments d'information qu'il possède, modifier la composition du conseil avant les citations; dans ce cas, et à défaut des suppléants nommés par le chef de la colonie, le président devra appeler à siéger dans l'ordre de leur présentation les colons ou indigènes portés sur la liste prévue à l'article 15; en outre, il doit en rendre compte immédiatement au Lieutenant-Gouverneur.

Art. 20.—Les débats terminés, le conseil délibère immédiatement à huis-clos. Le jugement est rédigé sur l'heure et l'audience reprise pour sa lecture. La minute du jugement est écrite par le secrétaire sur un registre spécial. Elle est signée par le président et par le secrétaire.

Art. 21.—La procédure devant les conseils d'arbitrage est gratuite. Les frais d'enquête, d'expertise, d'expédition du jugement, les indemnités de déplacement qui pourraient être allouées sont taxés comme en matière civile et liquidés par le jugement. Les citations, les procés-verbaux d'enquête, les expéditions des jugements sont dispensés de tout droit de timbre et d'enregistrement.

Art. 22.—Le jugement est exécutoire dès qu'une expédition a été remise à l'une ou à l'autre des parties, sauf appel dans les vingt-quatre heures qui suivent sa lecture. Mention de la délivrance est faite en marge du jugement par le secrétaire. Le jugement peut ordonner l'exécution immédiate. Si la demande excéde 500 francs, l'exécution provisoire pour ce qui concerne le surplus ne peut être ordonnée, s'il y a appel, qu'à charge pour le bénéficiaire de fournir caution.

Art. 23.—L'exécution des condamnations est poursuivie à la diligence du secrétaire du conseil. L'opposition aux jugements par défaut n'est recevable que dans les huit jours qui suivent le prononcé du jugement. Sur opposition, le président convoque à nouveau les parties; le nouveau jugement, nonobstant tout défaut, est immédiatement exécutoire.

Art. 24.—La non-exécution par un engagé des obligations pécuniaires ou en nature résultant d'un jugement du conseil d'arbitrage le rend passible, à la requête de la partie bénéficiaire, de la contrainte par corps pour une durée qui n'excédera pas un mois et qui, dans tous les cas, sera fixée par le conseil dans le prononcé du jugement. La non-exécution est constatée par le ministère d'un agent de la force publique ou fonctionnaire de l'administration commis par le président.

Art. 25.—Les jugements sont définitifs et sans appel, lorsque le chiffre de la demande n'excéde pas 500 fr. en capital. Au dessus de 500 fr., l'appel est interjeté devant le tribunal de première instance ou la justice de paix à compétence étendu du ressort.

Art. 26.—L'appel est interjeté dans les formes indiquées à l'article 16 du présent décret et dans le délai fixé à l'article 22.

Le secrétaire du conseil fait mention de l'appel en marge de la minute du jugement et le président du conseil transmet le dossier de l'affaire au président du tribunal d'appel.

Le tribunal d'appel statue sur mémoire et rend son jugement dans le mois de l'appel.

TITRE IV

PÉNALITÉS.—DISPOSITIONS DIVERSES

Art. 27.—Quiconque, a l'aide de menaces, violences, dons, promesses, manœuvres frauduleuses ou dolosives, aura par lui-même ou par l'intermédiaire de tiers, amené ou tenté d'amener un ou plusieurs indigènes à contracter des engagements fictifs, est passible d'un emprisonnement de six jours à deux mois et d'une amende de 16 à 500 fr., sans préjudice des autres peines de droit commun qui peuvent être encourues de ce chef.

En cas de récidive, les coupables sont passibles d'un emprisonnement de deux mois à un an et d'une amende de 300 à 1,000 francs.

Art. 28.—Quiconque, dans les conditions prévues à l'article précédent, a, par lui-même ou par intermédiaire, détourné ou tenté de détourner un ou plusieurs indigènes de contracter des engagements, est passible des peines prévues audit article, ou de l'une de ces deux peines seulement.

Art. 29.—Est passible des mêmes peines ou de l'une de ces deux peines seulement, quiconque, dans les mêmes conditions, a, par lui-même ou par intermédiaire, tenté de déterminer ou déterminé un ou plusieurs indigènes déjà engagés à rompre leur engagement, que cela soit ou non dans le but d'engager les travailleurs en cause.

Art. 30.—Outre les pénalités encourues, le cas échéant, à raison des infractions réprimées par le décret du 10 juin 1911, sont passibles d'un emprisonnement de six à quinze jours et d'une amende de 16 à 100 fr., ou de l'une de ces deux peines seulement, et, en cas de récidive, d'un emprisonnement de un mois au moins et de un an au plus, et d'une amende de 100 à 500 fr., ou de l'une de ces deux peines seulement:

1° Tout individu ayant passé ou consenti des engagements fictifs;

2° Tout individu convaincu d'avoir sciemment excipé d'une convention de travail dans laquelle il n'est pas partie;

3° Tout individu qui, encore lié par un engagement, a tenté de s'engager ou s'est engagé au service d'un autre employeur.

Art. 31.—Par dérogation aux règles de compétence fixées par les articles 16 et 17 du décret du 16 novembre 1924 portant réorganisation de la justice française en Afrique occidentale française, les tribunaux indigènes sont exceptionnellement compétents en matière de délits commis à l'occasion des contrats de travail entre employeurs de statut français ou de nationalité étrangère reconnue et travailleurs indigènes, lorsque les employeurs ont déclaré par écrit se soumettre à leur juridiction. Dans tous les cas, les jugements prononcés en cette matière peuvent être déférés d'office à l'homologation prévue à l'article 32 du décret du 22 mars 1924 portant réorganisation de la justice indigène en Afrique occidentale française.

Art. 32.—Toute autre infraction au présent décret et aux arrêtés du Gouverneur général pris pour son exécution sera punie d'une amende de 1 à 15 fr., et d'un emprisonnement de un à cinq jours ou de l'une de ces deux peines seulement, et, dans le cas de récidive, d'une amende de 16 à 500 fr. et d'un emprisonnement de six jours à trois mois ou de l'une de ces deux peines seulement.

Art. 33.—L'article 463 du code pénal est applicable aux infractions visées par les articles précédents.

Art. 34.—Les Lieutenants-Gouverneurs peuvent, en conseil privé ou d'administration, décider qu'aucun contrat d'engagement ne sera passé pendant une période qui ne peut excéder cinq années par l'employeur qui a subi une condamnation pour mauvais traitements envers ses engagés. La même décision peut être prise, pour une période qui ne peut excéder une année, vis-à-vis de l'employeur ayant subi une condamnation pour manquements graves aux obligations résultant du contrat, passation de contrats fictifs, ou qui a bénéficié de contrats analogues passés par intermédiaire. La durée de l'interdiction peut être abrégée en conseil privé ou d'administration.

Art. 35.—La suspension du droit d'engager ou de rengager par contrat ne peut être prononcée qu'après que l'engagiste a été mis en demeure de fournir, par écrit, dans le délai de quinzaine qui précède la réunion du conseil privé ou d'administration, les raisons qu'il a à faire valoir contre la mesure envisagée.

Art. 36.—Dans les cas exceptionnels, où, à la suite d'événements de force majeure, l'administration est obligée d'effectuer des travaux d'utilité publique particulièrement urgents, le Lieutenant-Gouverneur peut, par arrêté pris en conseil privé ou d'administration, suspendre provisoirement les engagements de travailleurs par des particuliers.

Art. 37.—Les conditions d'application du présent décret seront fixées par arrêté du Gouverneur général de l'Afrique occidentale française pris en Conseil de Gouvernement ou en Commission permanente de ce Conseil et exécutoires après approbation ministérielle.

Art. 38.—Sont abrogés toutes dispositions antérieures au présent décret.

Art. 39.—Le Ministre des Colonies et le Garde des Sceaux, Ministre de la Justice, sont chargés, chacun en ce qui le concerne, de l'exécution du présent décret.

Fait à Paris, le 22 octobre 1925.

GASTON DOUMERGUE.

Par le Président de la République:

Le Ministre des Colonies,

André HESSE.

Le Garde des Sceaux, Ministre de la Justice,

DE MONZIE.

ARRÊTÉ *fixant les conditions d'exécution du décret du 22 octobre 1925, portant réglementation en matière de travail indigène en Afrique occidentale française.*

LE GOUVERNEUR GÉNÉRAL DE L'AFRIQUE OCCIDENTALE FRANÇAISE, COMMANDEUR DE LA LÉGION D'HONNEUR,

Vu le décret du 18 octobre 1904, réorganisant le Gouvernement général de l'Afrique occidentale française, modifié par ceux du 4 décembre 1920 et du 30 mars 1925;

Vu le décret du 22 octobre 1925, portant réglementation du travail indigène en Afrique occidentale française;

Le Conseil de Gouvernement entendu;

Vu l'approbation ministérielle,

ARRÊTE:

TITRE PREMIER

Régime du travail

Article premier.—Il peut être institué dans chaque Colonie des Offices du travail qui ont pour mission de faciliter les rapports entre les employeurs et les travailleurs indigènes, de centraliser les offres et les demandes d'emploi, d'assurer à celles-ci la publicité suffisante par l'intermédiaire des chefs des différentes circonscriptions territoriales auprès des groupements indigènes, et de mettre en œuvre les moyens de propagande appropriés pour satisfaire les besoins en main-d'œuvre des entreprises commerciales, industrielles et agricoles.

Ne peuvent néanmoins bénéficier de l'intervention des offices du travail que les engagements effectués suivant contrats de travail visés par l'Administration.

Art. 2.—Le siège, la composition, le fonctionnement et les attributions des offices du travail sont déterminés par arrêté du Lieutenant-Gouverneur de chaque Colonie, en Conseil privé ou d'administration, après avis des Chambres de commerce et des Chambres d'agriculture et d'industrie.

Art. 3.—Les travailleurs utilisés par les entreprises travaillant pour l'Etat ou les Colonies ne peuvent être employés qu'après passation d'un contrat de travail obligatoirement visé par l'Administration dans les conditions prévues aux articles 9 et 10 du décret du 22 octobre 1925.

Art. 4.—Il est interdit d'employer comme travailleurs des indigènes physiquement inaptes, soit en raison de leur âge, soit en raison de leur état de santé, aux travaux qui leur sont demandés. La limite d'âge minimum imposée aux travailleurs indigènes est fixée par l'autorité administrative.

Art. 5.—L'autorité administrative détermine, conformément à la législation en vigueur dans la Colonie, la durée de la journée de travail dans les exploitations agricoles et dans les établissements commerciaux et industriels. Le travail doit être interrompu par un repos de deux heures vers le milieu de la journée. Des dérogations à cette obligation peuvent, toutefois, être accordées par l'autorité administrative dans des cas exceptionnels.

Art. 6.—Le repos hebdomadaire est obligatoire; il est donné le dimanche. En dehors du dimanche, les jours de fêtes légales ou ceux considérés comme tels par les us et coutumes des travailleurs, sont également jours de repos obligatoires. Toutefois, si le repos simultané de tout le personnel d'une entreprise doit présenter de graves inconvénients, il peut être établi par roulement dans les conditions qui sont réglées par l'autorité administrative, mais de telle sorte, en tout cas, qu'il soit pour chaque travailleur de vingt-quatre heures consécutives par semaine.

Art. 7.—Tout engagé qui ne prend pas son travail ou qui l'abandonne après l'avoir commencé est réputé en état d'absence. L'absence est, suivant le cas, réputée légitime ou illégitime.

Art. 8.—L'absence de l'engagé est légitime si elle se produit:

a) Avec l'autorisation de l'engagiste;

b) Pour cause de maladie;

c) Pour se rendre aux convocations ou citations de l'autorité administrative ou judiciaire;

d) Pour exposer à l'autorité administrative ou judiciaire les doléances qu'il peut avoir à présenter, le cas échéant, contre l'engagiste;

e) Pour se rendre auprès des mêmes autorités y porter contre des tiers des plaintes ou des réclamations;

f) En cas de force majeure.

Art. 9.—L'absence pour cause de maladie donne droit, outre les soins médicaux, à la nourriture, au logement, et pendant une durée fixée par l'autorité administrative, à une portion du salaire également déterminée par la même autorité.

Si l'indisponibilité pour cause de maladie dépasse la durée fixée comme il est spécifié ci-dessus, l'employeur peut exiger, à l'expiration de l'engagement, que le travailleur fournisse un nombre de journées de travail égal à celui qui excéde cette durée, le travailleur ayant droit, pour la période de travail complémentaire, au salaire et à la ration. Toutefois, cette faculté de récupération n'est pas admise lorsque l'indisponibilité provient d'un accident du travail ou d'une affection contractée en service.

L'engagement peut être résilié par l'employeur, sous réserve des frais de rapatriement et du paiement d'une équitable indemnité à fixer par les Conseils d'arbitrage définis au titre III du décret du 22 octobre 1925, lorsque l'indisponibilité pour cause de maladie dépasse sans interruption une limite maximum fixée par l'autorité administrative. Cette faculté de résiliation n'existe pas, n'est pas admise lorsque l'indisponibilité provient d'un accident du travail ou affection contractée en service.

L'engagement peut aussi être résilié dans le mêmes conditions et sous les mêmes réserves par l'employeur, si le nombre de journées d'absence du travail, quoique non consécutives, a dépassé, dans un trimestre, la limite maximum fixée au paragraphe précédent, l'employeur étant tenu, pour le travail effectivement accompli, de s'acquitter de ses obligations vis-à-vis de l'engagé (salaire, ration, etc.).

Art. 10.—Lorsque l'absence se produit avec l'autorisation de l'employeur, ou pour répondre à une convocation ou à une citation de l'autorité administrative ou judiciaire, ou pour se rendre auprès des mêmes autorités y porter contre des tiers des plaintes ou des réclamations, ou en cas de force majeure, le travailleur n'a droit qu'aux vivres.

Il en est de même dans le cas de plaintes ou de réclamations, qu'elles soient fondées ou non, portées contre l'employeur devant l'autorité administrative ou judiciaire.

Quand les plaintes ou réclamations contre l'employeur ont été reconnues fondées, le travailleur n'est soumis, pour les journées d'absence, à aucune retenue de salaire.

Quand ces plaintes ou réclamations ont été reconnues injustifiées, la valeur des vivres délivrés pour les journées d'absence est récupérée par l'employeur, par retenue équivalente sur le salaire lors du premier paiement. Mention de cette retenue et de son motif est portée sur le livret de travail défini à l'article 15 du présent arrêté.

Lorsque l'absence du travail, avec ou sans permission de l'employeur, se produit pour les raisons de commodités personnelles, le travailleur n'a droit ni au salaire ni aux vivres.

L'employeur peut, sauf dans le cas où les plaintes ou réclamations portées contre lui ont été reconnues fondées, exiger que la travailleur fournisse à l'expiration de son engagement un nombre de journées de travail égal à la durée de l'absence, le travailleur ayant droit pour les journées de travail ainsi accomplies, au salaire et aux vivres.

Art. 11.—L'absence illégitime est celle qui résulte de la seule volonté du travailleur et se produit en dehors des conditions prévues pour l'absence légitime.

Elle donne lieu à une retenue de salaire dont le montant est fixé par le Conseil d'arbitrage qui, le cas échéant, statue également sur les sanctions que le manquement du travailleur paraît devoir comporter. Mention de cette retenue est portée sur le livret de travail défini à l'article 15 du présent arrêté.

Art. 12.—Quand l'interruption de travail est causée par une condamnation, l'exécution des conditions de l'engagement est suspendue. Celui-ci ne reprend son effet qu'à l'expiration de la peine encourue. Il est alors prolongé de plein droit pour une durée égale à celle de l'interruption résultant de la condamnation. Dans ce cas, l'employeur a la faculté de résilier l'engagement.

Art. 13.—L'employeur est tenu d'indiquer sur un livre de paiement, en regard du nom de chaque travailleur absent, la nature de son absence, la date de la cessation et celle de la reprise du travail.

Art. 14.—Si la durée de l'absence illégitime du travailleur dépasse un maximum fixé par l'autorité administrative l'engagement est résilié de plein droit au profit de l'employeur. Celui-ci n'est plus tenu au rapatriement du travailleur et il peut, en outre, lui être alloué des dommages et intérêts dont le montant est fixé par le Conseil d'arbitrage.

Art. 15.—Sous quelque forme qu'il soit engagé, chaque travailleur doit être muni d'un livret d'identité dont le modèle est fixé par l'autorité administrative. Ce livret est délivré par l'administration à la diligence de l'employeur.

Art. 16.—En cas de rupture ou de résiliation de l'engagement les frais de rapatriement incombent à l'employeur, sauf quand l'engagement a été rompu ou résilié par la faute de l'engagé.

Art. 17.—Le Lieutenant-Gouverneur de chaque colonie fixe, par arrêté pris en Conseil privé ou d'administration, après avis des offices du travail, des Conseils de notables, des Chambres de commerce et des Chambres d'agriculture et d'industrie:

a) La limite d'âge minimum prévue à l'article 4 pour l'engagement de tout travailleur indigène;

b) La durée de la journée de travail et les conditions dans lesquelles peuvent intervenir les dérogations prévues à l'article 5;

c) Les jours qui doivent être considérés comme fériés suivant les us et coutumes des indigènes (article 6) ;

d) Les conditions dans lesquelles le repos hebdomadaire par roulement peut être autorisé dans les entreprises commerciales, industrielles et agricoles (article 6) ;

e) Le nombre de journées de maladie, consécutives ou non, pendant lesquelles le travailleur conserve le droit à une portion de son salaire, ladite portion étant également déterminée par arrêté du Lieutenant-Gouverneur pris dans la même forme (article 9, paragraphe 1er) ;

f) Le nombre de journées consécutives de maladie du delà duquel l'engagement peut être résilié par l'employeur dans les conditions stipulées au paragraphe 3 de l'article 9;

g) La durée de l'absence du travail, au delà de laquelle, pendant un trimestre, quoique les journées de maladie n'aient pas été consécutives, l'employeur a également le droit de résilier l'engagement dans les conditions spécifiées au paragraphe 4 de l'article 9;

h) La durée de l'absence illégitime au delà de laquelle l'engagement est résilié de plein droit, conformément à l'article 14.

TITRE II

CONDITION DES TRAVAILLEURS

Art. 18.—L'autorité administrative détermine le taux minimum des salaires à payer aux travailleurs. Les salaires sont payés à période fixe, au moins une fois par mois. Leur paiement a lieu en monnaie ayant cours légal.

Art. 19.—En cas de salaire à la tâche, les conventions des parties doivent stipuler une production minimum telle qu'elle assure au travailleur un salaire mensuel qui ne peut être inférieur à celui de quinze journées de travail calculées d'après le salaire minimum de la circonscription.

Art. 20.—Les avances sur salaires ne peuvent être consenties, le cas échéant, qu'au moment de l'engagement. La taux de ces avances et les conditions de leur remboursement sont fixés par l'autorité administrative.

Art. 21.—Le taux de la retenue mensuelle opérée dans les conditions fixées à l'article 3 du décret du 22 octobre 1925 sur le salaire de chaque travailleur en vue de la constitution d'un pécule payable à l'expiration de son engagement est obligatoire exprimé en francs. Il n'est pas admis de fraction de franc.

Le "timbre pécule" institué en Afrique occidentale française par l'article 3 du décret du 22 octobre 1925 peut avoir une valeur de 1, 5, 10 et 20 francs.

Les carnets pour l'apposition du timbre pécule dont les travailleurs sont munis à la diligence et aux frais de l'employeur sont recouverts d'une couverture comportant au recto les indications suivantes:

1° Le nom du travailleur;

2° Son lieu d'origine;

3° Le lieu où il doit se retirer à la cessation du travail;

4° Le nom de l'employeur.

La deuxième page de la couverture reçoit l'empreinte digitale du travailleur.

Les pages intérieures comportent:

1° Des cases de la dimension des timbres-pécules;

2° L'indication du mois;

3° La somme en chiffres des timbres-pécules apposés sur la page.

La dernière page à l'intérieur comporte une récapitulation par page.

Sur la troisième page de la couverture est mentionné l'arrêté, en toutes lettres, par les agents qualifiés, de la somme à payer au porteur, avec l'indication du lieu où doit se faire le paiement.

En dessous figure l'acquit du bénéficiaire ou des témoins.

La délivrance des timbres-pécule et leur paiement sont effectués dans les formes et conditions fixées par l'article 4 du décret du 22 octobre 1925, portant réglementation en matière de travail indigène en Afrique occidentale française.

Art. 22.—Aucune retenue autre que celles prévues au présent arrêté ne peut être exercée sur le salaire acquis par le travailleur, pour infractions spéciales ou dettes envers les employeurs.

Art. 23.—En cas d'urgence et de nécessité le travailleur peut, après entente avec l'employeur, consentir des heures de travail supplémentaires qui donnent lieu à un supplément de salaire dont le taux et les conditions d'allocation sont déterminées par l'autorité administrative.

Art. 24.—Quand l'engagement comporte le paiement d'un salaire journalier, celui-ci n'est dû que pour les journées effectives de travail, à l'exclusion des jours de repos hebdomadaire ou de fêtes légales ou de ceux considérés tels aux termes de l'article 6.

Art. 25.—Les sommes acquises par les travailleurs qui ne peuvent leur être remises par suite d'absence ou de déces et les retenues opérées sur leurs salaires conformément à l'article 21 doivent être versées entre les mains du chef de l'unité administrative.

Elles sont accompagnées d'un état de versement.

Le fonctionnaire qui reçoit ces dépôts procède en présence de l'engagiste ou de son représentant à l'apposition sur le carnet de pécule des timbres représentant le montant des sommes versées. Les carnets, dûment arrêtés, et revêtus suivant le cas de la mention "absent" ou "décédé," sont tenus à la disposition des intéressés s'ils sont absents ou adressés aux ayants-droit en cas de décès.

Les carnets de pécule non réclamés au bout de cinq ans sont acquis au budget général de l'Afrique occidentale française.

Art. 26.—Outre son salaire, le travailleur indigène a droit à une ration journalière de vivres fournie en nature.

Dans des cas spéciaux déterminés par l'autorité administrative, la ration peut être remplacée par une indemnité représentative en espèces, dont le taux est fixé par la même autorité.

Si les conditions de l'engagement prévoient que le travailleur est accompagné de sa famille, celle-ci a droit à la ration dans les mêmes conditions que le travailleur.

Art. 27.—Lorsque l'engagement comporte l'emploi des travailleurs indigènes en dehors de leur résidence, ceux-ci doivent être logés par les soins et aux frais de l'employeur dans des locaux spécialement aménagés pour les recevoir.

Art. 28.—En cas de décès d'un travailleur avis du décès est donné sans délai par l'employeur au chef de l'unité administrative la plus voisine. Ce dernier doit prendre aussitôt les dispositions nécessaires pour avertir le chef de l'unité administrative où a été engagé le décédé et pour la remise aux héritiers des effets du défunt, des salaires acquis par celui-ci au jour du décès et du carnet de pécule.

Art 29.—Le décès d'un travailleur donne lieu au paiement par l'employeur d'une somme au profit de la famille du défunt. Le taux de cette indemnité, différent suivant que le décès est dû à une cause naturelle ou résulte d'un accident du travail, est fixé par l'autorité administrative.

Le versement ainsi opéré est effectué dans les conditions prévues à l'article 28.

Art. 30.—Les frais de transport des travailleurs du lieu de leur engagement à leur arrivée sur les chantiers sont à la charge exclusive de l'employeur. Il en est de même des frais de transport de la famille des travailleurs, au cas où elle accompagne son chef, d'après les conditions prévues par l'engagement.

Les frais de rapatriement des travailleurs et de leur famille sont également à la charge de l'employeur. Ils sont garantis par le dépôt d'un cautionnement dont le montant est fixé par l'autorité administrative.

Art. 31.—Les travailleurs et leur famille ont droit, à l'aller et au retour, depuis le lieu où ils sont engagés jusqu'au lieu du travail et réciproquement, à la ration journalière de vivres ou, en cas d'impossibilité, à une indemnité représentative.

Art. 32.—Dans tous les cas où il n'y a pas d'impossibilité absolue, et en vue de faciliter l'alimentation des travailleurs et de leurs familles, les grandes exploitations industrielles et agricoles sont tenues de mettre des lots de terrains de culture à la disposition de ces derniers, dans les conditions fixées par l'Administration.

Art. 33.—Le Lieutenant-Gouverneur de chaque colonie fixe, par arrêté pris en Conseil privé ou d'administration, après avis des Offices du travail, des Conseils de notables, des Chambres de Commerce et des Chambres d'Agriculture et d'Industrie:

a) Le taux minimum par Circonscription, du salaire des travailleurs, ainsi qu'il est stipulé à l'article 18;

b) Le taux et les modalités des avances qui peuvent être consenties aux travailleurs conformément à l'article 20;

c) Le taux et les modalités de la retenue mensuelle qui peut être opérée sur le salaire des travailleurs, afin de leur constituer le pécule visé à l'article 21;

d) Le taux et les conditions d'allocation du supplément de salaire à payer pour les heures supplémentaires consenties par les travailleurs, ainsi qu'il est stipulé à l'article 23;

e) Les cas spéciaux où la ration prévue aux articles 26 et 31 peut être remplacée par une indemnité représentative et le taux de cette indemnité;

f) Le chiffre de la somme à payer en cas de décès du travailleur, dans les conditions spécifiées à l'article 29;

g) Le montant du cautionnement à déposer par l'employeur pour garantir les frais de rapatriement des travailleurs, conformément à l'article 30;

h) Le taux de l'indemnité allouée s'il y a lieu aux travailleurs et à leur famille en vertu de l'article 31;

i) Le chiffre d'engagés, appartenant à la même exploitation, qui est jugé suffisant pour justifier la mise à la disposition des travailleurs et de leurs familles de lots de terrains de culture conformément à l'article 32 et les conditions d'attribution de ces lots.

TITRE III

HYGIÈNE DU TRAVAIL—PROPHYLAXIE ET SOINS MÉDICAUX

Art. 34.—Dans tous les cas où un médecin est présent au lieu d'engagement, les travailleurs sont obligatoirement soumis à une visite médicale ayant pour but de constater qu'ils sont sains, robustes, ont l'âge requis et sont aptes au travail à fournir. Mention de cette visite et de ses résultats est portée au contract de travail dans les conditions prévues par l'article 7 du décret du 22 octobre 1925.

Art. 35.—A l'arrivée au lieu du travail, les travailleurs sont soumis à une visite d'incorporation à la suite de laquelle les sujets insuffisants ou suspects sont éliminés et rapatriés aux frais du service employeur. Les sujets aptes sont soumis sans délai à la vaccination antivariolique et, suivant les circonstances, aux diverses vaccinations préventives reconnues nécessaires par le Service de Santé de la Colonie.

Les constatations faites au cours de la visite d'incorporation et la mention des diverses vaccinations pratiquées sont transcrites sur un registre d'incorporation tenu dans chaque entreprise ou exploitation.

Ces diverses opérations sont effectuées par le médecin du service employeur, pour les entreprises dont l'effectif de travailleurs comporte l'affectation d'un médecin; pour les entreprises n'ayant pas de médecin particulier, elles sont effectuées par le médecin de l'Assistance médicale indigène s'il en existe un au lieu de l'entreprise; et pour les entreprises ne se trouvant dans aucune de ces conditions, par le médecin de l'Assistance médicale indigène du centre le plus proche au cours des inspections périodiques prévues à l'article 41.

Art. 36.—Le taux et la composition de la ration journalière prévue aux articles 26 et 31 ci-dessus sont fixées dans chaque colonie par l'autorité administrative en prenant pour base la ration prévue dans la région pour les hommes de troupe indigène et en y introduisant, avec l'assentiment du service de Santé, toutes les substitutions que les ressources locales peuvent nécessiter.

Art. 37.—L'emplacement des camps de travailleurs prévus à l'article 27 doit être l'objet d'un choix minutieux tenant compte de toutes les données relatives a l'étiologie du paludisme, de la dysenterie, de la trypanosomiase et des autres endémies tropicales. Ces camps doivent être pourvus, dans les conditions fixées par l'Administration, des installations nécessaires d'hygiène collective et individuelle (épuration d'eau de boisson, évacuation des matières usées, installations hydrothérapiques pour la propreté corporelle et vestimentaire, etc.). L'employeur est tenu, en outre, d'effectuer les transformations, agrandissements, aménagements supplémentaires et déplacements qui seront jugés nécessaires par l'autorité administrative.

Art. 38.—Lorsque, pour une cause quelconque, l'état sanitaire d'une agglomération de travailleurs laisse à désirer, l'employeur est tenu d'en donner avis immédiatement aux autorités administratives les plus voisines, pour que les dispositions nécessaires puissent être prescrites.

Si l'état sanitaire défectueux est causé par une maladie epidémique ou contagieuse, l'autorité administrative peut, sur le rapport du médecin de l'Assistance médicale indigène, ordonner les mesures exceptionelles que comporte la situation, sans que l'employeur puisse prétendre à être indemnisé du préjudice susceptible de résulter pour lui d'un arrêt éventuel, partiel ou total, du travail.

Art. 39.—Les travailleurs doivent être pourvus par les soins de l'employeur, dès leur départ du lieu d'engagement, d'un équipement suffisant pour les protéger contre les intempéries, le modèle de cet équipement étant fixé par l'autorité administrative, après avis du service de Santé.

Art. 40.—L'employeur est tenu de fournir gratuitement aux travailleurs et à leurs familles les médicaments d'usage courant, suivant une nomenclature fixée par l'autorité administrative conformément à l'avis du service de Santé.

Un infirmier ou un médecin doit être affecté aux frais de l'employeur à toute exploitation comprenant un nombre suffisement important de travailleurs.

Dans les exploitations où l'effectif des travailleurs ne comporte pas l'affectation d'un médecin particulier, les travailleurs et les membres de leurs familles reçoivent, à la diligence et aux frais de l'employeur, les soins nécessaires du médecin habitant la localité la plus proche.

En cas de maladie ou de blessure ayant sa cause directe dans un risque de la profession, les travailleurs reçoivent, jusqu'à guérison complète, ou constatation d'incurabilité ou jusqu'à consolidation de la blessure, les soins motivés par leur état, sans préjudice des réparations civiles auxquelles ils peuvent prétendre le cas échéant.

Art. 41.—Les médecins de l'Assistance médicale indigène visitent périodiquement, au cours de leurs déplacements, les villages de travailleurs.

Ils inspectent les infirmeries et s'assurent qu'elles sont bien tenues et pourvues en quantité suffisante, eu égard au nombre des engagés, des médicaments dont elles doivent être munies.

Ils s'enquièrent de l'état sanitaire de chaque agglomération d'ouvriers, et vérifient si les prescriptions d'hygiène imposées sont observées, notamment en ce qui concerne le taux et la composition de ration alimentaire, l'installation et la tenue des habitations, la propreté extérieure du village, les conditions de son alimentation en eau, l'enlèvement des immondices, le nettoyage des fosses d'aisance, l'exécution des travaux périodiques de débroussaillement, etc.

Dans chaque village de travailleurs, ils procèdent à la constatation de l'aptitude physique des travailleurs qui n'ont pu être soumis à une visite médicale au moment de leur engagement, se font présenter tous les habitants et procèdent à leur examen. Si cet examen révèle chez un engagé une inaptitude ou une affection assez graves pour l'empêcher d'exercer convenablement son emploi, ils peuvent, sous réserve d'en rendre compte à l'autorité administrative locale, prescrire son renvoi dans son village d'origine. L'engagement de l'intéressé est alors considéré comme résilié. Si l'affection de l'indigène ainsi renvoyé dans ses foyers n'est pas imputable aux conditions de son travail, son rapatriement ainsi que celui de sa famille incombent à l'Administration.

Dans le cas contraire, le rapatriement est assuré aux frais de l'engagiste, de même que lorsque l'affection est constatée au moment du recrutement ainsi qu'il est spécifié à l'article 35.

Les médecins de l'Assistance médicale indigène rendent compte au commandant de cercle et au chef du service de Santé du résultat de leur visite.

Art. 42.—Les femmes indigènes qui sont employées pour le travail dans les entreprises commerciales, industrielles et agricoles, peuvent prétendre à un congé de maternité de huit semaines donnant droit à la ration prévue à l'article 26 et à la moitié du salaire.

Art 43.—Les travailleurs en fin de contrat sont, avant leur départ, visités par le médecin du service employeur ou par le médecin de l'Assistance médicale indigène s'il en existe un au lieu de l'entreprise. Mention du résultat de la visite est portée sur le registre d'incorporation et un laissez-passer sanitaire est délivré aux travailleurs, non contagieux en état de rejoindre leur village d'origine.

Les contagieux et autres malades en cours de traitement sont mis en observation ou hospitalisés dans la formation sanitaire est délivré aux travailleurs non contagieux en état de moment où l'autorité médicale estime qu'ils sont en état de rentrer dans leurs foyers.

Art. 44.—Le Lieutenant-Gouverneur de chaque colonie fixe par arrêté pris en Conseil privé ou d'administration, après avis du chef du service de Santé:

a) La quotité et la composition par unité administrative de la ration définie à l'article 36;

b) Les conditions auxquelles doivent satisfaire les locaux effectés au logement des travailleurs conformément à l'article 37;

c) La nomenclature, établie sur la proposition de l'autorité médicale, des médicaments d'usage courant à fournir gratuitement aux travailleurs par les employeurs conformément à l'article 40;

d) Le chiffre de travailleurs appartenant à la même exploitation qui est jugé suffisant pour nécessiter la présence sur l'exploitation d'un infirmier ou d'un médecin aux frais de l'employeur, ainsi qu'il est prévu à l'article 40.

TITRE IV

SURVEILLANCE ADMINISTRATIVE—PÉNALITÉS

Art. 45.—Les inspecteurs des Affaires administratives, les chefs du service de Santé de chaque colonie, les commandants de cercle et chefs de subdivision sont inspecteurs du travail indigène dans l'étendue du ressort de leurs fonctions. Ils doivent s'assurer que les prescriptions du décret du 22 octobre 1925 et du présent arrêté sont régulièrement observées.

Ils visitent, au cours de leurs tournées, les chantiers, ateliers et plantations qui utilisent la main-d'œuvre indigène, contrôlent en ce qui concerne spécialement les installations des travailleurs, l'exécution des mesures ordonnées par l'Administration, notamment en matière d'hygiène, de police et de voirie; peuvent procéder à toutes les constatations nécessaires touchant la quotité du salaire et la quotité de la ration donnée aux travailleurs; peuvent vérifier le nombre et l'identité des engagés, se faire présenter tous les documents ayant trait à la comptabilité spéciale de la main-d'œuvre, à la situation et au régime des engagés; ils reçoivent les réclamations respectives des parties qu'ils s'efforcent de concilier.

Si le désaccord persiste, ils renvoient les parties à se pourvoir devant les Conseils d'arbitrage.

Art. 46.—Est passible des peines prévues aux articles 32 et 33 du décret du 22 octobre 1925:

1° Quiconque est convaincu de s'être substitué clandestinement à la personne d'un engagé ou d'avoir provoqué ou facilité cette substitution;

2° Quiconque est convaincu d'avoir apporté ou fait apporter entrave par ses représentants ou ses employés à l'exercice du contrôle de l'Administration, notamment aux visites, verifications et inspections prévues par le présent arrêté, les sanctions ci-dessus étant encourues du chef de cette infraction sans préjudice des peines plus graves édictées par le Code en raison des circonstances de fait;

3° Quiconque est convaincu de s'être sciemment servi d'un livret de travail ne lui appartenant pas;

4° Quiconque est convaincu d'avoir engagé ou employé sciemment à son service des indigènes qui ne sont pas libres de tout engagement.

Sont punies des mêmes peines toutes autres infractions au présent arrêté.

Art. 47.—La constatation des infractions aux dispositions concernant la réglementation du travail indigène est faite par les commandants de cercle, les chefs de subdivision, les commissaires de police et tous autres fonctionnaires qui peuvent être spécialement habilités à cet effet par décision du Lieutenant-Gouverneur.

Elle peut être faite également par les médecins de l'Assistance médicale pour inobservation des prescriptions d'ordre médical ou concernant l'hygiène.

Ces fonctionnaires devront, au préalable, prêter serment devant le Tribunal de première instance ou la Justice de paix à compétence étendue du ressort.

Le serment sera prêté verbalement lorsque le fonctionnaire sera en service au siège du Tribunal ou de la Justice de paix et par écrit dans toute autre situation.

Art. 48.—Les Lieutenants-Gouverneurs des colonies de l'Afrique occidentale française et l'Administrateur de la Circonscription de Dakar et Dépendances sont chargés, chacun en ce qui le concerne, de l'exécution du présent arrêté, qui sera publié au *Journal officiel* de l'Afrique occidentale française et communiqué partout où besoin sera.

Dakar, le 29 mars 1926.

CARDE.

APPENDIX XXVI

MILITARY AND LABOR CONSCRIPTION

1. Decree for the Conscription of Native Troops in West and Equatorial Africa

RAPPORT AU PRÉSIDENT DE LA RÉPUBLIQUE FRANÇAISE

Suivi d'un décret concernant le recrutement des troupes indigènes en Afrique occidentale et en Afrique équatoriale française.

(Ministère des Colonies.—Services militaires, 1er Bureau, 1re Section.)

Paris, le 30 juillet 1919.

Monsieur le Président,

Le décret du 7 février 1912, portant réorganisation du recrutement des troupes indigènes et de leurs réserves en Afrique occidentale française, a donné toute satisfaction tant que les contingents fournis par cette Colonie étaient peu importants.

Les appels qu'il prévoyait ne servaient qu'à suppléer aux insuffisances des engagements volontaires et des rengagements qui demeuraient néanmoins le mode normal de recrutement et fournissaient la plus grande partie des effectifs.

Mais la guerre, en obligeant la France à utiliser toutes ses ressources en hommes, a conduit à demander des contingents importants à nos Colonies d'Afrique.

Des dispositions spéciales ont donc été prises qui ont permis de généraliser les appels et qui ont donné des résultats très satisfaisants.

Toutefois, ces dispositions n'ont qu'un caractère essentiellement temporaire et les décrets correspondants, en particulier celui du 14 janvier 1918, cesseront, en règle générale, d'être applicables dès que la paix sera signée.

D'autre part, il doit être créé en permanence une réserve de troupes noires et les besoins des corps d'occupation de nos Colonies ont encore augmenté par suite de l'occupation de nouveaux territoires.

Il est donc nécessaire de reviser le décret du 7 février 1912 de façon à donner plus d'importance au recrutement par voie d'appel, qui, dans ce décret, n'avait été envisagé qu'avec incertitude.

Il a paru en outre opportun de modifier le mode des appels qui, jusqu'à présent, se faisaient exclusivement suivant les coutumes locales. Ce procédé laissait aux autorités indigènes un pouvoir trop arbitraire et ne permettait pas une répartition équitables des charges du service militaire. On lui a donc substitué l'appel par tirage au sort, après recensement préalable, dans toutes les régions où le dénombrement nominatif de population le permettra.

Dans le même ordre d'idées, les dispenses du service militaire ont été expressément limitées.

Il a été également tenu compte de l'intérêt qu'il y a à faire passer sous les drapeaux le plus grand nombre possible d'indigènes, pour les rendre à la vie civile plus instruits, plus disciplinés, connaissant mieux notre langue, plus aptes par suite à toutes sortes de travaux.

La durée du service des appelés a donc été ramenée de quatre ans à trois ans. Ce temps constitue le minimum indispensable pour instruire les indigènes et leur permettre de servir ensuite dans les unités stationnées à l'extérieur de leur Colonie d'origine.

Il n'a donc pas été possible de le réduire davantage.

D'autre part, les effectifs à entretenir étant parfaitement déterminés il ne sera généralement pas possible d'incorporer la totalité des recrues.

Une partie de celles-ci ne sera donc pas incorporée et constituera la deuxième portion du contingent qui restera dans ses foyers à la disposition de l'autorité militaire.

Enfin, les progrès de notre influence civilisatrice en Afrique équatoriale française permettent d'y appliquer les mêmes modes de recrutement qu'en Afrique occidentale, comme le prévoyait déjà le décret du 14 janvier 1918, et d'alléger ainsi les charges militaires de cette dernière Colonie.

Si vous approuvez cette manière de voir, nous vous serions obligés de bien vouloir revêtir de votre signature le présent projet de décret.

Veuillez agréer, Monsieur le Président, l'hommage de notre profond respect.

Le Président du Conseil, Ministre de la Guerre, GEORGES CLEMENCEAU.

Le Ministre des Colonies, HENRY SIMON

Le Ministre des Finances, L.-L. KLOTZ.

DÉCRET

Concernant le recrutement des troupes indigènes en Afrique occidentale et en Afrique équatoriale françaises.

LE PRÉSIDENT DE LA RÉPUBLIQUE FRANÇAISE,

Sur le rapport des Ministres de la Guerre, des Colonies et des Finances,

Vu la loi du 7 juillet 1900, portant organisation des troupes coloniales et notamment l'article 26 de cette loi;

Vu l'article 92 de la loi du 21 mars 1905, sur le recrutement de l'armée, modifiée le 7 août 1913;

Vu le décret du 25 septembre 1905, concernant les pensions des militaires indigènes des troupes coloniales;

Vu le décret du 7 février 1912, modifié le 8 juin 1914, portant organisation du recrutement des troupes indigènes et de leurs réserves en Afrique occidentale française et le décret du 12 novembre 1912, fixant les tarifs des primes d'engagement et de rengagement;

Vu le décret du 9 octobre 1915, fixant les conditions d'engagement pour la durée de la guerre des indigènes de l'Afrique occidentale française;

Vu le décret du 12 décembre 1915, fixant les conditions d'engagement pour la durée de la guerre des indigènes de l'Indo-chine, de Madagascar, de l'Afrique équatoriale française, de la Côte des Somalis, de la Nouvelle-Calédonie et des Etablissements français de l'Océanie;

Vu les décrets du 14 janvier 1918, sur le recrutement en Afrique occidentale et équatoriale françaises;

Vu le décret du 26 mars 1919, relatif aux infractions en matière de recrutement en Afrique occidentale française;

Vu la loi du 31 mars 1919, modifiant la législation des pensions des armées de terre et de mer en ce qui concerne les décès survenus, les blessures reçues et les maladies contractées ou aggravées en service,

DÉCRÈTE:

TITRE PREMIER

DISPOSITIONS GÉNÉRALES.—RECENSEMENT

Article premier.—Le recrutement des indigènes de l'Afrique occidentale française et de l'Afrique équatoriale française s'opère par voie d'appel, d'engagements volontaires et de rengagements.

Art. 2.—Le territoire de ces deux groupes de Colonies est divisé en circonscriptions de recrutement et de réserves.

Des bureaux de recrutement et de réserves peuvent être créés pour assurer le fonctionnement régulier du recrutement et l'administration des réserves.

Art. 3.—Tous les ans, aux dates fixées par les Gouverneurs généraux, les autorités civiles procèdent à l'établissement des tableaux de recensement.

Des dispositions transitoires (art. 35) fixent le mode d'appel dans les circonscriptions où le dénombrement nominatif de la population n'a pu encore être effectué.

Art. 4.—Doivent être inscrits sur les tableaux de recensement:

1° Tous les jeunes gens nés dans le cercle qui, d'après les listes de recensement arrêtées chaque année dans le cercle pour la perception de l'impôt, et tous autres documents et renseignements, y compris la notoriété publique, auront atteint l'âge de 19 ans dans le courant de l'année où a lieu le recensement;

2° Tous les jeunes gens nés dans le cercle qui, par suite d'omission, n'ont pas été inscrits les années précédentes, à moins qu'ils n'aient atteint l'âge de 28 ans accomplis à l'époque de la clôture des tableaux;

3° Les indigènes âgés de 19 ans qui, n'étant pas nés dans le cercle, y résident cependant depuis plus d'un an.

TITRE II

DES APPELS

CHAPITRE PREMIER

PREMIÈRE PORTION DU CONTINGENT

Art. 5.—La durée du service actif des appelés est de trois ans.

L'appel a lieu au plus tard dans l'année qui suit celle du recensement.

Art. 6.—Sur la proposition des Généraux commandants supérieurs, les Gouverneurs généraux de l'Afrique occidentale et de l'Afrique équatoriale françaises fixent chaque année les effectifs à appeler, ainsi que leur répartition entre les diverses circonscriptions de recrutement.

Ces effectifs constituent la première portion du contingent.

Pour la fixation du contingent appelé, les Gouverneurs généraux tiennent compte des effectifs budgétaires des troupes noires stationnées dans ces Colonies ou à l'extérieur et des effectifs des engagés et des rengagés.

La proportion des engagés et des rengagés est fixée chaque année, d'après les nécessités d'encadrement, par le Ministre des Colonies, après entente avec le Ministre de la Guerre.

Art. 7.—Le recrutement par voie d'appel s'opère par l'incorporation de la première portion du contingent.

La désignation des appelés a lieu par tirage au sort dans les circonscriptions où existent des tableaux de recensement.

Dans chaque circonscription, il est constitué une ou plusieurs commissions de recrutement qui procèdent, après examen médical, au choix définitif des recrues à incorporer.

CHAPITRE II

DEUXIÈME PORTION DU CONTINGENT

Art. 8.—Les recrues non incorporées et qui ne sont ni dispensées du service militaire (art. 10) ni impropres au service (art. 12) constituent la deuxième portion du contingent.

Art. 9.—Les hommes de la deuxième portion restent dans leurs foyers à la disposition de l'autorité militaire, au titre de l'armée active, pendant trois ans.

Pendant cette période, ils peuvent être appelés sous les drapeaux par décision du Ministre des Colonies, ou, en cas de mobilisation générale ou partielle et d'expédition, par arrêtés des Gouverneurs généraux.

Au bout de trois ans, ils passent dans la réserve, au même titre et en même temps que les hommes de la première portion, et sont soumis aux mêmes obligations.

CHAPITRE III

DISPENSES, AJOURNMENT ET EXEMPTIONS

Art. 10.—Sont dispensés du service militaire:

1° Tout homme ayant un frère consanguin ou utérin sous les drapeaux;

2° Le plus âgé des deux frères consanguins ou utérins inscrits, en même temps, sur les tableaux de recensement;

3° Le fils seul soutien de sa mère veuve ou le petit-fils seul soutien de son aïeule veuve;

4° L'orphelin ayant à sa charge des frères ou sœurs en bas âge ou infirmes;

5° Le fils, seul soutien d'un père aveugle ou très âgé, ou infirme au point de ne pouvoir subvenir à ses besoins;

6° Tout homme dont le frère sera mort en activité de service ou aura été réformé ou admis à la retraite pour blessure reçue ou infirmité contractée en service.

Aucune autre catégorie de jeunes gens ne pourra être dispensée du service militaire sans approbation préalable du Ministre des Colonies et exclusivement pour des motifs d'ordre politique.

Une fois concédée, la dispense est définitive.

Art. 11.—Peuvent être ajournées deux années de suite les jeunes gens reconnus de complexion trop faible pour le service militaire.

Ceux qui, après une troisième visite, sont reconnus bons pour le service, sont soumis intégralement aux obligations d'activité et de réserve prévues par le présent décret.

Art. 12.—Sont exemptés et reçoivent un certificat d'exemption tous les jeunes gens déclarés impropres au service militaire.

TITRE III

DES ENGAGEMENTS ET RENGAGEMENTS

CHAPITRE PREMIER

ENGAGEMENTS

Art. 13.—La durée des engagements volontaires est de 4, 5 et 6 ans.

Art. 14.—Peuvent contracter des engagements volontaires les indigènes remplissant les conditions ci-après:

1° Avoir au moins 19 ans et au plus 28 ans;

2° Etre sain, robuste et bien constitué;

3° N'avoir subi aucune condamnation;

4° Etre de bonne vie et mœurs.

Les engagements volontaires peuvent être reçus:

1° En tout temps, par les chefs du corps ou officiers délégués et par les commandants des bureaux de recrutement et des réserves;

2° Par les commissions de recrutement.

Art. 15.—Les appelés sont autorisés à transformer leur ordre d'appel en un engagement volontaire.

CHAPITRE II

RENGAGEMENTS

Art. 16.—Les militaires indigènes sous les drapeaux, ainsi que les anciens militaires libérés, peuvent être admis à contracter:

1° Des rengagements de 3, 4 ou 5 ans renouvelables jusqu'à une durée totale de 15 ans de service;

2° Des rengagements d'une durée quelconque inférieure à trois ans, soit pour parfaire leurs 15 ans de service, soit pour terminer ou prolonger leur séjour dans une Colonie autre que leur Colonie d'origine.

Art. 17.—Les rengagements des militaires sous les drapeaux ne sont autorisés que dans la dernière année de service, à moins qu'ils ne soient contractés en vue de servir hors du territoire de l'Afrique occidentale ou équatoriale françaises.

Art. 18.—L'autorisation du chef de corps suffit pour être admis au rengagement.

Art. 19.—Les adjudants-chefs et adjudants, ainsi que les sous-officiers, caporaux, brigadiers et soldats spécialistes des corps ou services, qui occupent les fonctions conférant aux militaires européens le droit de rengager après 15 ans, peuvent être autorisés à rengager après 15 ans de service et jusqu'à 25 ans de service.

TITRE IV

SERVICE EXTÉRIEUR

Art. 20.—Tous les militaires indigènes de chacun des groupes de l'Afrique occidentale et de l'Afrique équatoriale françaises peuvent, en toutes circonstances, être désignés pour continuer leurs services en dehors du territoire de chacun de ces groupes.

Art. 21.—Des décisions ministérielles fixeront le temps de service minimum restant à accomplir à un militaire pour qu'il puisse être appelé à servir à l'extérieur. En principe, ce temps ne devra pas être inférieur à deux ans.

Sauf en cas de nécessité, un tirailleur ayant effectué un séjour à l'extérieur n'est renvoyé hors du groupe de sa Colonie d'origine qu'après un séjour minimum d'un an dans ce groupe.

En principe, aucun tirailleur ne pourra être maintenu, contre son gré, plus de trois ans hors du groupe de sa Colonie d'origine.

TITRE V

AVANTAGES CONCÉDÉS AUX MILITAIRES INDIGÈNES

CHAPITRE PREMIER

PRIMES, HAUTES PAYES ET INDEMNITIÉS

Art. 22.—Il est alloué aux hommes appelés, le jour où ils reçoivent leur ordre de route pour rejoindre leur corps d'affectation, une prime de 100 francs.

La moitié de cette prime est obligatoirement versée à un membre de la famille ou à une personne désignée par l'homme. L'autre moitié est payée à l'intéressé.

Les appelés qui transforment leur ordre d'appel en engagement volontaire reçoivent un complément de prime correspondant à la difference entre la prime des engagés et celle des appelés.

Art. 23.—Il est alloué aux engagés volontaires une prime calculée sur la base de 50 francs par année d'engagement et payable en totalité aussitôt après la signature de l'acte.

Moitié de cette prime est obligatoirement versée à la famille de l'engagé ou à une personne désignée par lui. L'autre moitié est payée à l'intéressé.

Art. 24.—Les rengagements, jusqu'à la douzième année de service inclusive, donnent droit à une prime calculée sur la base de 50 francs par an et payable en une seule fois, à l'intéressé lui-même, au moment de la signature de l'acte.

Art. 25.—Les engagés, à partir du premier jour de leur quatrième année de service, et les rengagés ont droit à une haute paye journalière d'ancienneté dont le tarif est fixé d'après les règlements en vigueur.

Art. 26.—Une indemnité de départ d'un mois de solde est accordée aux militaires appelés à servir à l'extérieur du groupe de leur Colonie d'origine.

CHAPITRE II

PENSIONS

Art. 27.—Les sous-officiers, caporaux, brigadiers et soldats ont droit, conformément aux règlements en vigueur, à une pension de retraite après 25 ans de service, à une pension proportionnelle après 15 ans de service.

Leurs droits à pension définitive ou temporaire en cas de décès survenu, de blessures reçues et de maladies contractées ou aggravées en service et les droits de leurs veuves et orphelins, sont fixés par le règlement d'administration publique pris par application de l'article 74 de la loi du 31 mars 1919.

CHAPITRE III

EMPLOIS CIVILS

Art. 28.—Les militaires indigènes réformés ou libérés peuvent obtenir des emplois civils dans les conditions prévues par la réglementation en vigueur.

TITRE VI

DES RÉSERVES

Art. 29.—Tous les militaires indigènes, lorsqu'ils quittent le service actif, sont astreints au service dans les réserves pendant un temps égal à la différence entre 15 ans et la durée de leur service effectif.

Toutefois, les sous-officiers, caporaux, brigadiers et soldats qui obtiennent une pension proportionnelle peuvent être appelés à servir dans les réserves pendant une période de dix ans, s'ils justifient seulement de quinze années de services effectifs. La durée des services effectifs accomplis au-delà de quinze ans vient en déduction de cette période.

Les militaires indigènes jouissant d'une retraite après 25 ans de services ne seront astreints à aucun service dans la réserve.

Le temps de service dans la réserve compte du jour où le militaire a quitté le service actif.

Art. 30.—Pendant la durée de leur service dans la réserve les militaires indigènes peuvent, sur la proposition des Généraux commandants supérieurs des troupes, être appelés sous les drapeaux par arrêtés des Gouverneurs généraux:

1° En cas de mobilisation générale;

2° En cas de mobilisation partielle ou d'expédition pour une opération soit sur le territoire du groupe, soit hors de ce territoire;

3° Pour des périodes d'exercice ou des revues d'appel.

Art. 31.—Pendant leur séjour sous les drapeaux, tous les réservists indigènes sont soumis aux règlements militaires; ils sont justiciables des conseils de guerre.

Ils ont droit à toutes les allocations déterminées par les règlements.

Art. 32.—Les militaires indigènes de l'armée active conservent leur grade en passant dans la réserve; les militaires de la réserve peuvent, lorsqu'ils sont rappelés sous les drapeaux, soit recevoir de l'avancement, soit être rétrogradés ou cassés dans les mêmes conditions que les militaires en activité de service.

Au moment de la libération, les chefs de corps pourront nommer dans la réserve, au grade de caporal, de brigadier ou de sous-officier, les sujets qui en seront dignes, dans la proportion qui sera fixée par le commandant supérieur des troupes, d'après les besoins de mobilisation.

TITRE VII

DISPOSITIONS PÉNALES

Art. 33.—Seront punis d'un emprisonnement d'un mois à un an pour infraction en matière de recrutement:

1° Les auteurs ou complices de toute fraude ou action ayant pour but ou pour effet d'entraver le fonctionnement du recrutement ou de soustraire un homme au recrutement;

2° Les hommes qui seront reconnus coupables de s'être rendus impropres au service militaire, soit temporairement, soit d'une manière permanente, ainsi que leurs complices et tout individu qui aurait aidé les coupables ou procuré les employés par les délinquants pour se soustraire au service militaire.

3° Tout homme qui, régulièrement désigné aux termes de la réglementation en vigueur comme appelé, ou accepté comme engagé ou rengagé par une commission, n'aura pas rejoint, sauf le cas de force majeure, dans les délais fixés, le centre militaire qui lui aura été désigné en vue de régulariser sa situation militaire.

Ces hommes seront en outre condamnés au remboursement de la prime ou partie de la prime d'appel, d'engagement ou de rengagement effectivement perçue par eux. Dans le cas où soit la famille de ces indigènes, soit une personne désignée par eux, auront reçu une partie de la prime, elles seront solidairement responsables de cette restitution;

4° Les auteurs ou complices de toute substitution d'homme.

Pour les délits prévus au paragraphe 3, la peine, en temps de guerre, sera de deux à cinq ans d'emprisonnement.

Art. 34.—Les infractions en matière de recrutement prévues et punies par le présent décret sont déférées aux juridictions compétentes, suivant la réglementation en vigueur, et notamment, en ce qui concerne les indigènes non citoyens français, aux tribunaus de cercle, en Afrique occidentale française, conformément à l'article 19, paragraph 5, du décret du 16 août 1912 et, en Afrique équatoriale française, aux tribunaux indigènes, conformément à l'article 49 du décret du 16 avril 1913.

TITRE VIII

DISPOSITIONS TRANSITOIRES

Art. 35.—Dans les circonscriptions de recrutemeut où l'établissement des listes de recensement n'aura pu être assuré faute de dénombrement nominatif de la population, l'appel du contingent sera fait provisoirement selon les coutumes locales en se rapprochant le plus possible du système des appels indiqués au titre II du présent décret, l'appel portant exclusivement sur les catégories de jeunes gens énumérées à l'article 4.

Art. 36.—Si, par suite du non-recensement de la population, l'appel du contingent ne fournissait pas les effectifs nécessaires, le Gouverneur général, après approbation du Ministre des Colonies, pourrait être autorisé à augmenter provisoirement la proportion des effectifs des engagés et rengagés telle qu'elle est déterminée à l'article 6.

Art. 37.—Les militaires indigènes liés au service par un engagement ou un rengagement à la date du présent décret auront droit au rappel de la différence de prime entre les nouveaux et anciens tarifs pour le temps de service restant à accomplir à partir de cette date, jusqu'à l'expiration du contrat en cours.

TITRE IX

MESURES D'EXÉCUTION

Art. 38.—L'application du présent décret sera subordonée à la désignation, par arrêtés des Gouverneurs généraux, des régions où le régime des appels ne sera pas imposé.

Les exemptions territoriales ne devront être justifiés que par des raisons d'ordre politique ou sanitaire. Elles porteront donc uniquement sur les régions où le recrutement par appel pourrait causer des troubles de nature à compromettre la sécurité du pays et les résultats de la pacification et de la colonisation, ou présenterait de graves inconvénients par suite de l'intensité de maladies épidémiques ou endémiques.

Les indigènes des circonscriptions non soumises au régime des appels par raison d'ordre politique pourront cependant être admis sous les drapeaux, mais uniquement par voie d'engagement et de rengagement.

Art. 39.—Feront l'objet d'arrêtés des Gouverneurs généraux de l'Afrique occidentale et de l'Afrique équatoriale françaises, pris sur l'initiative ou après avis des commandants supérieurs des troupes, les dispositions relatives à la délimitation des circonscriptions de recrutement et de réserve; les conditions d'établissement des tableaux de recensement; la composition et le fonctionnement des Commissions de recrutement, les opérations de tirage au sort; l'affectation; l'administration et l'appel des réserves indigènes; le nombre et la durée des périodes d'exercice des réservistes; les dispenses du service dans la réserve en temps de paix et en temps de guerre et d'une façon générale tous les détails d'exécution qui n'auront pas été prévus dans le présent décret.

Art. 40.—Toutes les dispositions contraires au présent décret sont abrogées.

Art. 41.—Les Ministres de la Guerre, des Colonies et des Finances sont chargés, chacun en ce qui le concerne, de l'exécution du présent décret.

Fait à Paris, le 30 juillet 1919.

R. POINCARÉ.

Par le Président de la République:

Le Président du Conseil, Ministre de la Guerre,
GEORGES CLEMENCEAU.

Le Ministre des Colonies,
HENRY SIMON.

Le Ministre des Finances,
L.-L. KLOTZ.

2. Decree on Compulsory Labor—Madagascar [1]

Exécution de travaux d'intérêt général à Madagascar par des travailleurs prélevés sur la 2e portion du contingent indigène.

RAPPORT

AU PRÉSIDENT DE LA RÉPUBLIQUE FRANÇAISE

Paris, le 3 juin 1926.

Monsieur le Président,

La colonie de Madagascar s'apprête à exécuter, en outre de son programme ordinaire, d'importants travaux d'intérêt général auxquels j'ai donné mon approbation et qui répondent à une nécessité immédiate et absolue. Ils sont, en effet, destinés à permettre la mise en valeur de certaines régions des plus intéressantes par la création d'un outillage nouveau. Il ne pourrait manquer d'avoir, sur le développement de la grande île tout entière une influence considérable.

L'exécution de tous ces travaux se heurtera à des difficultés de main-d'œuvre fort graves, dues une grande partie à ce que dans certaines régions excentriques de l'île, notamment dans le Sud et dans l'Ouest, les indigènes vivent isolés, complètement oisifs, figés dans une existence des plus primitives. Malgré tous les conseils, malgré tous les efforts de persuasion qui ont été tentés, il a été jusqu'ici impossible de provoquer chez eux un changement appréciable dans leurs habitudes.

D'autre part, il est juste que tous les éléments autochtones de Madagascar participent à la réalisation d'ouvrages dont le pays entier sera le premier à bénéficier à tous égards.

M. le gouverneur général de Madagascar a donc recherché les moyens d'assurer cette participation, indispensable et logique à la fois, des populations à l'exécution de travaux anxquels elles sont, au premier chef, intéressées. Il s'est également attaché à trouver la possibilité de la faire en leur donnant les plus sérieuses garanties, notamment en ce qui concerne l'égalité des charges et la limitation des abus. C'est ainsi qu'il a songé à utiliser la 2e portion du contingent (indigène), qui comprend actuellement, suivant les dispositions du décret du 4 décembre 1919 sur le recrutement des troupes indigènes à Madagascar "les recrues non incorporées et qui ne sont ni dispensées du service militaire, ni impropres au service."

Après examen très attentif, j'ai donné mon adhésion à cette mesure, qui

[1] The decree of October 31, 1926, relative to West Africa is identical except that the last four lines in article 4 are not in the West Africa decree. The Madagascar decree is given here because of the fulness of the report accompanying it.

m'a paru, non seulement au point de vue spécial des travaux, mais encore au point de vue moral et social, susceptible d'avoir une portée des plus heureuses. Elle permettra, en effet, de rapprocher de nous, de la vie civilisée, des hommes dont beaucoup trop encore végètent misérablement au fond de leurs forêts ou de leurs savanes. Leur incorporation dans des unités bien encadrées, bien administrées, pourvues d'un service médical soigneusement organisé, leur utilisation à des travaux judicieusement fixés, sera pour eux une occasion d'être bien nourris, bien vêtus, et de recevoir les soins qui leur ont toujours fait défaut. Ils acquerront ainsi et ils la conserveront, il faut l'espérer, l'habitude de s'alimenter convenablement, de porter des vêtements, de s'accoutumer au travail, de se soumettre à certaines règles d'hygiène dont l'observation sera profitable, non seulement à eux-mêmes, mais aussi une fois de retour dans leurs foyers, à la collectivité entière, par voie d'exemple.

Par surcroît, l'installation de terrains de culture, de jardins à proximité des camps permettra d'initier ces indigènes à l'usage de nos instruments de travail, que la plupart ne connaissent pas, à nos méthodes, ainsi qu'a des cultures qu'ils ignorent pour la plupart. L'organisation de conférences très simples sera également une occasion de leur ouvrir des horizons tout à fait nouveaux en matière de travail, de production d'hygiène, etc. Ainsi la valeur sociale de chacun d'eux sera accrue et en même temps les possibilités d'évolution et de développement de la colonie en seront augmentées, en même temps que s'exécuteront des travaux qui y contribueront pour une part décisive.

A un autre point de vue, l'armée, en cas de mobilisation générale, bénéficiera de la discipline et de l'instruction qu'auront acquises des hommes qu'il lui sera ainsi possible, s'il est nécessaire, d'utiliser immédiatement dans les bataillons d'étapes du génie, par exemple.

Cette façon de procéder aura enfin l'avantage sinon de faire disparaître, du moins de limiter dans de très grandes proportions les contrats de travail avec les collectivités qui ne sont pas sans offrir des inconvénients ni sans provoquer quelques abus.

J'ajoute que M. le gouverneur général de Madagascar à exposé cette question aux délégations administratives et financières de Madagascar. Cette assemblée s'est unanimement ralliée à cette manière de voir. La section indigène, notamment composée des représentants élus des populations de toutes les parties de l'île, a exprimé sa satisfaction de voir ainsi préconiser un régime susceptible d'apporter l'égalité dans les obligations qui pèsent sur la jeunesse et de permettre la réalisation des travaux d'intérêt général dont elle saisit toute l'importance.

Un arrêté du gouverneur général qui sera soumis à mon approbation fixera les détails d'application du projet de décret que j'ai l'honneur de vous soumettre et que je vous serai reconnaissant de bien vouloir revêtir de votre signature s'il recueille votre adhésion.

Veuillez agréer, monsieur le Président, l'hommage de mon profond respect.

Le ministre des colonies,

LÉON PERRIER.

Le Président de la République française,

Sur le rapport du ministre des colonies,

Vu l'article 18 du sénatus-consulte du 3 mai 1854;

Vu les décrets des 11 décembre 1925 et 30 juillet 1897;

Vu le décret du 4 décembre 1919 relatif au recrutement des troupes indigènes de Madagascar et dépendances;

Vu l'article 99 de la loi du 1er avril 1923 sur le recrutement de l'armée,

Décrète:

Art. 1er.—Les hommes de la deuxième portion du contingent indigène de Madagascar et dépendances qui restent dans leurs foyers à la disposition de l'autorité militaire, au titre de l'armée active, pendant trois ans, peuvent être convoqués au cours de cette période, par arrêté du gouverneur général pour participer à l'exécution des travaux d'intérêt général, nécessaires au développement économique de la colonie, tout en restant soumis aux obligations militaires définies à l'article 9 du décret du 4 décembre 1919.

Art. 2.—Ils ne pourront être maintenus dans la situation ci-dessus au delà de la date fixée pour le passage de leur classe dans la réserve.

Art. 3.—Les dispositions des articles 33 et 34 du décret du 4 décembre 1919 sont applicables aux hommes classés dans la 2e portion qui se rendraient coupables des faits prévus par ces articles pour se soustraire aux obligations mentionnées à l'article 1er du présent décret.

Art. 4.—Les dates de convocation, les dispenses, les sursis, les congés, le régime de solde, les renvois par anticipation ainsi que toutes les modalités d'application du présent décret sont déterminés par arrêté du gouverneur général pris en conseil d'administration et soumis à l'approbation du ministre des colonies; en ce qui concerne les sanctions disciplinaires, elles feront l'objet d'une réglementation prise dans les mêmes formes et analogue à celle prévue pour la garde indigène.

Art. 5.—Le temps pendant lequel les hommes de la 2e portion auront été convoqués dans les conditions prévues à l'article 1er du présent décret ne compte pas comme service militaire effectif et ne donne droit, en aucun cas, à une pension militaire.

Art. 6.—Le ministre des colonies est chargé de l'exécution du présent décret.

Fait à Paris, le 3 juin 1926.

Gaston DOUMERGUE.

Par le Président de la République;

Le ministre des colonies,

Léon PERRIER.

APPENDIX XXVII

INSTRUCTIONS TO THE FRENCH MEDICAL SERVICE

INSTRUCTION
RELATIF À
L'ORIENTATION ET AU DÉVELOPPEMENT
DES
SERVICES D'ASSISTANCE MÉDICALE INDIGÈNE

Dakar, le 15 février 1926.

LE GOUVERNEUR GÉNÉRAL DE L'AFRIQUE OCCIDENTALE FRANÇAISE
à MM. les Lieutenants-Gouverneurs des Colonies du groupe.

Au cours de ma récente tournée dans les différentes Colonies de l'Afrique occidentale française, j'ai pu constater que si, d'une manière générale, l'Assistance médicale a, dans son organisation d'ensemble, réalisé de sensibles progrès, il reste encore beaucoup à faire pour qu'elle donne tout ce qui est attendu d'elle et se traduise par l'accroissement numérique et l'amélioration physiologique des races indigènes.

Déjà, par circulaire nº 19, du 12 avril 1921, M. le Gouverneur général Merlin, avec la claire vision des réalités qui caractérise son œuvre, a essayé d'élargir le cadre étroit de l'Assistance médicale et de l'aiguiller, sans qu'elle cesse d'assister les malades, vers l'hygiène et la médecine préventive, seules capables d'assurer la protection et le développement des races.

Par circulaire du 12 mars 1924, j'ai insisté à nouveau sur le rôle social à faire jouer au personnel auxiliaire indigène, sur l'extension à donner aux corps locaux d'infirmiers et sur la nécessité, au lieu de multiplier les accouchements dans les maternités, de pousser les sages-femmes vers les cases indigènes de manière à rendre plus étroit leur contact avec les mères, plus facile leur surveillance des enfants et infiniment plus fructueuse la propagande d'hygiène infantile, qui est peut-être la partie essentielle de leur métier.

Les instructions ministérielles du 30 décembre 1924 sont venues enfin fixer les directives d'ordre général à suivre dans l'organisation de l'Assistance médicale. Conçues exactement dans l'esprit des circulaires précitées, elles ont nettement orienté l'Assistance médicale vers la médecine préventive et sociale et ont fait passer au second plan l'Assistance individuelle curative dont l'influence sur le développement d'une race est relativement faible.

Le Département a fait en même temps un effort considérable pour accroître l'effectif médical de l'Afrique occidentale française: le cadre des médecins du Corps de santé colonial a été sensiblement augmenté; à défaut de candidats français dans le corps de l'Assistance, des médecins étrangers (Russes) ont été engagés comme hygiénistes adjoints, enfin il a été prévu que les médecins et étudiants appelés à accomplir leur service légal pourront être incorporés dans les colonies d'Afrique. Le résultat de ces efforts est qu'en ce moment l'effectif des médecins européens présents en Afrique occidentale française est de 133 au lieu de 92 il y a quelques mois.

Le moment me paraît donc venu de développer l'organisation actuelle, de donner à ses agents d'exécution des instructions précises sur le but à atteindre et les moyens à employer, de coordonner les efforts de tous les services concourrant au même objet et d'instituer un service de statistiques démographiques qui permette de suivre les résultats.

Les présentes instructions ont été préparées dans cette vue: elles contiennent les directives générales qui marquent la voie de l'Assistance médicale; il vous appartiendra de les développer et, tout en restant dans leur cadre de les adapter aux coutumes locales, aux ressources et à l'organisation des différents pays.

I.—But a atteindre

Le but à atteindre est de développer les races indigènes en qualité et en quantité.

Ici l'assistance médicale individuelle, surtout celle qui est pratiquée dans les hôpitaux et vise exclusivement la guérison des malades, doit céder le pas à la médecine préventive et sociale qui, elle, prévient les maladies, apprend à éviter celles qui sont évitables et seule est capable d'assurer le développement des populations. L'assistance hospitalière, excepté à Dakar à cause des besoins de l'enseignement médical, doit donc être réduite à des proportions modestes tandis qu'au contraire les services d'hygiène et de prophylaxie sont à étendre au maximum; quant aux consultations, elles sont à maintenir et développer mais sous la réserve d'être toujours orientées dans le sens de la répercussion sociale, du dépistage des maladies transmissibles au foyer d'origine et des mesures à prendre pour les enrayer.

L'Assistance médicale ainsi comprise doit viser directement les causes essentielles qui empêchent l'accroissement des races. Or ici la question de natalité ne peut être mise en cause car les naissances sont partout nombreuses, mais par contre la proportion des décès est considérable et c'est elle qui empêche l'accroissement et menace l'avenir des races indigènes.

Cette mortalité est dû;

Chez les enfants: à l'absence totale d'hygiène (tétanos ombilical par défaut de précaution à la section du cordon, diarrhée infantile par alimentation précoce vicieuse, broncho-pneumonie par insuffisance de précautions contre le froid, paludisme par défaut de protection contre les moustiques);

Chez les adultes: à la fréquence et la violence des maladies épidémiques (fièvre récurrente, méningite cérébro-spinale, dysenterie, peste, etc.), ainsi qu'à la propagation insidieuse des maladies sociales (syphilis, lèpre, tuberculose).

Les services d'assistance médicale doivent donc être très fortement organisés:

1° Pour lutter contre la mortalité infantile par l'éducation des mères et par la pénétration progressive des notions de puériculture dans les milieux familiaux;

2° Pour lutter contre la mortalité des adultes par le dépistage des maladies sociales et l'application des méthodes de préservation, par la recherche des foyers d'épidémies et par le déclanchement immédiat des mesures propres à les étouffer.

II.—Organisation générale

Circonscription sanitaire.—Le service de l'Assistance médicale doit être réparti en circonscriptions sanitaires correspondant en principe aux circonscriptions administratives et ayant à leur tête un médecin européen. En attendant que les médecins européens soient en nombre suffisant, les cercles sans titulaires doivent obligatoirement être placés sous la surveillance sanitaire du médecin européen le plus proche.

Hôpital central.—L'hôpital central du chief-lieu de la Colonie est, en principe, la seule formation hospitalière à prévoir, sous la condition qu'il soit pourvu d'un quartier spécial d'assistance avec maternité, salles gratuites et salles payantes. Il doit posséder en outre tous les moyens d'investigations nécessaires (laboratoire de chimie et de bactériologie), un magasin d'approvisionnement sanitaire (matériel et pharmacie) pour le ravitaillement de tous les postes d'assistance et une section de prophylaxie toujours en état d'être mobilisée avec des moyens suffisamment complets pour lutter contre les foyers épidémiques susceptibles de faire leur apparition.

Le particularisme étroit qui tendrait à la création d'hôpitaux indigènes spéciaux à côté des hôpitaux du service général ou fonctionnant comme tels doit être nettement combattu. Excepté à Dakar, il y a intérêt supérieur à grouper les deux établissements sous la même direction de façon à les faire bénéficier des mêmes services communs; il suffit que le quartier de l'assistance soit nettement distinct et que, pour ne pas imposer une charge trop lourde à son budget, il soit prévu une administration autonome avec régime alimentaire propre.

Dispensaire-maternité.—Le dispensaire-maternité est la formation essentielle de l'Assistance et doit fonctionner dans toutes les agglomérations assez importantes pourvues d'un médecin européen ou d'un médecin indigène.

En principe il doit comprendre:

1° Un pavillon du service général pour consultations, pharmacie, magasin, bureau du médecin et, dans les centres assez importants, une ou deux chambres pour malades européens evacués ou de passage (de préférence au premier étage);

2° Deux pavillons d'hospitalisation de 10 à 20 lits chacun (hommes et femmes) pouvant fort bien être remplacés par des cases indigènes à sol cimenté, suffisamment aérées, éclairées et confortables;

3° Une maternité comprenant dans le même pavillon salle d'examen, salle de travail et deux à trois chambres pour 4 ou 6 lits.

Le mobilier est à prévoir des plus simples et conforme aux habitudes des populations; le chalit avec supports métalliques de tête et de pieds et plateforme mobile en planches, recouverte d'une natte, convient particulièrement bien.

Dans les dépendances doivent être prévus obligatoirement un local hermétiquement clos pour désinfection et un local spécialement amenagé pour douches, bains et traitement des galeux.

Poste médical.—Le poste médical est la formation la plus simplifiée et comprend un seul pavillon avec salle de pansements et magasin; il doit lui être également annexé une chambre de désinfection et un local pour traitement de la gale et épouillage. Ce service est assuré par des infirmiers.

A côte des postes médicaux permanents il doit en outre être prévu des salles de visite où les médecins puissent aller donner des consultations aux jours de grands marchés, dans des centres qui, à cette occasion, réunissent un nombre assez élevé d'indigènes.

Service mobile.—Le service mobile est d'une importance capitale. Il consiste dans les tournées régulières à accomplir auprès des populations pour entrer directement en contact avec elles, soigner les malades, rechercher les causes des décès, dépister les maladies épidémiques, poursuivre les maladies sociales, contrôler l'état des nourrissons, pratiquer des vaccinations et donner tous conseils utiles pour améliorer les conditions d'hygiène et faire pénétrer peu à peu parmi les indigènes les notions essentielles pour vivre sainement.

Ces tournées rentrent dans les attributions normales de tout le personnel de l'Assistance; elles doivent être réglées de telle façon qu'il soit maintenu sur place un médecin indigène ou un infirmier, suivant l'importance, pour les cas d'urgence. Afin d'éviter toute perte de temps des moyens de transport suffisamment rapides sont à prévoir (autos pour les médecins européens, bicyclettes pour les médecins indigènes et les sages-femmes).

Personnel d'exécution.—L'exécution d'un programme aussi vaste d'éducation, d'hygiène, de dépistage et de défense sanitaire, en même temps que de soins aux malades, nécessite un contact étroit et continu avec la population. Un personnel sanitaire nombreux est par suite nécessaire; ce personnel doit comprendre:

Des médecins européens formant l'encadrement, placés à la tête de l'Assistance médicale de la circonscription et ayant sous leur contrôle technique permanent tout le personnel sanitaire qui y est employé;

Des médecins, sages-femmes et agents indigènes constituant la masse de manœuvre chargée de l'exécution proprement dite auprès des populations.

III.—Médecins européens

Les médecins européens ont un rôle de direction et de contrôle. Placés à la tête d'une et parfois de plusieurs circonscriptions sanitaires, ils ont la direction technique de tout le personnel de l'Assistance qui y est employé, lui tracent son programme et lui indiquent sa voie, le suivent et rectifient ses pas, soutiennent ses efforts et empêchent les défaillances.

C'est par une surveillance minutieuse, par une vigilance de tous les instants, par l'exemple constant de leur activité et de leur dévouement que les médecins européens entraîneront le personnel indigène; on peut affirmer que celui-ci rendra ce qu'ils rendront eux-mêmes. Ne pas le comprendre et les immobiliser auprès des quelques malades d'un hôpital ou d'un dispensaire serait aller absolument à l'encontre du but poursuivi et sacrifier l'intérêt d'une minorité à celui d'une population toute entière.

Dans les conditions présentes de moyens matériels, de personnel et d'évolution des régions, un effectif de 150 médecins peut suffire pour l'ensemble de l'Afrique occidentale française, mais il faut prévoir l'augmentation progressive de ce chiffre de façon à arriver d'abord à 200 en un délai d'environ cinq ans, ensuite, à un total définitif de 250. L'Assistance médicale, solidement organisée à ce moment, bien encadrée, aura toute la vigueur nécessaire et elle pourra donner tout son rendement.

Jusqu'à ces derniers mois l'effectif de médecins européens a été nettement inférieur aux besoins. Mais, actuellement, l'appui énergique donné par le Département aux services d'Assistance médicale de l'Afrique occidentale française depuis M. Daladier, commence à faire sentir son effet. Le nombre de médecins européens présent en Afrique occidentale française qui, en juillet 1925, était de 92 vient d'atteindre le chiffre de 133:

Médecins du Corps de santé colonial	74
— de l'Assistance	16
— contractuels	14
— libres	10
— étrangers (Russes)	19

Pour l'avenir, la création récente à l'école du Service de santé de Lyon d'une section de médecine coloniale susceptible de doubler l'effectif annuel des médecins coloniaux de Bordeaux semble offrir toutes les garanties possibles en vue de l'accroissement régulier du personnel qui est nécessaire. L'essentiel sera que le Département continue le même appui vigilant, qu'il fasse toute la propagande possible en faveur de cette section et ne néglige aucune des mesures destinées à maintenir un courant régulier de médecins militaires aussi bien que civils vers l'Afrique occidentale française.

D'autre part le Ministre de la Guerre, d'accord avec le Ministre des Colonies, a décidé à la date au 25 décembre 1925 que les médecins et étudiants pourront, sur leur demande, accomplir dans les colonies de l'Afrique leur service légal. Cette source, si elle est bien exploitée, pourra donner de bons éléments parmi lesquels le corps des médecins de l'Assistance, si appauvri actuellement, trouvera certainement des candidats.

En ce qui concerne les médecins étrangers, leurs services ont été acceptés à défaut de médecins français pour permettre de faire la soudure en attendant l'accroissement du nombre des médecins coloniaux.

Ces médecins sont tous des praticiens Russes recrutés par les soins de l'Administration centrale avec toutes les précautions possibles et les garanties professionnelles les plus grandes. Ils sont engagés en qualités d'hygiénistes adjoints parce que le diplôme de doctorat de médecine russe ne leur confère pas le droit d'exercer librement leur art en territoire français.

J'ai été très particulièrement satisfait de constater l'excellente impression qu'ils ont, d'une manière générale, produite et tous les efforts qu'ils font pour assurer convenablement leur service.

En raison de leur valeur professionnelle et de leur application, en raison aussi des besoins du service, il ne me paraît pas possible de les maintenir plus longtemps dans des fonctions subalternes d'auxiliaires auprès des médecins français, surtout lorsque ceux-ci sont déjà aidés par un médecin indigène: c'est du gaspillage de personnel. En conséquence seuls pourront être maintenus dans les centres ayant déjà un médecin français: les médecins russes chargés à cause de leur spécialité, d'un service de chirurgie ou de gynécologie dans un hôpital et les médecins russes chargés auprès des municipalités d'un emploi nettement distinct qui impliquerait la présence d'un médecin français spécial.

Vous voudrez bien prononcer d'urgence toutes les mutations nécessaires à l'application de cette mesure.

IV.—Personnel sanitaire indigène

Le personnel sanitaire indigène représente les éléments d'exécution essentiels dont l'action auprès des populations doit être incessante pour faire pénétrer les notions d'hygiène ainsi que pour appliquer les méthodes de prophylaxie et lutter contre les maladies épidémiques et sociales. Par ses affinités de race et de langue, par sa connaissance des habitudes, ses traditions et ses préjugés, il représente, sous la condition d'être bien guidé par les médecins européens, le moyen d'éducation et de pénétration le plus sûr.

Ce personnel comprend:

Des médecins indigènes,

Des sages-femmes indigènes,

Des infirmiers sanitaires,

Des infirmières visiteuses,

Des gardes sanitaires.

Médecins indigènes.—Les médecins indigènes formés par l'école de Dakar sont, d'une manière générale, très appréciés même de la population européenne, mais ils paraissent insuffisamment entraînés au rôle social qui représente la partie essentielle de leurs fonctions; l'Inspecteur général des Services sanitaires tiendra la main à ce que le programme des études soit orienté dans ce sens.

Leur nombre est, d'autre part, tout à fait insuffisant et les promotions en cours d'études sont très au-dessous des besoins, ce n'est pas 12 médecins mais 40 qui seraient nécessaires chaque année. J'attire tout spécialement votre attention sur ce point; à mesure que le permettront les progrès de l'enseignement, il importe que les médecins nécessaires aux différentes races soient fournis par elles de façon que soit facilité le travail de pénétration et d'influence; il importe aussi que les candidats présentés chaque année au concours de l'école William-Ponty pour la branche médicale soient assez nombreux.

Sages-femmes.—Pour les sages-femmes il est nécessaire également de pousser au recrutement local. Jusqu'à présent c'est le Soudan qui a fourni la majorité des élèves; il est indispensable que les autres pays apportent un contingent proportionné à leurs besoins.

Les renseignements que j'ai recueillis sur la valeur professionnelle et la tenue de ces jeunes sages-femmes sont tout à fait satisfaisants. Il n'est pas douteux qu'à l'école de Dakar elles font de bonnes études et qu'elles connaissent bien leur métier.

Mais en de nombreux endroits j'ai constaté une tendance excessive à faire dans les maternités le plus grand nombre possible d'accouchements au lieu d'aller dans la case donner des soins obstétricaux et continuer sur place à guider la mère et surveiller la naissance de son nourrisson. Il y a lieu de réagir contre cette façon de faire et, à l'école de Dakar, on devra s'efforcer de former la mentalité de ces jeunes filles en sorte que les liens de race, loin de se relâcher, demeurent toujours aussi puissants; peut-être aussi faudrait-il les accoutumer à moins d'élégance, elles n'en seraient que mieux accueillies dans les cases indigènes et éprouveraient sans doute elles-mêmes moins d'hésitation pour y entrer et s'y asseoir.

En ce qui concerne la connaissance de la langue du pays tous les encouragements doivent être donnés dans ce sens, une sage-femme qui a besoin d'interprète perd bien les ¾ de son rendement. Des primes pourront avec avantage être prévues, il vous appartient de fixer les conditions dans lesquelles elles seront attribuées.

L'obstacle le plus net à l'action des sages-femmes vient des ***matrones*** qui ont le monopole des accouchements et que nos sages-femmes ne sont pas assez nombreuses pour remplacer. Dans ma circulaire du 12 mars 1924 j'ai déjà signalé l'utilité qu'il y aurait, non pas à les initier aux règles de l'obstétrique, mais à leur donner quelques notions d'hygiène et de propreté.

Il y a une trentaine d'années les médecins coloniaux ont réussi à combattre le tétanos ombilical de Cochinchine en faisant ainsi l'éducation des accoucheuses annamites et délivrant à chacune d'elles une trousse garnie d'un ciseau, d'une pince, de fil et de gaze pour la section et le pansement du cordon ombilical.

L'application de mesures analogues doit, sans aucun doute, produire ici les mêmes effets à condition d'agir avec la plus grande prudence et de faire comprendre aux matrones qu'il s'agit non pas de les faire disparaître mais seulement d'améliorer leur pratique. Nos sages-femmes ne doivent pas se présenter en concurrentes de praticiennes dont le crédit repose sur la tradition et aussi sur une certaine réputation d'habileté, mais elles doivent prendre contact avec elles, les mettre en confiance, peu à peu les amener à nos maternités, leur montrer comment sont donnés les soins aux femmes en couches et aux nouveaux-nés et essayer de leur faire comprendre pourquoi ces soins mettent la mère et l'enfant à l'abri des complications qui les menacent.

Dans cette même circulaire du 12 mars 1924 j'avais envisagé l'attribution d'une légère prime à attribuer aux matrones pour chaque enfant lorsque, au bout de 3 mois, la mère et l'enfant sont en bonne santé. Cette pratique est à reprendre et la prime pourra être augmentée toutes les fois que la matrone aura fait appel au concours ou au contrôle de la sage-femme ou du médecin.

Infirmiers sanitaires.—A part quelques rares sujets, les infirmiers des services de l'Assistance paraissent, beaucoup plus encore que les médecins, tout ignorer du rôle social qu'ils ont à remplir. Ceux qui sont détachés dans les postes isolés bornent leur action à appliquer des pansements sur de vieux ulcères et à donner, au hasard de la fièvre, quelques comprimés de quinine. Ils ne font aucune propagande d'hygiène, aucun dépistage de maladie sociale ou épidémique, même pas de vaccinations sous prétexte qu'ils ne sont pas vaccinateurs. D'autre part ils sont immobilisés pendant un temps beaucoup trop prolongé dans le même poste sans venir se retremper dans un hôpital.

Toute cette catégorie de personnel est à reprendre y compris les vaccinateurs et à fusionner dans chaque colonie en un cadre unique, celui des infirmiers sanitaires. Le recrutement sera essentiellement local et aucune titularisation ne sera faite avant un stage minimum d'un an dans un dispensaire et les épreuves d'un examen passé à la diligence du chef du Service de Santé et portant interrogations sur l'hygiène pratique, la puériculture, le dépistage des maladies épidémiques et sociales, leur prophylaxie, la pratique des vaccinations, etc.

A part les infirmiers spécialisés dans des services techniques des hôpitaux un tour de roulement sera obligatoirement établi par les chefs du Service de Santé en sorte que périodiquement les infirmiers des postes soient repris en main et remis, sous la direction d'un médecin, à la pratique de la médecine sociale et de l'hygiène.

Les infirmiers des anciennes formations ont fourni plusieurs sujets de premier choix auxquels, avant la création de l'école de médecine de Dakar, était donné le titre *d'aides-médecins.* Cette appellation jouissait d'un grand prestige et a été pour ces auxiliaires un puissant stimulant. Il semble que, sous une dénomination susceptible d'empêcher toute confusion, on pourrait faire revivre un titre analogue réservé aux meilleurs des infirmiers et permettant de former une élite subalterne à laquelle seraient confiés les plus importants des postes encore non pourvus de médecins indigènes.

L'appellation de *"Aides de Santé"* me paraît convenir. Je vous prie de vouloir bien l'adopter et prévoir ainsi dans les corps locaux d'infirmiers sanitaires un cadre supérieur portant 3 classes "d'Aides de Santé". La proportion de ces emplois ne devra pas dépasser 1/5e de l'effectif total des infirmiers; ils seront exclusivement réservés à ceux-ci et donnés au concours après épreuves écrites et pratiques passées à la diligence du chef du Service de Santé de l'hôpital du chef-lieu.

Infirmières visiteuses.—Dans sa circulaire du 12 avril 1921 M. le Gouverneur général Merlin avait envisagé l'utilisation d'assistantes indigènes destinées "a l'exclusion de toute manœuvre obstétricale, à assurer dans les villages la propreté des accouchements et des premiers soins aux nourrissons". Il proposait de les appeler "des gardes".

L'idée est à reprendre et à développer, non plus comme simples gardes de nourrissons mais comme "infirmières visiteuses" dont la fonction sera, non seulement de veiller sur l'hygiène des femmes enceintes et des nourrissons, mais encore de pénétrer dans tous les milieux indigène pour y dépister les maladies sociales dont le danger devient chaque jour plus grand (maladies vénériennes, tuberculose, lèpre). Ces infirmières visiteuses pourront ainsi aider puissamment les sages-femmes dans la protection de l'enfance et d'autre part elles seront pour les médecins des agents d'information et d'exécution de premier ordre dans la lutte contre les maladies sociales, tout comme les infirmiers sanitaires dans la lutte contre les maladies épidémiques.

Elles sont à constituer par cadres locaux, exclusivement recrutées parmi les races indigènes du pays et formées à l'hôpital du chef-lieu de la colonie d'après un enseignement pratique adapté aux conditions locales et inspiré de celui des écoles de puériculture et de médecine sociale dans la Métropole.

Ces infirmières visiteuses seront pour ordre affectées à une maternité et attachées à une sage-femme, mais en réalité leur service sera surtout extérieur et c'est dans les cases du village, auprès des enfants et des mères qu'elles exerceront leur rôle bienfaisant sous le contrôle et l'impulsion de la sage-femme et du médecin.

Comme pour les infirmiers il sera nécessaire de prévoir que périodiquement ces infirmières visiteuses iront faire un stage de réimprégnation professionnelle soit dans un hôpital, soit dans un dispensaire à condition que, sous la direction d'un médecin européen, ce stage soit organisé d'une manière fructueuse.

Gardes sanitaires.—Les gardes sanitaires qui ont pour fonction de tenir la main à l'exécution des mesures d'hygiène et de salubrité sont à développer. Jusqu'à présent les agglomérations urbaines ont été à peu près seules à bénéficier d'équipes sanitaires ayant pour rôle de veiller à la propreté générale, à la destruction des immondices, à la lutte antilarvaires, à la protection des points d'eau potable, à la destruction des rats, à la désinfection des locaux contaminés, à l'isolement des contagieux, etc. Il importe que à peu cette organisation soit étendue aux groupements indigènes les plus importants.

Comme pour les infirmiers, l'éducation des gardes sanitaires doit être faite avec le plus grand soin sous la responsabilité des chefs du Service de Santé et ils ne doivent être détachés dans des postes isolés qu'après avoir accompli dans un centre urbain un stage professionnel où ils sont entraînés à la pratique courante de leur service et à l'application des mesures de défense contre les épidémies.

Utilisation du personnel.—L'utilisation du personnel de l'Assistance n'est pas toujours faite d'une manière judicieuse et dans le cours de ma tournée j'ai relevé une tendance exagérée à grouper autour des médecins français un personnel indigène dont la présence serait beaucoup plus utile dans les postes détachés.

Si, à l'hôpital central du chef-lieu, pour organiser un service permanent de garde, on peut admettre que deux médecins indigènes et deux sages-femmes soient régulièrement en service, il n'est pas admissible que dans certains dispensaires il y ait plus d'un médecin indigène et d'une sage-femme.

Pour les infirmiers le gaspillage du personnel est le même: j'ai vu dans certains dispensaires jusqu'à huit et dix infirmiers, dans les postes sans médecin jusqu'à trois et quatre, ne faisant les uns et les autres aucun service extérieur.

En ce qui concerne les désignations et la durée des séjours dans les postes, elles m'ont paru bien souvent ne répondre à aucune régle, aucun tour de roulement et sans qu'il soit tenu suffisamment compte des questions de race et connaissance des langues du pays.

Vous voudrez bien donner à vos chefs du Service de Santé des instructions très fermes pour qu'il soit procédé à une nouvelle répartition du personnel en surnombre, et qu'un tour de roulement périodique permette de reprendre l'instruction des agents de toutes les catégories provenant des postes détachés.

V.—Ressources financières

Les différents budgets locaux ont prévu de la manière la plus large le fonctionnement des services sanitaires et les crédits qui s'y rapportent représentent selon les colonies de 7 à 11 % des ressources totales. A mesure que l'Assistance se développera et que son personnel augmentera d'autres dépenses seront à prévoir; il n'est pas douteux que les colonies sont prêtes à faire tous les sacrifices nécessaires, toutefois le développement économique ne saurait en être compromis et pour ce motif il est prudent de considérer la proportion de 12 % comme un maximum que le crédits des services sanitaires ne pourront dépasser.

Mais dès à présent on peut envisager certaines ressources à tirer du remboursement des soins donnés aux indigènes désireux d'être traités en dehors de la consultation gratuite ou des salles ordinaires de malades.

Cette mesure ne doit être appliquée qu'avec la plus grande prudence, elle ne doit éloigner personne et le principe de la gratuité des soins doit rester absolu pour tous. Mais dans toutes les régions où les indigènes sont à l'aise et où une aristocratie de riches commence à se constituer, particulièrement au Dahomey et en Côte d'Ivoire, il est à prévoir que dans toutes les formations sera organisée, en dehors de la consultation populaire gratuite, une consultation spéciale donnant lieu au versement d'une taxe fixée, suivant les régions, par le Lieutenant-Gouverneur. Les médicaments et pansements seront également remboursés dans les conditions prévues par la circulaire ministérielle du 25 mars 1925; il sera en outre prévu quelques chambres pour payants dont le remboursement aura lieu suivant un tarif spécial.

Toutes les recettes ainsi effectuées dans les hôpitaux, dispensaires et postes médicaux seront exclusivement au bénéfice des budgets gestionnaires et je rappelle qu'il est formellement interdit de leur donner toute autre destination.

Cette participation des indigènes *volontaires* au fonctionnement des services de l'Assistance pourra être un acheminement vers l'établissement d'une taxe spéciale de l'assistance avec budget sanitaire autonome par colonie. C'est le terme d'une évolution qui se dessine mais qui ne pourra être réalisée avant que les conditions de l'existence des populations indigènes se soient nettement améliorées et que leurs ressources se soient accrues.

VI.—Mesures d'ordre administratif

En même temps que tous les efforts sont faits par le Service de Santé pour développer ses moyens techniques, il est indispensable que l'Administration mette en œuvre tous les éléments dont elle dispose pour appuyer et renforcer l'action médicale. A elle seule celle-ci ne peut suffire et une série de mesures ne relevant que de l'Administration sont de toute nécessité.

Mesures d'hygiène alimentaire.—La question de l'alimentation reste primordiale et tous les efforts faits pour développer l'hygiène et lutter contre la mortalité seront inutiles si une nourriture suffisante ne vient assurer aux races indigènes la résistance physique dont elles ont besoin.

J'ai eu la satisfaction de constater des résultats déjà très sensibles dans ce sens. D'une manière générale les cultures vivrières ont été très développées et j'ai remarqué à peu près partout l'existence des réserves de vivres que j'avais prescrites et qui sont indispensables pour faire la soudure, surtout dans les pays à récolte unique. Le Soudan, la Haute-Volta et le Niger méritent d'être spécialement mentionnés pour le soin avec lequel sont organisés les greniers de réserve.

Vous aurez à attirer l'attention des commandants de cercle sur l'importance des aliments azotés, viande ou poisson, et vous les inviterez à pousser les populations à multiplier les ressources de cet ordre en vue de leur alimentation. Le développement du cheptel bovin dans la bouche du Niger permet d'envisager pour le centre de l'Afrique occidentale française un ravitaillement particulièrement précieux mais il est nécessaire de modifier doucement la mentalité des populations qui pratiquent l'élevage et d'amener peu à peu les propriétaires à vendre l'excédent de leurs troupeaux.

L'élevage des chèvres, des porcs, de la volaille est également à encourager pour la consommation locale.

La pêche pourrait, sur la plupart des cours d'eau être plus largement mise à profit. Les commandants de cercle devront s'efforcer de développer les pêcheries et par la création de marchés appropriés d'assurer un écoulement rémunérateur à ses produits.

La chasse est aussi à encourager. Les mesures de réglementation récemment prises ont pour objet d'empêcher la destruction commerciale d'espèces animales particulièrement menacées, mais elles ne doivent diminuer en rien les ressources alimentaires que le gibier procure aux indigènes; toutes les autorisations nécessaires de permis de chasse et de port d'armes devront être données sous la condition qu'il s'agisse exclusivement de gibier consommé sur place.

Mesures d'hygiène infantile.—La plus importante de ces mesures est peut-être la protection contre le froid. Les enfants sont à peu près complètement nus jusqu'à la puberté et pendant la saison fraîche la mortalité par affections pulmonaires est très élevée. C'est une habitude traditionnelle qui semble avoir en son origine le manque de ressources, car, si au-dessus de la zone forestière tous les enfants sont encore nus, j'ai eu la satisfaction de constater que dans les régions du Dahomey et de la Côte d'Ivoire, où le confort a pénétré depuis longtemps avec l'argent, les enfants sont à présent vêtus et bien protégés contre les intempéries.

Tous les efforts doivent donc être faits par les administrateurs pour convaincre les parents de la nécessité de vêtir leurs enfants; peut-être même une certaine pression pourra-t-elle être opérée mais avec tout le doigté désirable, à condition qu'elle ne donne lieu à aucune vexation, ni aucun mécontentement.

Ici l'initiative privée pourra être d'un grand secours et aider puissamment l'action de nos Administrateurs et de nos Médecins par la distribution de petits vêtements. Les Comités de Croix-Rouge qui fonctionnent déjà en quelques centres sont à donner en exemple; ils montrent les services qu'on peut attendre de groupements de ce genre quand ils sont dirigés par des femmes de cœur et de caractère.

L'œuvre du "Berceau Africain" dont l'idée est dûe à M. André Hesse, Ministre des Colonies, et dont M. Lecesne, président de la C. F. A. O., dirige actuellement les premiers pas, pourra, quand elle sera en mesure de fonctionner, remplir un rôle des plus importants dans ce sens.

Mesures d'hygiène générale, dossiers sanitaires.—L'hygiène urbaine, principalement dans l'intérieur, a fait des progrès considérables et j'ai été frappé par le bon aspect des agglomérations indigènes des villes du Soudan, de la Haute-Volta et du Niger.

Ces améliorations sont à poursuivre partout. Les cases, tout en gardant leur caractère traditionnel, doivent être percées d'ouvertures pour l'air et la lumière, leur sol est à couvrir d'une aire imperméable et les cours sont à planter d'arbres fruitiers tels que manguiers et orangers.

Il importe aussi que les points d'eau potable soient défendus contre les causes de pollution, entourés d'une zone imperméable et protégés par une margelle.

Les endroits marécageux et humides sont à drainer et assécher de façon à les assainir peu à peu et faire disparaitre les moustiques dans les villages et leurs alentours.

Afin de suivre exactement le développement des mesures d'hygiène dans les différents centres et d'avoir des renseignements précis sur les faits antérieurs, il est utile que chaque agglomération donne lieu à l'établissement *d'un dossier sanitaire* portant indication des améliorations hygiéniques réalisées, de la situation nosologique, de la marche des épidémies et des moyens mis en œuvre pour les enrayer.

Ces dossiers sanitaires sont à créer peu à peu en commençant par les agglomérations les plus importantes et à conserver au bureau du médecin-chef de la Circonscription; un double avec détails plus complets est à tenir par le médecin indigène chargé de l'exécution du service.

Mesures éducatives.—L'éducation des jeunes générations est, dans une œuvre d'aussi longue haleine, d'une importance considérable et l'instituteur devient ici le meilleur collaborateur du médecin. Dans toutes les écoles une part très large devra être faite à l'enseignement de l'hygiène individuelle et de l'hygiène collective, des notions sur les maladies sociales, les maladies épidémiques et la prophylaxie feront l'objet de cours spéciaux dans toutes les écoles régionales supérieures ainsi qu'à l'école William-Ponty, de Gorée. Je ne verrais que des avantages à ce que ces cours soient confiés, en étroit accord avec l'Enseignement, à des médecins qui seraient chargés, en même temps, de la surveillance sanitaire et du contrôle physiologique des écoliers.

Mesures sociales.—Toutes les mesures administratives susceptibles de modifier l'organisation de la société indigène peuvent, par le trouble qu'elles apportent à des habitudes séculaires, avoir une répercussion fâcheuse sur la résistance de la race. Il est de toute nécessité qu'aucune d'elles ne soit décidée sans examen approfondi des conséquences qu'elle peut provoquer.

C'est ainsi qu'il serait très imprudent de modifier trop vite le régime de l'exploitation du sol et de passer brusquement du statut du travail collectif à celui de la culture individuelle et de la propriété privée; ce serait en bien des cas substituer la misère individuelle à l'aisance relative de la collectivité.

De même il ne saurait être question sans précautions infinies de réglementer le mariage et de modifier l'institution familiale actuelle.

Dans un autre ordre d'idées les déplacements de villages ne peuvent être décidés que pour motif très grave d'ordre sanitaire ou économique, après enquête approfondie, assentiment de toute la population intéressée, et décision du Lieutenant-Gouverneur. Dans ce cas il doit être évité avec le plus grand soin que les riverains des cours d'eau soient transférés au milieu de la plaine, loin de leurs pirogues et de leurs pêcheries, inversement que les habitants de la plaine ou de la forêt soient envoyés sur les bords de la rivière.

Mesures d'ordre moral.—Elles consistent à honorer les familles nombreuses, prévoir une prime pour les mères à partir du 5e enfant vivant, instituer une fête annuelle des enfants qui pourrait avoir lieu dans chaque colonie à la fin des récoltes, serait accompagnée de réjouissances publiques et donnerait lieu à des concours où des prix seraient remis aux familles les plus nombreuses, aux nourrissons les plus vigoureux et les mieux vêtus, aux propriétaires de cases les plus hygiéniques et les mieux tenues, etc.

VII.—Coordination des efforts

L'énumération des principales mesures à appliquer montre combien l'organisation est complexe et fait ressortir que si le Service de Santé a, dans la préparation et l'exécution des dispositions d'hygiène et d'assistance médicale un rôle essentiel à remplir, il est vraiment bien peu de services qui n'aient à apporter leur pierre à l'édifice et à prendre part à la construction:

L'Enseignement pour façonner la mentalité des jeunes indigènes et leur apprendre à vivre sainement;

L'Agriculture pour développer les cultures vivrières, distribuers des graines, dressser des moniteurs agricoles, etc. . . . ;

Les Travaux publics pour exécuter les travaux d'assainissement, voirie, adduction et protection d'eau potable, destruction des matières usées, etc. . . . ;

L'Armée pour entraîner les jeunes gens à l'observation de l'hygiène et la pratique rationnelle des exercices physiques.

L'Initiative privée de son côté (commerçants, colons, missionnaires) peut apporter une aide précieuse par son influence sur les indigènes en les poussant dans la voie de l'hygiène et du confort, en les habituant aux achats utiles de vivres et de vêtements au lieu de futilités, en collaborant aux mesures de prophylaxie, à la propagande d'hygiène, etc. . . . , enfin en apportant un concours matériel susceptible de compléter l'action administrative. L'œuvre actuellement en création du "Berceau Africain" sera sous ce point de vue le reflet le plus net des sentiments de générosité et de solidarité du haut commerce d'Afrique vis à vis des populations indigènes.

Mais pour que des éléments aussi divers donnent tout leur rendement il est indispensable qu'ils soient coordonnés et animés par l'Administration. C'est à elle qu'il appartient de soutenir tous les efforts et d'empêcher toute défaillance. Elle doit y apporter toute sa foi et être pénétrée, tout comme les médecins, de la nécessité de cette croisade qui, par la médecine préventive et l'hygiène, peut, en moins de 20 ans, doubler les populations de l'Afrique occidentale française et assurer d'une manière définitive l'avenir de ces pays. Votre action personnelle doit ainsi partout se faire sentir et être secondée pour l'exécution des détails par les Administrateurs qui sont, dans leurs circonscriptions, vos représentants naturels.

Pour l'établissement des programmes d'assainissement qui impliquent l'intervention de plusieurs services ou qui sont susceptibles d'entraîner des modifications assez sérieuses d'ordre social ou administratif, il est utile qu'ils soient discutés entre les organes intéressés et que, selon les directives que vous aurez tracées, l'accord soit établi à l'avance entre les exécutants. Je vous rappelle que, dans ses instructions en date du 30 décembre 1924, le Ministre des Colonies a prescrit de les soumettre à l'examen des Commités d'hygiène qui sont qualifiés pour étudier et discuter tous les projets d'intérêt général relatifs aux questions d'assainissement, médecine préventive et assistance. Cette procédure devra être suivie toutes les fois qu'elle paraîtra nécessaire.

VIII.—Statistiques démographiques

L'accroissement des populations étant l'objet de tous ces efforts il importe que le mouvement démographique puisse être suivi avec toute l'exactitude possible afin que, en cas de fléchissement, les causes en soient recherchées et que des mesures immédiates de redressement soient prises. Par circulaire du 23 mai 1925 le Ministre des Colonies a insisté sur l'importance de ces renseignements et a prescrit qu'ils lui soient régulièrement transmis.

Je ne me dissimule pas la difficulté du travail, mais il est le corollaire indispensable du fonctionnement de l'Assistance médicale et c'est lui qui doit être le meilleur guide dans les efforts à accomplir. L'organisation de l'Afrique occidentale française est d'ailleurs suffisamment assise aujourd'hui pour que les Commandants de cercle aient des renseignements assez précis et puissent, par divers recoupements, donner une physionomie à peu près exacte de son mouvement démographique.

Chaque année, à la date du 31 décembre, il devra donc être établi une statistique qui permettra de faire le bilan annuel des opérations de l'Assistance médicale. Ainsi que l'a prescrit le Ministre, cette statistique sera aussi simplifiée que possible; elle comprendra, en distinguant par sexe, 3 tableaux:

1° *Les existants au* 31 *décembre* classés en 4 catégories:

Nourrissons jusqu'a 3 ans,

Enfants de 3 à 15 ans,

Jeunes gens et adultes,

Vieillards à partir de 50 ans.

2° *Les décès pendant l'année* d'après les mêmes catégories;

3° *Les naissances pendant l'année* en mentionnant d'une façon spéciale les morts-nés.

Ces statistiques seront établies pour chaque cercle par races; les absents momentanés (tirailleurs ou travailleurs) seront mentionnés dans les statistiques de leur pays d'origine. Elles seront accompagnées de toutes les explications que les administrateurs ou les médecins estimeraient utiles de donner pour expliquer les variations de la population.

Les statistiques des cercles seront fusionnées par régions et par races à la Chefferie du Service de Santé de chaque colonie et me seront transmises dans le cours du premier trimestre de l'année suivante sous le timbre de l'Inspection générale des Services sanitaires qui sera chargée de leur étude et de la préparation du travail d'ensemble à présenter au Département.

La première statistique sera établie à la date du 31 décembre 1926; elle servira de base et de comparaison pour les statistiques ultérieures, il est donc indispensable qu'elle repose sur les données les plus précises et les plus complètes qu'il sera possible de recueillir.

Vous voudrez bien vous inspirer de ces directives pour développer vos services d'Assistance et en intensifier le rendement. Afin de permettre au Conseil de Gouvernement de suivre vos efforts, je vous serai très obligé de m'adresser avant sa prochaine session, soit le 1er octobre, un rapport détaillé sur les mesures que vous aurez déjà prises et sur le programme d'ensemble que vous aurez l'intention de réaliser.

CARDE.

APPENDIX XXVIII

PROGRAM OF INSTRUCTION—DAKAR MEDICAL SCHOOL

1° Section de médecine

La première année de médecine est destinée à familiariser l'élève avec le milieu médical. Elle comprend un stage hospitalier chaque matin à l'hôpital indigène pendant lequel les débutants acquièrent les notions premières du métier d'infirmier panseur. Ils font les pansements et apprennent à pratiquer les interventions de petite chirurgie, les injections, la pose de ventouses, la prise des températures et l'établissement des courbes thermiques. Ces élèves font au lit du malade de la sémiologie pratique.

Au point de vue théorique, cette première année est destinée à compléter l'instruction générale et scientifique.

Le programme comprend l'enseignement des matières suivantes:

Français .... 3 heures.
Arithmétique et géométrique .... 3 heures.

Ces cours sont la révision des matières enseignées à l'École William-Ponty.

Physique .... 1 h. 30.
Chimie et Pharmacie .... 3 heures.

Les cours de physique, chimie et pharmacie sont communs à la 1re et à la 2e année et sont des cours de physique, chimie et pharmacie appliquées à médecine.

Zoologie .... 1 h. 30.

Le cours de zoologie est orienté principalement vers l'étude de la parasitologie.

Sémiologie théorique .... 3 heures.

Le cours de sémiologie est destiné à permettre à l'élève de comprendre les cliniques qui sont faites le matin dans les salles d'hôpital. A l'occasion de l'étude de la sémiologie de chaque appareil, le professeur traite succinctement l'anatomie et la physiologie de l'appareil qu'il va étudier.

Deuxième année

Les matières enseignées pendant le deuxième année sont les suivantes:

Anatomie descriptive (ostéologie, myologie) angéiologie, anatomie sommaire des nerfs .... 3 heures.
Dissection .... 3 heures.
Chimie et pharmacie (avec la 1re année) .... 1 h. 30.

Physique (avec la 1re année) .... 1 h. 30.
Pathologie interne .... 3 heures.
Pathologie externe .... 3 heures.

Les cours de pathologie interne et externe sont communs avec la 3e année. Ils sont répartis sur cycle de deux ans. Ils accordent une place prépondérante à la pathologie de l'Afrique.

TROISIÈME ANNÉE

Pathologie interne (avec la 2e année) .... 3 heures.
Pathologie externe (avec la 2e année) .... 3 heures.
Hygiène (avec la 4e année) .... 3 heures.
Epidémiologie (avec la 4e année) .... 3 heures.
Technique d'examen clinique de laboratoire .... 1 h. 30.

QUATRIÈME ANNÉE

Hygiène (avec la 3e année) .... 3 heures.
Epidémiologie (avec la 3e année) .... 3 heures.
Maladies des yeux et de la peau .... 1 h. 30.
Obstétrique .... 1 h. 30.
Clinique interne et thérapeutique appliquée .... 1 h. 30.
Médecine opératoire (pendant 3 mois) .... 1 h. 30.

2° SECTION DE PHARMACIE.

Étant donné le petit nombre d'élèves-pharmaciens que renferme chaque promotion, il est nécessaire de réunir ces élèves, soit tous ensemble dans des cours communs de pharmacie, soit avec les élèves-médecins pour des cours d'enseignement général. Il y aura ainsi une économie de temps et d'argent.

I.—Zoologie 1 h. 30 pendant un an (avec les élèves-médecins).

II.—Physique médicale 1 h. 30 par semaine pendant deux ans (première et deuxième années avec les élèves médecins).

III.—Pharmacie galénique .... } 1 h. 30 par semaine pendant trois ans. Les trois années ensemble.
IV.—Pharmacie chimique minérale ....
V.—Pharmacie chimique organique ...

(Pour les cours III et IV on étudie les médicaments par groupes chimiques, sels de fer, sels de potassium, alcools, phénols, etc., en ajoutant, avant l'étude pharmaceutique de chaque groupe, un court préambule sur les caractères chimiques généraux du groupe, les procédés d'extractions des composés de ce groupe que l'on trouve dans la nature, etc., de manière à rappeler aux élèves les notions de chimie reçues au cours de l'École William-Ponty, de Gorée).

VI.—Chimie analytique et médicale ... } 1 h. 30 par semaine pendant trois ans. Les trois années ensemble.
VII.—Matière médicale ....
VIII.—Travaux pratiques de chimie analytique et médicale ....
IX.—Travaux pratiques de pharmacie ..

(Ces derniers comprennent, pour un tiers du temps au moins, des reconnaissances de plantes sèches médicales et de produits chimiques ou galéniques. Un autre tiers du temps est consacré à la préparation et surtout à l'étude des caractères analytiques des produits chimiques employés le plus couramment en pharmacie et à la rechercher des impuretés les plus usuelles. Enfin le dernier tiers du temps est employé à des manipulations de pharmacie galénique).

3° Section des élèves sages-femmes.

Le programme des études tend à deux fins:

1° Donner aux élèves une instruction générale élémentaire.

2° Donner aux élèves une instruction pratique et simple portant sur l'hygiène générale, l'hygiène de l'enfance, sur l'accouchement, la pathologie élémentaire de la femme enceinte et du nourrisson.

La première année est consacrée à l'instruction générale.

Les matières enseignées sont le français, l'arithmétique, et des leçons de choses. Un nombre d'heures suffisant est réservé à la couture.

L'instruction technique est donnée en deuxième et troisième année et comprend les matières suivantes:

Notions d'anatomie et quelques notions de physiologie sur la circulation, la respiration, la digestion et l'excrétion;

Hygiène générale;

Hygiène spéciale à l'enfance;

Pathologie élémentaire de la femme enceinte et du nourisson;

Obstétrique normale.

La grossesse pathologique et les diagnostics sont enseignés dans le but que la sage-femme auxiliaire sache les reconnaître pour avertir à temps le médecin.

Le nombre d'heures par semaine consacré à chaque matière pour le concours proprement dit est de deux heures; les autres heures disponibles étant consacrée à des répétitions, des interrogations et des études surveillées.

4° Section de médecine vetérinaire.

1re année

Travaux pratiques.

Anatomie............	4	heures par semaine.	
Extérieur et appréciation des animaux.........	2	—	Toute l'année.
Sémiologie et clinique...	10	—	Toute l'année.
Botanique	1	heure par semaine pendant 1 trimestre.	

Une composition française par quinzaine.

Cours.

Instruction générale	2	leçons par semaine.	Pendant toute l'année
Anatomie et physiologie.	2	—	
Appréciation des animaux et extérieur	1	—	Pendant 6 mois.
Sémiologie	1	—	
Thérapeutique générale..	1	—	
Géographie agricole.....	1	—	Pendant 3 mois.
Botanique fourragère et médicale	1	—	

2e ANNÉE

Travaux pratiques.

Clinique	10	heures par semaine.	Toute l'année.
Bactériologie	4	—	
Parasitologie	2	—	
Autopsies, prélèvement, etc.			

Cours.

Pathologie des affections sévissant en A. O. F...	3 leçons par semaine toute l'année.
Petite chirurgie	1 leçon par semaine pendant 6 mois.
Microbiologie	
Obstétrique	
Hygiène	

3e ANNÉE.

Trauvaux pratiques.

Zootechnie et hygiène...	5	heures par semaine.	Toute l'année.
Clinique et application du laboratoire à la clinique	10	—	
Inspection des denrées alimentaires d'origine animale	3	—	

Cours.

Zootechnie	2	leçons par semaine.	Toute l'année.
Pathologie générale.....	1	—	
Pathologie des affections réputées contagieuses..	2	—	
Police générale.........	1 leçon par semaine pendant 1 trimestre.		

APPENDIX XXIX
NATIVE WELFARE EXPENDITURE
FRENCH WEST AFRICA—1926

Division	Total Ordinary Expenditure		Agriculture Forestry and Veterinary		Education		Medical and Sanitary	
	Francs	Pounds Sterling [1]	Francs	Pounds Sterling [1]	Francs	Pounds Sterling [1]	Francs	Pounds Sterling [1]
Dahomey	15,852,677	£ 158,527	542,136	£ 5,421	1,079,022	£ 10,790	1,058,097	£ 10,581
Dakar	17,110,480	171,105	726,900	7,269	375,200	3,752	3,958,330	39,583
Guinea	20,024,555	200,246	1,111,197	11,112	1,253,657	12,537	1,791,182	17,912
Upper Volta	17,028,293	170,283	895,303	8,953	1,034,824	10,348	932,994	9,330
Ivory Coast	29,500,000	295,000	952,955	9,530	1,617,883	16,179	1,656,554	16,566
Mauretania	5,985,431	59,854	233,481	2,335	293,500	2,935	110,523	1,105
Niger	6,916,413	69,164	342,587	3,426	253,247	2,532	340,395	3,404
Senegal	80,801,324	808,013	2,703,147	27,031	3,663,741	36,637	2,896,441	28,964
Sudan	33,215,850	332,158	1,898,658	18,987	2,281,615	22,816	2,615,870	26,159
General Government	101,864,000	1,018,640	1,880,880	18,809	1,513,985	15,140	599,920	5,999
Extraordinary	None	None	5,000,000*	50,000	None	None	500,000*	
Totals	328,299,023	£3,282,990	11,287,244	£112,872	13,366,674	£133,667	15,960,306	£159,603
Per Capita	Fr. 26.77	£ .2677	Fr. .919	£ .0092	Fr. 1.087	£ .0109	Fr. 1.299	£ .0130
Percent of Total Ordinary Expenditure	100.00%		3.43%		4.07%		4.34%	

* Not included in totals.
[1] Francs converted to pounds sterling @ 100 francs per pound.

NATIVE WELFARE EXPENDITURE—Continued

1926

Colonies	Percent of Colonial Ordinary Expenditures and amount per 100 inhabitants devoted to:							
	Agriculture, Veterinary and Forests		.Education		Medicine and Sanitation		Total Welfare	
	Amount £	Percent %	Amount £	Percent %	Amount £	Percent %	Amount £	Percent %
Dahomey	.644	3.4	1.280	6.8	1.257	6.7	3.181	16.9
Dakar		4.2		2.2		23.1		29.5
Guinea	.592	5.5	.669	6.3	.956	9.0	2.217	20.8
Upper Volta	.301	5.3	.348	6.1	.314	5.5	.963	16.9
Ivory Coast	.616	3.2	1.047	5.5	1.071	5.6	2.734	14.3
Mauretania	.883	3.9	1.121	4.9	.422	1.7	2.326	10.5
Niger	.316	4.9	.233	3.7	.314	4.9	.863	13.5
Senegal	2.208	3.3	2.991	4.5	2.360	3.6	7.559	11.4
Sudan	.766	5.7	.923	6.9	1.057	7.9	2.746	20.5
Average Colonial	.930	5.04	.965	5.24	1.251	6.78	3.146	17.06
Average Including General Gov't Expenditures	1.081	4.04	1.089	4.07	1.298	4.34	3.468	12.45

Source: Colonial Estimates for 1926.

SECTION XI

FRENCH EQUATORIAL AFRICA

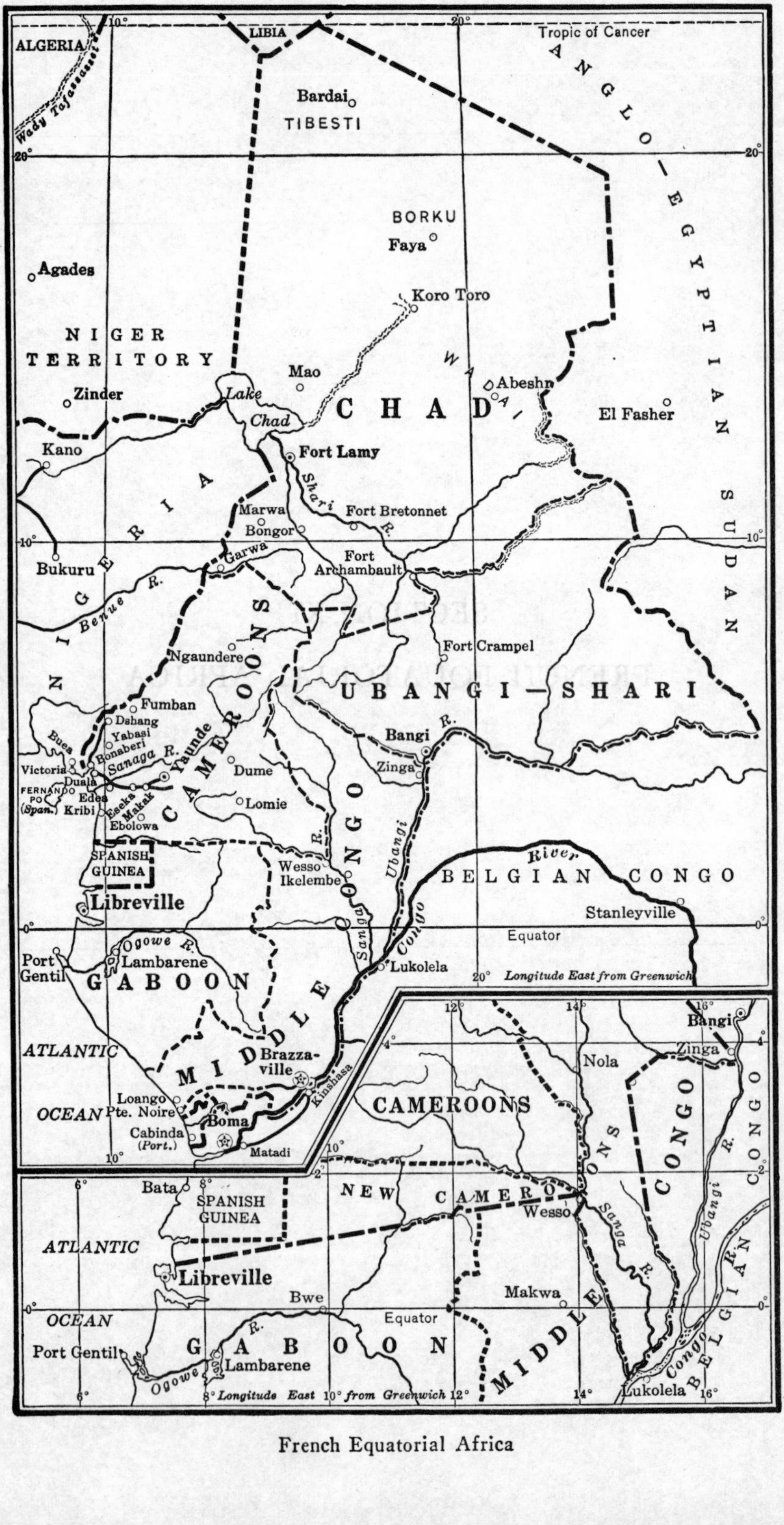

French Equatorial Africa

CHAPTER 70

THE OCCUPATION OF EQUATORIAL AFRICA

1. *The People*

INHABITING an area about as large as the Belgian Congo, the native peoples of French Equatorial Africa are similar in race and institutions to those who inhabit other parts of the continent. In the Gaboon, Bantu peoples will be found, the most important of which are the Fang or the Palhouin and the Kigongo people, organized into small tribes having chiefs of little power.[1]

At one time the Bataké people, who occupy the interior of the Congo above Brazzaville, were organized into a vast kingdom of Makoko, which extended over both banks of the Congo. Until 1890, the Batakés maintained a commercial monopoly by preventing the natives in the interior from entering into direct commercial relations with the merchants in Stanley Pool. When the French first occupied the port of Loango, they found another imposing native kingdom divided into seven provinces under the control of the Bavili people. Both the Makoko and the Loango kingdoms have now disappeared. In the Upper Ubangi, the Sudanese people are again encountered, some of whom are organized into sultanates. Before the European occupation, the Azande sultans maintained strong military forces which they put at the disposal of Governor Liotard in blocking the northward expansion of the Congo Free State.[2] When one comes to Lake Chad, he encounters peoples similar to those found further north, such as the Fulani and the Touaregs. A considerable Arab population likewise inhabits the Chad territory. These people, who are for the most part Mohammedan, have been organized into large native states, such as Wadi and Baguirmi. The sultan of Wadi is assisted by four councillors and by a number of dignitaries called Agad, having territorial commands. In 1911, there were eighty such Agad—a number which, apparently as a result of French pressure, was reduced in the following year to fifteen.[3] The kingdom of Baguirmi goes back to the sixteenth century. It is

[1] G. Bruel, *L'Afrique Equatoriale Française,* Paris, 1918, p. 216. A description of these institutions is given in Dr. A. Cureau, *Les Sociétés Primitives de l'Afrique Equatoriale,* Paris, 1912. A description of the interior of this territory is given in A. Chevalier, *L'Afrique Centrale Française,* Paris, 1908.

[2] Cf. Vol. II, p. 420.

[3] Bruel, *cited,* pp. 217-218.

ruled over by a sultan and sixteen dignitaries, twelve men, and four women. During part of the nineteenth century, this kingdom was at constant war with neighboring states, especially Wadi and Bornu. All of these sultans maintained themselves through the slave trade. Later, beginning with the twentieth century, the existence of these various kingdoms was threatened by the bloody invasion of Rabah, who was a lieutenant of Zubeir Pasha, one of the leaders against the British in the Sudan. After organizing a large army, Rabah set up an empire near Lake Chad and obliged about twenty native states to pay tribute to him. He finally met his death, as we shall see, at the hands of the French.

The population of Equatorial Africa, a little over three million, is one of the most sparse in the entire continent.[4]

2. *De Brazza and Gentil*

The French empire in what is to-day called Equatorial Africa is the result of a combination of humanitarianism and venturesome good luck. Following the declaration of the Congress of Vienna against the slave trade, France stationed several warships along the West Coast of Africa to make sure that slavers did not use the French flag. In treaties of 1831 and 1833, both France and Great Britain granted each other a reciprocal right of search to their cruisers off the West Coast so as to suppress the traffic.[5] In order to obtain a land base where their vessels could obtain supplies, the French made a treaty in 1839 with King Denis, one of the chiefs who ruled over the left bank of the Gaboon River, who ceded two pieces of territory upon which the French could erect batteries and fortifications.[6] Three years later, King Louis, a chief on the right bank, made a similar cession.[7]

Following these isolated treaties, M. Bouet, the Governor of Senegal, made a general treaty with the various chiefs of Gaboon in which they conceded to His Majesty, King of the French, "full and entire" sovereignty over the Gaboon River and the land which it bathed.[8] In 1849, the French founded the city having the symbolic name of Libreville, now the capital of Gaboon, which they originally settled with slaves captured by the French cruiser from the slaver, *Elisia*.[9]

Between 1842 and 1862, French officials made a large number of

[4] Cf. p. 227, Vol. II, for the reasons.

[5] De. Clercq, *Recueil des Traités,* Vol. 4, pp. 147, 226.

[6] Treaty of February 9, 1839; *ibid.,* p. 445.

[7] Treaty of March 18, 1842. In 1845, King Glass ceded certain rights; cf. De Card, *Les Traités de Protectorat,* Paris, 1897, p. 83.

[8] *Ibid.*

[9] F. Rouget, *L'Expansion Coloniale au Congo français,* Paris, 1906, 2nd edition, p. 14.

treaties with other chiefs extending France's authority along the coast. Meanwhile, a few adventuresome individuals explored the valley of the Ogowe and other parts of the interior, one of these being the American hunter (of French origin) Paul du Chaillu, as well as American missionaries.[10] Beginning in 1875, Savorgnan de Brazza made several voyages up the Ogowe and the Alima in which he learned that, while the French could not reach the interior of Africa by this route, they could reach the Congo. In the course of these journeys, he signed treaties with chiefs in which they accepted French protection. One of the most important treaties he made in 1880 with representatives of King Makoko, king of the Batekés, who ruled over a state dating back to the fifteenth century.[11] In this treaty the chief submitted the states under his control to French protection.

Following the ratification of Brazza's treaty with Makoko, the French section of the International Africa Association,[12] placed in the hands of the French Government the stations which it had occupied along the Congo. The French Government now appointed as commissioner-general, M. Brazza. He soon occupied not only the right bank of the Congo, but the village of Kinshasa on the other side of Stanleypool, over which the vassals of Makoko ruled. The city of Brazzaville, the capital of Equatorial Africa, was founded in 1880. The left bank of the Congo was finally surrendered to Leopold II as a result of negotiation.[13]

In 1883, the king of Loango signed a treaty placing his country under the suzerainty and protection of France. In return the French recognized that the chiefs and people "retained the full property of their lands" except for Indian Point, which was ceded to the French Government.

In 1887, the French made a treaty with the chiefs of Mobendjellé who accepted the protection of France, while France recognized that the chiefs and the natives maintained their property in the land.

In 1888, the chiefs of the Mindong and of Kaléton likewise accepted French protection. The treaty provided that no Frenchman nor foreigner could purchase land in the region without permission of the French Government. The latter received the sole right of exploiting the mines of the territory. "The French Government undertook to respect and to make observed the laws and customs of the country insofar as they are not contrary to humanity."

[10] Cf. Vol. II, p. 69.

[11] P. Savorgnan de Brazza, *Conference et Lettres,* Paris, 1887, p. 157. For the negotiation and text of this treaty, cf. *ibid.,* pp. 155 ff. Unlike most of the treaties establishing colonial protectorates, his treaty was approved by Parliament; on November 30, 1882, it voted a law authorizing the president to ratify the treaty. *Bulletin des Lois,* 1882, Vol. 25, p. 1693.

[12] Cf. Vol. II, p. 415.

[13] Cf. Vol. II, p. 417.

In 1891, the French Government made a treaty with M'Popko, placing his villages and territories under French protection.[14]

As a result of the Conference of Berlin, which laid down the rule of effective occupation, the French Government felt obliged to redouble its energies in occupying the interior. This sudden spurt of energy, after allowing the Gaboon to lie dormant for thirty years, was also due to the desire to retrieve part of the prestige lost in the German War of 1871.

Following the Sangha and Ubangi Rivers, French expeditions soon occupied the territory now called Ubangi-Shari. Apparently having a desire to subjugate the whole of Africa north of the equator, the French Government also organized expeditions directed toward the Nile and Lake Chad. In 1897, the Marchand-Liotard expedition moved north and occupied the region of Bahr-el-Ghazal, where it expected to receive reinforcements of Abyssinian troops, marching overland, under the command of French Officers.[15] But instead of encountering Abyssinians, the Marchand mission at Fashoda met a detachment of British troops under Kitchener, which led to a tense situation, as a result of which the French finally withdrew from the Nile Valley.

As early as 1889, the explorer Crampel negotiated a number of treaties with the tribes in the vicinity of Lake Chad, in the hope of uniting the French territory of Algeria, West Africa, and the Congo into a vast African empire, of which the swampy shores of Lake Chad would be the center. The hope of controlling the territory west of the Lake was dashed by England who in 1890 obliged France to recognize that the boundaries of northern Nigeria extended to the Lake, and by Germany who in 1894 obliged France to agree also to the extension of the northern frontier of the German Cameroons to Lake Chad.

Confined to the eastern shore of the Lake, the French Government now proceeded to occupy the territory at that time under Rabah's domination.[15-16] In 1897, the Gentil mission descended the Nana and Shari Rivers, until it entered into the heart of Rabah's country. Gentil found that in terror of this despot, the Baguirmi and other people had fled from their homes to the north, and that Rabah had also driven out the ruler of Bornu. Grateful for outside assistance, the Sultan of Baguirmi signed a treaty with Gentil in 1897 accepting French protection and agreeing to supply French troops with food and not to attack the pagan peoples of the Shari. The treaty recognized that he had complete autonomy over his people.

Gentil now established a Resident at the capital of Baguirmi, and spent

[14] For the texts, cf. de Carde, *cited,* pp. 182 ff.

[15-16] Rouget, *cited,* p. 127.

the next several years in bloody fighting with Rabah, who was believed to have an army of forty thousand men, of whom twelve thousand were armed with rifles. Supported by the arrival of two other French expeditions, one coming from Algeria, and the other from the Sudan, Gentil's troops defeated Rabah in April, 1900.[17] In the course of the conflict, Rabah was killed as well as the French officer, Commander Lamy. In September, 1900, the French organized the Military Territory of the Chad. Its native policy is best typified by the treaties which it made with the Sultan of Baguirmi, which will now be discussed.

3. *The Baguirmi*

In 1903, the French made a new agreement with the Sultan obliging him to renounce the right to levy slaves upon a number of vassal tribes and to abandon his claims to the left bank of the Shari. In return, he received from the French Government a hundred horses, a hundred head of cattle, and a thousand *thalers*.[18] This agreement was renewed in 1906 by Lieutenant-Colonel Gouraud who granted the Sultan an indemnity of ten thousand francs in recognition of his sacrifice in suppressing the slave trade and abandoning to France part of his territory. A final treaty was made on May 21, 1912, which defined the system of administration.[19]

The Baguirmi continued to be ruled directly by the Sultan under the control of the French district head. But pagan areas, formerly under the Sultan, were now administered directly by the French. The agreement of 1912 stipulated that the Sultan could collect a thaler from every adult one-half of which he could retain, plus the *zaka* or tithe in millet. In addition, he collected one thaler per house, one quarter of which went to the *adjaouids* or ministers. In 1912, the total revenue of the Sultan from these taxes and other sources amounted to about 120,000 francs.[20] The only share in the tax to which the French were entitled was one-fourth of the cattle tax, five horses, and a minimum payment of 6750 francs fixed by a 1906 agreement, which represented former charges in kind which the sultan agreed to pay in return for military protection.[21] For a time, the native cadis were allowed to hear cases in certain minor crimes,

[17] The story of this campaign is told by Émile Gentil, *La Chute de l'Empire de Rabah,* Paris, 1902; cf. also G. Dujarric, *La Vie du Sultan Rabah,* Paris, 1902; and M. F. Von Oppenheim, *Rabeh und das Tschadseegebiet,* Berlin, 1902.

[18] An Austrian coin which for many years was the currency in this part of Africa.

[19] Devallée, "Le Baghirmi," *Bulletin de la Société des Recherches Congolaises,* Brazzaville, No. 7, 1925, pp. 3-76.

[20] *Ibid.,* p. 67.

[21] A convention of March 19, 1911, between the sultan and the government fixed a limit to the rents due him from certain chiefs. Thus the chief of Oudjar must pay him a hundred sheep, a hundred mats, and six hundred francs in place of a hundred dogs.

subject to appeal to the head cadi of Baguirmi, under the control of the French district head. The cadis were paid by the local budget. In addition, they collected fees amounting to ten per cent of the value of the object under litigation. Justice was administered in the name of the sultan. Between 1909 and 1915, this policy of ruling what M. Gentil regarded as the pivotal territory in the Chad region was followed. But toward the end of this period, the French Administration adopted a policy of cutting down the powers of the sultan on the ground that he was becoming unruly and was not living up to his obligations. Moreover, his exactions proved burdensome to his people.

By 1915, the military position of the French in the area had become so secure that they felt they could administer the territory without the Sultan of Baguirmi's aid. The previous policy had been followed by military officers. Consequently, when a civil régime was substituted in 1915 for the former military administration, which had followed the policy of Indirect Rule, a change was instituted. The first civil governor, Governor Merllit, according to a French administrator, "did not hesitate to overturn former decisions, at the risk of making our old ally discontented, in order to establish more order and regularity in the internal administration of Baguirmi." [22] He deprived the Sultan of the duty of collecting taxes and reduced his revenues to sixty thousand francs a year. Moreover, the administrator deprived the cadis' court of jurisdiction over all criminal cases. As a result, the Sultan lost the court fees which he had formerly received.

When the Sultan Gaourang died, in 1918, he was succeeded by his eldest son, Abd El Kader, to whom the government paid an annual sum of 36,000 francs.[23] At the present time, the government collects the head tax from the Baguirmi as from other natives in Equatorial Africa.

It is thus evident that during a period of military unrest, the French Administration followed the policy of indirect rule over the Sultan of Baguirmi down to 1915. Having pacified the country, it commenced to introduce a policy of direct administration. Apparently its tolerance of native institutions was not, therefore, due to conviction, but to opportunism.

The same policy seems to have been followed toward the native states in the Congo and Gaboon, which have now disappeared, not only because of the native policy of the French Government, but also because of the economic conditions in Equatorial Africa, which later will be discussed.

[22] Devallée, *Bulletin de la Société des Recherches Congolaises, cited,* p. 69.
[23] The 1924 Estimates, Tchad, p. 5, provided for the payment of 39,600 francs to the family of the ex-sultan Gaourang, and 14,400 to the Sultan Doudmourrah.

CHAPTER 71

ADMINISTRATION

It was one thing to conquer native tyrants and to keep out scheming European powers. But it was quite another matter to organize an administration which would not only be financially self-supporting but which would open this part of Africa to trade, and would advance the welfare of the native population.

1. *The Federation*

Since de Brazza's time, the responsibility for the administration of an area nearly as large as the Belgian Congo[1] had been placed in the hands of a Commissioner-General.

In 1902, the government divided the French Congo into two main regions, the first of which was in the Lower Congo and the Gaboon—territory already occupied where concessions had been granted. The second was north of the basin of the Congo extending to the Chad, and had not as yet been pacified. The first region was placed under a Commissioner-general stationed at Libreville, with a delegate at Brazzaville. The Chad district, ceasing for the time being to be a military territory, was simply placed under an administrator.[2]

Because of the slowness of communication between one end of the territory and the other, the French Government in 1905 attempted to bring about a further measure of decentralization. At that time, it divided the territory into four regions according to geographic location and the river system in which each was found. These regions were the Gaboon, the Middle Congo, the Ubangi-Shari, and the Chad. Of these four regions the Middle Congo and the Ubangi-Shari areas are included in the conventional basin of the Congo; while most of the Gaboon and the Chad territory fall outside this basin. The Commissioner-General was now moved to Brazzaville, the present capital of the Federation of French Equatorial Africa. He personally administered all of these regions except the Gaboon where a Lieutenant-Governor was stationed. The Commis-

[1] The areas are 2,256,700 and 2,350,000 square kilometers respectively.

[2] Cf. Decree of July 5, 1902, Dareste, *Recueil de Législation de Doctrine & de Jurisprudence.* (Hereafter cited as *Recueil.*) 1902, p. 242.

sioner-General was represented by a permanent delegate in Ubangi-Shari and by a military commandant in the Chad area. The budget of the Middle Congo contained separate sections for the Ubangi-Shari and Chad; while the Gaboon had a budget of its own.[3]

Despite the decentralizing tendencies of this decree, Brazzaville continued to dominate the territory. Orders took weeks to go from one part of the colony to another; the telegraph between Brazzaville and Libreville was often broken, while no telegraphic communications existed between Brazzaville and Bangui. The régime was also marked by instability. Ten administrators succeeded each other at Brazzaville within the course of two years; between June, 1904 and 1905, there were seven different *chefs de poste* at Cape-Lopez.

The whole history of Equatorial Africa has in fact been marked by instability and confusion. The reporter on the colonial budget to the Chamber in 1925 said, "One of the principal obstacles to our action in French Equatorial Africa—as in other colonies—is the administrative instability of personnel of every grade. This situation is fatal as much because of the incessant changes which it causes as of the expenses which it occasions."[4]

In an attempt to overcome these features of over-centralization and instability, the French Government issued decrees in 1906 and 1908 making certain changes. In 1910, it enacted another decree establishing a type of federation somewhat similar to that established two years earlier in French West Africa, and which remains in force to-day.[5] At present French Equatorial Africa is administered by a Governor-General assisted by Lieutenant-Governors of the colonies of the Gaboon, Middle Congo, the Ubangi-Shari, and Chad. In 1925, the duties of the Lieutenant-Governor of the Middle Congo were assumed by the Governor-General—a measure of economy.

At present, the territory contains thirty-six districts and one hundred and thirty-eight "subdivisions" each presided over by an administrative official. Each colony has a budget and, except Chad, receives a subvention from the general budget of the territory. It would appear that despite the great difficulties of communication, the Government of Equatorial Africa is more centralized than the Government of West Africa.

[3] Decree of December 29, 1903, applied July 1, 1905; *Recueil*, 1904, p. 151.

[4] M. Archimbaud, *Rapport du Budget Général, Ministère des Colonies*, 1925, *Chambre des Députés*, No. 518, p. 356. The same opinion was expressed by G. Bruel in *Afrique Equatoriale Française*, p. 468.

[5] Decrees of February 11, 1906; *Recueil*, 1906, p. 105; June 26, 1908, *ibid.*, 1908, *ibid.*, 1908, p. 430; January 15, 1910, *ibid.*, 1910, p. 144.

2. *Lack of Personnel*

In the early years, the government did little to administer this vast empire. As late as 1908, it had established administrative posts covering only 26 per cent of the territory.[6] The remainder of the country remained much as it was before the French annexation. As a result of the outcry against the concession régime and of the loan of 1909, the administration increased its efforts so that by 1912 60 per cent of the territory was actually occupied, and about 20 per cent more was under French influence. The government likewise increased the number of troops from 3,400 in 1908 to 7,200 in 1912, the number of administrative districts from 17 to 59, and the personnel from 107 to 273. The hut tax increased during the same period from 1,329,000 francs to 3,700,000 francs. In the administration of much of the territory the French at first resorted to military rule. A company would be assigned to a district over which the Commandant would act as administrator. The Chad remained a military territory down until 1915. In 1913, twenty-five out of the forty-nine districts, and ninety-three out of the one hundred and sixty-four subdivisions were under military control.[7] One advantage of this system is that the cost of military administration is borne by the French budget at home, while the cost of civil administration is a charge on the colony. Military districts in Equatorial Africa are slowly being abolished. None remain to-day in the Ubangi-Shari or the Middle Congo; and there is only one in the Gaboon. A large number still exist, however, in the Chad.

The World War, following the cession of part of Equatorial Africa to Germany, caused a setback. The number of functionaries in the territory in 1923 was only three hundred and ninety-five in comparison with four hundred and ninety-five in 1914—a reduction of about 20 per cent.[8]

According to a report to the Senate in 1924, certain services, such as the Land and Titles Office, have been abandoned; the Customs Department is understaffed to such an extent that revenue is lost; two-thirds of the magistrates are absent; and certain posts of "justices of the peace having extended competence" have never been filled. In the meanwhile, administrative officials exercise these duties. "For a long time education has remained nearly inexistant and even now hardly shows any results. Public works have been reduced to almost nothing. The maintenance of buildings has been scarcely secured. The system of roads is nil or nearly nil. The buoys which once charted the Ubangi River have nearly all

[6] *Emprunt de l'Afrique Équatoriale Française,* Gouvernement général de l'Afrique Équatoriale Française (a prospectus), Paris, 1913, p. 11.

[7] Bruel, *cited,* p. 475.

[8] Lebrun, *Rapport du budget général, Ministère des Colonies,* 1926, Sénat, No 155, p. 103.

disappeared. For two years, an ordinary administrative officer has been head of the Customs Service; another administrator has been head of the Service of Mines; while others have been land registration officers.[9]

In his address to the Council of Government in December, 1926, the Governor-General stated, "We badly perform in A. E. F. these numerous duties. Our skeleton personnel does not allow us to occupy the territory sufficiently and to fulfil all of our duties toward the native population. Out of 263 posts provided for,—and one must remember that the 'A. E. F.' is four times the size of France, to show how feeble this figure is, 112 are unoccupied. The same insufficiency is found in every service. We have only one Receiver of Registration although five are necessary; 35 custom officials in place of 52, and our receipts reflect this condition; 32 doctors in place of fifty; and not a veterinary officer.[10]

The expenditures on agriculture, medicine, education and native welfare generally in French Equatorial Africa in 1924 are as follows:

NATIVE WELFARE EXPENDITURES IN FRENCH EQUATORIAL AFRICA
1924

	Expenditures		Per Hundred	Per cent of[1] Total Expenditures
	Fr.	£	£	%
Agriculture	228,376	2,283.76	.080	.88
Medical	2,494,065	24,940.65	.875	9.62
Education	441,801	4,418.01	.155	1.70
TOTAL	3,164,242	31,642.42	1.110	12.20[2]

[1] Based upon the total ordinary expenditures of 25,930,000 francs.
[2] Source: *Budget Général,* 1924. This is the latest budget which the writer was able to obtain.

[9] Lebrun, *cited,* p. 104.

The evils of placing responsibility in the hands of native soldiers, which is sometimes the result of an under-staffed European personnel, is shown by the following passage by a French traveller:

"Le 21 Octobre dernier (1925) . . . le sergent Yemba fut envoyé par l'Administrateur de Boda à Bodembéré pour exercer des sanctions contre des habitants de village. Ceux-ci avaient refusé d'obtempérer à l'ordre de transporter leurs gîtes sur la route de Carnot, désireux de n' abandonner point leurs cultures. . . .

"Le sergent Yemba quitta donc Boda avec trois gardes. . . . Arrivés a Bodembéré, les sanctions commencèrent: on attacha douze hommes à des arbres, tandis qui le chef du village un nommé Cobelé prenait la fuite. Le sergent Yemba et le garde Bonjo tirèrent sur les douze hommes ligotés et les tuérent. Il y eût ensuite, grande massacre de femmes, qui Yemba frappait avec une machette. Puis s'étant emparé de cinq enfants en bas âge, il enferma ceux-ci dans une case à laquelle il fit mettre le feu. Il y eût en tout, nous dit Samba N'Goto, trente-deux victimes." A. Gide, "Voyage au Congo," *Nouvelle Revue Française,* January, 1927, p. 23. This article states that despite the law against women performing prestations, they are still obliged to work on the roads. *Ibid.,* pp. 25, 30.

[10] Discours de M. Antonetti au Conseil de gouvernement, *Afrique Française,* January, 1927, Renseignements Coloniaux, No. 1, p. 25.

While the percentage of medical expenditure[11] is unusually high, on account of sleeping sickness work, the percentage of expenditure upon agriculture and education is very low, and the per capita expenditure upon all of these subjects is only one-third of the per capita native welfare expenditure in French West Africa. In Equatorial Africa, 12.20 per cent of the total expenditures go to native welfare in contrast to 12.45 per cent in West Africa.

3. *Revenue and Trade*

Native welfare expenditures in Equatorial Africa are not higher because of the administrative deficit which the colony has faced almost annually since its creation. Between 1918 and 1923 the colonies and general government in the Federation of Equatorial Africa ran up a deficit of thirty-two million francs. Almost every year this deficit has been made good by a subsidy from the home government. In 1912, this subsidy amounted to 1,532,000 francs out of total receipts amounting to 6,188,000 francs.[12] Between 1918 and 1924, the French Government paid to Equatorial Africa a total of 39,930,000 francs, of which 14,730,000 francs was for service on loans, 18,000,000 francs for ordinary administrative expenses, and 5,100,000 francs for the fight against sleeping sickness.

The general budget for 1924 showed estimated receipts of 14,730,000 francs, and the local budgets of the four colonies showed resources of 16,330,000 francs. But of the 14,730,000 francs in the general budget, 9,100,000 francs or two-thirds came from subsidies of the home government and from the Chad Colony. The home government advanced four million francs which were divided between the Brazzaville Government and the three colonial governments for administrative purposes. It also advanced one million francs for sleeping sickness work and about 3,500,000 francs to pay interest on loans. The Chad Colony paid out of its resources a subsidy of 620,000 francs to the Brazzaville Government. Alone of the four colonies in the Federation, the Chad showed a balanced budget, partly because many of its districts were under military rule, the expense of which was borne by the home government. In 1924 neither the federal nor the colonial governments had a reserve. The three colonies obtained a subsidy of 2,680,000 francs which left a revenue actually originating in the colonies amounting to 13,650,000 francs plus 14,720,000 francs of productive revenue which the federal government raises largely from customs. Excluding all subsidies, the total revenue raised from within Equatorial Africa in 1924 was estimated to be about 18,650,000 francs in comparison with a yield in the same year of 195,000,000 francs in the

[11] These figures are for both the general and the local budgets.
[12] Bruel, *cited*, p. 490.

Belgian Congo,[13] and of 21,000,000 francs in French Togo having a population of only 748,000 people.

Between 1924 and 1926 the financial situation in Equatorial Africa considerably improved. The situation in regard to the general budget as distinct from the budgets of the four colonies, is as follows:

GENERAL BUDGET

Estimates	Receipts from within Colony	Subventions from the State	Total
1924	4,980,000	6,000,000	10,900,000
1925	7,750,000	4,000,000	11,750,000
1926	17,631,967.50	1,500,000	19,131,967.50
1927	20,090,157.50	....	20,090,157.50

The Government of Equatorial Africa, while it has been desirous of accepting financial aid for the construction of the Brazzaville-Point Noir Railway, has not wished to accept, any longer than necessary, a subsidy from the home government for ordinary administrative expenses. Consequently the subvention from home for this purpose was reduced in 1926 and came to an end in 1927. Moreover, in 1927 the Equatorial Africa budget also paid to the home government out of its local receipts the sum of 1,674,790 francs as interest on loans.[14]

Whether in view of the critical situation of Equatorial Africa, the local government has been wise in abruptly terminating the aid of the home government, is doubtful. In defending this policy, the Governor-General of Equatorial Africa has said that he is not only the representative of the Colony but also of France. "His duty is to conciliate equitably the interest of the Home Country and that of the Colony when they are divergent." Nevertheless, a budget of 20,000,000 francs, even if one includes the 30,080,000 francs obtained from the local budgets,[15] is low; and there is a danger that if sentiment in France is against a subvention for administrative purposes, the local administration will attempt to make a financial record by cutting down expenditures and by increasing native taxes, rather than to build a system which will bring about sound native development.

[13] This excludes the advance of fifteen million francs from the home government.

[14] Discours de M. Antonetti au Conseil de gouvernement, Decembre 1926, *Afrique Française,* January 1927, Renseignements Coloniaux No. 1, p. 33.

[15] The resources of the local budgets have increased as follows:

Local Budgets

	1924	1925	1926	1927
Gaboòn	2,330,000	3,510,000	6,749,000	9,220,000
Moyen-Congo	4,180,000	5,738,000	7,862,000	11,785,000
Ubangi-Shari	3,090,000	3,700,000	8,878,080	11,175,000
Chad	4,050,000	5,550,000	5,331,070	6,900,000
Total	13,650,000	18,298,000	28,620,160	30,080,000

In order to finance the local budget, each colony within the Federation must rely upon local native taxes. While the rate is somewhat lower than the rate in the Belgian Congo,[16] the absence of transport and of the possibility of selling produce in the open market, because of the concession system, makes the tax burden upon the native excessive. The reporter on the colonial budget in the Chamber in 1925 said, "The local governments have been obliged, in order to balance their budgets, to increase their resources by increasing the capitation tax which has brought about abuses without number. This collection of taxes '*à toute force*' which is the nightmare of every grade of official, where promotion often depends upon it, has had grave consequences. In certain regions, already subject to the ravages of porterage and the insufficient nourishment of the natives, it has caused veritable disaster." [17]

The country is rich in raw materials, of which rubber is the most important in the interior and is now being cultivated on some plantations. Wood products, coming from the forests of the Gaboon, constitute another important export. Cocoa and coffee may easily be grown. Copper is exploited in the Minduli mines, and it is believed that there are rich minerals in the region west of Brazzaville. Despite the abundance of raw materials, the commercial position of Equatorial Africa has been as depressing as her financial position. In 1924, the total exports of the territory amounted to 53,756,332 francs as follows:

Gaboon	21,099,036	francs
Middle Congo	15,052,954	"
Ubangi-Shari	15,052,364	"
Chad	2,551,978	"
Total	53,756,332	"[1]

[1] In 1925, total exports were 66,969,700 francs, and imports were 88,826,963.

The total trade of Equatorial Africa in 1925 compared with other territories was as follows:

1925

Colony	*Total Trade* Fr.	*Per Capita* Fr.
Equatorial Africa	155,696,663	54.6
Togo	137,895,285	184.4
Cameroons	239,171,367	86.3
Ivory Coast	223,261,888	144.3
Dahomey	237,161,833	280.3
Senegal	1,287,848,617	1050.7

[16] In the Chad Colony, the combined tax for a man and woman is about six francs. In the Middle Congo, the rate is much higher, ranging from 3.50 to 15 francs per head. If taxes are collected upon women and children, the incidence is very high. In the Gaboon, the rate is about the same as that in the Middle Congo.

[17] Archimbaud, *Rapport,* No. 518, *cited.* p. 358.

The trade of Equatorial Africa over a period of years is as follows:

Year	*Imports* Fr.	*Exports* Fr.	*Total*
1900	10,496,363	7,539,515	18,035,878
1910	13,190,677	24,630,872	37,821,549
1913	21,181,768	36,665,037	57,846,805
1914	11,224,710	16,722,503	27,947,213
1923	32,420,274	23,039,276	55,459,550
1924	47,020,355	44,216,246	91,236,601 [1]
1925	88,969,700	66,969,700	155,696,663

[1] *Renseignements Généraux sur le Commerce des Colonies françaises et la Navigation en 1924,* p. 38.

Inasmuch as the franc is worth in gold only one-fifth of the franc in 1913, it appears that the trade of Equatorial Africa in 1925 is only half of the trade before the War.[18]

4. *Population*

What is even more disturbing than this moribund economic and financial condition is the fact that the native population of Equatorial Africa has considerably declined. In 1900, the population of the French Congo was estimated to be between twelve and fifteen million.[19] In 1910, more uncertainty in regard to the population was expressed. *The Statesman's Year-Book* said it ranged from five to fifteen million.[20] In 1913, a semi-official writer put it between 4,950,000 and 6,000,000. Other writers placed it at nine millions at that time.[21] When the 1921 census was taken, the following figures were the results:

AREA AND POPULATION OF FRENCH EQUATORIAL AFRICA, 1921.

Colony	Area in Sq. Kilometers	Population			Population Density
		White	Native	Total	
Gaboon	274,870	623	388,778	389,401	1.5
Middle Congo	240,000	769	581,143	581,912	2.4
Ubangi-Shari	493,000	261	607,644	607,644	1.2
Chad	1,248,000	279	1,271,465	1,271,465	1.
Total	2,255,870	1,932	2,849,030	2,850,422	1.5

[18] In the first nine months of 1926 the trade of Equatorial Africa was 202,132,337 francs.

[19] *Statesman's Year-Book,* 1900, p. 526.

[20] *Ibid.,* 1910, p. 796.

[21] Bruel, *cited,* p. 353. V. Augagneur, "Le mouvement de la population en Afrique Équatoriale Française, Influence de la maladie du sommeil," *Revue d'Hygiene,* Vol. 46 (1921) p. 511.

Administrative officials believed that this remarkably low figure was an under-estimate. In 1926, the Governor-General declared that the population of Equatorial Africa was 3,124,172.[22] Accepting this figure as approximately correct, the population density of Equatorial Africa is 2.2 per square mile which is the smallest in central Africa. While undoubtedly the original estimates of the population of the territory were too high, there is practically unanimous opinion that the population has declined since the European occupation.[23]

The reasons attributed for this state of affairs include alcoholism, which has especially ravaged the Gaboon, and under-nourishment—the fact that natives do not, as a rule, eat enough food. M. Victor Augagneur, former Governor-General of Equatorial Africa, himself a doctor, says, that the fruits and vegetables which now constitute native food did not originate in Africa but were brought by Europeans. Before the European discovery of the West Coast of Africa, the natives lived largely on fish, roots and the fruits of the forest. They cultivated no crops. The result was that "chronic starvation prevailed everywhere on the African equator, and it would still prevail if the administrative authorities relented in their efforts to oblige an improvident native population to grow their own food. A famished population does not multiply itself, because fecundity is incompatible with insufficient nourishment and because mortality is considerable. The famines which until recently have ravaged Africa have brought about the death of thousands by starvation and they would reappear if the Administration were less exacting."[24]

Other doctors have collected statistics according to which the death rate in a number of native villages in the Gaboon, unvisited by epidemics, for 1917 was 166 per thousand and in 1918, 76 per thousand. In another group of thirty villages, where sleeping sickness was seldom seen, the rate was 175 per thousand.[25] Out of thirty-five family chiefs who had a

[22] Discours de M. Antonetti, au Conseil de gouvernment, *Afrique Française,* January, 1927, Renseignement Coloniaux No. 1, p. 34.

[23] Apparently, the only authority which has taken an opposite view is V. Augagneur, formerly the Governor-General of Equatorial Africa, "Le Mouvement de la population en Afrique Équatoriale Française. Influence de la maladie du sommeil," *Revue d'Hygiene, cited.* He declared that early estimates were exaggerated. "Cette exageration des réalités n'est pas rare dans l'histoire coloniale et n'a pas porte uniquement sur le nombre des habitants. Chaque explorateur tend à grossir l'importance du pays qu'il a reconnu, et parfois donné à sa mere patrie. Des régions de valeur mediocre se transforment en eldorados, des bourgades deviennent des villes. . . ." The European occupation, in his opinion, was responsible only for an extension of sleeping sickness, cf. Vol. II, p. 263.

[24] "Mouvement de la Population en Afrique Équatoriale," *Revue d'Hygiene, cited,* p. 542.

[25] Dr. Georgelin, "Notes Médicales sur le Gabon," *Annales de Médecine et de Pharmacie Coloniales,* Vol. 18 (1920), p. 58.

total of one hundred and fifty-four wives, there were 189 children. But half of the wives—seventy-seven—had no children at all.[26]

Commenting on these figures, a French doctor states that the depopulation in the Gaboon is caused partly by the lack of nourishment. He says that "in general the native eats little and especially does he eat badly. The composition of his habitual ration is defective; it is lacking in albuminous materials and notably in fats. Inclined to laziness, thoughtless and improvident, the native becomes used to privation." He declared that unless the government acts in intensifying food production and in furnishing medical assistance "the disappearance of these native races is only a question of time." [27]

The editor of the *Revue Indigène* recently stated that, in Equatorial Africa slow depopulation, economic stagnation, and colonial regression had taken place. "Submitted to a tax which from year to year becomes heavier because of its rate and because of the greater difficulty in gathering the products with which to pay it, and abandoned to himself . . . the native has lost all force of reaction against the causes of loss which he cannot analyze." There is a saying in the Gaboon, "They have not all died, but they all are stricken." [28]

This article declared that two thousand natives recently died in the Gaboon of under-nourishment, and that the administration did nothing to help them.

Such a depressing state of affairs, administrative and economic regression, and a dwindling or at least moribund population, is due in addition to under-nourishment, to three main causes not so far mentioned: the concession system, the absence of transport and communication facilities, and sleeping sickness.

[26] This condition may partly be due to large-scale polygamy, cf. Vol. II, p. 573.
[27] Dr. Georgelin, *cited.*
[28] P. Boudarie, "Propos de Politique Coloniale," *Revue Indigène,* 1925, p. 22.

CHAPTER 72

THE CONCESSIONS SYSTEM

1. *Origins*

HAVING occupied the Lower Congo by pacific means rather than by conquest, the French Government in 1890 did not properly appreciate the necessity of effectively administering the territory. Financial difficulties prevented a policy of government development. Meanwhile traders, particularly the English, had entered the country. At this time, two-thirds of the merchandise imported into the French Congo came from foreign sources, while four-fifths of the exports were directed to foreign ports. Trade was no greater in 1898 than in 1894. The budget of the territory relied upon parliament to pay an annual deficit.

THE FINANCIAL SITUATION IN FRENCH EQUATORIAL AFRICA, 1893-98

Year	*Local Receipts*	*Subvention*	*Total*
1893	1,100,596	1,292,250	2,392,846
1894	1,289,946	1,390,300	2,680,246
1895	1,700,146	1,390,400	3,090,546
1896	1,571,293	2,550,324	4,121,617
1897	1,273,546	3,928,120	5,201,566
1898	2,465,691	2,961,120	5,426,691 [1]

The government could not, however, impose discriminatory tariffs against foreign trade because of the Act of Berlin which applied to all Equatorial Africa except the Gaboon. To accomplish the same end by an indirect means and invoking the same legal arguments which King Leopold II employed, it adopted the concession régime. It was stimulated to take such action by the request of Colonel Thys, a leading Belgian industrialist, already deeply interested in the Free State,[2] for concessions in the French Congo. In 1891, M. Étienne, Under-Secretary of State, drafted a decree designed to create large colonization companies which should receive exclusive economic and political rights over vast areas of land. They would not be obliged to pay any rent to the State. This proposal

[1] *Rapport d'Ensemble sur les Opérations des Sociétés Concessionnaires 1899-1904,* Union Congolaise Française, Paris, 1906, p. 10.
[2] Cf. Vol. II, p. 421.

was discussed for several months in parliament. A new Under-Secretary of State for the Colonies, M. Delcassé, did not wait for parliamentary action on the matter, but in 1893 secretly enacted decrees granting vast concessions to individuals in the Congo and the Ivory Coast. One such concession, covering eleven million hectares, was granted to Daumas and Company which became the *Société du Haut-Ogooué* in the Upper-Ogowe. For thirty years, this company could have the complete enjoyment of the wild produce of this area without being obliged to pay any rent to the State. Another decree granted to M. Verdier, in behalf of what later became the *Compagnie Française de Kong,* a monopoly of the forests in an important part of the Ivory Coast. When these concessions became known, the outcry was so great that in 1895 and 1896 the government revoked these concessions. Deprived of their interests, the companies appealed to the French Council of State which decided that these annulments by ministerial action were illegal.[3] Following this decision, the government negotiated with the companies for the abandonment of their rights. M. Verdier consented to surrender his concession in return for three thousand hectares of land and an indemnity of two million francs, payable in annuities of one hundred and twenty-five thousand francs. The French Government imposed this indemnity upon the Government of the Ivory Coast even though the latter government had opposed the granting of the concession. The *Société du Haut-Ogooué* received a freehold over three hundred thousand to four hundred thousand hectares; and a deduction of 50 per cent in export duties upon its produce. The successs of these companies in securing this compensation encouraged the financial groups in Paris to demand new concessions, if of a different type, from the government.

2. *The 1899 Concessions*

Their efforts, together with those of Leopold II of Belgium, succeeded in getting the Minister of Colonies to appoint an Administrative Commission of Concessions in July, 1898, to study the terms upon which concessions should be granted. Between March and July, 1899, the Minister of Colonies granted forty concessions in the French Congo. The French Government justified this policy because of the necessity of finding revenue for the French Congo to take the place of the home subsidy which had just been reduced from two million to five hundred thousand francs. Each concession company was obliged to pay to the government rent for its land, as well as 15 per cent of the profits realized.

[3] Sieur Verdier et Compagnie Française de Kong c. Ministre des Colonies. *Recueil des Arrêts du Conseil d'État,* 1897, p. 194.

The total capital of the forty companies which received these concessions was 59,225,000 francs and the annual rent which they paid in to the government during the first five years was 264,850 francs. This rent doubled between the eleventh and the thirtieth year. The average rate of the rent was less than one per cent of the value of the capital.[4]

According to some estimates, five-sixths of the total capital of these concessionaire companies came from Belgium.[5] The forty concessions were divided as follows:

	Number	*Square Kilometers*
Gaboon	9	81,950
Lower Congo	5	79,400
Basin of the Sangha	13	151,890
Lower Ubangi	11	202,300
Upper Ubangi	1	140,000
Basin of the Chad	1	10,000
Total	40	665,540[6]

This territory, which covered about a third of the French Congo, was a little larger than France.

Certain lands were, however, excluded from the general scope of these grants, such as the lands upon which third parties had acquired rights, those upon which certain government posts were established, and those reserved for natives.

The largest concession—covering one hundred and forty thousand square kilometers—was granted to the *Société des Sultanats du Haut-Oubangui.*

For a period of thirty years, each company received the exclusive right of using and exploiting the conceded area,[7] except in regard to the mines. Ministerial instructions provided that in order to prevent ruinous competition, the natives could not sell forest products to traders. "The whole of the products of the soil belong to the concessionaires."[8]

Upon the development of the land in question, the company acquired complete title. Land was considered developed when at least a fifth of its surface was cultivated with such crops as cocoa or rubber; or a tenth of its surface covered with crops such as foodstuffs.[9]

[4] *Rapport d'Ensemble,* p. 29.

[5] F. Challaye, *Le Congo Français, La Question Internationale du Congo,* Paris, 1909, p. 176.

Companies were also obliged to pay a deposit which varied from ten thousand to twenty thousand francs in most cases. J. Massiou, *Les Grandes Concessions au Congo Français,* Paris, 1920, p. 49.

[6] *Rapport d'Ensemble,* p. 19.

[7] "Exercer tous droits de jouissance et d'exploitation."

[8] "Ministerial Instructions," *ibid.,* p. 21.

[9] These obligations are for the most part defined in the *Cahier des Charges,*

In return for these advantages, the company was obliged not only to make a money payment to the French Congo Government, but also to assist in the creation of customs stations and the construction of telegraph lines. It was obliged to maintain river boats which would transport the mail free, and government officials and goods at a reduced rate. The company likewise had to respect the native villages, their customs and religion.[10]

The government appointed a special commissioner to see to it that these concessionaires lived up to their obligations. The companies now devoted themselves almost entirely to the exploitation of rubber and ivory—the same products which existed in the Congo Free State.

In order to gather these wild products and to carry out the conditions of development imposed, the forty concession companies were obliged to rely upon native labor.

3. *Taxes and Labor*

In 1900, the companies called the attention of the government to the necessity of taking measures to organize the labor supply. In their opinion, this end could be obtained only by requiring the native to work, either by direct compulsion or by a head tax.[11]

While the government rejected the first proposal, it decided in favor of a head tax that the natives could pay in products of the soil, which the administration would sell at auction. But the companies declared that the natives could not use the products of the soil for taxes since they belonged, under the terms of the concession, to the companies—a position which ignored the reservation made in Article X of the concession decree in regard to native rights. Nevertheless, the local administration finally ruled in 1902 that the capitation tax, which should be extended throughout the whole of the French Congo, could be paid in kind at a rate not to exceed three francs an individual; the products gathered to pay the tax should be handed over to the company upon whose territory they had been gathered, which should pay a price fixed by a commission of officials [12] and a representative of the concession society. A number of administrators, however, obliged the natives to collect rubber, the value of which was five or ten times the amount of the tax,[13] and allowed the concession companies to keep the difference. The government also profited since the

accompanying the decree-type of June 9, 1899. Each concession contained the same obligations.

[10] *Recueil*, 1900, pp. 54-56.

[11] *Rapport d'Ensemble*, p. 43.

[12] *Arrêté* of February 14, 1902. *Recueil*, 1902, p. 191. This *arrêté* declared that the administrator should make agreements in regard to the taxes with native tribes.

[13] Cf. the debate, *Chambre des Députés*, February 21, 1906, p. 924.

returns from native taxes increased from seventy-one thousand francs in 1902 to four hundred and seventy-two thousand francs in 1905.[14] This system was more drastic than that followed in the Free State[15] which in theory provided that the labor involved in gathering these taxes should be paid. The companies themselves complained that in the absence of payment, the native had no incentive to gather rubber, and that despite efforts at compulsion the administration had great difficulty in collecting the tax. "The native, in fact, far from being incited to labor by the prospect of a gain to be realized, only sees, on the contrary, a vexatious obligation imposed upon him."[16]

Nevertheless, the companies profited personally out of this system of taxation and also out of the forced labor which they at the same time imposed. They found another source of profit in the system of paying natives not in money but in goods, such as cloth, often valued at three hundred to five hundred times its ordinary market value, and in articles for which the natives in many cases had no posssible use.[17]

Following a number of revolts in the Congo, and the protests of public opinion in France and elsewhere, the Minister of Colonies in 1906 ordered the administration to compensate the natives bringing in the rubber tax with a small sum. But this rule was not put into effect. It was only on September 30, 1909, that the Governor-General abolished the rubber tax in favor of a tax in money.[18] Such a tax prevails now generally throughout the territory.

4. *Native Lands*

In many of the treaties by which the French Government acquired its hold in the French Congo, it agreed to respect the power of the chiefs over the land.[19] The concessions granted in 1899 reserved the native lands. These lands were defined in ministerial instructions (May 24, 1899) to include only the areas necessary for the cultivation of foodstuffs.

While European traders could not erect factories on these native reserves, the natives at first could sell the produce gathered in their reserves to such traders.[20] But in September, 1900, the tribunal of Loango ruled that since the reserves had not been delimited, the concessionaire was entitled to all the natural products of the soil, whether coming from native or

[14] *Chambre des Députés, cited,* p. 913.
[15] Cf. Vol. II, p. 429.
[16] *Rapport d'Ensemble, cited,* p. 46.
[17] Challaye, *cited,* p. 186.
[18] Payments in produce may be made under exceptional circumstances. *Recueil,* 1910, p. 849.
[19] Cf. Vol. II, p. 215.
[20] Compagnie du Kouilou-Niari contre X, June 5, 1900, *Jurisprudence de l'État Indépendant du Congo,* edited by G. Touchard and O. Louwers, Brussels, 1905, Vol. I, p. 133.

conceded land.[21] In March, 1901, the government instructed the administrators to delimit these reserves; but they soon declared that this was an impossible task. The only attempt to do this was made along the coast on non-conceded land where three or four hectares of land per head were assigned to the natives of Maru. In 1902, the Minister of Colonies asked the local administration to consider the establishment of native reserves upon the basis of twenty to thirty hectares per inhabitant. But following the protest of the companies that this plan would turn over their entire concessions to the natives, it was abandoned.[22] In 1902, a special commissioner, appointed by the government, concluded that each native should be given two hectares of land and eight hectares of forest for housing, food, and pastoral purposes. He did not believe, however, that a definite delimitation of native reserves was possible.

Nevertheless, the Minister of Colonies notified the Congo Administration that the reserves should be delimited immediately. Consequently, the local administration issued an *arrêté* in 1903 declaring that "in principle" the native reserves should extend over one-tenth of the area of the conceded territory—a provision which was unimportant since no survey was to be made. It went further and provided that the natives should be entitled to receive not more than six per cent of the total production in the area to represent what they would presumably obtain from the reserves should they be delimited. The administrators could determine the amount of produce within this limit of six per cent which each village could sell annually.[23]

By this means, the administration attempted to prevent the natives from poaching upon alienated land—a problem attacked in a different manner through the Tripartite contracts in the Belgian Congo.[24]

The concession companies, organized into an *Association Syndicale des Sociétés Concessionnaires,* declared that this *arrêté* which turned over to the natives six per cent of the produce which had formerly gone into company pockets was illegal on the ground that it handed over to the natives produce guaranteed to the companies in the concession and that the government was obliged to survey the reserves. The question was finally decided by the Council of State in 1907.[25] It declared that while the companies were justified in their contention that reserves had to be actually delimited under the terms of the concession, the case could not be enter-

[21] Hatton et Cookson contre Compagnie Française du Congo Occidental, *ibid.,* Vol. I, p. 139. Cf. Vol. II, p. 239.
[22] *Rapport d'Ensemble,* p. 49.
[23] *Arrêté* of October 9, 1903, *Recueil,* 1904, p. 150.
[24] Cf. Vol. II, p. 527.
[25] *Recueil,* 1907, p. 163.

tained because the *Association Syndicale* did not have the legal capacity to act in the name of the companies.

Nevertheless, the protests of the companies succeeded in preventing the administration from proceeding with the establishment of the reserves. Although the 1903 regulation continues in force, no attempt has been made from that day to this to delimit native reserves, and before 1906 little attempt was made to enforce the provision that the natives could sell six per cent of the products of the territory. Thus the concession régime took away the land from the natives and obliged them to collect rubber for the companies.

5. *Results*

As a result of the operation of the concession régime, trade increased from 13,000,000 francs in 1899 to 21,000,000 francs in 1904. The companies paid in annually to the Congo budget the sum of two hundred and fifty thousand or three hundred thousand francs, which was about a seventh or eighth of the sums derived by the government from the customs. To offset this sum, the Congo budget was obliged to pay as damages to two English firms the sum of one million five hundred thousand francs.[26]

The French companies themselves found the system much less profitable than did the concession companies in the Free State. By 1904, eight of the forty companies had gone out of business. Between 1902 and 1904, the balance sheets of all of these companies showed a total net loss of 9,855,000 francs. It was only in 1904 and the following years that they made a profit.[27]

In order to oblige natives to pay the rubber tax, the administration organized *"tournées pacifiques d'impôt"* which resulted in wholesale abuse. On one such tour, an administrative official accompanied by an agent of a concession company threw fifty-eight women and ten children into an enclosure without air or light, where forty-seven of them died.[28] A number of companies maintained armed guards who forcibly obliged natives to gather rubber, and in some cases shot recalcitrant natives. One writer says that at least fifteen hundred natives were massacred in one conceded area.[29]

In 1904, as a result of exactions, the Bidgris of the Upper Chari killed and ate twenty-seven native traders; the expedition sent to punish them found, stored in native huts, the skulls of these traders filled with rubber. The natives also expressed their discontent by successive revolts in the

[26] Cf. Vol. II, p. 242. [27] *Rapport d'Ensemble,* p. 91. [28] Challaye, *cited,* p. 224.
[29] Challaye, *cited,* p. 194. This book is full of instances of such atrocities. Cf. also Colonial Budget Debate, *Chambre des Députés,* February 20, 21, 1908, pp. 887 ff.

Ogowe, the N'Gounie, the Sangha, the Ibenga, and the Loyaye in which they massacred a number of Europeans in the employ of the companies. The *Union Congolaise,* the association of the companies, protested that full responsibility for this situation rested with the Congo Government. As a result of this protest, the government in 1905 deported chiefs in the Sangha to Brazzaville and fined the villages concerned five tons of ivory. The *Compagnie N'Goko-Sangha* demanded that this ivory be turned over to them on the ground that for the last three years the natives had prevented them from exploiting their holdings.[30]

6. *Protests*

The attention of French opinion was first called to the state of affairs in the Congo in 1903 by what was called the Toqué-Gaud affair. This was a case before the tribunal at Libreville in which two administrators were charged with atrocities in the Upper Shari where they killed a large number of natives.[31] The administrators attempted to justify themselves on the ground that they were obliged to secure porters to transport three thousand loads a month for government purposes. If these loads were not obtained, the troops which occupied the Chad would run short of munitions and die of famine. The administrators had no money, and hence could not pay the porters. Consequently, in order to obtain porters, it was necessary to use force; and for this purpose they sent native guards to make levies on the villages and to place women and children in "hostage camps" where many of them died of famine and smallpox, until the native men performed this work. One administrator declared that he had found this system of administration in existence when he came to the country and he had been obliged to follow it while attempting to "attenuate its horrors."

The tribunal sentenced both administrators to five years' imprisonment. Following this judgment, and partly because of the popular interest which it aroused in France, the home government asked M. de Brazza, the founder of the Congo, to head a mission to study the means of improving the organization of the colony and the condition of the natives, and likewise to consider the problem of the concession companies. On his way home from his visit to the Congo, M. de Brazza died at Dakar—September, 1905. The French Government declined to publish his report.[32] Never-

[30] *Rapport d'Ensemble,* p. 52.

[31] The details are given in Challaye, *cited,* pp. 108 ff. One of the many hideous charges made against Gaud was that he made a native boy drink the bouillon prepared from the head of a newly-killed native, following which Gaud showed him the head. Challaye, *cited,* p. 119.

[32] In contrast to the report of the Commission of Inquiry of the Free State, cf. Vol. II, p. 439. According to a member of the Chamber, the officials in the Min-

theless, one of the members of the de Brazza mission, M. Challaye, published a series of articles, later combined in a book on the French Congo, in which he severely criticized the Congo Administration and the concession régime. Under his leadership, a French Society for the Protection of Natives was formed in 1906. Two years later, a similar International Association was founded at Paris.

As a result of such activities, the French Chamber of Deputies interpellated the government. In a debate on February 19, 20, 21, 1906, deputies attacked the policies of the Congo Administration and of the concession companies.[33] Responsibility for the system and its enforcement was placed by some speakers on the Governor, M. Gentil.[34]

Speakers declared that the companies had not fulfilled the developmental conditions prescribed in the concessions, and that the concession system was rapidly exhausting the territory whose only exports were rubber and ivory, in contrast to Dahomey and the Ivory Coast where cultivated products were being developed.

MM. Joseph Caillaux and Jean Jaurès were among those who denounced the régime. M. Caillaux said that "the abuses are less imputable to men, than to the system of which they constitute the expression. . . . There is an indissoluble connection between the economic system adopted for the conventional basin of the Congo and the treatment of the natives."[35]

He demanded that the government follow the policy inaugurated in the Cameroons by the Germans of "cantonment" or of exchanging a right of user over a large area for full property.[36]

In reply the Minister of Colonies said he had requested the companies to accept a revision of their concessions, but nothing could be done without their consent. While the Minister agreed to submit the de Brazza report to the Commission on Foreign Affairs, Protectorates and Colonies, he declined to publish all of the documents relative to the situation.[37] The

istry of Colonies put every possible obstacle in the way of de Brazza's visit, so that he left for the Congo without a single document. M. Rouanet, *Débats Parlementaires, Chambre des Députés,* February 19, 1906, p. 861.

[33] This discussion arose out of eight interpellations in regard to colonial matters, and of the colonial budget debate. *Chambre des Députés,* February 19, 1906, p. 860.

[34] One incident was related to the effect that when M. Gentil was at lunch a native, who turned out to be an English subject, was brought to him by two chiefs on the ground that he was a deserter. In the midst of the meal, Gentil ordered him executed. *Ibid.,* February 20, 1906, pp. 887 ff. On the other hand, M. Hérisse defended Gentil.

[35] *Ibid.,* p. 923.

[36] *Ibid.,* p. 925.

[37] He also agreed to submit the report of the Lanessan Commission which had been previously appointed to study the documents.

Chamber finally voted the order of the day "pur et simple" by a vote of three hundred and forty-five to one hundred and sixty-seven.[38]

[38] *Chambre des Députés,* February 21, 1906, p. 927. The minority apparently favored the Rouanet order of the day which directed the publication of all the documents concerned.

CHAPTER 73

INTERNATIONAL COMPLICATIONS

1. *British Trade and the Act of Berlin*

THE concession system not only had its effect upon internal development but it also had international repercussions of great importance. At the time the concession régime was established in 1899, two English trading firms, Hatton and Cookson and John Holt, were carrying on trade with the natives through "factories" which they had erected upon land purchased from local chiefs a number of years previously. Following the grant of concessions in the Gaboon, these English companies continued to purchase wild rubber gathered by natives on land which fell within the conceded area. But claiming that this rubber did not belong to the natives but to the companies, the concessionaires seized the rubber, and the matter came before the French court. In a judgment of May 13, 1899, the French tribunal at Libreville supported the concessionaires' contention. It forbade John Holt to establish factories in the conceded area and obliged him to pay to the *Société du Haut-Ogooué* a sum of four thousand francs as damages, and to return the merchandise involved.[1] A tribunal similarly gave a judgment against the Hatton and Cookson Company.[2] The British concerns, supported by a number of the British Chamber of Commerce, protested against these judgments, and the English press commenced a campaign against the Congo policy on the ground that it violated the commercial liberty[3] guaranteed in the Act of Berlin. This Act provided that "The trade of all nations shall enjoy complete freedom" . . . in the Basin of the Congo. It also declared that "No Power which exercises or shall exercise sovereign rights in the above-mentioned regions shall be allowed to grant therein a monopoly or favour of any kind in matters of trade," and that "Foreigners, without distinction, shall enjoy protection

[1] Société du Haut-Ogooué contre John Holt, *Jurisprudence de l'État Indépendant du Congo, cited,* p. 130. On January 20, 1900, the Appeal Council declared that in areas where the boundaries of the concession were uncertain, the company could not prove that third parties, notably agents of John Holt, had carried on commerce in conceded areas; therefore no action could be brought against them. *Ibid.,* p. 132.

[2] Hatton et Cookson contre Compagnie Française du Congo Occidental, *ibid.,* p. 139.

[3] Cf. E. D. Morel, *Affairs of West Africa,* London, 1902, Chap. XXIX.

of their persons and property, as well as the right of acquiring and transferring movable and immovable possessions, and national rights and treatment in the exercise of their professions." [4]

In defence of the concession system, the French declared that the State was legally the proprietor of vacant lands and *res nullius*. The Act of Berlin merely guaranteed commercial liberty. It prohibited discriminatory tariffs. But the State and the concessionaires, to which the State had delegated its rights, were not merchants; they were *proprietors*. Consequently, they held a monopoly of property and not of commerce. This argument was followed by a tribunal which declared:

"Attendu que l'Acte de Berlin doit être interprété d'une manière restrictive; d'abord, parce qu'il fait échec au droit de domaine éminent que possède l'État français sur le sol congolais, et ensuite parce qu'il constitue non pas un contrat commutatif, mais bien un acte à titre gratuit dans le sens de l'article 1105 du Code civil; qu'en effet, l'abandon qu'a fait l'État français d'une partie de son droit de souveraineté en faveur des États qui ne possèdent aucun territoire dans le bassin conventionnel du Congo n'a été équilibré par aucune contreprestation de la part de ces États; qu'après avoir fait les plus grands sacrifices, en hommes et en argent, pour la conquête et l'administration du territoire congolais, l'État français ne saurait voir son droit de souveraineté diminué que dans la mesure strictement prévue au contrat. . . .

"Or, attendu que le principe de la liberté commerciale posé par l'Acte de Berlin n'a pu faire échec au droit primordial qui appartient à l'État français d'incorporer au domaine public les biens vacants et sans maître (art. 539 du Code civil); . . . que, d'autre part, la densité de la population indigène est très faible; que la superficie totale des terrains affectés aux cultures vivrières des indigènes est infime. . . .

"Attendu, il est vrai, que l'art. 5 de l'Acte de Berlin dispose que toute puissance qui exerce ou exercera des droits de souveraineté dans les territoires susvisés ne pourra y concéder ni monopole ni privilège d'aucune espèce en matière commerciale;

"Attendu, qu'il resulte clairement et à *contrario* de ce texte qu'en matière civile la faculté d'établir des monopoles et des privilèges existe sans restriction; que, par suite, en admettant que les concessions eussent pour base un privilège, ce privilège serait parfaitement licite;

"Attendu, en effet . . . qu'aux termes des arts. 520 and 521 du même Code, les produits spontanés de la terre non encore détachés du sol et les bois non encore coupés sont immeubles; . . . que la vente de ces produits constitue une opération purement civile. . . .

"Attendu que les mêmes principes sont consacrés par la loi belge . . .; qu'on les retrouve également dans la loi allemande . . . ; qu'en présence d'une

[4] Articles I and V, Chap. I, Act of Berlin; Hertslet, *Map of Africa by Treaty*, pp. 24, 26, 27. Cf. Appendix, Vol. II, p. 889.

pareille unanimité, étant donné que la conférence se tenait à Berlin, qu'elle était présidée par un prince allemand et que les actes de Berlin et de Bruxelles ont été rédigés en langue française, il est impossible d'admettre qu'aucune confusion ait pu se produire sur le sens des mots 'monopole et privilège en matière commerciale'; que, par suite, en admettant même que la concession faite à la C.F.C.O. fût un privilège ou un monopole, ces privilèges et monopoles seraient parfaitement licites, puisqu'ils porteraient sur la vente ou l'échange des produits du sol;

"Mais, attendu que la concession faite à la C.F.C.O. ne constitute ni un monopole, ni un privilège; qu'il résulte, en effet, de l'article 5 du décret de concession que les Sociétés coloniales sont ouvertes aux étrangers; que ceux-ci peuvent même entrer au Conseil d'administration dans une certaine mesure; qu'il est de notoriété publique que, si les défendeurs n'ont pas voulu devenir concessionnaires, c'est pour esquiver les charges énormes qui pèsent sur les Compagnies françaises; de sorte que, en définitive, le privilége est au profit de Hatton et Cookson et non à celui de la C.F.C.O. . . ."[5]

In diplomatic correspondence H. Delcassé took the same position.[6]

On July 3, 1902, the British Government offered to submit this difference of interpretation to arbitration. Later it proposed that a new African conference be held for the purpose of interpreting the Act of Berlin. But the French Foreign Office declined to arbitrate the principle involved on the ground that the sovereignty of the French Government was concerned.[7] The French Government maintained its position until May, 1906.[8] At that time, apparently wishing to retain the goodwill of England the basis for which had been laid in the Entente Cordiale of 1904, it brought about an agreement between the concession companies and the English concerns, in which the concession companies agreed to drop their suit for damages

[5] Cie française du Congo occidental v. Hatton et Cookson, *Recueil*, 1903, pp. 26, 27, 28.

[6] The text of the note of February 11, 1903, is printed in A. Tardieu, *Le Mystère d'Agadir*, Paris, 1912, p. 245. He declared that the action of the British Government granting a charter to the British East Africa Company (cf. Vol. I, p. 267) was exactly the same kind of act as the granting of concessions in the Congo. The same position was taken by M. Eugène Etienne, in an article, "Le Congo et l'Acte Général de Berlin," *Révue Politique et Parlementaire*, Vol. XXXVIII (1903), p. 240. He declined the British proposal to arbitrate stating, "L'exercise d'un droit incontestable ne comporte ni discussion, ni interpretation arbitrale." For the same controversy in regard to the Free State, cf. Vol. II, p. 436.

[7] The British Government stated that France should be willing to compensate the English houses because the British Government had just redeemed the French holdings in the Transvaal Railway, which had passed to the British Government.

[8] However, in 1902 it instructed its administrators not to arrest English traders purchasing products in conceded areas. This led to a suit against the State by the *Compagnie Française du Congo Occidental* for damages. But the Council of State held that the concession did not entitle the society to a monopoly of commerce but only to an exclusive right to the products of these territories. The concession did not, moreover, oblige the administration to put its agents at the disposition of the Company to arrest independent traders. *Arrêt* of March 13, 1908, *Recueil*, 1908, p. 129.

against these concerns. The French Government agreed to pay John Holt and Hatton and Cookson the sum of 1,500,000 francs to be divided equally between them and to grant John Holt a concession of thirty thousand hectares of land.[9] In return, the English concerns agreed to abandon their property to the Congo Government.[10] The *Compagnie N'Goko Sangha* which was apparently a concern in which both German and French capital was interested, would not consent to be a party to this agreement. Shortly after its signature, this Company gained a judgment from a tribunal against the English firms for trespass of 603,000 francs, assessed as a *saisie-arrêt* against the 1,500,000 francs, which the government had promised to pay to these firms. This threatened to disturb the relations between the English and French Governments, with the result that the French Foreign Minister attempted to have the court decision set aside.[11]

But the Minister of Colonies, after taking legal advice, came to the conclusion that this could not be legally done. As a way out, the Foreign Minister finally adopted another method to prevent the enforcement of the 603,000 franc judgment, which involved the interests of the German Government or at least of German capital.

2. *The Franco-German Consortium*

For many years German traders, paying no attention to the concessions granted by France, had crossed the border from the Cameroons, and carried on a trade with the Congo natives. A French writer stated that "as a result of the weakness of French administration, the Germans were able from 1899 to 1908 to occupy, without obstruction, French territory more than a hundred kilometers south of the frontier. . . ."[12] He claimed that seven German firms drained rubber and ivory out of three million hectares of French land, which had been reserved to French concessionaires.

The *Compagnie N'Goko Sangha,* whose interests were most affected, brought repeated complaints to the French Government. It declared that the government was under the obligation effectively to occupy its territory and protect its nationals. When the government declined to admit the principle of damages, the Company entered suit in the Council of State. The Cabinet, not sure of its ground, now offered to grant the Company several million hectares of additional land free from rent for ten years if it would drop the suits—an offer which the Company accepted.[13] Three

[9] Cf. the Decree of August 5, 1908, *Recueil,* 1908, p. 482.
[10] The text of the Agreement of May, 1906, is printed in Tardieu, *cited,* p. 256.
[11] Tardieu, *cited,* p. 266.
[12] Tardieu, *ibid.,* p. 187. The thesis of this writer should be discounted in view of the fact that he was the advocate of the *Compagnie N'Goko Sangha.*
[13] Cf. Tardieu, *cited,* p. 188; and Decree of March 19, 1905, *Recueil,* 1905, p. 347.

months later, the *Compagnie*, supported by a campaign in the *Temps*, complained against further damages arising out of border incidents at Missoum-Missoum. At this time the boundary between the Cameroons and French Congo had not been delimited, which partly explains the existence of the dispute over the presence of German traders. The frontier was drawn only in 1908.[14] Moreover, it was charged that the claims presented by the Company because of these incidents were exaggerated, if not imaginary.[15]

The Cabinet refused several times to consider these claims of the Company for damages. Finally, it simply transmitted the Company's complaint against German traders to the German Government in Berlin. The *Compagnie N'Goko Sangha* in 1907, thereupon decided to sue these traders in a Hamburg court. Believing that such a suit would further disturb the relations between France and Germany, already acute over Morocco, M. Pichon, Minister of Foreign Affairs, offered to give the Company three million hectares of land in full property, plus the right to prospect mines for ten years and what amounted to the right to have a German majority on the board of directors of the Company.[16] Despite a resolution of the Foreign Affairs Commission of the Chamber in favor of compensation, the Minister of Colonies, M. Milliès-Lacroix, declined to agree to this solution. At this the Company offered to withdraw the suit, provided the government would authorize the formation of a Franco-German consortium to take over the Company's Congo properties and admit the principle of an indemnity for past damages. It seems that a representative of the Company, who was also the Berlin correspondent of the Paris *Temps*, took the matter up with the German Foreign Office; and that M. Pichon agreed to the suggestion as a means of settling the government's difficulty with the Company and of keeping peace between France and Germany.[17]

The British Foreign Office now suggested that since the French Government had agreed to compensate the French company, the judgment of 603,000 francs against the English firms should be dropped—a suggestion which the French Government finally accepted.

In an agreement of April 5, 1910, between the Government and the *Compagnie N'Goko Sangha*, the Company promised to adhere to the conditions of any understanding made between the French and German Governments in regard to a consortium. In return the French Government

[14] Convention of April 18, 1908, between France and Germany. Martens, *Nouveau Recueil Général de Traités*, third series, Vol. I, p. 612.

[15] Cf. M. Viollette, who was reporter of the Budget Commission in the Chamber in 1908 which killed the consortium idea, *Chambre des Députés*, October 4, 1919, p. 4792.

[16] M. Viollette, *Chambre des Députés*, October 4, 1919, p. 4791.

[17] In an agreement of February 8, 1909, the French and German Governments had agreed to "associate their nationals" in business enterprises in Morocco.

"admitted the principle of compensation" the amount of which would be fixed by arbitration.[18] The Company also agreed not to collect its judgment of 603,000 francs against the English companies. The question of compensation was now referred to the arbitration of the President of the Court of Accounts. On April 29, an award of 2,393,000 francs was made.[19]

Apparently believing that these transactions worked to the financial advantage of French and German financial interests instead of to the interests of peace, a number of officials in the government offices delayed action on the consortium from April until December. This delay caused uneasiness among the German financiers. In the midst of this uncertainty, the government became doubtful of the legality of its action in submitting a matter affecting the interests of the state to arbitration. It finally notified the Company that this action was illegal under the Code of Civil Procedure (Article 1004) and that the Company should bring its action for compensation before the Council of State. The government declared that it would, nevertheless, proceed with the consortium. M. Pichon drew up, thereupon, an agreement with Germany in 1910 for the establishment of a second consortium in the German Cameroons. But the *Compagnie N'Goko Sangha* now declined to cede the lands in its concession for the consortium on the ground that the government had not kept its part of the agreement in regard to compensation. At this stage—April, 1911—the consortium came before the Chamber where it was attacked severely by the Budget Commission.[20] Opponents of the concession system declared that in establishing the consortium, the government would violate its promise not to grant any new concessions in the Congo; they declared that the consortium would aggravate past abuses of the concession system. M. Tardieu, in commenting on this incident, complains that the Chamber treated the matter as a colonial rather than a diplomatic question and that it failed to recognize the international issues involved.[21]

As a result the consortium was dead. But meanwhile the English firms had collected the 603,000 francs, while as a result of the abolition of the concession system, they were allowed to return to the Gaboon in 1911. A number of French writers mention the fact that these companies presented E. D. Morel with a check of one hundred thousand francs in

[18] Text, Tardieu, *cited,* p. 361.

[19] In making this award, the President invoked the aid of the representative of the Company, M. Tardieu, as well as of M. Merlin, representative of the colony. Cf. the remarks of M. Viollette, *cited.*

[20] M. Tardieu calls M. Viollette's report a "œuvre de diffamation imprécise et perfide." *Le Mystère d'Agadir,* p. 346.

[21] *Ibid.,* p. 349.

gratitude for his combined efforts in favor of "morale" and "l'intérêt pratique." [22]

3. *The 1911 "Coupure"*

After the failure of the French Government to keep its promise in regard to the consortium, the German Government took advantage of the situation to demand territorial concessions in the Congo as a price for recognizing the French Protectorate over Morocco.

At first, the German Government offered to exchange the Upper Cameroons and the whole of Togo in return for the Congo from the Sangha to the sea. France made a counter-proposition by offering Germany the region of Ubangi-Shari and her islands in Polynesia, but she declined at first to grant Germany access to the Congo. After several months' negotiation, the French gave in on the Congo and in the agreement of November 4, 1911, Germany ceded to France the region between the Shari and the Legone, which is largely swamp land, having an area of fifteen thousand square kilometers. In exchange France ceded to Germany two hundred and seventy thousand square kilometers. As a result of this cession, it was estimated that France lost about 1,076,500 inhabitants or a sixth of the population of the Congo.[23] The territory which Germany received consisted of three tongues of land, one of which ran along the southern border enclosing Rio Muni, a Spanish territory, and giving Germany a sea coast of twenty miles adjoining French Gaboon and only a few miles from Libreville.[24] The second tongue of territory connected the Cameroons with the Congo, giving to Germany the valley of the Sangha River, while the third shot northward until it touched the Ubangi.[25]

Germany's object in securing these three pieces of territory appears to have been primarily strategic. They gave her access to the Ubangi and the Congo, thus cutting French Equatorial Africa into three portions and threatening Belgian territory. Likewise, the ceded area completely surrounded Spanish Rio Muni. In correspondence, the French Government declared that it would be "disposed to renounce" in favor of Germany

[22] Massiou, *cited,* p. 115. Tardieu, *cited,* p. 349.

[23] Governor-General Merlin's speech, *Emprunt de L'Afrique Équatoriale Française,* p. 2.

[24] Cf. the map.

[25] Convention of November 4, 1911, *Die Landesgesetzgebung für das Schutzgebiet Kamerun,* 1912, p. 18.

One of the interesting features of this treaty was the agreement of the French and German Governments to submit differences in regard to interpretation and application to an arbitral tribunal established under the Hague Convention of October 18, 1907. Martens, *Recueil,* Vol. 6, p. 326.

In a convention of November 4, 1911, the German Government leased to the French Government for ninety-nine years lands on the Benue and the Mayo Kebi Rivers, which it could use for supply purposes. *Ibid.,* Vol. 6, p. 328.

its rights of preference held over Spanish Guinea and other Spanish territories by virtue of a treaty of June 27, 1900.[26] It also agreed that in case the territorial status of the conventional basin of the Congo should be modified in regard to one or the other contracting powers, they would be obliged to confer among themselves as well as with the other parties to the Act of Berlin.[27] This stipulation seemed to abolish the right of preemption which France held over Spanish Guinea and to restrict her right over the Belgian Congo.

The territory ceded to Germany included the entire area of three of the concession companies—the *Société de la Sangha Equatoriale,* the *Compagnie de la Mamberé Sangha,* and the *Compagnie Commerciale de Colonisation du Congo,* and parts of the areas of other companies—including 85 per cent of that of the *Compagnie N'Goko Sangha.* The convention of 1911 provided that Germany should respect the rights of these companies which were defined in a supplementary declaration of September 28, 1912, elaborated at a conference at Berne.[28]

4. *Article 124 of the Treaty of Versailles*

The German gains were short-lived. In Article 125 of the Treaty of Versailles, Germany renounced "all rights under the Conventions and Agreements with France of November 4, 1911, and September 28, 1912, relating to Equatorial Africa." Furthermore, "She undertakes to pay to the French Government, in accordance with the estimate to be presented by that Government and approved by the Reparation Commission, all the deposits, credits, advances, etc., effected by virtue of these instruments in favour of Germany."

Article 124 of the Treaty also declared that Germany should pay "in accordance with the estimate to be presented by the French Government and approved by the Reparation Commission, reparation for damage suffered by French nationals in the Cameroons or the frontier zone by reason of the acts of the German civil and military authorities and of German private individuals during the period from January 1, 1900, to August 1, 1914."

[26] Martens, *Recueil des Traités,* 2nd series, Vol. XXXII, p. 61. Cf. exchange of notes of November 4, 1911. *Ibid.,* 3rd series, Vol. 6, p. 323.

[27] Note of November 2, 1911. Martens, *cited,* Vol. 7, p. 110. Originally the German Government asked France to surrender this right of preemption altogether. Tardieu, *Le Mystère d'Agadir,* p. 528.

[28] Approved by a decree of October 5, 1912. For the text of the decree and the declaration, cf. *Recueil,* 1913, p. 114. The provisions relating to the concessions are contained in Part III of the declaration. The other parts deal with the drawing of the frontiers, the transfer of public property, etc. An agreement of February 2, 1912, provided that the natives originating in the territories ceded would transfer their nationality, etc. *Ibid.,* p. 20.

While the history of this Article is obscure,[29] it seems that it was inserted primarily for the purpose of collecting another indemnity for the *Compagnie N'Goko Sangha.* On October 4, 1919, M. Viollette interpellated the government in regard to this article which, in the opinion of some deputies, gave the claims of these concession companies priority over the devastated areas of France. Indignant that the French Government should use the reparation machinery of the Treaty of Versailles to collect alleged damages of private companies incurred long before the World War, the author of the interpellation declared that the Company had presented fictitious claims to the government in 1908 and that members of the Paris Cabinet had worked to advance individual interests rather than those of the country as a whole. He declared that the proposed Franco-German consortium had been devised by agents of this Company for financial reasons. In reply the Minister of Colonies and of Foreign Affairs, together with M. Briand, declared that the government in 1908 had been animated only by patriotic and pacific motives, and that they knew nothing of the financial interests involved.[30]

Nevertheless, the Chamber adopted, with the approval of the Ministers, M. Viollette's resolution to the effect that the government should present to the Reparation Commission only those claims which had been approved by parliament or which had been the object of a regular decision.

Meanwhile, the *Compagnie N'Goko Sangha* had brought another action for damages against the French Government, which the Minister of Colonies, according to a statement to the Chamber,[31] believed the government would win.

In an argument before the Council of State the French Government declared that it was under no liability for such damages, since the terms of the concession expressly rejected all claims for damages arising out of the insecurity of the country, native revolts, or wars with a foreign power. In April, 1921, the Council of State, rejecting these contentions, declared that the French Government had recognized its obligations to pay compensation to the Company in the agreement of April, 1910, and that the provisions of the concession excluding claims for damages from the insecurity of the territory did not apply to damages arising out of the exploitation of the conceded territory by foreign merchants. The French Government had guaranteed to the Company the exclusive enjoyment of the produce of the conceded area. In failing to take effective action to keep

[29] M. Pichon, Minister of Foreign Affairs, said he knew nothing about it, but that it came out of the Colonial Commission of the Peace Conference, *Chambre des Députés,* October 4, 1919, p. 4797.
[30] *Chambre des Députés,* October 4, 1919, pp. 4789-4802.
[31] *Ibid.,* p. 4082.

German traders out of the territory, it had not lived up to these obligations, and hence was liable to damages between May, 1906, and the end of 1908 to the amount of 1,100,000 francs. It declared that the French Government (and not the colony) should pay such an indemnity "for damages inflicted upon the aforesaid Company in the frontier zone of the Cameroons as a result of acts of the German civil and military authorities and of German individuals."[32] This sum would be paid with compounded interest which brought the total sum to about two and a half million francs. This decision went much further than any previous decision in supporting concessionaire interests.[33]

Following the 1921 judgment of the Council of State, the *Ligue des Droits de l'Homme* pointed out to the government that the Company owed large sums in the form of rent, which had never been paid and which should be set off against this indemnity. As a result of their intervention, the French Government induced the Company in 1926 to pay off these liabilities. Nevertheless, Germany remains liable for the damages done to these Companies subject to Article 124 and the resolution passed in 1919 by the French Parliament of the Treaty of Versailles.[34]

[32] Cie de la N'Goko Sangha c. État Français, Conseil d'État, April 8, 1921, *Recueil*, 1921, p. 187.

[33] *Ibid.*, note, p. 188.

[34] It is understood that no claims under Article 124 were filed with the Reparations Commission but that certain claims which might have been filed were adjusted before the Franco-German Mixed Tribunal.

CHAPTER 74

THE LIQUIDATION OF THE CONCESSION RÉGIME

FOLLOWING the debate in 1906 in the Chamber, French opinion, as illustrated in parliament, through various organizations and the press, became definitely hostile to the concession régime. The question arose as to whether the concession should be terminated outright—they did not expire until 1929—or their rights be restricted by agreement.

1. *The "Cantonment" Policy*

So strongly did the French Government believe in the "right" of private property that it, as did the Belgian Government, rejected the first alternative. It decided to follow the policy of the German Government in the Cameroons which, while it had not confiscated vested "rights," had materially cut down the original grant in agreement with the concession companies which surrendered the exclusive right to collect wild produce over a large area in return for full property over a much smaller area.[1] This system of "cantonment" was urged upon the French Government by M. Caillaux [2] as a means of relieving the situation in Equatorial Africa. It was finally adopted by the government and accepted by eleven concession companies which had formed themselves in 1910 into a consortium called the *Compagnie Forestière Sangha-Oubangui,* which held under concession a total of seventeen million hectares.

Each of these companies agreed to give up the concession granted in 1899,[3] in return for ten thousand hectares of land and the exclusive right for a period of ten years to gather the rubber on the originally conceded territory. At the end of this period, each company could acquire full property over lands in the area which it had put under cultivation. For a further period of ten years, each company could enjoy the exclusive right to gather rubber on an area ten times the area thus planted. The land coming under cultivation at the end of this second period would likewise become the full property of the individual companies. The Company should continue to pay fifteen per cent of its profits annually to the government, as well as other rents. Four other companies accepted a similar basis of settlement in 1912. In 1908, the profits of the *Compagnie*

[1] Cf. Vol. II, p. 332. [2] Cf. Vol. II, p. 237.
[3] Cf. Decree of June 20, 1910, *Recueil,* 1911, p. 217.

Forestière Sangha-Oubangui were a little over a million francs; and in 1910 they were more than 3,800,000 francs. In 1910 the Company paid to the government the sum of 267,659 francs.[4] In 1924, all of the various companies paid rents into the treasury of Equatorial Africa to the extent of 115,600 francs—less than a tenth in gold of the rents received in 1910.[5] This sum does not include a share in the profits of the concession companies, which are listed in the budget simply as *"memoire"* which means that the amount to be paid is uncertain.[6] Since the *Compagnie Forestière* paid a dividend of 7.50 francs in 1924, it should have made a payment to the colonial treasury. From the published documents, it is not possible to determine whether such payments were actually made. A French writer answers this question in the negative.[7]

As a result of these negotiations, it was provided that thirty-one and a half million hectares out of the eighty-one million hectares alienated in 1899 should be returned to the government and thrown open to free commerce.[8] Of this, eight million hectares were returned to the domain immediately, and twenty-three million hectares after ten years. Thus this policy succeeded in recovering even after ten years, less than half the land originally alienated. The companies which had agreed to this method of settlement and who gave up a limited right of usage over a total of 300,500 square kilometers obtained full property over thirty-eight hundred square kilometers of land. Ten of the concession companies declined to accept any modification of their rights. The government consequently allowed them to maintain their monopoly over 334,600 square kilometers in accordance with the concessions of 1899. The largest were the *Société des Sultanats du Haut-Oubangui* and the *Société de la Kotto,* both located fifteen hundred kilometers from Libreville.[9]

In 1918, the *Société de la Kotto* abandoned its old concession in return for about six thousand hectares of land in full property. At the same time, the *Société des Sultanats du Haut-Oubangui* surrendered about three-fifths of its original concession,[10] and in 1922 it abandoned the remainder in return for six thousand hectares of full property.[11]

[4] Massiou, *cited,* p. 155.
[5] This sum does not include fifty thousand francs paid by the *Compagnie Forestière* collected by the customs.
[6] *Budget Général,* 1924, p. 7.
[7] A. Gide, "Voyage au Congo," *Nouvelle Revue Française,* January, 1927.
[8] Cf. Address of the Governor-General, *Emprunt de l'Afrique Équatoriale Française,* p. 12. Out of the 1,230,500 square kilometers in the three colonies of Ubangi-Shari, Middle Congo, and the Gaboon, 817,410 square kilometers had originally been ceded away.
[9] G. Bruel, *L'Afrique Équatoriale Française,* p. 441.
[10] Decree of June 1, 1918, *Bulletin des Lois,* Vol. 19, 1918, p. 948. *Ibid.,* p. 951.
[11] Decree of November 2, 1922, *Recueil,* 1922, p. 126.

The other companies which have declined to enter into negotiations with the government lose all of their rights under the concessions at the date of expiration in 1929. At that time, they may retain as full property only the areas which they have placed under cultivation.

The object of the negotiations which commenced in 1910 was to terminate by voluntary agreement these rights before 1929. But at the close of the World War the *Compagnie Forestière Sangha Oubangui* was influential enough with the French Government actually to secure an extension of its rights beyond the thirty-year term fixed in the concession of 1899, which it had supposedly terminated in the agreement of 1910. In an agreement of 1920, the company agreed to surrender its rights to wild rubber throughout the whole of its former concessions, but in return it received the exclusive right to exploit rubber for a period of fifteen years—which will end only in 1936—in a vast territory covering part of the area which was ceded to Germany in 1911, but which has now been returned. At the end of this period, the company will receive as full property four times the amount of land which it has cultivated for the six years preceding. The company will endeavor to improve the method of preparing rubber. In 1936, the company may obtain a renewal of the concession if it exports annually a minimum of five hundred tons of plantation rubber of the best quality, in addition to sylvan produce. If this minimum is not attained, the concession may be renewed upon a proportionately smaller scale.

Throughout the whole of the territory thus conceded, the gathering of rubber by Europeans or natives not authorized by the company is forbidden. Such persons may be arrested by agents of the company, and the rubber seized, and in addition they may be sued for damages according to common law.

In return for these advantages, the company will pay to the colony a sum of five centimes for every kilogram of rubber exploited, which will increase with the increase in the price of rubber. The company must pay the government, however, at least fifty thousand francs a year.[12]

Under this policy, the French Government exchanged the monopolistic rights to wild produce of a number of concession companies over vast areas in return for freehold land, which amounts to about three thousand eight hundred square kilometers. This land the companies may hold permanently. It is much larger than the area held by the successors of the Free State Companies (except in the Katanga), in the Congo to-day.

The other companies, which did not accept this arrangement, hold their rights until 1929 when their concessions come to an end. Half of

[12] Decree of December 20, 1920, *ibid.*, 1921, p. 387.

the area formerly conceded remains closed to free trade until this date, when it is possible that the concession may be renewed. It does not appear that the French have been as successful as the Belgians in liquidating the old concession régime. The task has been easier in the Congo where a greater part of the land was exploited directly by the State instead of being alienated to private companies whose "rights" are much more difficult to overturn than those of the State. The system of "cantonment" adopted by France in 1910 has done little to further the economic development of the colony or the welfare of the natives. Had the government done nothing, the rights of all these companies would have expired in 1929, and it is extremely doubtful whether many of these companies would have fulfilled the conditions necessary to obtain much land in full property. While the 1910 system was designed to cut down the rights of these companies, it has actually operated to increase them since it has granted them freehold rights to a certain area which under the decree of 1899 they could not have claimed without the fulfilment of difficult development conditions. If the French Government really wishes to terminate the concession régime, it is difficult to see why it should grant a monopoly of wild rubber over a large area to the *Compagnie Forestière Sangha-Oubangui* until 1936, subject to indefinite renewal if the Company at that time exports five hundred tons of rubber annually. The policy of using the Cameroons to get rid of some of these concessions is discussed elsewhere.[13] It is understood that the Concession Companies are now making an effort to secure a renewal of their concessions.[14]

2. *Native Rights*

Along with the "cantonment" policy, the government introduced measures designed to relieve the native population from the exactions which the concession system had imposed. In 1909, it abolished the former system of collecting rubber for concessionaires under the guise of taxes, in favor of a system of taxes payable to the government in money.[15] In the "cantonment" agreement of 1910, the natives were allowed to establish themselves upon lands reserved to the Company,[16] and to take produce from the forest necessary for their needs and for those of native industry. The native communities and the land upon which they depended were

[13] Cf. Vol. II, p. 335.
[14] Cf. André Gide, "Voyage au Congo," Chap. I, *Nouvelle Revue Française,* November, 1926, p. 572. Annual Report, *Compagnie du Kouango Français,* 1925, p. 4. Also R. Mary, "Les Concessions en A.E.F.," *Les Cahiers des Droits de l'Homme,* May 10, 1927.
[15] *Arrêté* of September 30, 1909; *Recueil,* 1910, p. 849.
[16] Except the land over which they had full ownership.

constituted as native reserves, all the products from which "without exception will remain at the free disposition of the natives." No provision was made, however, for the survey of such reserves, which have never been delimited. The Company was, however, authorized to make agreements with the chiefs of native communities in regard to the exploitation of the forest and to the sale of rubber and other produce from the native reserves. Apparently these contracts are based upon the *arrêté* of 1903 which provides that the natives in such reserves are entitled to six per cent of the wild produce gathered by the Company.[17] Under the present system, each concession company pays natives for their labor in gathering rubber, regardless of whether it comes from conceded or from native land, at a price fixed by the Government Administrator.[18] At the end of the year, six per cent of the net profits of the Company are supposedly paid back to the native chiefs, minus the amounts already paid the natives for gathering the rubber. The government imposes no control over the company in regard to these annual payments; and the opinion has been expressed by Brazzaville officials that natives are robbed under this system. Moreover, there is no control over the chief who receives the money; he may spend it upon himself or distribute it unevenly. If this system is to be maintained, these sums should be paid into some kind of a trust fund or native treasury for the benefit of the tribe as a whole. In the 1920 agreement between the government and the *Compagnie Forestière,* the natives were allowed to retain their right to occupy lands reserved to the company, which have not yet become its property, and to gather produce in the forest to the extent necessary for their needs. Unlike the 1910 agreement, the 1920 document says nothing about the right of the native to freely sell produce collected in his reserves. It would appear, therefore, that the native rights in the new concession are less secure than they were under the agreement of 1910.

3. *The Present Situation*

As a result of the hold which the concession companies still maintain over French Equatorial Africa, wages for Europeans as well as for natives have been kept low. Despite the fact that they were paid in paper francs,

[17] These contracts were attacked in the Chamber in 1922. Cf. *Chambre des Députés,* December 19, 1922, p. 3295.

[18] In the agreement between the government and the *Compagnie Forestière Sangha-Oubangui* of 1920, an article provides that in addition to ordinary wages, the Company is obliged to pay the natives fifteen centimes a kilogram of rubber, if its price exceeds six francs. This price is raised to seventy-four centimes a kilogram if the price exceeds ten francs. The Company is obliged to reimburse the colony for the expense of maintaining a medical post on its territory.

the rate of wages until the end of 1923 was slightly greater than before the World War.[19]

Instead of increasing the rate of export taxes so as to give the government a share in this kind of gain, the government purposely kept the valuation (*mercuriales*) of the products exported low; that is, the concession companies paid an export duty levied upon a valuation fixed on the basis of 1914 prices. In 1924, the administration attempted, but with only partial success, to rectify the situation. An official report states that "the native population has thus severely suffered as a result of the fall of our exchange, since they purchase on a world market and since in the territories held under concession they receive wages figured upon a 1914 level. This fact does not completely escape them." Commenting upon this passage, the Report of the French Commission on Finance adds, "We may truly regret that the Administration should have allowed such a state of affairs to continue so long as a result of which the finances of the colonies have had to suffer."[20]

According to a statement in the Chamber, one Governor-General of Equatorial Africa recently followed the practice of furnishing fifteen hundred porters a month to the *Société du Haut Ogooué* which, instead of paying them the ordinary rate of thirty francs a month, paid them eighteen francs, of which twelve francs were paid in goods at a large profit to the Company.[21]

A recent traveller through conceded areas in Equatorial Africa, M. André Gide, relates a number of instances in which natives who have refused to bring in their rubber to concession companies have recently been cruelly treated.

The same writer quotes from a journal of a resident in regard to native trouble which started in July, 1924, when "the natives of the region no longer wished to gather rubber. The administrator at that time, M. Bouquet, sent for soldiers, accompanied by a native sergeant, to force these people to work. A brawl resulted. A soldier fired." At this moment the soldiers were surrounded by the natives and some of them were killed, which led M. Pacha (an agent of the Compagnie Forestière) to bring up enforcements and commence reprisals resulting in a large number of deaths.[22]

[19] Lebrun, *Rapport*, No. 155, cited, p. 87. [20] *Ibid.*, p. 88.

[21] This statement was based on a letter from one Governor-General to another. M. René Boisneuf, who related these facts, declared that "practiquement, l'esclavage est rétabli dans certaines colonies." *Chambres des Députés,* March 18, 1922, p. 921. For the same charge, cf. R. Mary, "Les Concessions en *A.E.F.*," *Les Cahiers des Droits de l'Homme,* May 10, 1927.

[22] "Les gardes et les partisans étaient obligés pour justifier leurs faits de guerre, d'apporter au 'Commandant' les oreilles et parties genitales des victimes; les villages étaient brulés, les plantations arrâchés."

According to the journal, "The cause of all this is the 'C. F. S. O., (Compagnie Forestière Sanga Oubangui) which with its rubber monopoly and with the complicity of the local administration, reduces all the natives to a burdensome slavery."

He goes on to say, every village, without exception, is forced to furnish rubber and cassava to the "C. F. S. O.", rubber at a price of one franc a kilo and cassava at one franc the basket of ten kilos. It should be pointed out that in the colony of Ubangi-Shari, the natives receive (under a régime of free commerce) from ten to twelve francs a kilo for rubber and two and a half francs a basket for manioc. To gather ten kilos of rubber in conceded territory a native must spend a month in the forest, often about five or six days march from any village. Consequently, they [the natives] have not much enthusiasm for this product which assures them such a meager monthly return; they prefer the much easier and more profitable work of gathering palm nuts, near their villages." [23]

According to native chiefs, the "C. F. S. O." imposes fines on natives who do not bring in the required amount of rubber. If the natives cannot borrow a sum sufficient to pay the fine, they are thrown into prison. "Terror rules and the villages in the neighborhood are deserted." [24]

The author of this article tells of another incident where ten rubber gatherers at Bambio, on September 8, 1925, did not bring in the rubber required of them for the month, as a result of which they were "sentenced" to walk around the factory from eight in the morning until night, under the eyes of an agent of the "C. F. S. O." and under a heavy sun, carrying heavy beams of wood on their shoulders. If they fell in this continuous march, guards got them up with blows of the chicote. About eleven o'clock of this particular day one man dropped dead in his tracks. M. Gide states that while the agent was to blame, the *Compagnie Forestière* was still more responsible since its officials had approved and encouraged M. Pacha in the action which he had taken.

As a result of exactions elsewhere in French Equatorial Africa, the same writer states that "Spanish Guinea, a neighboring colony, is becoming populated at our expense with natives who desert our colony to escape too heavy corvées." [25] It thus seems that symptoms of the old régime still remain in the French Congo to-day.

In addition to this régime of *grandes concessions* the government has granted a number of plantations in the Gaboon where about thirty European farmers hold seventy-five thousand hectares of land of which about

[23] These concessions do not include palm products but only rubber. Cf. Gide, "Voyage au Congo," *Nouvelle Revue Française,* January 1, 1927, p. 29.
[24] *Ibid.*, p. 34. [25] *Ibid.*, p. 15.

fifteen thousand hectares are under cultivation, upon most of which cocoa is being grown.[26]

Likewise the government has granted a large number of forest concessions in the Gaboon for the purpose of cutting mahogany and other tropical lumber of value.

Before 1924, natives held these concessions and sold wood upon the same basis as Europeans.[27] But the competition became so keen and native cutting so difficult to control that in an *arrêté* of 1924, the government declared that a native could not cut and sell wood except for his own use without making a deposit with the government of twenty-five hundred francs—a prohibitive sum.[28]

Such is the history of the concession system which still retains a hold upon the French Congo. Whatever the motive may be, the locking up of the resources of the territory in the hands of a dozen large companies will prevent its economic expansion, especially the development of the purchasing power of the natives, even though a satisfactory system of communications is installed.

When private companies monopolize millions of hectares of land from which all competition is excluded, and when the government obliges the natives living in these areas to pay taxes, it is inevitable that the natives will be forced to work for these companies, and that they will be underpaid, whether for their labor or for their produce. The system, according to a recent resolution of the French *Ligue des Droits de l'Homme,* has had as a "necessary result the worst possible violence inflicted upon the natives, including individual assassination and collective massacre."[29] The system has meant the confiscation of native land because of the impossibility of delimiting reserves which the companies must respect. The effort to secure for the natives a share in the profits of the company representing the value of the produce of these lands is not as we have seen adequate to prevent abuse.

While the French Government has thus failed to safeguard native "rights," it has shown, together with the jurisprudence of the Council of State, an extraordinary regard for European "rights" supposedly vested in these concessions. One concessionaire, as we have seen, obliged the government as a result of a judgment of the Council of State to pay three million francs for terminating a concession upon which apparently it had

[26] Cf. *Congrès de l'organisation coloniale, Marseille,* 1922, Vol. II, p. 218.
[27] A description of this industry is gievn in A. Schweitzer, *On the Edge of the Primeval Forest,* London, 1922, Chap. VI.
[28] *Arrêté* of September 19, 1924.
[29] Resolution of the Central Committee, taken May 19, 1927. *Les Cahiers des Droits de l'Homme,* July 25, 1927, p. 369.

not expended a single sou—a charge imposed upon the Ivory Coast Government.

The British Government, on the other hand, obliged the French to pay British firms previously doing business on conceded territory the sum of 1,500,000 francs. In 1921, the Council of State made the government liable to the *Compagnie N'Goko-Sangha* for the sum of 2,500,000 francs for failure to keep German traders off the conceded territory.[30] Whether these payments and the failure of the government to oblige the companies to terminate the concessions are due to a belief in the sanctity of European as opposed to native property rights or to a less philosophical desire of the French Government to advance the financial interests of a few individuals, it is impossible to say. Judgment must be suspended until 1929 when the government must decide whether to extend or terminate this régime. The matter has already been brought to its attention by a resolution of the Central Committee of the *Ligue des Droits de l'Homme,* adopted unanimously, May 19, 1927, which declared that after twenty-seven years of occupation, the concession companies had not fulfilled their obligations, and that they had exploited their lands according to exclusively selfish views, and in defiance of native rights. It also declared that a new formula must be found to protect native interests and at the same time to develop the colony economically which could be done only by the establishment of competition. The *Ligue* therefore invited the government to study a new land system in Equatorial Africa, and it requested that at the end of the thirty-year contracts in 1929, none of them should be renewed, and that in the case of those companies whose contracts did not expire at that date, the government should take steps to terminate their rights.[31]

[30] Cf. Vol. II, p. 247.
[31] *Les Cahiers des Droits de l'Homme,* July 10-25, 1927, p. 369.

CHAPTER 75

COMMUNICATIONS—LABOR—SLEEPING SICKNESS

In addition to the concession system, the absence of communications has been a factor responsible for the present decay in Equatorial Africa. There are no railways in Equatorial Africa; the ports are poorly equipped and except in Ubangi-Shari there are few automobile roads over which produce may be carried. While products may be transported on the Ubangi and Congo Rivers, they can get no further than Brazzaville; since the Congo is not navigable between Stanley-Pool and Matadi, they must be trans-shipped to the Lower Congo Railway, where they are at the mercy of the Belgian transport system. This railway is, as we have seen, wholly inadequate to meet even Belgian needs.[1] In 1919, the French Government was obliged to pay 1,500,000 francs to a steamship company because a number of ships could not be unloaded on time at Matadi.[2] Even when the enlarging of the railway is completed, it is not believed that it will be able to accommodate all of the available tonnage of the Belgian and French territory.

1. *The Congo-Ocean Railroad*

Consequently, many years ago the French determined to build a railway on French territory connecting Brazzaville with the ocean at Point Noir. Beginning in 1888, the government studied the question of such a railway, and expended four million francs during the following thirty-six years, merely on surveys.[3]

In 1909, when the colony was struggling to free itself from the concession régime, the French parliament passed a law [4] authorizing French Equatorial Africa to make a loan of twenty-one million francs, of which four million would be devoted to the survey and construction of communications, and four and a half million to administrative establishments, such as schools, hospitals, and administrative buildings. The *Société des Batignolles,* which studied the construction of the road, came to the conclusion that the cost of constructing five hundred and eighty-one kilometers

[1] Cf. Vol. II, p. 520.
[2] Sarraut, *La Mise en Valeur des Colonies Françaises,* p. 417.
[3] *Ibid.,* p. 420.
[4] Law of July 12, 1909, *Recueil,* 1909, p. 111.

of the railway between Brazzaville and Point Noir would be eighty-five million francs. The amount estimated necessary to construct a system of transport serving the whole territory was placed at 114,300,000 francs.[5] By 1912, fifteen out of the twenty-one million francs of the 1909 loan had been expended. The construction of the railway was delayed by the World War.

By 1921, the loan of twenty-one million had been exhausted, with very little to show for the expenditure.[6]

Just at the outbreak of the World War, the French Parliament, on July 13, 1914, authorized a second loan of one hundred and seventy-one million francs to construct the Brazzaville-Ocean railway and ports at each of the termini, and for public works. The War naturally postponed construction. Since in 1919 the value of the franc had greatly diminished, the government decided to restrict the use of the loan to the Brazzaville railway. Decrees enacted in 1920 and 1922 authorized the government of Equatorial Africa to draw on the 171,000,000 franc loan to the extent of 70,000,000 francs. Construction work was started in 1921, and is being carried on by the *Société de Construction des Batignolles,* in two divisions, one working in from the coast, and another working between Brazzaville and Mayumbe. Originally, it was planned to finish this railway in 1930. The charges on the 1908 and 1914 loans, amounting to nearly 3,500,000 francs, are borne by the home government. In 1925 parliament voted another loan to continue these works of three hundred million francs.

2. *The Labor Question*

Despite these financial efforts, which have imposed a considerable burden on the home government [7] the work on the Brazzaville Railway has been severely handicapped by the lack of labor.[8] In fact this prob-

[5] Governor-General's Address, *Emprunt de l'Afrique Équatoriale Française, cited,* p. 21.

[6] One million, six hundred thousand francs had been expended in reimbursing the loan of 1900; nearly six million francs were expended on telegraph lines and a cable from Libreville to Loango; 2,550,000 were spent on a road between Fort Sibut and Fort Crampel; about three million francs were spent on administrative buildings, hospitals, and schools; nearly four million were spent upon the improvement of ports and of water courses; and 1,300,000 on surveys of railways. Cf. the table, *Budget Général,* 1924, p. vii.

[7] This burden together with that of Syria helps explain why the French Government has not made any financial advances to the mandates or to French West Africa. Cf. Vol. I, p. 934, Vol. II, p. 287.

[8] In 1885, a number of Annamites were imported, but without success. A clause inserted in the contract of July 18, 1910, between the *Compagnie Forestière* authorized the importation of Chinese. While it does not appear that any Chinese have recently been imported, it is understood that a company in the Gaboon is considering the idea. Cf. "Une Mission d'Études Pratiques au Moyen-Congo," *Afrique française, Renseignements Coloniaux,* 1920, p. 216. Massiou, *cited,* p. 71.

lem has confronted practically all European enterprise in the Congo; and the recruiting of native laborers has often imposed an excessive burden upon the population.

In an effort to control excessive recruiting, the government issued an *arrêté* in 1904, the preamble of which declared that "Recruiting of porters and laborers, which is carried on nearly exclusively in the region of Loango, has caused distressing conditions from which merchants and natives both suffer." Consequently, the proportion of porters and laborers to be recruited in this region for the Gaboon and the Middle Congo should not exceed 20 per cent of the male population.[9]

In 1921, this regulation was displaced by a new *arrêté* governing the whole of French Equatorial Africa. It said that "in view of the exhaustion in certain regions of adult native laborers and the imperious necessity of economizing native labor in view of the construction of important public works," the number of natives in the colony as a whole and in each administrative district under European employment, should in no case exceed one-third of the able-bodied adult male population.[10]

In an *arrêté* of February 11, 1923, the Lieutenant-Governor of each colony was authorized to fix the number of men which may be recruited in each administrative subdivision. Apparently the restrictions imposed originally do not apply now. In 1923, the total of natives who could be recruited was fixed at 33,000 for the Middle Congo, and 9500 for the colony of Chad.[11]

In 1924, the government declared that in the colony of Ubangi-Chari, the number of workers recruited for work outside the subdivision should not exceed one-twentieth of the adult male population—a number fixed at 8500 men.[12]

In 1926, the number for the Chad territory was fixed at 5100 to be recruited only from seven districts. While it might be supposed that the government imposed these restrictions to safeguard native interests, the more practical reason animating the regulation, according to the preamble, was to safeguard an adequate labor supply for public works, especially the Brazzaville railway. Such restrictions in recruiting operate also to keep labor at home, where in some cases it is obliged, as we have seen, to work at abnormally low wages for the Concession companies.

In decrees enacted in 1907, 1911, and 1912, the government attempted to safeguard conditions of labor. They were supplanted by a decree of May 4, 1922, and an *arrêté* of February 11, 1923, designed to

[9] *Journal Officiel du Congo français,* 1904, p. 131, part 2.
[10] *Arrêté* of February 18, 1921, *Recueil,* 1922, p. 78.
[11] *Journal Officiel de l'Afrique Équatoriale Française,* 1923, pp. 169, 456.
[12] *Ibid.,* 1925, pp. 51, 714.

create suitable labor conditions in view of the construction of the Brazzaville-Ocean railway. The first paragraph of the decree states that "labor is free throughout the territory." If a laborer works more than three months, he must sign a labor contract defining the obligations of both parties to the contract as determined by the government. The decree provides that contracts are individual, but that a chief may make a collective contract according to terms laid down by the government—under which natives may apparently be forced to work. Anyone who by means of threats of violence deceives the natives or forces them to sign a labor contract is liable to imprisonment of from a week to two months and a fine of from sixteen to five hundred francs. Disputes between employers and employees are settled by councils of arbitration.[13]

In an *arrêté* of February 11, 1923, it was provided that no labor contract may exceed two years, including the period of travel to and from work. The Lieutenant-Governor may fix a minimum wage, which must be paid every two weeks. Natives must be paid in money, and no sums may be held back except as a result of a judgment of the council of arbitration. The Lieutenant-Governor fixes the ration. Lodgings must be provided which will insure to each inhabitant four square meters of floor space and twenty cubic meters of air. Employers must furnish beds raised half a meter above the ground. Each labor camp must possess a small dispensary, and certain medicines. The laborer must not work more than ten hours a day, with two hours rest at noon.[14] If a laborer is temporarily disabled, he will receive half of his salary until he returns to work; if the accident is so serious as to prevent his return, he will be entitled to compensation fixed by the government, or by agreement between the parties, subject to appeal to the council of arbitration.[15]

In 1923 the Governor of the Middle Congo fixed the minimum wage at fifteen francs a month except in Brazzaville, where it was fixed at thirty francs, and in four other centers where it was fixed at twenty francs. Rations were fixed at 400-500 grams of rice; 600 grams of manioc, or from six to ten bananas; 150 grams of salt fish, or fresh or smoked meat; 20 grams of salt; and 25 grams of palm oil.[16]

Thus by imposing restrictions upon the number of men recruited, by fixing minimum wages, and prescribing conditions of employment, the administration has attempted to restrict the abuses which are inherent in the concession régime, and to safeguard labor so as to furnish a supply for the Brazzaville railway. Nevertheless, the government has made no pro-

[13] Decree of May 4, 1922, *Recueil,* 1922, p. 769.
[14] Non-acclimated workers cannot work more than six hours a day.
[15] *Arrêté* of February 11, 1923, *ibid.,* 1924, p. 87.
[16] *Journal Officiel de l'Afrique Équatoriale Française,* 1923, p. 170.

vision for labor inspectors, without whom the enforcement of this type of legislation is difficult.[17]

The 1922 decree specifically stated that labor in Equatorial Africa was "free." Since then, no decree has authorized conscription for the Brazzaville railway. Nevertheless, in 1925, the Governor-General issued an *arrêté* providing that since the construction of the Congo-Ocean Railway would necessitate for many years the presence of ten thousand native workers recruited from the whole territory, he would fix annually the numbers to be recruited, and the contingent to be assigned to each colony. The Lieutenant-Governor should divide up this contingent among each district. The term of service was limited to one year. The natives who remained at home must grow foodstuffs to feed the railway labor, in quantities fixed by the administration.[18] Needless to say, this system is one of compulsory labor, imposed without the sanction of the law. It follows the system which prevails in the French Cameroons, the Belgian Congo, and, to a lesser extent, in Nigeria.[19] The government does not recruit labor from the Gaboon because of the needs of forest concessions. Until 1925, it recruited all of the labor for the Congo-Ocean Railway in the Middle Congo. The burden proved so heavy that in 1925, the government imposed an annual contingent of two thousand men upon the Chad and upon Ubangi-Shari. This labor is paid a minimum wage of a franc per day, while it receives rations and lodging which cost the government 1.80 francs per man per day. Wages paid unskilled labor by private employers in Brazzaville are about fifty francs a month without rations. So the railway wage approximates that paid by private employers.

Despite the efforts taken to protect this labor, the mortality and health conditions in the labor camps of the Brazzaville-Ocean railway have been distinctly bad. In 1924, an epidemic of dysentery raised havoc with the workers, as a result of which new regulations were issued establishing a Service for Native Railway Labor to look after the welfare of this group of ten thousand men. Regulations fixed the daily ration at 1,000 grams of cassava (*manioc*) or 800 grams of rice; 100 grams of smoked fish or meat; 20 grams of salt; and 30 grams of palm oil or groundnuts.

[17] A negro author, René Maran, has written a novel, "Batouala," which won the Goncourt prize for literature several years ago, and which paints a sensational picture of the attitude of the native of Equatorial Africa toward the white man and European civilization in general.

Three other interesting books, but of a different nature, upon social conditions in the Congo are: Dr. Schweitzer, *On the Edge of the Primeval Forest*, Mme. G. M. Vassal, *Life in French Congo*, London, 1925; and A. Gide, *Voyage au Congo*, a collection of articles now published in book form.

[18] Cf. *Arrêté* of January 20, 1925, "Organisation du Service de la Main d'Oeuvre du Chemin de Fer," *Bibliothèque Administrative*, No. 3, May, 1925.

[19] Cf. Index—Compulsory Labor.

This food was to be prepared by women accompanying the men. A laborer was to be subject to a medical examination in his district of origin and again upon his arrival at work, when he was provided with a blanket and utensils. In the labor camp, an effort was made to house men by tribes.[20] Despite these regulations, natives coming from the semi-arid regions in the Chad did not adapt themselves [21] to the humid climate of the lower Congo, nor to strange food. While the government has declined to give out any figures, a speaker in the Chamber of Deputies in the budget debate in 1926 declared that the rate was six hundred per thousand—a figure which the Minister of Colonies did not deny.[22] If this figure is correct, this mortality rate is greater than in any other part of Africa.

Conditions became so critical that in the summer of 1926, the government sent out a mission of investigation to Brazzaville to examine labor conditions, following which the Minister called the Governor-General, M. Antonetti, to Paris to explain "the errors which have been committed and which have led us to believe that all the favorable conditions in regard to recruiting, hygiene, and nourishment have not been realized on the place of employment, for the protection of the health and the life of the workers." [23] A Kinshasa paper stated that much of the trouble was caused by the efforts of the Brazzaville government to build an automobile road parallel to the road-bed of the railway—a policy which doubled the labor demand.[24]

3. *Sleeping Sickness*

The Congo population is so sparse and it stands up against these exactions with so much difficulty partly because of the presence of that

[20] "Organisation du Service de la Main d'Oeuvre du Chemin de Fer," *Bibliothèque Administrative,* No. 3, May, 1925.

[21] The conditions under which these workers are transported down the river are severely criticized by Gide, "Voyage du Congo," Chapter V, *Nouvelle Revue Française,* March 1, 1927.

[22] M. Fontainer, *Chambre des Députés,* December 1, 1926, p. 3960. In his address to the Council of Government at Brazzaville in December 1926 the Governor-General said that the mortality rate in the vicinity of Brazzaville had been reduced to 1% which would be 10 per thousand. He did not state, however, the rate in the district of Mayumbe. He simply quoted the report of the medical inspector who said, "Cette mortalité est très importante, mais pour l'apprécier, il faut tenir compte des difficultés inouïes dans lesquelles se poursuivent les travaux. Je ne crois pas que jusqu'ici un Chemin de fer colonial ait présenté un tel ensemble de difficultés de réalisation. Dans cette région du Mayumbe, tout est hostile, climat pénible avec des pluies et la brouillard pendant une grande partie de l'année. Portages inévitables le long de véritable sentiers de chèvres, dans un pays montagneux. Endémicité de la dysenterie. Difficultés de ravitaillement en vivres des chantiers du Mayumbe qui ne peuvent être approvisionnés inévitablement, que par portage. . . ."

[23] The Minister of Colonies, *Chambre des Députés, ibid.,* p. 3962.

[24] V. Mas, "Une Commission de Controle Attendue en A.E.F." *L'Avenir Coloniale Belge* (Kinshasa) July 1, 1926. This article pictures a ghastly state of affairs at Kilometre 106. It places the mortality rate at 350 per thousand.

dreadful malady, sleeping sickness. A government circular declares: "Long stationary, sleeping sickness has developed with intensity, especially during the last ten years, decimating entire centers during this period." [25]

A recent French report also says: ". . . the progressive advance of the disease is a veritable scourge. . . . Certain districts are becoming depopulated, the inhabitants disappear, and the resultant effect upon labour, which is so necessary for the development of the country, is painfully felt. . . .

"The disease in these districts often spreads in a manner unknown in French West Africa. It advances by spurts. The disease, breaking out under one roof, strikes down all the members of one family, destroys whole villages, and devastates a whole territory. . . . Not only do numerous tribes live herded together in huts in deplorable promiscuity, but these huts themselves are grouped at a short distance from one another, forming very crowded villages, with little intervening space." [26] Suffering real privations, even neglecting his food, the native, ignorant of even the rudimentary principles of hygiene, offers no resistance to an affection which develops rapidly among poor, resourceless communities.

It is a striking fact that this disease should increase as a result of the European occupation of the territory. The demands for soldiers, porters, and laborers have obliged natives, who before the coming of the Europeans roamed within a restricted area, to move from one end of the territory to another and have led to the spread of disease. Of probably equal importance is the fact that the sudden collision of native life with western industrialism has had the psychological effect of lessening the native's resistance to disease.[27]

In order to combat the advances of the tsetse fly, the French Parliament in the finance law of December 31, 1917, granted a subvention to Equatorial Africa of a million francs a year—a grant which is now annually made.

In areas where sleeping sickness is especially bad, the Brazzaville gov-

[25] "Notions Pratiques sur le Prophylaxie de la Maladie du Sommeil," *Bibliothèque Administrative,* No. 1, 1925, p. 4. Governor General Augugneur also says, "Il est certain que nous avons brisé, dans bien des cas, les barrières opposées a l'extension du fléau; nos colonnes militaires ont partout requistionné des porteurs, dont les uns pris dans les villages contamines ont introduit les maux dans les villages sains, dont les autres, indemnes au départ, se sent infectés dans les villages trypanosomiés.

"Le portage, en brassant les populations, en mélangeant sains et malades, a certainement répandu l'endémie, semié sur le territoire entier un virus jusque-là vegétant en vase presque clos." *Revue d'Hygiène, cited,* 1924, p. 514.

[26] Dr. G. Martin, in *Interim Report on Tuberculosis and Sleeping Sickness in Equatorial Africa,* League of Nations, C. 8. M. 6. 1924. III. pp. 38-39.

[27] This is the opinion of Dr. Cureau, a former Lieutenant-Governor of the Congo, quoted by Bruel, *Afrique Équatoriale Française,* p. 334.

ernment establishes special "secteurs" each in charge of a doctor and European and native assistants.[28] All such personnel must first go through a period of instruction at one of the laboratories of the *Institut Pasteur,* which for a long time has carried on important work in connection with this and other diseases at Brazzaville. At present, there are ten sleeping sickness "secteurs" in Equatorial Africa. The medical officers in such areas lead a strenuous and nomadic life; they must visit the villages and settlements in their area at least once every six months. The development of roads and an automobile service in the Ubangi-Shari has greatly facilitated the detection of sleeping sickness.[29] When the doctors discover cases, they treat them usually with atoxyl. In 1921, 550,658 natives were examined for sleeping sickness, as a result of which 28,559 cases were found. During the course of the year, they were treated with atoxyl from two to five times each.[30] In 1922, 680,250 natives were examined, 30,323 of which had this disease. It appears that a total of sixty doctors devote their time to sleeping sickness work. It is planned to create ten more "secteurs" in the immediate future—making a total of twenty.

The doctors in these areas not only attempt to cure cases when found, but they also endeavor to discover and stamp out the breeding places of the tsetse fly which carries the disease. They frequently bring the inhabitants of villages located in contaminated areas together in spaces clear of brush; and with the aid of native labor, they clear brush away from the water's edge, to eradicate breeding spaces.[31]

4. *Conclusion*

The French Government and these French doctors deserve great credit for the untiring efforts they are making in combating this dreadful disease. Upon their success, the future of Equatorial Africa depends. Until this disease is eradicated, economic expansion, which is dependent upon native labor, is not likely to occur, regardless of the system of transport installed. In the meantime, France is in a cruel dilemma. The economic development of the territory depends upon transportation, but the construction of means of communication depends upon labor which is not immediately obtainable in the territory except at a terrific toll of human life.

[28] *Arrêté* of January 22, 1921, *Recueil,* 1922, p. 71.

[29] Dr. J. Vassal, "La Maladie du Sommeil en Afrique Équatoriale Française," *Bulletin de la Société de Pathologie Exotique,* Vol. 17 (1924), p. 729. The work of Governor Lamblin of Ubangi-Shari in advancing native welfare, not only through the development of transport but of encouraging native agriculture, has frequently been commented upon.

[30] *Interim Report on Tuberculosis and Sleeping Sickness in Equatorial Africa,* p. 60.

[31] "Prophylaxie agronomique et administrative," Notions Pratiques, *Bibliothèque Administrative,* No. 1, 1925, p. 11.

Deprived of the possibility of importing labor, the government, if it wishes to save the population from extinction, must impose exactions upon the local population most sparingly. It would perhaps be desirable if construction work on the railway were slowed up to the point where labor demands can be reduced from ten to five thousand men. The interest of forest concessionaires in the Gaboon should not stand in the way of obliging this colony to furnish its quota, thereby relieving the remainder of the territory, especially the distant Chad, the natives of which come from an entirely different environment over a journey of more than a thousand miles. Finally, the native population should be relieved of the compulsory levies of food for the railway workers, to which it is now subject. A portion of the loan should be used to import rice and other food for the laborers.

Even when the Brazzaville-Ocean Railway is completed, the situation of the native population will not necessarily improve. The large concession companies, having secured an outlet, may merely increase their exactions upon the native population, a large part of which, as we have seen, cannot sell their produce in an open market. Presumably, the rights of these concessionaires will expire in 1929. But the concession of the largest of these companies has already been extended until 1936, and the other concessionaires, it is understood, wish a renewal. Even if the government does abolish the right of these companies to the sylvan produce in their territories, in encouraging large-scale plantations the administration will perpetuate labor evils, if upon a smaller scale. The Congo has no future unless the government radically changes its economic policy and adopts a program of native agriculture under which natives will be stimulated to work for themselves. This policy is already being started as far as cotton and rubber are concerned, in parts of the Ubangi territory. The importance of this policy is recognized by Governor-General Antonetti who said in December, 1926, "it cannot be denied that the most important producer must be the native." But in order to convert the improvident native into a peasant producer, outside aid is necessary. This should be the task of the colonial administrator.[32]

In addition to the encouragement of native agriculture the French Government should likewise intensify its campaign—already splendid but still insufficient—against sleeping sickness. This policy will require greater advances than ever from the home government. The reporter on the colonial budget recently declared[33] in the French Chamber of Deputies that "aid from the home government no matter what form it may take,

[32] *Afrique Francaise, Renseignements Coloniaux,* January, 1927, p. 39.
[33] Archimbaud, *Rapport, No. 581, cited,* p. 360.

is necessary, if we do not wish to be led after a little to the evacuation, pure and simple, of a French Equatorial Africa, ruined, sterile, and empty of men." Some of the most difficult, if not the most agonizing, problems in Africa have dug themselves into the French Congo. In the solution of these problems the people of France deserve the sympathy and encouragement of the outside world.

SECTION XII

TWO FRENCH MANDATES

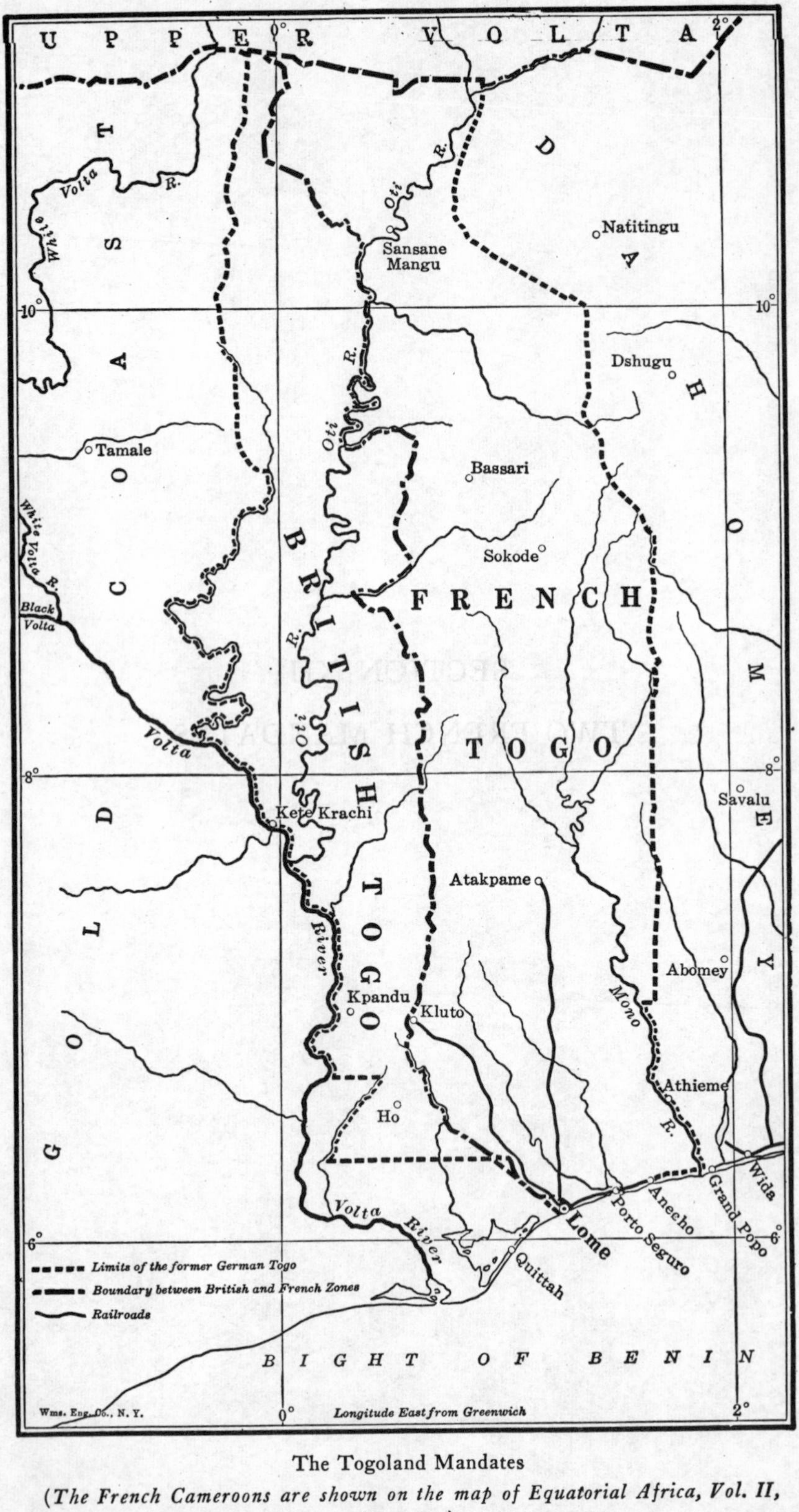

The Togoland Mandates
(The French Cameroons are shown on the map of Equatorial Africa, Vol. II, page 212.)

CHAPTER 76

MANDATE ADMINISTRATION

The French Cameroons is a triangular piece of territory whose back-yard extends from Lake Chad on the north to the Sanaga River on the south, and whose front-yard, one hundred and fifty miles long, opens on the Gulf of Guinea. Douala, now the chief city, is located near the sea, upon the shores of an imposing estuary, the banks of which are lined with tropical forests. In the old days of the rubber boom, Kribi was also an important port. But its importance has now declined. The Cameroons extends between the second and the thirteenth degree of latitude north, and between 9.45 and 16.15 degrees of longitude east. Before the war, the Cameroons, then German territory, had an area of about seven hundred and forty-five thousand square kilometers, plus about two hundred and eighty thousand kilometers, acquired in 1911.

The great beauty of this territory is evident to the visitor upon entering the Gulf of Biafra from which he sees two immense mountains jutting out of the sea; the one the Island of Fernando Po, and the other Mount Cameroons, which rises on the mainland to a height of thirteen thousand feet. The southern half of the Cameroons—that part of the territory south of six degrees latitude—has a comparatively low elevation, and is covered with a heavy tropical forest which is, incidentally, of great commercial value. The northern part of the Cameroons is a plateau similar in its physical features to northern Nigeria. It is inhabited by Moslem peoples organized into native states under Lamidos or Emirs. Part of the territory is drained by the Congo and Ubangi River systems, while the other part is drained by the Benue and the Niger. The total population of the Cameroons is now estimated to be between two and a half and three million, which would make an average density of eleven per square mile of the territory. Parts of the territory are heavily populated, especially the Dschang district which has a density of forty per square mile. The people of this district are already feeling a land shortage, and many of them have been obliged to emigrate. The Cameroons has been the meeting point of the two great branches of the people who inhabit Africa: the Bantus who dwell south of the Cameroons and the negroes proper who dwell to the north. As a result of the contact of these two groups, the Cameroons has been the scene of many native wars.

1. *Origins*

One of the most interesting people of the Cameroons are the Doualas who inhabit the town of that name. According to tradition, these people came up from the Congo two centuries ago for the purpose of trade. They soon came to monopolize all intercourse between the interior and the outside world. The Doualas were divided into a number of important families, the most important of which were the Bell and Akwa families, which for a time carried on perpetual warfare with each other. But finally the heads of these families came together and established a federal form of government in which each chief guarded his rights and which attempted to present a united front to foreigners. In the '80's, Douala had a population of about twenty thousand natives, thirteen thousand of whom were slaves.

About 1845, the Douala chiefs, having heard of the devices of reading and writing which the English Baptist missionaries had been teaching the natives on the nearby island of Fernando Po, asked them to establish a mission at Douala.[1] This invitation was accepted by Alfred Saker, one of the outstanding figures in West Coast history, who founded a mission and carried on a remarkable work in which he emphasized, in addition to religion, industrial and agricultural training. Following the expulsion of the English Baptists from Fernando Po by Spain in 1858, Saker opened another station across the channel at Victoria, a port near the base of Mount Cameroons. Missionary-explorers now attempted to climb the mountain while a distinguished member of the English Baptist Society, George Grenfell, discovered in 1878 the Sanaga river. He was apparently the first European to enter the interior.

Before 1884, European missionaries and traders carried on their activities in the Cameroons subject to the theoretical jurisdiction of dozens of native authorities. The most effectively organized of these authorities were the Douala chiefs who claimed to rule the country along the coast. A British Consul stationed at the Cameroons River was allowed to administer justice in cases between natives and Britishers through a Court of Equity. In 1872, a civil war between the Douala chiefs broke out. Previously the Baptist missionaries had been the subject of much persecution and intrigue; upon two occasions, the mission at Douala had been actually attacked. But these attacks did not diminish Saker's efforts on behalf of the natives, which included the reduction to writing of the

[1] Cf. Harry Johnston, *George Grenfell and the Congo,* London, 1908, Vol. I, Chap. III.

Douala language and the translation of the Bible. Many of the Douala young men learned English. Likewise he introduced the breadfruit tree, the pomegranate, the mango, and the avocado pear into the country. Many of these products came from the West Indies.[2] Saker's work was, however, less successful inland than in the Cameroons estuary because of the presence of witchcraft. Poison ordeals reduced the Bimbia population from about ten thousand in 1845 to two hundred in 1885.[3] Throughout the period, the Douala chiefs imposed heavy exactions upon European traders and claimed to monopolize the traffic with the interior—which naturally irritated merchants.

The complications arising out of the presence of individual Europeans became so great that in 1882 the Douala chiefs formally asked the British Government to annex the Cameroons. But the government took no action. Meanwhile, the Woermann Shipping Company, a German firm which was the chief competitor of the main British line, the Elder Dempster Company, proposed that Douala chiefs accept a German protectorate. In 1884, Dr. Nachtigal, the well-known explorer, came to Africa on a trade mission; and on July 5 of that year he proclaimed a German protectorate over what is now Togoland, which he followed a week later with the establishment of a protectorate over the Cameroons. Four days later, a British Consul arrived at Douala only to find a German flag flying.

The German protectorate was based on a treaty made at this time between the Douala chiefs and a representative of the Woermann Company, in which the chiefs surrendered their sovereignty in regard to legislation and administration in the territory, subject to a number of conditions: (1) that the territory should not be ceded to third persons; (2) that all treaties of friendship and trade which had been made with foreign governments should remain in force; (3) that all improved lands and the areas upon which the villages stood should remain the property of the successors of the present owners; (4) that the customs and usages of the Douala people should be maintained.

Inasmuch as the Germans did not annex the Cameroons but governed it as a protected territory or "Schutzgebiet," it appears that these conditions, morally, at least, remained in effect. But in the land controversy, the Doualas claimed that the Germans had not lived up to them.[4]

2. *The German Cameroons*

In 1885, the Germans set up a governor at Douala who organized a number of expeditions which gradually established control over the

[2] In the first half of the nineteenth century, most of the shipping to the West Coast of Africa came via the West Indies on account of the trade winds.

[3] Johnston, *cited*, p. 36.

[4] Cf. Vol. II, p. 341.

interior. Meanwhile, the government soon started a policy of settling the Highland areas in the vicinity of Mount Cameroons with German settlers, which involved the acquisition of native land and the conscription of native labor. As a result of the objection of many natives to the presence of the Germans and to the policies which they put into effect, a number of native revolts occurred. In one of these revolts, the Germans shelled King Akwa's town, a district of Douala, ruining a number of the buildings in the English Baptist Mission.[5] Whether or not this destruction was premeditated, the Germans later expelled the English missionaries altogether because of their influence over the natives. The withdrawal of these missionaries did not effect the zeal of the native leaders in the Baptist Church, an organization which has maintained its existence to the present day, and has created a political problem which is later discussed.[6]

After applying some of the English mission land to its own use without paying compensation, the German Government allowed the English Baptists to dispose of the remainder of it to the Basel Missionary Society of Switzerland which paid the English society the sum of ten thousand pounds for the property. In 1901, the Germans moved the capital from Douala to Buea, a site in the highlands directly north of Victoria.

The administration installed in the Cameroons was based on the same principles as in Tanganyika, with a governor, an "Erste Referent," and other department heads, and a government advisory council. The territory was divided into twenty administrative districts, seven of which were under military administration—districts located in the interior. The more important civil districts (Douala, Kribi, Victoria, Edea, Yaoundé, Lomie, Ebolowa, Jabassi, and Ossigne) were each under a "Bezirksamtmann" while other less important districts were headed by a "Bezirksleiter." These various officials were assisted by a police force which consisted of twenty-seven whites and 1155 natives in 1912. The northern part of the territory was under three Residents, at Gaaru, Mora, and Ngaundere, who governed the native states through their Emirs or Lamidos.

A military force of 1550 natives, organized into twelve companies, maintained order.[7]

In return for recognizing France's protectorate over Morocco, in 1911, the German Government received additions to the Cameroons, aggregating

[5] H. Johnston, *Colonization of Africa*, London, 1913, p. 61.
[6] Cf. Vol. II, p. 302.
[7] *Deutsches Kolonial Lexikon*, Vol. II, pp. 210 ff.

about one hundred thousand square miles, which were called the New Cameroons.[8]

At the end of the World War, the New Cameroons, instead of being retained as part of the Cameroons and held under a mandate, was returned to French Equatorial Africa.

In 1913, the ordinary receipts of the German Cameroons were estimated to be 13,344,624 marks, which included an imperial grant of 2,803,696 marks for military expenses. Revenue from native taxation came to 2,962,400 marks, while loans were utilized to the extent of 1,817,102 marks.[9]

The imports of the Cameroons increased from 13,275,000 marks in 1902 to 34,241,000 marks in 1912; while exports increased from 6,264,000 to 23,336,000 during the same period. Although exports increased more rapidly than imports, the Cameroons nevertheless had an unfavorable balance of trade. Rubber, most of which was wild, constituted the largest export, amounting to more than eleven million marks in value. Palm products, totalling about six million marks, came second, while cocoa grown on German plantations came third, totalling about 4,293,000 marks.[10] Eighty-two per cent of the trade was with Germany and nearly fifteen per cent with England. Trade was not more developed because of the absence of communications. The Germans constructed two main railways: one, the *Nordbahn,* opened in 1911, connected the settled areas of Dschang with Douala. The second, the *Mittellandbahn,* was destined to unite Douala with the north. By 1913, the construction of this railway had proceeded as far as Biyoka, about a hundred and fifty kilometers above Douala. The European population numbered 1371.

3. *German Togo*

German Togo lay to the north of the equator, a tiny territory crowded between French Dahomey and the Gold Coast, having an area of only 33,700 square miles. Its coast line was only about thirty miles long, in contrast to a spreading hinterland which had an average width of one hundred and thirty miles. Ethnically, the people of German Togo belong to the same tribes as the people who live in the adjoining territory. South Togo as far as Lome is inhabited by the advanced Akan and Ewe groups, some of whom also live on the Gold Coast. The Yoruba people extend

[8] Cf. Vol. II, p. 245. For a description and analysis, cf. Dr. Karl Ritter, *Neu-Kamerun,* Veroffentlichungen des Reichskolonialamts, No. 4, 1912, Berlin, part IV.

[9] *Der Reichshaushaltsetat und der Haushaltsetat für die Schutzgebiete,* 1913, p. 724.

[10] *Die deutschen Schutzgebiete in Afrika und der Südsee,* 1912-13, Statistical Part, Berlin, 1914, p. 248.

across Dahomey to Anecho. Farther north are found the Ashantis and the Mossi. At one time, a number of well-organized native kingdoms, such as that of Dagomba, existed in this area. While Islam has a hold on the north, fetishism prevails among the southern tribes.[11] The total population under the German rule was estimated at 1,031,715, while the average density was 11.58 per square kilometer.[12] The whites numbered only three hundred and sixty-eight. Germany established control over Togo, her first acquisition in Africa, in 1884, through a treaty of protection signed with the Chief of Little Popo.[13] In the first few years, difficulties arose between the Germans and the British over the Gold Coast boundary. The Volta River formed a natural boundary between the two territories. But for some reason, about two hundred miles north of Lome the frontier was originally drawn so as to leave the river and descend diagonally toward Lome, as a result of which a triangle on the left bank of the river, which came to be called the Volta triangle, became British territory. Following difficulties in trade, the two governments established a customs union in 1894 for the territories east of the Volta—an agreement which Germany terminated in 1904. Inasmuch as Quittah, which was located in the triangle, was the logical port of Togo, German merchants urged their government to exchange Samoa for the Volta triangle—a proposal which the government declined to accept. The triangle remains British territory to-day. It is inhabited by the same group which now inhabits Lower Togo.

The Germans administered the colony on much the same lines as they administered the Cameroons. Unlike the latter colony, Togo was a territory almost exclusively devoted to native production—primarily of cotton and palm products. A number of agricultural advisers gave instruction to the natives in each district.

Despite this emphasis on native production, German administration was not popular with many natives, particularly in the vicinity of Lome, many of whom had been educated in the neighboring territory of the Gold Coast, where they had become familiar with British methods of administration. In 1913, a number of Lome natives presented a petition to Dr. Solf, the German Secretary of State for Colonies, at the time of his visit, asking for an improvement in the administration of justice, particularly in mixed cases, the abolition of chaining and flogging prisoners, the admission of native representatives to the Council of Government, the intro-

[11] Cf. A. Mansfield, *West-Afrika, Urwald und Stepenbilder*, Berlin, 1924, pp. 25 ff.

[12] *Die deutschen Schutzgebiete, cited*, Statistical Part, p. 45.

[13] A. Zimmermann, *Geschichte der Deutschen Kolonialpolitik*, Berlin, 1914, p. 82.

duction of codes, the reduction of taxes to one mark, and the abolition of trading licenses.[14]

4. *The Campaign*

When the World War broke out in 1914, French and British troops soon entered the Cameroons territory, and after fighting what was called an amphibious campaign succeeded in driving the Germans, who were obliged to flee for want of ammunition, out of the Cameroons into the neutral territory of Rio Muni—a Spanish colony—in February, 1916. Many chiefs and about fourteen thousand natives accompanied the Germans, some of whom eventually were interned in Fernando Po. In 1919, most of them returned. The leader of the Allied campaign spoke of the Cameroons as being "defended by a well-led and well-trained native force, plentifully supplied with machine-guns." [15]

In an agreement signed in September, 1915, the French and British Governments undertook to rule the Cameroons jointly; but this agreement was replaced by a convention signed in London on March 4, 1916, by which the two governments divided the Cameroons provisionally between them pending a definite peace settlement. This agreement gave over to the French nine-tenths of the Cameroons, including Douala and the Cameroons estuary, as well as the two railways and port which will enable them to link up their Central Africa possessions with the sea—an important strategic consideration. The convention gave to the British about thirty-one thousand square miles, consisting of a strip of territory along the Nigeria border, embracing the plantation area, the former German capital at Buea, and the port of Victoria. As a result of this agreement, the British withdrew from Douala, which they had occupied between 1914 and 1916.

In administering the Cameroons during the World War, the French Government was obliged to follow the provision laid down in the Hague Convention of 1907 that the occupying power should "restore, and ensure, as far as possible, public order and safety, while respecting, unless absolutely prevented, the laws in force in the country.[16] Acting under this article, the French authorities continued to enforce most of the German legislation.[17]

[14] Text is printed in *Rapport au Ministre des Colonies sur l'administration du Togo,* 1921, p. 116. (Hereafter these Annual Reports are cited *Rapport du Togo* and *Rapport du Cameroun,* respectively.)

[15] Quoted by Sir C. Lucas, *The Empire at War,* Vol. IV, p. 66.

[16] Art. XLIII, Convention of October 18, 1907, respecting the Laws and Customs of War on Land. *Conventions of the United States,* Vol. II, p. 2288.

[17] Cf. "Rapport au Ministre des Colonies sur L'Administration des Territoires Occupés du Cameroun de la Conquête au 1 Juillet, 1921," Annexe September 7, 1921, *Journal Officiel de la République francaise,* 1921, Documents Administratifs, p. 418.

In its allocation of the German colonies in May, 1919, the Supreme Council declared that while other territory should be definitely allocated as mandates, the status of Togo and the Cameroons should be settled by negotiations of the French and British Government.[18]

Originally the French Government interpreted this agreement to mean that Togo and the Cameroons could be administered not as mandates, but as colonies; that is that they could be divided up between France and Great Britain and annexed. In a speech in the Chamber on September 7, 1919, M. Simon, the Minister of Colonies, said that the New Cameroons which had been a sort of colonial Alsace-Lorraine, would return to the "full sovereignty" of France. As for the other territories, the Minister admitted that France was bound by the general obligations of Article 22 of the Treaty of Versailles. But he interpreted these obligations, as far as Togo and the old Cameroons were concerned, to mean that France would be obliged merely to give to the members of the League of Nations the benefits of the open door; while she would take measures to abolish the slave trade and forced labor, and limit the commerce in arms and alcohol. He would go so far as to admit that they should publish a yellow book annually on the administration of the territory. But the government would insist upon the right of recruiting natives to serve in Europe; of establishing a customs and administrative union with adjoining territory, and of maintaining entire liberty in regard to public works. Subject to these qualifications, the French Government would agree to "administer without a mandate but in the spirit of the mandate." The chief difference between this and the mandate proper would apparently be that France would not be responsible to the Council of the League of Nations for the fulfilment of these obligations.[19]

During negotiations with the British Foreign Office, the French Government gave up this point of view and definitely agreed that both Togo and the Cameroons should be held under mandate.[20] Difficulties in delimiting the boundaries between the British and the French spheres and in obtaining the consent of the United States to the mandates delayed the

[18] "Togo et Cameroun. La France et la Grande-Bretagne établiront de concert leur futur statut, qu'elles recommanderont à la Ligue des Nations:
"Est africain allemand. Le mandat sera confié à la Grande-Bretagne," etc.

[19] Cf. *Journal Officiel, Chambre des Députés,* September 17, 1919, p. 4395.

[20] Cf. Note of December 17, 1920, *Draft Mandates for Togoland* (*British*) *and the Cameroons* (*British*), Cmd. 1350 (1921), p. 2.

Mr. G. L. Beer, the American expert on Africa at the Peace Conference, believed that Togo was too small to be made a separate mandate, and advocated its division between France and Great Britain along ethnic lines. *African Questions at the Paris Peace Conference,* New York, 1923, p. 433.

actual confirmation of the Togo and Cameroons mandates by the Council until July 20, 1922.[21]

Thus as a result of the War, the German Cameroons was divided into three portions. The New Cameroons was returned to French Equatorial Africa, nine-tenths of the Old Cameroons, having a population of about 2,800,000 natives, went to the French Government and the remaining tenth went to the British Government and has been added to the protectorate of Nigeria.[22]

5. *French Rule*

France could not wait until the confirmation of the mandate before organizing an administration in the Cameroons. A decree of September 5, 1916, provided for the appointment of a civil Governor to replace the military commandant who formerly controlled the administration. Between that date and 1921, the Cameroons was administered by a civil Governor responsible to the Governor-General of Equatorial Africa located at Brazzaville. But apparently the French Government believed that in view of the poverty of Equatorial Africa it would be contrary to the spirit of the mandate to incorporate the Cameroons as a member of that federation. Consequently, a decree of March 23, 1921, granted the Cameroons its political and financial autonomy, and provided that it should be administered by a Commissioner who had the status of a Governor and who was recognized as being the "dépositaire" of the powers of the President of the Republic. He is assisted by a Council of Administration.

While the Cameroons has thus become an independent territory as far as other units are concerned, the Governor may sit on the Council of Government of French Equatorial Africa when it discusses matters of common interest, and the Cameroons may "be called upon to make a contribution, the amount of which is fixed by the Ministry, to the budgets of neighboring French colonies with which it may have services of common interests." The 1926 budget of the Cameroons does not, it appears, make any such appropriation. The decree of 1921 applied the tariff of the open door portions of French Equatorial Africa—the ten per cent ad valorem duty originally fixed in the Act of Berlin—to the Cameroons.[23] Legislation of French Equatorial Africa is enforced in the Cameroons except when it has been replaced by a new decree or when its terms are inconsistent with the obligations of the mandate.[24]

[21] *Official Journal of the League of Nations*, August, 1922, p. 874.
[22] Cf. Chap. 40. [23] *Journal Officiel du Cameroun*, 1921, p. 88.
[24] Decree of May 22, 1924, *Rapport du Cameroun*, 1924, p. 127. A decree of the same date applied in a similar manner the legislation of French West Africa to Togo.

In Togo the situation was somewhat similar. British and French troops quickly occupied the territory and in the Lome convention of 1914 the territory was divided between the Gold Coast and Dahomey Governments.[25] As a result of this agreement, the British administered Lome and adjoining territory. In July, 1919, the Milner-Simon agreement was signed in which the British withdrew from Lome, and turned over to the French nine-tenths of the territory, having a population of about 748,000 people. The British retained about one-tenth of Togo, having a population of 188,000. In drawing the boundary between the British and French sphere, the line was drawn so as to reunite, in accordance with a treaty made between the Chief of Dagomba and British officials in 1914.[26] the Dagomba tribe which had been bisected by the old Anglo-German boundary. After a long period of indecision, owing to the demands of many natives that Togo be incorporated in the Gold Coast,[27] mandates over the respective territories were awarded to France and England on July 20, 1922. While French Togo is an independent colony, British Togoland is administered as part of the Gold Coast.

In February, 1915, the Governor-General of French West Africa organized a territorial administration at Anecho; while a decree of September 4, 1916, appointed a Commissioner of Togo to govern the French zone, under the direct control of the Minister of the Colonies.[28]

In 1920 and 1921 the French Government enacted decrees similar to that for the Cameroons establishing Togo as an independent territory governed by a Commissioner of the Republic, who is assisted by a Council of Administration.[29]

The obligations imposed upon the French Government by the man-

[25] Cf. Vol. II, p. 361.

[26] The text of this agreement is printed in *Correspondence relating to the Military Operations in Togoland,* Cd. 7872 (1915), p. 34. The Franco-British agreement of February 10, 1915, provisionally delimiting the Dagomba region, which is placed under the British post at Yendi, is printed in the *Journal Officiel de la République Française, cited,* 1920, p. 9873.

[27] Cf. Vol. II, p. 362.

[28] For the legislation of this period, cf. *Recueil de Tous les Actes ayant organisé la zone d'occupation française du Togo.* Portó Novo, 1921.

[29] The Commissioner of Togoland may be asked to sit among the Governors at the meeting of the Council of Government of West Africa to participate in deliberations of common interest. He transmits to the Governor-General of French West Africa copies of reports sent to the Minister of Colonies. Decree of March 23, 1921; the text of the decree together with the Decree of August 5, 1920, organizing a Council of Administration, and a description of administration before 1921 is given in "Rapport au Ministre des Colonies sur l'administration des territoires occupés du Togo, de la conquête au ler juillet 1921." *Journal Officiel de la République française,* August 25, 1921, p. 9867. In a Decision of June 1, 1927, Togo was called upon to contribute as its proportionate share the sum of 1528 francs toward a local pension fund. *Journal Officiel de l'Afrique Française Occidental,* 1927, p. 444.

dates of Togo and the Cameroons are similar to those imposed upon Great Britain in Tanganyika which have already been discussed.[30]

6. *Militarism and the Mandates*

The principal difference between the French and British obligations under the mandates is in regard to military obligations. France agrees in the Cameroons and Togo not to organize any native military force except for local police purposes and for "the defence of the territory." Unlike the other mandates, the term used is not "local territory," but "territory," and it is followed by the important qualification that "it is understood, however, that the troops thus raised may, in the event of general war, be utilized to repel an attack or for defense of the territory outside that subject to the mandate."[31]

Under a broad interpretation, France may conscript the native inhabitants of Togo and the Cameroons just as she conscripts the natives of French West and Equatorial Africa.[32] It appears that in 1920, a number of natives in the Cameroons were thus subject to the conscription laws of Equatorial Africa.[33] In the same year, the military forces occupying the territories of the Cameroons were placed under the General Commandant of the troops in French Equatorial Africa.[34] In both the Cameroons and Togo, local natives enlisted in the battalions in the mandated territories.

Until 1925, the cost of maintaining troops in both mandates was borne, as in French colonies proper, by the home government instead of by the local budget. The ultimate control of these troops remained with the Commandants of West and Equatorial Africa. The assimilation of the mandated military forces with the forces in the French colonies was anomalous inasmuch as decrees of 1921 had granted complete administrative and financial autonomy to the mandated territories.

This fact was realized in 1923 when in sending a company from Togo to suppress a riot in Dahomey[35] the French administration withdrew those soldiers who were natives of Togoland. Apparently encouraged by discussion within the Mandates Commission,[36] the French Government

[30] Cf. Vol. I, p. 436.
[31] Article 3, Togo and Cameroons Mandates.
[32] Cf. Article 3, mandate, Appendix XXX.
[33] "Arrêté du gouverneur général du 10 Janvier 1920 fixant les conditions du tirage au sort lors des opérations de recrutement en Afrique Équatoriale Française et du Cameroun," Dareste, *Recueil, de Législation, de Doctrine et de Jurisprudence Coloniales.* (Hereafter cited as *Recueil.*) 1921, p. 242.
[34] Decree of March 29, 1920, *ibid.*, p. 834.
[35] Cf. Vol. II, p. 17.
[36] At its third session, the Mandates Commission passed a resolution that "the spirit, if not the letter, of the mandate would be violated if the Mandatory enlists the natives of the mandated territory (wherever they may present themselves for

enacted a decree of June 28, 1925, the purpose of which, as stated by the Ministers of War and of Colonies, was to "conform to the views of the League of Nations and of the spirit of the Mandate" and to give both Togo and the Cameroons complete autonomy from the military point of view. This decree provides that the military organization of these two territories shall consist solely of units of native militia who are responsible, together with the native guard, for the interior police and security of these territories. The composition of the militia is fixed by the Commissioner subject to the approval of the Minister of Colonies. Both the militia and the police are under the control of the Commissioner. These forces are commanded by officers seconded from the regular Colonial Troops. In case of mobilization, the Cameroon militia, augmented by local militia reserves, at once comes under the command of the General Superior Commandant in French Equatorial Africa, who is charged with defending this group as well as the Cameroons. In Togo, the militia under the same conditions comes under the command of the Commandant of West Africa. This decree specifically abrogates the decree of 1920 attaching the military forces of the Cameroons to Equatorial Africa.[37]

Since January 1, 1925, the military organization of the Cameroons has consisted of a battalion of Native Militia having four companies, two stationed in the south Cameroons and two in the north. This battalion is composed of fifteen French officers, thirty-six non-commissioned officers, and six hundred and fifty-six native soldiers.[38] In addition, the Cameroons has a Native Guard, consisting of eight hundred and ninety-four native police.[39] The cost of both militia and guard are borne now by the Cameroons budget. In 1926, the sum amounted to about 2,430,000 francs or nine per cent of the total expenditures. Of this sum, 663,000 francs is for the Guard. These sums are much lower than in the Cameroons

engagement) for service in any military corps or body of constabulary which is not permanently quartered in the territory and used solely for its defense or the preservation of order within it, except as provided under Article 3, paragraph 2, of the mandates for French Togoland and the French Cameroons. A Mandatory may not add to its man-power by drawing on the population of the mandated territory to supply soldiers, reservists, or police constabulary for its own forces." *Annexes to the Minutes of the Third Session Permanent Mandates Commission,* A. 19, 1923, p. 311.

While both the British and French Governments took the position that they had a legal right to recruit natives, regardless of origin, in their own colonies and protectorates, they agreed that in deference to the views of the Mandates Commission, they would not maintain this right. For the British position, cf. *Annexes to the Minutes of the Fourth Session, Permanent Mandates Commission,* A. 13, 1924, p. 179.

[37] Text in *Rapport du Cameroun,* 1925, p. 170.

[38] To this battalion, a section of mountain artillery is attached.

[39] *Rapport du Cameroun, cited,* 1925, p. 15.

before the War or in Tanganyika to-day.[40] The combined cost of police and military forces in the British mandate of Tanganyika is more than 254,000 pounds or 25,400,000 francs—a sum which is 17.29 per cent of the total ordinary expenditures.[41]

In Togo, the seventh company of the third Senegalese regiment was dissolved in 1925. So far, Togo has not organized a native militia. The entire police of the territory is entrusted to a Native Guard having four hundred members in 1926, at a cost of 1,412,000 francs—which is nearly six per cent of the total ordinary expenditures.[42]

While the militia is organized into regular units, the guards in both Togo and the Cameroons are divided up into small contingents and assigned to the administrators in each circle.

As far as its peace-time policy is concerned, France is following a less "militaristic" program in her mandates than the British in Tanganyika. There are no detachments of French Colonial troops in the territory, and the natives in these mandates are not subject to conscription as in French West Africa. Nevertheless, the French Government has expressly stated that it had no intention of renouncing the right, conferred by the mandate, "to utilize troops raised in Togo and the Cameroons, in the event of general war."[43] So long as the League and the Locarno agreements prevent the outbreak of a general war, France has no intention of subjecting the natives of the mandates to conscription. Thus French military policy in the mandates differs vitally from French policy in the colonies proper. This difference is appreciated by the most pro-French natives in Lome, the capital of Togo, who declare that they would not live in the neighboring colony of Dahomey because of the military obligations to which their relatives there must submit.

[40] *Die deutschen Schutzgebiete, cited,* 1912-13, p. 73. The German Government appropriated 2,803,696 marks for military purposes in the Cameroons. In Togo, the upkeep of the police cost 534,900 marks. *Der Reichshaushaltsetat und der Haushaltsetat für die Schutzgebiete,* pp. 723, 739. The state apparently made no contribution to military expenditure in Togo.

[41] Cf. Vol. I, p. 519.

[42] In the Cameroons, the term of enlistment in both the Militia and the Regional Guard is for three years; the minimum pay is two hundred and forty francs; and at the end of fifteen years' service, a soldier or a guard receives a bonus of nine hundred francs.

The government maintains a training camp near Yaoundé, where about fifty candidates for the militia and the guard are maintained. The government requires each soldier to have a legitimate wife (and not a concubine; cf. for the K.A.R.) under either native or European law. Unlike the regular French military system, offenses committed by native militia are cognizable by ordinary native tribunals instead of a Council of War.

[43] Cf. *Minutes of the Sixth Session, Permanent Mandates Commission,* p. 15.

7. *Financial and Trade Situation*

Trade and finance were disorganized in Togo and the Cameroons as they were in Tanganyika, but perhaps not to as great an extent owing to the fact that the campaign in Togo lasted only a short time, while in the Cameroons it was completed in 1916. Despite the disorganization produced by the War, the administration of both Togo and the Cameroons has been operated at a large financial profit. Unlike the British Government which has advanced millions of pounds to the mandated territory of British Cameroons and of Tanganyika, the French Government has made no advances or guaranteed no loans either to Togo or the Cameroons. This has been due to the condition of the franc[44] and to the uncertain legal status of a mandate. The French Government at first was not clear whether it could legally guarantee a loan made by a mandated territory.[45] The French Parliament finally enacted a law on April 30, 1924, which authorized the Cameroons to contract a loan of 25,000,000 francs; but so far the Cameroons has not issued this loan. It is financing a public works program, the cost of which is put at 51,000,000 francs, out of current revenue and a loan of 5,000,000 francs from Togo.[46] The latter territory is also financing a building program out of current resources.

The loan from Togo, which the Cameroons made in 1925, is at five per cent interest and must be repaid at the end of five years. The *Exposé des Motifs* of the 1926 Cameroons budget (p. 6) says that the rate of interest is "very advantageous." It adds that this new procedure may have the advantage "of creating between two African populations a kind of mutual assistance which seems in complete conformity to the essential principles of the League of Nations." Nevertheless, certain dangers con-

[44] Cf. Vol. I, p. 937.

[45] Statement of M. Duchêne, *Minutes of the Ninth Session, Permanent Mandates Commission* C. 405, M. 144, 1926, VI, p. 60. It has now been recognized that the Mandatory Power has the right to guarantee such a loan.

[46] This construction is financed by a special budget annexed to the regular budget of the Territory. In 1926, it was composed as follows:

Receipts	
Advance from Togo	5,000,000 fr.
Contribution from Reserve	13,000,000
Extraordinary resources	3,500,000
	21,500,000 fr.
Expenditures	
Port of Douala	6,500,000 fr.
Midlands Railway and Ottelle-M'Balmayo line	15,000,000
	21,500,000 fr.

Budget Annexe de la Construction du Port de Douala et du Chemin de Fer du Centre, 1926.

nected with this form of procedure are evident. The Togo treasury is getting a low rate of interest for its money, and if the franc declines its capital will depreciate. Should the principle become established that a government may utilize the resources of one mandate to finance public works in another of its mandates or colonies—even in the form of a loan—it might be tempted to increase unduly the financial burden upon the first territory.

In Togo revenue has leaped from 4,333,335 francs in 1921 to 26,584,695 francs in 1925. In the Cameroons it has likewise increased from 13,339,435 francs to 26,229,800 francs. Six million two hundred thousand francs should be deducted from the Togo revenue—a sum which represents receipts from the emission of token money—in order to get a proper basis of comparison with the Cameroons. This would reduce the Togo revenue for 1925 to about 20,000,000 francs in comparison with 26,000,000 francs for the Cameroons, a much larger territory. In 1912, the revenue for the whole of German Togo amounted to about 5,000,000 gold francs (4,057,136 gold marks). Estimated in gold, the present revenue is just about that obtained in 1912. Revenue for the German Cameroons was about 10,000,000 gold francs (8,901,200 marks) in 1912.[47] Estimated in gold the present revenue is about three-fifths of the revenue in 1912.

In order to obtain funds for these public works programs, both Togo and the Cameroons have adopted the policy of accumulating reserves out of the surplus of current revenue over expenditure until they are large enough to be used for productive purposes. Between 1921 and 1925 inclusive, the Togo Government accumulated 41,709,309 francs in excess of expenditures—or 417,093 pounds. In the year 1925, this excess of revenue over expenditure amounted to 18,311,566 francs, while the expenditure for this year amounted only to 8,273,129 francs.[48]

The Cameroons administration accumulated during the same period a surplus of 27,887,691 francs—or nearly 279,000 pounds. As one member of the Mandates Commission in 1926 declared: "It was almost without precedent, not only in the history of colonies but also in that of mother-countries, that a great programme of public works could have been realised without having recourse to public credit. The present population of the territory was supporting the cost of improvements from which its descendants would derive the benefit." [49]

Trade increases have been even more important. In Togo the trade

[47] The imperial subsidy of 2,803,696 marks and accumulated revenue of 1,639,728 marks are not included in this figure. Cf. *Der Reichshaushaltsetat und der Haushaltsetat für die Schutzgebiete,* 1913, p. 723.

[48] *Rapport du Togo,* 1925, p. 61.

[49] M. Rappard, *Minutes of the Ninth Session, cited,* 1926, p. 59.

has increased from 18,000,000 francs in 1921 to nearly 138,000,000 francs in 1925. The latter figure, reduced to gold, is nearly 52 per cent greater than the German trade for 1912.[50] In the Cameroons trade has increased from 22,000,000 francs to nearly 60,000,000 francs in the same period. The latter figure, in gold, is about eight per cent less than the trade of the German Cameroons (including the area now under British mandate).

Thus the surprising feature of the French mandatory administration is that while in Togo trade is 52 per cent greater in value than in the German days, revenue is about the same; and that while in the Cameroons trade is about eight per cent less in value than in 1912, revenue is only three-fifths of the German figure.

In view of this fact, it would seem to follow that the natives in these two territories are not over-taxed in comparison with pre-war days. The following tables show the present situation in Togo and the Cameroons:

PER CAPITA TRADE AND REVENUE—FRENCH MANDATES

	TOGO	CAMEROONS
Total Population	747,437	2,771,873
Total Revenue per capita	19.7 fr.	9.5 fr.
Total Trade per capita (1925)	184.3 fr.	86.4 fr.
Ratio:—Direct taxes to Total Trade	2.6%	5.1%

TAXATION

	TOGO		CAMEROONS	
	Tax per capita Fr.	Percent of tax to Total Revenue	Tax per capita Fr.	Percent of tax to Total Revenue
Direct Taxes	4.8	24.2	4.4	46.0
Indirect Taxes (customs duties)	11.0	55.5	3.2	33.6
Total Taxes	15.8	79.7	7.5	79.6

According to these tables, the per capita rate of direct taxation is slightly higher in Togo than in the Cameroons. The rate in both of these territories is only half of the rate in French West Africa.[51] But apparently the capacity to pay of the Togo native is considerably greater than that of the Cameroons native. Direct taxes in Togo represent only 2.6 per cent of the total trade in comparison with 5.1 per cent in the Cameroons.

[50] Cf. Appendix XXXI.
[51] Cf. Vol. I, p. 944.

The commercial superiority of Togo is shown by the fact that per capita trade and per capita revenue are more than twice that of the Cameroons.

Expenditure as well as revenue in French Togo and the Cameroons are much lower to-day than in 1913. An analysis reveals that, measured in gold, the French Cameroons in 1925 expended 44.5 per cent less than the German Cameroons in 1912 and that French Togo expended 47.2 per cent less than German Togo in the same year.[52] This difference is not, however, as great as it seems in view of the fact that the French mandates occupy only about nine-tenths of the territory held by the Germans; and that the internal purchasing power of the franc to-day is greater than its international gold value.

8. *An Economy Régime*

Nevertheless at the present time per capita expenditure is lower in the Cameroons than in any other colony in Africa. Only in Liberia is it less.[53] Per capita expenditures in French West Africa are more than twice what they are in the Cameroons. Per capita expenditures in Togo are the fourth lowest in Africa.[54] It thus appears that the costs of administering the French mandates is much less than that of administering most colonies. These economies are apparently made possible because of low military expenditures and interest charges, a comparatively small number of European personnel, the low salaries which Europeans are paid, and the exaction of unpaid labor.

In the days of the Germans, military expenses and interest on loans in the Cameroons absorbed 42.2 per cent of total ordinary expenditures, whereas to-day these two items absorb only 6.9 per cent. In Togo interest on loans in 1913 absorbed 21.2 per cent, whereas in 1926 Togo paid no interest charges.[55] Both mandates also pay comparatively low salaries to European officials, while the Cameroons has, in comparison with Tanganyika, economized upon the number of officials engaged in native welfare work, as the following table shows:

[52] In 1912, German Togo expended 3,593,636 gold marks (4,436,559 gold francs); in 1925, French Togo expended 9,378,000 francs (paper) which, adjusted to pre-war value, would be the equivalent of 2,344,625 francs pre-war value. This expenditure figure is somewhat different from the figure previously used since one is the estimated figure and the other is the final figure. In 1912, the German Cameroons expended 10,890,637 gold marks (13,445,145 gold francs); in 1925, the French Cameroons expended 29,827,300 francs (paper) which equal 7,456,825 francs pre-war value.

[53] Cf. the Comparative Table. Vol. I, p. 941.

[54] They are greater than expenditures only in the Cameroons, French Equatorial Africa and Liberia.

[55] Cf. Vol. I, p. 436.

ADMINISTRATIVE AND NATIVE WELFARE PERSONNEL
TANGANYIKA AND THE FRENCH CAMEROONS

Departments	Average Number of Officers in each department per 100,000 inhabitants		Average Salary per officer in each department	
	Tanganyika	Cameroons	Tanganyika	Cameroons
I. Departments indirectly benefiting natives.				
Administration	3.52	3.93	£488	£284[1]
Judicial and Legal	.31	.40	£933	£241[1]
Police and Prisons	.17	.25	£740	£212[1]
TOTALS	4.00	4.58	[2] £532	[2] £276[1]
II. Departments directly benefiting natives.				
Medical	1.41	1.62	£685	£159[1]
Veterinary	1.03	.07	£440	£216[1]
Education	.98	.83	£360	£211[1]
Agriculture	.58	.22	£489	£353[1]
Forests	.34	.04	£445	£287[1]
TOTALS	4.34	2.78	[2] £509	[2] £193[1]

[1] Converted from francs to sterling at rate of 100 francs per pound sterling.
[2] Averages.
Source: Estimates.

According to this table, the French have manned the Cameroons more intensively than the British have manned Tanganyika, from the administrative standpoint. This comparison illustrates a fundamental difference in policy; the British rely upon native chiefs for the performance of many duties in connection with the trying of cases and the collection of taxes; but the French place all duties of administration in European hands. The Cameroons is better off also than Tanganyika from the standpoint of doctors. But in the other native welfare departments, Tanganyika has a superiority which is slight in regard to educational officers, but which is great in other departments. Thus Tanganyika has nearly twice the number of agricultural officers per hundred thousand people as the Cameroons; nearly fifteen times the number of veterinary officers; and eight times the forestry officers. These figures would seem to show that the Cameroons is doing little to protect its vast forest resources.

What is even more striking is the fact that while British administrative officers are paid nearly twice as much as French administrative officers,

British Native Welfare Officers receive nearly three times as much as French Native Welfare Officers. While again some account must be taken of the fact that the internal value of the franc is greater than its international value, it seems certain that the French officer, in comparison with the Britisher, is really under-paid. The same comparative condition is shown in the following table comparing Administrative and Native Welfare expenditures in 1926.

ADMINISTRATIVE AND NATIVE WELFARE EXPENDITURE
TANGANYIKA AND THE FRENCH CAMEROONS
1926

Department	Amounts of Appropriations		Amount per 100 persons		Percent of Total Ordinary Expenditures	
	Tanganyika	Cameroons	Tanganyika	Cameroons	Tanganyika	Cameroons
I. Departments indirectly benefiting natives.						
Provincial Administration	£301,470	£37,470[1]	£7.22	£1.35	17.1	12.6
Judicial and Legal	22,847	5,020[1]	.55	.18	1.3	1.7
Police and Prisons	130,163	4,467[1]	3.12	.16	7.4	1.5
TOTALS	£454,480	£46,957	£10.89	£1.69	25.8	15.8
II. Departments directly benefiting natives.						
Medical	193,066	35,975[1]	4.63	1.30	11.8	13.7
Veterinary	47,301	1,103[1]	1.13	.04	2.7	4
Education	66,347	9,162[1]	1.59	.33	3.8	3.5
Agriculture	83,115	3,391[1]	1.99	.12	4.7	1.3
Forests	17,670	[2]	.42	[2]	1.0	[2]
TOTALS	407,499	49,631	9.76	1.79	24.0	18.9

[1] Converted to francs at rate of 100 fr. per pounds sterling.
[2] Included in "Agriculture."

According to this table Tanganyika is expending more than six times as much as the French Cameroons upon ordinary administration, and more than five times as much upon native welfare. This difference does not accurately portray the comparative condition in the two territories because officials are so poorly paid in French territory. Yet despite these considerations, it would appear that the British are putting more productive money and men into their mandate than are the French.

This conclusion is reinforced by a comparison of expenditures on public works. The Cameroons budget for 1926 [56] appropriates a total of 993,380 francs for construction and maintenance of roads and bridges, in comparison with Tanganyika which in the same year appropriated 152,455 pounds or 15,245,500 francs for this purpose.[57] In 1926 a special budget for the Cameroons appropriated 21,000,000 marks for the construction of the Port of Douala and of certain railways,[58] in comparison with appropriations for new railway construction in Tanganyika in 1926 for 885,500 pounds or 88,550,000 francs.[59]

The severe economy which prevails in the French mandate is apparent to the visitor. In the Cameroons the head of a government department recently went on a walking trip, lasting for three months, in which he inspected a large number of government districts. His journey followed government roads suitable for automobiles or motorcycles; with the use of such a vehicle he could have completed his trip in two weeks. But the government had not felt financially able to supply him with a motorcycle. The government justified the use of prestation labor for the construction of the road between Eseka and Ebolowa in order to relieve the natives of porterage in carrying peanuts to the railway labor camps. But having completed the road construction, the government did not buy motor trucks with which the administration could transport these peanuts. Instead of walking through foot-paths with loads on their heads, the natives now walked down the open road. In 1925, the Ebolowa Administration was unable to move one hundred and eighty-one tons out of six hundred and seventy-six tons of peanuts and rice produced for the railway because of the absence of porters and automobiles. The Cameroons Administration had constructed a system of roads without providing facilities for their use. European traders complain that the French Administration has allowed the excellent telegraph and telephone system which the Germans had installed to deteriorate.

In Togo, personnel is reduced to a minimum. The Commandant of the Cercle of Lome has been obliged to act as the *Procureur Général,* the head of the judicial system of the territory. The Director of Political Affairs in the Secretariat has also been the head of the Educational Service, while the direction of the agricultural and veterinary services has been confided to one man.

[56] *Budget des Recettes & des Dépenses,* pp. 99, 107. Togo appropriates a million francs for the construction of roads.

[57] *Draft Tanganyika Estimates,* 1926-1927, p. 56.

[58] *Budget, Annexe de la Construction du Port de Douala et du Chemin du Fer du Centre, cited,* 1926, p. 14. The expenditures in this budget are not included in the ordinary expenditures, cited above.

[59] *Draft Tanganyika Estimates,* 1926-1927, p. 75.

While the French mandates have thus made a number of economies, they have not cut down on native welfare expenditures in comparison with French colonies. Togo devotes 24.71 per cent of her expenditure to native welfare, while the Cameroon devotes 18.90 per cent. These percentages are unusually high. Per capita expenditures are also higher than in French West Africa, but they are considerably smaller than in British West Africa.

In view of the complicated financial situation in which the French mandates find themselves because of the franc, it is impossible to make any precise comparisons or draw any detailed conclusions as to the effects of the financial policy of these mandates upon native welfare. It cannot be established that this policy has led to oppressive taxation upon the native populations; but it does seem that it has led to severe administrative economies. Moreover, as a result of this financial system the Cameroons and Togo together have during the last five years accumulated a surplus available for public works of nearly seventy million francs or seven hundred thousand pounds. In comparison with the three million pounds advanced by the British Government to Tanganyika this sum is small. It is, therefore, doubtful whether this financial policy will equip the two French mandates with as permanent and as productive a system of public works and communications as the policy of loans pursued elsewhere.

Despite the economy program, the two French mandates have both made appropriations to a large number of organizations in France directly or indirectly connected with colonial propaganda. The Togo budget makes grants to eighteen such societies, while the Cameroons budget aids in the support of twenty-five, such as the *Comité de l'Afrique Française* and the *Société des Études Coloniales et maritimes.* While the Tanganyika budget makes contributions to Imperial bodies directly serving the colony, such as the International Commission for Tsetse Research, it does not make grants to organizations such as the Royal Colonial Institute or the African Society.

Moreover the Togo government made contributions to restore the devastated regions of France.[60]

9. *The Open Door*

Down until 1926 the French Government excluded German ships and German merchants from Togo and the Cameroons, in contrast to the neighboring French colonies where it allowed them to enter. This dif-

[60] Cf. the letter from the Mayor of Lys Fontaine thanking the Togo government for a 20,000 francs subvention for the devastated territory. *Journal Officiel du Togo,* 1923, p. 361.

ference in policy was apparently due to the uncertain status of the mandates and of the fear that they might be returned to Germany. But this policy was modified as a result of the Franco-German commercial agreement of August 5, 1926, in which the French Government agreed to examine with sympathy the requests addressed to them by German nationals for the purpose of admission to the territory of the French colonies or to the territories under French mandate[61] and by the admission of Germany into the League of Nations in the fall of 1926. The nationals of all states members of the League are entitled to the same privileges in a mandated territory as nationals of the mandatory power. Whether or not Germany will regain her former preponderance in the trade of Togo and the Cameroons remains to be seen. So far, the trade of these mandates has had the following destinations:

COMMERCIAL MOVEMENT OF TOGO AND THE CAMEROONS

	Total Trade			
	With France		*With Other Countries*	
	Togo %	*Cameroons* %	*Togo* %	*Cameroons* %
1920	11.7	25.2	88.3	74.8
1921	21.0	34	79.0	66
1922	26.6	33.9	73.4	66.1
1924	31.5	32.6	68.5	67.4
1925[1]		34.8		65.2

The import and export figures are as follows:

	IMPORTS			
	From France		*From Other Countries*	
	Togo %	*Cameroons* %	*Togo* %	*Cameroons* %
1920	34.7	20.6	65.3	79.4
1921	13.1	31.2	86.9	68.8
1922	17.0	31.3	83.0	68.7
1924	20.5	43.6	79.5	56.4
1925		32.5		67.5

[1] The above percentages have been calculated from the trade figures published in the *Renseignements Généraux sur le Commerce des Colonies françaises*, 1924, pp. 36, 48. The 1925 figures have been taken from the *Rapport du Cameroun*, 1925, p. 72; but no figures dividing trade according to nationality seem to be given in the Togo report for 1925.

[61] This declaration also provided: "Il a, en outre, l'intention d'accorder aux nationaux allemands qui sont ou qui seront admis dans les dits colonies ou territories sous mandat le traitement de la nation la plus favorisée en ce qui concerne la protection des personnes et des biens, l'exercice des professions et l'acquisition des biens mobiliers et immobiliers, sous réserve de l'observation des lois d'ordre public et de sûreté, ainsi que de la législation locale." Text in *Le Temps*, August 13, 1926, p. 4.

EXPORTS

	To France		To Other Countries	
	Togo	Cameroons	Togo	Cameroons
	%	%	%	%
1920	20.9	29.6	79.1	70.4
1921	34.5	36.0	65.5	64.0
1922	32.0	37.8	68.0	62.2
1924	40.3	27.	59.7	72.4
1925		33.3		66.7

According to these tables, despite gradual increases since 1921, French trade in the mandates is considerably less than the trade of other nations—proof that the open door is being observed. Because of the higher purchasing value of the pound, and the presence of well-organized British trading firms in the French territory, it is perhaps natural that exports should go to non-French countries, particularly to England. In Togo, Holland also is responsible for a large share of imports, because of Dutch gin.[62] The situation in the French Mandates is in striking contrast to the situation in these territories before the war when Germany controlled about three-fourths of the trade, despite the open door, and in British territories to-day, where the British merchants control the majority of the trade.[63] To a country dominated by protectionist beliefs, the situation in the French Mandates is unsatisfactory. But from the standpoint of the internationalist, it means that foreigners can trade upon an equal basis with Frenchmen, and that the commercial argument for taking the territory away from France has little value.

[62] Cf. Appendix, Vol. II, p. 889.
[63] Cf. the tables in the Appendix, Vol. II, p. 889.

CHAPTER 77

THE FATE OF GERMAN PROPERTY, AND MISSIONS

1. *The Treaty of Versailles*

FOLLOWING the close of the World War, the French Government was confronted with the problem of disposing of German property. It has been a principle of international law that private property rights should not be disturbed as a result of a war or the transfer of territory from one state to another. But this rule was not followed by the Allied governments at the close of the World War for reasons which need not be discussed here. But they did not confiscate German private property outright. The Treaty of Versailles provided that the Allied governments could retain and liquidate all German property within their territories, including the mandates.[1] The Treaty recognized the principle of compensation, however, by providing that the price at which this property was to be taken should be "fixed in accordance with the methods of sale or valuation adopted by the laws of the country in which the property has been retained or liquidated." After paying the claims of creditors against the Germans, the Governments must, whether directly or through the clearing offices, credit any final balance to Germany's reparations account.[2]

Thus while Germany in theory was to receive any balance from the liquidation of such property, the liquidation of this property was entirely in the hands of the Allied government concerned. Compensation was to be made according to the methods adopted by the laws of the country in which the property was located.

In 1919, the French parliament passed the Law of Sequestration defining the procedure under which the State should handle German property, and in 1920, the government promulgated a decree, presumably based upon this law, which established a special procedure in the Cameroons and Togo.

All enemy property under this decree was placed in charge of an Administrator Sequestrator, who should liquidate the property subject to the advice of a Commission of Frenchmen, which should establish the conditions of sale, subject to judicial review. The actual liquidation of

[1] Article 297 (b).

[2] Article 243.

the property took the form of a judgment or "ordonnance" of a tribunal. As a rule, this property should be sold at public auction but the state may exercise a right of "preemption," and acquire for itself any such property at a price fixed by the Commission.[3]

By 1925, the French administration in the Cameroons had liquidated one hundred and sixteen German firms, holding three hundred and sixty-two different properties. Of this number, two hundred and nineteen were sold at public auction; and a total of one hundred and seven were taken by "preemption" by the government. Forty properties also passed to the government under Article 120 of the Treaty of Versailles.[4]

Of the properties sold at auction, one hundred and thirty-two were acquired by Frenchmen, forty by Englishmen, and twenty-nine by natives.

The total amount realized from these properties came to 11,561,990 francs, or about 116,000 pounds,[5] in contrast to the 1,381,000 pounds realized from the sale of enemy property in Tanganyika.[6] In comparison with Tanganyika there are comparatively few large plantations in the Cameroons. Nevertheless, it seems that the French Administration has disposed of them at a sum much below what would have been their value had the German Administration remained in power.

This sum, which will presumably be credited to Germany's reparation account, is as small as it is partly because of the large number of properties which the French Government "preempted." The administration interpreted the power granted under this decree to acquire virtually any property it liked upon the payment of the sum of one franc.[7] One property which was made the object of preemption was the North Cameroons Railway which had belonged in part to a private society. It appears that the French Government acquired this railway without making any compensation (except one franc).[8]

In other cases, the Administration exercised this power to obtain properties necessary for administrative purposes. In sixty-seven cases, the government preempted property for which no bidders appeared at the auction. Many of these properties were old plantations the value of which increases with the revival of trade. The Cameroons Government

[3] Article 9, Decree of August 11, 1920. *Rapport du Togo*, 1922, p. 117.

[4] This article says that "All movable and immovable property in such territories belonging to the German Empire or to any German State shall pass to the Government exercising authority over such territories, on the terms laid down in Article 257 of Part IX (Financial Clauses) of the present Treaty. The decision of the local courts in any dispute as to the nature of such property shall be final."

[5] *Rapport du Cameroun*, 1925, p. 69.

[6] *Tanganyika Report*, 1925, p. 63.

[7] Cf. testimony of Commissioner Marchand, *Minutes of the Ninth Session, Permanent Mandates Commission*, C. 405. M. 144. 1926. VI, p. 63.

[8] *Rapport du Cameroun*, 1924, p. 87.

is now selling this preempted property to traders at a profit. According to the 1925 Report of the Cameroons, "Undoubtedly the selling price, without being high, has greatly exceeded the rate of preemption uniformly fixed at one franc, and the Territory has realized a profit which has fallen into the government receipts." Five out of the sixty-seven properties have so far been sold at a profit.

2. *The "Compagnie des Tabacs"*

The French Government exercised this power of "preemption" in respect of five important German tobacco plantations in the vicinity of Dschang. A special decree [9] turned over these plantations, having an area of 9935 hectares, to a private concern, called the *Compagnie des Tabacs au Cameroun,* for a term of sixty years. In return for these plantations, the Company agrees to make a payment of 1,052,444 francs and to pay an annual rent of twenty-five thousand francs payable after the end of the sixth year. After the shareholders receive an annual dividend of eight per cent, the Cameroons administration will be entitled to receive eight per cent of the profits above this figure. The importance of these obligations is reduced by the fact that as long as the present export tax on tobacco is in force, the Company is relieved of the obligation to pay the annual rent of twenty-five thousand francs or the eight per cent super-profits tax.[10] The *Compagnie des Tabacs* must cultivate annually a minimum of a hundred hectares for a period of twenty years, a figure which is increased to one hundred and sixty hectares annually for the next twenty years, and thereafter to three hundred hectares, and it must export at least ninety tons of tobacco a year for the first twenty years, one hundred and forty tons for the second twenty years, and two hundred tons thereafter. The French Government handed over this property without allowing other interests to bid for it. It justified this disposition of such valuable holdings on the ground that it would enable the French Tobacco Monopoly to obtain tobacco from within the Empire which it now obtains from foreign sources. On March 25, 1925, the *Compagnie*

[9] These plantations were "preëmpted by the Commissaire de la République." *Journal Officiel de la République française,* April, 1924, p. 3439. Ordonnances of January 17, 1924, and February 12, 1924, of the Tribunal of Douala authorized the liquidation of the property of the Tabakbau Pflanzung Gesellschaft, etc., following which the Commissioner exercised his right of preemption.

[10] The administration will also be entitled to receive eight per cent of the reserves at the dissolution of the Company. Article 4 of the *Cahiers des Charges* says that modifications in the limits of the plantations may be made either in the interests of the Company or of the native reserves, but they cannot extend beyond one-twentieth of the original surface.

For the Decree of May 11, 1925, cf. *Bulletin Officiel du Ministère des Colonies,* 1925, p. 807.

des Tabacs made a contract with the Director General of the State Tobacco Monopoly in France to furnish the *Régie* with a certain amount of tobacco annually. Thus this French company received about twenty-five thousand acres of tobacco land, much of which was already under cultivation, for the sum of about fifty-five thousand dollars, or for about two dollars an acre.

3. *The Togo "Scandal"*

In Togo, the French Government has been obliged to liquidate property in a similar manner. By the end of 1925, the Togo administration had liquidated twenty-six of these properties which brought in a total of 25,510,895 francs. A number of other properties still remain to be disposed of. The only agricultural plantations of importance in Togo belonged to the Agupflanzungsgesellschaft, the Togo Pflanzungs Aktien-Gesellschaft, the Gadja Pflanzungs Aktien-Gesellschaft, and the Kpeme Pflanzungsgesellschaft. These plantations, which covered about ten thousand hectares, were planted with cocoa, palm trees, rubber teak, and other products. On July 11, 1921, the *Compagnie Française du Togo* having a capital of 675,000 francs, was formed in Paris for the purpose of taking over these companies. A deputy was active in the organization of the Company. In order to secure these properties, the deputy and a government magistrate from Réunion, went to Lome, where they drew up an agreement with the Commissioner, M. Wôeffel. At this time, the regular magistrate was ordered home on the ground of illness. One deputy described it as "malade par persuasion." [11] Having got the regular magistrate out of the way, the Commissioner drew up contracts handing over these German plantations to this Company, for seventy-five years; which, in return, agreed to pay the government fifteen per cent of its profits after making important deductions which rendered the prospect of securing any such profit remote. But in making these contracts, the Commissioner ignored the procedure laid down in the decree of 1920. Moreover, the contract provided: "If the rights of the natives to own this land should be established, the company should receive other land elsewhere." The natives had already complained that the land held by these companies belonged to them, and it was believed that this provision was inserted to pave the way for a grant of land to this Company near the vicinity of Lome having a much higher value but which could not otherwise have been given to the Company free.[12] In the Chamber, it was declared that

[11] Cf. the interpellation of M. René Boisneuf, *Journal Officiel, Chambre des Députés,* March 18, 1922, pp. 911, 914.

[12] One member of the Chamber declared that deputies and reporters of colonial budgets had obtained concessions of land in Tunis at the expense of the natives. He mentioned, among others, M. Deschanel. *Ibid.,* p. 914.

the exports from these plantations were worth, in 1920, a million francs. At the same time, a deputy obtained a concession for a plantation at Agida which, before the territorial settlement of 1921, was within British territory. The British Government had leased the Bagida plantation for the period of one year in return for a rent of twelve hundred pounds or sixty thousand francs. When the French took over the territories, the Togo administration leased the same property to M. Gasparin, the Réunion deputy, for the sum of three hundred and thirty-five francs a year in addition to 15 per cent of the profits, which deputies called a "façade" and a "trompe-d'oeil."

In another article[13] of the Agu contract, the Commissioner of the government undertook to furnish "as has been done until now," Cabrais workmen whom the concessionaire needs for the exploitation of the concessions, but whom he must remunerate.

The Commissioner now instructed the acting Sequestrator of Enemy Property, M. Dusser, to sign the contracts. But M. Dusser declined on the ground that they sacrificed the rights of the State, and that the formalities prescribed by law had not been followed. M. Wôeffel thereupon cabled the Minister of Colonies in Paris who cabled back according to Wôeffel, that these concessions should be granted without the proper formalities, to forestall the attempts of an Anglo-German Company to acquire these properties. At this, Dusser signed the contracts, but shortly afterward committed suicide.[14] He left a statement in which he said that he was an honest man but he was "too fatigued by the War and by this stay in the colony to be able to explain the transactions before the court."[15]

This suicide led the French and British merchants to cable the French Minister of Colonies to send out an inspector and to recall the Commissioner and the acting magistrate. These officials were thereupon summoned to Paris.

This affair was made the object of an interpellation in the Chamber by a colonial deputy in 1922. During the debate, M. René Boisneuf, author of the interpellation, said that the contracts "having these scandalous conditions would never have been signed if those who had taken the initiative in the matter had not been members of parliament." He went on: "I have the right to say that the influence which these members have exercised in this affair arises out of their position as deputies and is

[13] Article 8, para. 2.

[14] In the Chamber of Deputies, the statement was made that the same group planned to sabotage the Togo Railway so that they would show a large deficit in order that the government might dispose of them at a nominal price.

[15] Quoted, *Chambre des Députés,* March 18, 1922, p. 919.

responsible for circulars and the confidential opinions and demarchés which have been sent there and behind which those to blame now wish to hide themselves to escape the responsibility which menaces them." [16]

During the debate in the Chamber, hints were made that the real responsibility for this state of affairs was not upon M. Wôeffel, the Commissioner, but upon the Ministry of Colonies who acted out of regard for a "national interest." [17]

The Minister, after pressure from a number of deputies in the course of the debate, admitted that he had sent a confidential circular to Togo to the effect that British and German interests were forming a powerful trust to attempt to evict French interests in Togo,[18] and that steps to prevent the German property from falling into alien hands should be taken. The local administration had interpreted this circular to authorize it to hand over the property to the French Company. But in the first of his speech, the Minister had declared that the cases of these officials would be placed before the proper administrative tribunals: the Council of Inquiry, and the Council of Discipline and Magistrature; [19] and that in his opinion the contracts made by the Commissioner were illegal.

Both the Minister and the interpellator said that in a mandate, they should set a good example. This was before the mandate was definitely attributed to France. At the close of the debate, M. Boisneuf moved the order of the day, expressing confidence in the ministry, but authorizing the Commission of Colonies to study any question in regard to the colonies which the government, a deputy, or any individual might submit to it. For this purpose, it should have the right to demand from the government information and documents.[20] The purpose of this proposal was apparently to strengthen parliamentary control over colonial policy without bringing scandals before the Chamber.

But the president of the Commission of Colonies declared that a subcommission was already studying the whole question of the concessions in Togo and the Cameroons. Instead of adopting the Boisneuf motion, the Chamber adopted the order of the day, "pur et simple."

[16] *Ibid.*, March 20, 1922, p. 935.

[17] Cf. the remarks of Blaise Diagne, the black deputy of Senegal who defended these concessions, *Chambre des Députés,* March 20, 1922, p. 932. He declared that all of the firms in Togo, whether French or British, received labor from the government. He also declared that a number of other members of the Dusser family had committed suicide in other connections, and that it was, therefore, a family trait. He said that the inspector sent out to look into the affair had been the same inspector who had carried the instructions from the Minister to M. Hirsch in Paris to go and get the concessions. Some newspapers also declared that the inspector was interested in these companies. M. Diagne attacked the Minister for admitting too much. (p. 934.)

[18] *Ibid.*, p. 936. [19] *Ibid.*, March 20, 1922, p. 928. [20] *Ibid.*, p. 937.

Following this incident, the government transferred the control over sequestrated property from the administration to judicial officials. The concessions were nullified by the Lome tribunal, following which an appeal was taken to the Court of Appeal for West Africa at Dakar. It was only in the spring of 1926 that this tribunal upheld the judgment of the lower court.[21]

Thus the effort to turn over mandated property to a member of the Chamber of Deputies in the name of "national interests" finally came to an unsuccessful end.

4. *The Basel Mission*

Somewhat different methods were followed in disposing of the property of the German missions. Realizing that this property was devoted to the advancement of the welfare of the natives of the territory, the Treaty of Versailles provided [22] that the property of German missions in mandated and other Allied territories, including that of trading societies whose profits were devoted to the support of missions, should continue to be devoted to missionary purposes. In order to secure the execution of this undertaking, the Allied governments agreed to "hand over such property to boards of trustees appointed by or approved by the Governments and composed of persons holding the faith of the Mission whose property is involved." [23]

The leading missionary society in the Cameroons before the War was the Basel Mission, technically a Swiss organization, but composed almost entirely of Germans. Affiliated with it was the Basel Trading Company which carried on a regular trading business with the natives, except that it did not sell alcohol and that it turned back to the Mission for expenditure on the natives all profits above five per cent.[24] The Basel Mission maintained eighty-nine missionaries in the Cameroons, and it had a total of 13,176 native church members.[25] The German Baptists had a staff of forty men and women missionaries and 3128 native members. A German Catholic mission supported thirty-two priests, thirty-two brothers, and thirty sisters.

The Basel Mission, the members of which were largely German,

[21] The writer was not allowed to see the *arrêt* of the tribunal on the ground that judgments affecting private persons are not public property.

[22] Article 438.

[23] The final paragraph said: "The Allied and Associated Governments, while continuing to maintain full control as to the individuals by whom the Missions are conducted, will safeguard the interests of such Missions."

[24] It appears that the value of this principle was somewhat impaired by the company's practice of accumulating excessive reserves.

[25] *Die deutschen Schutzgebiete in Afrika,* 1914, p. 81.

entered the Cameroons following the expulsion of the English Baptists, at the invitation of the German missionary conference of Bremen.[26] The first Basel missionaries arrived in 1886. Meanwhile the native converts of the English Baptists remained loyal to their faith. But a secession soon occurred, and one branch asked the German Baptists to enter the Cameroons to aid them—a request which was acquiesced in. Another band of the Baptist group remained independent. The work of the Basel Mission was, in certain respects, extremely effective. A French missionary has paid the following tribute to it: "The missionaries of Basel worked hard and well; they tilled vast regions and organized their work with care and method; they opened the interior of the Cameroons to the Gospel. At Douala, by working very closely with the government, they succeeded in giving a certain number of natives a civilization truly superior and personal; among a very receptive people, they created a Christian atmosphere which exercised a great influence far into the interior. The mission was a force much greater than the figure of forty thousand or fifty thousand Christians and pupils might indicate; it had commenced to mould a Christian public opinion; it had courageously struggled to protect the natives against alcohol (which represented nearly two-thirds of the importations), the great concession companies, and forced labor." [27]

But the same writer pointed out that the mission was in a critical position in 1914 partly because some natives believed that it supported the government in its stand in the Douala land question.[28]

When the Allied armies entered the Cameroons, the German missionaries were led prisoners to the coast, and in many cases, their mission stations were pillaged either by troops or civilian natives. The War loosened the hold of the civil administration upon the natives, with the result that in parts of the Cameroons the slave trade revived and a reversion to primitive anarchy took place. There was a reaction against the influence of the German missionaries; and the independent native church took over much of the former German work.[29]

Under these trying conditions, the French Government in 1916 asked the Paris Evangelical Society to carry on the missionary work which the Basel and Baptist missionaries had been obliged to give up.[30] This sturdy little society took over all of the German Baptist stations and the Basel stations except for Edea and Sakbayeme which the American Presbyterians took over. Both the Paris Evangelical Society and the American

[26] At that time no German society was able to undertake the work.
[27] E. Allegret, *La Mission du Cameroun,* Paris, 1924. Récits Missionaires illustrés, No. 20, p. 24.
[28] Cf. Vol. II, p. 341.
[29] Cf. Vol. II, p. 302.
[30] Cf. F. Christol, *Quatre Ans au Cameroun,* Paris, 1922.

Presbyterians made conventions with the Basel society to the effect that they would return these properties to the Basel Society as soon as it should be readmitted to the territory. Since Germany has now been admitted to the League of Nations, it would seem that the Basel Society could return.

These inter-missionary agreements providing for the return of the German mission property do not, however, bind governments. According to Article 438 of the Treaty of Versailles, these properties must be "handed over" to Boards of Trustees appointed by the government. The French Government in the Cameroons has adopted an interpretation of these words to mean that the title of the German mission property shall not actually vest in such a Board. According to an opinion of the French Advisory Commission on War Property (October 24, 1921), it shall remain the property of the French State, its use merely being transmitted to these Boards of Trustees. Under such an interpretation, the Boards, who are for the most part missionaries, may not, on their own authority, return the property of the German missions to the Basel or other German societies, in accordance with the principle laid down in the inter-mission agreements. It remains to be seen whether the French Government will employ this interpretation to block the acquisition by the German missionaries of their former holdings.[31]

5. *The United Native Church*

Heavy as the burden of the German missions has been upon the Paris Evangelical Society, the burden of the United Native Church has been greater still. Between 1885 and 1917, the Native Baptist Church, the heir of Alfred Saker's efforts in Douala, maintained an independent existence. Alongside of it, the German Baptist Mission also carried on a work. In withdrawing in 1914, the German Baptists left their work in the hands of a native pastor, named Lotin Same, who, on account of the situation produced by the War, proposed that the two Baptist organizations unite. The Native Baptist Chuch agreed to this proposal on the understanding that the United Church should be altogether free from

[31] In the Cameroons, these Councils of Administration were established in 1922. Each board is composed of three members nominated by the Director of the Mission or other Europeans professing the faith of the Mission. The Mission undertakes to keep the property entrusted to it in repair. At the end of each year, the president of each board draws up a budget containing the receipts and expenditures in connection with the property which have devolved on the board. If there is an excess of receipts, the balance is transferred to a special account opened in the Government Treasury. These funds may be drawn upon at the request of the Board by *arrêté* of the Commissioner. *Arrêté* of December 16, 1921; *Arrêté* of March 25, 1922; *Rapport du Cameroun,* 1922, p. 140.

the control of European missionaries.[32] The Native Church declared, however, that it was willing to cooperate with such missionaries upon their return.

Deprived of all European control and stimulated by abnormal conditions produced by the War, this newly established United Native Church lost control over the moral standards of its members. French missionaries declared that nearly half of the catechists and the members of this Church became polygamists.[33] It appears that church funds were frequently misappropriated. To overcome this condition, the French persuaded the two Baptist organizations to accept a constitution for a United Church which gave European missionaries some control. While a Conference or General Synod was established, the real authority over the church was placed in the hands of a Directing Committee having a French missionary as president. This Committee could inspect the churches, verify account books, and appoint catechists.

The constitution which the French persuaded the native church to accept declared that even if all his wives were Christians, no polygamous husband could be baptized. Nevertheless, owing to the circumstances arising out of the last few years, no polygamist actually baptized would be excluded from the church, but he could not hold office. There was also an understanding that eventually all such members should put away their surplus wives. A number of other precepts were laid down [34] in an effort to curtail "the too great liberty, the source of indiscipline, in these Churches which had been left to themselves, first by the English Missions, then by the German occupation, and then by the German Government missions before the War."

This attempt of the French to impose control upon the Native Church was not altogether successful. It does not appear that Lotin Same, the leader of the German Baptists, accepted the constitution. He declined to recognize the jurisdiction of the Paris missionaries and, according to them, he continued to baptize polygamists.

Friction became so acute that in 1922 representatives of the United

[32] Before the War, the pastors of the Native Church went to the German Baptist seminary and were consecrated jointly by the two churches.

[33] E. Allegret, *cited,* 1924, p. 28.

[34] A Christian was forbidden to "purchase" a small girl unless he had a husband chosen for her; he could not buy a wife for relatives who already had one wife. A Christian was forbidden to buy or sell slaves, to prostitute his wife, daughters, or fiancée. A Christian was forbidden to marry the wife of his father or to abandon his wife [or her husband] except for adultery. A Protestant could not marry a Catholic nor a Christian woman be divorced without the authority of the Church. Christians were forbidden to consult sorcerers. The mere inclusion of these provisions indicates the condition into which the Native Church had fallen.

Native Church, stimulated by the French missionaries, signed a "Decision" which was broadcast in the French and native languages, which expelled Lotin Same from the Native Church. He was forbidden to administer any of the sacraments or to hold services in any of the church buildings. The grounds for this expulsion were that since 1917, he had engaged in trade to the detriment of his religious work, that he had refused to obey the European missionaries, that he baptized polygamists and even made them elders in the church, and that he was meddling in political questions.

Part of the native churches, declining to recognize the validity of this Decision, continued to support Lotin Same. In some cases battles arose in the following months over the possession of certain church buildings in Douala. Meanwhile, the Same movement took a more serious political turn. An American Negro sailor, representing the Garvey movement,[35] came to Douala in May, 1921, and talked to many leaders in the church. At a public meeting, this sailor told the natives that Garvey's Black Star Line would help the blacks fight the whites. He urged a boycott on European goods. At this meeting, Lotin Same read letters which he had written to the French parliament, the American Government, the Federation of Negro Churches in America, and the London Baptist Missionary Society asking them to support the liberty of the Native Church.

During 1922-23, the whole town of Douala seethed with this religious "revolt" in which natives paraded up and down the streets singing anti-European hymns.[36] When the head of the Paris Evangelical Society, M. Allegret, returned to Paris to resume his regular duties in 1922, the followers of Lotin Same declared that he had been removed from the country by an order of the League of Nations, which they declared was a great victory.

Meanwhile, the French Government was becoming more and more disturbed by the anti-European preachings of these native dissidents; and it finally decided to prohibit Lotin Same from preaching. It declared that the Native Church could not exist unless it was under the control and direction of Europeans.

In the face of this attitude, the elders in the Same churches finally agreed to return to the United Church upon the acceptance of a number of conditions, providing that each local church should retain its financial independence and remain under its present pastor. They also insisted

[35] Cf. Vol. II, p. 730.

[36] One ran as follows: "C'est comme ça qu'est notre vie ici-bas; pourquoi gémir sur notre sort; les Allemands sont partis; les Français sont venus les remplacer. Ils repartiront de même; si les Anglais ou les Américains viennent à leur place, ce sera la même chose, jusqu'au jour ou nous aurons la liberté. En attendant, prenez mon cadavre, mettez-le dans le sépulcre; la liberté fait son chemin, et malgré tout chantez alleluia!"

that the decision expelling Lotin Same should be withdrawn. Following negotiations, an agreement was arrived at on May 1, 1923, in which Lotin Same's flock presumably returned to the fold of the United Church. The church rolls were now gone over and only those natives were taken back into membership who were living according to Christian standards. A compromise in regard to finance was arrived at under which weekly collections remain in the custody of local native congregations while regular subscriptions go to a central treasurer under European control. At present, the native clergy and members of the United Native Church, which is the descendant of the Native Baptist and the German Baptist churches before the War, occupy the same position as they would occupy in any other European missionary organization, such as the Presbyterian mission. In other words, the old Native Baptist Church has lost its independence. A number of French missionaries believe that the natives are content with this situation. Lotin Same, however, is making plans to resurrect his former organization; and it is understood that the French administration has agreed that he may again preach provided his sermons are not anti-racial in nature. This religious situation is interesting, not only from the religious standpoint, but from that of the effect which it may have upon the local political situation.

6. *Togo Missions*

In Togo, the German missionaries remained in charge of missionary work until January, 1918, when they were finally deported. An old Swiss missionary was allowed, however, to remain as general superintendent. Upon his return to Europe in 1921, he left in charge the eldest native pastor, who divided the work among five other ordained native pastors. This native superintendent at first took entire charge of the work of the Bremen Mission in both British and French Togo. His chief efforts were devoted to the maintenance of a united church in what had become politically divided territory. In 1922, these native churches held a conference at Palimé, in French Togo, attended by representatives from French and British Togo. The French Government did not attempt to prevent this conference from being held. Shortly afterwards, the Scottish Mission, and later German missionaries in the Gold Coast, relieved the native superintendent of the Bremen stations in British Togo. The French administration, however, continued to exclude German missionaries. The situation now is that the British part of the old Bremen Church is again in the hands of the German missionaries while the French part is still under native management. The natives of Togo wish to hold the church together as it was before the War—a task which can be done only through regular conferences. In March, 1926, the French administration informed the native superintendent of the Native Church at Lomé that it would authorize the holding of the annual conference at Palimé, in which churches from the Gold Coast might, as far as the government was concerned, participate. But German missionaries in charge of these churches in British Togo could not be authorized to attend this conference.

With the admission of Germany to the League, the German missionaries will presumably be allowed to enter French Togo. Cooperating with missionaries in the British sphere, they will be able to hold the former Bremen work intact. The present difficulties are another illustration of the suffering which the conquest and cession of territory may cause. The native pastors in French Togo have demonstrated remarkable devotion and ability in continuing this mission work, without any European aid for a period of six years. Some natives hope that their churches may retain this independence. But the native pastors themselves look forward to the return of European collaborators, whose help they believe the Native Church still needs.

CHAPTER 78

NATIVE POLICY

THE native population intrusted to the French administration in the Cameroons numbers nearly three million. About half of this population is Bantu and is found in the heavily forested region of the south. Among these people will be found highly intelligent tribes such as the Yaoundé, the Boulu, and the Bakoko people. Largely because of their forested habitats, these people have not developed the tribal organization which characterizes people in more open country. Thus 130,000 inhabitants in the district of Ebolowa are divided among nine hundred villages, each having a chief independent of the other.[1] About half of the Cameroons population is "Sudanese,"—negroes proper. They inhabit the north, where they have mixed with the Fulani and other light peoples from the Mediterranean. Most of them have Fulani rulers called Lamidos, similar to the Emirs of Nigeria. In some cases, Moslem rulers have imposed their authority upon pagan tribes. The Kirdis have, however, maintained their independence. During the last few years, the French have freed some such tribes from Moslem exactions.[2] In the Dschang district, in the south, an interesting people called the Bamouns are found, governed by the Sultan of Foumbam, who is credited with having devised an eclectic religion and invented a language. The French have recently taken away much of this sultan's authority.

1. *German Policy*

While in the south the Germans ruled directly through village chiefs, in the north, they recognized the traditional Lamidos, whom they controlled through three residents; and it appears that they even recognized that these Lamidos possessed the residual rights in the land. Although the Germans imposed ordinary taxation in the south, they collected lump sums of tribute from the rulers in the north. In 1913, Minister of Colonies Solf paid a visit to Northern Nigeria for the purpose of studying the system of indirect rule. He became enthusiastic about the idea, as a result of which the German administration started to install it in the Cameroons. In the north, native treasuries were established which were

[1] *Rapport du Cameroun*, 1922, p. 59.

[2] *Ibid.*, p. 130.

to receive half the native taxes. For some time, the Germans had granted various chiefs a large amount of judicial power, not only in the north, but also in the south.

The judicial power in the Cameroons and Togo was based upon the same ordinance of 1896, which defined the judicial power in East Africa.[3] In a local ordinance of 1902, it was provided that the death penalty could be imposed upon natives in all cases where the German penal code inflicted imprisonment for more than ten years. The defendant was authorized to have counsel who, in the cases where the death penalty might be inflicted, had to be a white man.[4] At Douala, the German Government recognized a special régime. In an ordinance of 1892, it provided that disputes between the natives of the Douala tribe should be settled by the native chief, if the object under dispute did not exceed one hundred marks, or if the punishment to be imposed did not exceed imprisonment for six months or a fine of three hundred marks. Appeals from the native chiefs could be taken to a native Arbitration Tribunal. This Tribunal also had original jurisdiction in those cases which were beyond the jurisdiction of the native courts. The native Arbitration Tribunal could not, however, try the crimes of murder and homicide. Appeals from this Tribunal could be taken to the Governor.[5]

In 1917, the French Government, acting under the Hague Convention of 1907, continued in force the German system of "mixed courts," nine of which were maintained in Douala, three in Edea, and one in Yaoundé.[6] In other words, it continued to recognize the judicial power of the chiefs.

But having obtained a definite title to the mandate following the end of the War, the French set about, quite naturally, to install in the Cameroons and Togo the same system of native administration which they had installed in other parts of Africa.

2. *The French System of Chiefs*

The first problem was to organize some system of controlling the people through native chiefs. The French declared that it was impossible to rule through village chiefs as the Germans had done, because the villages were disintegrating. Consequently, the present administration has adopted the policy of choosing "native intermediaries," called regional

[3] Cf. Vol. I, p. 448.

[4] *Die Landesgesetzgebung für das Schutzgebiet Kamerun*, 1912, p. 818.

[5] Verordnung des Gouverneurs, betreffend Einführung eines Eingeborenen-Schiedsgerichts für den Dualastamm, vom 16 Mai 1892. *Ibid.*, p. 853.

[6] Rapport au Ministre des Colonies, *Journal Officiel de la République française*, Annex, September 7, 1921, p. 418.

chiefs, to govern a group of villages.[7] These chiefs are selected, according to the French report, "because of their intelligence," and their eagerness to support French authority. "Their jurisdiction has received many modifications, inspired by ethnic or administrative considerations. Although their organization has not yet been entirely perfected, it is now impossible for us to do without them. With their families and followers, they have organized a sort of chancellery and a corps of messengers which permits them to follow what happens in their region, and to collect laborers for public work and prestations, to assemble food destined to the government [*ravitaillement*], and to collect taxes. . . . These regional chiefs owe their situation to us. They know that their authority arises out of the confidence and support which we give them. On the other hand, they appreciate our liberal methods, and the consideration which we accord them, which leads to a certain attachment to our administration. From the intellectual point of view, they present sufficient guarantees. They assimilate rapidly enough our methods and carry our orders and advice to the people. They simplify these orders, however, and have a tendency to recur to brutal practices. Consequently, the administration takes care not to place all authority in their hands. . . . The regional chief stimulates, points out shortcomings, controls; he is an agent of execution.

"Thus, the regional chiefs, a creation of the French administration, have only the authority which is delegated to them; they have no power of their own; they are above all administrative organs." [8]

It is evident, from this frank statement, that the administration has divided the country up into a number of districts over which it has installed a number of more or less artificial native chiefs. The most notable case of such an artificial chief is that of Charles Atangana. He was an interpreter who found favor with the Germans, as a result of which he was made chief of the Yaoundé people in 1912. When the World War broke out, he was commissioned as a lieutenant in the German army, and went with the Germans to Rio Muni following the expulsion of the German forces from the Cameroons in 1916. But at the end of the War, he asked the French to be allowed to return—a request which was granted. The French not only restored him to his former position, but also extended his authority over the Bané tribe who are supposedly related to the Yaoundé.

In the Cameroons, the French do not pay salaries to the chiefs but merely pay them a percentage or "remise" on the head taxes.[9] An exception is made in the case of four chiefs. The Sultan of Foumban is

[7] *Rapport du Cameroun, cited,* 1922, p. 59.
[8] *Ibid.,* 1922, p. 60.
[9] Cf. *Journal Officiel du Cameroun,* 1924, p. 63.

paid eighteen thousand a year; Atangana receives twelve thousand; a deported Lamido receives fifteen hundred; and Kirdis Chiefs receive four hundred and eighty francs. These payments are made, it appears, for political reasons. In Togo, the chiefs receive small stipends usually of not more than a thousand francs a year. The total amount appropriated in 1926 for this purpose was 55,330 francs.

This policy of installing artificial chiefs has been accompanied by the withdrawal of the traditional judicial authority which the chiefs exercised under the Germans. A circular of July 20, 1921,[10] justified the suppression of native courts on the ground of confusion. According to this circular, "in certain regions, principally in the north of the territory, chiefs, lamidos and sultans exist who have very large traditional powers. There is no question of immediately diminishing the exercise of these powers; their influence and the respect which they enjoy are incontestable, and any measure which would have the effect of weakening them immediately would react against us. It is not necessary to lose sight of the fact that the cadis and the chiefs derive these powers from religious law, and that any brusque attack on their prestige would have a political repercussion. The district heads must, by all the means in their power, see to it that the judicial power of these chiefs is regularly exercised, and that the natives are not submitted to arbitrary action or to caprice. The district heads must also, by reserving certain cases for themselves, by their knowledge of local law, and by the administering of a more humane justice, create in the minds of the natives of these regions a confidence in the European judge, which will make it possible progressively not to destroy the local law, but to lead the natives to search a jurisdiction which will insure them more guarantees in fact" (i.e., a European court). "One day, as a result of efforts of a European president to effect a conciliation, the parties as well as the witnesses must conclude that their own chief would not have rendered a different sentence. But this result can only be obtained in time, through ceaseless supervision, patience, and much tact." Thus when the natives are convinced that a European judge is as good as their chiefs, the native courts among the sultans of the north will apparently be suppressed. The suppression of native courts in the Cameroons has provoked bitterness among the Douala chiefs in whose district this rule can be more easily enforced than in the interior.[11] The same policy has also led to complaints in Togo. Following the demand of a number of Togo chiefs for the restoration of the native courts, as they existed under the Germans, the government appointed a commission which included

[10] Cf. *Journal Officiel du Cameroun*, 1921, p. 159.
[11] Cf. Vol. II, p. 359.

several native members—the leading intellectuals of Lome. One would suppose that such natives would be opposed to tribal authority. Nevertheless, one of them, Mr. Olympia, said: . . . "The village chief alone knows his people perfectly and the things of his village and custom has from the beginning conferred upon him judicial powers. He would lose, moreover, all authority if he no longer possessed it." Another, the leading native pastor in Togo, M. Baeta, said: "Notwithstanding the European occupation, the chiefs have always considered themselves as the natural governors of the country; for this reason they look back to the time when they presided over their courts. The sums which they collected served to cover expense of procedure" (summons, maintenance of messengers, of police, etc.). Custom provided that these different expenses should be paid by the party who lost. "The natives prefer to recur to their natural judges." In reply, the Procurer of the Republic said that the reestablishment of the native courts would make tribunals too numerous.[12]

3. *The Judicial System*

According to the decree of April 13, 1921, "Native Justice" in the Cameroons is administered by the *Tribunal de races,* one or more of which is usually found in each administrative district and is presided over, not by the native chief, but by a European administrator. He is assisted by assessors taken from a list of chiefs or notables appointed annually by the Commissioner of the Republic. These assessors have a "deliberative" vote in civil affairs, but merely an advisory vote in criminal matters. Their opinion is recorded in the judgment. These assessors cannot be challenged. These tribunals, which have jurisdiction over all native subjects, follow procedure prescribed by local custom. Conciliation must be first attempted in every affair. The tribunals have jurisdiction over "délits" and certain serious crimes. In civil matters, the tribunals apply local custom; likewise in criminal matters, they may apply a sanction known to local custom, unless it is contrary to the principles of French civilization. In many cases native customs prescribe penalties which the French regard as inhuman, such as flogging or mutiliation. In other cases an offense in European eyes is no offense in native eyes. In such instances the administrator is free to impose whatever penalty he sees fit,[13] ranging to life imprisonment or even the death penalty. There is no penal code to limit the penalty which he may impose for a given offense. One administrator may impose a sentence of six months for stealing while an

[12] *Rapport du Togo,* 1923, p. 200.
[13] Article 30, Decree of April 13, 1921, *Recueil,* 1922, p. 390.

administrator in the next district may impose six years.[14] Sentences imposing imprisonment for more than three years are submitted to a Special Tribunal of Homologation which passes on the record. The *Procureur Général* may demand that a case imposing less than three years imprisonment should also be set aside by this Tribunal. Apparently the judgment of the administrator and the native assessors in civil matters is final. A native has no right of appeal.

In Togo, the administration has departed from the system of justice in the Cameroons and in West Africa by instituting both a penal code and a right of appeal, in addition to the process of homologation by the Tribunal of Homologation. Any Togo native may appeal a case involving more than six months' imprisonment to the Tribunal of Homologation at Lome.[15] The Togo decree on native justice provides that the court should impose punishment prescribed by native custom except where such punishment is contrary to French civilization. But in these latter cases, which cover probably the majority of native punishments, the Togo law provides that administrator-judges must apply the penalty prescribed by French law. These two innovations deserve to be copied elsewhere in French Africa.

In order still further to remove the "élite" from the operation of the ordinary system of native administration, the Togo Commissioner in 1925 appointed a Commission to study the question of creating a status of Togo citizenship. This status would be conferred by the Commissioner on natives recommended by administrators. The children of such natives would inherit this status. Togo citizens would vote and be eligible for membership on the Council of Administration, the Councils of Notables, and other similar advisory bodies. They would have certain rights of precedence in ceremonies, and the right to carry arms denied to ordinary natives. From the juridical point of view, they would not be subject to the system of disciplinary penalties, and would be under the regular French (and not the native) courts in case of crime. The administration is also considering the desirability of enacting a special civil code to govern the civil affairs of this privileged class.[16]

As a result of the French judicial system, there are now only one or two courts in an administrative district. At the office of the Yaoundé tribunal, one can see every day in the week several hundred natives sitting around waiting to file or respond to a complaint. Some of these natives travel for miles. This is a waste of time which apparently is irritating to the

[14] For the same defect in French West Africa, cf. Vol. I, p. 1011.

[15] Articles 51, 67, Décret du November 22, 1922, *Rapport du Togo*, 1922, p. 153. Cf. also Instructions du 13 mars 1923 aux Commandants de cercle, *ibid.*, 1923, p. 185.

[16] *Rapport du Togo*, 1925, p. 122.

native and harmful to the economic development of the community. Overwhelmed by so many cases, a French administrator finds it difficult to give cases the hearing which they would receive from native chiefs.

The Cameroons regulations on native justice provide for a procedure of conciliation by a European official or a native assessor.[17] But this assessor does not necessarily have to be a chief, and the procedure of conciliation has no binding force unless both parties accept the recommendation. In theory, either party has the right to appeal to the French administrator from the native assessor. But these civil disputes are so numerous and difficult that in some districts in the Cameroons, practically all of them are settled by the native assessor. Natives assert that the administrator gives them to understand that he will not hear appeals. Moreover, chiefs throughout the country continue clandestinely to exercise judicial power. One such instance recently occurred at Bonaberi where the French courts sentenced a chief to five years in jail for exercising judicial power which he held under native custom and which had been recognized by the Germans.[18] In Togo, the government allows the native chief to exercise powers of "conciliation" in regard to all civil matters. If both parties accept, it is regarded as a binding decision. The chiefs have, however, no power in regard to "repressive" or criminal matters.[19] Despite these measures, the French have not succeeded in suppressing native courts generally throughout the Cameroons or in Togo. But they have taken away the European guidance and control which is necessary if these courts are to be improved.

In other districts, European administrators hear dozens of cases involving questions of native law or property and marriage and divorce which in British and Belgian territory are as a matter of course settled by native chiefs. Under the present system, European administrators are obliged to rely upon native interpreters not only for the formal trial of cases, but to hear informal complaints. At the best, these interpreters do not accurately translate native thought into European terminology. In practice, many of them are dishonest. In the Yaoundé district, it appears that most of the interpreters in the government offices are in the secret employ of the Paramount Chief.[20] They therefore may prevent any native from complaining to the administration against his exactions.

Under the German régime, the system of disciplinary penalties existed [21] in which, in addition to two weeks' imprisonment, the administrator could impose whipping or the bastonnade up to twenty and twenty-five

[17] Article 2, *Arrêté* of July 1, 1921, *Rapport du Cameroun,* 1922, p. 121.
[18] Judgment No. 86 of 1922, *Tribunal de races,* Douala.
[19] *Rapport du Togo,* 1923, p. 186. [20] Cf. Vol. I, p. 1008. [21] Cf. Vol. I, p. 449.

lashes for laziness, insubordination, and negligence in the fulfilment of obligations resulting from the execution of contracts.

On March 19, 1917, the French Government in Togo replaced this system with the indigénat system in force in French West Africa.[22] In 1923, the system was again reorganized so that an administrator may impose imprisonment of two weeks or a fine of one hundred francs upon a native for fifty-one different offenses which may be interpreted to cover nearly every act of a political nature after giving the native only the most summary hearing.[23] The same system prevails in the Cameroons.[24]

The indigénat system in the mandates is more severe than in West Africa where the maximum penalty has in certain districts been reduced to five days' imprisonment, whereas it still remains at two weeks in the mandates.[25] This power has been used in the Cameroons to punish deserters and natives who fail to pay their taxes within the first three months. It may also be used to punish natives who refuse to cultivate their farms or work on the railway. The working of this system, under which a native is liable to punishment virtually without trial, deserves the attention of the Mandates Commission.

4. *Native Law*

The courts in Togo and the Cameroons are supposed ordinarily to apply native law. But it frequently happens that administrators are poorly informed by assessors as to what native law is. Moreover, the disruption of native life by the entrance of European industry has unsettled native law and led to new practices such as the exaction of excessive dowry which, while they have become widespread, do not have the sanction of custom, and are socially harmful. Some native customs, also, in the eyes of the European, are frankly detrimental to native welfare. In the Cameroons, it has been the practice of many old men to buy girl babies from native parents at a low price, and sell them when they come to maturity at a large profit. While technically, the native law as to dowry has been followed, the system is really a type of the slave traffic. Throughout this period, a girl receives rough handling from a number of

[22] Cf. Vol. I, p. 1016.

[23] It also authorizes the Governor to "intern" for ten years persons responsible for "grave political troubles or maneuvers susceptible of compromising public security" and "not falling under the application of the ordinary penal laws."

The indigénat system was defended by the French administration representative, M. Duchêne, before the Mandates Commission. *Minutes of the Sixth Session, Permanent Mandates Commission,* C. 386. M. 132. 1925. VI. p. 41.

[24] The Decree of August 8, 1924, and other regulations are printed in the Appendix X.

[25] Cf. Vol. I, p. 1018.

paramours, as a result of which she becomes diseased and her capacity for bearing children impaired.

In an effort to do away with these practices and really to define the native rules in regard to marriage, the Cameroons administration issued an *arrêté* in 1922 which provided that marriages between natives should take place according to rules prescribed in two annexes. These rules purport to codify the provisions of Moslem and native law in regard to marriage, laying down the essential conditions of the validity of marriage, the obligations of the husband and of the wife, and the dissolution of marriage. These rules serve as the basis for the settlement of disputes by the courts. The rules for pagan natives provide that no woman before the age of fifteen nor man before the age of eighteen shall contract a marriage. They thus attempt to prohibit child marriages. Moreover, the consent of both parties and of their family heads to a marriage is necessary. The dowry is limited to sums ranging from a hundred to five hundred francs, depending upon the economic condition of the district concerned. Three-fourths of the dowry must go to the father of the wife and one-quarter to the mother. At the death of the husband, the wife may become free by having the dowry paid back to the heir. Divorce is pronounced by the tribunal (having a European judge) on four grounds ranging from the "bad formation" of the woman to bad treatment on the part of the husband. If the wife secures a divorce against a husband, he may not demand the return of the dowry. On the contrary, if a husband divorces his wife, he may secure the return of the dowry.[26]

In 1924, the Government of Togo issued similar *arrêtés,* except that rules in regard to marriage vary with the districts—an attempt to take different tribal customs into account.[27]

While these regulations in part conform to native customs, they also enact new rules in regard to limiting the age of marriage, the amount of dowry, etc. Probably one native in fifty thousand has heard of these regulations. While no one can expect that those regulations departing from custom will be enforced, the French courts are supposed to follow these rules in deciding disputes. But as a matter of fact, the court at Ebolowa is enforcing suits for dowry claims of six hundred francs when the law limits such dowry to three hundred francs.

Along with these attempts to codify and modify native law, which apparently will be extended in the future, has gone an attempt to institute what is called a native "état civil," or a modified system of registration of births, deaths, marriages and divorces, which is compulsory for French-

[26] *Arrêté* of December 26, 1922, *Rapport du Cameroun,* 1922, p. 133.
[27] Cf. *Arrêté* of November 17, 1924, *Rapport du Togo,* 1924, p. 227.

men under the Civil Code.[28] Few natives have, however, availed themselves of this system.

5. *Councils of Notables*

The underlying principle of the mandate system is that the natives should be taught eventually, if possible, to stand upon their own feet. Apparently prompted by this principle, the Mandates Commission in its questionnaire asks each mandatory government whether natives participate in the administration. In response to this question, the Cameroons report declared: "The inhabitants of the country participate in the management of local affairs primarily through the *Tribunals de races;* this also takes place to a large extent in the government civil service where a large number of natives are employed as interpreters, clerks, monitors, medical helpers, agents in the customs, in the posts, in public works, and in the railway. . . . The natives are finally kept in touch with questions interesting them by means of a journal, *La Gazette du Cameroun*" (which is published in French).[29]

In response to the same question, the Togo report lists the following measures: (1) creation of the Councils of Notables; (2) creation of an Economic and Financial Commission containing nine native members; (3) the appointment of two native members to the Permanent Commission of the Government.[30] Thus in contrast to the British principle of developing native institutions, the French principle is to give educated natives minor positions in French offices and to establish advisory native bodies.

In both the Cameroons and Togo, the administration has instituted the Councils of Notables in each district. The Councils differ somewhat from those in French West Africa in regard to the basis of representation. In the Cameroons, a group having a thousand male taxpayers is entitled to one representative; five thousand such taxpayers are entitled to two members; ten thousand are entitled to three. Each District Head draws up a list of the different ethnic groups in the district and allots them a number of delegates in accordance with their size. These delegates are then elected at a meeting of the chiefs and native merchants, of the group concerned. In making a selection, the group is obliged to consult the French District Head. The powers of these Councils are similar to those in West Africa. The French District Head controls the agenda. The Councils must be consulted on a number of matters and they can

[28] Articles 34-101, *Code Civil.*
[29] *Rapport du Cameroun,* 1923, p. 149.
[30] *Rapport du Togo,* 1925, p. 131.

express opinions on subjects presented to them, but they have no funds to administer.[31]

A somewhat different system of representation is followed in Togo. In the four districts containing towns, each Council is composed of elected representatives of the country and of the city. The number upon each Council is fixed by the Governor. The Council in the district of Lome consists of sixteen representatives of the city of Lome and fourteen village and canton chiefs.[32] In other districts, the Councils have representatives only of the country. The voting roll is prepared by the administrator and four members of the existing Council of Notables. On the designated day, an election is held.[33] In a circular to administrators, the Commissioner instructed them to carry on the elections according to all the details of the "réglementation métropolitaine." Voting is by ballot. The independence of the voter in Togo is thus apparently greater than in the Cameroons.

In 1924, the Togo administration also established an Economic and Financial Council. It is composed of fifteen officials and a number of European merchants, together with nine members of the various Councils of Notables.[34] The Council meets at least once a year, and it must be consulted on the collection of taxes, prestations, the estimates, loans, public works, economic development, and on any question concerning education, hygiene, or medical work.[35] Likewise the French Government has appointed two natives on the Togo Council of Administration—a body which has the same powers as in a French colony.[36] No such appointments have, as yet, been made to the Cameroons Council. The Togo administration has also organized agricultural cooperatives and hygiene commissions having native representatives.

Such is the French conception of teaching the natives to govern themselves: the establishment of a large number of bodies upon a geographic basis which the administration shall consult on certain matters affecting native policy, but bodies which do not arise out of the organic social life of native communities and which are vested with no power except the power to criticize. Moreover, the government has taken a few natives into the offices of various departments. But these natives are few—much

[31] Cf. *Arrêté* of October 9, 1925, *Rapport du Cameroun,* 1925, p. 171.
[32] *Rapport du Togo,* 1925, p. 171.
[33] *Arrêté* of November 4, 1924, *ibid.,* 1924, p. 194.
[34] Two of which are chosen by the four leading Councils (Lome, Anecho, Atakpamé, and Palimé) and one by the Council of Sokodé. *Arrêté* of November 4, 1924, *Rapport,* 1924, p. 194.
[35] Cf. the address of the Commissioner, *Journal Officiel du Togo,* 1926, p. 360.
[36] Cf. Vol. I, p. 927.

fewer than in Nigeria or the Gold Coast. They hold no positions of responsibility.

6. *Taxation*

Except for the absence of military conscription, the natives of the Cameroons and of Togo have been subject to much the same obligations as the inhabitants of other French possessions in Africa. The first of these relates to taxation. Before the World War, the German Government in Togo imposed a labor tax.[37] All able-bodied men were obliged to work for a period not exceeding twelve days a year, but these natives could redeem the tax in money. In 1912-13, 785,500 labor days were actually performed, almost all of which was in the North, where it was difficult for natives to obtain money.[38] An increasing number of natives redeemed their tax throughout the territory as a whole. Thus the payments in gold increased from six thousand marks in 1909 to 714,000 marks in 1913.

In Lome and Anecho, the German Government did not, however, apply the labor tax. Instead, it levied an interesting form of income tax the rate of which ranged from six marks on an income of four hundred marks to from two to five per cent on incomes above ten thousand marks. Incomes over eight hundred marks were assessed by a Tax Commission consisting of the District Commissioner, two Europeans, and two natives. The latter had, however, only an advisory vote.[39]

In the Cameroons, the Germans imposed a similar labor tax except that the period could not exceed thirty days—a tax which could likewise be redeemed. This period, whether in Togo or the Cameroons, did not include labor expended on keeping village roads clean.[40]

In both Togo and the Cameroons, the French administration decided to abolish the German labor tax. In its place, the Togo administration attempted to install a type of income tax having five different rates.[41] At present, the ordinary tax ranges from five to twenty and a half francs. The rates of the surtaxes collected in Lome and Anecho are fixed at twenty-five, thirty, forty and fifty francs, according to native income.[42] The ordinary tax in these districts is twenty francs.

[37] Verordnung, September 20, 1907, *Landesgesetzgebung des Schutzgebietes Togo*, 1910, p. 413.
[38] *Lexikon*, Vol. I, p. 518.
[39] Verordnung, March 15, 1909, *Landesgetzegung des Schutzgebietes Togo*, p. 417.
[40] Verordnung, October 20, 1908, *Landesgestzgebung für das Schutzgebiet Kamerun*, p. 460.
[41] *Arrêté* of July 3, 1922, *Rapport du Togo*, 1922, p. 175.
[42] *Arrêté* of September 7, 1925; *Territoire du Togo, Budget Local*, 1926, p. 235.

The determination of these incomes is arrived at by a Commission composed of the administrator, a European merchant, and a number of natives. Presumably a native dissatisfied with his assessment may appeal to the Governor. The chiefs who collect this tax are entitled to a rebate ranging between three and ten per cent. Any native who refuses to pay the tax will be punished by disciplinary penalties. The vast majority of natives pay the ordinary head tax.[43]

In the Cameroons, the French have installed the head tax, the rate of which in 1926 ranged from one franc in remote districts such as Maroua to twenty francs in prosperous districts such as Douala and Edea.[44] The Cameroons Government taxes both men and women and children above twelve. It is notoriously difficult to determine the age of a native correctly, and tax collectors are said to err usually on the side of severity. The administration exempts women with children from the tax, except in two northern districts.[45] Some natives in the Cameroons now protest bitterly against these taxes on women, which did not exist under the German régime. In Togo, this fact has been appreciated by the Governor who said in a circular of 1922 that the Germans did not tax women and children as do the French. He believed that "for political reasons which are easy to understand, we can imitate the German example in this respect."[46] Moreover, the Cameroons native is subject to a medical tax ranging from seventy-five centimes to four francs annually, whether he uses government hospitals or not. Native traders in both the Cameroons and Togo are subject to licenses of twenty to five hundred francs—a tax which native traders do not usually have to pay in British territories. Many natives also must contribute a franc or so a year to native agricultural societies.[47]

The method of collecting taxes in the Cameroons and Togo is similar to that in the French colonies proper. Those natives in Togo who pay the income tax are given individual receipts under the *système nominatif*. But the ordinary head tax payer comes under the *système numeratif*. The government holds the chiefs responsible for a lump sum. Cameroons

[43] Cf., Vol. I, p. 1035.

[44] *Arrêté* of September 16, 1925, *Rapport du Cameroun,* 1925, p. 138.

[45] Cf. the *arrêté cited.*

[46] He also said: "We should never lose sight of the fact that Togo is a mandated territory. It is customary for foreigners to reproach our colonial administration for following an exaggerated fiscal policy. It is important to demonstrate by appropriate legislation to the League of Nations that in the territory submitted to our supervision the charges which weigh upon our subjects are not oppressive and that, moreover, they adjust themselves by different rates to the capacity of each taxpayer." *Rapport du Togo,* 1922, p. 175.

[47] The burden of taxation is discussed on p. 286.

villages decimated by sleeping sickness or by emigration are sometimes obliged to pay the same tax as before, since the chief dislikes to reduce the number of taxpayers on the roll because his tax rebate would thereby be diminished.

7. *Prestations*

The second obligation imposed by the French administration upon the natives of Togo and the Cameroons has been the "prestation," a form of labor tax under which male natives are obliged to furnish the government with four days of free labor a year in the case of Togo and ten days in the case of the Cameroons.[48]

In explaining why the administration wished to substitute the French prestation system for the German labor tax, the Togo Commissioner said: "The labor tax, a relic of the German administration, is in fundamental conflict with our institutions. Purely fiscal, scarcely even humane in its application, it was aimed at only the intensive exploitation of the country for the profit of the dominating class, without taking into account the interest and welfare of the native. Constituting in my opinion a manifest violation of the obligations which the Treaty of Versailles imposes upon us, it must disappear."[49]

In doing away with the German labor tax on the ground that it violated the Treaty of Versailles, the French substituted the head tax and also the prestation system which is practically the same as the German labor tax. It is difficult to see why the denunciation of the German system made by the French Governor does not doubly apply to the régime imposing the prestations in addition to the taxes which the Togo administration has installed in its place.

In an effort to meet the objection[50] expressed in the Mandate Commission that prestation labor might violate the provision in the mandate that forced labor for public works must be remunerated, the French administration has made it possible for any native to redeem the prestation period by a payment of two francs a day, a total of twenty francs in the Cameroons or eight francs in Togo.[51] This policy is more liberal than in most French colonies proper where, with the exception of a privileged class, the natives are not allowed to redeem this labor.[52] In practice, it

[48] *Arrêté* of July 3, 1922, *Rapport du Togo*, 1922, p. 85. *Arrêté* of July 1, 1921, *Rapport du Cameroun*, 1921, p. 84.

[49] Circular of July 4, 1922, *Rapport du Togo*, 1922, p. 176.

[50] *Minutes of the Sixth Session*, p. 16.

[51] In some districts in the Cameroons and in Togo, it is as low as 1.25-1.50 francs a day. *Arrêté* of September 7, 1925, *Rapport du Cameroun*, 1925, p. 141. *Rapport du Togo*, 1925, p. 176.

[52] Cf., Vol. I, p. 1037.

appears that some natives in the mandates are not aware of this right of redemption. Consequently, it seems that it would be more in conformity with the spirit of the mandate if a money tax equivalent to the redemption price were imposed, and those natives who wished to work off the tax by their labors could do so.

According to official statements, the natives must keep up village paths in addition to furnishing prestations. In this respect, the prestations differ from communal labor in British colonies, which is usually confined to village purposes.

Legally, this prestation labor in Togo may be used only for the purpose of maintaining roads and buildings. But, this labor has been used to construct, as well as to maintain roads, and in the Cameroons, it has been employed for a period much longer than the ten days prescribed in the regulations.[53]

8. *Labor for "Njock"*

Furthermore, the French mandatory administrations may conscript paid labor for public services. Togo's territory is so small, and its labor supply so far has been so abundant, that the administration has not been obliged to resort to constraint for the execution of works of general interest, such as the construction of railways, roads, and buildings. But in the Cameroons, where the population density is less than in Togo, and where the country is not yet opened up by communications, forced labor has been the rule. Access to the interior of the Cameroons beyond Makak is obtained only by road and carriers, which means that administrators and carriers must rely upon native laborers. In the Edea district of the Cameroons in 1925, administrative work of the government consumed 220,000 days of porterage. In the northern Cameroons, several European cotton planters who were unable to find porters to evacuate their cotton attempted to do it up in parcels and put them in the mails, where the government carriers would have to transport them. This burden proved so heavy that the government of the Cameroons issued an *arrêté* temporarily excluding objects of merchandise from the posts in certain districts.[54]

The temptation to resort to conscription has been increased by the financial situation of France which has made loans to the Cameroons almost impossible. Forced to develop the country out of current revenue, the administration has felt obliged to reduce labor costs to a minimum. The largest number of men has been required in connection with the extension of the Central Railway, which the removal of the capital from Douala

[53] Cf. Vol. II, p. 329.
[54] *Arrêté* of November 17, 1924, *Rapport du Cameroun*, 1924, p. 105.

to a cooler site at Yaoundé has made imperative.[55] At the present time, the ordinary traveler wishing to go to the capital takes the train to Makak the first day, and motors to Yaoundé the following morning. In order to overcome some of the difficulties which this situation creates, the Commissioner for a time maintained a delegate at Douala; while he still comes to Douala once a month to hold a meeting of the Council of Administration—an awkward method of doing business. The connection of Yaoundé and the remainder of the hinterland with the sea is therefore of public importance not only from the administrative but from the economic standpoint. Consequently, the French administration decided in 1921 to extend the Midlands Railway, which the Germans had constructed as far as Njock, to Makak and Yaoundé—a distance of one hundred and thirty-three kilometers. Because of the financial situation the Cameroons administration was obliged to construct this railway and other work the cost of which was put at 51,000,000 francs, out of local reserves and a five million franc loan from Togo. In 1921, the government appropriated four million francs from the Reserve to begin work. The construction of the railway is actually in charge of engineers, from the engineering and artillery corps of the Colonial Troops.[56]

When this work was first started, three thousand natives were employed. During 1925, the number averaged about six thousand. The great majority of these men are conscripted. This obligation to furnish men is imposed on the districts in the southern Cameroons simply by instructions of the Commissioner and not by *arrêté* or decree, and is, therefore, of doubtful validity.[57]

In 1926, the Commissioner requisitioned a contingent of 10,530 men who were assigned in accordance with population and other considerations as follows:

Yaoundé	2870	Ebolowa	1970
Yabassi	1350	Edea	1400
Dschang	2440	Kribi	500

If natives in each contingent desert or die or become disabled, they must be replaced. The government does not conscript labor in the Douala district because of local antagonism to the administration and local commercial needs. The burden is therefore all the heavier on the other districts. The district head leaves the designation of these natives to the chiefs who follow methods similar to those employed in other parts of Africa. No attempt is made by the government to see that the burden

[55] The former German capital at Buea passed to the British sphere.
[56] A second branch called the Nyong Railway is also being built.
[57] Cf. Vol. I, p. 1042.

within the district is evenly divided, and that the same man is not sent back two or three times. There have been cases where administrators have told natives to work off their ten-day prestation tax and, once having assembled them, have marched them off to the railway for a period of nine months. In 1925, about thirteen hundred laborers out of six thousand were volunteers.[58] Most of the volunteers have reengaged at the end of the first contract. Whether or not they took this action because they liked the work or because they were afraid the chiefs would send them back on a second assignment cannot be determined. Moreover, the government pays voluntary labor twenty-five centimes more a day than conscripted labor—a principle which the British Government repudiated in Kenya as being unfair.[59] The pay of the conscripted men is fifty centimes a day. If a recruit stays on after the term of nine months, he receives seventy-five centimes a day plus a bonus of ten centimes—or a total of eighty-five centimes a day.[60] In British colonies on the West Coast, labor on public works is paid nine pence or a shilling a day, or about five times the wages in low exchange colonies. "Indemnities" are paid "in case of grave accident bringing about infirmities." [61] But no legal provision for accident compensation is made.

The men put in a fifty-one hour week, and on Saturday afternoons, they are obliged to police their camps—which makes a ten-hour day. The task system is followed. The men work under the direction of native capitas and European foremen, some of whom are French army sergeants. In the first two years of construction, some of these foremen and capitas flogged natives who did not do the prescribed amount of work. Following local protests, the government issued instructions that flogging by Europeans should stop. It appears, however, that capitas continued to administer this punishment at the direction of Europeans. In a recent case which came before the Yaoundé tribunal, a native capita admitted that he had flogged a native workman for loafing, but maintained that he had acted upon the orders of a European foreman.[62] The tribunal held that this was no defense, if true, and sentenced him to six months in jail. The administration has likewise obliged two non-commissioned officers to appear before the Council of War because of brutality for which they received a reprimand. It has also dismissed one civil employee for this offense.[63] Nevertheless, at the present time most of the native capitas at the construction camps still carry canes. The government has been obliged

[58] *Rapport du Cameroun,* 1925, p. 55.
[59] Cf. Vol. I, p. 354.
[60] *Arrêté* of December 22, 1924; *Rapport du Cameroun,* 1924, p. 161.
[61] *Ibid.,* 1925, p. 56.
[62] Judgment No. 1, 1926, *Tribunal de races,* Yaoundé.
[63] *Rapport du Cameroun,* 1925, p. 6.

to reduce the number of Europeans supervising labor to a minimum, and it has consequently been obliged to impose heavy responsibilities upon native foremen.

Health conditions upon any kind of railway construction which necessitates the frequent movement of labor camps are liable to be bad; and great skill and attention are necessary to keep down the death rate. It appears that in commencing the construction of this railway, the Cameroons administration paid inadequate attention to this problem, and that as a result of lack of proper medical attendance the death and mortality rates among railway laborers became excessive. Many natives also complained that they were not paid. Even to-day, the word "Njock"—the center of railway construction during this period—connotes to the natives a form of servitude from which death is the most probable form of escape.

Despite the rumors in regard to labor conditions on the Cameroons railways and reports printed in Paris newspapers,[64] the Cameroons administration embodied little actual information in regard to these conditions in its annual report submitted to the Council of the League of Nations.

In its report for 1922, when the death rate was at its highest, the French Government reported that the death rate was 1.99 per cent for the year, which would be 19.9 per thousand.[65] In 1923, the government reported that the death rate was .84 per cent or 8.4 per thousand.[66] In neither year did the report state the actual number of deaths. In 1924, the report did not give a figure for the year as a whole but merely the number of deaths for the month of December, 1923, and May and August, 1924.[67] In the first month, the number was thirty-four; in the second, it was thirty-three; and in the third, it was twenty-one—which for the period would give a mortality rate of about eighty per thousand, or more than four times the rate in 1922 and nearly ten times the rate in 1923. Under ordinary circumstances, one would expect the death rate in 1924 to have been lower than in 1922 when railway construction was just commencing and labor conditions were necessarily more primitive than in the later period. But these figures appear to show an opposite state of affairs.

In 1925, the Cameroons report stated that the death rate was .51 per cent or 5.1 per thousand.[68] The report also failed to mention the actual

[64] Cf. *Le Temps*, December 4, 1923. According to this account, the monthly mortality rate for September, 1923, was .66 per cent, which would be nearly eighty per thousand for the year.

[65] *Rapport du Cameroun*, 1922, p. 116.

[66] *Ibid.*, 1923, p. 121.

[67] *Ibid.*, 1924, p. 79.

[68] It does not indicate whether this rate is for the month or for the year. *Ibid.*, 1925, p. 56.

number of deaths. This number, which was supplied to the writer at Yaoundé, was three hundred and seventy-one out of a total of six thousand men employed, which would give a death rate of 61.7 per thousand. Misgivings as to the value of the French reports are increased when one examines the statements in regard to the payment of labor in the first chapter of the report and compares them to later statements. The first chapter[69] says that the laborers receive a daily wage of ninety centimes in addition to rations; yet according to the last chapter of the report,[70] wages are fifty centimes and seventy-five centimes (depending upon whether the laborers are voluntary or conscripted), plus a premium of ten centimes at the end of nine months' service. The impression the reader gains from the first part of the report is that ordinary conscripted laborers receive ninety centimes a day, when in fact they receive only fifty centimes.

At its fourth session in 1924, the Permanent Mandates Commission asked the French Government to deal with the question of recruiting and living conditions of workers on the railway "again in detail."[71]

At its sixth session on the report of its work, the Commission said: "The Commission returning to a subject which has already been dealt with in the report of its fourth session, urgently renews its request, that in the next annual report, exact and complete information should be given with regard to the conditions of life of workers" employed on the "construction of the railway."[72]

As a result of reforms produced in part by the pressure of the Mandates Commission, conditions of employment on the railway construction in the Cameroons have greatly improved. In the spring of 1926, the writer visited one such construction camp of six hundred men in charge of a French army sergeant. Under him were ten native capitas, each in charge of sixty men. These capitas are chosen at random from among the labor gangs as they come in. The laborers are sheltered in temporary bark-huts, and they are accompanied by women to prepare food—one woman for every ten men. Every other evening, the European in charge issues food in bulk to the capita of each gang, who distributes it upon his own responsibility among the women cooks. Under this system, it is possible for the capita, who receives no greater wages than an ordinary workman, to exact "dashes" from these women before giving them any food. One of the reasons for the food shortage on the railway camps a few years ago

[69] *Ibid.*, p. 5. [70] *Ibid.*, p. 55.

[71] *Report on the Work of the Fourth Session*, A. 15, 1924, VI. p. 6.

[72] *Minutes of the Sixth Session*, p. 175. In the discussion with the French representative who appeared before the Commission, a member of the Commission declared he had received complaints in regard to the work on the railway, including specific cases. Another member said he had received information of the same nature. *Minutes, cited,* p. 42.

appears to have been the fact that the capitas sold so much food illicitly to natives not working on the railway. Some natives even now assert that they are obliged to buy their food out of their wages. Presumably they mean that they must pay the capita. Individual allotment of food and increased European personnel and supervision would remedy these difficulties, if they still exist.

Each laborer receives a blanket upon coming to work, and each man is given .25 grams of quinine every day. The number of doctors assigned to the 6,000 men on railway construction work has been increased to two; they are assisted by one French and one native assistant, together with a number of native nurses.

As a result of these measures, the French administration states, in its 1925 report, that everywhere laborers on the railway are in good humor, and that the number of volunteers is increasing each year, which is "the first and immediate demonstration of the excellence of the method followed which, without a possible doubt, will give the Cameroons an increasing contingent of healthier and stronger men," better prepared for the accomplishment of the efforts necessary for the complete development of the Territory.[73]

9. *Food Requisitions*

It is no easy task to feed a body of six thousand men under industrial employment, especially in Africa, where there are no wholesale grocery stores. The men have no time to grow their food, and the people in the villages have no desire to produce it for them, especially when they receive remuneration considerably below the market price. In order to obtain the food which these workers require[74] the administration has been obliged to compel those natives remaining at home to grow the necessary products. In some cases, the administration has ordered the installation of communal food plantations;[75] but after attempting cooperative methods of production, it has come to the conclusion that the easier method of obtaining food is to assign a quantity of food crops to each chief and allow him to obtain it by any means at his disposal. At present, the administration requisitions so much food from each of the six districts in the vicinity of the railway. Thus in 1925, the district of Yaoundé was obliged to

[73] *Rapport du Cameroun*, 1925, p. 56.

[74] Daily rations are of two types: with peanuts; and without peanuts but with palm oil. The first is as follows: rice, .500 kilos, peanuts, .400 kilos, meat or fish, .125 kilos, and salt, .015 kilos. This diet may substitute .750 kilos of maize or 2.50 kilos of macabos for rice. The second diet consists of rice, .750 kilos, palm oil, .040 kilos, meat or fish, .125 kilos, and salt, .015 kilos. One kilo of maize or three kilos of macabos may be substituted for rice. *Ibid.*, 1915, p. 56.

[75] Cf. the Minutes of the Agricultural Commission, Yaoundé, *ibid.*, 1924, p. 170.

furnish a thousand tons of foodstuffs—seven hundred tons of rice, and three hundred and fifty tons of peanuts—for the railroad construction gang. In the same year, Edea furnished thirteen hundred tons. It is the duty of the chief to see that his people cultivate the necessary acreage to furnish these requisitions as well as to provide for their own needs. In the Ebolowa district, each native is obliged to produce ten kilos of peanuts and five kilos of rice a year. The administration punishes natives who do not cultivate the required area by disciplinary penalties.[76] Under this system, the chiefs have been tempted to exact more than the government requires, and then to pocket the difference. Thus in a trial at the Yaoundé court, one native testified: "During the last year, we have furnished peanuts, but we have received only a part of what is owed us." For fifteen hundred kilos of shelled peanuts, they received only ten francs; the balance apparently went to the chief himself. Another witness said: "We work always and it is Atangana which receives the money. For all the things that we have sent to the Europeans, such as chickens and eggs, through Atangana, we have received nothing."[77]

Since many men are away on the railway or have left the territory altogether, the burden of growing and harvesting these foodstuffs falls largely upon women and children. They must also carry this food to government centers, often involving a several days' walk. This drain is perhaps heavier than the actual cultivation. In 1924, 1,300,000 man-days of porterage were required to carry the six thousand tons of foodstuffs furnished the government and other consumers. The visitor to the Cameroons may frequently see long lines of natives, mostly women and children, carrying loads of peanuts on their backs over a distance requiring in many cases a two or three days' walk. In one case, near Ebolowa, the writer saw about sixty women, some of them with babies on their backs, and others with elephantiasis, carrying loads of peanuts, each of which must have weighed forty or fifty pounds, to the administrative headquarters. They had been en route for two days. The writer saw similar processions coming in to the capital at Yaoundé. One of them consisted almost wholly of young girls carrying peanut loads, led by a young black dandy, the representative of the chief, wearing a pair of white flannels and a straw hat. The annual report of the District of Yaoundé stated that "too often the transportation of these charges [of food] is done by children and even *enceinte* women."

Such conditions are imposed upon the women of the Cameroons in the

[76] Cf. Vol. II, p. 314.
[77] Banes v. Atangana, Judgment No. 6, 1924, *Yaoundé Tribunal de races.*

face of a government circular on prohibiting porterage by women,[78] in which the Commissioner said: "It is evident that the physiological future of the race is connected particularly with the organic structure of woman and her rôle in the family. You will see to it, therefore, that she is not subjected as in the past to an abusive porterage, even for domestic ends. No departure must be made from our rules which aim to reserve the transport of burdens to the men."

In order to monopolize the supply, the administration forbids natives, at least in the Ebolowa district, to sell peanuts to traders. In theory, the administration pays the natives for this food. But the price paid for peanuts is forty centimes a kilo in comparison with the price in the open market of fr. 1.25. Likewise the administration pays seventy-five centimes for rice compared with the market price for imported rice of from three to five francs. In some districts (but not in Ebolowa), the government pays the chief or his representative a lump sum for the foodstuffs which he is supposed to divide among the producers and carriers. The natives of these districts almost universally complain that they are not paid for their peanuts or for their rice.

10. *Road Work*

The Cameroons administration has likewise mapped out an extensive program of road construction which will ultimately be of great benefit to native trade. Any such program requires a labor supply which can be obtained, especially when the program is large and the labor underpaid, only by compulsion. Labor for such purposes may be exacted for an unlimited period of time, but must supposedly be paid.[79] The administration has accepted the principle that not more than ten per cent of the adult males in any community should be taken for government work. But it appears that this figure has, in some instances, at least, been exceeded.[80] While in British colonies, Public Works engineers take charge of all important road construction, in the Cameroons, this task, supposedly for reasons of economy, is imposed upon political officers, subject to the advice of a Roads and Bridges Service.[81] But in many cases, this system has resulted in the waste of labor and in incompetent construction. There are parts of the Eséka-Lolodorf road which were cut three times because

[78] No. 20, September 30, 1925. For some reason, this circular is omitted from the 1925 report.

[79] Cf. Commissioner Marchand, *Minutes of the Ninth Session,* Permanent Mandates Commission, p. 66.

[80] Cf. Vol. II, p. 330.

[81] This is composed of a captain of engineers and an under-officer. *Budget,* Cameroun, 1926, p. 87.

of faulty survey and which, therefore, required the employment of three times the necessary amount of labor. In other cases, the administration has, because of lack of European personnel, entered into "collective contracts" with chiefs for the purpose of building roads or of clearing the roadbed for the railway, paying them so much per kilometer. An example follows.

Contract

"Between the Chief de Circonscription de Yaoundé, delegated for this purpose by the Commissioner of the French Republic in the Cameroons and the Superior Chief Atangana, representing the Community of the Yaoundés.

It has been agreed as follows: The Superior Chief Atangana engages in the name of the community to carry out the work of clearing the road-bed between km. 249 and km. 306. This clearing includes 43 km. of primary forest at a round sum of 4000 francs per kilometer, or 172,000 francs; and 14 km. of secondary forests at a round sum of 2000 francs a kilometer, or 28,000 francs. The complete clearing should be terminated by 31 October, 1925.

Payment will be effected monthly by an agent of the district according to the work actually completed."

By virtue of these "collective contracts," the chief turns out the labor for an unlimited period of time. In return, the government pays the chief a lump sum, in this case amounting to two hundred thousand francs —the system also followed in some districts for the payment of food. According to the vouchers examined by the writer in the office of the *Agent Spécial,* the chief alone signs for the lump sum.[82] Under such a system, there is a danger that the chiefs pocket most of these payments. The complaints of natives against this form of compulsion and the failure to receive remuneration are widespread.

As a result of these collective contracts, the visitor may see women, many of them aged, working on the roads in Yaoundé, which is the capital of the country.

In some cases, roads are made by prestation labor. The Eséka-Lolodorf road was made almost entirely with such laborers, some of whom complain that they worked for six months without being paid. Laborers on the road between Edea and Sakbayeme made the same complaint.

The construction of certain railways and roads may properly be re-

[82] Commissioner Marchand stated in June, 1926, at the ninth session of the Mandates Commission, that abuses had occurred and that consequently the administration now paid the men individually. *Minutes, cited,* p. 65. But the writer, who reached the Cameroons following the departure of the Commissioner on leave, found, by examining the vouchers of the *Agent Spécial,* that the chiefs signed for a lump sum. It is possible, however, that the writer did not see the most recent vouchers.

garded as essential public work for which compulsion may be legitimately imposed. The social value of a transport system cannot be exaggerated. Thus, as a result of roads built largely by prestation labor, the number of days of porterage, in which natives are obliged to carry heavy loads on their heads, in the district of Yaoundé has declined from 283,000 in 1921 to 9500 in 1926. But under the Cameroons system, no time limit upon compulsory labor[83] is prescribed, in contrast to the maximum of sixty days per year imposed in British East Africa and in the Belgian Congo. While the mandate is silent on this point, it does stipulate that compulsory labor shall be adequately remunerated and that it shall be well treated. Some natives and Europeans point out that while the Germans resorted to forced labor before the World War, they paid the labor comparatively well, and they did not allow women to work on the roads. In constructing the railways, the Germans used their capital to purchase imported food, particularly rice, thus relieving the local population of the unnecessary drain which arises out of food production on this wholesale scale.

11. *Emigration*

As a result of these various exactions, a large number of natives in the Cameroons have migrated to foreign territory. Some have flocked into the British Cameroons while others have gone into the French Gaboon, to Spanish Rio Muni and to Fernando Po, despite the sleeping-sickness which exists in this latter territory. According to the Minutes of one Council of Notables, several chiefs asserted that their men will never return home until after the completion of the Midlands Railway. Other declared that out of fear of being caught, deserters from the railway did not dare to return to their villages, and consequently emigrated. Another chief said: "In the whole of the villages of my region, about a quarter of the men are absent." A quarterly report of the District of Ebolowa to the Commissioner recently declared that out of twenty-one villages in a subdivision having 1065 men, four hundred and sixty-one men were absent. The report said: "It is no exaggeration to say that the proportion of people who have left the subdivision is forty per cent." The administration has imposed severe restrictions upon movements from the territory. The Labor Decree of July 9, 1925, prohibits a native from leaving the territory without a personal authorization from the Commissioner of the Republic or from the authorized district head. This authorization to emigrate will only be granted upon the payment of a deposit of five hundred francs, to be reimbursed upon return, and upon the payment of a special passport

[83] Except for prestations.

tax of twenty-five francs. This measure is even applicable to women who may marry in the Cameroons, natives originating in other colonies.[84]

In a recent circular [85] the administration said: "It is not necessary to call your vigilant attention to the necessity of following minutely our natives in their movements, in order to save the territory and its development from the danger of a more or less accentuated emigration." [86]

Many of these difficulties would be removed if the French administration would increase the number of Europeans in charge of railway construction, place the road program of the territory in the hands of a thoroughly staffed Public Works Department, increase the wages of conscripted labor, and import larger quantities of rice and other food for construction labor. Such a policy would of course increase government expenditure. An opposite policy has been followed, apparently because the Cameroons has felt obliged to finance this construction work out of current revenue, and also because of the fact that the territory has the uncertain status of a mandated territory. Nevertheless, the large surplus in the Cameroons treasury would indicate that greater expenditures would be financially possible.[87] The present construction program will be finished by the end of 1928, when presumably some of the present exactions on the natives will come to an end. Government officials state that it is not the intention of the administration to build new railways for a period of ten years, on account of the labor supply. Rumor has it, however, that this opinion is being changed and that the railway will soon be extended northward from Makak and also toward the Congo. The Cameroons is the shortest outlet of the Chad country to the sea, which makes a railway through the North Cameroons of economic and strategic importance.[88] If any such plans materialize, the burden upon the Cameroons native population may continue indefinitely.

[84] In case the marriage has been registered, a permit to emigrate will be granted of right. In the interior of the territory, a native must secure a *"laissez passer"* to go from one administrative district to another. Articles 2-4, Decree of July 9, 1925, *Rapport du Cameroun,* 1925, p. 88.

[85] No. 61 of 1925.

[86] The Commissioner, Mr. Marchand, stated before the Mandates Commission that the above decree was necessary for the purpose of controlling health matters. *Minutes of the Ninth Session,* p. 67.

[87] It is an amazing fact that many of the traders and missionaries with whom the writer talked believed that the French held the Mandate only for a term of years and that eventually the Germans would come back. The same feeling has existed in Tanganyika. Cf. Vol. I, p. 432.

[88] When Minister of Colonies, M. Albert Sarraut proposed that the Midlands Railway be extended about five hundred kilometers to Meiganga and that a small gauge line of .60 meters be constructed from Garoua to the Logone River in the Chad Territory. *La Mise en Valeur des Colonies Françaises,* pp. 447-448.

CHAPTER 79

LAND AND LABOR

1. *German Land Policy*

IN certain respects, German land policy in the Cameroons was similar to that in East Africa. Legislation provided for the investigation of native rights before alienations could be made. For this purpose, a land commission was established in each district, composed of the district commissioner and two other members.[1] Native chiefs were invited to take part in the deliberations of this commission. In order to safeguard the rights of natives the president of the commission could appoint a guardian. The commission was obliged to allow natives to remain in possession of land which they inherited, and of at least six hectares of land per hut. Under certain circumstances, this area could be increased. Apparently it was the policy of the German Government to map out, through these land commissions, native reserves in areas where there was a great deal of European activity. A native was allowed to sell his land to non-natives subject to the consent of the Governor, after an inquiry as to whether or not the land in question really belonged to the native or was collective property.[2] The German law, therefore, established the Crown land system, subject to the theoretical protection of native rights. Under the authority of this law, the German Government proceeded to alienate land for plantation purposes in the Highland area back of Victoria, and in other regions. The total amount of land alienated for plantation purposes was 115,147 hectares, 24.5 per cent of which was actually under cultivation in 1913.[3] Cocoa plantations occupied 13,160 hectares; rubber about 7,400 hectares, the oil-palm 5,044 hectares, and banana plantations 2.160 hectares. There were fifty-eight plantations in all. Most of them were in the zone which passed to the British at the end of the War.

[1] Allerhöchste Verordnung über die Schaffung, Besitzergreifung und Veräusserung von Kronland, vom 15 Juni 1896. *Die Landesgesetzgebung für das Kamerun,* 1912, p. 687, and also *ibid.*, p. 692.

[2] Bekanntmachung des Gouverneurs, betreffend die Grundsätze für die Genehmigung der Überlassung von Eingeborenen-Land an Nichteingeborene im Schutzgebiet; *Die Landesgesetzgebung für das Schutzgebiet Kamerun,* p. 699.

[3] *Die deutschen Schutzgebiete,* p. 82, Statistical part. This excludes the area of the two concessions companies. Cf. p. below.

In the center and northwest parts of the Cameroons, the German Government granted two vast concessions similar to those granted by the Government of the Congo Free State and by the French Government in the Congo. The first of these concessions, granted in 1898, gave the Gesellschaft Süd-Kamerun [4] the right to choose, subject to the native land rights protected by the general laws, an area of 7,200,000 hectares which cover the districts of Ebolowa, Yaoundé, Lome and other parts of the territory. It appears that to protect the interests of these concessions the government required many Douala traders to stop trading in these areas. A number of difficulties nevertheless arose which led to a new understanding in 1905 in which the rights of the Company were reduced to an area of 1,500,000 hectares, subject to a number of obligations.[5] This method of reducing the Company's rights was later adopted in the French Congo.[6] Its rights were registered in the *Grundbuch* as comprising "virgin forests for the exploitation of rubber." The society also received the right of making contracts in regard to the collection of rubber within native reserves, except where the reserve was under cultivation, while it also became the proprietor of the rubber outside of the reserves. The French Government sequestrated these concessions during the World War. Believing that the rights were inconsistent with the obligations under the Mandate, it abolished the special rights over the collection of rubber, which the natives may now gather freely.[7]

The second of these concessions was granted in 1899 to the Gesellschaft Nordwest-Kamerun.[8] It covered an area north of the Sanaga River of about 4,500,000 hectares, which was about one-twelfth of the whole territory and included a fifth of the population. In this concession, the Company was given the right to choose Crown land within the area stipulated. But in occupying this land, the Company was obliged to recognize native rights under the general land ordinances; and was obliged to respect the principle of the freedom of trade, and also to carry out a number of other obligations. Thus it was obliged to expend three million marks within ten years on the territory and to contribute one hundred thousand marks for an expedition to Lake Chad. The Company did not, however, live up to these obligations, and it appears that its rights expired in 1913.

[4] Konzession für die Gesellschaft Süd-Kamerun, *Die Landesgesetzgebung für das Schutzgebiet Kamerun,* p. 716.

[5] Erklärung des Gouverneurs gegenüber der Gesellschaft Süd-Kamerun wegen Überlassung des Eigengebiets, *ibid.,* p. 717.

[6] Cf. Vol. II, p. 249.

[7] *Rapport du Cameroun,* 1922, p. 52.

[8] *Die Landesgesetzgebung für das Schutzgebeit Kamerun,* section 360, Konzession für die Gesellschaft Nordwest-Kamerun, p. 713.

2 *French Land Policy*

In 1920, the French Government defined its land policy in Togo and the Cameroons in a decree organizing the "domain" in these two territories. This decree states that "les terres vacantes et sans maître" belong to the State. Land forming part of collective native property which the native chiefs hold as representatives of native groups can be alienated to individuals by means of sale or of lease, only after approval by *arrêté* of the Commissioner of the Republic in Council of Administration. This decree thus implies that there is a distinction between public land and native land.[9]

This decree was followed in the Cameroons by an *arrêté* which divided the land into (1) lands held under German title, (2) lands belonging to natives or to native groups by virtue of custom and of tradition, but for which no written title of property exists, (3) lands situated around villages on which natives cultivate crops, pick products necessary for their existence, pasture their flocks, etc., but on which they have only a right of usage and not of property, (4) "terrains vacants et sans maître."

From these definitions it would appear that in the Cameroons the French Government has not followed the land policy in West Africa, namely, that all land belongs to the State unless it is held under title.[10] A native may sell land falling in the second category—land which he actually owns according to native law—subject to the approval of the Commissioner. This approval is given only after the District Head has made an inquiry and drawn up an "acte de notoriété" concerning the property, signed by seven witnesses including the chief and the elders of the locality, certifying that the land belongs to the native wishing to sell. If the District Head recommends that the sale take place, the Commissioner may allow it.

Lands in the third category—that is to say, lands which natives cultivate but over which they have only rights of usage—constitute what are generally called native reserves. Natives who exploit them possess only a right of usage and not of property. They can in no case alienate them. The Commissioner may, however, alienate these lands, subject to the condition that the occupants receive some form of compensation or indemnity. These native reserves will be drawn up by the District Heads and will be submitted to the approval of the Commissioner. The French administration has recognized the existence of some fourteen such reserves in the

[9] The text of the Decree of August 11, 1920, and the *Arrêté* of September 15, 1921, is printed in Appendix XXXIII, Vol. I, p. 1022.
[10] Cf. Vol. I, p. 1022.

Dschang district originally drawn up by the German Government, while the French Government itself has created two reserves in areas where the demand for land by Europeans is great. But it does not appear that the administration intends laying out reserves throughout the whole territory.

Thus the *arrêté* makes a distinction between land which "belongs" to natives by virtue of custom and land over which natives only have a right of user. In the first case, but not in the second, the natives may sell land. The government and the government alone may sell land falling into the second class, subject to an indemnity fixed at any figure it pleases. The determination of the actual category into which a given piece of land falls rests with the administrative officials, and in some cases officials have already advised concession-seekers to list land in the second rather than in the first category to simplify procedure. While the Cameroons land law is an improvement over the West Africa law, as it now stands, it does not appear adequately to safeguard native interests. In these respects it presents the same defects as the Tanganyika land law.

The fourth category of lands—"terrains vacants et sans maître"—may be alienated to Europeans or natives in accordance with the stipulations of the *arrêté*. If a person wishes a concession, he makes an application which is published in the *Official Journal*. But it is published only after the native population which is interested has been informed by the administration, through means of "palavers" organized for this purpose. If the natives object they must file an opposition within one month. In such a case, the Commissioner makes a decision and if he rejects the demand the concession-seeker may appeal to the Council of Administrative Disputes. But if the Commissioner decides in favor of the concession the native has no appeal. Moreover, "any opposition which is not justified may make its author liable to a fine of a maximum of a thousand francs, the amount of which is fixed by the Commissioner of the Republic in Council of Administration."[11]

It would appear from the wording of the *arrêté* that the native must take the initiative in opposing a concession and that if the opposition is not upheld, he becomes liable to a fine of a thousand francs—which is not likely to make opposition popular.

3. *Cameroons Concessions*

Each concessionaire must carry out certain obligations defined in a *cahier des charges*.[12] Thus in a concession recently granted to a Mission, the government stipulated that it must employ paid labor for the

[11] Article 31, *Arrêté* of September 15, 1921.

[12] This "cahier des charges" lays down certain developmental conditions prescribed in the *arrêté*. If the land is for grazing purposes or the production of

construction of its buildings. It must not maintain any trading establishments on the property, nor establish native villages there. It must pay the natives, about sixty of whom lived on the land concerned, a thousand francs for moving off the property.

Having fulfilled the obligations imposed in regard to development, the concessionaire under the French system acquires "full property" or a freehold title.[13] The mandatory government does not therefore participate in the unearned increment of the land, nor does it ordinarily receive adequate rent from the property before full title has been granted. The minimum price for average rural land in the Cameroons is twenty francs a hectare which may be paid over a period of six years.[14] A thousand hectares would therefore cost a concessionaire twenty thousand francs, or about two hundred pounds. In Tanganyika the annual rent on twenty-five hundred acres is two hundred and fifty pounds at two shillings an acre, leases are limited for ninety-nine years, and the government increases the annual rent at the end of every thirty-three years. The French, on the other hand, are not as liberal as the Belgians, who dispose of land at five francs a hectare.[15]

While the Commissioner may freely grant concessions of less than a thousand hectares a decree of the home government is necessary for larger areas. Under this procedure the Government enacted a decree in 1924 approving a convention between the Minister of Colonies and the *Compagnie Commerciale de Colonisation du Congo française*. Subject to the obligations of the Acts of Berlin and of Brussels (Article 22 of the Treaty of Versailles is not mentioned) and of the rights of the natives, the French Government gives this Company the right to choose four thousand hectares (ten thousand acres) in the Cameroons *à titre gratuit* which it will hold as full property upon fulfilling development conditions prescribed in the *cahier des charges*. This land is given to the Company "in compensation for the renunciation of concessions" in the Congo granted by the decree of June 9, 1899.[16]

foodstuffs the concessionaire must maintain two hundred head of cattle or one hundred hectares for two years, etc. If it is a concession granted for the production of foodstuffs one-quarter of its surface must be cultivated. When the land is "cultures moyennes" one-sixth of the surface must be cultivated, etc.

[13] Articles 35 and 40.

[14] Article 63. The minimum price for grazing land is ten francs and for cocoa or coffee land, thirty francs per hectare.

[15] Cf. Vol. II, p. 514.

[16] Apparently the former concession lay within the area ceded by the French Government to the German Government in the agreement of November 4, 1911 (cf. Chap. 73), that had been made the object of an agreement between the Company and the German Government which has now become invalid.

Likewise in a convention of January 9, 1924, the Minister of Colonies granted the *Compagnie française de l'Ouhamé et de la Nana* a concession of sixty-five hundred hectares in the Cameroons (together with six thousand hectares in French Equatorial Africa) in return for abandoning an old concession in the French Congo.[17]

Now the policy of the French Government in Equatorial Africa is, as we have seen,[18] to exchange the old monopolistic concessions for smaller holdings in full property. But apparently good land is running out in French Equatorial Africa for this purpose. Consequently the French Government has utilized a mandated territory to ease a situation in a neighboring colony, and handed over to these two companies about 25,000 acres of land in full property and free of any obligation to pay an annual rent or purchase price to the Cameroons treasury.

These concessions are not mentioned in the Annual Report on the Cameroons submitted by the French Government to the Council of the League of Nations. The decree approving these concessions is not even published in the *Official Journal* of the Cameroons. It is found in the *Bulletin Officiel du Ministère des Colonies.*[19]

The Cameroons administration reported in 1925 that the revival of trade was leading to an increased interest in European plantations.[20] It would appear that under existing legislation the administration may freely alienate land for such purposes upon terms which bring very little financial return to the territory, and without adequately safeguarding the interests of the natives.

So far the Mandates Commission has given consideration chiefly to legal points of minor importance in regard to the French land legislation. This relates to the wording of the 1920 decree which provided that the "domain" or public land belonged to the "State" or the French Government. A member of the Commission pointed out that under the mandate system the domain should belong to the local territory.[21] And as a result

[17] Decree of January 16, 1924. *Ibid.,* 1924, p. 84.

[18] The Convention of 1924 provides: "It is formally stipulated that there shall not be included in the areas granted to the company, native gardens and reserves and that, in conformity to the land regulations in force in the Cameroons, the water courses, roads, railways, etc. are excluded. . . ."

The Company will not claim an indemnity from the Administration in case it receives damages arising out of insecurity in the Cameroons, disturbances or revolts of the natives or a war with a foreign power. Decree of January 16, 1924, *Bulletin Officiel, Ministère des Colonies,* 1924, p. 81.

[19] The *Recueil* (1924, p. 193) lists the two decrees but does not print the text nor mention them in connection with the Cameroons.

[20] *Rapport du Cameroun,* 1925, p. 71.

[21] Memorandum by M. van Rees on Land Tenure, *Annexes to the Minutes of the Third Session,* A. 19 (Annexes), 1923. VI. p. 216.

of observations formulated by the Commission[22] the French Government correspondingly amended its land legislation as far as Togo is concerned.[23]

4. *The Forest Régime*

The southern Cameroons is rich in tropical forests—mahogany, ebony, and mangrove—woods which find ready purchasers in European markets. Consequently wood cutters have entered the country and they must be controlled. The government regards all forest land as belonging to it and not to the natives as in the Gold Coast and Nigeria.[24] Concessions to cut wood are therefore granted by the government and not by native chiefs. The Commissioner of the Republic may grant forest concessions having a maximum of ten thousand hectares. Larger concessions are granted by decree. Within these areas, the natives retain rights in regard to wood-cutting, hunting, and pasturage, but the exercise of these rights is limited to the satisfaction of individual or collective needs in connection with food, fuel, housing, etc. An exception is made in the case of palms, the products of which have been traditionally gathered by native tribes. Natives are not allowed to gather other products for purposes of sale. The administration may go further and restrict the exercise of native rights to limited areas called "cantonments."[25] Thus under this system, the concessionaire receives a virtual monopoly of the forest produce over vast areas in which natives live.

5. *Individual Titles*

In conformity with the general philosophy which dominates French colonization in Africa, an *élite* may escape from the disadvantages of the general land régime to which subjects generally must submit. In the Cameroons, natives may obtain gratuitiously concessions having a maximum of ten hectares,[26] while they may also receive permits to cut wood in the forests. Likewise, titles may be gradually built up through the *actes de notoriété* drawn up by the District Head, certifying that the native concerned is the owner of property. The practice now is to register such acts with the Land Registration Office at Douala. These *actes* constitute written evidence of the ownership of land; they are drawn up without any unnecessary legalism; and they do not extinguish the claims of other natives. Consequently they avoid many of the defects of the Registra-

[22] *Report of the Work of the Fourth Session,* A. 15, 1924, VI, pp. 3, 6, 7.
[23] Decree of March 13, 1926, *Journal Officiel du Togo,* 1926, p. 184.
[24] Cf. Vol. I, pp. 758, 801.
[25] Decree of March 8, 1926, *Bulletin Officiel, Ministère des Colonies,* 1926, p. 334.
[26] Article 73, *Arrêté* of September 15, 1921.

tion régime introduced into West Africa proper, and which the Germans introduced into the Cameroons before the World War.[27]

Although most land in the Cameroons is held under tribal or family tenure, it appears that in some sections a form of individual property is growing up. In the Dschang district, the native population—among the Bamiléké people—is so large that land has become scarce. Consequently, native owners now mark off their holdings with rock boundaries to keep trespassers off.[28] On the Lower Sanaga River, an interesting land situation has arisen out of the relations between the Malimba and the Bakoko people. In the early days the Bakoko, coming out of the north, drove the Malimba people down the valley of this river toward the sea. Many of the Malimba reside on islands in the delta of the Sanaga where they hold land as family property. But within recent years, the Malimba have begun to buy or lease their old land from the Bakoko chiefs, particularly along the banks of the river. But they hold this newly acquired land under individual and not family tenure.[29] In 1920, a dispute arose over the request of some Malimba to establish a plantation on a spot which they thought to be vacant land but the ownership of which the Bakoko people at Edea claimed. Conflicts between these two peoples have also arisen over an old native custom that the holder of land along a river has rights extending indefinitely into the interior. Because of the windings of the Sanaga, it is impossible to draw a straight line to denote a boundary, with the result that the claims of riparian owners in the hinterland frequently conflict. The growth of cocoa exports has also complicated the land situation. In one case, some Bakoko of Edea established a cocoa farm on land upon which some palm trees, owned by other natives, grew. Realizing the increased value of the land, the owners of the trees now claimed the ownership of the land as well. But the French, following the example of the Germans, declined to accept these demands, and ruled that despite the presence of palm trees owned by natives on otherwise vacant land, such land had no owner and might therefore be appropriated by the first individual who developed it, subject to government control. Sooner or later, the Cameroons Administration will probably adopt an *immatriculation* or registration system through which natives may acquire title to property and thus clear up these difficulties. But the very complication of these disputes shows the dangers of any system which bequeaths absolute rights upon one individual to the exclusion of another.

In French Togo, the government has installed the registration system

[27] Imperial Ordinance of November 21, 1902, *Landesgesetzgebung für das Schutzgebiet Kamerun*, p. 678.

[28] *Rapport du Cameroun*, 1922, p. 46.

[29] *Ibid.*, 1923, p. 50.

found in West Africa.[30] Any person (native or European) desiring to have his property registered files a statement with the Conservator of Property, describing the property. A notice of registration is published in French and those who wish to oppose it must register their opposition within three months, after which the court decides. If title is granted under the Torrens system, all past claims to the land are extinguished. Thereafter, the native may mortgage or sell his property as he likes. Under the German system, all requests for registration had to go to the courts; but under the French system, only contested cases are subject to this type of review. One native may apply to have property registered which in fact belongs to his family, the members of which do not know French or may be away from the community for a period of three months. Only three "oppositions" were filed in 1925. But if the real owner fails to file notice, the government may make out a definitive title in favor of the applicant. Should the registration system be made compulsory, as some officials propose, widespread spoliation would be probable.

So far, only one hundred and forty-five titles have been issued under this system, whether to Europeans or to natives. About seven-eighths of these titles have been to urban property. Few natives in the country have utilized the procedure.

During 1925, only six sales of native registered property were recorded, all of which were between natives. Thus it is evident that this system of individual titles is used only by the most intelligent natives living under Europeanized conditions. One of the advantages of this system is that natives having registered property obtain a security through which they can obtain a loan. In 1925, such natives borrowed from a French bank, a Dutch commercial company, and a native trader sums totaling three hundred and sixty-four thousand francs. All of these natives were traders who used these loans, according to the Togo report, in a productive manner.[31]

It appears that the Togo Government has recognized the disadvantage of the Torrens system, for in a decree of August 24, 1926, it introduced a new system of native land titles based upon the system introduced in French West Africa in 1925. That is to say, natives may be granted titles which are not, however, definitive. The decree says that the titles thus obtained have the same value as contracts made under the decree of May 2, 1906.[32]

Carrying out the provision of the Mandate, the legislation of Togo and

[30] Decree of December 23, 1922, *Rapport du Togo*, 1922, p. 120.
[31] *Ibid.*, 1925, p. 32.
[32] Decree of August 24, 1926, *Journal Officiel du Togo*, p. 373. Cf. Vol. I, p. 1030.

the Cameroons provides that ordinary sales of native property of the second category defined in the decree may take place only with the consent of the Commissioner. But this rule of consent does not apparently apply to land held by natives under title from the French Government. In the Cameroons, twenty-nine natives acquired property formerly belonging to Germans. Likewise some natives have acquired concessions from the government. In Togo, natives have registered their property. In all of these cases, natives may dispose of or mortgage their land upon exactly the same terms as European owners. It appears that the government exercises no control over the alienation of this type of land, despite the provisions of the Mandate.

6. *The Douala Land Question*

Probably the most burning issue in the French Cameroons to-day is in regard to the ownership of the land in the city of Douala. When the Germans occupied the town, they found four main villages along the water front and on the Joss Plateau which rises back of the harbor—the villages of Bell, Akwa, Deido and M'Bassa—each ruled over by a chief belonging to the Bell family. Missionaries, traders, and government each had obtained by purchase or gift from the chiefs of these villages land sufficient to carry on their activities. In establishing a protectorate, the Germans agreed in the treaty of 1884 not to disturb the natives in the possession of their property.[33]

But because of the growing European population and commerce, the German Government decided in 1909 to move the four native villages away from the water front to new sites several miles in the interior and to build a model European city upon the land thus vacated.[34-35] The government offered to pay the natives ninety pfennig a cubic meter for their property which was the price of land at the time of the German occupation. They also agreed to built for them model villages—an hour and a half's walk from the water's edge—one of which was actually put up at "New Bell." The natives, however, said they would not sell for less than three marks a square meter—a price which the German Government declined to accept on the ground that the increased value in land since 1885 had been due to European activity. The Doualas claimed that many of them had given up trading in the interior, at the request of the government because they competed with the concession companies, to engage in cultivation of cocoa and fishing. They wished therefore to retain their

[33] Cf. Vol. II, p. 273.
[34-35] Such a plan was actually carried out in the town of Bonaberi, directly across the estuary from Douala.

villages on the water's edge. The Douala people employed a German attorney to defend their interests, and they despatched a petition to the Reichstag.

Apparently as a result of the debate in the Reichstag, the government sent out a commission of investigation to Douala. But finally the local administration became so irritated at Chief Rudolph Bell who had led the resistance to the expropriation that it ordered him to be hanged on the pretext of having plotted against German authority. The government thereupon expropriated the native property on the Joss Plateau and obliged the natives at the point of the gun to move into the village of New Bell. Its plans to move the natives out of the three other native villages were thwarted by the outbreak of the World War. The Joss Plateau was thereupon occupied by the Allies for military purposes.

In 1918, the Douala chiefs drew up a memorandum on the whole subject of administration in the Cameroons, including the subject of expropriation of the Joss Plateau, which they wished to present to the Paris Peace Conference. They were prevented from doing so by the local French authorities. From that day to this, the land question has been a sore spot with the Douala people.

Throughout the controversy, the French Government has taken the position that it is the heir to German public property in the territory of which the Joss Plateau is a part, but that it is not legally liable to the debt of the Empire in these territories.[36] In one case, at least, it has already alienated a part of the property to a private company. In December, 1925, the French Administration told the Douala chiefs: "We must no longer speak of this question because the Germans settled it a long time ago. Consequently, all land which has been made the object of expropriation remains the exclusive property of the Domain." But as the German Administration did not indemnify the owners, the French Administration considers it a duty to pay an indemnity to the so-called proprietors at the price fixed by the German Administration. Moreover, the French Government did not believe that it would use all the land nor sell the land to individuals at a profit. But it proposed that after having taken land sufficient for its own use, it should sell the remainder and place the profits from such sale into a fund which the former proprietor could draw upon for the purpose of building a model house on his property given him in the new native village.

After discussing this method of settlement at a mass meeting, the Douala population decided to reject the propositions. They now declare that they are willing to lease the land on the Joss Plateau to the government

[36] Cf. Vol. I, p. 436.

and to European individuals but they wish to do it directly and to have complete control over the funds. Lands needed for such public purposes as the railway and the post-office they are willing to grant to the government. Provided their ownership to the remainder of the land is recognized, they will agree not to live on the Plateau, which shall continue to be a European area. Such was the situation in the spring of 1926.

The land question in Douala is thus similar to the Lebou question at Dakar.[37] The question is complicated by the fact that the action against which the Doualas protest was taken by the German Government. The French have taken the position that this action as far as the French are concerned is legal; they are prepared to offer the same compensation as the Germans offered but which the Doualas refused. This compensation is apparently much below the market value of the land. The annual reports of the Cameroons Administration sent to the Council of the League of Nations scarcely mention this controversy. Nevertheless, it is probably the most acute difficulty in the Cameroons, and the Douala people assert that if the French do not accept their position, they will place the matter before the Mandates Commission of the League of Nations. Whether that body will believe it wise to inquire into past injustices remains to be seen. Whatever the outcome of the controversy over the Joss Plateau may be, it seems that the French Administration does not intend to carry out the German plan of expropriating the villages of Dedio and Akwa.

Such is the land situation in the French Mandates. The closely allied subject of labor will now be discussed.

7. *Protection of Labor*

The Cameroons Administration in conformity with the provision in the Mandate forbids administrators to recruit labor for private persons.[38] The conditions of recruiting and of the employment of native labor is regulated in the Cameroons by decrees enacted in 1922 and 1925. A native engaging to work outside of his district must sign a contract, the term of which cannot exceed two years. A native working for a European outside of his district without such a contract may be obliged to return home. Deductions from the native wage apart from authorized advances are forbidden. Advances are limited to one-quarter of the native wage. Buildings which house labor must have a minimum height of 1.70 meters; and each worker must receive a bed and a blanket from his employer. A

[37] Cf. Vol. I, p. 1024.

[38] Cf. Reply to Questionnaire of the League of Nations, II (c) *Rapport du Cameroun*, 1925, p. 81.

cook must be furnished for every twenty-five men. Employers of more than a hundred men must employ a native sanitary assistant.

Disputes shall be settled by Councils of Arbitration; and if a native does not satisfy a pecuniary judgment of the Council, he may be imprisoned for not more than a month.[39] Before 1925 the administration had not established these Councils of Arbitration in the Cameroons. A number have been established, however, in Togo [40] under the Decree of December 29, 1922, which regulates labor questions.[41] The terms of the Togo decree are, however, much less precise than those laid down for the Cameroons in 1925.

8. *Chiefs' Labor*

The demands of private employers for labor in the French Cameroons are not great because of the relatively few European plantations. It is believed that less than fourteen thousand individuals are under European employment [42]—about three per cent of the adult male population. Consequently, European private interests do not exert pressure on the administration to furnish labor as they do in Kenya, Tanganyika, or the Congo. The same social result has, if to a lesser extent, been obtained through another means. The French Cameroons is almost unique among the territories of Central Africa in that it contains a large number of plantations owned by natives, most of whom are chiefs. A few such plantations exist on the Gold Coast and elsewhere, but they are numerous only in the French Cameroons. It appears that the German Administration encouraged native chiefs to cultivate large plantations long before the War. The French have not only tolerated but aided this policy. These plantations are particularly widespread in the district of Yaoundé where Charles Atangana and other chiefs have cocoa, palm, and foodstuffs plantations upon which hundreds of natives are employed. One chief in Yaoundé has a cocoa plantation of eighteen thousand trees; another has a rubber plantation of twenty-six thousand trees. Charles Atangana has planted over four hundred hectares of land, while Chief Ateba has planted two hundred hectares. A number of such plantations will also be found in the district of Edea.[43]

[39] For this system in French West Africa, cf. Vol. II, p. 30. Decree of August 4, 1922, *Rapport du Cameroun*, 1922, p. 135; Decree of July 5, 1925, *ibid.*, 1925, p. 87.

[40] Cf. *Rapport du Togo*, 1923, p. 140. An *arrêté* of October 27, 1924 (*ibid.*, 1924, p. 155), provided for the use of *livrets du contrat du travail* which must be visaed at the time of recruitment and at the end of the contract. Workers are visited four times a year by the administrator and doctor, and mention is made of each visit in the *livret*.

[41] *Ibid.*, 1922, p. 82.

[42] *Rapport du Cameroun*, 1924, p. 7.

[43] Cf. below.

A number of abuses have arisen out of these native plantations. When the owner is a chief he can, because of his position, virtually conscript labor to till his farms. Abuses of this kind are particularly serious in the district of Yaoundé. Charles Atangana, the leading chief, has about two hundred police, each wearing a badge with his initials, who roam the country and, according to dozens of complaints, forcefully oblige natives in the villages to come and work on Atangana's plantations. In some cases, these police tell them that they are being taken for the government. Natives thus captured are obliged to work without pay until they can escape; and in some cases, they are obliged to have their food brought from their homes.

In a case before the Ebolowa *Tribunal de races,* a native road foreman was convicted of profiting from the authority which the position of foreman gave him over prestation laborers to make them work for his personal profit, on his plantations and in the construction of his house, instead of using them on road work for which they were summoned.[44] In another case, in the Yaoundé court, the Bané people complained that Atangana's men, through the subordinate chiefs, demanded twice the number of men from the villages which the government requisitioned. They declared that the excess number were used on Atangana's plantation.[45]

In still another case, twenty-one natives, including eleven women, complained that they were forced to work for two native planters on their plantations. These planters happened to be commoners and were sentenced by the court to several months' imprisonment.[46] The government is so dependent for labor and food upon the important chiefs that it is difficult for it to inquire too closely into abuses which the big fellows commit. In the southern Cameroons where these exactions are being imposed, customary tribute similar to that exacted by the Moslem chiefs in the north has never been known. But as a result of the policy of the present administration, the principle of tribute has in some areas been established. By conferring upon chiefs who are leading planters membership in the Order of Agricultural Merit the administration has unconsciously placed the seal of approval upon this practice. This newly established tribute in the Cameroons is now being extended from labor to money exactions. One chief in the Cameroons, according to reports of local natives, recently taxed each man in his tribe in order to purchase an automobile. During the last few years, many chiefs in the Yaoundé district have built

[44] Judgment No. 43, 1925, Ebolowa.
[45] Banés v. Atangana, Judgment No. 6, 1924, Yaoundé *Tribunal de races.*
[46] Judgment No. 14, May 22, 1924, Yaoundé *Tribunal de races.*

imposing double-story houses, which would cost fifteen thousand dollars and more in the United States and which are in many cases more elegant than the residences of officials.

In the Edea district, a different type of problem has been created by the native plantation. Here no direct compulsion for these plantations has apparently been imposed. But for many years the practice has been for a chief to secure a labor supply by loaning one of his many wives to a native accepting employment. Before the World War, this was the only way by which a poor native could obtain a woman inasmuch as the rich chiefs married most of the women and the dowry was prohibitive. With the opening of European markets, the incentive of the chief to acquire more wives has increased because they make good laborers themselves, and because they serve as the concubines of ordinary workmen who do not expect to be paid as long as they receive a hut, food, and a woman. The children born to the woman are children of the chief. If the man leaves his employment, the woman and children stay behind. The tendency for natives to seek out employment on these chiefs' plantations has been increased by the exactions of the government. In a number of instances, Boulu people have gone to Edea and sought work on native plantations. As long as the native remains in his village, he is constantly subject to taxes and labor demands. Once on a plantation belonging to a chief, he finds comparative security. It is to the interest of the chief to exempt him from the demands of the government. When the administration asks for ten men, he will naturally not send ten of his own laborers but ten men from the villages.

It appears that a native prefers to work for a native plantation owner rather than to work for a European employer. While the native employer pays little or nothing, he is less exacting than the European and lets the native work when he pleases. The workmen also live according to native customs and eat native food. Money in itself is little incentive to an African as long as he can satisfy his physical wants and remain a comparatively free man. Nevertheless, the native plantation system in the Cameroons contains a number of dangers, not only from the standpoint of native life, but also from that of the government.

CHAPTER 80

THE IMPROVEMENT OF NATIVE LIFE

1. *Public Health*

BOTH Togo and the Cameroons are putting forth serious efforts to improve the individual, economic, and cultural welfare of their native populations. These efforts relate, first of all, to medical work. The organization of this work is similar to that in West Africa. It is marked not only by attention to individual ills, but by preventive work and especially by welfare and maternity activities.

Public health work in the Cameroons is financed by a special budget composed of the proceeds of a special medical tax and a subvention from the ordinary budget. The total of the 1926 medical budget amounts to 3,597,501 francs divided almost equally between these two sources. This budget supports twenty-seven ordinary and six sleeping sickness doctors—thirty-three in all. The Cameroons personnel is, in proportion to the population, larger than that of Tanganyika.

Togo has no special medical budget. The general budget of 1926 provided appropriations of about 1,830,000 francs and eight European doctors. Both territories, especially the Cameroons, have experienced a shortage in medical personnel. In an effort to make the medical service more attractive, the Cameroons Government in June, 1925, increased the supplementary indemnities so that a doctor now annually receives a total of about thirty thousand francs. This is still, however, more than ten thousand francs less than the incomes of administrators of the highest rank.

The extension of the Cameroons medical work may be seen from the following table of cases treated in government dispensaries:

CASES IN THE CAMEROONS DISPENSARIES [1]

Years	*Number of Natives Treated*	*Consultations*
1922	85,266	407,710
1923	103,412	538,638
1924	115,822	642,309
1925	178,097	583,575
	482,597	2,172,232

[1] *Rapport du Cameroun*, 1925, p. 18.

The number of natives treated in 1925 in the Cameroons nearly equalled the number treated in British Nigeria, having a population six times as large. The hospitals and doctors of the Presbyterian mission also treat more than fifty thousand natives annually. In 1925, 8,993 natives made use of the hospitals in the territory, which have a total of forty European and eight hundred and ten native beds. Syphilis, yaws, and other venereal diseases constituted more than 20 per cent of the cases treated in the dispensaries. Malaria and dysentery each have 4.9 per cent of the total. The medical service also gave a total number of 1,262,-974 vaccinations in 1925.

The number of native dispensers increased from one hundred in 1922 to three hundred and twelve in 1925. The hospital at Yaoundé is now training such dispensers and also midwives. A number of other natives administer vaccinations, while sanitary guards police the towns.

Just before the War, sleeping sickness became a serious problem in the Cameroons, apparently entering the country via Equatorial Africa. In order to combat its extension in the Upper Nyong region, the Cameroons Administration has placed sleeping sickness at the head of its medical program.[2] Sleeping sickness sectors have been established in the Upper Nyong and the Logone regions along with sub-sectors at Bafia and Doumé. In these areas, a special corps administers atoxyl treatment and takes preventive measures against the spread of disease. Sleeping sickness patients are exempt from all prestations, porterage and taxes, and natives in a sleeping sickness sector cannot move about without a sanitary passport. To overcome lack of nourishment in such districts, the cultivation of foodstuffs is being undertaken, while areas in the vicinity of villages are being cleared so as to prevent the breeding of the tsetse fly.

In 1926, the French Government organized a permanent sleeping sickness mission in the Cameroons, composed of a director and ten doctors, together with twenty European sanitary agents.[3]

In Togo, the consultations for all diseases in the dispensaries have increased as follows:[4]

Year	*New Cases*	*Consultations*
1921	10,275	43,579
1922	99,015	29,421
1923	158,533	33,426
1924	215,787	60,912
1925	202,820	63,410

[2] Cf. *Arrêté* of January 30, 1923. *Rapport du Cameroun,* 1922, p. 144.
[3] *Bulletin de l'Agence Générale des Colonies,* October-November, 1926, p. 1317.
[4] *Rapport du Togo,* 1925, p. 37.

In 1926, 17.03 per cent of the expenditures of the Togo budget, or 89.74 per cent of the amount of taxes paid in by the natives, went to medical work.

One of the interesting features of the Togo medical service is a Mobile Medical Service composed of doctors who, between their other duties, visit a series of native villages. In 1925, they attended 17,336 cases.[5]

Venereal disease appears to be less widespread in Togo than in the Cameroons. It constitutes six per cent of the cases treated. Ulcers and sores constituted about 45 per cent of the cases. In both the Cameroons and Togo, there is a considerable number of lepers. Very little sleeping sickness is known to exist in Togo.

The French are beginning to collect vital statistics in Togo, the results of which, while probably not accurate, are of interest. One such study was made in 1925 in the region of Atakpamé, in four villages located in the mountains and on the plains. Judged by the total number of people, and also by the number of births, the population of three of these villages increased five per cent, six per cent, and eight per cent respectively in 1925, but the population of the fourth village—on the plain—decreased thirty-three per cent. In the latter village there were, for some unknown reason, only four births out of three hundred and four inhabitants. In three of these villages, the doctor investigated the history of a large number of men. He found that on the average every hundred men had married one hundred and forty-two women; that each woman had given birth to an average of 4.03 children, and that an average of 3.02 of these children lived after the age of fifteen. In two other districts, statistics also reported that the average number of births per woman was 4 and 4.3 during their lifetime. This percentage is comparatively low for peoples having a low standard of living. And it is probably due to the custom that an African woman shall not have relations with her husband until after the new-born child has been weaned, which takes a period of two years.

In the figures just cited, it appears that twenty-eight per cent of the children born to these women died before the age of fifteen—or two hundred and eighty per thousand. Nearly half of this figure is due to still-births.[6]

2. *Native Agriculture*

From the standpoint of agriculture, Togo is committed to a policy of encouraging native production as opposed to European plantations; while the French Cameroons appear to look with favor upon the "dual policy" of

[5] *Rapport du Togo,* 1925, p. 37.
[6] *Rapport du Togo,* 1925, pp. 41 ff. But in one region—the region of Adéle—the number was only eleven per thousand, due to the absence of venereal disease.

European plantations and native farms side by side.[7] The agricultural service of Togo has created a number of nurseries in native villages, together with experimental gardens, and has distributed free seeds, and purchased fertilizers. Likewise it has purchased tractors, plows, hand-ginneries, decorticaters, and palm-oil extractors for use in the village; constructed two cotton ginneries in the Lome and Sodoké districts; organized agricultural contests; purchased some breeding animals which are loaned to natives gratuitously; subsidized cooperative agricultural associations[8] having native members; and established a loan fund out of which natives may purchase agricultural machinery.[9] The Togo Administration has gradually installed a system of roads over which native products may be cheaply evacuated, and has created a motor transport service. In both the Cameroons and Togo, railway rates have been kept remarkably low in comparison with rates in British territories.

While the Togo Administration has not looked with favor upon the ordinary European plantations, it granted a concession of nine hundred hectares to the *Syndicat Cotonnier Togo-Dahomey* in 1925 under the terms of which the syndicate agrees to cooperate with the natives in the production of cotton and to sell to the administration cotton seed sufficient to provide free seed for the natives. It agrees to plow their patches and give them advice as to cultivation. For six years, the administration will grant a bonus to the syndicate for cotton production and it promises to facilitate the recruiting of a hundred agricultural apprentices who, after receiving a training from the Company, will become independent farmers.[10] It thus appears that this Company will have its own plantations and will also assist native producers. While in principle such a system may overcome the disadvantages of plantation production and may give the natives the benefit of western methods, only experience will determine whether a European concern will neglect the natives for more immediate interests.[11]

Finally, cocoa production is indirectly encouraged in both Togo and the Cameroons by what is called the "détaxe." Every year a decree fixes a certain tonnage of cocoa which will be entitled to receive, upon entering France, a deduction of 50 per cent in the regular customs duty.[12] Palm products and cotton are admitted free into France. The effect of this duty is to divert the cocoa trade in the Mandates from high tariff countries to

[7] *Rapport du Togo,* 1924, p. 127. *Rapport du Cameroun,* 1925, p. 71.
[8] *Rapport du Togo,* 1924, p. 247.
[9] *Ibid.,* 1925, p. 45. [10] *Ibid.,* 1924, p. 128.
[11] For a similar effort in the Belgian Congo, cf. Vol. II, p. 523.
[12] Thus the decree of January 4, 1924, fixed this amount in Togo at thirty-eight hundred tons. *Rapport du Togo,* 1924, p. 236. Cf. also the decree of May 20, 1922, *ibid.,* 1922, p. 159.

France. But it does not, apparently, violate the open door since the other members of the League may grant similar deductions in duty if they wish to do so.[13]

In the Cameroons, the administration has established agricultural commissions composed of much the same membership as the Councils of Notables in each of the various parts of the district.[14] There are ten such commissions in the Yaoundé district, and meetings are held just before the planting and the harvesting seasons, at which the best agricultural methods are expounded to these native farmers.

Likewise, the government is organizing agricultural cooperative societies based upon the idea of the *Sociétés des prévoyances* in French West Africa. One such cooperative society has been established for the Eton group in the Yaoundé district. It has thirty-nine sections corresponding to the thirty-nine family groups in the Eton East tribe. The object of the cooperative society is to buy machines which are too costly for individuals. The annual membership fee, to which all natives in the group are apparently subject, is one franc. A council of administration is composed of twelve members of whom eight are elected by the representatives of the thirty-nine sections and four are appointed. The funds of this organization are intrusted to a European treasurer, the *Agent Spécial;* and the operations of the body are subject to the control of the district head, who is also president of a Commission of Surveillance, which sees to it that no one is slighted in the use of machines bought in common. The receipts at the disposal of this particular cooperative society amount to about thirty thousand francs a year, which is used to buy agricultural machinery capable of being used by native farmers.

By means of a *Gazette* printed in French, the administration attempts to educate the literate natives in regard to agricultural matters, while it holds frequent agricultural exhibits and contests. The administration has also established a native Order of Agricultural Merit.

In an effort to increase the growth of the palm, the products of which form the leading export of the Cameroons, the government has obliged each native village to install a "government" palm plantation, the smallest of which consists of fifty trees. The government has established several nurseries to provide the best type of tree. There are also four hundred and sixty-two communal plantations in Togo.[15] European agricultural officials

[13] In a convention of December 2, 1899, between the United States, Germany, and Great Britain, provision was made for equal commercial and shipping advantages. But this has not prevented the United States from exempting imports coming from Samoa from the payment of customs. *Colonial Tariff Policies,* U. S. Tariff Commission, Washington, 1922, pp. 576, 616.

[14] *Arrêté* of December 20, 1923. *Journal Officiel du Cameroun,* 1924, p. 32.

[15] *Rapport du Togo,* 1925, p. 107.

also distribute thousands of cocoa plants, as a result of which the production of cocoa is increasing yearly. The Cameroons Administration is also installing a number of cocoa dryers. Since 1922, natives have planted two hundred thousand coffee trees of the Arabia, Liberia, and Robusta varieties. Rubber, which was the leading export before the War, is still important, particularly wild rubber, the quality of which the administration is attempting to improve. The government, as we have seen, obliges the natives to cultivate certain foodstuffs—particularly rice and groundnuts. The North Cameroons is rich in cattle, and contains land capable of producing cotton.

Meritorious as these efforts are, certain dangers lurk behind these agricultural cooperative societies and the communal plantations. That is to say, the chiefs in whose custody the tools of the societies and the plantations are placed may employ them for their personal use. French agricultural officials frankly admit that this has been the result of the communal plantation; but they justify it on the ground that natives do learn to produce a crop. The development of cocoa on the Ivory Coast has been the result of this rigorous method.

3. *Education*

Before the World War, the German Government expended in Togo 43,800 marks for education. Out of this sum, it appropriated as educational grants-in-aid 8829 marks to the Catholic mission, 5639 marks to the North German mission, and 532 marks to the Wesleyans. The administration also maintained several schools of its own. About fourteen thousand children were in attendance at the mission schools, seven thousand five hundred of whom were in the Catholic schools of the Stenler Mission.[16] This mission maintained at Lome what was probably the finest industrial school in Africa.

In the Cameroons, the bulk of the educational work was also done by missions. The government, however, maintained four schools having an attendance of eight hundred and thirty-three pupils. Total educational expenditures amounted to ninety thousand marks, one-third of which was expended on mission schools. In the Basel Mission schools, there were eighteen thousand pupils, in the German Baptist schools, 3150, in the Catholic schools, 12,640, and in the American Presbyterian schools, 9213, making a total of forty-three thousand under some form of instruction.[17] While the German Government encouraged the study of the German language in the central schools to offset the employment of an atrocious

[16] *Die deutschen Schutzgebiete,* Statistical Part, p. 69.
[17] *Ibid.,* p. 81.

pidgin English,[18] the missions employed in their village schools the native language. Thus the missions in part of Togo used Ewe;[19] the Basel Mission employed the Douala language in the southern Cameroons; while the Presbyterians used Yaoundé and Boulu, which are related to the Fang language in the Gaboon.

4. *The Language Question in the Cameroons*

In 1924, the missionary educational system of the Cameroons was one of the most impressive in Africa. When the Germans were forced to abandon their work, French missionaries, as we have seen, came in. The Paris Evangelical Society took over the Baptist work and the Basel work except for the Sakbayeme and Edea stations which the American Presbyterians assumed; the French province of the Order of the Fathers of the Holy Ghost took over the Catholic work in the Cameroons; while the Lyons Fathers took over Catholic work in Togo. No European mission took over the Bremen work in French Togoland.

The American Presbyterians increased their work during the World War. In 1925, this mission maintained five hundred and ninety-five schools with an enrollment of about twenty-five thousand—an enrollment which was nearly three times that of 1914.

Before the World War, the German Government prescribed religious spheres of influence between the American mission, the German Protestants, and the Roman Catholics. With the establishment of the Mandate, these restrictions fell into disuse and the Presbyterians opened work at Yaoundé, formerly in the Catholic sphere, while the Catholics also established new stations.

At the present time, the American Presbyterian mission maintains ten stations, each in charge of American missionaries who now number about eighty. At four of these stations, medical missionaries supervise hospitals and dispensaries. The newly constructed hospital at Élat is one of the best equipped mission hospitals in Africa. At Élat, the headquarters of the mission, will also be found the Frank James Industrial School,

[18] Togo legislation of 1905 forbade the teaching of any other European language than German in the schools. *Verordnung* of January 9, 1905. *Landesgesetzgebung des Schutzgebietes Togo*, p. 552.

The government also prescribed the courses in German which had to be followed in subsidized schools. *Schulordnung* of February 2, 1906, *ibid.*

[19] In 1914, an agreement was reached between the Catholics and the North German Mission upon a uniform script in this language. *Die deutschen Schutzgebiete*, p. 108. Dr. Westermann, as head of the International Institute of African Languages and Cultures, who aided in this agreement, brought about a similar understanding between the Scottish and the Wesleyan missions on the Gold Coast in 1926. Previously, while the natives of both mission groups spoke the same language, neither could understand the writing of the other.

founded in 1908, which has done effective work in training native craftsmen and artisans, not only to work in European towns, but to go back into their native villages and improve local standards and ways of living.[20] Each European station has a number of native communion centers or churches in charge of local catechists and elders. These centers are visited about four times a year by European missionaries. At present, there are about thirty-five organized native churches and sixty communion centers. At each of these centers, as well as in numerous other villages, some sort of school is held in charge of a teacher or a catechist. The Cameroons church has about seventy-five thousand communicants and catechumens.[21]

One of the first acts of the French Government following the World War was to issue a *arrêté* providing that private schools could be established only by virtue of the authorization of the Commissioner of the Republic. Only those schools would be recognized which gave instruction exclusively in the French language, and which followed a prescribed course of instruction. They were obliged to be under the direction of European teachers possessing a French degree or similar certificate in case they were foreigners. The teachers had to know the French language. Within three months after the promulgation of the *arrêté,* private schools, including those already in existence, were obliged to adapt themselves in conformity with these provisions.[22]

If this *arrêté* had been applied, practically all of the five hundred and ninety-five village schools maintained by the Presbyterian mission, containing twenty-five thousand scholars, would have been closed and the work of the last fifty years destroyed. When the consequences dawned upon the French Administration, it decided for the time being not to enforce the *arrêté*. In the spring of 1921, the Presbyterian Board of Foreign Missions sent a delegation from the United States to France and to the Cameroons to discuss the situation with officials. As a result of this visit, the commissioner issued a circular to the district heads stating that the letter of the *arrêté* would not be carried out. He stated that the dismissal of a large number of native teachers would close a large number of private schools which would be of "political importance." Consequently, he said the *arrêté* would not be interpreted to apply to village schools which would

[20] Cf. F. H. Hope, "The Frank James Industrial School," *The Drum Call,* October, 1923. This magazine is published by the American Presbyterian mission at Kribi. The mission also publishes a magazine in the native language called "Mefoe" (*The News*).

[21] A catechumen is one who is undergoing instruction but has not been baptized.

[22] *Arrêté* of October 1, 1920, *Journal Officiel du Cameroun,* 1921, p. 151; also *Rapport du Cameroun,* 1921, p. 93.

be regarded as "catechetical" or religious centers rather than schools in the educational sense. In another document, the Commissioner said that while this concession appeared to contradict the strict letter of the regulation, it would nevertheless be granted to the foreign missions as a temporary measure, to last, however, not more than three years.[23]

In 1922, the American Presbyterian Board of Foreign Missions took the matter up with the State Department which was at that time negotiating a treaty with the French Government to secure for American nationals the same rights in the Mandate as are enjoyed by the nationals of States which are members of the League of Nations.[24] One of the rights guaranteed in the treaty of February 13, 1923, is to open schools and the only restriction which the French Government may impose upon the exercise of this is to secure "such control as may be necessary for the maintenance of public order and good government." It is difficult to see how the exclusion of the native language from private schools is necessary for the maintenance of public order and good government—a clause which the Mandates Commission has narrowly restricted in the case of Tanganyika.[25] It would appear, therefore, that any efforts to prohibit the use of the native language in American schools in the Cameroons would violate the rights guaranteed under the treaty between the United States and France. The three-year period during which the native language was to be tolerated has long since come to an end, but the French Administration has made no move to enforce the 1920 regulations. The present situation is, however, unsatisfactory because the French Administration may at any moment decide to enforce the regulations, and because some administrators may take it upon themselves to enforce the law in particular districts at their pleasure. Under the present concession, more-

[23] He also said: "In transmitting this decision personally to them you should emphasize the temporary nature of this attitude, the duration of which should not exceed three years, and acquaint them with my hope that it will stimulate them to exert their utmost efforts to conform as quickly as possible to our desire to give the inhabitants of the Cameroons the national language which they do not possess, and which can evidently only be that of the nation on whom has devolved the sovereignty of the country." The French is as follows:

"Elle les incitera à déployer le maximum d'efforts pour se conformer dans l'avenir le plus prochain à notre volonté de donner aux populations du Cameroun la langue en quelque sort nationale qu'elles n'ont et que ne peut être évidemment que celle du peuple à qui est dévolu le souveraineté du pays."

This statement was made before the Mandate was definitely allocated to France, and does not necessarily, therefore, represent the administration's present view of the status of the Mandate.

[24] Treaty of February 13, 1923, *Congressional Record,* Vol. 65, March 3, 1923, p. 3480.

[25] Cf. Vol. I, p. 483.

over, the work of village schools using the native language is legally limited to instruction in religion.[26] Many of these schools wish to teach hygiene, gardening, and literary subjects. But development in this direction may be blocked by the present ruling of the French Government.

In the government schools, French is of course the only language of instruction. The arguments advanced by the administration in favor of this policy are the same as those used in West Africa.[27] In view of the large number of native languages in Togo and the Cameroons, the French Administration insists that some *lingua franca* should be installed to prevent the country from being governed by dishonest interpreters. Moreover, the *"génie national"* must be spread. While it is true that in certain parts of the Cameroons, such as in the Dschang district, where thirteen languages are spoken in a radius of about twenty-five miles, there is no single important native language, this situation does not prevail in other parts. Boulu, Yaoundé, and Fang are languages all closely related and which could, under proper encouragement, be united so as to provide a common language for more than a million natives in the Cameroons and the Gaboon.

It is in keeping with the spirit of the Mandate system that natives should be taught to read and write their own language before that of a European nation, and that native as well as European culture should be developed. If the French Administration taught the native language in the first two or three years of the school, some educators believe that the progress of the native in French would be more rapid than it is to-day. Thus from both the native and the French standpoint, the use of the native language during the first years of school has advantages.[28]

5. *Support of Mission Schools*

In both Togo and the Cameroons, the French Administration grants subsidies to mission schools—in contrast to the policy in French West Africa. These grants are made according to the results obtained from examinations given students in recognized mission schools by the government. For every mission student passing the examination entitling him to the *certificat d'études,* the government pays the mission concerned one

[26] Cf. the statement of Commissioner Marchand, *Minutes of the Ninth Session of the Permanent Mandates Commission,* 1926, p. 74.

[27] Cf. Vol. II, p. 57.

[28] The Cameroons Administration has already adopted a commendable innovation in giving a bonus of five hundred francs a year to officials who learn to speak a native dialect; and a thousand francs a year to those who learn more than one such language. *Rapport du Cameroun,* 1925, p. 116. The Togo Administration has also asked officials to prepare small native dictionaries.

hundred and fifty francs. In addition, the Cameroons Government pays a sum of one hundred and fifty francs for every twenty students in mission schools having a certificated teacher of French; and a sum of three hundred francs for every student admitted to the government *Ecole Supérieure* at Yaoundé. Upon this basis, the administration awarded in 1925 the sum of fifty-four hundred francs to the French Catholic mission; 15,600 to the American mission, and 8100 to the French Protestant mission. In addition to such sums, which totalled about thirty thousand francs, the administration in 1926 gave a general subvention of twenty thousand francs, eight thousand francs of which went to the Catholic mission; six thousand to the French Protestant mission; and six thousand to the American Protestant mission.[29]

This sum of fifty thousand francs is small in comparison with the sum of fifty-three thousand pounds expended in grants-in-aid by the Gold Coast Government or with the sum of one hundred and thirty thousand francs expended by the Togo Administration whose territory is much smaller than that of the Cameroons. Togo appropriates eighteen thousand francs for missions whose students pass certain examinations. In addition, it grants twenty-five thousand francs to missions for the maintenance of school property and twelve thousand francs for gardens at mission schools; while it grants sixty thousand francs to the Catholic Professional School at Lome which trains numerous artisans. The contrast between the amount of British and the amount of French subventions is noticeable to missionary societies, such as the Lyons Fathers, which work in both territories.

The government only "recognizes" those mission schools which teach French and follow the course of study prescribed for government schools. The American Presbyterians employ a number of French and Swiss teachers to aid in giving French instruction and they require new missionaries to spend several months in France studying the French language. In the Cameroons there are thirty-six recognized mission schools, having a total of 6122 students—fifteen hundred more than the enrollment in the government schools. In addition, 44,415 students are enrolled in "unrecognized" mission schools conducted in the native language and which are supposed to give only religious instruction. It is a significant fact that in the Cameroons there are twenty thousand more natives undergoing some form of instruction than in the whole of French West Africa. This condition is due to the fact that the French Administration in the mandated territory of the Cameroons not only tolerates but actively supports missionary enterprise, in contrast to an opposite policy in French West Africa.[30]

[29] *Rapport du Cameroun,* 1925, p. 13. [30] Cf. Vol. II, p. 69.

The situation in Togo and the Cameroons is as follows:

NATIVE EDUCATION—FRENCH MANDATES

	Students, Togo	*Students, Cameroons*
Government Schools	4,825	4,631
Recognized Mission Schools	5,078	6,122
Unrecognized Mission Schools	6,231	44,415
Total number of students	16,134	55,168

In proportion to population there is a larger percentage of students in government and recognized mission schools in Togo than in the Cameroons, and the Togo budget makes proportionately larger appropriations for educational purposes. The Cameroons budget supports twenty-three European teachers and sixty-three native monitors, while the Togo budget provides for ten European teachers and fifty-seven native teachers. In Togo, appropriations for education have increased from 247,500 francs in 1922 to 785,965 francs in 1926. They now constitute 5.33 per cent of the total receipts. The 1926 sum is several times larger—in gold—than the sums appropriated by the Germans for education before the War. Government schools in both Mandates are organized on the same thorough lines as the schools in French West Africa.[31] Full credit should be given to the French for their noteworthy efforts in behalf of both native education and native health. An unusually large percentage of the expenditure of both Togo and the Cameroons is devoted to the promotion of native welfare as the following table shows:

NATIVE WELFARE IN TOGO AND THE CAMEROONS

	Expenditures		
	Amount	Per Cent of Total Expenditure	Per Capita Expenditure
TOGO			
Agriculture	fr. 717,831	4.87	fr. .960
Veterinary	171,431	1.16	.229
Medical	1,949,836	13.21	2.608
Education	805,963	5.47	1.078
TOTAL NATIVE WELFARE	3,645,061	24.71	4.877
CAMEROONS			
Agriculture	339,110	1.29	.122
Veterinary	110,285	.42	.040
Medical	3,597,501	13.70	1.296
Education	916,274	3.49	.331
TOTAL NATIVE WELFARE	4,963,170	18.90	1.789

[31] Cf. Chap. 67.

CHAPTER 81

THE POLITICAL SITUATION

1. *Complaints in the Cameroons*

As a result of government exactions for the purpose of developing the country, of the failure to settle the Douala land question, and of a policy which has severely restricted the powers of the chiefs, particularly in regard to judicial matters, and which has imposed upon the natives such obligations as taxation of women and children and the *indigénat* system, a feeling of hostility has existed toward the French in certain parts of the Cameroons. In the interior, this feeling has been confined to ordinary natives, large numbers of whom have emigrated to foreign territory.[1] Many chiefs are, however, loyal to the administration because of the privileges in the way of free labor, etc., which they enjoy. The chiefs at Douala do not, however, enjoy these privileges which would to a certain extent compensate for the loss of their traditional power. The Douala population resides mostly in the towns and is composed of comparatively educated natives who will not submit to illegal exactions. Consequently, the Douala chiefs resent bitterly the French policy of curtailing their administrative powers which the Germans had recognized.

One of the most violent illustrations of this hostility came in a document submitted to the French Administration by a number of extremist pastors apparently belonging to the Native Church in November, 1921, who declared that "It is better to die under the English Administration or even under the German Administration, or even under the Americans than to die under the French Administration which has acted so villainously at Douala." Three chiefs likewise signed a document protesting against French rule, as typified by the loss of judicial power, the tax on traders, and the prestation system. Many natives were irritated at the compulsory contribution which the government imposed upon them for the purpose of building a War Monument at Douala.

In order to quiet this agitation, the Commissioner of the Republic published a notice[2] which defended the French system of taxation and

[1] Cf. Vol. II, p. 330.

[2] November 6, 1921. Printed in *Rapport du Cameroun,* 1921, p. 79.

of prestations on the ground that the same system had been enforced by the Germans. In regard to protests against the "reform of the native courts," the notice said that under the former system, the judges continually increased fees and judged matters according to bribes rather than according to justice.

"You know that the French Administration if necessary can make its orders respected because it believes that everything it commands is for the welfare of the country. But it prefers a freely accepted discipline to the forced discipline which the Germans imposed. This is why it recalls what France has done for you. She has given you equality and justice; she has suppressed corporal punishment; she does not consider you as a herd or a mass; she sees in you individuals who are going to be given registration certificates; she has, benefiting by the education which some of you have received, made you collaborators who sit alongside of Europeans, either in the Tribunal of Homolgation, or in the Advisory Chamber of Commerce, Industry, and Agriculture.

"The Commissioner knows well that only the infinite minority of the population lends its ear to troublesome enterprises. But he wishes to prevent their extension and so he has cautioned the inhabitants of Douala as to their conduct. They can be assured that protection and the benevolence of the French Administration are entirely assured to them, but it is necessary that their eyes should be really 'opened' and that they should perceive the traps into which some of the enlightened wish, for personal profit, to have them fall."[3]

A number of natives frankly state that they prefer German to French rule. Others, more intelligent and having better memories, admit that the Germans were extremely severe; but they would welcome the return of the British who occupied Douala between 1914 and 1916. The conditions responsible for this feeling would probably be removed by the return of the franc to a more stable condition which would enable the administration to follow a less exacting financial policy, and by the institution of changes in French native policy particularly in regard to native courts, the system of prestations, and the *indigénat*.

[3] At the same time, another church called the Saint Esprit, claiming to be in communication with the Holy Spirit, based upon the pentecostal movement, was attracting a number of followers. It was charged by the government of being a public danger. The members would say: "The Holy Spirit commands; it must be obeyed. The Holy Spirit may command us to attack the police, disobey orders of the District Head, or engage in rebellion. It must be obeyed." The sect eschewed doctors; their members drank quantities of palm wine and chewed hemp; the members were accused of claiming the right to the wife of every other member. The association members were tried, and one leader sentenced to three years in prison. Judgment 191, 1922, *Tribunal de races* of Douala.

2. *Self-Determination in Togo*

To understand the political situation in Togo we must look into its recent history. The most important feature of this history is the geographic and ethnic division of Togo between the British and the Germans before the War, a division which has been intensified by the separation of the territory into two Mandates.

Following the occupation of German Togo,[4] the French and British authorities made the Convention of Lome in August, 1914, which determined the regions which each should administer during the period of the War.[5] The Dahomey Administration was given the districts of Anecho, Atakpamé, Sokodé, and Sansanné Mango—districts bordering on Dahomey and occupying part of north Togo. The remainder was given over to the British, including the capital of Lome and the direction of the wharf and the railway. Both governments agreed to keep detailed accounts of receipts and to raise revenue as far as possible upon the basis of existing duties.

In May, 1919, the Supreme Council placed the future of Togo and the Cameroons in the hands of France and Great Britain.[6] Two months later, the British agreed to turn over to the French nine-tenths of the territory including the city of Lome. This settlement did not, however, satisfy the natives of Lome. They belong to the Ewe nation, which hitherto had been divided by the boundary between the Gold Coast and German Togo, and who now saw an opportunity, inspired by the self-determination doctrine which had reached native ears, to rectify this boundary so as to coincide with ethnic lines. Consequently, they wished the British to retain the area between Lome and the German boundary extending north as far as Ho. Since the British collected no direct taxes on the Gold Coast or at Lome, and since the French in their zone did collect such taxes, the Lome natives had another reason for wishing to be under British rule. Most of the natives in this area already spoke English. Consequently, between 1919 and 1922, many of them carried on a persistent agitation with this end in view. In September, 1919, a number of chiefs, led by a leading native merchant, O. Olympia, who is now very pro-French, sent a despatch to Lord Milner, Secretary of State for the Colonies in England, saying that the possibility that Togo might be transferred to another power had "filled them with great apprehension," and that on account of tribal, terri-

[4] Cf. Lucas, *The Empire of War,* Vol. IV, pp. 20 ff.

[5] The text is given in "Rapport sur l'administration des territoires occupés du Togo, de la conquête au Ier juillet 1921." *Journal Officiel de la Republique française,* August 25, 1921, p. 9873.

[6] Cf. Vol. II, p. 278.

torial, educational, and economic considerations, they wished to be under British rule. The despatch said that "The absorption of Togoland into France's Colonial Possessions will sever members of the Ewe-speaking tribe in Togoland from those in the south-eastern part of the Gold Coast and seriously interfere with their economic progress." Appealing to the doctrine of self-determination, the despatch concluded: "The feelings of your Lordship's petitioners will be more clearly understood when they are considered side by side with those of the inhabitants of Alsace and Lorraine at the time of their annexation to Germany in 1871."

Native sentiment against this division of Togo between the French and the British was expressed in a resolution at the National Congress of British West Africa of 1920 which viewed "with alarm the right assumed by the European powers of exchanging or partitioning Countries between them, without reference to, or regard for, the wishes of the people, and records the opinion that such a course is tantamount to a species of slavery."

The Conference condemned "specifically the partitioning of Togoland between the English and the French Governments and the handing over of the Cameroons to the French Government without consulting or regarding the wishes of the peoples in the matter." [7]

As late as the 26th of April, 1921, other natives cabled President Harding of the United States, saying: "Togoland handed to French contrary Wilson's fourteen points against wishes inhabitants. Chiefs' petitions to Lord Milner disregarded. Conscription oppression started in Togoland 440 men, women shipped S.S. Ganteaume. We still protest French mandatory. Intervene immediately. Save us." In a letter to President Harding, these natives said: "Togoland handed to a Government other than British is a ruin to Togoland because of its connection with the Gold Coast. . . . Please allow us to say that the French method of administration as we see it is worse than that of the Germans. . . . During the German régime, there were some methods of administration which we disliked and protested against; now they are being recalled into the colony, such as the poll-tax, market-tax, forced labor, oppression, etc."

Gold Coast native papers took up the cause of this group and have since attacked the administration so violently that the Togo Administration has barred at least one of these papers—the *Gold Coast Independent*—from the territory.[8]

In 1926 a petition was addressed to Mr. Ormsby-Gore, Under-Secretary of State for Colonies, upon his visit to the Gold Coast by a native

[7] *National Congress of British West Africa,* March 11 to 29, 1920, p. 8.
[8] *Gazette du Togo,* 1925, p. 101.

in which he catalogued a large number of alleged offenses against natives by French officials.[9] In the fall of the same year the *Gold Coast Leader* declared that "Togo has been the victim of oppression and tyranny both under German and French rule. A portion at least of our neighbours there originally came from the Gold Coast. We ask that their wishes may be respected, and be allowed to live under the Union Jack." [10]

Despite such protests, Lome was turned over to the French.[11] If these protests had not been made, it is probable that the British would have agreed to cede the whole of Togo to the French Government, since the British profited so extensively in other directions as a result of the War.

The present boundary in southern Togo thus divides the Ewe nation squarely in two. A similar division was the cause of an observation of the Mandates Commission in regard to Ruanda-Urundi, which led to a rectification of the frontier.[12] But the situation is much more difficult in southern Togo. The natives in the British zone would probably resist by force any attempt to place them under the French; while the transfer of Lome to the British would deprive the French of the center of the Mandate—which is a political impossibility.

3. *Cocoa Trouble*

In the north, the British-French frontier has caused economic rather than ethnic difficulties, particularly in the vicinity of Kouto and Ho—the latter village being in British Togo. Hundreds of natives in French Togo annually cross the border to cultivate their lands which have passed into the British zone. About half of the six thousand tons of cocoa exported from Lome is grown in British Togo. There is no railway communication between British Togo and adjoining Gold Coast districts and British ports. Consequently, British native cocoa growers in this vicinity carry their cocoa across the border and ship it at Palimé on the French railway to Lome, a distance of one hundred and eighteen kilometers. The British subject the cocoa produced in British Togo to the same export tax which it must pay when exported from Gold Coast ports. Since the native growers in French Togo are not subject to this tax, the growers on the British side and natives from French territory who cross into British territory to cultivate their cocoa complain. In 1922, the French Government granted the same *"détaxe"* privileges to

[9] Printed, *The Gold Coast Leader,* July 3, 1926, Supplement.
[10] *Ibid.,* September 25, 1926, in the editorial, "The Coming of Germany."
[11] As a result, a large number of natives in mission schools where they had learned English emigrated to the Gold Coast rather than begin again in French.
[12] Cf. Vol. I, p. 429.

native cocoa grown in British as in French Togo. But so difficult did the administration find the task of distinguishing cocoa grown in the Gold Coast from British Togo cocoa that in 1924 it imposed a tax of five hundred and twenty francs per ton indiscriminately upon all cocoa introduced into the territory, which represents the amount of the *"détaxe"* granted by France, and which would be reimbursed in case the cocoa was not exported to a French port. The *"détaxe"* privilege was thus restricted to cocoa grown within the French sphere. This new tax applied only to cocoa grown in British Togo and in neighboring areas of the Gold Coast, and hence caused a great deal of discontent among growers in this region.[13]

In an effort to remedy this situation, the government in 1925 increased the quantity of cocoa which could profit from the *"détaxe"* from thirty-eight hundred to eight thousand tons, and reserved for native producers living in French Togo but having their farms in the British zone an annual contingent of thirty-five hundred tons which could benefit from this privilege. But this measure does not remove the general obstacles to trade which the political boundary between British and French territory has created. These obstacles might be removed by the establishment of a free tariff zone between British and French Togo.[14] The effect of such a zone would be further to divert trade from British to French territory—a result which British commercial interests would naturally oppose. But unless the Gold Coast Administration installs a cheap transport system, the establishment of such a zone from the native standpoint is desirable.

4. *The Currency Question*

Partly as a result of the British occupation of Lome from 1914 to 1920, British sterling became the currency for the whole territory. Despite the withdrawal of the British Administration, both French and English traders continued to do business on the pound basis because of the uncertain and diminishing value of the French franc. For a time, the government collected taxes and even postal receipts in British sterling and paid native and European functionaries in shillings. In 1923, the administration decided to pay two-fifths of the salaries of native employees in English money—on the basis of fifty francs to the pound and the remainder in francs.[15] Despite this concession, the government

[13] *Rapport du Togo,* 1925, p. 111.
[14] In January, 1926, the Governors of Togo and the Gold Coast held a conference at Accra in regard to the formal delimitation of the boundary; but no discussion of the more serious issues took place.
[15] *Arrêté* of January 20, 1923, *Rapport du Togo,* 1923, p. 226.

profited both in regard to taxes and to the payment of native officials by the exchange—a fact which helps to explain the great prosperity of the Togo Administration during the last few years. Officials were accused also of benefiting from the system by collecting taxes in shillings and waiting until the depreciation of the franc before paying the treasurer the amount in francs—thereby benefiting by the exchange.

While the system thus had its financial merits, it worked harmfully from the economic and political points of view. The use of British money in government transactions was humiliating; it constantly reminded the natives of their former attachment to British rule, and the administration believed that as a result much of the Togo trade went to British instead of to French ports at home.

Consequently, in June, 1923, the administration abolished the system of collecting taxes in British money, fixed the official value of the English pound at fifty francs, and established a special system of "indemnities" whereby employees would be compensated for the reduction in wages following the establishment of an official rate of exchange for the pound.[16]

In order to make French currency the coin of the realm, the Togo Administration in 1924 issued token money amounting to eight million francs, the profits from which—three million francs—were credited to the extraordinary receipts of the government.[17]

A few months later the government ordered all government offices to receive henceforth only the national money.[18] In 1924, the government made a profit of 1,075,880 francs from the sale of twenty-four thousand pounds which they had received at the legal rate of fifty francs.[19]

Despite the indemnity which the French Government continued to pay its native personnel,[20] government employees complained bitterly that they were discriminated against in comparison with native employees in private firms who were paid in sterling. Since business continued to be conducted in British currency, prices rose with the decline of the franc in which government employees were now paid.

With characteristic logic, the French Government finally decided that the situation could be remedied only by prohibiting all foreign money

[16] Cf. the *Arrêtés, ibid.*, p. 226.

[17] Decree of May 28, 1925, *Arrêté* of July 12, 1925, *ibid.*, 1924, p. 213.

[18] *Arrêté* of November 17, 1924, *ibid.*, 1924, p. 216. This *arrêté* provided, however, that English money would be received at the treasury until May 1, 1925, at the rate of fifty francs to the pound. In 1925, the official rate was increased to ninety-five francs. *Ibid.*, 1925, p. 174.

[19] *Ibid.*, p. 54.

[20] *Arrêté* of November 17, 1924, *ibid.*, 1924, p. 216.

from entering the territory. This action was actually taken in a decree and an *arrêté* issued in April, 1926.[21]

This action brought forth the unanimous opposition of natives and European traders in the territory. As early as December, 1925, when the Commissioner first suggested this action, the Lome Council of Notables petitioned the government that this action would "bring about the ruin of the country." It declared, "Our inhabitants are accustomed to go and sell in the Gold Coast and Nigeria; but how will they be able to return home with the products of their sales and how will the women who come to sell foodstuffs along the frontier be able to live here? . . ." Following the promulgation of the decree in the spring, the Council again declared that its effect upon "our very poor population is most disastrous" and that the decree was creating "disgust and hatred among the people against the administration." As a result of the decree, officials, according to this communication, had confiscated the cash which these natives carried with them on their return from the Gold Coast, and in addition imposed upon each of them a fine of a hundred francs. The Council declared that the natives preferred sterling not because it was sterling but because the rate of the franc was so unsteady.

Even natives who had been won over to the French during the past four years by being given trips to Europe and other benefits, declared that if the French enforced this decree there would be a revolution. French and British merchants in Lome and other towns likewise complained bitterly. They stated that in the week following the application of the decree, trade fell off 50 per cent because the natives would not trust the franc. The Chamber of Commerce, composed of Frenchmen as well as of some foreign merchants,[22] held a meeting protesting against the decree. As a result of these various measures, the French Government agreed that the enforcement of the decree should be temporarily suspended.

5. *The Adjigo Controversy*

The opposition of some natives to French rule in Togo is connected with the famous Adjigo question. For many years, two rival families, the Lawson and the Adjigo families, contended with each other over the right to govern the natives of the town of Anecho—a few hours' ride from

[21] Decree of March 8, 1926, and *Arrêté* of April 9, 1926; ***Supplement au Journal Officiel du Togo,*** April 1, 1926. The commissioner could, however, grant especial authorizations to import such currency. Violations of the prohibition were liable to a penalty of from one hundred to five thousand francs' fine, or to imprisonment for from one month to two years.

[22] The admission of foreigners to these Chambers of Commerce is an innovation for which the mandate is presumably responsible.

Lome. This controversy started in 1884 when the head of the Lawson family, who claimed to be King of Anecho, signed a treaty placing Togoland under French protection, while other chiefs signed a treaty placing the same territory under German protection. But the French later withdrew their claims.[23]

A number of years before the World War, the Germans had recognized Kumavi Kuadjovi, of the Adjigo family, as Paramount Chief of Anecho. The head of the Lawson family was recognized only as a family chief. At the death of the Paramount Chief in 1910, the Adjigo family elected Mr. Frank J. Gaba, the great-grandnephew of the Stool, as regent.

In 1919, the family elected Mr. Amuzu Bruce, a member of the Stool, as Paramount Chief, and it is understood that W. Wœffel, who was then residing at Anecho, confirmed this election and promised that Bruce would be publicly installed on February 2, 1922. But before this date, the Commissioner was recalled on account of the plantation scandal, and was succeeded by a new Commissioner, M. Bonnecarrère, who declined to proceed with Bruce's installation. What his motives were, it is difficult to say. But it appears they were partly prompted by the report that the Adjigo family had protested against the surrender of Togo in 1919 to the French, while the Lawson family was Francophile.

Moreover, the Adjigos were Protestants while the Lawsons were Catholics, which might have had something to do with the French support of Lawson, since the Adjigos were Wesleyans, a British-directed denomination. Furthermore, Lawson had been educated in French Dahomey while Bruce, the Adjigo candidate, had received an education in Germany. A dispute between the two factions now occurred which, according to the administration, threatened to disturb the peace. Consequently, the Commissioner went to Anecho and called a meeting at which he asked the people to vote for the chief whom they preferred. As a result of this meeting, the government designated Frederic Body Lawson as chief. The preamble of the government decision stated that in the nominating of a chief "in a mandated territory, the Mandatory power should above all things be inspired by the expressed desires of the majority of the population" and that past services to the French Administration should not control the appointment. Moreover, the history of Anecho failed to show that either party to the exclusion of the other had rendered services to France or to Germany. The inhabitants of

[23] A French report on Togo stated that in 1920 the French were greeted by Frederick Body Lawson, son and grandson of the former kings of Anecho, one of whom had made a treaty placing Togo under French protection. *Journal Officiel de la République Française*, 1921, p. 9868. Lawson was recognized as chief in 1922.

Anecho had in an "unmistakable manner" given a very strong majority to the Lawson family. Therefore, he was proclaimed chief.[24]

The dangers connected with the "election" of a chief held under the auspices of the Governor of a territory at a meeting carried on in the French language are obvious. The Secretary of Native Affairs of Nigeria, commenting upon the principle of election in Nigerian provinces, recently declared, "I do not believe in the system, which is essentially opposed to native custom. It gives an opportunity for intrigue and the purchase of the position by a man wealthy enough to pay for the votes of the more vociferous members of the community. . . ."[25] As far as this particular meeting is concerned, the Adjigo people claimed that only the Lawson people were notified that it was going to be held. Shortly afterward, Chief Bruce and his followers were deported by the French Administration to Mango in northern Togo. No charges were made against them, and they were not given a trial.[26]

Immediately after this incident the Adjigo family sent a petition destined for the Mandates Commission of the League of Nations. According to the rules of procedure, the petition first had to go to the French Government for its comments, which it delayed so that the petition did not come before the Mandates Commission until July, 1924,—more than two years after the incident had happened.

At this session, the representative of France declared that the Togo Administration would allow the Adjigo people to return to Anecho provided that they would promise not to meddle with politics—a promise which the chiefs had declined to give. According to the Adjigo chiefs, the governor also asked them to sign a statement that they preferred the French administration to any other.

Following a very brief discussion, the Commission passed a resolution stating that it was not possible for it to take any action "other than to recommend the Council to request the mandatory power to continue the measures it had taken with a view to pacification, measures which would appear to have been dictated both by the necessity for maintaining order and a desire to avoid any unnecessary injustice.

"It is clear from the information given by the mandatory power

[24] *Rapport du Togo,* 1922, p. 223.

[25] *Report on the Eastern Provinces* (by the Secretary for Native Affairs), Lagos, 1922, p. 9.

[26] One of the deportees writes, "On the day we were asked to leave for exile at Anecho we pressed for hours to be told what was the reason for our deportation; but while we left Anecho on the first of May, 1922, it was not until the 27th that papers were distributed to us with the charge *'politique indigène.'* " Another writes that members of the party were treated to a series of abuses which do not need to be detailed.

that the decision which was taken in the case of the petitioners was not based on any consideration such as might give rise to criticism from the point of view of good administration.

"The Mandates Commission has no doubt that the local authorities will abstain from taking any severe measures which are not absolutely necessary for the maintenance of public order." [27]

It was pointed out in the discussion that since the Commission could not make an inquiry on the spot, it was obliged to bow to the local government. The Mandates Commission does not publish the texts of petitions; it is therefore impossible for outsiders to form an intelligent opinion upon the matter.

Undaunted, the Adjigo family employed an African barrister from the Gold Coast, Mr. Casely Hayford, to draw up another petition which was submitted to the Commissioner of Togo and which was transmitted by the French Government to the Mandates Commission where it was discussed at its ninth session in June, 1926. In a report upon this petition, a member of the Commission, relating the history of the incident, recalled the resolution which the Commission adopted in 1924 expressing confidence that the local authorities would abstain from taking any "severe measures" which were not absolutely necessary for the maintenance of public order. But the report stated, "The Commission's hopes were not realised: the members of the Adjigo tribe are still detained. . . ."

Nevertheless, the Commission could not, except for serious reasons, discuss the propriety of measures taken by the Mandatory Government to ensure the maintenance of order. But it could always demand further information. Consequently, the Mandates Commission requested from the representative of the French Government supplementary information upon the following points: (1) whether it was true that the petitioners were compelled to walk some hundred kilometers on foot from Anecho to the north although they offered to bear the expense of transport facilities; "If so, were they not subjected to unmerited hardships and humiliations, and did not the Government treat them with unjustifiable severity?"

(2) "Having regard to the fact that no reasons for the Order of April 25th, 1922, were published, what were the Government's motives for treating with equal severity the twelve persons in question (some of whom were old men), whose activities, personal influence, or mere presence at Anecho could not apparently endanger public order in the same degree?"

(3) "What are the existing circumstances which justify the maintenance, after more than four years, of these severe measures against the

[27] *Minutes of the Fourth Session*, 1924, pp. 140, 41.

members of the Adjigo tribe, seeing that, according to the annual report, 'The Adjigo party did not make itself prominent in 1925 by any demonstration worthy of note?' "[28]

The delicacy of this procedure is a striking tribute to the methods of the Mandates Commission which could not for political reasons openly criticize the action of the French Government at a time when the Syrian reprimand was burning in its ears. In September, 1926, following discussions in the Councils of Notables of Lome and Anecho and an "agreement" with the Adjigo family the French government repealed the ban imposed four years previously, but continued to recognize Lawson as the Paramount Chief of Anecho.[29]

From reading the official documents, one gets the impression that the French government, pressed by the Mandates Commission, had effected a satisfactory compromise. But on October 3, 1926, the Adjigo chiefs cabled that "Deportees return and sign treaty by force of bayonet to avoid further deportation. We shall press for investigation. . . ." This cable together with other information was made the object of another petition sent to the League of Nations in November, 1926,[30] and in June, 1927. It asked that the League of Nations conduct an impartial investigation into the claims of the family for the chieftainship. It declared that "in order to inspire confidence in African peoples in the Mandatory Powers now exercising rule in Africa, it is absolutely necessary that all terrorising of the people in seeking their rights should absolutely cease. For it is only by reserving the same standards of justice and fair-play among African citizens of the Mandatory Powers as obtain in the home communities can any impression be made upon the African mind as to the beneficial effects of the several European occupations." It asked that the Adjigo chiefs should be compensated for the losses suffered in their business as a result of their four years' deportation. So far the reply of the French government to this petition has not been available to the writer.

6. *The Importance of the Mandate Principle*

In a large number of respects, French Togo is better administered than the French Cameroons. This is partly because of the fact that the

[28] *Minutes of the Ninth Session*, 1926, pp. 91, 230.

[29] *Arrêté* of September 24, 1926, *Journal Officiel du Territoire du Togo*, November 1, 1926, p. 382. This *arrêté* provides that in disputes between the two families, both chiefs will sit together as a court of conciliation.

[30] The procedure followed is to send the petition with a covering letter to the Governor of the territory concerned; but usually petitioners, as in this case, send a copy of the petition directly to the League of Nations secretariat. It is almost impossible therefore for the mandatory government to withhold the petition.

country is much richer than the Cameroons, and because it has more adequate transport facilities. The Togo Government makes larger per capita appropriations for medical work and education than does the Cameroons Government, and it does not impose upon the natives a special medical tax. While in the Cameroons the administration exacts ten days of prestation labor, the Togo Administration requires only four. Togo has a more equitable judicial system in that administrative officers in judging native cases are obliged to follow a penal code and natives have the right of appeal. The Togo Government does not because of its relatively superior economic position requisition labor or food as does the Cameroons Government.

On the other hand, Togo suffers from the fact that its most intelligent subjects, who inhabit Lome, have relatives who live in British Togo and the Gold Coast. These natives are all members of the Ewe nation which is now split by two political and economic systems. The same political division has disturbed the economic life in the region of Palimé and Ho. Moreover, the condition of the franc is a constant humiliation to the French Government in the eyes of the natives throughout most of the territory. In both the Cameroons and Togo, the French Administration has declined to advance traditional authority, or to develop native cultural life through the medium of the native language. This policy has already led to trouble which will probably increase in the future; while it is a policy which would appear to be inconsistent with the spirit of the mandates principle.

While the British Government has poured into Tanganyika more than three million pounds, the French Government has expended nothing on the Cameroons nor upon Togo. Under ordinary circumstances, a colonial power not in a position to finance a territory would not force its develpment until capital became available. But the very condition which has made it difficult for France to float loans for the mandates has led to the milking of the mandated territories in order to obtain raw materials which will help to free France from her dependence upon high-exchange countries. To obtain the raw materials, transport facilities are necessary. Under existing financial circumstances, they must have necessarily been paid for out of the current revenue, which has meant the accumulation of large reserves by cutting overhead, notably in European personnel, labor costs, and expenditures upon native welfare. The stabilization of the franc will help relieve the situation.

In several respects, the administration of these two mandates differs vitally from that in French colonies proper. The most noticeable differences relate to military and educational policy. No conscription takes place in Togo and the Cameroons, such as occurs in West Africa. The Mandates administration tolerates the use of native language in private schools and it subsidizes mission schools, in contrast to an opposite policy in the French colonies proper. The French have modified their prestation system in the Mandate so as to grant everyone the right to redeem the labor obligation, in contrast to the colonies (except Senegal), where this right is limited to a few classes. The French do not recruit labor for private employers in the Mandates as they do in West Africa.[31] In Togo, at least, the judicial system applied to natives is superior to that in French colonies. In Togo and the Cameroons the open door in trade is maintained in contrast to a discriminatory tariff in parts of West and Equatorial Africa, while in Togo, foreigners are admitted into the Chamber of Commerce. Expenditures upon native welfare in the two Mandates consume a larger percentage of revenue than in West Africa. Land legislation in Togo and the Cameroons theoretically gives more protection to native rights than in other French colonies.

On the other hand, the two French Mandates have been understaffed to a greater extent than French West Africa. They have not had the financial support in the form of advances from the home government such as the advances given to Equatorial Africa, nor the aid which the general budget of the Federation of West Africa gives to the colonies in that group.

While it is evident that the French Government has taken the mandate principle seriously, its attitude toward the Mandates Commission is in some ways curious. The annual reports are admirably written and they are voluminous—so voluminous that it is difficult to read them through. But these reports have the faculty for the most part of revealing only the creditable features of administration.[32] The Cameroons report, as we have seen, has not disclosed the real situation in regard to labor conditions on the Midland railway; it has scarcely mentioned the acute land difficulty in Douala, nor the two concessions granted companies from Equatorial Africa. The Togo report spoke of irregularities in the contracts disposing of the Agu plantations, but it did not mention why and how they were irregular. In the annexes to the Togo annual reports, the government prints what purports to be the Minutes of the Councils of Notables. As published in these reports, the Minutes show a happy state of affairs. But during his visit to Lome, the writer was able to check the Minutes printed in the 1924 Togo report to the League of Nations with the actual records in the Minute Book of the

[31] Cf. Vol. II, p. 27.
[32] For the same tendency in early Tanganyika reports, cf. Vol. I, p. 433.

Lome Council.[33] He found that in what purported to be the Minutes of this council printed in the Mandates report, the government had stricken out all discussion which in any way reflected upon the government. These omissions related to matters which were not of serious importance, which makes their omission all the more difficult to understand. They showed the controversy over the use of British currency; the difficulties with the system of land registration, and the fact that the prestation system was being used for construction purposes, contrary to the laws.[34]

All of these passages were omitted from what purported to be the Minutes of this Council which were embodied in the annual report submitted by the French Government to the Council of the League of Nations, without any indication being given that such omissions had been made. Whether or not these omissions were made by the local administration or by the Colonial Office in Paris, it is impossible to say.[35]

[33] "Registre des Délibérations du Conseil des Notables, Ville de Lomé."

[34] The omissions in French are printed in Appendix XXXIV.

[35] In reply to the question in the Mandates Commission as to whether the Mandate reports were actually written in Paris or on the spot, the representative of the French Government stated that the reports were written on the spot but revised in Paris. *Minutes of the Sixth Session,* p. 15. The writer saw the draft reports in both Togo and the Cameroons, for which administrators had taken considerable pains in assembling information.

A native writing in a Gold Coast paper says, "The League of Nations depends upon the yearly reports framed by the mandatory powers themselves. Such reports are, as a rule, rose-coloured. We cannot expect any mandatory power to criticise its own works nor can we expect members of councils of notables in an autocratic Government, notables recruited from a certain class of people for a set purpose, in the main, unlettered poverty-stricken without any qualification to represent the desires and aspirations of the people.

"The League of Nations is in the dark and needs enlightenment. It knows very little about those for whom it stood as a guardian, rose-coloured yearly reports notwithstanding." *The Gold Coast Leader,* December 11, 1926, p. 7.

APPENDIX XXX

FRENCH MANDATE FOR THE CAMEROONS

SOCIÉTÉ DES NATIONS

Mandat Français sur le Cameroun

Le Conseil de la Société des Nations:

Considérant que, par l'article 119 du Traité de Paix avec l'Allemagne, signé à Versailles le 28 juin 1919, l'Allemagne a renoncé en faveur des Principales Puissances alliés et associées à tous ses droits sur ses possessions d'outre-mer, y compris le Cameroun;

Considérant que les Principales Puissances alliées et associées sont tombées d'accord que les Gouvernements de France et de Grande-Bretagne feraient une recommendation concertée à la Société des Nations sur le statut à donner aux dits territoires;

Considérant que les Gouvernements de France et de Grande-Bretagne ont fait une recommendation concerteé au Conseil de la Société des Nations tendant à ce qu'un mandat soit conféré à la République française pour administrer, en conformité avec l'article 22 du Pacte de la Société des Nations, la partie du Cameroun s'étendant à l'est de la ligne tracée d'un common accord par la Déclaration du 10 juillet 1919 ci-annexée;

Considérant que les Gouvernements de France et de Grande-Bretagne ont proposé que le mandat soit formulé ainsi que suit;

Considérant que la République française s'est engagée à accepter le mandat sur le dit territoire et a entrepris de l'exercer au nom de la Société des Nations;

Confirmant le dit mandat, a statué sur ses termes comme suit:

Article 1.

Les territoires dont la France assume l'administration sous le régime du mandat comprennent la partie du Cameroun qui est située à l'est de la ligne fixée dans la Déclaration signée le 10 juillet 1919, dont une copie est ci-annexée.*

Cette ligne pourra, toutefois, être légèrement modifiée par accord intervenant entre le Gouvernement de Sa Majesté britannique et le Gouvernement de la République française, sur les points où, soit dans l'intérêt des habitants, soit par suite de l'inexactitude de la carte Moisel au 1:300.000, annexée à la Déclaration, l'examen des lieux ferait reconnaître comme indésirable de s'en tenir exactement à la ligne indiquée.

* Omitted.

La délimitation sur le terrain de ces frontières sera effectuée conformément aux dispositions de la dite Déclaration.

Le rapport final de la Commission mixte donnera la description exacte de la frontière telle que celle-ci aura été déterminée sur le terrain; les cartes signées par les commissaires seront jointes au rapport. Ce document, avec ses annexes, sera établi en triple exemplaire; l'un des originaux sera déposé dans les archives de la Société des Nations, le deuxième sera conservé par le Gouvernement de la République et le troisième par le Gouvernement de Sa Majesté britannique.

Article 2.

Le Mandataire sera responsable de la paix, du bon ordre et de la bonne administration du territoire, accroîtra par tous les moyens en son pouvoir le bien-être matériel et moral et favorisera le progrès social des habitants.

Article 3.

Le Mandataire ne devra établir sur le territoire aucune base militaire ou navale, ni édifier aucune fortification, ni organiser aucune force militaire indigène, sauf pour assurer la police locale et la défense du territoire.

Toutefois, il est entendu que les troupes ainsi levées peuvent, en cas de guerre générale, être utilisées pour repousser une agression ou pour la défense du territoire en dehors de la région soumise au mandat.

Article 4.

La Puissance mandataire devra:

1. pourvoir à l'émancipation éventuelle de tous esclaves et, dans un délai aussi court que les conditions sociales le permettront, faire disparaître tout esclavage domestique ou autre;

2. supprimer toute forme de commerce d'esclaves;

3. interdire tout travail forcé ou obligatoire, sauf pour les travaux et services publics essentiels et sous condition d'une équitable rémunération;

4. protéger les indigènes contre la fraude et la contrainte, par une surveillance attentive des contrats de travail et du recrutement des travailleurs;

5. exercer un contrôle sévère sur le trafic des armes et munitions, ainsi que sur le commerce des spiritueux.

Article 5.

La Puissance mandataire devra, dans l'établissement des règles relatives à la tenure du sol et au transfert de la propriété foncière, prendre en considération les lois et les coutumes indigènes, respecter les droits et sauvegarder les intérêts des indigènes.

Aucune propriété foncière indigène ne pourra faire l'objet d'un transfert, excepté entre indigènes, sans avoir reçu au préalable l'approbation de l'autorité publique. Aucun droit réel ne pourra être constitué sur un bien foncier indigène en faveur d'un non-indigène, si ce n'est avec la même approbation.

La Puissance mandataire édictera des règles sévères contre l'usure.

Article 6.

La Puissance mandataire assurera à tous les ressortissants des États Membres de la Société des Nations les mêmes droits qu'à ses propres ressortissants, en ce qui concerne leur accès et leur établissement dans le territoire, la protection de leurs personnes et de leurs biens, l'acquisition des propriétés mobilières et immobilières, l'exercice de leur profession ou de leur industrie, sous réserve des nécessités d'ordre public et de l'observation de la législation locale.

La Puissance mandataire pratiquera, en outre, à l'égard de tous les resortissants des États Membres de la Société des Nations et dans les mêmes conditions qu'à l'égard de ses propres ressortissants, la liberté du transit et de navigation et une complète égalité économique, commerciale et industrielle, excepté pour les travaux et services publics essentiels, qu'elle reste libre d'organiser dans les termes et conditions qu'elle estime justes.

Les concessions pour le développement des ressources naturelles du territoire seront accordées par le Mandataire, sans distinction de nationalité entre les ressortissants des États Membres de la Société des Nations, mais de manière à maintenir intacte l'autorité du gouvernement local.

Il ne sera pas accordé de concession ayant le caractère d'un monopole général. Cette clause ne fait pas obstacle au droit du Mandataire de créer des monopoles d'un caractère purement fiscal dans l'intérêt du territoire soumis au mandat et en vue de procurer au territoire les ressources fiscales paraissant le mieux s'adapter aux besoins locaux, ou, dans certains cas, de développer les ressources naturelles, soit directement par l'État, soit par un organisme soumis à son contrôle, sous cette réserve qu'il n'en résultera directement ou indirectement aucun monopole des ressources naturelles au bénéfice du Mandataire ou de ses ressortissants, ni aucun avantage préférentiel qui serait incompatible avec l'égalité économique, commerciale et industrielle ci-dessus garantie.

Les droits conférés par le présent article s'étendent également aux sociétés et associations organisées suivant les lois des États Membres de la Société des Nations, sous réserve seulement des nécessités d'ordre public et de l'observation de la législation locale.

Article 7.

La Puissance mandataire assurera, dans l'étendue du territoire, la pleine liberté de conscience et le libre exercice de tous les cultes, qui ne sont contraires ni à l'ordre public, ni aux bonnes mœurs; elle donnera à tous les missionnaires ressortissants de tout État Membre de la Société des Nations la faculté pénétrer, de circuler et de résider dans le territoire, d'y acquérir et posséder des propriétés, d'y élever des bâtiments dans un but religieux et d'y ouvrir des écoles, étant entendu, toutefois, que le Mandataire aura le droit d'exercer tel contrôle qui pourra être nécessaire pour le maintien de l'ordre public et d'une bonne administration et de prendre à cet effet toutes mesures utiles.

Article 8.

La Puissance mandataire étendra aux territoires le bénéfice des conventions internationales générales, applicables à leurs territoires limitrophes.

Article 9.

La Puissance mandataire aura pleins pouvoirs d'administration et de législation sur les contrées faisant l'objet du mandat. Ces contrées seront administrées selon la législation de la Puissance mandataire comme partie intégrante de son territoire et sous réserve des dispositions qui précèdent.

La Puissance mandataire est, en conséquence, autorisée à appliquer aux régions soumises au mandate sa législation sous réserve des modifications exigées par les conditions locales et à constituer ces territoires en unions ou fédérations douanières, fiscales ou administratives avec les territoires avoisinants relevant de sa propre souveraineté ou placées sous son contrôle, à condition que les mesures adoptées à ces fins ne portent pas atteinte aux dispositions du présent mandat.

Article 10.

La Puissance mandataire présentera au Conseil de la Société des Nations un rapport annuel répondant à ses vues. Ce rapport devra contenir tous renseignements sur les mesures prises en vue d'appliquer les dispositions du présent mandat.

Article 11.

Toute modification apportée aux terms du présent mandat devra être approuvée au préalable par le Conseil de la Société des Nations.

Article 12.

Le Mandataire accepte que tout différend, quel qu'il soit, qui viendrait à s'élever entre lui et un autre Membre de la Société des Nations, relatif à l'interprétation ou à l'application des dispositions du mandat et qui ne soit pas susceptible d'être réglé par des négociations, soit soumis à la Cour permanente de Justice internationale, prévus par l'article 14 du Pacte de la Société des Nations.

Le présent acte sera déposé en original dans les archives de la Société des Nations. Des copies certifiées conformes en seront remises par le Secrétaire général de la Société des Nations à tous les Membres de la Société.

Fait à Londres, le vingtième jour de juillet mil neuf cent vingt-deux.

Pour copie conforme:

SECRÉTARIAT GÉNÉRAL.[1]

[1] Except for its military clauses the text of the Cameroons mandates is similar to that of the Tanganyika mandate, the English text of which is printed in Vol. II, p. 546. The text of the Togo mandate is similar to that of the Cameroons.

APPENDIX XXXI

Comparison of Post-war and Pre-war Trade in Cameroons

	Imports	Exports	Total Trade
Pre-war (1912)			
Volume—Kilos	55,558,000	39,248,000	94,806,000
Value—Marks	29,159,261	23,336,000	52,495,261
Value—Francs	35,998,858	28,809,692	64,808,550
1921			
[3] Volume—Kilos	9,632,000	26,661,700	36,293,700
Value—Francs	33,581,277	21,498,333	55,079,610
[1] Value—Francs (adjusted)	13,432,511	8,599,333	22,031,844
Change from 1912—Francs	—22,566,347	—20,210,359	—42,776,706
Percentage Change from 1912	—62.6	—70.2	—66.0
1925			
[3] Volume—Kilos	31,205,000	90,645,000	121,850,000
Value—Francs	126,086,353	113,085,014	239,171,367
[2] Value—Francs (adjusted)	31,521,588	28,271,254	59,792,842
Change from 1912—Francs	—4,477,270	—538,438	—5,015,708
Percentage Change from 1912	—12.5	—1.9	—7.7

[1] Actual divided by 2.5 to adjust to approximate pre-war level.
[2] " " " 4 " " " " "
[3] Approximate.
[4] Source: *Die Deutschen Schutzgebiete in Afrika und der Südsee.* 1912-13.
Commerce des Colonies Françaises. 1923.
Rapport Annuel du Cameroun—1925.

Comparison of Post-war and Pre-war Trade in Togo[3]

	Imports	Exports	Total Trade
Pre-war (1912)			
Volume—Kilos	21,855,000	19,900,000	41,755,000
Value—Marks	10,412,327	7,970,261	18,382,588
Value—Francs	12,854,642	9,839,765	22,694,407
1921			
Volume—Kilos	8,465,811	7,607,222	16,073,033
Value—Francs	11,247,953	6,775,371	18,023,324
[1] Value—Francs (adjusted)	4,499,182	2,710,148	7,209,330
Change from 1912—Francs	—8,355,460	—7,129,617	—15,485,077
Percentage Change from 1912	—61.2	—72.5	—68.2
1925			
Volume—Kilos	25,419,293	23,300,782	48,720,075
Value—Francs	76,318,503	61,576,782	137,895,285
[2] Value—Francs (adjusted)	19,079,626	15,394,195	34,473,821
Change from 1912—Francs	+6,224,984	+5,554,430	+11,779,414
Percentage Change from 1912	+48.5	+56.5	+51.9

[1] Actual divided by 2.5 to adjust to approximate pre-war level.
[2] " " " 4 " " " " "
[3] Source: *Die Deutschen Schutzgebiete in Afrika und der Südsee.* 1912-13.
Commerce des Colonies Françaises. 1923.
Rapport Annuel du Togo—1925, p. 117.

APPENDIX XXXII

The System of Disciplinary Penalties

Arrêté *promulguant au Cameroun le décret du 8 août 1924 déterminant au Cameroun l'exercice des pouvoirs disciplinaires*

Le Commissaire de la République Français au Cameroun

Officier de la Légion d'honneur

Vu le décret du 23 mars 1921, déterminant les attributations du Commissaire de la République française dans les territoires du Cameroun;

Vu le décret du 16 avril 1924, fixant le mode de promulgation et de publication des textes règlementaires au Cameroun,

Arrête:

Article premier.—Est promulgué au Cameroun le décret du 8 août 1924 déterminant au Cameroun l'exercice des pouvoirs disciplinaires.

Art. 2.—Le présent arrêté sera enregistré et communiqué partout où besoin sera.

Yaoundé, le 4 octobre 1924.

MARCHAND.

Décret *déterminant au Cameroun l'exercice des pouvoirs disciplinaires.*

RAPPORT

Au Président de la République Française

Paris, le 8 août 1924.

Monsieur le President,

L'ordonnance du chancelier d'empire en date du 22 avril 1896 règlementait au Cameroun, sous la domination allemande, l'application aux indigènes des peines disciplinaires: les peines prévues étaient l'emprisonnement aux fers pour une durée de quatorze jours et la bastonnade et le fouet dans la limite respective de vingt à vingt-cinq coups.

Dès le 14 mai 1916, le commissaire du Gouvernement dans les territoires occupés du Cameroun substituait aux châtiments prévus par la réglementation allemande des peines plus conformes à nos principes de civilisation: l'emprisonnement simple et l'amende. L'année suivante, un arrêté en date du 14 mars 1917 déterminait, dès l'instauration d'un régime administratif régulier, les infractions spéciales à indigénat.

Enfin, le décret du 22 mai 1924, qui rend exécutoires dans le territoire du Cameroun les lois et décrets promulgués en Afrique équatoriale française antérieurement au 1er janvier 1924, est venu tout récemment doter notre pays sous mandat du régime de l'indigénat en vigueur dans cette colonie.

Toutefois, malgré des analogies certaines, les races indigènes qui peuplent le Cameroun présentent avec celles de l'Afrique équatoriale française des différences sensibles; leur niveau social et moral paraît, dans l'ensemble, plus élevé.

Il semble, dans ces conditions, qu'il y ait intérêt à réglementer par un décret spécial cette importante question en nous inspirant du texte déjà intervenu pour le territoire du Togo.

Tel est l'objet du projet de décret que nous avons l'honneur de soumettre à votre haute sanction.

Nous vous prions d'agréer, monsieur le Président, l'hommage de notre profond respect.

Le ministre des colonies,
DALADIER.

Le garde des sceaux, ministre de la justice,
RÈNÉ RENOULT.

LE PRÉSIDENT DE LA RÉPUBLIQUE FRANÇAISE

Vu le décret du 23 mars 1921, déterminant les attributions du Commissaire de la République française dans les territoires du Cameroun;

Vu le mandat sur le Cameroun confirmé à la France par le conseil de la Société des Nations, en execution des articles 22 et 119 du traité de Versailles, en date du 28 juin 1919;

Vu le décret du 13 avril 1921, organisant la justice indigène au Cameroun;

Vu le décret du 31 mai 1910, portant règlement sur l'indigénat en Afrique équatoriale française;

Vu le décret du 22 mai 1924, fixant la législation applicable au Cameroun;

Sur le rapport du ministre des colonies et du garde des sceaux, ministre de la justice,

DÉCRÈTE:

Article premier.—Dans les territoires du Cameroun, les administrateurs des colonies statuent par voie disciplinaire sur les infractions commises par les indigènes dans les conditions et les limites fixées par le présent décret.

Art. 2.—Les pouvoirs disciplinaires accordés aux administrateurs des colonies par l'article précedent peuvent être conférés aux officiers et agents civils exerçant les fonctions de commandant de circonscription ou de chef de subdivision, par décisions spéciales prises dans chaque cas par le commissaire de la République.

Art. 3.—Sont passibles des peines disciplinaires les indigènes non citoyens français et non justiciables des tribunaux français.

Art. 4.—Par exception à l'article 3, ne sont pas soumis au régime des peines disciplinaires:

1° Les indigènes ayant servi pendant la guerre dans les troupes coloniales ainsi que leurs femmes et leurs enfants;

2° Les chefs de région;

3° Les agents indigènes de l'administration recevant des salaires fixes;

4° Les membres indigènes des assemblées délibérantes ou consultatives;

5° Les assesseurs près les tribunaux indigènes;

6° Les indigènes décorés de la Légion d'honneur ou de la médaille militaire.

Les infractions prévues par le présent décret commises par les indigènes visés au paragraphe précédent sont de la compétence des tribunaux de race;

Les dispositions des articles 21, 22, 23, 24 demeurent toutefois applicables à ces indigènes.

Art. 5.—Les indigènes visés à l'article 3, sous réserve des exceptions prévues à l'article 4, sont passibles des peines disciplinaires:

1° Lorsqu'ils se sont rendus coupables d'une contravention à un arrêté du commissaire de la République au Cameroun, lorsque ledit arrêté spécifie explicitement que les contrevenants indigènes sont punis par voie disciplinaire;

2° Lorsqu'ils se sont rendus coupables d'une action ou abstention spéciale, répressible, par voie disciplinaire par un arrêté du commissaire de la République.

Art. 6.—Dès la promulgation du présent décret, le commissaire de la République prendra, dans les conditions visées au deuxième paragraphe de l'article 5, un arrêté portant énumération de toutes les actions ou abstentions qualifiées au Cameroun d'infractions spéciales répressibles par voie disciplinaire.

Cette énumération ne devra comprendre aucune des infractions qui, aux termes du décret du 13 avril 1921, organisant la justice au Cameroun, sont de la compétence des tribunaux de race.

Art. 7.—Les punitions disciplinaires comportent l'emprisonnement ou l'amende. Les deux peines peuvent être infligées cumulativement. Elles ne peuvent excéder quinze jours en ce qui concerne l'emprisonnement, ni 100 francs en ce qui concerne l'amende. Elles ne peuvent être qu'individuelles.

Art. 8.—Le commissaire de la République pourra, par voie d'arrêté, désigner les circonscriptions dans lesquelles, pour certaines infractions déterminées, le maximum des peines infligées disciplinairement sera ramené à un taux inférieur à celui prévu par l'article précédent et fixer ce taux pour chaque circonscription.

Art. 9.—Les punitions disciplinaires sont infligées dans chaque unité administrative (circonscription ou subdivision) par l'administrateur commandant de cette unité ou, à défaut d'administrateur, par l'officier ou l'agent civil qui en exerce les fonctions et auquel les pouvoirs disciplinaires ont été conférés par décision spéciale du commissaire de la République.

Art. 10.—Les punitions disciplinaires prononcées par le commandant d'une subdivision sont provisoirement exécutoires, mais elles ne deviennent définitives qu'après approbation du chef de circonscription dont relève la subdivision, lequel peut les réduire.

Art. 11.—Toute punition disciplinaire est signifiée en public à l'indigène qui en est l'objet, avec l'énoncé du motif, avant tout commencement d'exécution.

Art. 12.—Le commandant de circonscription ou de subdivision, aussitôt après avoir signifié à l'intéressé la punition infligée, inscrit celle-ci sur un registre spécial, en mentionnant obligatoirement le numéro d'ordre, le nom de la circonscription et, s'il y a lieu, de la subdivision, la date à laquelle est infligée la punition, le nom complet de l'indigène puni et les noms de sa circonscription et de son village d'origine et de résidence, ainsi que le sexe, l'âge au moins approximatif et la profession de l'indigène puni, la nature et le montant de la punition infligée, l'énoncé succinct du fait qui a motivé la punition et enfin l'indication de l'arrêté du commissaire de la République en exécution duquel la punition a été infligée et de l'article ou du paragraphe d'articles déterminant l'infraction punie, le tout suivi de sa signature.

Il établit, de chaque inscription, deux ampliations identiques à celle-ci et revêtues également de sa signature.

Art. 13.—L'une des ampliations est destinée au service chargé de l'exécution de la punition.

La seconde est transmise à l'autorité supérieure en vue du contrôle à exercer d'abord par le commandant de circonscription, puis par le commissaire de la République.

Art. 14.—Dans le cas d'une punition cumulative de prison et d'amende, il est établi un double de l'ampliation visée au premier paragraphe de l'article précédent, afin que chacun des agents ou fonctionnaires mentionnés aux articles 15 et 17 ci-aprés puisse posséder la pièce justificative nécessaire.

Art. 15.—L'indigène puni d'emprisonnement par voie disciplinaire est conduit au régisseur de la prison, qui sur le vu de l'ampliation qui lui est destinée, l'incarcère immédiatement et conserve l'ampliation à titre de pièce justificative.

Art. 16.—L'emprisonnement infligé par voie disciplinaire est subi dans un local distinct de celui affecté aux individus condamnés par une décision de justice ou prévenus d'un crime ou délit de droit common. Si les circonstances exigent que les divers locaux susvisés fassent partie d'un même immeuble, une ou des chambres de détention spéciales sont en tous cas réservées aux indigènes punis de prison par voie disciplinaire.

Les indigènes punis de prison à titre disciplinaire peuvent subir tout ou partie de leur peine sur un chantier de travaux d'utilité publique.

Il est tenu, dans chaque poste, un registre d'écrou spécial aux incarcérations opérées en exécution de punitions disciplinaires.

Art. 17.—L'indigène puni d'une amende disciplinaire est conduit devant le payeur ou l'agent spécial ou le fonctionnaire chargé des perceptions, qui perçoit l'amende sur le vu de l'ampliation à lui destinée, en encaisse le montant dans les formes prescrites par les règlements en vigueur, en délivre un récépissé à l'indigène puni et conserve, en échange, l'ampliation à titre de pièce justificative.

Art. 18.—En cas de refus de paiement de l'amende infligée, il peut être fait application de la contrainte par corps dans les porportions ci-après:

Un à cinq jours de détention au maximum pour les amendes de 1 à 15 fr., cinq à dix jours pour les amendes de 16 à 50 fr., dix à quinze jours pour des amendes de 51 à 100 fr. La contrainte par corps prend fin dans tous les cas, avec le paiement de l'amende infligée.

La durée de la contrainte par corps est déterminée et notifiée en même temps que la décision disciplinaire dont elle est destinée à garantir l'exécution.

Si le non-paiement de l'amende résulte de l'insolvabilité de l'indigène puni, l'autorité administrative qui a prononcé la punition décide s'il y a lieu ou non d'appliquer la contrainte par corps. Mention de cette décision est portée sur le registre d'inscription prévu à l'article 12 ci-dessus et sur les ampliations prévues aux articles 12 et 14.

Est considéré comme insolvable l'indigéne qui, ne possédant aucune ressource, est, en outre, incapable, à raison de son âge ou de sa condition ou de ses infirmitiés, de se livrer à un travail rémunérateur.

Art. 19.—Lorsqu'une punition prononcée par un commandant de subdivision a été réduite par le commandant de circonscription, mention en est faite par ce dernier sur l'ampliation qui lui a été transmise par le commandant de subdivision, avec indication de la date à laquelle il a reçu notification de la décision, sur l'ampliation conservée par régisseur de la prison ou le payeur ou agent spécial et sur le registre d'inscription.

S'il s'agit d'une punition de prison, l'indigène dont le peine a été réduite est remis en liberté à l'expiration de la durée ainsi réduite de son emprisonnement. Toutefois, si la notification de la réduction ne parvient qu'après l'expiration de la punition primitivement infligée, celle-ci demeure acquise. Si la notification parvient à une date antérieure à celle de l'expiration de la punition primitive, mais postérieure à celle de l'expiration de la punition réduite, l'intéressé est remis en liberté immédiatement.

S'il s'agit d'une reduction d'amende, la différence entre le montant de l'amende définitive et la somme versée est remise, sur un ordre de dépense établi par le commandant de circonscription, à l'intéressé qui en donne décharge dans les formes régulières.

Art. 20.—Le commissaire de la République en conseil d'administration peut annuler les décisions prononcées par les commandants de circonscription et de subdivision en matière disciplinaire ou réduire les peines prononcées par eux. L'annulation d'une punition entraîne la libération de l'indigène puni, s'il est en cours de détention, et la restitution du montant de l'amende à l'intéressé dans les conditions stipulées au dernier alinéa de l'article précédent.

En cas de réduction d'une punition, il est fait application des dispositions de l'article 19.

Art. 21.—Lorsqu'un indigène non citoyen français ni justiciable des tribunaux français s'est rendu coupable d'actes ou de manœuvres, ne tombant pas sous l'application des lois pénales ordinaires, mais de nature à compromettre la sécurité publique et paraissant comporter une sanction supérieure au maximum prévu pour les punitions disciplinaires, le commissaire de la République peut prononcer son internement pour une durée ne pouvant dépasser dix années et éventuellement la mise sous séquestre de ses biens pendant la durée de l'internement à intervenir.

Il en est de même des indigènes qui se sont rendus coupables de faits d'insurrection contre l'autorité de la France ou de troubles politiques graves.

L'indigène en instance d'internement est maintenu sous la surveillance de l'autorité locale jusqu'à notification de la décision du commissaire de la République.

Art. 22.—Lorsque les actes ou manœuvres, les faits d'insurrection et les troubles politiques graves, visés à l'article précédent, sont l'œuvre d'une collectivité, le commissaire de la République peut imposer à cette collectivité une contribution en espèces ou en nature.

Art. 23.—Chacune des sanctions prévues aux articles 21 et 22 ci-dessus est prononcée par arrêté du commissaire de la République et conseil d'administration, après avis du procureur de la République. Il en est rendu compte au ministre des colonies par l'envoi d'un rapport spécial accompagné d'une ampliation de l'arrêté.

Art. 24.—Le commissaire de la République peut, par arrêté rendu en conseil d'administration et transmis au ministre des colonies dans les conditions signalées à l'article précédent, réduire la durée de l'internement prononcée contre un indigène ou le montant de la contribution imposée à une collectivité.

Art. 25.—Sont abrogées les dispositions du décret du 22 mai 1924 fixant la législation applicable au Cameroun, en ce qui concerne le décret du 31 mai 1910 portant règlement sur l'indigénat en Afrique équatoriale française.

Art. 26.—Le ministre des colonies et le garde des sceaux, ministre de la justice, sont chargés chacun en ce qui le concerne, de l'application du présent décret.

Fait à Rambouillet, le 8 août 1924.

GASTON DOUMERGUE.

Par le Président de la République:

Le ministre dss colonies,

DALADIER.

Le garde des sceaux, ministre de la justice,

RENÉ RENOULT

ARRÊTÉ *déterminant les infractions spéciales à l'indigénat par application du décret du 8 août 1924.*

LE COMMISSAIRE DE LA RÉPUBLIQUE FRANÇAIS AU CAMEROUN

OFFICIER DE LA LÉGION D'HONNEUR

Vu le décret du 23 mars 1921, déterminant les attributions du Commissaire de la République française dans les Territoires du Cameroun;

Vu le décret du 8 août 1924, déterminant au Cameroun l'exercice des pouvoirs disciplinaires,

ARRÊTE:

Article premier.—Les infractions spéciales réprimées par voie disciplinaire sont les suivantes:

1° Actes de désordre;

2° Organisation de jeux de hasard;

3° Mise en circulation de bruits mensongers et de nature à troubler la tranquillité publique. Propos séditieux, actes irrespectueux à l'égard d'un représentant qualifié de l'autorité;

4° Aide donné à des malfaiteurs, à des agitateurs, à des vagabonds, à des indigènes enfuis de leur village et à toute personne recherchée par l'administration. Complicité d'évasion;

5° Refus de prêter aide en cas de sinistre ou d'accidents, de tumulte ou d'arrestation d'un criminel ou d'un délinquant;

6° Port illégal d'insignes officiels, civils ou militaires;

7° Entraves à la circulation sur les voies publiques, routes, sentiers, cours d'eau. Mauvais état des secteur de routes dont l'entretien a été attribué à des villages;

8° Racolage, sur la voie publique, des convois de porteurs et porteurs isolés venus vendre des produits aux établissements fixes d'un centre urbain classé ou non;

9° Détérioration volontaire de matériel appartenant à l'administration;

10° Vagabondage;

11° Départ d'une circonscription administrative sans avis préalable aux autorités;

12° Abandon de service, sans motifs valables, pour les porteurs, piroguiers, convoyeurs, guides, ouvriers ou employés de chantiers publics. Déterioration des charges ou du matériel qui leur sont confiés;

13° Pratique de sorcellerie quand les conséquences n'ont pas entraîné la comparution devant les tribunaux;

14° Plaintes ou réclamations sciemment inexactes renouvelées auprès de l'administration après une solution régulière, autrement que dans le cas d'appel à l'autorité supérieure;

15° Mauvaise volonté à payer les impôts, contributions et taxes de toute nature et à s'acquitter des prestations. Entraves à la perception de l'impôt, au recensement de la population ou de la matière imposable. Dissimulation de la matière imposable et connivence dans cette dissimulation;

16° Insoumission aux réquisitions de l'administration pour travaux publics essentiels;

17° Brutalité des agents indigènes à l'égard des travailleurs enfuis des chantiers de travaux publics;

18° Tentative de simulation ou d'aggravation de plaies ou blessures naturelles dans le but de circonvenir l'autorité aux fins de licenciement d'un chantier public;

19° Défaut d'obtempérer sans motifs valables aux convocations de l'administration;

20° Contrebande dûment constatée sans préjudice des sanctions pécunaires douanières;

21° Adultération volontaire de produits. Mise en circulation de tous produits falsifiés;

22° Abatage dans les centres urbains, sans autorisation préalable, d'animaux de boucherie, pour les livrer à la consommation;

23° Abatage et exportation, sans autorisation préalable, des femelles de gros et petit bétail, susceptible de reproduire;

24° Divagation d'animaux nuisibles ou dangereux. Divagation d'animaux domestiques sur la propriété d'autrui;

25° Refus de recevoir les espèces de monnaie et billets français circulant légalement dans le territoire, selon la valeur pour laquelle ils ont cours;

26° Abatage sans autorisation des arbres à produits et des essences de bois durs. Détérioration des bois domaniaux;

27° Refus d'effectuer des plantations vivrières. Mauvais état d'entretien, sans motifs valables, de ces plantations;

28° Culture, vente et usage du chanvre ainsi que de tout produit toxique;

29° Détention de boissons distillées et de boissons alcooliques titrant plus de 14 degrés;

30° Fabrication et vente de boissons fermentée;

31° Divagation des individus atteints d'aliénation mentale, de maladies épidémiques ou contagieuses, de la maladie du sommeil ou de la lèpre. Abandon des individus atteints de maladie contagieuse;

32° Non déclaration des maladies contagieuses sévissant sur les hommes ou les animaux domestiques. Inexécution des mesures d'hygiène et de prophylaxie prescrites par l'administration. Pollution des eaux d'alimentation;

33° Inhumation hors des lieux consacrés et dans les conditions autres que celles prescrites par l'autorité locale.

34° Pratiques d'usages médicaux et utilisation de médicaments en dehors du contrôle de l'administration.

Art. 2.—Le présent arrêté qui abroge toutes les dispositions antérieures contraires et dans son entier l'arrêté du 14 mars 1917, sera enregistré et communiqué partout où besoin sera.

Yaoundé, le 4 octobre 1924.

MARCHAND.

Circulaire *à Messieurs les chefs de circonscription*

Vous trouverez au *Journal officiel* du 15 octobre, le décret du 8 août 1924, déterminant au Cameroun, l'exercice des pouvoirs disciplinaires ainsi que l'arrêté d'application du 4 octobre 1924 donnant l'énumération des infractions spéciales réprimées par l'indigénat.

Ces textes pris spécialement pour le Cameroun, présentent quelques différences avec les règles qui étaient jusqu'ici en vigueur et qui avaient été empruntées à la législation de l'Afrique équatoriale française.

Il n'est donc pas inutile d'attirer votre attention sur les principales dispositions qui y sont contenues, comme aussi de vous faire connaître comment je désirerai à l'avenir qu'il soit fait usage de ces pouvoirs disciplinaires.

Tout d'abord, ainsi que vous en rendrez compte, le décret du 8 août 1924, en son article premier, ne reconnaît le droit de statuer par voie disciplinaire qu'aux administrateurs des colonies. C'est là la confirmation d'un pouvoir que ces fonctionnaires détenaient déjà en vertu du décret du 30 septembre 1887.

Toutefois, il est prévu et c'est l'objet de l'article 2, que ces pouvoirs peuvent être conférés aux officiers et agents civils exerçant les fonctions de commandant de circonscription ou de chef de subdivision.

Vous aurez donc au reçu de cette circulaire, pour celles de vos subdivisions qui sont dirigées par un personnel autre que celui des administrateurs, et dans l'avenir chaque fois que le cas se présentera, à me soumettre vos propositions afin que je puisse prendre les décisions réglementaires, habilitant les officiers ou agents civils placés à la tête de ces unités administratives, à réprimer par voie disciplinaire. En attendant que ces décisions vous parviennent, je vous autorise à déléguer vos pouvoirs dans toutes les circonstances que vous jugerez utiles.

Après avoir indiqué que les indigènes non citoyens français et non justiciables des tribunaux français, sont seuls passibles de peines disciplinaires, le législateur prévoit à cette règle une série d'exceptions en faveur des indigènes ayant servi pendant la guerre dans les troupes coloniales, en faveur des chefs de région, des agents indigènes de l'administration, des assesseurs près les tribunaux, etc.

S'il est de ces exceptions, comme la première et comme celle qui vise les décorés de la Légion d'Honneur, qui trouveront rarement à être appliqués, il en est d'autres par contre qui se représenteront d'autant plus souvent que nous sommes appelés à recourir de plus en plus pour besoins des différents services, au personnel indigène.

J'attire donc toute votre attention sur ce point et vous prie de veiller à ce que vos collaborateurs ne perdent pas de vue ces nouvelles prescriptions qui constituent dans notre législation du Cameroun un fait des plus intéressants et des plus susceptibles de hâter l'évolution de nos ressortissants.

A juste titre le législateur a voulu marquer une différence très nette et accorder des avantages à ceux des indigènes qui se sont signalés par leur services à la cause française ou qui, par la situation qu'ils occupent dans la société indigène, se séparent de la masse de leurs congénères. Pour ma part, je serais assez enclin à envisager l'extension de cette mesure et à en faire bénéficier tous ceux des indigènes qui, ayant répondu avec succès à des examens dont la nature reste à déterminer, ou qui seraient détenteurs de la médaille de première classe du Mérite indigène, justifieraient ainsi d'un certain degré d'évolution. Ce serait là à mon avis un encouragement des plus efficace à la propagation des idées de progrès et un stimulant pour le développement de l'agriculture. Je serais heureux à ce sujet de connaître votre manière de voir.

Il va de soi que tous ces autochtones qui sont ou seraient affranchis de l'indigénat, ne resteraient pas impunis au cas où ils commettraient des infractions vraiment repréhensibles. Le décret du 8 août les renvoie devant les tribunaux de races qui auraient alors à sanctionner ces contraventions par des peines de simple police ou par celles qui auraient été édictées.

Comme par le passé, les peines disciplinaires pourront être appliquées chaque fois qu'elles seront prévues comme sanction, dans les arrêtés du Commissaire de la République ou chaque fois que les indigènes se mettront dans l'un des cas faisant l'objet de l'énumération limitative de l'arrêté du 4 octobre 1924.

Comme vous pourrez vous en rendre compte, cet arrêté présente quelques modifications par rapport à celui du 14 mars 1917, jusqu'ici en vigueur.

Il comporte d'abord des cas plus nombreux. J'ai cherché en effet à définir autant que possible les infractions, pour supprimer dans la plus large mesure les formules vagues toujours susceptibles d'interprétation extensive.

J'ai fait la part des fautes par abstention en matière agricole. J'ai voulu par là marquer tout l'intérêt que je portais au développement des plantations et de l'élevage et ai tenu à ce que vous ayez la possibilité de vaincre l'inertie incoercible de vos administrés, afin de provoquer la suralimentation indispensable à la santé de la race.

Vous trouverez également trois articles concernant les travailleurs recrutés pour les chantiers des travaux publics essentiels. Vous savez le but humanitaire poursuivi: la construction du chemin de fer est destinée à assurer la disparition du portage à tête d'homme. Les intéressés s'en rendent insuffisamment compte et ne montrent pas toujours, à part un millier de volontaires, l'enthousiasme qui devrait naître dans leur esprit à la pensée du but de l'œuvre à laquelle ils sont appelés à collaborer.

Cela vient pour beaucoup de la manière brutale, disons le mot, dont ils étaient embrigadés avant l'occupation française, et de la méconnaissance totale qu'ils ont de nos procédés et de l'existence qui les attend sous notre direction.

A la base de ces difficultés existe donc une question de confiance qu'il faut savoir inspirer aux indigènes pour dissiper chez eux cette prévention née autrefois et que nous devons avant tout nous attacher à faire disparaître.

Nous arriverons à ce résultat, je vous l'ai dit bien souvent dans mes correspondances et mes circulaires, en nous efforçant de faire comprendre aux travailleurs ce que nous entendons leur demander, en les renseignant sur la durée de leur présence sur les chantiers, sur la nature du travail qu'ils ont à fournir et surtout sur les conditions de leur existence tant aux point de vue du logement qui leur est réservé, de la nourriture qui leur est octroyée, que des repos hebdomadaires qui leur sont accordés.

Je sais que telle est bien votre manière de procéder, mais je ne crois pas superflu de renouveler ces recommandations afin que tous les agents sous vos ordres puissent s'en pénétrer d'une manière complète.

Dans la circonstance la valeur personnelle de l'administrateur doit jouer un rôle primordial et les résultats qu'il enregistrera seront en raison directe avec la persuasion qu'il aura su faire naître chez ses administrés.

Les travaux du chemin de fer constituent donc une obligation qui doit être répartie sur toutes les collectivités et c'est de toute justice que personne ne puisse s'y soustraire. J'ajouterai pour aller au devant des exagérations toujours possibles, que c'est là un fardeau relativement léger à supporter, eu égard au nombre de la population qui y prend part, eu égard surtout à cette considération que cette population n'est astreinte à aucun recrutement militaire, cas particulièrement exceptionnel et heureux dans notre monde actuel.

Dans un autre ordre d'idées, vous remarquerez que la question de la consommation de l'alcool n'a pas été laissée de côté et vous verrez que des articles prévoient l'un la détention de boissons titrant plus de 14 degrés, l'autre la fabrication des boissons fermentées c'est-à-dire des bières de maïs, de mil, voire même des vins de palme.

Enfin la lutte entreprise contre toutes les maladies épidémiques et les prescriptions d'hygiène trouvent aussi leur place et trois articles leur sont consacrés.

Par contre, je n'ai pas reproduit l'article 23 de l'arrêté du 14 mars 1917 qui prévoyait et sanctionnait "l'abandon de leur travail pour les domestiques ou employés indigènes, la mauvaise volonté, la paresse, l'insubordination de ces indigènes dans l'exécution de leur tâche."

Cette disposition qui avait été provisoirement maintenue parce qu'elle existait du temps de l'occupation allemande, ne semble plus s'imposer. En tous cas elle ne répond nullement à la conception, que nous nous faisons et que nous avons proclamée de la liberté du travail et pour cette seule raison ne doit plus figurer au nombre des infractions que nous sanctionnons.

Rien n'est changé dans le montant des peines, celles-ci restent fixées au maximum de 15 jours de prison et 100 francs d'amende qui peuvent être infligées cumulativement.

Par contre, les punitions disciplinaires prononcées par les chefs de subdivision ne sont exécutoires que provisoirement, elles ne deviennent définitives dit l'article 10 qu'après approbation du commandant de la circonscription qui peut les réduire.

C'est là une modification importante à l'ancien état de choses. Le législateur a marqué ainsi d'une manière très explicite sa volonté de donner à l'indigène le maximum de garantie. L'expérience a démontré en effet que les fonctionnaires débutants placés souvent à la tête des subdivisions, n'avaient pas toujours, malgré leur désir de bien faire, cette expérience indispensable dans l'art difficile de conduire les hommes. Il est donc tout naturel de voir confier un droit de contrôle et de revision à des fonctionnaires qui par leur âge et leur grade sont plus à même de mieux connaître les choses et les gens de ces pays.

Ce droit de contrôle, je ne m'illusionne pas, sera parfois difficile à exercer, en raison de l'éloignement de certaines de vos subdivisions et de l'absence de moyens de communication rapide. Ce n'est là qu'une situation provisoire qui disparaîtra peu à peu au fur et à mesure du développement de nos réseaux routiers et télégraphiques.

Mais déjà bon nombre de subdivisions ont des rapports très fréquents, quelques-unes même journaliers avec le chef-lieu de circonscription. Pour celles-là, il vous appartient de vous organiser pour avoir aussi souvent que possible les états des peines disciplinaires prononcées, afin que les pouvoirs que vous détenez de l'article 10 ne restent pas illusoires.

L'article 16 spécifie que l'emprisonnement infligé par voie disciplinaire doit être subi dans un local distinct. Cette règle est déjà appliquée en bon nombre de circonscriptions. Je désirerais qu'elle fût le plus tôt possible généralisée et étendue à toutes les prisons de circonscriptions, de subdivisions et de postes spéciaux. Il est bien entendu que les femmes doivent toujours être tenues à part et je verrai également avec satisfaction que les chefs punis puissent subir leur peine d'emprisonnement dans des locaux spéciaux.

J'attire votre attention sur les prescriptions de l'article 18 qui prévoit que pour les peines d'amendes il peut être fait application de la contrainte par corps. Mais pour pouvoir être infligée celle-ci doit être prononcée et déterminée en même temps que la décision disciplinaire. En aucun cas elle ne peut dépasser 15 jours de prison et doit toujours cesser immédiatement avec le paiement de l'amende.

Je vous signale enfin les dispositions relatives aux indigènes non citoyens français, ni justiciables des tribunaux français, qui se seraient rendus coupables de faits d'insurrection contre l'autorité ou de troubles graves ne tombant pas sous le coup de la loi pénale mais de nature à compromettre la sécurité publique, et pour lesquels des peines d'internement peuvent être prononcées. Dans ces cas, je vous prierais de faire accompagner les propositions que vous êtes susceptibles de m'adresser, d'un rapport circonstancié relatant tous les faits, me permettant de prendre en toute connaissance de cause l'arrêté réglementaire en Conseil d'administration et d'en rendre compte au Département.

L'exercice des pouvoirs disciplinaires, je me plais à le reconnaître, donne aujourd'hui beaucoup moins matière à observation que par le passé. Des progrès sensibles ont été réalisés à ce point de vue. Toutefois certains d'entre vous ne semblent pas toujours faire la distinction qu'il convient entre les peines disciplinaires et la justice. Ils sanctionnent par la voie disciplinaire des faits qui relèvent des tribunaux et inversement saissent les tribunaux de races d'infractions punissables à l'indigénat.

Il ne faut pas perdre de vue que les pouvoirs disciplinaires appelés également indigénat n'ont rien de judiciaire; ils constituent un pouvoir d'exception conféré aux administrateurs pour leur permettre, dans les régions où ils ont à administrer des populations peu évoluées, d'avoir un moyen d'action efficace sur ces populations et de sanctionner rapidement des infractions communément commises qui ne tombent pas sous le coup des lois pénales ni de simple police.

Les peines prononcées à ce titre qu'elles soient de prison ou d'amendes, n'ont jamais le caractère infamant et ne constituent jamais d'antécédent judiciaire.

C'est ce qui explique que le législateur a entendu séparer, dans les prisons, les punis disciplinairement des condamnés de droit commun. Je ne vois pour ma part que des avantages à ce que cette distinction soit également maintenue sur les chantiers publics.

Si l'administrateur a le pouvoir de réprimer rapidement, au moment même où elles sont commises, sans recourir aux formalités d'une procédure, une série de fautes dont l'énumération est limitativement arrêtée, il n'en a pas moins le devoir impérieux chaque fois qu'il est appelé à user de ce droit, de le faire avec la plus scrupuleuse mesure. C'est pour lui une obligation à laquelle il ne saurait se soustraire, au moment où il se dispose à prononcer une peine de le faire avec le sentiment de la plus stricte équité, en tenant compte de la responsabilité du délinquant, de sa mentalité, du rang qu'il occupe dans le société indigène.

C'est pour cette raison que je ne veux plus voir dans les relevés que vous m'adressez, des peines uniformément appliquées.

Je sais à quelles difficultés vous vous heurtez, je comprends que parfois vous vous trouviez excédés par les résistances confuses que vous rencontrez, mais vous vous devez à vous même d'abord, à la fonction que vous remplissez, à l'administration que vous représentez, de ne jamais vous laisser aller au moindre mouvement d'énervement.

Pour commander avec efficacité aux hommes il faut commencer par savoir se dominer et se commander à soi. Ainsi donc, et vous m'avez compris, je ne veux plus voir de ces peines englobant toute une série d'individus.

Je tiens également à ce que vous vous conformiez strictement aux prescriptions du décret du 8 août, et qu'en toute circonstance vous prononciez vos peines en public. L'indigénat n'a rien de caché, rien d'occulte, tout doit s'y passer au grand jour. Votre sentence aura d'autant plus d'effet, qu'elle sera proclamée aux oreilles de tous en faisant connaître les raisons de votre sévérité.

Les articles 12 et suivants du décret n'appellent aucun commentaire. Ils indiquent la marche à suivre tant pour les punis de prison que pour ceux frappés d'amende. De même tous les renseignements qui doivent figurer sur les registres spéciaux de peines disciplinaires sont signalés. Je vous prie de vous reporter à cette partie du décret et de vous y conformer.

Les relevés que vous aurez désormais à m'adresser tous les mois, pour tous les postes de votre circonscription, devront être la reproduction exacte et complète de ce registre.

Des imprimés sont commandés en France, ils vous seront adressés dès leur livraison. En attendant vous aurez à faire tracer sur du papier blanc des états comprenant toutes les indications portées à l'article 12.

J'entends exercer d'une façon très minutieuse, le contrôle qui m'est spécialement dévolu par l'article 13. Je puis vous donner l'assurance qu'il le sera sans défaillance.

C'est à cette fin que je vous prie, et je reviens avec insistance sur ce point, de m'adresser régulièrement chaque mois, vérifiés et approuvés par vous, tous les états de tous les postes de votre circonscription. Je ne veux plus recevoir comme par le passé des feuillets épars de telle ou telle de vos subdivisions. J'ai la volonté formelle que le contrôle soit efficace et pour cela je désire le rendre aussi facile que possible.

J'en ai fini avec ce sujet.

Je me suis suffisamment étendu pour vous faire comprendre quelle importance j'attachais à l'exercice des peines disciplinaires.

Je sais que je puis entièrement compter sur vous et sur vos collaborateurs pour être assuré d'avance que, dans cette partie la plus délicate de vos attributions, vous mettrez tout en œuvre, à la fois votre sagacité, votre pondération et votre sentiment de l'équité, pour ne jamais faire un usage abusif du pouvoir exceptionnel que vous avez de punir et qu'en toutes circonstances, vous conformant au pur génie français, vous chercherez à faire respecter votre autorité beaucoup plus par la justice que par la crainte.

Yaoundé, le 4 octobre 1924.

Le Commissaire de la République française
au Cameroun,
MARCHAND.

APPENDIX XXXIII

The Mandate Land Law

Décret *du 11 août 1920, portant organisation du domaine et du régime des terres domaniales au Togo et au Cameroun.*

Le Président de la République française,

Sur le rapport du Ministre des Colonies,

Décrète:

Du domaine public.

Article premier.—Le domaine public est déterminé et réglementé au Togo et au Cameroun dans les mêmes conditions qu'en Afrique occidentale française ou en Afrique équatoriale française, suivant qu'il s'agit de l'un ou de l'autre pays.

Des terres domaniales.

Art. 2.—Les terres vacantes et sans maître, dans les territoires du Togo et du Cameroun, appartiennent à l'Etat.

Les terres formant la propriété collective des indigènes ou que les chefs indigènes détiennent comme représentants de collectivités indigènes ne peuvent être cédées à des particuliers, par voie de vente ou de location, qu'après approbation par arrêté du commissaire de la République en Conseil d'Administration.

L'occupation de la partie de ces terres qui serait nécessaire pour la création de centres urbains, pour des constructions ou travaux d'utilité publique, est prononcée par le Commissaire de la République, en Conseil d'Administration, qui statue sur les compensations que peut comporter cette occupation.

Art. 3.—L'aliénation des terres domaniales est soumise aux règles suivantes:

1° Les lots de terrains urbains compris dans un plan de lotissement arrêté par le Commissaire de la République, en Conseil d'Administration, et les concessions de moins de 100 hectares sont accordés par le Commissaire de la République, en Conseil d'Administration, aux conditions déterminés dans chaque cas par l'acte de concession lui-même, suivant le lieu, la nature du sol et l'exploitation à entreprendre.

En ce qui concerne les lots urbains, chaque adjudicataire ne pourra obtenir qu'un lot avec obligation de le mettre en valeur suivant les conditions et les délais fixés par le cahier des charges;

2° Les lots situés dans le périmètre des ports et des gares de chemins de fer et compris dans un plan de lotissement arrêté par le Commissaire de la

République, en Conseil d'Administration, ainsi que les concessions portant sur une étendue comprise entre 100 et 1.000 hectares, sont accordées par le Gouverneur général soit de l'Afrique équatoriale française ou soit de l'Afrique occidentale française, sur la proposition du Commissaire de la République, après avis du Conseil d'Administration.

3° Les concessions portant sur une étendue supérieure à 1.000 hectares sont accordées par décret rendu sur le rapport du Ministre des Colonies, sur la proposition du Gouverneur général et après avis de la Commission des concessions coloniales.

Dans ces deux derniers cas, les conditions de la concession sont stipulées dans un cahier des charges annexé à l'acte de concession, qui fixe également le taux des redevances.

Art. 4.—Le régime des exploitations forestières et des forces hydrauliques sera fixé par des arrêtés spéciaux du Commissaire de la République, en Conseil d'Administration, soumis à l'approbation du Gouverneur général, soit de l'Afrique équatoriale française, soit de l'Afrique occidentale française.

Art. 5.—L'octroi de toute concession devra être précédé d'une publicité suffisante pour que tous les intérêts en cause puissent se produire et être examinés utilement avant l'établissement de l'acte de concession.

L'acte de concession devra faire mention des conditions de cette publicité et être inséré au *Journal officiel* du Togo et du Cameroun, suivant qu'il s'agit de l'un ou de l'autre pays.

Art. 6.—Sont abrogées toutes dispositions antérieures contraires au présent décret.

Art. 7.—Le Ministre des Colonies est chargé de l'exécution du présent décret, qui sera inséré au *Journal officiel* de la République française, au *Bulletin des lois* et au *Bulletin officiel* du Ministère des Colonies.

Fait à Rambouillet, le 11 août 1920.

P. DESCHANEL.

Par le Président de la République:
Le Ministre des Colonies,
A. SARRAUT.

ARRÊTÉ *déterminant les conditions d'application du Décret du 11 août 1920 sur le Domaine Privé de l'État dans les Territoires du Cameroun.*

LE COMMISSAIRE DE LA RÉPUBLIQUE FRANÇAISE
AU CAMEROUN,
OFFICIER DE LA LÉGION D'HONNEUR.

Vu le décret du 11 août 1920;
Vu le décret du 23 mars 1921;
Vu la dépêche Ministérielle n° 52 du 25 juin 1921,
ARRÊTE:

TITRE PREMIER

Détermination des différentes catégories de terrains.

Article premier.—Les terrains du Cameroun qui ne font pas partie du Domaine Public se répartissent entre les catégories suivantes:

1° Terrains ayant fait l'objet d'une appropriation régulière, inscrits au *Grundbuch,* ou pour lesquels existent des titres fonciers réguliers;

2° Terrains appartenant à des indigènes ou à des collectivités indigènes en vertu de la coutume et de la tradition, mais pour lesquels n'existe aucun titre de propriété écrit;

3° Terrains situés autour des villages sur lesquels les indigènes pratiquent leurs cultures, recueillent ce qui est nécessaire à leur existence, font paître leurs troupeaux, etc., mais sur lesquels ils n'ont en fait qu'un droit d'usage, et non de propriété;

4° Terrains vacants et sans maître.

TITRE II

Aliénation des différentes catégories de terrains

Art. 2.—Ire *catégorie.*—Les terrains de la 1re catégorie, qu'ils soient urbains ou ruraux, ne peuvent, lorsqu'ils appartiennent à des ressortissants français ou alliés ou à des indigènes en vertu de titres réguliers délivrés avant la conquête du Cameroun, être aliénés que par la volonté de leurs propriétaires, conformément à la législation en vigueur, sauf le cas d'expropriation pour cause d'intérêt public, dans l'hypothèse prévue notamment à l'article 10 du Décret sur le Domaine Public.

L'aliénation de ces terrains, lorsqu'ils appartiennent à des ressortissants ex-ennemis, demeure soumise aux prescriptions du décret du 11 août 1920 sur la liquidation des biens privés ennemis.

Enfin les terrains qui ont été immatriculés au nom de l'Etat allemand rentrent dans le Domaine Privé de l'Etat français et leur aliénation ne peut s'effectuer, que conformément aux dispositions prévues ci-après pour l'aliénation des biens vacants et sans maître.

Art. 3.—2e *catégorie.*—Les terrains de la 2e catégorie ne peuvent être aliénés, soit à titre temporaire, soit à titre définitif qu'après approbation du Commissaire de la République en Conseil d'Administration.

L'introduction d'une demande d'aliénation doit être précédée d'une enquête ouverte par le Chef de la Circonscription dans le ressort de laquelle se trouve le bien à aliéner. Le Chef de Circonscription doit d'abord exiger la production d'un acte de notoriété concernant la propriété et les limites du terrain, signé de sept témoins parmi lesquels doivent figurer le Chef et les notables de la localité intéressée. Il recueille ensuite tous renseignements utiles sur la réalité et l'étendue des droits de l'indigène ou du Chef de collectivité indigène désireux de consentir de contrat de vente ou de location, et transmet le dossier, avec son avis motivé, au Commissaire de la République.

Art. 4.—3e *catégorie.*—Ces terrains constituent ce qu'on est généralement convenu d'appeler les réserves indigènes. Les indigènes qui les exploitent ne possèdent sur le fonds qu'un droit d'usage, et non de propriété. Ils ne peuvent en aucun cas les aliéner. L'aliénation de ces terrains est soumise aux dispositions édictées pour le Domaine Privé de l'Etat, avec cette différence toutefois qu'elle peut donner lieu à des compensations ou des indemnités pour les usagers.

La détermination des réserves indigènes sera effectuée par les soins des Chefs de Circonscription qui en dresseront le plan au fur et à mesure de leurs déplacements et le soumettront à l'approbation du Commissaire de la République.

Une carte d'ensemble sera dressée par le service cartographique du cheflieu.

Art. 5.—4e *catégorie.*—Les terrains vacants et sans maître font partie du Domaine Privé de l'Etat. Ils se divisent en terrains urbains et ruraux. Ils peuvent être aliénés aux conditions spécifiées ci-après, à tout demandeur européen ou indigène, apte à posséder au Cameroun.

Terrains accordés par le Commissaire de la République

a) Terrains urbains.

Art. 6.—Sont considérés comme centres urbains, tous les Chefs-lieux de Circonscription, de Subdivision ainsi que les localités nommément désignées par Arrêté du Commissaire de la République.

Le périmètre des centres urbains est également fixé par Arrêté, sur la proposition du Chef de Circonscription.

Art. 7.—Dans l'intérieur du périmètre de chaque centre urbain, les terrains faisant partie du Domaine Privé de l'Etat font l'objet d'un plan de lotissement après l'observation des formalités suivantes:

Pour chaque centre urbain, le Chef de Circonscription établit le plan des terrains réputés vacants et sans maître, soit en une fois pour l'ensemble de la surface comprise dans le périmètre urbain, soit successivement et par lots d'étendue aussi vaste que possible, au fur et à mesure des renseignements qu'il aura pu recueillir.

Un exemplaire de ce plan est conservé au Chef-lieu de la Circonscription, un autre est envoyé au Commissaire de la République pour être transmis au Receveur des Domaines. Dès sa réception, celui-ci fait insérer au *Journal officiel* de la Colonie un avis informant le public que ces plans sont tenus à sa disposition au bureau des Domaines au Chef-lieu et au bureau de la Circonscription intéressée.

L'insertion de l'avis au *Journal officiel* ne pourra, toutefois, avoir lieu qu'après que, grâce à des palabres organisés à cet effet et dont le Receveur du Domaine devra recevoir avis, les indigènes intéressés auront été mis au courant, par le Chef de Circonscription, du lotissement projeté et prévenus des moyens que leur sont donnés pour faire valoir leurs intérêts.

Un délai d'un mois, courant pour le Chef-lieu depuis la date du *Journal officiel* et pour le lieu des terrains, de la date à laquelle l'arrivée du *Journal officiel* au Chef-lieu de la Circonscription dont dépend le centre urbain aura été portée à la connaissance de la population indigène intéressée, est imparti pour la production des réclamations qui doivent être adressées au Chef de Circonscription. Celui-ci les transmet avec son avis au Commissaire de la République qui statue en Conseil d'Administration.

En cas de rejet, le délai pour recours au Conseil du Contentieux Administratif commence à courir du jour de la notification du rejet.

Toute réclamation non introduite dans les délais, n'est pas recevable.

Toute réclamation non justifiée pourra être punie d'une amende de 1 à 1.000 francs fixée par le Commissaire de la République en Conseil d'Administration.

Art. 8.—Aussitôt que les terrains à lotir ont été reconnus Domaine Privé de l'Etat, par suite, de l'absence, soit du rejet de toutes réclamations, le Chef de Circonscription établit le plan définitif de lotissement qui détermine les formes et dimensions des lots, les rues, avenues et places publiques, indique les lots réservés pour les besoins des Services Publics, et qui prévoit, chaque fois que c'est possible, la création de deux quartiers distincts, l'un pour la population européenne, l'autre pour la population indigène.

Art. 9.—Le plan du lotissement est soumis à l'approbation du Commissaire de la République en Conseil d'Administration en même temps qu'en projet de cahier des charges comportant pour chaque lot les conditions, basées sur les circonstances locales, qui paraissent au Chef de Circonscription devoir être imposées à l'adjudicataire ou au concessionnaire.

Le cahier des charges doit obligatoirement indiquer:

1° Que l'adjudicataire ou concessionnaire est tenu à l'observation des clauses générales prévues par le présent Arrêté;

2° Que le concessionnaire ou adjudicataire est tenu de déclarer par écrit qu'il ne possède déjà dans la localité, soit sous son nom, soit sous le nom d'un tiers, aucun autre lot de même nature; toute fausse déclaration entraînant *ipso facto* pendant une période de dix ans l'annulation du contrat et exposant son auteur à des dommages-intérêts envers l'Administration;

3° Que l'adjudication ou la concession ne devient définitive qu'après l'expiration du délai fixé pour le bornage, la mise en valeur et la construction des bâtiments;

4° Que ces bâtiments devront être construits en tels ou tels matériaux durables, et devront répondre à certaines conditions déterminées au point de vue de l'esthétique, de l'hygiène, etc.;

5° Que l'adjudicataire ou concessionnaire s'engage à ne pas louer ni céder, à titre gratuit ou onéreux, son lot pendant la période d'occupation provisoire, et en outre pendant une période de dix ans, à compter de la délivrance du titre définitif à aucun particulier ni à aucune société déjà installée au Cameroun au moment de l'attribution du dit lot; ceci sous peine du retrait du lot et de dommages-intérêts.

Art. 10.—Dès l'approbation définitive du plan de lotissement et du cahier des charges, avis en est donné au public par le Receveur des Domaines par la voie du *Journal officiel.* Un délai de deux mois courant au Chef-lieu de la date du *Journal officiel,* et dans la Circonscription où se trouvent les lots à aliéner, du jour d'arrivée du *Journal officiel,* au Chef-lieu de la Circonscription est accordé aux personnes désireuses de prendre part à l'adjudication à l'effet de faire connaître leurs intentions au Chef de Circonscription. Cette déclaration est obligatoire pour pouvoir participer aux enchères.

Art. 11.—A l'expiration de ce délai, les lots à aliéner font l'objet d'une adjudication au siège de la Circonscription, par les soins, soit du Receveur des Domaines, soit du Chef de Circonscription, agissant aux lieu et place du Receveur des Domaines. Chaque lot comporte une adjudication spéciale avec mise à prix minima fixée par le cahier des charges, et est attribué, en cas de concurrence, au plus fort et dernier enchérisseur, sous réserve de l'approbation par Arrêté du Commissaire de la République et de l'application des dispositions de l'article 22 ci-après.

Art. 12.—Si le Chef de Circonscription n'a été saisi que d'une seule déclaration de participation aux enchères, celles-ci n'ont pas lieu, et le lot est concédé directement à l'auteur de cette déclaration par le Commissaire de la République, suivant les conditions et le prix minimum fixé dans le cahier des charges pour l'adjudication.

Art. 13.—Si après l'avis de mise en adjudication de terrains qui viennent d'être alotis, aucun enchérisseur éventuel ne fait de déclaration au Chef de la Circonscription intéressée, l'adjudication n'a pas lieu et est reportée jusqu'à l'introduction d'une demande de mise aux enchères.

En ce cas les mesures de publicité, les délais et les prescriptions à observer pour l'attribution du lot sont celles fixées plus haut pour la première mise aux enchères qui suit le lotissement des terrains.

Art. 14.—L'attribution provisoire d'un lot urbain, qu'elle résulte d'une adjudication ou d'un acte de concession, est sanctionnée par Arrêté du Commissaire de la République, pris en Conseil d'Administration sur le vu du procès-verbal d'adjudication ou d'annulation des enchères dressé par le Receveur des Domaines ou le Chef du Circonscription.

Art. 15.—Le cahier des charges détermine le mode de paiement.

Art. 16.—L'attribution en pleine propriété du lot adjugé ou concédé n'a lieu qu'après l'exécution de toutes les clauses et conditions prévues au cahier des charges.

Cette exécution est constatée par un rapport du Chef de Circonscription, au vu duquel le Commissaire de la République, après avoir pris l'avis du Service des Domaines, délivre par Arrêté en Conseil d'Administration le titre de propriété définitif.

Art. 17.—La non-exécution des clauses et conditions prévues au cahier des charges dans les délais fixés entraîne *ipso facto* le retour du terrain à l'Etat. Cette mesure fait l'objet d'un Arrêté du Commissaire de la République en Conseil d'Administration. Ce n'est qu'en cas de circonstances exceptionnelles et indépendantes de sa volonté que l'adjudicataire ou concessionnaire peut obtenir du Commissaire de la République des délais supplémentaires. Ceci est une faculté et non un droit.

Art. 18.—Les conditions de remboursement du prix versé pour le terrain, en cas de retour à l'Etat, sont fixées par le cahier des charges, ainsi que les retenues à effectuer sur ce remboursement au profit de l'Etat, à titre d'indemnité pour non-exécution du cahier des charges.

Art. 19.—Si des installations existent déjà sur le terrain, l'administration a le droit de les reprendre à dire d'expert. Si elle renonce à ce droit un délai de trois mois est accordé à l'adjudicataire ou concessionnaire évincé pour enlever les dites installations, matériaux, objets mobiliers, etc. L'Administration devient propriétaire, à l'expiration du délai, de tout ce qui n'aura pas été enlevé, et ce sans indemnité.

Art. 20.—En cas de décès, de faillite ou de liquidation judiciaire du concessionnaire ou de l'adjudicataire provisoire, les héritiers ou les créanciers lui sont substitutés de plein droit, sur la production de titres authentiques constatant les droits des requérants à la succession ou à la liquidation.

Il doivent, s'ils ne sont pas présents, se faire représenter par un mandataire spécial dans un délai maximum d'une année à partir du jour du décès ou de la mise en faillite ou en liquidation, faute de quoi, leurs droits deviennent caducs et le terrain fait retour à l'Etat. Le mandataire est tenu d'achever la mise en valeur pour que ses mandants puissent obtenir le titre définitif de propriété. Par exception à l'article 9, 5°, le lot urbain devenu propriété des héritiers ou des créanciers de l'adjudicataire ou concessionnaire décédé ou mis en faillite ou en liquidation peut être vendu à n'importe quelle époque à toute personne ou à toute société, après approbation du Commissaire de la République.

Art. 21.—Dans les localités où l'Administration n'aura pas encore procédé au lotissement, le Commissaire de la République peut délivrer, sur la proposition du Chef de Circonscription, à toute personne qui en fait la demande un permis autorisant l'occupation immédiate et provisoire d'un terrain, aux risques et périls du demandeur qui n'est autorisé qu'à y édifier des constructions facilement démontables.

Le permis porte indication de la surface à occuper, des obligations à remplir par l'occupant, du montant de la redevance à acquitter et du délai de préavis en cas d'éviction. Défense est faite de sous-louer un terrain ainsi occupé, sous peine de retrait du permis d'occupation.

Il ne peut être accordé, à une même personne plus d'un permis d'occuper dans chaque localité.

Art. 22.—Toute personne occupant dans ces mêmes conditions un terrain dans un centre urbain non loti peut, si ce terrain est mis ultérieurement aux enchères, après lotissement, obtenir par privilège spécial l'attribution du lot sur lequel elle est établie, au prix maximum atteint par les enchères et par préférence au dernier enchérisseur en faisant connaître son intention au Chef de Circonscription dans les quinze jours francs qui suivent l'adjudication; elle peut également obtenir la concession de ce lot, au prix minimum du cahier des charges, en cas d'absence de concurrence.

Art. 23.—En cas de lotissement de terrains urbains devant constituer un quartier réservé exclusivement aux indigènes, les formalités à remplir (enquête sur la propriété des terrains, établissement d'un plan de lotissement et d'un cahier des charges à soumettre à l'approbation du Commissaire de la République) sont les mêmes que celles stipulées plus haut.

Toutefois, l'attribution provisoire par voie d'adjudication ou de concession est prononcée par le Chef de Circonscription. En cas d'absence de concurrence pour un lot, celui-ci peut être attribué gratuitement à tout indigène s'engageant à remplir les conditions du cahier des charges.

Seule, la délivrance du titre définitif est faite par le Commissaire de la République en Conseil d'Administration sur le rapport du Chef de Circonscription certifiant l'exécution des clauses du cahier des charges.

Art. 24.—Des autorisations provisoires d'occupation de terrain domanial peuvent être délivrées par le Chef de Circonscription aux indigènes dans les zones à réserver pour les quartiers indigènes, en attendant le lotissement de ces zones.

Le permis porte indication de la surface à occuper, des obligations à remplir par l'occupant, du montant de la redevance à acquitter, celle-ci pouvant être réduite à 1 franc et du délai de préavis en cas d'éviction.

Un terrain ainsi occupé ne peut être sous-loué.

Aucun indigène ne peut obtenir plus d'un permis par localité.

Les prescriptions formulées précédemment pour le cas de mise aux enchères d'un terrain déjà occupé sont applicables aux zones réservées aux quartiers indigènes.

En cas d'absence de concurrence, l'indigène peut obtenir gratuitement la concession du lot.

Art. 25.—Dans les centres urbains où la création de quartiers distincts (européen et indigène) est impossible, le même régime est appliqué aux Européens et aux indigènes qui ont les mêmes droits et les mêmes devoirs.

a) *Terrains ruraux.*

Art. 26.—Les terrains ruraux sont les terrains sis en dehors des périmètres urbains. Leur attribution, quand leur superficie ne dépasse pas mille hectares, est prononcée par le Commissaire de la République.

DISPOSITIONS COMMUNES À L'ALIÉNATION DE TOUS LES TERRAINS RURAUX.

Art. 27.—Toute personne désirant un terrain rural de moins de mille hectares adresse au Commissaire de la République, par l'intermédiaire du Chef de la Circonscription où se trouve le terrain une demande indiquant ses nom et prénoms, ses lieu et date de naissance, son domicile, et le genre d'exploitation projeté.

Si la demande est faite au nom d'une Société une copie authentiquée des actes de Société et des pouvoirs du demandeur doit être jointe à la requête, laquelle doit être en outre accompagnée d'un croquis indiquant la situation par rapport à des points déjà connus, la contenance approximative, les limites générales du terrain.

Art. 28.—Le Chef de Circonscription établit alors un cahier des charges dont les clauses sont basées tant sur l'exploitation projetée que sur les conditions locales et transmet le dossier au Commissaire de la République qui, après avis du Receveur des Domaines, l'approuve avec ou sans modification. Notification de la décision du Commissaire de la République concernant les conditions auxquelles doit être subordonné l'octroi de la concession est faite au demandeur qui fait connaître s'il accepte ces conditions.

Art. 29.—L'accord préalable étant réalisé, le Receveur des Domaines rend publique la demande tant par insertion au *Journal officiel* du Cameroun que par des affiches apposées dans son bureau; la demande est en outre affichée dans les bureaux de la Circonscription dans laquelle le terrain est situé, ainsi que dans les différents villages situés dans le voisinage immédiat du terrain dont la concession est sollicitée.

L'insertion de la demande au *Journal officiel* ne pourra avoir lieu qu'après que la population indigène intéressée aura été mise au courant, par l'Administration, au moyen de palabres organisées à cet effet et dont le Receveur du Domaine devra être averti, de la demande de concession et des moyens de droit dont elle dispose pour faire valoir ses intérêts.

Art. 30.—Le délai pour faire opposition à une demande de concession rurale est fixé à un mois; il commence à courir au Chef-lieu de la date du *Journal officiel* où l'avis est inséré; dans la Circonscription intéressée, du jour où l'arrivée du *Journal official* au Chef-lieu cette Circonscription aura été notifiée à la population indigène.

Art. 31.—En cas d'opposition, le Commissaire de la République statue dans le délai d'un mois. Si la réclamation est rejetée, le délai de recours au Conseil du Contentieux administratif commence à courir du jour de la notification de la décision du Commissaire de la République à l'opposant.

Toute opposition qui ne se produit pas dans les délais fixés ci-dessus n'est pas recevable.

Toute opposition non justifiée pourra exposer son auteur à une amende d'un maximum de mille francs, dont le montant est fixé par le Commissaire de la République en Conseil d'Administration.

Art. 32.—Au cours du delai d'un mois, fixé comme il est dit ci-dessus pour recevoir les oppositions à une demande de terrain rural, toute personne est admise à prendre connaissance du cahier des charges déposé au Chef-lieu au bureau du Receveur des Domaines, et dans la Circonscription intéressée, au bureau du Chef de cette Circonscription, et à adresser à ce dernier, en même temps d'une déclaration d'acceptation préalable du cahier des charges, une demande tendant à se voir attribuer le terrain soumis à l'enquête.

En ce cas, il est procédé à une adjudication entre les concurrents dans les conditions adoptées pour les lots urbains.

Chaque concurrent est informé par le Chefs de Circonscription de la date des enchères. L'attribution du terrain est faite au plus fort et dernier enchérisseur sous réserve de l'approbation par Arrêté du Commissaire de la République et de l'application des dispositions de l'article 33. Le prix minimum de l'adjudication est celui fixé au cahier des charges.

Seules peuvent prendre part à l'adjudication les personnes ayant fait dans les délais leur déclaration au Chef de Circonscription qu'elles désirent concourir pour l'attribution du terrain.

Art. 33.—Toute personne ou Société ayant précédemment à la promulgation du présent Arrêté obtenu un permis d'occupation provisoire d'un terrain rural peut, en cas d'adjudication, et si elle a strictement exécuté les clauses inscrites au dit permis, réclamer en sa faveur l'application des dispositions de l'article 22.

Art. 34.—En cas de non-concurrence et de non-opposition, la concession provisoire du terrain est accordée au demandeur par Arrêté du Commissaire de la République en Conseil d'Administration. En cas d'adjudication, le résultat de celle-ci doit également être sanctionné par Arrêté du Commissaire de la République en Conseil d'Administration.

Art. 35.—L'attribution en pleine propriété du terrain concédé ou adjugé n'a lieu qu'après l'expiration des délais et l'exécution des clauses prévues au cahier des charges.

Elle est prononcée par Arrêté du Commissaire de la République en Conseil d'Administration.

Art. 36.—L'annulation de l'arrêté d'attribution d'un terrain rural est également prononcée par Arrêté du Commissaire de la République en Conseil d'Administration.

Les dispositions édictées par les articles 17, 18 et 19, en cas de non-exécution du cahier des charges pour les lots urbains, sont applicables aux terrains ruraux.

Art. 37.—La constatation de l'état de l'exploitation à l'expiration des délais fixés pour le bornage, la mise en valeur, etc., ainsi qu'au moment de l'arrêté d'attribution définitive est effectuée par une commission composée de l'Administrateur de la Circonscription ou de son délégué, d'un fonctionnaire désigné par l'Administration et deux membres désignés par le concessionnaire ou adjudicataire. Cette commission dresse un procès-verbal de ses opérations qui est transmis au Commissaire de la République.

Si, dans le délai d'un mois après les dates fixées par le cahier des charges pour l'exécution des conditions qui y sont insérées, le concessionnaire n'a pas désigné ses représentants à l'expertise, il est passé outre, et l'avis des deux membres fonctionnaires de la commission est suffisant pour l'établissement d'un procès-verbal de constatation.

Art. 38.—Le cahier des charges indique le prix fixé pour la concession du terrain, prix qui sert de base aux enchères en cas de concurrence. Il détermine également les conditions de paiement.

Art. 39.—Sauf clause contraire inscrite au cahier des charges, la mise en valeur doit être réalisée dans un délai maximum de six ans; la commission prévue à l'article 37 constate à certaines époques, fixées aux articles 55, 57, 58, 61, 62, 65 et 66 si les progrès de l'exploitation sont en conformité avec les obligations imposées aux concessionnaires ou adjudicataires par les dispositions spéciales relatives à la mise valeur des diverses catégories de terrains ruraux (articles 54 à 67 inclus).

Art. 40.—Tout concessionnaire ou adjudicataire dont le terrain peut être considéré comme mis définitivement en valeur peut demander à toute époque la réunion de la commission de constatation et, sur son avis favorable, obtenir sans délais son titre définitif de propriété contre versement du restant du prix d'acquisition du dit terrain.

Art. 41.—Le titre d'attribution provisoire du terrain n'est remis à l'acquéreur que contre versement:

1° De la première tranche du prix du terrain telle qu'elle est stipulée au cahier des charges;

2° D'une provision fixée à 1 franc par hectare pour les travaux ultérieurs de délimitation, la somme ainsi versée devant venir en déduction du montant des frais occasionnés par le bornage et le levé du plan d'immatriculation;

3° D'une somme égale à 10% du prix pour frais de timbre, d'enregistrement, de publicité, etc.

Art. 42.—Les attributions de terrains ruraux ne comprennent que la surface du sol; les produits du sous-sol sont réservés, de même que l'utilisation des forces hydrauliques. Toutefois, les carrières de matériaux de construction sont comprises dans les dites attributions, étant bien entendu que leur exploitation reste soumise aux règlements en vigueur sur la matière.

Art. 43.—Le Domaine Public de l'Etat (cours d'eau et voies de communication notamment) qui borne un terrain rural ou se trouve englobé dans ce terrain est exclu de droit de tout acte d'aliénation et ne peut faire l'objet d'aucune appropriation particulière.

Art. 44.—Toute cession partielle ou totale, définitive ou temporaire, à titre onéreux ou à titre gratuit du droit de possession provisoire d'un terrain rural doit être préalablement soumise à l'approbation du Commissaire de la République en Conseil d'Administration. Faite sans l'agrément de l'Administration, elle entraîne de plein droit le retrait du titre et les pénaltiés pécuniaires prévues par le cahier des charges.

Art. 45.—Les terrains ruraux sont attribués sous la réserve expresse des droits des tiers et sans garantie de contenance; en cas de recours, l'Administration n'est tenue à aucune indemnité ni à aucune restitution de redevance à ce titre.

Art. 46.—Le concessionnaire ou adjudicataire provisoire ou définitif ne pourra d'avantage réclamer une indemnité à l'Administration en raison des dommages qu'il viendrait à éprouver par le fait soit de l'insécurité du pays, soit de l'émeute ou de la révolte des indigènes, soit de la guerre avec une Puissance étrangère, soit de tous autres cas fortuits.

Art. 47.—L'Administration se réserve le droit de reprendre à une époque quelconque le libre usage des terrains qui seraient nécessaires aux besoins des services de l'Etat ou de la Colonie et à tous les travaux d'utilité publique.

Cette reprise a lieu: 1° moyennant le remboursement du prix déjà versé pour la surface reprise si ces terrains ne sont pas encore devenus propriété privée;

2° Au cas contraire, moyennant une indemnité à fixer de concert entre l'Administration et le concessionnaire ou adjudicataire; en cas de désaccord, il est statué par le tribunal compétent; l'expertise est obligatoire si elle est demandée par l'une des parties et il y est procédé dans les formes prévues par les articles 362 et suivants du Code de Procédure Civile.

Art. 48.—L'Administration se réserve également le droit de constituer des servitudes de passage auxquelles le concessionnaire ou adjudicataire est soumis, sans indemnité.

Art. 49.—Le concessionnaire ou adjudicataire est soumis à tous les droits et impôts existant à ce jour au Cameroun et à tous ceux qui y seront établis.

Art. 50.—Tout titre d'attribution d'un terrain rural est inscrit sur un registre spécial tenu par le Receveur des Domaines et est soumis à la formalité de l'Enregistrement.

Art. 51.—En cas de décès, de faillite ou de liquidation judiciaire du concessionnaire ou de l'adjudicataire provisoire, les héritiers ou les créanciers lui sont substitutés de plein droit, sur la production de titres authentiques constatant les droits des requérants à la succession ou à la liquidation.

Ils doivent s'ils ne sont pas présents se faire représenter par un mandataire spécial dans un délai maximum d'une année à partir du jour du décès ou de la mise en faillite ou en liquidation faute de quoi, leurs droits deviennent caducs et le terrain fait retour à l'Etat. Le mandataire est tenu d'achever la mise en valeur pour que ses mandants puissent obtenir le titre définitif de propriété; il peut également, conformément à l'article 44 demander au Commissaire de la République le droit de céder ses droits d'occupation provisoire.

Art. 52.—Toutes les contestations entre l'Administration et les concessionnaires ou adjudicataires sont soumises à la juridiction administrative.

DISPOSITIONS SPÉCIALES AUX DIFFÉRENTES CATÉGORIES DE TERRAINS RURAUX.

Art. 53.—Les terrains ruraux sont divisés en trois catégories principales: les stipulations des cahiers des charges doivent tenir obligatoirement compte, en même temps que des dispositions d'ordre général prévues aux articles précédents, des dispositions spéciales relatives aux différentes catégories de terrains, notamment pour les clauses concernant la mise en valeur progressive des terrains, leur prix et les conditions de leur paiement.

Ces trois catégories sont les suivantes:

1° Terrains d'élevage et de cultures vivrières;

2° Terrains de cultures moyennes;

3° Terrains de cultures riches.

Art. 54.—1re *Catégorie—a)* Mise en valeur des terrains d'élevage.

Un terrain d'élevage est considéré comme mis en valeur lorsque des troupeaux d'animaux domestiques sont entretenus régulièrement sur le dit terrain depuis deux ans au moins à raison d'un minimum de 200 têtes de gros bétail ou de 500 têtes de petit bétail par 100 hectares et proportionellement pour les superficies moindres.—Les terrains d'élevage sont affermés aux enchères pour une durée de vingt-cinq ans, sauf renouvellement de droit au profit de l'éleveur qui se sera conformé aux conditions de mise en valeur prescrites par le présent article et l'article 55.

Art. 55.—Sous peine de déchéance ou de réduction de terrain, l'adjudicataire ou concessionnaire est tenu:

1° Dans un délai d'un an à compter de la date d'arrêté d'attribution de borner provisoirement son terrain, et après avoir aménagé les pâturages et édifié les bâtiments d'abri nécessaires, d'entretenir sur le dit terrain au moins 1/4 du troupeau total prévu;

2° A la fin des 2e, 3e et 4e années d'expolitation, d'être en mesure de démontrer à la Commission de constatation qu'il entretient respectivement au moins la moitié, les 3/4 et le totalité du troupeau prévu et a aménagé les pâturages et édifié les bâtiments d'abri nécessaires au nombre d'animaux élevés sur le terrain.

Des dispositions particulières peuvent être prévues au cahier des charges en cas d'épidémies.

Art. 56.—*b)* Mise en valeur des terrains de cultures vivrières.

On désigne sous le nom de cultures vivrières la culture de tous produits servant à l'alimentation des Européens et des indigènes, à l'exclusion de la récolte de tous produits naturels et de tous produits d'exportation.

Art. 57.—Un terrain de cultures vivrières est considéré comme mise en valeur lorsque le 1/4 au moins de sa surface est cultivé méthodiquement et régulièrement en produits vivriers.

Art. 58.—Sous peine de déchéance ou de réduction du terrain:

1° Le bornage provisoire des terrains et l'édification des bâtiments nécessaires à l'exploitation doivent être effectués dans les six mois;

2° Par rapport à la surface totale à cultiver, la surface cultivée doit être à l'expiration de la 2e, de la 4e de la 5e et de la 6e année, respectivement égale au minimum aux 2/6e, 4/6e, 5/6e et 6/6e de cette surface totale. La constatation en est faite par la Commission prévue à l'article 37.

Art. 59.—Prix minimum des terrains ruraux de la 1re catégorie.

Le prix minimum des terrains ruraux de la 1re catégorie est fixé à 10 francs, par hectare payable de la façon suivante:

0,50 par ha. et par an pendant les 2 premières années;			
1,50	—	—	la 3e et le 4e année;
2,00	—	—	la 5e année;
4,00	—	—	la 6e —

Lorsqu'un prix supérieur est fixé par le cahier des charges au résulte d'une adjudication, la différence par hectare entre le prix minimum et le prix définitif est payable par quarts à la fin de la 2e, de la 4e, de la 5e et de la 6e année.

Art. 60.—2e *Catégorie.*—Terrains ruraux de cultures moyennes.

Sont compris dans cette catégorie les terrains réservés à la culture de tous les produits destinés à l'exportation, à l'exception de ceux faisant partie de la 3e catégorie.

Art. 61.—Mis en valeur.—Un terrain rural de 2e catégorie est considéré comme mis en valeur lorsque le 1/6 au moins de sa surface est cultivé méthodiquement et régulièrement en produits d'exportation de la 2e catégorie.

Art. 62.—Sous peine de déchéance ou de réduction du terrain: 1° le bornage provisoire des terrains et l'édification des bâtiments nécessaires à l'exportation doivent être effectués dans les six mois; 2° la mise en valeur progressive doit être faite conformément aux dispositions de l'article 58, 2e.

Art. 63.—Prix minimum.—Le prix minimum des terrains ruraux de la 2e catégorie est fixé à 20 francs par hectare, payable dans la forme suivante:

1,00 par ha et par an pendant les 2 premières années;			
3,00	—	—	la 3e et la 4e année;
5,00	—	—	la 5e année;
7,00	—	—	la 6e —

Lorsqu'un prix supérieur est fixé par le cahier des charges ou résulte d'une adjudication, la différence par hectare entre le prix minimum et le prix définitif est payable par quarts à la fin de la 2e, de la 4e, de la 5e et de la 6e année.

Art. 64.—3e *Catégorie.*—Terrains ruraux de culture riches.

Sont compris dans cette catégorie les terrains réservés à la culture des produits suivants destinés à l'exportation: cacao, palmiste, café, vanille.

Art. 65.—Un terrain rural de la 3e catégorie est considéré comme mis en valeur lorsque 1/8 au moins de sa superficie est cultivé méthodiquement et régulièrement en produits d'exportation de 3e catégorie.

Art. 66.—Sous peine de déchéance ou de réduction du terrain: 1° le bornage provisoire des terrains et l'édification des bâtiments nécessaire à l'exploitation doivent être effectués dans les six mois; 2° la mise en valeur progressive doit en être faite conformément aux dispositions de l'article 58, 2e.

Art. 67.—Prix minimum.—Le prix minimum des terrains ruraux de la 3e catégorie est fixé à 30 francs par hectare payable dans la forme suivante:

3,00 par ha et par an pendant les 2 premières années;
4,50 — — la 3e et 4e année;
6,00 — — la 5e année;
9,00 — — la 6e

Lorsqu'un prix supérieur est fixé par le cahier des charges ou résulte d'une adjudication, la différence par hectare entre le prix minimum et le prix definitif est payable par quarts à la fin de la 2e, de la 4e, de la 5e et de la 6e année.

Art. 68.—Un permis de 2e catégorie donne droit au concessionaire au adjudicataire à la culture des produits vivriers ou à l'entretien de bétail sur la partie du terrain non réservée aux cultures d'exportation de 2e catégorie.

Art. 69.—Un permis de 3e catégorie donne droit à l'entretien de bétail et à la culture de tous produits sur la partie du terrain non réservée aux cultures d'exportation de 3e catégorie.

Art. 70.—Un permis de 1re et 2e catégorie ne donne pas droit à la culture des produits comprise dans les catégories supérieures.

Tout concessionnaire ou adjudicataire qui contrevient à cette disposition est déchu de ses droits, à moins qu'il ne consente à payer un supplément par hectare à fixer par le Commissaire de la République en Conseil d'Administration.

Art. 71.—Le prix fixé au cahier des charges est basé sur les circonstances locales, et notamment sur la situation du terrain par rapport aux moyens d'évacuation des produits (ports, voies ferrées, cours d'eau navigables, routes, etc.).

Art. 72.—Le cahier des charges tient compte également pour la détermination du prix de la richesse du terrain en produits naturels, au moment de l'attribution du dit terrain. Il prévoit des dispositions spéciales pour la conservation des essences forestières et des arbres producteurs (palmiers, caoutchoutiers, colatiers, etc.) pendant toute la période d'attribution provisoire.

Art. 73.—Les concessions de terrains ruraux d'une superficie de 10 hectares au maximum et d'un seul tenant peuvent être octroyées gratuitement aux indigènes à titre individuel ou collectif, aux conditions générales stipulées pour les attributions de terrains ruraux.

Art. 74.—Les bénéficiaires de ces concessions peuvent par décision spéciale du Commissaire de la République être exonérés des frais spécifiés à l'article 41, 21 ainsi que des frais de timbre et d'enregistrement dont le montant serait dans le cas prescrit de 10% de la valeur du terrain.

Art. 75.—Les terrains ainsi concédés aux indigènes leur sont attribués en toute propriété après l'exécution des clauses du cahier des charges.

Art. 76.—Toutefois, les bénéficiaires ne pourront vendre les dits terrains pendant un délai de vingt-cinq ans à compter de la remise du titre définitif qu'à des personnes agréées par le Commissaire de la République et sous cette réserve qu'une superficie de 2 hectares du terrain concédé n'est en aucun cas aliénable, et constitue le Homestead indigène.

Art. 77.—Sont accordés par décret rendu sur le rapport du Ministre des Colonies, sur proposition du Commissaire de la République, et après avis de la Commission des concessions coloniales, les terrains d'une étendue supérieure à mille hectares.

Art. 78.—Dès réception de la demande de concession qui doit, pour être examinée, être conforme aux descriptions de l'article 27 ci-dessus, le Commissaire de la République procède aux mesures de publicité prévues par l'article 29 du présent arrêté.

Art. 79.—Les délais d'opposition sont ceux fixés par l'article 30 du présent Arrêté.

Art. 80.—En cas d'opposition, il est statué conformément à l'article 31 du présent Arrêté.

Toute opposition qui se produit en dehors des délais n'est pas recevable.

Toute opposition non justifiée pourra exposer son auteur à une amende, d'un maximum de mille francs, dont le montant est fixé par le Commissaire de la République en Conseil d'Administration.

Art. 81.—S'il ne se produit pas d'opposition ou si l'opposition est rejetée, le Commissaire de la République fait procéder par le ou les Chefs de Circonscription où se trouvent situés les terrains demandés à une enquête portant notamment sur la valeur de ces terrains, sur leur situation par rapport aux voies de communication, sur les richesses naturelles qui s'y trouvent englobées, sur l'importance de la population qui y habite, sur les propriétés collectives et les terrains de culture ou d'élevage de cette population, etc.

Art. 82.—Sur le vu des rapports des Chefs des Circonscriptions intéressées, le Receveur des Domaines établit un projet de cahier des charges qui mentionne les droits et obligations en toutes matières des concessionnaires, fixe le taux des redevances, et qui est soumis au Commissaire de la République lequel l'examine en Conseil d'Administration et l'adresse avec ses observations au Département.

Art. 83.—La constatation de l'état de la concession à l'expiration des délais fixés par le cahier des charges pour le bornage, la mise en valeur, paiement des redevances, etc., ainsi qu'au moment du Décret d'attribution définitive est effectuée par une Commission composée de l'Administrateur de la Circonscription, et d'un fonctionnaire désigné par l'Administration, de deux membres désignés par le concessionnaire. Cette Commission dresse un procès-verbal de ses opérations qui est transmis successivement au Commissaire de la République et au Département.

La présence de deux membres au moins, dont le Chef de Circonscription est nécessaire.

Art. 84.—L'attribution du titre provisoire, puis du titre de propriété définitif ainsi que l'annulation de l'attribution provisoire d'une concession de plus de 1.000 hectares pour inexécution des clauses du cahier des charges et la reprise des terrains concédés dans les cas des articles 47 et 48 sont prononcées par Décret après avis de la Commission des concessions coloniales.

Art. 85.—Tout Arrêté et tout Décret portant aliénation de terrains domaniaux au Cameroun est obligatoirement inséré au *Journal officiel* de la Colonie, sans préjudice de la publication prescrite au *Journal officiel de la République française* par la loi de finances du 14 juillet 1911 (art. 127 B) pour les concessions supérieures à 2.000 hectares.

Les actes de concession devront, aux termes de l'article 5 du décret du 11 août 1920, faire mention de la publicité à laquelle les demandes de concession auront donné lieu.

Yaoundé, le 15 septembre 1921.

CARDE.

APPENDIX XXXIV

Omissions from the Minutes of the Lomé Council of Notables

These omissions are as follows:

I. From the Minutes of the session of April 19, 1923. "M. Le Gouverneur annonce que dorénavant, les Maisons de Commerce seront obligées de prendre B.A.O. jetons et pièces d'argent, pour la même valeur. Des poursuites seraient engagées en cas de refus. Dans un délai très proche, les Commerçants quels qu'ils soient, seront contraints d'établir tous leurs prix en francs, à l'exclusion du shilling, considéré comme monnaie étrangère."

This passage (taken from page 7 of the original Minutes) should have been inserted on page 203 of the Report to the League of Nations of 1923, following the third paragraph and before "M. le Gouverneur."

II. From the Minutes of the session of August 26, 1924. "Plan de campagne des travaux à effectuer par la main d'œuvre prestataire pendant l'année 1925.

"Voici dit le Président, le moment de préparer le plan de campagne des travaux à effectuer en 1925 par la main-d'œuvre prestataire. Cette année le programme des travaux était particulièrement chargé. Vous savez que c'est avec la main-d'œuvre prestataire que les travaux d'entretien des grandes artères Lomé-Palimé et Lomé-Atakpamé constamment degradées par des pluies exceptionnellement abondantes, ont été effectués; que les ponceaux de la route de Palimé ont été remplacés par des buses, que les routes transversales ont été aménagées et rendues automobilisables, que les deux ponts sur le Haho à Game et à Gati ont été construits. La route de Bé a été piquetée et dès l'arrivée des boulons et pièces necessaires à la mise en état du matériel Decauville, les travaux seront entrepris.

"Il est évident qu'après un pareil effort les travaux à effectuer l'année prochaine devaient être de moindre importance. Aussi sur les 3137 prestataires que comprend le Cercle en ai-je prévu 20,000 rachetant leurs prestations et 11,137 les effectuant en nature. Voici au demurant les travaux que j'ai prévus ainsi que le nombre des journées de travail.

"1. Entretien des pistes télégraphiques, 341 journées

"2. Entretien des routes et ponts, 1,680 journées

"3. Aménagement en routes carrossables des pistes existantes, 42,100 journées

"4. Entretien des ponts et routes transversales, 427 journées.

"J'attire tout particulièrement votre attention sur les travaux d'aménagement en routes carrossables des pistes existantes qui ouvriront des routes jusqu'ici praticables uniquement pour les piétons. Voici le détail de mes prévisions:

(a) Route de Bé. J'ai cru prévoir 3,000 journées pour terminer les travaux qui commenceront vraisemblablement cette année.

(b) Route de Towegan au Sio vers Kpodji . . .

(c) Route de Game au Sio par Kpodi. Ces deux routes qui n'en font qu'une en réalité réunissent Towegan, la limite du Cercle au Centre important de Game, occurant ainsi une grande voie de communication dans le Nord Ouest du Cercle particulièrement déshérité à ce point de vue. Cependant au Nord Ouest de Game la population est dense et cette région paraît destinée à devenir très intéressante du jour ou les produits pourront s'acheminer facilement vers les Chemins de Fer de Palimé et d'Atakpamé.

(d) Route d'Amutive au Haho par Jable et Abobo. Vous m'avez demandé à plusieurs reprises à construire une route permettant aux éleveurs de visiter leurs troupeaux pâturant sur les bords du Sio. Ce projet satisfait vos désirs et ouvre en même temps la région de Jable et d'Abobo, qui peut devenir un centre intéressant pour la culture de l'arachide.

"Le Conseil déclare approuver à l'unanimité le plan de campagne qui lui est soumis."

This passage (taken from page 24 of the original Minutes) should have been inserted on page 199 of the report of 1924, before *Création de Syndicats agricoles."*

III. From the Minutes of the session of September 27, 1924. "Si vous désirez avoir de l'argent, il faut immatriculer vos terrains; vous pourrez ainsi obtenir des avances de la Banque.

"M. Tamakloé—Vous venez de dire M. le Gouverneur de faire immatriculer nos terrains pour pouvoir obtenir de la Banque des avances. J'ai l'honneur de vous faire connaître que d'abord cet établissement ne consent pas de prêt sur un terrain immatriculé; d'autre part, plusieurs parmi nous ont le désir d'immatriculer leurs immeubles mais le tarif est trop élévé pour nos bourses.

"M. le Gouverneur. Je vous remercie des renseignements que vous me donnez. Je m'étonne que la Banque vous refuse des avances sur immatriculation. Je vous prie de m'écrire à ce sujet et pour me demander la réduction du taux du tarif d'immatriculation. Je vous promets toute l'aide que je peux vous donner. Je travaille pour l'avenir.

"Si la Banque refuse le prêt sur immatriculation, comme vous me l'exposiez tout à l'heure, nous pouvons très bien envisager la création du crédit agricole. Je vous mets cette question à l'étude.

"En ce qui concerne le taux des tarifs d'immatriculation, je vous promets de les diminuer. Je vais écrire au Ministre et dès que j'aurai la répose je vous donnerai satisfaction."

This passage (taken from page 31 of the original Minutes) should have been inserted on page 202 of the Report of 1924, following *"les clôtures."* and before *"M. Tamakloé"*.

THE BELGIAN CONGO

SECTION XIII

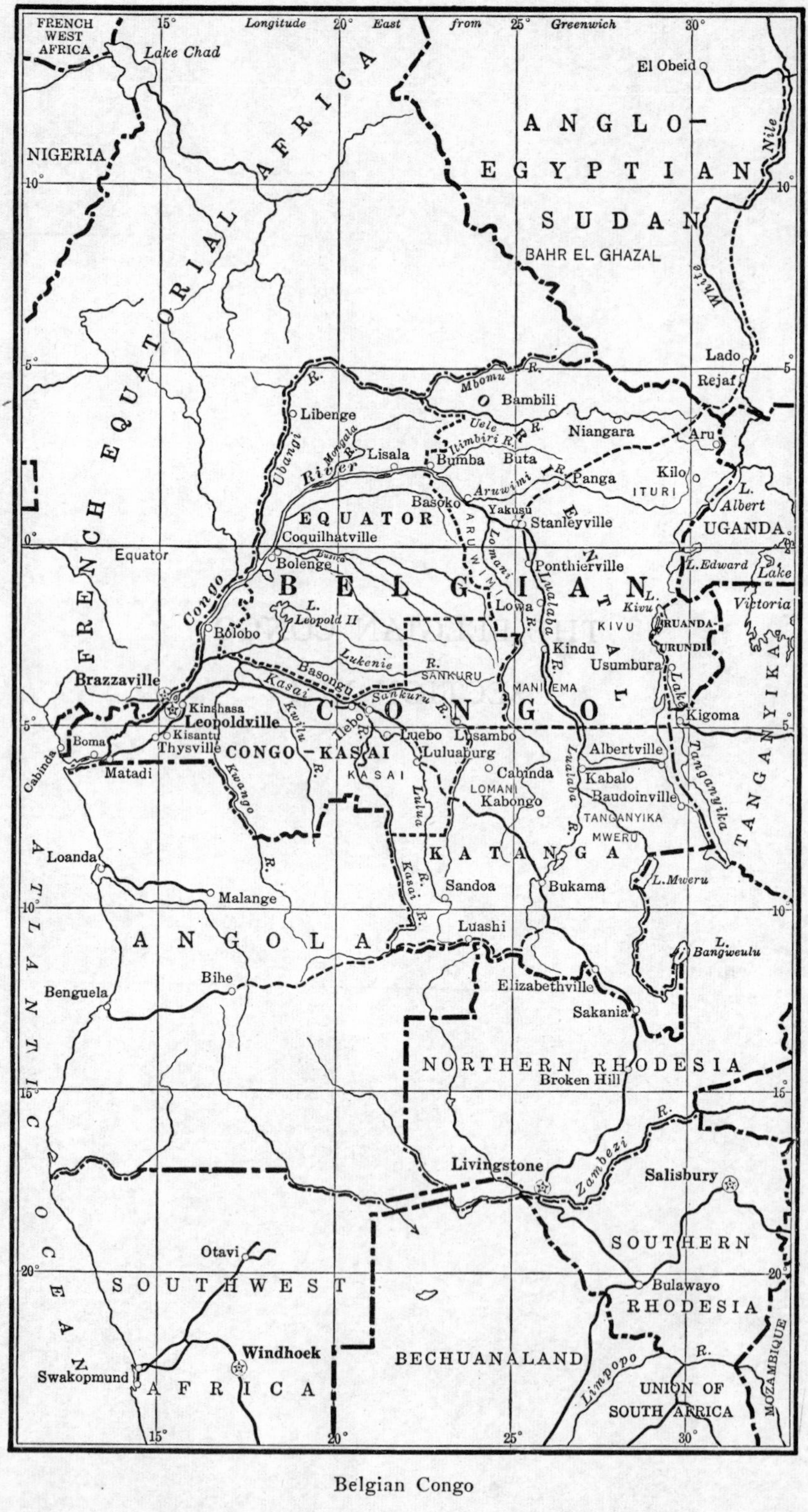

Belgian Congo

CHAPTER 82

THE CONGO FREE STATE

1. *The International Association of the Congo*

No territory in Africa is more shackled to its past than the Belgian Congo. A review of its history is therefore necessary before the present situation can be understood.

In 1876, King Leopold II of Belgium convened at Brussels a Conference of Geography for the purpose of discussing the occupation of the new territories in central Africa, which had been brought to the attention of the world during the preceding decade by the daring of such explorers as Schweinfurth, Livingstone, and Stanley. This Conference was attended by statesmen, scholars, and explorers representing seven different nations. In his opening address, the King declared that "to open to civilization the only part of our globe where it has not yet penetrated, to pierce the shadows which envelop entire populations, is, I am bold to say, a crusade worthy of this century of progress."[1]

According to the King, it was appropriate for this Conference to meet at Brussels because Belgium was a centrally located and neutral state. "If Belgium is small," he said, "she is happy and satisfied with her lot." The Conference drew up a declaration to the effect that the exploration of the unknown parts of Africa should be organized on an international plan, and that the continent should be divided up between the explorers of different nations, who should attack the interior from a number of stations established on the East and West coasts and in the interior for this purpose. To carry on these activities, the Conference set up an International Commission for the Exploration and Civilization of Central Africa, and provided for the establishment of committees in each country who should work with this Commission.[2] The Commission was to be composed of the presidents of the principal geographical societies represented at the Conference, together with two members chosen by each

[1] Discours, September 12, 1876, A. Lycops and A. Touchard, *Recueil Usuel de la Législation, État Indépendant du Congo* (hereafter cited as *Recueil Usuel*). Brussels (1902), Vol. I, p. 1.

[2] Such committees were formed in most of the leading countries of Europe, except in England. F. Masoin, *Histoire de l'État Indépendant du Congo*, Namur, 1912, Vol. I, p. 23.

national committee. An executive committee of the International Association was also appointed. King Leopold was made president of the Commission, a position which he accepted for the period of a year only, because "in view of the international character of the work, it is desirable that the presidency should not be indefinitely exercised by the same person."[3] The occupation of central Africa was carried out, therefore, not by traders, but by soldiers and explorers under the direction of the International African Association.

After attempting to gather from the national committees funds which he finally was obliged to advance himself, King Leopold convened a meeting of the International Commission in 1877. This meeting reelected him president, and adopted a flag having a blue field with a gold star, for the new state, which it planned to establish in central Africa.

At this time, Colonel Strauch, the Secretary of the International Association, said: "Our enterprise is not directed to the creation of a Belgian colony, but to the establishment of a powerful negro State." This was the only time that the Association ever held a meeting. In 1882, it took the name of the International Association of the Congo.

In August, 1879, Stanley entered the mouth of the Congo at the head of an expedition organized by the Belgian Committee of the Association, which sent out six expeditions in all.[4] After harrowing experiences, he finally reached the center of Africa and occupied the town which now takes his name, in 1883. In 1888, the King secretly organized the "Comité d'Études du Haut-Congo" to develop the Congo commercially with Belgian capital. During 1883-84, Stanley negotiated more than four hundred treaties, signed by two thousand native chiefs, recognizing the jurisdiction of the Association.

It proved more difficult to obtain the recognition of the European powers who either did not believe in the efforts of an International Association or who suspected Leopold's motives. On February 26, 1884, the British Government signed a treaty recognizing the historic claims of Portugal to the African coast between 8° and 5°12′ latitude south, subject to provisions guaranteeing freedom of navigation on the Congo and the limitation of customs duties not to exceed those imposed in Mozambique. Since both banks of the Congo were included between these parallels, the territory of the Association would have been excluded from the sea.[5]

[3] *Recueil Usuel,* Vol. I. p. 3.

[4] The German Committee sent an expedition which reached the Katanga in 1884; the French Committee sent two expeditions, that of Bloyet (1880), and that of de Brazza (1880). A. J. Wauters, *L'État Indépendant du Congo,* Brussels, 1898, p. 13.

[5] Treaty of February 26, 1884, *British and Foreign State Papers,* Vol. 75, p. 4.

Despite the provisions relative to freedom of navigation, the ratification of this treaty would, therefore, have brought, in the eyes of many Belgians, the dream of a Congo Free State to an end. Consequently, King Leopold turned to Germany and France for support. He purchased French sympathies by granting France the right of preference over the Congo in case the Association should not survive[6] and by surrendering his claim to the territory of Niari-Kwilu. Likewise, he persuaded Prince Bismarck to come to his support. Wishing to acquire an Empire, Germany did not relish the extension of British influence, nor of Portuguese tariffs, which were almost prohibitive. Consequently, Bismarck informed the Portuguese and British Governments that Germany favored the project of the establishment of the Free State. For the first time since 1870, Germany and France took a common ground.[7] The Chambers of Commerce of London and Manchester also protested against the treaty. Pressed from all sides, Lord Granville, the British Minister of Foreign Affairs, withdrew the treaty on June 26, 1884.

The United States threw the balance in favor of the Association by recognizing its existence as an independent state in April, 1884.

2. *The Conference of Berlin*

To secure general recognition of the new state of the Congo, and to define the general lines upon which central Africa should be occupied, Bismarck called an international conference at Berlin. During the Conference, the Powers signed separate declarations recognizing the flag of the International Association of the Congo, "as the flag of a friendly government."[8] The Conference as a body drew up a number of declarations, embodied in a General Act, the first of which guaranteed freedom of trade in the basin of the Congo. No import duties could be imposed on the entry of good except what were necessary as fair compensation for expenditure in the interests of trade. In Article 6, all of the Powers exercising sovereign rights or influence in these territories undertook to watch over the preservation of the native tribes and to care for the improvement of the conditions of their moral and material conditions of existence and to help in suppressing slavery and especially the slave

[6] Exchange of Notes of April 23-24, 1884; *Recueil Usuel,* Vol. I. p. 5; Treaty of February 5, 1885; *Ibid.*, p. 14.

[7] F. Masoin, *Histoire de l'État Indépendant du Congo*, p. 37.

[8] In the preamble to a declaration to the British Government the Association declared that by virtue of treaties, it was "invested with the administration of the interests" of the native states of the Congo. *Recueil Usuel,* Vol. I, p. 8. It undertook in another declaration not to levy any import or transit duties, and granted the right of sojourn to nationals of these states.

trade; and to protect and favor without distinction of creed or nation, all religious, scientific or charitable institutions and enterprises created or organized for these ends or "which aim at instructing the natives and bringing home to them the blessings of civilization." Christian missionaries, scientists and explorers with their followers, property, and collections were to be equally the object of especial protection.

Liberty of conscience and religious tolerance were expressly guaranteed to the natives, nationals and foreigners. "The free and public exercise of all forms of Divine worship, the right to build edifices for religious purposes and to organize religious missions belonging to all creeds shall not be limited or fettered in any way whatsoever."[9]

The Declaration also provided (Article VIII) that in those parts of the territory where no power exercised the rights of sovereignty or protectorate, the International Commission for the Navigation of the Congo would be charged with the application of these principles. In cases of difference arising relative to the application of these principles, the governments concerned might appeal to the good offices of this Commission which, it seems, was thus a kind of forerunner of the present Mandates Commission.

In a second declaration, the governments declared that their territory within the conventional zone would not serve either as a market or as a means of transit for the trade in slaves of whatever race they might be.[10] They agreed to employ every means at their disposal to put an end to the traffic and to punish those who engaged in it.

In a third declaration, relating to neutrality, the parties promised to respect the neutrality of the territories as long as the Powers who exercised the rights of sovereignty or of protectorate over these territories, using the option of proclaiming themselves neutral, fulfilled the duties which neutrality required. In case one of these territories became implicated in a war, the parties agreed to exercise their good offices in order that the territories of such power in the Congo basin, with the consent of the other belligerent, should be placed under a régime of neutrality during the War. Under this provision, King Leopold proclaimed the Congo perpetually neutral.[11] Germany did not respect this neutrality during the World War. But in view of the wording of this declaration and the fact that the Congo became Belgian territory in 1908, it is difficult to de-

[9] The General Act of Berlin was amended and revised in 1919. Cf. Vol. II, p. 889. The text of the Act and the 1919 Convention is given in the Appendix, cf. Vol. II, p. 889.

[10] The slave trade in the Congo is discussed in P. D. Rinchon, "Notes sur le Marché des esclaves au Congo du XVe au XIXe Siècle;" *Congo, Revue Générale de la Colonie belge.* (Hereafter cited as *Congo.*) October, 1925, p. 388.

[11] August 1, 1885; *Recueil Usuel,* Vol. I, p. 52.

termine what Germany's actual obligations under this part of the Act of Berlin were.

A fourth declaration provided for the freedom of navigation on the Congo and its branches, and placed the execution of these provisions recognized as becoming henceforth a part of international law in the hands of an International Commission, composed of a delegate of each signatory power. This Commisssion was, however, never established.[12]

A final declaration stated that a Power henceforth taking possession of land on the coasts of the African continent outside of its present possessions should notify the other signatory powers, "in order to enable them, if need be, to make good any claims of their own." The Powers also recognized the obligation to insure the establishment of authority sufficient to protect existing rights and freedom of trade and transit.

Following the Conference of Berlin, the African Association took the name of the *État Indépendant du Congo* or the Congo Free State. Its status as a state in the family of nations had now been recognized—a state which owed its existence and its direction almost entirely to a single man, Leopold II, King of the Belgians. In April, 1885, the King asked the consent of the Belgian Parliament to become the head of this new state. His request was almost unanimously granted. In a notification to the Powers of August 1, 1885, Leopold proclaimed the establishment of the State and his advent to the throne. Henceforth a personal union existed between Belgium and the Free State.[13]

The King now proceeded to organize an administration in Belgium composed of departments of the Interior, Foreign Affairs, and Finance,[14] each headed by an Administrator-General. Aided by these secretaries, the King had complete legislative and executive authority, subject to no parliamentary control. He was represented in the Congo by a Governor-General who divided the territory into a number of districts, each headed by an administrative official who in most cases was a military officer. In 1891, there were about two hundred and ninety officials in the Free State [15]—a number which increased to six hundred and eighty-four in 1897, and to 1424 in 1904.[16] At the latter date, about nine hundred of this number were Belgians. The second largest representation in the government service consisted of one hundred and ninety-seven Italians, followed by eighty-nine Swiss, eighty-six Swedes, thirty-four Danes, and

[12] Another declaration (Chapter V) also provided for freedom of navigation on the Niger.

[13] Cf. the Notification of August 1, 1885, *Recueil Usuel,* Vol. I, p. 52.

[14] Cf. "Rapport des Administrateurs Généraux au Roi-Souverain," July 16, 1891, *Ibid.*, p. 586.

[15] *Ibid.*, p. 594.

[16] *Ibid.*, Vol. III, p. 257.

thirty-one Germans. Among the smaller national representations were nineteen Finns, nine Hollanders, two Americans, two Turks, two Portuguese, one Greek, one Spaniard, and one Cuban.

In 1885, there were two hundred and fifty-four foreigners in the colony of whom forty-six were Belgians. In 1908, the white population was three thousand, of whom only seventeen hundred were Belgians.[17]

3. *The Arab Wars and the Nile Expedition*

The difficulties confronting this administration were tremendous. One of the most pressing problems was the suppression of the Arab slave traders, who, entering East Africa from Zanzibar, in 1870, established themselves along the Lualaba, where they enslaved the local population and sent out caravans to the coast. In 1885, Stanley placed an Arab leader, the famous Tippo-Tip, in charge of the post at Stanley Falls. This appointment did not, however, purchase Arab favor nor abolish the slave traffic. For the following eight years, Belgian expeditions uprooted Arab sultanates which had established themselves in the Uele, the Lomami and the Manyema. In the latter area, the Free State had a severe struggle with the slavers, who were finally quelled in 1894.

Not satisfied with occupying the territory defined at the Conference of Berlin, Leopold II ambitiously attempted to extend his territory. In the neutrality proclamation, he defined the boundaries of the Free State to include the southern basin of the Kasai and the Katanga, which, in the treaty with Germany, had been excluded from the limits of the State. He unsuccessfully attempted to lease a strip of territory from Germany across Tanganyika, and to annex the eastern basin of the Kwango belonging to Portugal.[18] He even attempted to occupy Lake Nyasa by an expedition from Katanga. Defeated here, he turned to the Nile. Following the temporary evacuation of the Sudan by the British after Khartoum, Leopold organized and armed "a horde of savages"[19] to occupy it, in 1891. This expedition finally reached Bahr-el-Gazal, many miles north of the present frontier. A Belgian historian says: "For three years, the State devoted the greater part of its resources to these vast projects."[20] In 1884, the Free State finally occupied the former province of Emin Pasha, in violation of a former agreement with France, who had her eyes on Fashoda, restricting the Free State's frontier at the 4th parallel north. While England herself claimed title to this territory, she agreed, in order to interpose a buffer state between the French and the Nile, to lease the

[17] E. Masoin, *cited*, Vol. I, p. 51.
[18] A. J. Wauters, *Histoire Politique du Congo Belge*, Brussels, 1911, p. 103.
[19] *Ibid.*, p. 107. [20] *Ibid.*, p. 114.

basin of the Bahr-El-Gazal to the Free State.[21] This treaty created a furor in Paris, and the French Government obliged the Free State, in a convention of August 14, 1894,[22] to renounce all occupation of the Bahr-el-Gazal district except for a small territory called the Lado enclave. The enclave eventually reverted to the British. This history is important from the administrative standpoint, since the deficit of the Free State, which led to the adoption of the "rubber" policy and the policy of loans, was caused in large part by these expansionist ambitions.[23]

4. *The Congo Railways*

Since the Free State was not a colony, it could not draw upon the home government for credit to pay the expenses of these expeditions or of ordinary development. Its hands were even tied in regard to raising internal revenue, because of the Act of Berlin which prohibited the Free State from charging import duties. It escaped from the effect of these restrictions to a certain extent by imposing export duties, especially upon ivory and rubber.

The most immediate necessity for the opening of the territory, and one that required large capital, was the construction of a railway which would unite the sea at Matadi with the navigable part of the Congo at Stanley-Pool. To accomplish this task, the State made a contract with the *Compagnie du Congo pour le Commerce et l'Industrie,* which had been organized by Colonel Thys in 1886 to aid in developing the Free State territories. The Company agreed to survey a project connecting the Lower Congo with Stanley-Pool, in return for one hundred thousand hectares of land. The Company was also granted the right to construct and operate the line for a period of ninety-nine years in return for which the State would grant it fifteen hundred hectares of land for every kilometer of railway constructed, which it could choose where it wished throughout the Congo. It was also granted a twenty per cent reduction in export duties collected on products exported from its lands. In return for these privileges, the Company promised to pay forty per cent of its surplus to the

[21] Article II, Convention of May 12, 1894; Hertslet *cited,* Vol. III, p. 1008. In this treaty the Free State also leased a strip of territory twenty-five kilometers in length connecting Lake Tanganyika and Lake Albert Edward. But this lease was cancelled in the following June. Hertslet, *cited,* p. 1017.

[22] *Ibid.,* p. 1021.

[23] Cf. the following passage: "C'est incontestablement de la guerre arabe, suivie des expéditions vers le Nil, que date la transformation de l'État Indépendant, libéral et humanitaire, en une colonie d'ancien régime, tirant du travail forcé des indigènes la majeure partie de ses ressources." Emile Vandervelde, *La Belgique et le Congo,* Paris, 1911, p. 29.

State, after deducting five per cent for legal reserve, and six per cent for interest on sums invested.[24]

For the purpose of constructing the Lower Congo Railway, the *Compagnie du Congo pour le Commerce et l'Industrie* organized a subsidiary, called the *Compagnie du Chemin de Fer du Congo.* As this railway was apparently the first railway to be built in central Africa, and as the country over which the railway passed was very mountainous, great difficulties were encountered, especially in regard to labor. The local population was too limited and too reticent to provide an adequate labor supply. Consequently, the Company was obliged to send recruiting agents into the neighboring colonies, who gathered together natives from Sierra Leone, Gambia, Senegal, Liberia, and Nigeria, who were transported to the Congo on two special steamers. The Company also imported five hundred and thirty Chinese coolies, most of whom died either at work or in an attempt to get home, and other laborers from the Barbados, and from Piedmont. Of the seven thousand laborers employed during the first two years, two thousand remained at work at the end of this period; fifteen hundred had been sent home; and the others had either died or deserted.[25] After eleven years the railway was completed in 1898, as a result of which the terrible burden of porterage which had hitherto been imposed on the Lower Congo native was to a large extent removed.

To reward the Company for these efforts, the State, after difficult negotiations, made a convention with the *Compagnie du Chemin de Fer du Congo* in December, 1904, carrying out the promises of the original concession agreement and granting the Company 1,041,373 hectares in the basin of the Busira, called the Bus-Block.[26] In order to exploit these lands, the Thys group organized another subsidiary, the *Société Anonyme pour le Commerce du Haut-Congo,* commonly called the *S. A. B.*

In agreements between the mother company, the *Compagnie du Chemin de Fer du Congo,* and the *"S. A. B.,"* it was decided that the Bus-Block district should be administered and exploited by the *"S. A. B."* until 1932. The property is actually owned, however, one-half by the *Compagnie du Chemin de Fer du Congo,* one-fourth by the *S. A. B.,* and one-fourth by the *Compagnie du Congo pour le Commerce et l'Industrie.*[27] The property

[24] Convention of March 26, 1887, *Recueil Usuel,* Vol. I, p. 152.

[25] Masoin, *cited,* Vol. I, p. 366.

[26] Convention of December 13, 1904; Dr. P. H. Waltz, *Das Konzessionswesen im Belgischen Kongo,* Jena, 1917, Vol. II, p. 121.

[27] Waltz, *cited,* Vol. I, p. 170. In 1893, the State made a convention with the *Société des Chemins de Fer Vicinaux du Mayumbe* to construct a railway in this area in return for one thousand hectares for each kilometer constructed, and certain other rights. The State later subscribed to six thousand shares in this Company. For the text, see Waltz, *cited,* Vol. II, p. 922.

thus granted, similar to the land grants made to railway companies by the United States, was "full property." These interests still hold the Bus-Block district to-day.

While the Congo River is navigable between Stanley-Pool and Stanley Falls, the Upper Congo and Lualaba are broken by rapids. In order to establish a continuous system of communications from the mouth of the Congo to the headwaters of the Lualaba, the Free State undertook to build a number of railway lines connecting the Congo River with Lake Albert and with Lake Tanganyika. But in an agreement of 1902 with the *Compagnie du Chemin de Fer du Congo Supérieur aux Grands Lacs Africains,* the State turned over the roads to the company, which undertook to operate them for a period of ninety-nine years, to furnish the rolling stock, and to reimburse the State for the cost of construction. In return for operating the railway, the State set aside in the vicinity of the railway four million hectares of land which it agreed to exploit and half the profits from which it agreed to turn over to the Company. Moreover, it granted to the Company all the mining rights in the area, and it guaranteed it a minimum of four per cent interest on its investment in connection with the operation of the railway. The State had the right to appoint three directors on the Council of Administration.[28]

In 1901, the State signed agreements which led to the construction of a railway in the Katanga; while in 1906 it signed an agreement with another company in regard to the construction of a railway from the Katanga to the Lower Congo via the Kasai, commonly known as the *B. C. K.*[29] All of these railways with the exception of the *B. C. K.* which should be completed in 1928, have been constructed and are now in operation.

5. *The Katanga*

Meanwhile, King Leopold feared that Cecil Rhodes and other Englishmen were planning to occupy the Katanga—the district which adjoins what is now Northern Rhodesia, and which possesses great mineral resources. In order to bring about the effective occupation of this territory, King Leopold chartered the *Compagnie du Katanga* in 1891, which was financed by the *Société Générale* of Belgium and other financial corporations. This Company sent several expeditions into the country, which negotiated a number of treaties with chiefs recognizing Company rule. In recognition for these services, the State gave the Company one-third of all the public

[28] Convention of January 4, 1902, Waltz, *cited,* Vol. II, p. 1017.

[29] Cf. Waltz, *cited,* Vol. II, pp. 960-981; 1064-1131. The Katanga Railway is owned by the *Compagnie du Chemin de Fer du Katanga;* while the "*B.C.K.*" is being constructed by the *Compagnie du Chemin de Fer du Bas-Congo au Katanga.*

lands in the territory concerned, and granted it the right to exploit the mining rights for ninety-nine years.[30] It proved impossible, however, to divide up the land so as to give the Company one-third and the State two-thirds. Consequently, the State and the Company agreed to place the lands "in division," under the control of a special body called the *Comité Spécial,* established in 1900 and composed of four nominees of the State and two of the Company. One-third of the profits of this *Comité* went to the *Compagnie du Katanga* and two-thirds to the State.[31] The State placed the entire administration of the Katanga in the hands of the *Comité,* except the administration of justice, posts, and taxes.[32] There it remained until after the annexation of the Congo by Belgium in 1908.[33]

In the same year, the *Comité Spécial du Katanga* conceded a prospecting monopoly in this area to *The Tanganyika Concessions, Ltd.,* an English group, represented by Robert Williams, who furnished the technical knowledge which Belgians at that time lacked.[34] In order to exploit the mines discovered by *The Tanganyika Concessions,* the Free State enacted a decree in 1905 creating a company called the *Union Minière de Haut-Katanga.*[35] A hundred thousand shares of capital were subscribed, half by the *Société Générale de Belgique* and half by the *Tanganyika Concessions.* In addition the *Union Minière* turned over a hundred thousand dividend shares, of no stated value, to the *Comité Spécial* to be divided between it and the *Tanganyika Concessions.* Thus through its holdings in the *Comité Spécial* the State secured a share in the profits of the Katanga mines. The *Union Minière* has become probably the most important industrial company in the Congo.

In 1896, the *Compagnie du Katanga* retroceded to the Free State land previously granted in 1891, situated north of the fifth parallel south, in exchange for "lands of an equivalent area" chosen by the Company, among the vacant lands along the two banks of the Lomani river. On the right bank, these lands could not extend more than fifteen kilometers from the bank. The property thus ceded became definitely the property of the *Compagnie du Katanga.*[36] In order to exploit these lands the *Compagnie du Katanga* established a subsidiary called the *Compagnie du Lomani.*

In 1920, the *Compagnie du Katanga* made a new contract with this Company granting it the right to take the natural products of the soil in this territory, in return for a fee of one hundred francs per ton of ivory,

[30] Convention of March 12, 1891, *Récueil Usuel,* Vol. VI, p. 403.
[31] Convention of June 19, 1900, between the Free State and the *Compagnie du Katanga, ibid.,* p. 410.
[32] Decree of December 6, 1900, *ibid.,* Vol. III, p. 629.
[33] Cf. Vol. II, p. 462. [34] *Recueil Usuel,* Vol. VI, p. 411.
[35] Decree of October 28, 1905; *ibid.,* p. 414.
[36] Convention of May 9, 1896, *ibid.,* Vol. VI, p. 405.

twenty-five francs per ton of rubber, and five francs per ton of kopal, palm oil, and palm nuts. The *Compagnie du Lomani* has the exclusive right of prospecting in the territory on condition that it give to the *Compagnie du Katanga* half of the profits arising out of the discovery of the mines.[37]

So far, the Company has not delimited its lands but apparently it is entitled to three hundred thousand square hectares if they can be found.

6. *Financial Difficulties*

The financial burden of carrying on the administration of the territory and of military expeditions in the Upper Nile proved a heavy drain upon King Leopold's pocket-book. Between 1885 and 1890, it was believed that the State cost him twenty million francs. In 1890, expenditures were 4,500,000 francs and receipts were only 1,200,000 francs.[38]

In order to get out of these financial difficulties, the King induced the Powers at the Slavery Conference in Brussels to amend the Act of Berlin so as to allow the imposition of duties of ten per cent.[39] Likewise, he manœuvred to secure financial assistance from the Belgian Parliament. His first step was to make a will, in 1889, leaving the Congo to Belgium at his death.[40] The preamble of this will stated that he wished "to insure to Our beloved '*patrie*' the fruits of the work which, for many years, We have pursued in the African continent, with the generous and devoted aid of many Belgians. . . ." In an accompanying letter, the King declared: "History teaches that countries with restricted territory have a moral and material interest in expanding beyond their limited frontiers. . . . More than any other, a manufacturing and commercial nation such as our own should attempt to secure an outlet for our workers, whether they work with their brains, their capital, or their hands. . . ." The King concluded by saying that "if it might be desirable for the country to contract more narrow ties with my possessions in the Congo without awaiting my death, I will not hesitate to place them at Belgium's disposition." The Congo was not, therefore, to remain an international enterprise, but was to become a Belgian colony even before the King's demise.[41]

[37] Cf. *Le Recueil Financier,* 1926, Brussels, Vol. I, p. 1231.
[38] *Recueil Usuel,* Vol. I, p. 597.
[39] Article XIV of the Act of Berlin provided that the Powers after a lapse of five years could by common agreement revise this provision in regard to tariffs. In the Brussels Act of 1890 (Hertslet, *cited,* p. 20), the Powers agreed, in order to obtain new resources to combat the slave trade, that duties of ten per cent might be levied on imported goods.

The Act of 1919 removed these limitations altogether and simply provided that duties should not be discriminatory.
[40] *Ibid.,* Vol. I, p. 362.
[41] The question was now discussed of what effect this transfer of sovereignty would have upon the treaty obligations of the Free State. It seems that the French

Having thus bequeathed an empire to the country, the King proposed that Belgium assume part of the present financial burden. Consequently, he asked Parliament to authorize a loan to the Free State of the sum of twenty-five million francs without interest for a term of ten years. At the expiration of this term, Belgium could, if it wished, annex the Free State, including its obligations, in which case the King would expressly refuse all indemnities for the sacrifices which he had made. In case Belgium decided not to annex the territory, the Free State would have another ten years in which to repay the loan, subject to an annual interest of three and a half per cent. Moreover, the Free State promised to contract no new loan without the assent of the Belgian Government after the convention went into effect, and to furnish the Belgian Government such information as it deemed desirable on the economic and financial situation, particularly in regard to the budget—provisions which gave the Belgian Government some control over the Free State financial policy. A convention embodying these terms was approved by parliament.[42]

7. *The Rubber Monopoly*

Meanwhile, the Congo Government hit upon a new source of revenue. The Congo was rich in two wild products, rubber and ivory, which traders had freely purchased from natives in the past. The rubber was tapped from trees and vines and the ivory was extracted from slain elephants.

In 1885, the Free State Administration had enacted an ordinance providing that no one could occupy vacant lands, which should be considered as belonging to the State;[43] nor dispossess natives of lands which they occupied. In the following year, it enacted a decree which provided that contracts made with natives for the acquisition of land would be recognized by the State, if registered with the government, and that vacant lands could be alienated by the government in accordance with the law.[44]

The State did not, however, attempt to define what it meant by vacant land. Between 1885 and 1891, it followed a liberal policy in which it appears to have respected the native interests, and to have encouraged the

Government first raised this question in regard to its right of preference over the Congo, which Leopold had recognized in 1884 (cf. Vol. II, p. 417). In an arrangement of February 5, 1895, the Belgian Government recognized that France had the right of preference on the Congo in case of alienation, or in case of any exchange of territory with a foreign power. The Belgian Government promised not to cede, *à titre gratuit,* any part of the Congo. *Recueil Usuel,* Vol. II, p. 375. This agreement would presumably stand in the way of a cession of part of the Congo to the United States in payment of Belgium's war debt—a proposal more frequently discussed in Belgium than in the United States.

[42] Convention of July 3, 1890, *ibid.,* Vol. I, p. 456.

[43] Ordinance of July 1, 1885; *ibid.,* p. 51.

[44] Decree of September 17, 1886, *ibid.,* p. 128.

entrance of vacant land and the purchase of rubber by European traders.[45] The exploitation of rubber, copal, and other vegetable products in certain parts of the Congo could take place subject to the authorization of the Administrator-General of the Department of Finance.[46]

In their report to the King for 1891, the administrators of the colony declared that "the current year will not be favorable to the economic progress of the State. For the last year, difficulties have been inevitable in financial matters as a result of the varied demands of commerce as well as circumstances of an external order strongly contrary to the wishes of the State. . . ." [47]

An official, Captain Coquilhat, now suggested that the King, to increase revenue, should make the collection and sale of rubber and ivory a state monopoly. Acting upon this suggestion the State secretly issued a decree radically changing the past policy of allowing private traders to purchase rubber and ivory. It declared that "by reason of the considerable expenses of the first establishment in these territories," the district commissioners of Aruwimi-Uelé and the Ubangi "should take urgent and necessary measures to conserve for the disposal of the State domainial fruits, notably ivory and rubber." [48] While in theory the natives retained the products on native, in contrast to vacant land, the State now adopted an interpretation which reduced native land to that land under effective native occupation and cultivation, and which, therefore, "granted to the State a right of absolute and exclusive property over nearly the whole of the land [of the Congo] with the result that it could grant, to itself alone, all the products of the soil, and could punish as a thief any person who gathered any fruit whatever, or, as a receiver of stolen goods, anyone who purchased it, while it could prohibit anyone from establishing himself on the greater part of the territory; it thus confined the activity of the natives to very restricted areas. . . . Applied abusively, it would prohibit all evolution of native life." [49] In order to reduce the rights of the natives over the wild products collected in native land, it enacted a decree which declared that an inquiry would be made to determine the rights of the natives in regard to rubber and other forest products in the Upper Congo *before* 1885.[50]

[45] Cf. F. Cattier, *Étude sur la Situation de l'État Indépendent du Congo,* second edition, Brussels, 1906, p. 22.

[46] Decree of October 17, 1889, *Recueil Usuel,* Vol. I, p. 367.

[47] *Ibid.,* p. 597. The last phrase apparently refers to the expansionist efforts of the King. Cf. Vol. II, p. 420.

[48] The decree of September 21, 1891, was not published in the *Bulletin Officiel* of the Free State. Its text was first published in *Le Mouvement Géographique* of August 14, 1892; cf. also Lycops et Touchard, *ibid.,* p. 606.

[49] *Rapport de la Commission d'Enquête,* October 31, *ibid.,* Vol. V, p. 501.

[50] Decree of December 5, 1892, *ibid.,* Vol. II, p. 106.

The next day, an *arrêté* was issued which virtually forbade natives from selling produce to anyone but the State.

As a result of these and other measures, Belgian traders in the Congo found themselves being ruined by a state monopoly. Consequently, they protested vigorously.[51] These protests were echoed by a distinguished group of Belgian publicists and scholars such as MM. Wauters, Lambermont, and Banning on the ground that the Act of Berlin had been violated. M. Camille Janssen, Governor-General of the Free State, preferred to resign rather than to sign the new regulations. So strong were the protests that the Free State Administration finally agreed to a compromise; and the State now agreed [52] to allow individuals to gather rubber in public lands except in a certain zone which included the basins of the Mongalla, Itimbiri, Aruwimi, and Busira Rivers, which was reserved to the State. The right to purchase rubber in these areas would come to an end if Belgium annexed the Congo in accordance with the 1890 agreement, i.e., in 1900.[53]

8. *The Anversoise and Abir Concessions*

In order to exploit part of the zone which the State reserved for itself, the State granted two concessions to private interests. The first was granted to a banker who had made advances to the King, for a period of fifty years, subject to renewal, and covering the public forests in the basin of the Mongalla, with the exclusive right to exploit rubber, copal, and other products, under the control of and assisted by the district commissioner. The concessionaire was obliged to pay a special tax to the government of three hundred francs per thousand kilograms of rubber and one hundred and fifty francs for the same quantity of copal. Ivory was subject to a five per cent ad valorem tax.[54] In addition, the concessionaire paid the State an initial sum of 850,000 francs. Later agreements extended these rights, which were exercised by a society called the *Société Anversoise du Commerce au Congo*.

The second concession was granted to the Anglo-Belgian India Rubber and Exploration Company, commonly known as the "Abir" Company, for a term eventually extended to sixty years, granting similar exclusive rights for thirty years in the basin of the Lopori and the Maringa.[55]

A third concern which came to acquire what virtually amounted to a

[51] These protests are printed in *Le Mouvement Géographique*, 1892, *passim*, edited by A. J. Wauters.

[52] Decree of October 30, 1892, *Recueil Usuel*, Vol. I, p. 103.

[53] Cf. Vol. II, p. 425.

[54] Apparently the text of the Convention of July 19, 1892, was first published in Dr. Waltz, *cited*, Vol. II, p. 351.

[55] Convention of September 27, 1892, *ibid.*, p. 372.

monopoly of the rubber in a large area was the *Compagnie du Kasai.* Before 1901 thirteen different trading companies, having forty-one factories and one hundred and seventy-six agents, were established in the Kasai basin.[56] At that time parliament began the discussion of a law providing for the annexation of the Congo. Calling attention to the provision in the 1891 decree that the areas open to private traders would be closed in case the Congo actually was annexed, Leopold II induced these thirteen companies to amalgamate into the *Compagnie du Kasai,* half of the capital of which was divided between them, and half was held by the King.[57] While the Free State did not grant the new Company the exclusive right to gather rubber in the Kasai basin, it did agree to abstain from purchasing rubber in this area for the term of the concession, or thirty years. On account of competition between the original thirteen companies, the natives were paid reasonably well for rubber, before the formation of the *Compagnie du Kasai.* But as soon as the Company was established, instructions were issued to reduce the price.[58]

9. *The Labor Tax*

Having reserved the choicest part of the Congo as a monopoly for the State, the administration now proceeded to gather and export rubber and ivory. The first step was to oblige natives gathering rubber above Stanley-Pool to pay the State as a tax a quantity of rubber not to exceed one-fifth of the quantity collected.[59] In addition, the State[60] obliged the natives to perform certain "prestations" for the benefit of the State or of private employers. The amount of labor and of rubber required from each native was not fixed. Each official or trader determined the amount of rubber which he wished the natives to bring in. District commissioners thus set the amount at nine kilograms per native in Mongalla, six kilograms in the *Abir,* and from two to four kilograms in the different regions of the Eastern Province.[61] The Free State Tribunal of Appeals had in the course of judgments expressed the opinion that the exaction of this type of "prestation" was illegal. In order to legalize these requisitions, the Free State enacted a decree in 1903, which obliged natives to work for the State for a period not to exceed forty hours a month, in return for which they would be paid at the market wage.[62] This was therefore a labor tax

[56] Wauters, *Histoire Politique du Congo Belge,* Brussels, 1911, p. 213.
[57] Convention of December 31, 1901, *Recueil Usuel,* Vol. VI, p. 449.
[58] E. Vandervelde, *cited,* p. 88.
[59] Article 7, Decree of October 30, 1892; *Recueil Usuel,* Vol. II, p. 104.
[60] Article 4, Decree of October 6, 1891, *ibid.,* Vol. I, p. 608.
[61] *Rapport de la Commission d'Enquête, ibid.,* Vol. V, p. 504.
[62] Article 2, Decree of November 18, 1903. There were certain exemptions. *Ibid.,* Vol. IV, p. 853.

imposed upon the natives who were supposedly paid for their services. In 1904, the Commission of Inquiry declared that under this system the natives were frequently underpaid, and that in other cases, they were paid in merchandise having little value in the region.[63] Many European agents exacted as much rubber as possible because they received premiums for the amount which they collected. The government administered this decree, not with a view to obtaining forty hours' labor a month, but to securing a maximum quantity of rubber. That is, it estimated the amount of rubber a native should collect in one hour and multiplied it by forty, thus obtaining the sum to be exacted from each.

In practice, the natives were subject to a large number of obligations in addition to the forty-hour labor tax. They were obliged to furnish administrative officials with foodstuffs and to provide labor for various purposes. Thus the Cheffery of Bumba, composed of one hundred huts, was obliged to furnish every month five sheep or pigs, or fifty chickens, sixty kilos of rubber, one hundred and twenty-five loads of manioc, fifteen kilos of maize or peanuts, and fifteen kilos of sweet potatoes. Moreover, one man out of every ten was obliged to serve as a laborer at the government post, and one man from the Cheffery was obliged annually to go to the *Force Publique*—the military organization. In addition, the whole population of the Cheffery was obliged to work one day out of every four on public works.

Commercial agents as well as government officials could exact the labor tax requirement of forty hours from the natives.[64] By this means, the private concession companies in the Congo benefited directly from the tax, and they exacted these requisitions subject to little government control. Throughout the entire Abir concession, there was only one government official and his principal duty was "to suppress revolts of the natives against the agents of the Company." [65] Despite the forty hours per month limitation, these companies, according to the Commission of Inquiry, "demanded from each native a maximum which was never attained." As the higher employers and directors of the companies received from the rubber greater premiums than their subalterns, they had no incentive to exercise any control. It appears that the exactions imposed on the native were even greater in the areas open to free commerce than in the State domain.[66]

[63] *Rapport, cited,* p. 505.
[64] Article 6, Decree of November 18, 1903.
[65] *Rapport, cited,* p. 525. The companies benefiting from this régime were not only the Abir and Anversoise Companies, but also the Isangi Company, which was later leased by the Abir, and the *Comptoir Commercial Congolais.* In addition, there were the *Compagnie du Lomani,* the *"S. A. B.,"* and the *Comité Spécial du Katanga,* which held "full property" concessions,
[66] *Rapport, cited,* p. 525.

As far as the native was concerned, the system meant almost continuous servitude. The Commission of 1904 described his efforts to fulfil the forty hour a month tax as follows: "In fact, in the majority of cases, he [the native] is obliged every two weeks to go one or two days' journey and more, sometimes, to reach the place in the forest where he may find rubber trees in sufficient abundance. Here for a time the collector leads a miserable existence. He is obliged to construct an improvised shelter which obviously can not replace his hut; he does not have the food to which he is accustomed; he is deprived of his wife, exposed to an intemperate climate, and to the attacks of wild beasts. He is obliged to carry his produce to the post of the State or the Company; and it is only after this that he can return to his village, where he remains scarcely more than two or three days, when a new task is placed upon him. As a result . . . the greater part of his time is absorbed in the gathering of rubber.

"It is scarcely necessary to remark that this situation constitutes a flagrant violation of the law of 'forty hours.'"[67]

When the villages did not produce the assigned amount of rubber, agents proceeded to arrest the chiefs, or to retain the inhabitants, including women, as hostages, despite the fact that this was illegal. The length of this confinement was left entirely to each agent, and under conditions which it is not necessary here to describe. *Chefs de poste* also applied the *chicotte* or lash to natives who did not furnish their quota of produce. Atrocities arising out of these and other practices were especially numerous, it appears, on the Abir concession.[68] In many cases, "administrative fines" were imposed upon villages which did not produce the rubber demanded.

Under this system, armed native "sentinels" were stationed to see that the natives gathered their quota of rubber. These were of two kinds. Some belonged to the personnel of the government station and were usually strangers to the region. They made tours from village to village. Other natives, usually called "capitas," were chosen by the European officials to guard a village in which they were already resident. These "capitas" soon came to set themselves up as the representative of the State as against the chief. According to witnesses appearing before the Belgian Commission of Inquiry, "these auxiliaries, especially those who are detached in the villages, abuse the authority conferred upon them, establish themselves as despots, claiming women and food, not only for themselves, but for their parasitic followers who, loving only rapine, surround them as a virtual body guard; they kill without pity all those who attempt to

[67] *Rapport, cited,* p. 513. [68] *Ibid.,* p. 515.

resist their exactions and caprices." It appears that most of the atrocities, such as the cutting off of native hands, were committed by these black sentinels. One sentinel was accused of having committed one hundred and twenty murders in his village. During the first seven months of 1905, natives retaliated by killing or wounding one hundred and forty-two sentinels of the Abir Company.

Despite instructions to the contrary, many companies, through armed blacks, made expeditions against villages, unaccompanied by whites. According to the Commission of Inquiry, in the course of such expeditions, "men, women, and children were killed, even at the time they took flight; others were taken prisoners while the women were held as hostages." In the course of these expeditions, mutilations occurred, and according to many witnesses, dozens of hands were cut off.[69]

10. *The Domain of the Crown*

The original purpose of King Leopold in establishing this régime obliging the natives to gather rubber for the State was to secure revenue with which to pay its expenses.[70] But the King was not content with keeping these revenues for the benefit of the local territory. He wished to expend some of this wealth in Europe. Consequently, in a secret decree [71] he set aside all the vacant lands in the basin of Lake Leopold and the Lukenia River—an area ten times the size of Belgium—as the property of the Crown, i.e., the personal property of the King instead of the Free State.

In 1901 the area of this "Domain" was enlarged. At the same time the King appointed three persons to administer the revenue derived from this territory. The net revenues were to be devoted to the following objects:

(1) an annual payment to the queen, widow of a sovereign, of 150,000 francs;

(2) an annual payment of 120,000 francs at his majority to the heir presumptive of the King.

(3) an annual payment of 75,000 francs to each of the other princes, and, until their marriage, to each of the princesses;

(4) an annual sum of 600,000 francs for the maintenance and development of public works at Laeken and other parts of Belgium;

(5) an annual sum of 150,000 francs to the establishment and improvement of roads and buildings at Ardennes.

[69] *Rapport, cited,* pp. 522, 523.

[70] Cf. Decree of December 5, 1892 (*Recueil Usuel,* Vol. II, p. 106), which declares that the net revenue from public lands should go to meet public expenses.

[71] Decree of March 9, 1896, published in 1906. *Ibid.,* Vol. VI, p. 524.

The remainder of the net revenue would be devoted to public purposes in the Congo and Belgium, and especially for the development of colonial and maritime enterprises, public hygiene and public education. In cases where the revenues exceeded these requirements, the surplus could be remitted to the Sovereign, other than the present Sovereign, "in order to be employed by him for ends of national utility." [72]

After paying the annuities stipulated in the decree, the King utilized these sums derived from the *Domaine de la Couronne* to give to Belgium one of the most magnificent systems of public works in Europe. In the two arrondissements of Brussels and of Ostend, the King purchased one hundred and fifteen imposing properties,[73] which, together with other properties in Belgium and in France, were estimated in 1908 to have a value of thirty million francs.[74]

It is believed that these funds were also used to enlarge the royal palace at Laeken at a cost of some thirty million francs, to construct the *Cinquantenaire* monument at Brussels, which cost more than five millions, to establish an *École Mondiale* at Tervueren at an estimated cost of thirty millions, and to build a hippodrome at Ostend, as well as Chinese and Japanese restaurants.

In addition, King Leopold used these funds to maintain a press bureau for the purpose of protecting the Free State against attack in the Belgian papers, and to pay subsidies to Belgian newspapers. A Belgian writer says: "The Domain furnished the necessary funds to put the national conscience to sleep. . . ."[75] The King was accused of spending millions on his mistress, Baroness Vaughan,[76] who occupied some of the luxurious palaces built by Congo money. While he protested that Congo money was not expended on himself personally,[77] the fact remains that his personal tastes for magnificent public works were satisfied by means of the labor tax imposed upon the natives of the Congo. One Belgian writer says that Leopold II surpassed the disastrous phantasies of Louis XIV;[78] while another compared his activities to that of the Pharaohs in erecting the Pyramids.[79]

The net profit from the *Domaine de la Couronne* between 1896 and 1905 was estimated to be 71,000,000 francs.[80]

Between 1891 and 1905, the Free State accumulated a deficit in

[72] Decree of December 23, 1901, *ibid.*, p. 524.
[73] The detailed list is catalogued in F. Cattier, *cited*, pp. 219-239.
[74] *Documents Parlementaires*, Chambre des Représentants, 1907-1908, p. 565.
[75] F. Cattier, *cited*, p. 243. Cf. also A. J. Wauters, *Histoire Politique, cited*, Chap. XLII.
[76] E. Vandervelde, *cited*, p. 140.
[77] Cf. Declaration of June, 1903. *Recueil Usuel*, Vol. IV, p. 803.
[78] A. J. Wauters, *Histoire Politique, cited*, p. 251.
[79] E. Vandervelde, *cited*, p. 110.
[80] F. Cattier, *cited*, p. 216.

ordinary expenditures of about two million francs. In addition, the Free State expended 25,230,000 francs as extraordinary expenditures which increased the deficit to about 27,000,000 francs. On the other hand, the Free State Government incurred a debt of 110,000,000 francs.[81] Although the Free State published no accounts, there is good reason to believe that the King took the difference between the deficit and the total loans, or 83,000,000 francs, and turned it over to the Domain of the Crown to be expended in Belgium. In 1906, he placed thirty million francs of borrowed money at the disposal of this Domain.[82] Had it not been for the expenditures of the Domain of the Crown, the Free State would not have shown a deficit over this period. Professor Cattier says:

"It is scarcely necessary to point out how the financial policy of the King-Sovereign violates the most elementary principles of colonial administration. To-day there is unanimous agreement that the home country should not draw any direct pecuniary advantage from the colonies. . . . The Congo is charged with an absolutely useless debt, devoted to unproductive works. Had the Congo finances been regularly administered, the State would not have had the debt and it would have applied its tax system with humanity.

"The severity of the judgment which should be pronounced on the subject of Congo finances is increased when one learns that they have been utilized, in addition to the above ends, for the purchase of industrial shares in the most diverse countries and in real estate operations."[83]

Such was the situation for the fifteen years from 1891 to 1906 in the Congo Free State. The natives were subject to a labor tax in theory limited to forty hours a month, but in practice unlimited in time. They turned over the rubber gathered by this labor to government officials or to agents of private companies in which the government held stock or on which it imposed export taxes. The companies did what they liked with their profits; the State used its profits to pay its administrative expenses, and to finance, through the Domain of the Crown, many of King Leopold's projects in Europe.

[81] E. Vandervelde, *cited,* p. 125. Details are also given in Cattier, *cited,* p. 307. Some of these figures are only approximate since the Free State hid as many financial details as possible. For many years, the government published no financial accounts.

[82] E. Vandervelde, *cited,* p. 125.

[83] F. Cattier, *cited,* p. 312.

CHAPTER 83

THE LIQUIDATION OF THE FREE STATE

1. *The British Protests*

WHEN the government introduced its monopoly régime in 1891, Belgians were the first to protest.[1] Traders, deprived of an opportunity of freely purchasing wild products, declared that the exclusion of free commerce was a violation of the provisions of the Act of Berlin. The Chamber interpellated the government on its new policy in May, 1891.[2]

British interests were also affected, while British opinion became aroused over the treatment which, as was reported, the Free State accorded to the natives.[3] While the Aborigines Protection Society called the attention of the government to the matter as early as 1896, the first debate in the House of Commons on the Congo did not occur until 1903. At this time a resolution was adopted as follows:

"Resolved: That the Government of the Congo Free State having, at its inception, guaranteed to the Powers that its Native subjects should be governed with humanity, and that no trading monopoly or privilege should be permitted within its dominions, this House requests His Majesty's Government to confer with the Other Powers, signatories of the Berlin General Act by virtue of which the Congo exists, in order that measures may be adopted to abate the evils prevalent in that State."[4]

[1] Cf. Vol. II, p. 428.

[2] In 1889, the Report of the Administrator General of Foreign Affairs of the Free State stated that "The General Act of Berlin forms a part of the public law of the State. It has the character of an international obligation. . . ." *Recueil Usuel,* Vol. I, p. 369.

[3] British sentiment was also aroused in 1895 by the hanging of an Englishman named Stokes, twenty-four hours after his arrest, by a military officer on the charge of having furnished arms to the natives who used them against the Belgians. The execution became an international incident. The Belgians finally allowed the Belgian officer to be tried in the courts which, however, acquitted him. Conseil Supérieur, August 6, 1896; G. Touchard and O. Louwers, *Jurisprudence de l'État Indépendant du Congo,* Brussels, 1905, Vol. I, p. 11.

The Belgian Government eventually agreed to pay one hundred thousand francs to Stokes' family. In 1901, another incident arose when an Austrian trader named Rabinek had been sentenced to a year in prison for having purchased from natives rubber which belonged to a concessionaire. On the way to Boma, to gain a re-hearing, he died. Masoin, *Histoire de l'État Indépendant du Congo,* Vo. I, p. 135.

[4] *Parliamentary Debates, House of Commons,* 1903, Vol. 122, p. 1332.

Several months later Lord Lansdowne, the Foreign Secretary, sent a despatch calling attention to reports as to conditions in the Free State and stating that in the opinion of the British Government "it is incumbent upon the Powers parties to the Berlin Act to confer together and to consider whether the obligations undertaken by the Congo State in regard to the natives have been fulfilled; and, if not, whether the Signatory Powers are not bound to make such representations as may secure the due observance of the provisions contained in the Act. . . . His Majesty's Government in no way deny either that the State has the right to partition the State lands among *bona fide* occupants, or that the natives will, as the land is so divided out among *bona fide* occupiers, lose their right of roaming over it and collecting the natural fruits which it produces. But His Majesty's Government maintain that until unoccupied land is reduced into individual occupation, and so long as the produce can only be collected by the native, the native should be free to dispose of that produce as he pleases.

"In these circumstances, His Majesty's Government consider that the time has come when the Powers parties to the Berlin Act should consider whether the system of trade now prevailing in the Independent State is in harmony with the provisions of the Act; and, in particular, whether the system of making grants of vast areas of territory is permissible under the Act if the effect of such grants is in practice to create a monopoly of trade by excluding all persons other than the concession-holder from trading with the natives in that area. . . .

"His Majesty's Government will be glad to receive any suggestions which the Governments of the Signatory Powers may be disposed to make in reference to this important question, which might perhaps constitute, wholly or in part, the subject of a reference to the Tribunal at The Hague." [5]

In a later note, the American Government came to the support of the British position. It declared that the operation of the laws requiring natives to pay a labor tax "appears to have resulted in reducing the natives in certain large portions of the territory" to a "condition closely approximating actual slavery. The grant of concessions to various private corporations and associations, giving to them exclusive rights of exploitation of very large tracts of territory, and the inclusion of a very great part of the remaining territory of the country in the domain declared to be owned in severalty . . . has the practical effect of excluding the greater part of the territory of the State from the possibility of purchase and of rendering

[5] *Despatch to certain of His Majesty's Representatives abroad in regard to alleged Cases of Ill-treatment of Natives and to the Existence of Trade Monopolies in the Independent State of the Congo.* Cd. 1809 (1904).

nugatory the provisions of the declaration of 1884, under which the International Association had granted foreigners the right to carry on trade," and of the treaty of January 24, 1891, between the Free State and the United States granting them the right to freely exercise their business in the territory, and of the Brussels Act.[6]

Even before the Lansdowne note, the Free State made a Declaration denying that it had violated the Act of Berlin. It declared that legally and in fact the Free State existed before the Conference of Berlin. Freedom of trade, in its opinion, meant merely buying and selling, which was not infringed upon by a policy of land concessions which the Act of Berlin had not intended to control. The Free State claimed that in alienating vacant lands, other colonial powers, including Great Britain, followed the same policy. The decrees enacted in the Congo made no distinction between Belgians and foreigners. The Abir Company had been founded by an English group. As far as the natives were concerned, the Free State had stamped out the slave trade, prohibited alcohol in large parts of the territory, and taken other similar beneficial measures. In order to teach natives how to work, it had imposed a labor tax. While acts of violence had occurred in the Congo as in other parts of Africa, the guilty parties had been punished. Catholic missionaries had never accused the State of a general system of cruelties—"a fact worthy of note." [7]

In September the Free State answered the Lansdowne note, repeating the same arguments, and stating that the charges against the Free State were inspired by a wish to see its territory divided among other powers. It declared that the British Government had failed to prove its charges of atrocities, and it declined to refer the difference of opinion to The Hague

[6] Note of January 11, 1909, *Papers Relating to the Foreign Relations of the United States,* 1909, p. 410. The United States had not ratified the Act of Berlin; consequently, it was obliged to base its contention upon the provisions of other agreements. In the note just cited, Secretary of State Elihu Root added that the effect of the Free State policy had been to withdraw from sale and occupancy the greater part of the Congo and therefore prevent the exercise of the rights enforced by these conventions. He also declared that "In a country where there has been no ownership of land in severalty by the natives, but only communal ownership of rights over extensive tracts, to allot to the Government and its concessionaires ownership in severalty to all the lands not already owned and held in severalty is in effect to deprive the natives of their rights to the soil. . ."

[7] Masoin, writing in 1912, states that the criticisms were due to the jealousies of Protestant missionaries. He says: "La mission d'allumer les mèches qui devaient mettre le feu aux poudres fut confiée aux missionnaires protestants du Congo. Jaloux des succès des religieux catholiques, mécontents de ne pouvoir commercer parce qu'ils ne payaient aucun droit, chagrinés de ne point obtenir de terrains dans les districts éloignés où le gouvernement ne pouvait répondre de leur sécurité, payés peut-être par les agences Morel, car nous verrons plus loin que les informations étaient tarifées, ces apôtres de la vérité s'acharnèrent à démolir l'œuvre collossale d'un petit peuple." F. Masoin, *cited,* p. 127.

The text of the Declaration of June, 1903, is printed in *Recueil Usuel,* Vol. IV, pp. 796-805.

on the ground that it was a question of "sovereignty and of internal administration."[8] The Free State supported its legal position by the opinions of a number of international jurists, such as Westlake and de Martens.

Following this exchange of notes, the British Government instructed its consul in the Congo, Roger Casement, to make a visit of the interior. His report was forwarded by Lord Lansdowne to the Belgian Government and to the other signatories of the Act of Berlin who declared it was a grave indictment of the Free State Administration.[9] In 1904, the Congo Reform Association was organized in England by Mr. E. D. Morel, who was formerly a clerk in the Elder Dempster Steamship Company.[10] Similar organizations arose in Germany, France, and the United States. The Congo Free State came to be discussed in almost every important parliament of the world.

Great interest in the United States was aroused over conditions in the Free State. In 1904, the Southern Presbyterian Church, which had missions in the Kasai, asked President Roosevelt to intervene. Further attention to the question was aroused by a pamphlet published by Mark Twain entitled, "King Leopold's Soliloquy", and the visit of Mr. Morel, Secretary of the Congo Reform Association. To offset this influ-

[8] Its argument in favor of the legality of the concession régime was as follows: "La note confond l'exploitation de son bien par le propriétaire avec le commerce. L'indigène, qui récolte pour compte du propriétaire, ne devient pas propriétaire des produits récoltés et ne peut naturellement les céder à autrui, pas plus que l'ouvrier qui extrait les produits d'une mine ne peut en frustrer le propriétaire en disposant lui-même. . . . Le Gouvernement de Sa Majesté ne conteste pas que l'État a le droit de repartir les terres domainiales entre les occupants *bona fide* et que l'indigène ne peut plus pretendre aux produits du sol, mais seulement lorsque la terre fait l'objet de l'occupation individuelle. La distinction est sans base juridique. Si l'État peut céder les terres, c'est que l'indigène n'en a pas la propriété, et à quel titre alors conserverait-il un droit aux produits d'un fonds dont la propriété est legitimement acquis par d'autres?" Note of September 17, 1903. *Recueil Usuel,* Vol. IV, p. 824.

Article 4 of the Convention of 1919 revising the Act of Berlin provides that "Each State reserves the right to dispose freely of its property and to grant concessions for the development of the natural resources of the territory, but no regulations on these matters shall admit of any differential treatment between the nationals of the Signatory Powers and of States, Members of the League of Nations, which may adhere to the present Convention." This article would seem expressly to sanction the practice of both the Free State and the French Congo.

[9] It is published in *Correspondence and Report from His Majesty's Consul at Boma respecting the Administration of the Independent State of the Congo* Cd. 1933 (1904).

[10] Current Belgian writers dismiss the charges against the Free State by saying that the British leaders in the movement proved to be pro-German during the World War. Cf. P. Daye, *L'Empire Colonial Belge,* Brussels, 1923, p. 46. "Chalux" speaks of Casement's "Hypocritical campaign" against the "Congo atrocities." *Un An au Congo Belge,* Brussels, 1925, p. 653.

I have purposely relied for this account upon Belgian sources against which such criticisms cannot be raised.

ence, Leopold sent a letter defending the Free State to President Roosevelt through Colonel Kowalsky, the effect of which was weakened by the publication by the *New York American* of documents showing that the Colonel had been paid a hundred thousand francs for this service. A number of Belgians in New York founded the Belgian Protection Association of Americans, while many American Catholics, including Cardinal Gibbons, defended the Congo Administration.[11] This international agitation, together with severe criticisms from within Belgium itself, led King Leopold to consent to appoint a Commission of Inquiry in 1904.

2. *The Reforms of 1906*

The Commission of Inquiry was composed of the Advocate-General of the *Cour de Cassation* of Belgium as president, the President *ad interim* of the Appeal Court at Boma, who was a Serb, and a Councillor of State from Switzerland.[12] As constituted originally, this Commission was to carry on an inquiry subject to the instructions of the Secretary of State; but following protests of the Congo Reform Association and the British Foreign Minister, the government gave complete power to the Commission, including the power to summon witnesses. This Commission arrived at Boma on October 5 and penetrated the Congo as far as Stanleyville. It left Boma for Europe on February 21, 1905. Its report was signed October 31. The delay in signing the report increased suspicions. Even when the report was published, the minutes of evidence upon which the report was supposedly based were not officially published, so that it was impossible to tell whether or not the report was a fair deduction from the evidence. The report was also criticized for being too tolerant of the Free State system.[13]

Despite this tolerance, the report described the results of the Free State system in no uncertain terms.[14] It suggested a number of reforms, such as the more liberal interpretation of the land law, enforcement of the law limiting the labor tax to forty hours a month, the suppression of the system of sentinels and of permits to capitas to carry arms, the withdrawal of the right of compulsion from commercial companies, the control of military expeditions, and the freedom of the judicial system from ad-

[11] Masoin, *cited,* Vol. I, p. 151.

[12] Cf. Decree of July 23, 1904; *Recueil Usuel,* Vol. V, p. 303. Cf. also Instructions of September 5, 1904; *ibid.*, p. 315.

[13] In 1907 the Protestant Congo Missionary Conference passed a resolution that the report did not convey "an adequate impression of what has occurred, since so much evidence presented has been omitted or only referred to in very modified terms."

[14] The description of the workings of the system in the last chapter insofar as it affected the native population was taken from this report. Cf. Vol. II, p. 430.

ministrative control. The Commission believed that other reforms were necessary, but could not be effected because of the financial situation.[15]

Upon the receipt of this report, the King appointed a commission of fourteen members[16] to examine the report and to propose measures of reform.

Following the publication of the report, two books appeared which had a decided influence upon Belgian opinion, one by Professor Cattier, entitled *Étude sur la Situation de l'État Indépendant du Congo,* and the other by a Jesuit priest, Father Vermeersch, called *La Question Congolaise*—both severely criticizing the Free State régime. In February, 1906, M. Vandervelde interpellated the government, while the Chamber passed a resolution looking toward annexation.

In June, the Free State Administration enacted about twenty-five decrees carrying into effect the measures suggested by the two commissions.[17] These decrees provided for the delimitation of native lands and the recognition of native chiefs. They terminated the practice of allowing commercial agents to collect the rubber tax. They abolished native sentinels and prohibited native agents from carrying arms. At the same time, the King established a "National Domain" which consisted of the property and mines exploited by the State together with non-conceded mines in the Congo. The administration of this Domain was placed in the hands of appointees of the King, which made parliamentary control difficult. The net revenues of this Domain were to be paid annually into the Free State Treasury to the extent necessary to meet the deficit. One-fifth of the remainder was to reimburse the Belgian Government for its advances to the Free State; one-fifth should form a reserve fund for the Free State; and the remainder should be devoted to public works in the Congo and Belgium.[18] The establishment of this Domain did not, however, bring to an end the Foundation of the Crown. Three months later, the King brought about the termination of the Abir and Anversoise concessions. In return, the State agreed to sell to these companies until 1932 all rubber collected from their former concessions at a fixed price.[19]

While these changes did away with certain abuses, they did not alter the foundation of the rubber system—the obligation of the native to work forty hours a month, in the collection of rubber and for other purposes.

Leaders of opinion both in Great Britain and America, as well as in

[15] *Recueil Usuel,* Vol. V, p. 542.

[16] *Ibid.*, p. 543.

[17] These decrees were accompanied by a Report of the Secretaries-General to the King, explaining the decrees, and by a letter of the King, defending the Free State. He said: "Mes droits sur le Congo sont sans partage." *Ibid.*, p. 703.

[18] Decree of June 3, 1906, *ibid.*, p. 700.

[19] Conventions of September 12, 1906, *ibid.*, pp. 473, 480.

Belgium, believed that these reforms were inadequate. In 1906, the American Government instructed its chargé in London to cooperate with Sir Edward Grey to bring about further improvements.[20] On February 15, 1907, the Senate of the United States passed a resolution, introduced by Senator Lodge, advising the President in case he found that the allegations against the Free State were correct to cooperate with the powers signatory to the treaty of Berlin "for the amelioration of the condition of such inhabitants." [21]

3. *Annexation Proposals*

Although originally the Congo came into existence as a type of international state, King Leopold early conceived the idea of making it a Belgian colony. Apparently he did not believe that this could be done openly, because Belgium was a small country and because of the fact that the recently created states of Germany and Italy were looking for colonial possessions. But in 1889 he made, as has been said, a will bequeathing the Congo to Belgium.[22] In the loan agreement of 1890, Belgium was authorized to take over the territory at the end of ten years or in 1900. In 1893, a clause was inserted in the Belgian constitution authorizing the government to acquire colonies. On August 7, 1901, the Prime Minister

[20] *Foreign Relations of the United States,* 1907, part 2, p. 793. Secretary of State Root based this position on articles 2 and 5 of the Act of Brussels of 1890 to which the United States was a party, "in all that affects involuntary servitude of the native." While the United States had signed, it had not ratified the Act of Berlin.

[21] *Congressional Record,* February 15, 1907, Vol. 41, p. 3040. The full text is as follows: "Whereas it is alleged that the native inhabitants of the Basin of the Kongo have been subjected to inhuman treatment of a character that should claim the attention and excite the compassion of the people of the United States: Therefore, be it *Resolved,* That the President is respectfully advised that in case he shall find that such allegations are established by proof, he will receive the cordial support of the Senate in any steps, not inconsistent with treaty or other international obligations, or with the traditional American foreign policy which forbids participation by the United States in the settlement of political questions which are entirely European in their scope, he may deem it wise to take in co-operation with or in aid of any of the powers signatories of the treaty of Berlin for the amelioration of the condition of such inhabitants."

On November 4, 1907, Mr. Root wrote the American ambassador at London that the enactment of the pending bill for the organization of the Congo "would be a most unsatisfactory conclusion" of the reform movement since it vested absolute power in the King. This was "mere trifling with the people." *Foreign Relations, cited,* 1907, p. 813. The powers of the King were later cut down, cf. Vol. II, p. 456.

In January, 1908, the British and American diplomatic representatives waited on the Belgian Minister of Foreign Affairs and expressed their concern over conditions in the Congo. *Ibid.,* 1908, p. 540.

In reply to the suggestion of the United States for compulsory arbitration of all commercial and economic questions arising out of the Act of Berlin, the Belgian Government stated that while it was inclined toward the principle of arbitration, it could not, alone of the signatories to the Act of Berlin, accept this obligation. *Ibid.,* 1908, p. 576.

[22] Cf. Vol. II, p. 425.

placed before the House of Representatives a draft law, organizing the government of Belgium's colonial possessions. But the King had now changed his mind because of the financial success of the rubber régime, and threatened that if parliament actually voted in favor of annexation, he would refuse to continue the administration of the Free State during the time necessary for the establishment of a new government.[23]

Dissatisfied with the reforms of June, 1906, and convinced that annexation was necessary to abolish existing evils, in November, 1906, M. Émile Vandervelde[24] and others again interpellated the government, as a result of which, after a two weeks' debate, the government was asked six specific questions as to its attitude toward annexation and the terms upon which it should take place. In reply, the government agreed that annexation should be discussed by the Chamber. A Special Commission on the Congo was now appointed to study the question.

In the meanwhile, the cabinet negotiated with the King who had first stated the conditions of annexation at the time of drawing up the reform decrees of June 3, 1906. At this time he wrote a codicil modifying his will, stating that the heir to the Congo would be obliged to respect all the engagements of the State towards third parties, and every act of the Domain of the Crown and the National Domain and to accept the obligation not to diminish their revenues without giving them an equivalent compensation in return. He considered the observation of these provisions as essential to provide the sovereignty of the Congo with the indispensable resources and strength for the accomplishment of its task.[25] He thus wished to keep indefinitely vast revenues under his control.

At this time, the only private groups holding large mining interests in the Congo were the Foundation of the Crown, the *Comité Spécial du Katanga,* and the *Compagnie des Grands Lacs*. The rest of the sub-soil rights belonged to the State. Apparently to prevent such rights from passing to Belgium at the time of annexation, Leopold a month before the Belgian Parliament began the discussion of this subject, created three new groups, all connected with the *Société Générale* of Belgium, a powerful financial concern with world-wide interests.[26] English, French and American capital participated along with Belgian capital in these companies.

The first of these companies was the *Union Minière,* already discussed.[27]

[23] Cf. the documents cited in M. Halewyck, *La Charte Coloniale,* Brussels, 1910, Vol. I, p. vi.
[24] He is now (1927) the Minister of Foreign Affairs.
[25] *Recueil Usuel,* Vol. V, p. 705.
[26] Wauters, *Histoire Politique du Congo Belge,* p. 307.
[27] Cf. Vol. II, p. 424.

The second, the *Compagnie de chemin de fer du Bas-Congo au Katanga,* which was financed partly by the *Banque de l'Union Parisienne* and partly by the *Société Générale,* which received mining rights covering twenty-one million hectares in the basin of the Kasai.

The third and even more important company was *La Société Internationale forestière et minière du Congo,* commonly known as the *Forminière,* which received a mining monopoly for ninety-nine years in mines discovered within six years after the decree in a district covering half the Congo, or one hundred and forty million hectares—an area forty-five times as large as Belgium.[28] In this agreement, the Foundation of the Crown turned over its mining rights to the *Forminière,* part of whose capital was advanced by the Ryan-Guggenheim group of the United States, who became interested, it appears, after the visit of Leopold's agent, Colonel Kowalsky. Seven thousand shares were held by the National Domain and the Foundation of the Crown.

At the same time, the Free State made an agreement with the American Congo Company, connected with the American interests represented in the *Forminière,* granting it for sixty years the right to collect rubber and other products within 1,200,000 hectares of land on the lower Congo.[29]

The mining rights which the King obliged Belgium to respect upon annexation were therefore as follows:

Forminière	140,000,000	hectares
Comité Spécial	38,000,000	"
Les Grands Lacs	25,000,000	"
Chemin de fer du Bas-Congo au Katanga	21,000,000	"
Union Minière	7,000,000	"[1]

[1] Cf. Wauters, *cited,* p. 310.

Meanwhile, King Leopold attempted to entrench the position of the Foundation of the Crown. In October, 1906, this Foundation made a contract with the *Compagnie Immobilière de Belgique*[30] in which the Company agreed to complete a large number of public works, for the embellishment of the capital of Belgium and other places. In return for this work the Foundation agreed to pay the Company an annual annuity of two million francs.

In December, the King entered into two more agreements transferring property titles in a confusing manner.[31]

[28] Cf. decree of November 6, 1906; *Recueil Usuel,* Vol. VI, p. 511.
[29] Convention of November 5, 1906, *ibid., p.* 486.
[30] *Recueil Usuel,* Vol. V, p. 771.
[31] On December 24, the Foundation ceded to the Free State the property which it held in Belgium for a sum of eighteen million francs. The State also agreed to relieve the Foundation of all indebtedness to the State. On December 22, the

In the interpellation of November, 1906, members of the Chambers vigorously opposed the conditions of annexation laid down in the codicil to the King's will which would permanently give to the Crown revenues from a territory ten times as large as that of Belgium—a régime which would continue to exist after the King's death. Parliament voted the order of the day following this interpellation only after being assured that these provisions in the codicil were only "solemn recommendations."

In the meantime, public opinion in England demanded that Belgium annex the Congo as the only means of clearing up abuses.[32]

4. *The Treaty of Cession*

Despite the intimation of the Chamber that it would never accept the codicil, the King held out, and following nearly five months' negotiations, signed a Treaty of Cession with the Cabinet (November 28, 1907), which obliged the Belgian Government to respect the Foundation of the Crown. Because of this provision, parliament declined to approve the treaty. The King finally acknowledged his defeat by enacting a decree (March 5, 1908) suppressing the Foundation of the Crown, and by signing an Additional Act to the Treaty of the same date which transferred to the Belgian Government the rights and the obligations of the Foundation.[33] At the close of a long discussion, both Chambers finally enacted a law approving these treaties, as well as the Colonial Charter. After a stirring existence of twenty-three years, the Free State became part of Belgium on October 18, 1908. The vote on annexation in the Chamber was close, eighty-three to fifty-four. In the Senate, twenty-four votes were cast against the proposal. The opponents were largely Socialists, many of whom were opposed to the idea of colonization. The Liberals believed, however, that this extreme position would merely perpetuate the Leopoldian system.

According to the terms of the treaty of cession and the Additional Act, Belgium acquired all the public land and resources in the Congo, including the area held by the Foundation of the Crown, subject to the obligations indicated in Annex A of the treaty, which obliged Belgium to respect the property rights of individuals holding government titles and of sixteen

Foundation ceded to the Free State its rubber forests for a period of twelve years, in return for which the Free State agreed to sell at a set price at Antwerp the rubber gathered from the area to the Foundation.

[32] Cf. Remarks in the House of Commons of Sir Charles Dilke, who was president of the Church Missionary Society and a member of the *Comité Études du Haut Congo.* He declared that if the Belgian Parliament failed to annex the Congo, the British Government should recognize the French right of preemption and that France should be induced to communicate with Germany as to the exercise of this right. *House of Commons Debates,* May 15, 1907, Vol. 174, p. 990.

[33] *Recueil Usuel,* Vol. VI, p. 558.

missionary societies. This annex also stipulated that Belgium must respect the Convention of 1906 with the Vatican and the obligations arising out of twenty-two contracts and concessions between the railways, such as the *Chemin de fer du Congo,* the *Compagnie du Katanga,* the *Compagnie du Kasai,* and the mining concessions discussed above.[34]

The cession did not disturb in any way private property rights in the Congo. As a legacy of the Leopoldian régime, the following land holdings, as amended in some cases by subsequent agreements, will to-day be found:

Comité Spécial du Katanga	46,788,000	hectares [1]	
Compagnie du Lomani	4,000,000	"	(estimated)
Bus-Bloc	1,041,373	"	
Compagnie du Congo Belge	56,000	" [2]	
American Congo Company	100,000	" [2]	
Grands Lacs Africains	400,000	"	
Forminière	150,000	" [2]	
	52,535,373	hectares	

[1] Two-thirds of the profits from this Company go to the State.
[2] Cf. Vol. II, pp. 452, 453. In 1907, some of these holdings were much larger than they are today. A number of smaller concessions are not included.

An area ten times the size of Belgium is in the hands of these companies which now [35] hold it as full property and without the payment of any rent to the Congo Government.

Likewise, Belgium received a large amount of real and personal property belonging to the Free State in Belgium,[36] together with stock in various Congo companies which had been owned by the Free State amounting in value to nearly sixty-one million francs. The total value of property (excluding the value of the residual rights in the land) handed over to the Belgian Government by the Free State amounted to 110,337,000 francs.[37] The Belgian Government placed the stock thus transferred to it in the portfolio of the Belgian Congo, which now contains stock of twenty-seven companies working in the Congo, chiefly railway and mining concerns. The government holds twenty-five hundred shares of preferred stock in the American Congo Company, 2266⅔ shares in the *Compagnie du Congo Belge,* 17,800 capital shares and 17,000

[34] The text of these conventions is printed in an annex to the Treaty. The original treaty contains a section IV to Annex A which defined the rights of the Crown which the State must respect, but these were suppressed in the *Acte Additionale;* cf. above.

[35] In some cases, upon the fulfilment of development conditions.

[36] This included ninety-nine properties purchased for eighteen million francs from the Foundation of the Crown, the title of which had been placed in the Free State in the Convention of December 24, 1906. Cf. footnote 31 above.

[37] Cf. Annex B. Traité de Cession, *Recueil Usuel,* Vol. VI, p. 539.

dividend shares in the *Forminière,* forty-two hundred shares of various kinds of stock in the *Compagnie du Katanga;* three hundred thousand dividend shares in the Great Lakes Railway, and 278,400 shares in the Katanga Railway. Moreover, the Colony has two-thirds of the capital of the *Comité Spécial* of the Katanga and it is entitled to fifty per cent in the net profits of the *Société Minière du Bécèka* and the *Banque du Congo Belge.* Since the return of the stocks held by the Foundation of Niederfulbach, the Colony holds shares in thirty-five other companies located in various parts of the world.[38] The present value (1925) of the various holdings of the Colony in these companies is estimated to be more that 1,494,000,000 francs.[39] Because of these holdings, government revenue increases in proportion to business profits. Consequently, it is to the interest of the Congo Government, which has received little financial aid from Belgium, to accelerate industrial development. These holdings may, therefore, influence administrative policy in regard to recruiting labor for private employers.[40]

As part of the terms of settlement, Leopold also insisted that Belgium complete the program of public works, the construction of which the Foundation had planned in Belgium. In return for the suppression of the Foundation, the Belgian Government agreed to expend forty-five million francs on this program. Likewise, the treaty obliged the Colony to establish a fund of fifty million francs to be given the King "in testimony of gratitude for his great sacrifice in favor of the Congo created by him." These sums would be paid in fifteen annuities. The King promised to expend these annuities upon objects relating to the improvement of the native and European population in the Congo. The Colony was also required to continue annual payments made by the Foundation of one hundred and twenty thousand francs to Prince Albert until he came to the throne, seventy-five thousand francs to Princess Clementine until her marriage, sixty thousand francs for pensions to Free State administrators, and sixty-five thousand francs to the Scheut missionaries.

On the other hand, the Belgian Government in 1908 acknowledged all the financial obligations of the Free State, which included the public debt amounting to 110,000,000 francs. The decree suppressing the Foundation of the Crown transferred the real property belonging to the Foundation, valued at twenty-three million francs, for the most part located at Ostend,

[38] The list of stocks in the portfolio of the Colony is printed as an annex to the Budget law. Cf. *Budget des Recettes et des Dépenses ordinaires du Congo Belge,* Chambre des Représentants, No. 240, 1926, p. 164.

[39] *La Politique Financière du Congo Belge,* Rapport au Comité permanent du Congrès colonial, Bibliothèque-Congo, Brussels, 1925, p. 128.

[40] Cf. Vol. II, p. 539.

Laeken and in the *Midi* of France, to the State. But the *usufruct* of part of the property remained with the King.

The price which Leopold exacted for letting go of the Congo was, therefore, as follows:

1. The assumption of the Free State debt	110,000,000	francs
2. Property in the Niederfulbach Foundation	40,000,000	"[1]
3. Gratitude fund	50,000,000	"
4. Annuities to the royal family, Free State pensions, and the Scheut missionaries	1,000,000	"[2]
5. Public works fund	45,500,000	"
	246,500,000	"

[1] Cf. Vol. II, p. 449.

[2] This sum is a conservative estimate, since the annuities were paid for a number of years.

With the exception of the last item, the whole burden of these payments was imposed not upon Belgium, but upon the Congo. In addition, the natives of the Congo had already paid for an elaborate system of public works in Europe which now passed to Belgium.

Strictly interpreted, the Treaty of Cession should have made the Free State debt a charge on the Government of Belgium instead of the Congo. But the Belgian people, many of whom opposed the annexation of the Congo, did not look kindly upon this interpretation. Consequently, the government interpreted the treaty to mean that the home government was liable for the charges on this debt only in case the colony proved unable to pay. The first article of the Colonial Charter provided: "The service of the Congo loans remains exclusively at the charge of the colony, at least until a law decides otherwise."

Thus the Government of the Congo was saddled with a large debt contracted partly to finance ill-considered military expeditions and the construction of public works in Belgium. At the present time, the service on the total debt of 836,000,000 francs absorbs about seventeen per cent of the Congo revenue. Had these loans gone into railway construction in the Congo, the present financial burden might not be judged excessive. But, as we have seen, most of the railways in the Congo have not been built by government funds but by private companies in return for land concessions and interest guarantees. Payments in the form of these guarantees amounted in 1926 to nine million francs.[41]

Belgian writers frequently point out that the capital value of the stock of the Congo companies held in the Portfolio of the Colony more than

[41] *Loi contenant le Budget général*, 1926. Chambre des Représentants, March 25, 1926, No. 240, p. 150. This item also included payments for the amortization of obligations of colonial companies in conformity with various conventions.

equals the public debt. Thus, the estimated value of the Portfolio in 1925 (including the securities obtained from the liquidation of the Niederfulbach Foundation in 1923), was 1,494,000,000 francs, which more than offsets the present debt of 750,000,000 francs.[42] But as a matter of fact, the revenue from the Portfolio has only been about one-fifth of the interest charges on the debt,[43] and it has been less than the nine million francs paid out by the Congo in the form of interest guarantees.

The 1926 budget estimated that the returns from the Portfolio would be thirty million francs, but even this increased figure does not equal the total interest charges of the Congo Government which amounts to forty-six million francs. Had the Free State been administered properly, the local budget of the Colony would not have incurred these heavy interest charges, while it would have continued to have received these royalties which could have been devoted to productive purposes. Moreover, Belgium received, without paying any compensation whatever, the public works which had been constructed in Europe by the Foundation of the Crown, with Congo money.[44] The payments to the royal family which the Belgian Government imposed upon the Congo under the Treaty of Cession stand in the same category as the public works. In 1906, a Belgian author wrote that the finances of a colony should be employed in its exclusive interest and with its own development in view. He said: "Even if the resources of the Domain of the Crown had been obtained without abuse and without crimes the King-Sovereign would not have had the right to devote them to sumptuous works in Belgium. Our country is rich enough to support itself the expenses which it believes useful. . . . Belgium would commit a grave mistake in accepting or retaining the gifts of the Domain of the Crown."[45] But this advice was not followed.

In view of the political situation in Belgium in 1908, it is easy to understand why the Belgian Parliament did not consider compensating the Congo for these public works. Nevertheless, the fact remains that the people of Belgium have financially profited from government impositions upon the natives of the Congo such as the natives in other parts of Africa

[42] *La Politique Financière du Congo Belge*, p. 11.

[43] In 1905, the Portfolio paid into the Free State treasury 3,565,000 francs; *Recueil Usuel*, Vol. V, p. 709. In 1910, it produced 2,350,000 francs; *ibid.*, Vol. VII, p. 66. In 1924, it was estimated to produce 7,500,000 francs (which in gold would be only 1,500,000 francs). But in the latter year, the interest charges of the Congo Government amounted to 46,133,545 francs, of which about 9,000,000 francs was for service on the debt contracted before 1908. Cf. Budget, 1924-25, *Chambre des Représentants*, No. 68, pp. 54 and 166.

[44] The Exposé des Motifs of the Acte Additionale said: "Les biens de la fondation situés en Europe et énumerés dans les annexes sont attributés à la Belgique." M. Halewyck, *cited*, Vol. I, p. 26.

[45] E. Cattier, *Étude sur la Situation de l'État Indépendant du Congo*, *cited*, p. 244.

have not been obliged, at least to the same extent, to bear. When the financial situation in Belgium recovers, the question of paying the colony compensation either directly or indirectly for these public works, and even for part of the Free State debt, should receive consideration.

5. *The "Fond Spécial"*

The treaty provided that the annuities for the *Fond Spécial* of fifty million francs to be paid to the King should be expended by him for the purpose of benefiting the Congo. But before 1919, it does not appear that the expenditure of these annuities, which amounted to 3,300,000 francs a year, was accounted for in an entirely satisfactory manner. The situation was regularized, however, by a royal *arrêté* of November 29, 1919, which provided that the resources of the *Fond Spécial* should be devoted chiefly to the improvement of native welfare, and to the development of public works of the Colony. The Minister of Colonies, assisted by an advisory committee, would propose how the money should be expended.[46] A small part of these annuities has been used for pensions.

In 1923, the Colony made the last payment to the *Fond Spécial*. It stopped the payment of the annuity to Prince Albert upon his accession to the throne in 1909. But the 1925 budget appropriated 115,000 francs and the 1926 budget 104,500 francs for "obligations enumerated in Annex 2 of the Additional Act of the Treaty of Cession of the Congo to Belgium."[47]

6. *The Foundation of Niederfulbach*

Through the Treaty of Cession and the Additional Act, parliament believed that the King had surrendered all of the revenues which he had derived from the Congo. The Minister of Colonies did not, however, check up the properties turned over to Belgium to determine whether or not everything had been thus transferred. Taking advantage of this opportunity to defeat the intention of parliament, Leopold secretly established in the summer of 1907 the *Fondation de Niederfulbach,* to which he transferred properties amounting in value to fourteen million francs. It also was believed that he transferred Congo bonds issued in 1906, to the value of thirty million francs.[48] These sums nearly equalled the sums

[46] *Bulletin Officiel,* 1919, p. 1041.
[47] Line C, Article 7, Chapter I, *1926 Budget,* p. 92.
[48] Vandervelde, *cited,* p. 133. The King established the Foundation of Niederfulbach also to escape the provisions of the Belgian Civil Code which required the father of more than two children to leave them a quarter of his estate. In order to disinherit his daughters with whom he had had domestic difficulties, Leopold founded this trust under German law, which favored agnate succession—that is, the male descendants of Leopold I. Wauters, *cited,* p. 336.

which he had planned to derive from the Foundation of the Crown had it not been suppressed. These funds were invested in properties and administered by two German and three Belgian trustees. The King stipulated that upon his death the net revenue of the Foundation should be divided; one-third should go to the agnate heirs of the House of Saxe-Coburg-Gotha to which the King belonged; one-third to increase the capital of the Foundation: and one-third to construct further royal residences and other works in Belgium. Should the present royal family disappear, this last third should be equally divided between the Foundation and the House of Saxe-Coburg-Gotha.

On December 17, 1909, the King died. His will left fifteen million francs, which he claimed to be his only property, to be divided among his heirs. The lawyers of the princesses, whom he wished to disinherit, soon discovered, however, that Leopold had not told the truth. Three weeks before his death, he had established a *Compagnie pour la Conservation et l'Embellissement des Sites,* having a capital of 12,400,000 francs consisting of real property which formerly belonged to the Foundation of the Crown. Shortly afterward, the King founded a *Société de la Côte d'Azur,* having a capital of 2,480,000 francs, to which he transferred properties in the French *Côte d'Azur*. At this time, the public first learned of a third source of hidden wealth—the Foundation of Niederfulbach. Instead of leaving fifteen million francs, the King left a fortune of eighty million francs, which confirmed former beliefs about the thirty million francs advanced by the Domain. It was now established that, contrary to the formal declaration of the Minister in 1908, Leopold had withheld a large part of the property of the Domain of the Crown. Owing to the fact that the King systematically destroyed all books recording his transactions, there is good reason to believe that he took out of the Congo much more than the sums held by the Foundation and these other companies indicated.[49]

These discoveries led to an interpellation in the Belgian Chamber on March 3, 1910, in which the Colonial Minister, M. Renkin, was obliged to admit that his statement in 1908 had been "inexact." Meanwhile, the funds of the Niederfulbach Foundation remained deposited in the *Banque Nationale* of Belgium awaiting a judicial decision.

On April 2, 1913, the heirs of Leopold brought the case before the Court of Appeal of Brussels, which decided that the funds of the Niederfulbach Foundation belonged to the State.[50] Upon the basis of this de-

[49] Cf. Vandervelde, *cited,* p. 139; and A. J. Wauters, *cited,* p. 400.

[50] S.A.R. La Princesse Louise de Belgique—c. Baron Auguste Goffinet et Consorts," etc. *Pasicrisie Belge,* 1913, p. 145 (Part II).

cision, the Finance Law of 1921 [51] authorized the Minister of Finances and the Minister of Colonies to make an agreement with the Foundation of Niederfulbach transferring these properties to the State or the Colony. On June 29, 1923, such an agreement was signed which turned back to the Colonial Treasury the shares held by the Foundation.[52]

7. *The Reforms*

In addition to restoring to the Colony the wealth of the Foundation of Niederfulbach, the Belgian Government took steps to change the internal administration of the Free State. The general lines of this administration were defined in the Colonial Charter, enacted by Parliament in 1908 and discussed in the next chapter. For the next two years, the Government continued the monopoly system and the labor tax which had been at the basis of the Free State régime.[53]

But in 1910, the government decided gradually to bring to an end the system under which the government exploited the products of the soil. The system ended immediately in the eastern part of the Congo, on July 1, 1911, in the basin of the Lomani and Lake Leopold II, and on July 1, 1912, in the remainder of the Congo. Thereupon, any European upon the payment of a certain fee, could obtain a license to collect wild prod-

In this case the Court declared that the theories advanced by King Leopold as to the absolute nature of his rights in the Free State were erroneous. It declared, "Non seulement, dans l'État independent du Congo, le Souverain n'absorbait pas en sa personne les droits de l'État, que, non seulement, l'État ne se confondait pas avec le souverain, mais que, dès le début, une distinction très nette fut tracée entre la personne juridique qu'était l'État et celui qui était simplement son organe et son représentant; . . . que le Souverain de l'État indépendant du Congo n'était nullement propriétaire de cet État . . . que la personne morale, qui se forme et se developpe alors et qui devint plus tard l'État indépendant, ne se confond donc en aucune façon avec le roi . . . qui aucun doute ne pouvant subsister au sujet de la personnalité juridique de l'État Indépendant du Congo et du caractère autonome de cette personnalité qui ne se confondait en aucune manière avec le Souverain, une conclusion s'impose, c'est que les ressources tirées des possessions africaines, les recettes faites, les gains réalisés étaient la propriété de l'État lui-même et non de celui qui le dirigeait, . . . Il est antijuridique de soutenir qu'un État quelconque puisse être propriété d'un souverain. . . ."

This decision is similar to that of the Privy Council in the case of the British South Africa Company, cf. Vol. I, p. 209.

[51] Article 4; *Moniteur Belge,* October 9, 1921, p. 8866.

[52] The list of stocks and bonds in fifty-eight different issues is printed in *Loi contenant le Budget général,* Chambre des Représentants, No. 68, December 20, 1923, p. 182.

[53] In 1908, two American missionaries, Revs. Sheppard and Morrison, accused the *Compagnie du Kasai* of compelling natives to collect rubber for an insufficient remuneration. The Company sued them for libel before the Leopoldville court, which, in September, 1909, acquitted them. The court declared that the missionaries were not only within their rights, but that they had a duty as Chrisian missionaries to make known the existence of abuses. The missionaries were defended by Émile Vandervelde. Cf. Vandervelde, *cited,* p. 90. By 1910, it appears that conditions had greatly improved.

ucts.[54] Natives could gather produce without a license. These privileges applied only to non-conceded lands. In other words, the decree did not affect the rights of such companies as the *Compagnie du Lomani,* and the *Compagnie Abir.*[55]

Six weeks later the government abolished the labor tax by providing that thereafter taxes should be paid exclusively in money.[56] These measures wiped out the system of exploitation which the Free State had followed as far as government lands were concerned, but the rights which King Leopold had granted to private concerns remain.

Since that time, the Belgian Government has attempted to reduce these rights through negotiation with the companies concerned. It obtained the consent of the Abir and Anversoise Companies in an agreement of May 23, 1911, to the abrogation of their rights of purchase under the Convention of 1906,[57] by granting the right to choose blocks of two thousand hectares up to a maximum of fifty thousand hectares for the Abir Company and sixty thousand hectares for the Anversoise Company, which the companies must develop by 1941. In 1911, these two companies were merged into the *Compagnie du Congo Belge.* Because of the World War, the Company obtained an extension of time in which to choose its lands, and in return for further concessions, it agreed in a convention of 1922 to a reduction of its holdings to fifty-nine thousand hectares.[58] For five years, the Colony agreed not to cede land for agricultural purposes in the regions where the Company may choose land without first giving the Company an option on the land. By 1941, the Company will be entitled to acquire as full property twice the area which it has placed under cultivation, the total not to exceed fifty-nine thousand hectares. The Company is granted this land subject to the rights of third persons, natives or non-natives.[59] The *Compagnie du Congo Belge* has established a number of palm plantations upon these holdings, and it has set up two oil mills capable of working five tons of fruit a day. By absorbing other trading interests, such as the *Comptoir Commercial Congolais,* the Company has one hundred and thirty-two trading posts scattered throughout the Congo,

[54] Decree of March 22, 1910, *Recueil Usuel,* Vol. VII, p. 128. Because of its special position the *Compagnie du Kasai* was not obliged to pay this license tax. Cf. Rapport of Colonial Council on the above decree.

[55] Article 2, Decree of March 22, 1910.

[56] Decree of May 2, 1910. *Recueil Usuel,* Vol. VII, p. 190.

[57] Cf. Vol. II, p. 440.

[58] Cf. decree of February 10, 1922, *Bulletin Officiel,* 1922, p. 451.

[59] In addition, the Colony ceded the Company ground at Kinshasa for the construction of warehouses, and three hundred hectares at Waka. When a block of land is located less than one kilometer from a navigable waterway, the land lying along the watercourse cannot exceed one-third in length the perpendicular dimension of the land from the watercourse to the interior. This is to prevent the Company from taking up land merely to monopolize access to the water routes.

at which it purchases palm nuts, copal, and other products from the natives. While the Company paid no dividend between 1920 and 1923, it paid a dividend of 19.20 francs in 1923 and 14.40 francs in 1924.[60]

Upon the enactment of a decree of 1910 throwing open the Congo to free commerce, the *Compagnie du Kasai* claimed that it held a monopoly in the Kasai basin which should be respected under the decree. When the government declared that the original concession did not grant this Company a monopoly,[61] the directors threatened to take the matter to the courts. Unwilling to run the risk of a lawsuit, the Belgian Government effected a compromise whereby the Company, in return for accepting the régime of free commerce, received stock previously held in the Company by King Leopold having a value of more than eleven million francs.[62] As a result of this settlement, the Kasai Company took the position of an ordinary trading concern.

In 1917, the monopolistic rights of the *Comptoir Commercial Congolais* in the basin of the Wambu, granted in a convention of 1898, expired.[63]

In pursuance of the policy of "suppressing the large concessions granted by the Free State," and "in view of the fundamental interest there is in freeing the bank of the Congo between Stanley-Pool and the Yumbe river,"[64] the administration in 1921 induced the American Congo Company to surrender its monopoly of produce in a 1,200,000 hectare area in return for full property in one hundred thousand hectares to be chosen in the Congo-Kasai province. At the intervention of the Colonial Council, the government inserted a provision in the convention that these one hundred thousand hectares should be developed within thirty years. The Company also secured the exclusive mining rights for ninety-nine years in the mines discovered before 1926 in a million hectares of land.

Finally, the administration similarly brought about the reduction of the rights of the Great Lakes Railway Company over eight million hectares of land held under the agreements of 1902 and 1909 to full property in four hundred thousand hectares of land.

Such have been the efforts of the Belgian Government to decrease the private rights granted in the Congo by the Leopoldian régime. With the exception of the *Compagnie du Congo Belge,* none of the companies which have agreed to scale down their rights held full property titles from the

[60] *Recueil Financier,* 1926, p. 815.
[61] Cf. Vol. II, p. 429.
[62] Convention of January 11, 1911, *Bulletin Officiel,* 1911, p. 648.
[63] Convention of January 14, 1898; Waltz, *cited,* Vol. II, p. 165. *Rapport du Congo Belge,* 1917, p. 77. The Company unsuccessfully attempted to prolong its rights under another convention.
[64] Cf. the preamble of the Decree of June 9, 1921, approving the new convention. *Bulletin Officiel du Congo Belge,* 1921, p. 665.

Leopold Government. Leopold II did, however, grant such rights to the *Compagnie du Katanga,* including the Lomani Company, and to the *Bus-Bloc;* and because of the absolute grant made to these companies, they have since been left undisturbed. The Belgian Government did not expropriate any such holdings. While the marks of Leopold's régime thus remain, Belgium, it seems, has been more successful in doing away with the concession system than France in Equatorial Africa.[65] The reason probably is that in the French Congo the government did not exploit the territory directly but placed it in the hands of private companies who thereupon acquired "vested rights." In the Free State the government monopolized most of the wild produce itself, a régime which a succeeding government could terminate at will.

Such then has been the history of the Free State, born as an humanitarian and international enterprise, under the ægis of the powers of Europe and the friendly patronage of the United States. In restricting the revenues which the Free State could raise, the Act of Berlin,[66] which presided at the birth of this new State, actually contributed to the establishment of the rubber monopoly and the labor tax that probably led to a régime more onerous to the natives than if the colony had originally been free from all international control. This type of international control thus led to unexpected, if not humiliating results from which the Paris Peace Conference, in establishing the mandate system, profited.[67]

[65] Cf. Chap. 74.

[66] These restrictions were removed in 1919. Despite this fact, the present import duty in the Congo on ordinary imports is 10%, while the export duty has recently been increased from 2% to 3%. Decree of December 12, 1925, *Bulletin Officiel,* 1925, p. 566.

[67] Cf. Vol. I, p. 430.

CHAPTER 84

THE PRESENT ADMINISTRATION

1. *"La Charte Coloniale"*

WHILE the Belgian Parliament was primarily concerned with the financial terms upon which the Congo should be taken over by the Belgian people, it also devoted much attention to the system of administration which should be established in order to prevent abuses such as those of the past.

In 1901 the government laid before the Chamber of Representatives a project of law providing for the administration of the colonial possessions of Belgium.[1] For five years this project slumbered; but following an interpellation in March, 1906, the Chamber passed a resolution to proceed with an examination of this project. Believing that too much power was vested in the King, the Chamber fundamentally modified the 1901 draft. After discussing the amended proposal from the middle of April, 1908, to September 9, the Chambers finally voted the Colonial Charter which is the constitution of the Belgian Congo to-day.[2]

Following the example of the French colonial system, the Colonial Charter places the responsibility for governing the Congo upon the King, who exercises legislative power by way of decree except in matters controlled by law. Decrees must be first submitted to the Colonial Council. But the King may make rules in regard to certain matters, without consulting the Colonial Council, by Royal *Arrêtés.* Parliament at any time may legislate concerning the Colony.[3]

While the decrees are always issued in the name of the King, since 1922 they have been first submitted to or drafted by the Governor-General. But sometimes the initiative may not come from him, and indeed, the King in behalf of the Minister may lay down policies in direct opposition to the wishes of the local administration. Thus M. Louis Franck when Minister authorized the construction of the Buta-Bambili

[1] The text of this document is reprinted in M. Halewyck, *La Charte Coloniale, Appendice,* p. 31.

[2] Parts of this Constitution are discussed elsewhere.

[3] Cf. Article 7 of the Colonial Charter, officially called "Loi sur le Gouvernement du Congo Belge." O. Louwers and I. Grenade, *Codes et Lois du Congo Belge,* second edition, Brussels, 1923, p. 5.

Railway, of which the Governor-General, M. Lippens, had expressed his disapproval—an action which led to the latter's resignation.[4]

The Governor-General has the power to make "ordinance-laws" in case of urgency which must, however, be approved by decree within six months or terminated. During the World War, most of the legislation in the Congo was enacted by this means. In 1914 the Governor-General issued about forty-five ordinance-laws. In 1926 he issued such a law re-imposing restrictions on importations at Matadi, on account of the overcrowded condition of the Matadi-Kinshasa Railway, despite the fact that a decree had recently removed such restrictions. The government accepted his judgment and approved the ordinance-law, which therefore remained in effect.[5] In order to decentralize administration, M. Lippens proposed that the Governor-General be given legislative power; that is, that the present power should be made general instead of exceptional.

2. *The Colonial Council*

The power to enact decrees relating to the Congo is subjected to a unique form of control—in the Colonial Council. This body is composed of the Minister of Colonies as president, and fourteen other members eight of whom are appointed by the King, three by the Senate and three by the Chamber. Appointments are made so that one of the members named by the King, and alternatively, one of the members named by the Chamber or a member named by the Senate, retire annually.[6] This Council must be consulted on all proposed decrees except in case of urgency. While the Minister may in the latter case have the King enact an decree, he must submit it to the Council within ten days. The Council gives opinions on all other matters submitted to it by the Government. While the Council is merely an advisory body, it has considerable power. The Council assigns the draft decree to one or more members for careful study. These members prepare a report which if adopted is published as the report of the Council along with the text of the decree. The verbatim discussions within the Council are also published. The Council amends decrees frequently, which the Government usually accepts. In every case so far the Government and Council have reached an agreement upon points of difference.[7]

Whether or not because the Minister of Colonies is the president,

[4] Cf. M. Lippens, *Notes sur le Gouvernement du Congo Belge,* 1921-1922, Gand, 1922, Annex VII.

[5] Cf. Ordonnance-Loi, Feb. 10, 1926, *Bulletin Officiel,* 1926.

[6] No official in the Congo administration or member of the Chamber or the Senate is eligible to membership in the Council. Articles 23-26, Charte Coloniale.

[7] M. Halewyck, *cited,* Vol. III (1919), p. 91.

the Council has never fundamentally opposed, it appears, any decree which the government has prepared. Its amendments have related largely to detail. It does not inquire, moreover, into the administration of the Congo.[8]

Nevertheless, the "ideology" of some of its members has aroused criticisms, which would indicate that the Council does have an influence of a humanitarian nature upon government policy.[9]

Much influence over colonial policy has also been exercised by the Belgian Colonial Congress, an official body, which has held two important meetings, one in 1920 and the second in 1926. Its permanent committee has published many valuable brochures on different aspects of colonial policy. More serious and intelligent thought is paid in Belgium to the colonial question than in any other country of the world. The Belgian Government publishes a monthly magazine, the *Congo,* which for its scholarship and freedom in criticizing government policy, is unmatched in England or in France. So far the findings of disinterested scholarship have not been entirely applied in the Congo, especially when they conflict with the immediate interests of the large financial groups which occupy such an important position, or with the financial situation in Belgium caused by the depreciation of the franc, and the damage wrought by the World War. In this respect, the Congo is no different from other territories in Africa.

3. *Financial Control*

While the King, acting through the Ministry, is not obliged to go to parliament for the enactment of legislation, he is subject to a number of important restrictions, particularly in regard to finance. The Charter originally provided that decrees establishing taxes should enter into force only at the adoption of the budget law—thus subjecting taxes to parliamentary control. This restriction proved so irksome that it was abolished by the law of March 5, 1912, which simply requires the Crown to communicate to the Chambers at the time it submits the budget, all measures

[8] Cf. Vol. II, p. 515.

[9] *L'Essor Colonial et Maritime,* March 10, 1927, says, "Depuis quelques mois on remarque dans la presse et les milieux coloniaux une recrudescence symptomatique des critiques envers le Conseil Colonial. De toutes parts on proteste contre la tendance du Conseil à usurper une initiative et une direction, qui ne lui reviennent pas de droit. Cet organisme a été créé pour éclairer l'Executif de ses conseils et non pour prendre ne fut-ce qu'une parcelle de son autorité. . . . On lui reproche également, à juste titre, de trop se complaire dans une idéologie qui, mise en contact, souvent violent, avec la réalité de chaque jour, risque fort de compromettre la bonne gestion de notre Colonie." It suggests the appointment of members who actually work or have resided in the Congo. It appears that this criticism has arisen from commercial interests because members of the Council have recently expressed themselves in favor of native production and leases instead of full property concessions. Cf. also Collet, "Conseil Idéologique," *L'Essor Colonial et Maritime,* March 3, 1927.

establishing taxes. Nevertheless, the Belgian Government is still obliged to have the Congo budget voted by parliament—a provision inserted in the Charter at the insistence of the Chamber.[10]

Under the British system, each colony enacts its own budget, subject to disallowance by the Colonial Office. Under the French system, the colonial federation budgets are enacted by decree. But the system established for the Belgian Congo goes further than either of these two systems in requiring the budget to be enacted by parliament.

The purpose of placing the colonial budget before parliament is to give its members an opportunity to debate the administrative policy of the Congo Government. Whatever advantages this practice may have, it has resulted in great delays. Estimates are first prepared by the district commissioner in each of the twenty-two districts in the Congo; they are then sent to the Governor of each province, who later sends them to the Governor-General. After revising them, the Governor-General sends them to Brussels where after study and revision they are submitted to parliament and must be voted in the form of a law. As a result, parliament usually does not vote the budget until after the beginning of the financial year in the Congo.[11] Thus parliament discussed the Estimates for the year 1924 at the end of July, 1924, and the budget reached the Congo in October when three-quarters of the money had been spent.[12] The budget voted under these circumstances does not conform to changing financial needs. Consequently, the government is obliged to resort to supplementary credits. Thus the government asked supplementary credits for the financial year 1925 which represented a quarter of the ordinary estimates. There is apparently no checking the power of the Ministry to extend supplementary credits except the subsequent approval of the Chambers which are virtually powerless, once the money has been spent. Thus the Ministry extended a credit of 350,000 francs to Governor-General Lippens, while it also expended 1,800,000 francs on a Congo exhibition without first obtaining parliamentary consent.[13] Under this system, the local government must attempt to forecast its needs several years in advance. The King or the Governor-General may in case of urgency order "virements" or the transfer of one vote to another. All such changes must likewise be submitted to the Chambers for approval.

In order to restrict the disadvantages of parliamentary control, the

[10] M. Halewyck, *cited,* Vol. II, p. 23, Article 12, Charte Coloniale.

[11] If the Chambers have not voted the budget five days before the opening of the financial year, the King "arrêtes" the receipts, subject to later approval of parliament.

[12] Cf. *Sénat-Compte-Rendu Analytique,* July 22, 1924, p. 229.

[13] Cf. the discussion, *Annales parlementaires, Sénat,* July 22, 1924, p. 1240.

Chambers enacted the law on August 12, 1923, which provided that the Congo budget might be voted for a period of two years, instead of annually. But the Colonial Commission of the Chamber in 1925 declared that the system made parliamentary control almost impossible and asked for the restoration of the annual budget on account of the necessity for so many supplementary credits. The Minister of Colonies likewise said that this system led to serious inconveniences in that it resulted in wide differences between actual expenditure and the original estimates. Nevertheless, the system spared the local administration the necessity of preparing annual estimates; and until a better system could be devised, he proposed to maintain the biennial system.[14]

It has been semi-officially suggested that time might be saved if the Minister of Colonies would annually send an official to Boma to talk over financial details with the Governor-General, and if a provisional budget be enacted annually by Royal *Arrêté,* based on the budget of the preceding year. In the course of the year for which the provisional budget is enacted the Minister should present to the Chambers a definite budget.[15]

For obvious reasons there is a danger that these attempts of a biennial submission or of a regularized provisional budget, will defeat the principle of parliamentary control altogether. The British Parliament has probably exercised closer scrutiny over the Colonial Office than other parliaments, but it has not found it necessary to vote the budgets of each of the fifty odd colonies in the Empire. It has held the Colonial Office accountable largely through the debate on the Colonial Office Estimates. Such is also the practice of the French Parliament. In Belgium, the Minister of Colonies likewise submits to Parliament Metropolitan estimates. Since these relate only to the maintenance of the Colonial Office and other domestic expenses, the Chamber originally felt that it could not discuss the administration of the Congo on the basis of such estimates alone. But such is the practice in the British and French Parliaments, and there seems to be no reason why it should not become the practice in the Belgian Parliament. Imposing its control over the Ministry through the debate on the Metropolitan estimates, Parliament could afford to place the enactment of the Congo budget in the hands of the King, subject to the control of the Colonial Council.[16]

[14] Exposé des Motifs, Budget du Congo Belge, *Chambre des Représentants,* No. 240, March 25, 1926, p. 3.

[15] This is the Italian system. Cf. "Technique et contrôle budgétaire des dépenses coloniales." *Congo,* February, 1926, p. 201.

[16] Partly as an economy measure, in 1926 the Ministry of Colonies was abolished as a ministerial department. But since the Colonial Charter provided for the existence of a Minister of Colonies, the government appointed Baron Houtart as the titular head, and made M. Arnold, a permanent official, Administrator-

4. *Local Administration*

The administration of the Congo is placed in the hands of the Governor-General, located at Boma. It is planned to move the capital to Leopoldville on Stanley-Pool because it has a better climate and is only several miles from Kinshasa, the industrial center of the colony. The Governor-General receives a salary of one hundred and fifty thousand francs a year which is considerably higher than the regular salary of the Governor-General of French West Africa.[17] As a rule, the office of Governor-General is filled by promotion from the colonial service—a policy which has led to some criticism on the ground that the official hierarchy lacks the imagination and driving power of the business man. In 1921 the government departed from this policy, and appointed a leading industrialist, M. Maurice Lippens, as Governor-General. He brought new vigor to the administration, introduced a measure of decentralization [18] and stimulated the economic development of the Congo. He did not always appreciate the effect which such development might have upon native welfare, and he was kindly disposed toward the large commercial enterprises and concessions. Disputes with the Minister of Colonies over administrative matters and with the Catholics over missionary policy soon led to his resignation.

The Governor-General is supposedly advised by a Council of Government, composed of the Vice-Governor-General, the *Procureur Général,* the Secretary General (who corresponds to the Chief Secretary in a British Government), and the heads of the different administrative services. The governors of the provinces may also attend the Council meetings, and the Governor-General may ask Belgian private citizens to participate. During the administration of Governor-General Henry, the Council met annually and heard the address of the Governor-General before it was published. But since the World War, this body has declined in importance. In fact, one of the most striking features of the Congo Administration is the absence of consultative machinery.

One important exception should be made for the Native Affairs Commission. Such a Commission was established in 1896 by the Free State, [19]

General. The real responsibility for the administration of the Colony fell upon the latter official who was not responsible to Parliament. A writer in the *Congo* criticized the system on these grounds. He said that a scission had been created which would create a gulf between Belgium on the one hand and the African empire on the other. The system has since been abolished. Cf. *Congo,* June, 1926, p. 36.

[17] The latter official obtains fifty thousand francs plus thirty-five thousand as a colonial supplement, together with other sums.

[18] Cf. Lippens, *cited,* Annex II.

[19] Decree of September 18, 1896, *Recueil Usuel,* Vol. I, p. 531.

but it did not meet after 1901, partly because the large area of the country made it difficult for widely scattered members to gather.[20] As a substitute, the government appointed a Special Commissioner in 1903 to watch over native interests; but this official did not prevent the abuses of the Leopoldian régime.

At the suggestion of Catholic missionaries, the *Charte Coloniale* provided for the establishment of the Commission for the Protection of Natives. It is presided over by the *Procureur Général* and contains twelve members including a number of missionaries, both Catholic and Protestant, and business men. The Commission is not limited as to nationality —at present it contains one American and two English missionaries. According to the *Charte Coloniale* this Commission should meet annually. But between 1908 and 1924 only four meetings were held. As some of the members must travel several weeks' journey, annual meetings are quite a burden. To overcome the difficulty of distance, the administration has established a sub-commission of native affairs for the Katanga province.[21] Despite infrequent sessions, this Commission has been outspoken in regard to native policy. This was especially true in 1919 when it expressed the opinion that the population of the Congo had declined one-half since the European occupation.[22] The Minister of Colonies, it is understood, was so provoked by this statement that he did not convene the Commission again until 1924, and only then in response to pressure from home. In the latter session, the Commission went out of its way to commend the government for improving conditions conducive to population increases.[23] Meritorious as this Commission may be, there is a danger that it may operate as a shield for the government and that its mere existence will lull the feeling of responsibility of parliament which may take the position that unless the Commission calls attention to abuses, there is nothing to criticize. The leading commentator on the *Charte Coloniale* says that "it is to be feared that, by the force of things, the results of the present attempt has been as little satisfactory as those of the Free State." [24]

Following the federal example of other territories, the Belgian Congo since 1914 has been divided into five provinces, each of which is presided over by a Vice-Governor-General, or Governor responsible to the Governor-General at Boma. These provinces are as follows:

[20] M. Halewyck, *cited,* Vol. I, p. 206.
[21] Cf. "Rapport au Roi de la sous-commission du Katanga pour la protection des indigènes," *Bulletin Officiel,* 1925, p. 195.
[22] Cf. Chap. 91.
[23] "Rapport au Roi de la Commission pour la Protection des Indigènes," *Bulletin Officiel,* 1924, pp. 385 ff.
[24] M. Halewyck, *cited,* Vol. I, p. 207.

Provinces	Capital
1. Congo-Kasai	Leopoldville
2. Equator	Coquilhatville
3. Oriental	Stanleyville
4. Katanga	Elizabethville
5. Ruanda-Urundi	Usumbura

Two of these provinces have been subject to a special régime. The first of them is the Katanga, which for a time was governed by the *Comité Spécial*. The Colonial Charter provided that this régime should come to an end by January 1, 1912, if not before; and in a decree of March 22, 1910, the State took over the administration of the Katanga, except for the administration of land and minerals which is still vested in the hands of the *Comité*.[25] Between 1910 and 1914, the Katanga was under a Vice-Governor-General and had an autonomous administration distinct from that of the other parts of the colony. But in that year the colony was divided into provinces, of which the Katanga became one.[26]

Ruanda-Urundi also occupies a special status. Formerly part of German East Africa, it was given as a mandate to Belgium at the end of the World War.[27] On August 21, 1925, the Belgian Government enacted a law on the administration of Ruanda-Urundi which provided that it "shall be united for purposes of administration with the colony of the Belgian Congo, of which it shall form a Vice-Governor-General's province. It shall be subject to the laws of the Belgian Congo, except as hereinafter provided." The law provided, however, that the Vice-Government had a distinct juristic personality from the remainder of the Congo and that it possessed its own "patrimony." That is, its receipts and expenditures must be kept separate from those of the Congo proper. Article 5 of the law provides that "The rights conferred on the Congolese by the laws of the Belgian Congo shall apply, subject to the distinctions specified in the said laws to the nationals of Ruanda-Urundi."[28]

When the draft of this law was first presented to the Belgian Parliament the German Government registered a protest with the Belgian Government and later with the Council of the League of Nations. It claimed that this law would mean the annexation of Ruanda-Urundi in violation of Article 22 of the Covenant. While the Belgian Government declined to recognize the validity of the German protest, on the ground that Ger-

[25] *Recueil Usuel*, Vol. VII, p. 134.

[26] Articles 16-21, Royal *Arrêté* of July 28, 1914, *Codes et Lois*, p. 60.

[27] Cf. Vol. I, p. 428.

[28] This law provides that the decrees of the Congo apply to Ruanda-Urundi only by ordinance of the Vice-Governor-General administering it. The recruiting for the Force Publique is placed under special regulation. Cf. *Lois et Arrêtés Royaux de la Belgique*, 1925, p. 1462. Also *Arrêté Royal* of January 11, 1926. *Ibid.*, 1926, p. 136.

many's rights had been extinguished by articles 118 and 119 of the Treaty of Versailles, the Belgian representative made a statement to the Mandates Commission at its seventh session, in which he declared that the mandate authorized the mandatory power to administer the mandate "as an integral part of his territory," and that the Belgian Government had before it the precedent of British Togo and Cameroons which had similarly been merged into neighboring colonies. The Belgian Government had no desire to change the policy of indirect administration in the territory nor to confer Belgian nationality upon the inhabitants of the mandate.

After discussion in which the drafting of the law of 1925 was criticized, the Mandates Commission, instead of asking that the law be amended, passed a resolution in which it "noted the explanations of the accredited representative, which, since they were made in the name of his Government, may be regarded as an authorized interpretation of the text." The accredited representative promised to bring to the attention of his government the observations of the Commission [29] on the question arising out of the text of several articles of the law, "which may give rise to unfortunate interpretations."

Ruanda-Urundi was declared a fifth province of the Congo, according to the government, in order to extend to it the benefits of the services of the central government at Boma and thus economize in the cost of administration. A more practical result of this action will be that it will be more difficult for the Mandates Commission to criticize the recruiting of labor in Ruanda-Urundi for the Katanga mines than if the mandate remained a wholly independent territory.[30] At the same time, despite the incorporation, the Mandates Commission retains its power to criticize the administration of Ruanda-Urundi; and in doing so, it may indirectly criticize the policy of the Congo as a whole.[31]

The Governor-General of the Congo is assisted by a number of officials who control departmental administration or services throughout the five provinces, the first of which is the *Chef du contentieux*—the head of the judicial service—who is the *Procureur Général* at Kinshasa There is also a *Procureur Général* at Elizabethville. In addition, there is a Chief Engineer who is in charge of public works; an Agricultural Engineer; a Chief Medical Officer, and a Conservator of Land Titles.

Within the administration proper is the Secretary General, the Direc-

[29] *Minutes of the Seventh Session, Permanent Mandates Commission,* October, 1925, C. 648, M. 237, 1925, VI, p. 215.

[30] Cf. Vol. I, p. 338, Vol. II, p. 537.

[31] The annual report continues to be submitted and the Belgian Parliament votes a separate budget for the territory. Cf. Tables IV, V, *Chambre des Représentants,* No. 240, p. 68.

tors of Finance, and of Posts and Telegraphs, and the Commandant of Troops. In 1926 a Direction of Education and of Native Affairs and Labor were established.[32]

The Governor-General is assisted by a Vice-Governor-General. The Governor of each province, who receives a salary of 80,000 francs, is assisted by one or two "General Commissioners." In case there are two such assistants, one is usually responsible for native affairs, and the other for European affairs. The Governor of the province has power to issue ordinances which in fact, but not in law, are sometimes legislative in nature. Probably the best examples are the ordinances made by the governors in regard to labor regulations.[33]

Each province has a Secretariat, a Service of Finance, a Service of Public Works, a Service of Justice and Education, a Service of Agriculture and Forests, a Service of Hygiene, a Land Department, and in some cases a Service of Commerce, Industry and Labor.

Sometimes these services are directly responsible to similar services in the central government; in other cases they are under the provincial Secretariat.[34] All heads of Services are responsible to the Governor; and departmental representatives, with the exception of doctors and magistrates, are responsible to the District Commissioner. All instructions from the general services at Boma to the provincial services come in the name of the Governor-General to the Governor, etc.

Each Governor is supposedly assisted by a Regional Committee composed of official members and individuals whom the Governor may invite to sessions; but it appears that such Committees are inactive in most of the provinces.

In many respects the Governor of a Congo province is similar to the Governor of a French colony in the Federation of West or of Equatorial Africa. The chief difference between the Congo and the French federation is that the former has no provincial budgets.[35] As a result, the more heavily populated provinces, such as the Oriental Province, help pay the way of the less heavily populated provinces, such as the Katanga. Some Governors in the Congo are advocates of a provincial budget system not only for this reason but also their belief that it would promote efficiency.

In the past the Congo has suffered from the blight of over-centralization in the same fashion as have the French colonies. The Minister of Colonies has maintained a rigid control over the Governor-General, and

[32] *Bulletin Administratif Commercial du Congo Belge,* 1926, pp. 318, 606.
[33] Cf. Chap. 90.
[34] *Arrêté royal,* July 28, 1914, Réglement organique de l'administration locale, *Codes et Lois,* p. 58.
[35] There is only one budget for the whole Congo.

the Governor-General originally attempted closely to administer the whole colony. But the Congo is so vast that such a concentration of authority led to delay and mismanagement. In order to overcome these defects, the government introduced the provincial system in 1914, which has already been described. The requirements of the World War offset the decentralizing tendency, with the result that the Congo in 1920 found itself in the grip of an unimaginative and centralized bureaucracy. The Minister of Colonies appointed M. Lippens, as Governor-General, to cut through this maze in 1922. In circulars issued in that year the new Governor-General attempted to transfer responsibility for administering the colony from Boma to the Governor of each province. While he would decide on the main line of policy, the Governors would take such measures as they considered best to carry out this policy, without referring specific measures to the Governor-General.[36]

For a time this system spurred up activity, but M. Lippens himself became so entangled in the coils of bureaucracy that he felt obliged to resign.[37]

Whatever may be the advantages of decentralization, it presents certain dangers if it means that the central authority concerns itself only with the end and not with the means by which the end is to be accomplished. At the present time, each Territorial Agent makes a report upon methods to the District Commissioner and each District Commissioner makes a report of the Governor. The Governor in turn makes a report to the Governor-General. But the District Reports are not sent to Boma. They remain in the provincial archives. The Governor's report merely informs the Governor-General about the development of the province in general terms. Under such a system, the Governor-General has no means of knowing what is actually going on. He may order the Governor to build such and such public works, but he is not, under the system, informed as to the detailed means by which the government secures the labor. Nor does it appear that the Governor-General has much control over native policy generally. Obviously, if abuses are to be prevented, a close central control must be maintained. One of the first steps would be for the provinces to transmit every district report on political and economic affairs to the Secretariat at Boma.

The four provinces of the Congo proper are in turn divided into twenty-two administrative districts, each of which is in charge of a District Commissioner who in rank corresponds somewhat to the Provincial Commissioner in British Tanganyika or to a Resident in Nigeria. A First

[36] For the circular, cf. *Recueil Mensuel du Congo Belge*, 1922, p. 2.
[37] Cf. Vol. II, p. 456.

Class Commissioner receives a salary of forty thousand francs a year which is about equal to that of a French *Commandant du Cercle.* "District Commissioners direct the services of the district and the administration of the territories" into which each district is divided. "They watch over especially the organization and development of native institutions."[38] Each district is divided up into "territories," of which there are one hundred and seventy-nine in the Congo, each in charge of a territorial agent or administrator, divided into a number of classes whose salaries range from thirteen thousand to twenty-eight thousand francs. These salaries are low.[39] Moreover, the leave periods in the Congo are less frequent than in the British and French service. Belgian officials obtain leave for six months once every three years.[40] This leave period does not begin until the day they leave Boma, while it ends upon the day of their return. Likewise, Belgian officials seem to put in longer office hours than either British or French officials.

At the present time the Estimates provide for a total of seven hundred and twenty-one administrative officers (which includes replacements for those on leave).[41] Deducting one hundred and twenty-five men permanently on leave, there is one officer per 17,800 inhabitants. According to this ratio the Congo has more administrative officers per population than any other territory in Africa, except Mauretania and Dahomey.[42] This is due to the fact that it has been almost impossible to utilize native tribes in administration because of the tiny units into which they are divided or because they have been altogether destroyed. Moreover, a policy of industrialization, requiring a large labor supply, inevitably means a comparatively large administrative staff. Despite this large number of officials, the high government officials complain that the administration is understaffed.

Whether or not it has been because the Belgian service has not been financially attractive, the Belgian Congo has had perhaps greater difficulty in recruiting suitable personnel than either the British or French colonies. Under the Free State, district commissioners were invariably military officers, some of whom had been promoted from the ranks. To-day this element is gradually being eliminated. Moreover, many of the adminis-

[38] Article 36, Royal *Arrêté* of July 28, 1914.

[39] The small salaries were severely criticized in the Senate budget debate of 1924. *Annales Parlementaires,* July 22, 1924, p. 1238.

[40] Article 15, Statut des Fonctionnaires, *Annuaire Officiel, Ministère des Colonies,* Brussels, 1925, p. 254.

[41] Loi du Budget Général, p. 129. *Chambre des Représentants,* No. 240, 1926. The government, however, has not been able actually to fill all administrative posts authorized by the budget.

[42] Cf. Vol. I, p. 984.

trators in the Free State were non-Belgians; and even now one occasionally finds a Serb or other nationality as an administrator. The chief and nearly half of the doctors of the Medical Service are Italian. While in the Medical Service this system has great merits, the administration naturally is attempting to make the political branches exclusively Belgian.

The attitude which Belgian officials—not to mention private individuals—display toward native women is more shocking in the Congo than perhaps in any other part of Africa. High officials not only maintain native mistresses but flaunt them in the face of the native and European communities. One of the most distinguished governors of the Congo was recently seen out in the street teaching his native concubine how to ride a bicycle. Wholly apart from the question of European morals, with which this study is not concerned, it would seem that Europeans who live promiscuously soon destroy the prestige which is the chief support of the white man's rule over the native population. Belgians themselves complain that natives show less respect for the European in the Congo than in any other part of Africa. Moreover, it is impossible to break down native promiscuity and to stabilize native family life upon which the increase of population as well as the improvement of individual character depends, as long as European administrators upon entering a village take the best looking native women they can find. The British Government punishes officials having illicit relations with native women by instant dismissal.

Whatever may have been the shortcomings of the Congo administrative service, the Colonial University established at Antwerp in 1920, which is in part financed by American gifts, as well as the Colonial School at Brussels, is training a high type of official with the result that the Congo will soon be staffed with as high a type of official as may be found in any territory in Africa.[43]

As in South Africa, a number of large industrial centers in the Congo with a large European population have arisen, particularly at Elizabethville and Kinshasa-Leopoldville. To provide for their needs a decree enacted in 1923 authorized the establishment of Urban Districts. Each of these districts is administered by a District Commissioner, appointed

[43] The course in the Colonial University lasts for four years. The first year is given over to general subjects such as history, philosophy, biology, literature, public law and political and social economy. In the second year, the history of Colonial Empires and especially of the Congo is studied; also elements of Congo botany and agriculture, Bantu languages, anthropology, civil engineering, physical geography, elementary medicine and "deóntology." The third year is reserved for military service in the Engineering corps. In the fourth year, the history of different colonial systems, native institutions in the Congo, tropical hygiene, Lingala, native policy, colonial finance, and similar subjects are given. Some of these subjects are optional; others are obligatory. There is also a school for Tropical Medicine.

by the Governor-General. He is assisted by an Urban Committee, composed of the District Commissioner as president, and between three and eight Belgians nominated by the Governor of the province. By this means the demand of the Belgian population for participation in the administration is being partially realized. If the committees succeed, it is not improbable that some system of elected members will be established. This Committee may impose local taxes, subject to the approval of the Governor; it discusses the district budget and it may contract loans.[44]

The leading example of such an urban district is Kinshasa-Leopoldville. This district has eight European administrators, a special service of police, and other departmental services.[45] The Urban Committee consists of the District Commissioner and six Belgian merchants.

5. *Judicial System*

Of equal importance to the territorial administration of the Congo is the judicial system. While the Charter authorizes the King to establish a judicial organization by decree,[46] it limits its discretion by guaranteeing the security of tenure of the magistrates. Thus according to an amendment of 1923, these judges are appointed provisionally by the Minister of Colonies. After two years' service they may be appointed definitely for a period of eighteen years. Magistrates of career, having a definite appointment, can be removed only when they have gravely compromised the dignity of their character or have seriously failed to perform their duties.[47] A Belgian commentator says, "Under no other Colonial Power do the magistrates enjoy so many guarantees."[48]

These professional magistrates are divided into two classes: (1) those who are judges in the Courts of Appeal and of First Instance, (2) those who are officers of the "Ministère Public"—that is to say, the *Procureurs Générals,* the heads of the judicial system, and a "Procureur du Roi" and a substitute in each Province. These latter officials exercise powers somewhat similar to those of an attorney-general in England. They are responsible for the enforcement of the law; they prosecute violations; and in addition, they have certain control over the revision or appeal of judicial decisions, which is later discussed. All magistrates must know a native language.

[44] Decree of January 12, 1923, *Codes et Lois,* p. 192.
[45] Cf. List of Personnel, *Chambre des Représentants,* No. 240, p. 155.
[46] Cf. the Decree of August 20, 1912, *Codes et Lois,* p. 1573.
[47] Article 47. The Governor-General may remove magistrates for these causes only on the proposal of the *Procureur* and in some cases following the opinion of the Court of Appeal.
[48] C. De Lannoy, *L'Organisation Coloniale Belge,* Brussels, 1913, p. 45.

Virtually all serious criminal and civil cases in the Congo, both in regard to natives and non-natives, were originally placed under the jurisdiction of professional magistrates instead of administrative officials as elsewhere in Africa. While administrative officials in the Congo were invested with a degree of judicial authority, it was limited to cases involving a maximum punishment of seven days and a fine of two hundred francs. Originally the entire judicial system of the colony was placed under the *Procureur-Général,* responsible not to the Governor-General of the Congo but to the King. In other words, there were in the Congo two authorities independent of each other—the Governor-General and the *Procureur.*[49] The judicial power was completely separated from the Executive.

Under this system the Governor-General had no control over the enforcement of legislation, nor over the action of tribunals. Disputes arose between magistrates and administrative officials, since the magistrates would upon the ground of legality obstruct administrators in carrying out orders issued by the Governor-General. This system did not conform to continental theories in regard to the executive control of the judiciary, nor to the practical exigencies of tropical territories where administrative unity and swiftness of action are regarded as essential. Moreover, the burden of judicial work, concentrated in the hands of professional magistrates, was becoming excessive.

Consequently, the government enacted a decree in 1923 which brought about some important changes in the Congo judicial system. It authorized the Minister of Colonies to place the *Procureur-Général* and the judicial system under the authority of the Governor-General, and likewise it extended greatly the judicial power of administrative officials.[50]

The lowest tribunal[51] is now the Police Court, located at the capital of each "territory," and presided over by an administrative official. Thus constituted, it has jurisdiction over offenses committed by natives, punishable by two months' imprisonment and two thousand francs fine, and over offenses punishable with five years' imprisonment and a fine when the court believes that the penalty to be pronounced in the particular case should not exceed two months' imprisonment and 2,000 francs fine.[52]

This decree gives to the police court power to punish violations of all the regulations of the Governor-General and Governors of the provinces in matters of police and internal administration, as well as all violations

[49] Cf. the Interpretative law of May 13, 1912.

[50] Decree of July 9, 1923, on Organisation judiciare et compétence. *Codes et Lois,* p. 1625.

[51] Except for the native courts which are discussed on p. 488, Vol. II.

[52] Article 60. Decree of July 9, 1923.

of decrees, ordinances, and regulations which do not carry particular penalties.[53] The penalties to be applied to ordinary criminal offenses are defined in a Penal Code.[54]

While the Congo does not have the system of disciplinary penalties followed in the French colonies, a decree of July 24, 1918, punishes with a week's imprisonment and two hundred francs fine [55] any act of disrespect toward a European official; or any act committed in public with a view to provoking contempt for public authority or for the insignia worn by agents; the putting into circulation of knowingly false rumors to excite the people against authority; the refusing to furnish information demanded by agents of the government; and a number of other offenses of a similarly vague nature.

Under this decree the ordinary police court thus has over the natives a petty jurisdiction which is difficult to control. When the police court sits with an officer of the "Ministère Public," who is a professional magistrate,[56] it has jurisdiction also over non-natives in cases punishable with two months' imprisonment and two thousand francs fine, "when the court believes that the principal penalty of imprisonment should not be imposed." [57]

The judgments of the police court, when the administrative official sits alone, are subject not to appeal but to revision.[58] The native concerned may ask to have his case revised by the Tribunal du Parquet on the basis of a monthly return. When the official sits with the magistrate, the judgments of the tribunal may be appealed either by the party or the Procureur to a higher court subject to a number of exceptions.

The second court in the hierarchy is the District Court, presided over by the District Commissioner. When constituted by the Commissioner alone, it has jurisdiction over native offenses involving six months' imprisonment and two thousand francs fine; and over offenses punishable

[53] Cf. Decree of August 6, 1922, *Codes et Lois*, p. 441.
[54] *Ibid.*, p. 417. [55] *Ibid.*, p. 443.
[56] Article 3 of the decree says, "Lorsque son concours est requis, le Ministère public assiste au prononcé du jugement, sauf en cas d'impossibilité constatée dans celui-ci."
[57] Any official has the powers of an "officer of judicial police" and may make an arrest. In case of offenses punishable by two months' imprisonment and two thousand francs fine, committed by non-natives, an officer of judicial police may, when he believes that the court would merely impose a fine, invite the party alleged to have committed the offense to pay the fine as determined by the officer, but not to exceed the maximum fixed by law. If the person pays the fine the case is dropped; if the person does not choose to pay the fine, the case goes to trial. Article 3, Code de Procédure Pénale, *Codes et Lois*, p. 1656.
[58] Article 63 of the Decree of July 9, 1923, says, "Les jugements rendus par les tribunaux de police siegéant sans officier du Ministère public ne sont susceptibles ni d'opposition ni d'appel.
"Ils sont susceptibles de revision."

with a maximum of five years' imprisonment when the court believes that in the particular case the penalty should not exceed six months' imprisonment and two thousand francs fine.[59]

When the District Court sits with an officer of the *Ministère public* it has jurisdiction over all offenses committed by natives and over offenses committed by Europeans punishable with a maximum of five years' imprisonment and a fine. The District Court thus constituted also hears appeals from judgments rendered by the police courts[60] which may be taken by the party concerned when, in the case of natives, an imprisonment of more than two months is involved. A European has the right of appeal in all cases.

The third court is the *Tribunal du Parquet.* It consists of a professional magistrate who is at the same time an officer of the *Ministère public,* and has the title of "Substitut du Procureur du Roi." The principal work of this court is to revise the judgments of the police courts—i.e., those which are not liable to appeal—upon the basis of monthly returns of cases sent in by these courts. It appears that there are eight or nine such tribunals in the Congo.

When there is no other court within a radius of twenty-five kilometers the *Tribunal du Parquet* may try native cases involving punishments of five years' imprisonment and a fine of two thousand francs when the court believes that the penalty in the particular case should not exceed one year's imprisonment or two thousand francs fine. Judgments exceeding two months' imprisonment may be appealed.

Unlike the system of appeal in British courts, which is limited to the parties, the *Procureur-Général* or his representatives may also appeal cases. In the cases which are subject only to "revision," the party to the case may request revision. Thus appeals or revisions may be taken either by the parties or by the representatives of the *Procureur Gènéral* "d'Office." The actual revision is done, however, by a tribunal.[61]

The fourth court is the Tribunal of First Instance. Unlike the police or district courts, it contains no territorial officials but is composed wholly of professional magistrates, a regular judge and the officer of the *Ministère*

[59] It may also put at the disposition of the Government natives who fall under the application of the provisions in regard to vagabonds, and beggars when it believes that imprisonment should not exceed two years. Under a decree of May 23, 1898 (and of May 26, 1913), the Government may intern vagabonds for seven years in special Work Houses. But it does not appear that any such houses have been created or that vagabonds are frequently imprisoned. For the decrees, see *Codes et Lois,* p. 1515.

[60] Neither the police court nor the District Court has jurisdiction over offenses committed by any magistrate or official who holds the rank of "functionnaire." Some of these latter cases are tried by the Tribunal of First Instance.

[61] Chaps. VII-VIII. *Code de Procédure Pénale.*

public—who is ordinarily the *Procureur du Roi.* There are usually several Tribunals of First Instance in each province. This tribunal has jurisidiction over non-natives when the penalty exceeds five years. It also acts as a court of appeal for judgments rendered by the district courts and by the *Tribunals du Parquet.*

The fifth court is the Court of Appeal. This court is composed of a President, two Councillors, and the *Procureur Général,* all of whom must be professional magistrates, which hears appeals from the judgment of Tribunals of First Instance. There are two Courts of Appeal and two *Procureurs Général* for the Congo.

In civil matters the *Tribunal du Parquet* has jurisdiction in cases involving sums as large as five thousand francs; while the Tribunal of First Instance has unlimited civil jurisdiction, subject to appeal. Native cases are handled by native courts.[62]

As far as the natives are concerned, the most important courts are the police courts. In 1924, they tried fifteen thousand cases, all of which were scrutinized by the *Tribunal du Parquet* on the record, and some of which were directly appealed.

It would appear that the rights of the natives are safeguarded in theory under the Belgian system to a greater extent than under the French judicial system or even the British system. A native may ask that his case be revised or appealed, he is heard to a much greater extent by professional judges than by administrative officials, and he is as a rule judged according to a precise Penal Code. At the present time there are about fifty-three professional judges in the Belgian Congo judicial service.[63] This is about twice the number of judges found in French West Africa and a much larger number than is found in British colonies having the same population.

It is difficult to say, however, whether the native receives more substantial justice from the Belgian than from the British system where except for native courts practically all judicial work involving natives is done by administrative officers. As a matter of fact, as the reform of 1923 shows, the Congo is moving toward the British system. It has now placed all minor offenses in the hands of administrative officials.[64] Even under the present organization, it is difficult to procure enough magistrates (and also *greffiers* or clerks of court) to serve on all of the tribunals where they are needed, so that the wheels of justice for the more serious cases proba-

[62] Cf. Vol. II, p. 488.
[63] *Annuaire Officiel,* 1925, p. 371 ff.
[64] Exception being always made for the native courts, cf. below.

bly move more slowly than in British territory.[65] Nevertheless, the Belgians deserve great credit for their efforts to establish an independent judiciary and for the high type of magistrates which they have sent to the Colony.

6. *Political Fears*

Despite the success of Leopold II in converting the Free State, which was originally an international undertaking, into a Belgian colony, fears have remained that because of the small size of Belgium and of European envies, the Congo might eventually be appropriated by other powers. The official criticisms of the Free State régime by the British and American governments were animated, according to Leopold, by a desire to divide the colony.[66] The treaty of 1911 between Germany and France, giving Germany access to the Ubangi and the Congo and imposing restrictions upon the French right of preemption over the Congo aroused fears in Belgium that Germany wished to fasten her tentacles into the territory across the river. The construction of the Tanganyika railway from Dar-es-Salaam to the Lake, together with the announced designs of German speakers and rulers on the Congo, increased Belgian anxiety.[67]

The position of the Congo is made particularly difficult by the fact that the copper mines which furnish the greater part of its exports are dependent upon foreign railways and foreign ports. Thus most of the copper has been exported via the Rhodesian Railways to the Portuguese port of Beira. Before 1914 the Portuguese government had sponsored the construction of another railway on the opposite side of Africa—the Benguela Railway which in 1914 extended from Lobito Bay to Chingwarr—a distance of 520 kilometers. The railway passed through a fertile plateau which the Portuguese government wishes to settle with colonists. The actual control of this road is in the hands of the Benguela Railway Company, which before the War was under the domination of Robert Williams and the Tanganyika Concessions, Ltd.—a British concern.[68] In 1913 the Portuguese government wished to extend the railway, in agreement with Belgium, so as to link up the Katanga with the port at Lobito Bay, a distance of 2100 kilometers, of which 800 would be in Belgian and 1300 in Portuguese territory. The fulfilment of these plans necessitated further capital. Apparently inspired by the same considerations which led to the proposed German-English financing of the Bagdad railway, German

[65] Cf. the complaints in regard to delay, "La Magistrature Congolaise," *L'Avenir Colonial Belge* (Kinshasa), March 17, 1925.

[66] Cf. Vol. II, p. 439.

[67] These expressions are summarized in O. Louwers, *Le Congo Belge et le Pan-Germanisme Colonial,* Paris, 1918, Chapter I.

[68] Cf. Vol. II, p. 424.

and British interests now carried on negotiations with a view to giving German capital a participation of 60,000,000 marks in the Benguela railway. These negotiations were accompanied by correspondence between the German and British governments having as its object the revision of the agreement of 1898 in regard to Portuguese colonies and the settlement of other colonial matters. After negotiations lasting about nine months, the two Governments secretly drafted a convention which provided that whenever either the British or the German Government is of opinion that it is expedient to accede to a request for an advance of money to Portugal on the security of the customs revenues or other revenues of Mozambique or Angola, it shall communicate the fact to the other Government, and the other Government shall have the right to advance a part of the total sum required. In the event of the other Government signifying its intention to exercise this right, the two Governments shall consult as to the terms of the two loans, and these loans shall be issued on the security of the customs revenues of Mozambique and Angola as nearly as possible simultaneously. In the contingency just contemplated, the customs revenues of that portion of the province of Mozambique lying south of a line starting from the mouth of the River Lukugu and running along the 16th parellel of south latitude, and also the customs revenues in Angola lying south of the Kasai river shall be assigned to the British loan. The remaining parts of Mozambique and Angola, including Cabinda, would be assigned to the German loan. In the event of Great Britain or Germany sending delegates to take note of the collection of the revenues which are the security for these loans, the Portuguese Government shall be asked to give such delegates rights of inspection only, but no rights of administration so long as there is no default. In case of default "it shall be agreed with the Portuguese Government that they will hand over the administration of the various custom-houses in the two provinces" to Germany and Great Britain respectively. Henceforth the British government would abstain from advancing any claims to the portion of the Portuguese provinces in which the customs revenues were assigned to Germany, or to San Thomé and Principe; and Germany likewise agreed to give up claims in the Portuguese provinces assigned to Great Britain and in Portuguese Timor. "In the event of either Government obtaining from the Portuguese Government a cession of territory" in its sphere, it will not become operative until the other Government has received analogous grants.

Article VIII provided that "If in any part of the provinces of Mozambique or Angola the lives or property of British or German subjects, or the vital interests of the adjoining British and German colonies and protectorates, are endangered by local disturbances or by the action of the local authorities, and the Portuguese Government are not in a position to afford the necessary protection, or otherwise fail to do so, the British and German Governments shall determine, in consultation together and after a joint communication with the Portuguese Government, the nature, duration and scope of any measures which it may be deemed necessary to take for the protection of the interests endangered. Both Germany and England agreed to oppose the acquisition of territory in the Portuguese colonies or any loan on the security of revenues by a third power. If any part of a Portuguese colony should declare its independence and its annexation to the dominions of one of the two contracting powers, the other contracting power shall be etitled to annex another portion of the Portuguese colonies.[69]

Despite the fact that the terms of this Agreement were kept secret, the general purpose, which apparently was under certain contingencies to divide up Mozambique and Angola between Germany and England, soon became known, and Belgians, as well as Portuguese, became disturbed. This agreement would give to Germany, which already confronted Belgium on Lake Tanganyika, the left bank of the Congo, the Cabinda enclave, and the port of Loanda. It would give to the British the two ports of Beira and Lobito Bay, upon which the Belgians are or will be largely dependent.

The World War apparently brought all talk of this agreement as well as of German participation in the Benguela Railway to an end. In 1918 plans for extending the construction of the road by British capital were revived. At that time the Portuguese government held 300,000 shares of stock in the Benguela Railway Company, the remaining 250,000 being held by the Tanganyika Concessions. The total capital of the Company, 3,000,000 pounds, was too small to finance all of the work of the Company. Consequently Mr. Robert Williams now attempted to negotiate a loan of 3,000,000 pounds in London, under the Trade Facilities Act. This Act authorizes the British Treasury to guarantee the payment of loans to be applied towards the carrying out of capital undertakings, which will promote employment in the United Kingdom.[70] But General Smuts, the Prime Minister of South Africa, protested against the loan on the ground that the construction of the Benguela road would hinder the South African Railways.[71] When General Hertzog came into office, he with-

[69] The text of this draft convention is published in *Die Grosse Politik der Europäischen Kabinette 1871-1914*. Berlin, 1926, Vol. 37, p. 66.

[70] Trade Facilities Act, 1921, 11 & 12 Geo. 5, Chap. 65. The firms receiving such guarantees and the amounts are given in the Return to the Trade Facility Act, published annually. Cf. House of Commons Paper 5, 1924.

[71] Cf. the remarks of Mr. Williams at the meeting of the Tanganyika Concessions, July 30, 1925. *The Times*, July 31, 1925, p. 18.

drew these objections and the Trade Facilities Committee in 1925 agreed to guarantee a loan of 1,250,000 pounds for the railway, on the understanding that the sum should be expended in England.[72] The construction of the railway is now proceeding, and must be completed by the end of 1928.[73] The Belgian government is also, if reluctantly, completing the Belgian section of the road. While the Benguela route is shorter to the West Coast than any other route, except via Beira, and while the port of Matadi is already over-crowded, many Belgians have opposed the construction of the Benguela railway on the ground that it would be a British controlled railway serving a Portuguese port. These fears are based partly by a "Cape to Cairo" speech of Robert Williams who declared: "The Benguela route, when linked with the Cape to Cairo line, affords a good back door entrance (as one may call it) to the Sudan and to Egypt, which would be extremely useful in the event of a blockade of the Mediterranean Sea. The Benguela Railway with the Cape to Cairo Railway connections to the Sudan will belong in their entirety to Britain and to friendly countries—the one our ancient ally Portugal, and the other our recent and gallant ally Belgium." [74] This assumption that the British could use the Congo railways in this manner was commented adversely upon by a number of Belgians.

These misgivings as to the dependence of the Congo upon foreign railways and ports, whether in the case of Beira, of Lobito Bay or of Dar-es-Salaam, might be lessened except for the difference in currency, which makes transport costs excessive to Belgian shippers, and the predominance of foreign individuals and foreign capital in the Congo. The mines of the Katanga were originally developed by English capital and brains; while American capital and engineers have assisted in the development of the diamond resources of the Kasai. Until recently the majority of Europeans in the Katanga have been non-Belgians. Since the World War the *Comité Spécial* and *Union Minière* have adopted a frank policy

[72] Mr. Williams informed the Trade Facilities Committee that in case it refused the guarantee he had arranged to purchase this material from Continental firms at prices "far below British prices," to be paid for out of the sale of privileged stock held by the Tanganyika Concessions in the *Union Minière*—a plan approved by the Directors of the Tanganyika Concessions, Ltd. The prospect of losing this British business apparently induced the Trade Facilities Committee to guarantee the loan.

[73] In November, 1925, Mr. Robert Williams and the Portuguese Government made a supplementary agreement to the effect that the road must be completed to the Portuguese frontier by that date, and that the Portuguese government shall receive in any new issue of fully-paid shares 15% instead of 10%, and that it shall receive 5% of the net profits after 5% has been paid to the stockholders. *The Times,* November 27, 1925, p. 20, col. 3.

[74] Robert Williams, "The Cape to Cairo Railway," *Journal of the African Society,* July, 1921, p. 257.

of "nationalizing" the personnel of the mines by eliminating British engineers at the end of their contracts in favor of Belgian engineers [75]—a policy which, while perfectly natural, has caused considerable irritation. Despite recent efforts to colonize the Congo with Belgians, in 1925 only 61 per cent (7,770) of the European population were Belgian—the total European population being 12,786.[76]

It is perhaps natural for foreigners living under Belgian rule to compare it unfavorably with the rule of their own governments, and it is perhaps just as natural for the Belgians to resent such criticisms. But especially in the Katanga, Englishmen and South Africans have gone out of their way to make unfavorable contrasts between the régime in Elizabethville and that in Johannesburg. These boasts of British superiority have been accompanied by expressions in South Africa, notably on the part of General Smuts, defying anyone to impose a northern frontier upon South Africa, which have led some Belgian writers to fear what they call the "imperialism" of South Africa.[77]

Moreover, the large number of non-Belgian missionaries in the Congo—most of whom are Protestant—has led to suspicions and a growing insistence on instruction in mission schools in the "national" language so as to give to the natives a definite "national" rather than "foreign" imprint.

In 1924, the Colonial Commission of the Chamber inquired what measures the government had taken to expand to the Congo "our national language" to the exclusion of any other European language. In reply the government said that no official measures had been taken to this effect, such as had been taken in the French and Portuguese Colonies. One objection to any action was article 3 of the *Charte Coloniale* which declares that the government can regulate the use of language only in regard to public documents and judicial matters. The Minister of Colonies suggested that the *Charte* be amended so as to include native education in this category.[78] In the course of the debate the Minister stated that few if any missionaries in the Congo taught English in the native schools. He

[75] Cf. *Rapport, Comité Spécial du Katanga,* 1923, p. 10.
[76] *Rapport Annuel du Congo Belge,* 1924, p. 22.
[77] Cf. L. Habran, *Coup d'Oeil sur le Problème Politique et Militaire du Congo Belge,* Brussels, 1925, p. 61. Also Daye, *L'Empire Colonial Belge,* Ch. LXII, "Le Congo et l'Impérialisme-sud-Africain," P. Daye, *cited,* Brussels, 1922. The writer quotes General Smuts' observation in regard to the similarity of the Flemish language spoken by many Belgians in the Congo and the Afrikaans language spoken by the Boers in South Africa. Daye believes that it would be better to have the Germans than the British in Tanganyika. "Qui nous dit que dans vingt, dans cinquante ans, nous ne serions pas très heureux d'avoir en Afrique, l'appui des Allemands contre des envahisseurs britanniques ou sud-africains?" (p. 614.)
[78] *Annales Parlementaires,* Chambre des Représentants, June 6, 1924, pp. 1415, 1451.

nevertheless insisted that the use of English in ordinary conversation among foreign missionaries unconsciously maintained a center of foreign influence.

So real have been these fears in regard to Anglo-Saxon capital and Anglo-Saxon missionaries that a number of Belgian writers have proposed a colonial agreement between Belgium, Portugal, and France—countries possessing racial similarities and having little capital in comparison with Anglo-Saxon countries—to stand together against "invasion." France already is indirectly allied to Belgium, since the treaty of 1895 provides that Belgium cannot alienate the Congo without the consent of France.[79]

An agreement is particularly desired with Portugal, from the strategic standpoint, because of the position which Portugal occupies on the left bank of the Lower Congo and in the Cabinda enclave. In November, 1926, a Belgian Commission went to Lisbon to confer with the Portuguese authorities to bring about a colonial "entente cordiale" and apparently to discuss the question of territorial adjustments.[80]

In July, 1927, a Belgian-Portuguese Colonial Conference took place at Loanda in Portuguese Angola, as a result of which a convention was signed in which Portugal ceded to Belgium about three square kilometers of territory in the estuary of the Congo near Matadi. The Belgians wished this territory in order to get an easy gradient for the enlarged Lower Congo Railway. Had the railway been routed through old Belgian territory, it would have been necessary to tunnel through a hill at an estimated cost of $5,000,000.

In return for this territory, Belgium ceded Portugal an area of about 3500 square kilometers at the extreme southwest part of the Belgian Congo—called the Dilolo Boot. The Belgian government also agreed to construct its part of the Lobito Bay Railway. The treaty provided for the construction of certain roads, and for the regulation of contraband. The two governments agree not to levy any duties on the import of goods which constitute the usual food of the natives.

It is unfortunate that fears as to the integrity of the Congo should exist, and still more that they should affect policy. From the military standpoint, Belgium is too small successfully to defend its possessions in case of attack. Article 10 of the Covenant already gives it a type of guarantee against aggression, which might be strengthened by a more definite non-aggression agreement.[81] But its best guarantee is a colonial policy which will win the respect of the world.

[79] Cf. Vol. II, p. 417.
[80] Dryepondt, "Rélations Belgo-Portuguais." *L'Essor Coloniale et Maritime*, November 4, 1926.
[81] Cf. Vol. II, p. 75.

CHAPTER 85

NATIVE POLICY

1. *The Natives*

WHILE opinion is divided upon the question, there is some basis for belief that the original inhabitants of the Congo were pigmy people.[1] But they were scattered and destroyed by invading Bantu tribes who entered the Congo from the north, south and east several centuries ago. While these Bantu peoples, who constitute the vast majority of the native population, usually lived in patriarchal villages, independent of the other clans, military necessity frequently brought about the union of various clans into kingdoms. When Catholic missionaries entered the Congo in the sixteenth century, they reported the existence of a number of native states, such as the kingdom of Loango,[2] now part of the French Congo. As late as 1880 a powerful native sovereign, N'Totela of San Salvador, ruled the Lower Congo; while another chief, called Muene Putu Kassongo,[3] similarly dominated the Kwango basin. The Bakuba, who many centuries ago came out of the North, formed a kingdom in the Kasai.[4] These remarkable people trace their history back to 490 A.D., upon the basis of records kept by a native official, the Moardi.[5] The Warega people at one time were united under a single chief.[6] Likewise the Baholoholo-Waguha and the Wangata once had Paramount Chiefs who have now disappeared. Among the Babui in the Kivu and Manyema regions a few important chiefs remain, while two large kingdoms are found among the Warundi in Ruanda-Urundi, a mandated territory, which has now been added as a fifth province to the Congo.[7]

While the population of the Congo is predominantly Bantu, Nilotic peoples have entered the Ubangi area where they constitute important tribal

[1] G. Van Der Kerken, *Les Sociétés Bantoues du Congo Belge,* Brussels, 1919, Chaps. I, II.

[2] Cf. Vol. II, p. 215.

[3] A. Vermeersch, *La Question Congolaise,* Brussels, 1906, p. 22.

[4] E. Torday and T. A. Joyce, *Notes Ethnographiques sur les peuples communément appelés Bakuba, ainsi que sur les peuplades apparentées, les Bushongo.* Annales du Musée du Congo Belge, February, 1911.

[5] Torday and Joyce, *cited,* pp. 19, 37.

[6] Le Commandant Delhaise, *Les Warega,* Brussels, 1909, Collection de Monographies ethnographiques, V, p. 341.

[7] Cf. Vol. II, p. 462.

groups who, before the European occupation, constantly warred against each other. Some of these groups, such as the Azandi, still have important chiefs.[8]

With these few exceptions, it appears that all of the great chiefs of the Congo have disappeared. Excepting the kings of Ruanda and a few chiefs in Kivu, there are only a few chiefs in the Congo who rule over fifty thousand subjects.[9] Frequently, the native unit contains only several hundred people. When the administration must deal with thousands of tiny groups, the problem of governing the country is difficult indeed.

Native society in the Congo has been broken up by the same forces which have led to its depopulation. The earliest factor was the Bantu invasion and inter-tribal war followed by the European slave trade entering from the West Coast and the Arab slave trade entering from the East. The exactions of the native sentinels and capitas of the Free State furthered the process of tribal disintegration, while the Free State régime facilitated the spread of sleeping sickness. The effects of excessive labor recruiting and the "industrialization policy" of the Colony have also contributed to the breaking up of native society.[10]

2. *Divide and Rule*

From the beginning, the administration of the Congo has realized the necessity of employing native auxiliaries and of applying native law in administering the ten million black men in its care. Despite a decree on "chefferies" enacted in 1891,[11] the Free State paid little attention to tribal considerations.

The 1904 Commission of Inquiry declared that hereditary instead of artificial chiefs should be recognized and that to enable the chiefs to perform their duties, the State should increase their authority over their tribe.[12] As a result of this report, the Free State enacted a decree in regard to "chefferies indigènes," which obliged natives to belong to a "chefferie" and which provided that chiefs should be "invested" by the government.[13]

[8] Cf. A. Hutereau, *Histoire des Peuplades de l'Uele et de l'Ubangi,* Brussels, Bibliothèque-Congo.

[9] In the Kivu district, Chief Kabara has two hundred and fifty thousand subjects, while another has sixty-five thousand.

[10] Cf. Van der Kerken, *cited,* pp. 108 ff. Cf. Chap. 91.

[11] Decree of October 6, 1891, *Recueil Usuel,* Vol. I, p. 608.

[12] "Il faut que leurs droits et leurs pouvoirs sur leurs sujets soient, pour autant qu'ils ne sont pas inconciliables avec les lois générales de l'État, reconnus et sanctionnés. . . . Ainsi appuyés par l'État, les chefs formeraient dans tout le Congo, une classe extremement utile, interessée au maintien d'un ordre de choses qui consacre leur prestige et leur autorité." *Rapport, ibid.,* Vol. VI, p. 517.

[13] Decree of June 3, 1906, *ibid.,* V, p. 694.

While the Colonial Charter, adopted in 1908, said nothing about native policy,[14] in 1910 the government enacted a new decree on chefferies, which is the basis of native administration in the Congo to-day.[15]

This decree provides that every native belongs to a "chefferie" which shall be governed by its traditional chief. Before chiefs can exercise authority under the decree they must be recognized by the District Commissioner in a ceremony of "investiture" at which the chief receives a medal of nickel from the government.

While the object was apparently to rule the people through native institutions, the application of the 1906 decree led to a very different result. Largely from ignorance and because of administrative convenience, the boundary lines of the four different provinces of the Congo were drawn so as to cut across tribal lines. Thus the Bakusu, the Babui, and the Bahombo found themselves partly in the Eastern Province and partly in Katanga. The majority of the sub-chiefs of King Katumba, a Bakusu chief, were separated from their traditional over-lord by a provincial boundary. Having separated this kingdom, the government proceeded to recognize these chiefs as independent. In the Katanga province and elsewhere other tribes, such as the Basonge and the Baluba, were divided up between different administrative districts.[16]

Not knowing the native language or native customs, administrative officials in many cases appointed the wrong man as chief. In some cases they could not be blamed for this, since many hereditary chiefs disappeared as a result of the slave trade and the rubber régime. Moreover, in the first few years of the Congo régime, political considerations led the government deliberately to follow the policy of divide and rule. Instead of organizing tribes and peoples into chefferies, the administration recognized families and clans as independent units. Sometimes the administration recognized as chief a former slave or a commoner. In other cases it recognized or "invested" a sub-chief, who came to look upon the European official and not the Paramount Chief as the source of authority. Following this policy the government divided up five large native states in the district of Tanganyika-Moero into a large number of chefferies. Five important chiefs, recognized as such by the peoples, were not recognized by the government at all.

[14] Article 5 of the Colonial Charter merely provided that "The Governor-General should watch over the conservation of the native population and the amelioration of their moral and material conditions of existence. He shall favor the expansion of individual liberty, the progressive abandonment of polygamy and the development of property."

[15] Decree of May 2, 1910, *Codes et Lois,* p. 195.

[16] G. Van der Kerken, *cited,* p. 216.

This process continued to such an extent that the number of independent chefferies rose from 3653 in 1914 to 6095 in 1919.[17] In the district of Manyema there were five hundred and thirty chefferies and sub-chefferies for a population of one hundred and eighty-five thousand inhabitants or about three hundred and fifty inhabitants in each.

As a result of this system, the whole population of the Congo has been drifting until recently toward semi-anarchy. The condition of affairs was described several years ago by two officials, MM. Van der Kerken and Salkin,[18] and by L. Franck, Minister of Colonies, who said: "At the beginning of our occupation we sometimes committed the error which is frequent in colonization of attempting to export to Africa and Asia our conceptions, principles, administrative procedure, and legal formulæ: the separation between the administrative power and the judicial authority, direct administration by the whites, distrust of too important native authorities.

"When the large chiefs rebelled, they were conquered and their kingdoms divided: *divide et impera.* But at the same time, powerful elements of native organization were destroyed.

"Moreover, the medal of nickel, the symbol of the official investiture of the chief, was hastily given and without sufficient examination, sometimes to an adventurer or an intriguer who appeared docile, sometimes to a white man's servant, often even to a supernumerary presented by the real chief and behind which he hid, fearing the European authority and its charges.

"As might have been expected, the prestige which tribal religious tradition gave to the traditional chief has not passed away from these personages. . . . Any policy which, under the pretext that native institutions will be inevitably weakened, tends to neglect them, and which does not sustain them, but substitutes direct administration of the European, will lead to anarchy.

"Such a policy is moreover a denial of justice and a cause of suffering for the natives.

"Any population desires to be administered by its own representatives. A native will much more willingly support an obligation imposed by a chief of his own race than when it emanates directly from the white man.

"Moreover, the latter cannot be everywhere. His action is intermittent and far-removed.

[17] G. Van der Kerken, *cited,* p. 234.
[18] *Études Africaines, Brussels,* 1920, Part, VIII.

"In sum, we wish to make the best kind of Africans, both original and interesting. We do not wish to make copies of Europeans." [19]

A report of the Belgian Colonial Congress also declared, "The majority of the chefferies, deprived of their real chiefs, are disintegrating and already numerous groups of natives have grown up outside of any effective social discipline." [20]

3. *The Revival of Tribes*

As a result of these various observations, the native policy of the Congo has undergone a veritable revolution since the end of the World War. In the first place administrative officials have seriously attempted to seek out the real rulers of the people, to bring together groups which had been broken up by administrative action or other forces, and to redraw administrative boundaries so as to coincide with ethnic lines.

Since 1921 every administrative official in the Congo has been obliged to make inquiries into the tribal history and customs of the peoples under his jurisdiction. In determining whether or not a chief should be recognized, the Territorial Agent prepares a careful Report of Inquiry, which contains a detailed history of the people concerned; the relation of the particular clan to other groups; the rule of succession; the customary insignia of the chief; his genealogy, etc. If the District Commissioner is satisfied with the report of the Territorial Agent, he may issue an *arrêté* under the decree of 1910, constituting the group as a cheffery and recognizing the chief concerned, who is then invested.

Some of these studies in native history have been of indifferent value largely because the administrator has been pressed by other duties or because he does not know the native language adequately. But the general result of these studies seems to have been highly benficial. While in a number of cases, officials have not been aware of the matriarchal rule of descent which many tribes follow, they have actually restored some chiefs in a number of instances and have redrawn administrative boundaries to satisfy tribal considerations.[21] The government, moreover, no longer invests sub-chiefs, thus reenforcing the authority of the Paramount Chief.

In some cases chefferies have been reconstructed upon an historic pattern. For example, the Buki cheffery in the district of Tanganyika-Moero has recently been restored. Buki was a warrior who founded the Baluba kingdom in this part of the Congo about the time of the Arab invasion.

[19] Louis Franck, *Études de Colonisation comparée,* Brussels, 1924, p. 84.
[20] Report printed in *Congo,* April, 1923, p. 511.
[21] Cf. *Rapport du Congo Belge,* 1924, p. 48. The boundaries of the five provinces were revised in 1926.

After the European occupation, his kingdom was divided up into a number of smaller groups. Following inquiries by the administration in 1921, the Belgian commissioner recognized the legitimate heir of Buki as the chief of Kivuzimu; in the following year four groups joined his chef-fery. By 1925 the number of villages under the chief had increased from twenty to forty-six and his people from 900 to 4,500. The cheffery now occupies five times the territory occupied in 1921. Next to the British, the Belgians are making more serious efforts to recognize native institutions than any other colonizing people in Africa.

Because of the small size of many traditional units, the mere restoration of petty chiefs will not by any means solve all the problems of native policy or administration. In 1920, the government informed the officials that many chefferies were too small and that they should be brought together if this could be done without doing violence to their feelings. It was recognized, however, that this process was slow and difficult, and required three stages in the process. First, the administrator should periodically assemble the chiefs of the same race or district concerned in a council which could be called the *Conseil du secteur,* or District Council, over which the administration should preside. This Council should be a court to hear appeals from village chiefs and decide controversies between different chefferies. The Council should also discuss such matters as crops, porterage, taxes, inter-regional roads, markets, schools and dispensaries.

As a second step, the administration should select the leading chief of the "secteur" and should attempt, little by little, to accustom the village chiefs to regard this chief as an intermediary between them and the administration. The administrator should always employ him as the assessor in his court, and should have him preside over meetings of the Council in the administrator's absence.

As the third and final step, the Governor of the province should recognize this chief as the *chef de secteur.* While the administration would continue to recognize village chiefs, it would deal with them only through the intermediary of the *chef de secteur.* Thus in areas having no large native units—i.e., chefferies containing less than three thousand taxpayers —the policy is to establish under each administrator "three, four or five secteurs where the native authority will be confided to a *chef du secteur* appointed by us but without suppressing the local chiefs." [22] Each secteur will have a court, a school, and a dispensary.

As a result of grouping tiny chefferies into such secteurs, the number of

[22] *Recueil du Service Territorial au Congo Belge,* published by the Ministry of Colonies, fourth edition, Brussels, 1925, pp. 181 ff.

chefferies in the Oriental Province was reduced by several hundred from 1922 to 1924.[23] There are three hundred and two secteurs in the Province. While this policy is probably inevitable when the tribal unit is infinitesimal, there is a danger that these groupings will be arbitrarily constructed and that they will be put in charge of chiefs who will not command the respect of the natives.[24]

Thus by the restoration of former tribal units and by the amalgamation of small chefferies under a *chef du secteur* who will grow into a hereditary chief, the Belgians hoped to restore native authority. They are also attempting to improve the quality of chief through schools for the Sons of Chiefs located at Stanleyville and Buta.

In order to prevent the dispersion of the peoples under the jurisdiction of such chiefs, the Belgian Government has attempted to restrict movements within and without the chefferies. The first step in this policy is to register each individual. Administrative officials have been busy for many years compiling an individual record of every native in the Congo.[25] By 1924 about 8,000,000 natives out of a supposed population of 10,500,000 natives had been registered and most of them provided with an identity card containing their name, residence, civil status, and tax record.

4. *The Chiefs*

A native may leave his cheffery only after obtaining a passport from the administrator, which the latter will issue after asking the opinion of the chief or sub-chief concerned. If the local administrator believes there is reason to refuse the request, he presents the matter to the District Commissioner for decision.

Each chief has a set of messengers who keeps him in touch with the district administrator. He is also supposed to have a clerk who can read and write, to keep the necessary records.

Congo chiefs are remunerated in a rather curious manner. For every man in his cheffery, a chief annually receives a sum amounting either to 0.24 francs, 0.36 francs or 0.48 francs, depending upon whether the chief is, according to the classification of the administrator, "mediocre," "good," or "very good." [26] For each tax collected in his district, a chief also receives 30 centimes if the tax is under six francs; 45 centimes if it is between six and thirteen francs, and 60 centimes if it exceeds thirteen francs. In tribes having a Paramount Chief and sub-chiefs, the Paramount Chiefs receive the whole of such sum for the natives directly under

[23] *Rapport du Congo Belge,* 1924, p. 61.
[24] For the same danger in Tanganyika, cf. Vol. I, p. 461.
[25] Decree of November 16, 1916. *Codes et Lois,* p. 206.
[26] *Recueil du Service Territorial,* p. 224.

him, plus one-third of the sum collected by each sub-chief. Half of the regular "salary" of the chiefs is paid monthly; the balance is held as a deposit to insure good conduct. Under this system a "good" or a "very good" chief having three thousand taxpayers,[27] though few Congo chiefs have this number of taxpayers, would receive 3240 francs a year, or about thirty-five pounds at the present rate of exchange. While this sum is not large, it is larger than that paid in some British colonies.[28]

This system of payment is open to a number of abuses. Since the more taxes a chief collects, the greater his income becomes, it is natural for him to exact as many taxes as possible. As long as the administrator may classify a chief into one of three categories and pay him accordingly, a premium is placed upon the satisfactory performance of government services, which may be distasteful, if not injurious, to the native population.[29] Under such system a chief tends to become a European functionary rather than the head of an independent native institution, controlled by Europeans—which is the fundamental principle of indirect rule. The installation of a system of salaries, graded according to the tribal importance of these chiefs, and paid out of native treasuries, might be a desirable innovation.

The powers of the District Commissioner over the appointment and dismissal of chiefs in the Belgian Congo are unusually large. Apparently he may take either action in complete independence of the Governor of the province. The Commissioner classifies a chief according to these categories and he may likewise fine a chief by retaining a part of his pay. Subject to such sanctions, over which the Governor has little control, a chief may find it difficult to refuse the demands of the administrator, whether to sign away the land of his people to European concessionaires, or to furnish them with labor.[30]

In addition to these stipends, many chiefs receive some form of tribute from their subjects in the form of ivory, leopard skins, grain or other produce, and sometimes money. It is coming to be the custom of some Europeans to pay the chief a "dash" for labor or palm produce obtained from his people.

5. *Their Powers*

If hereditary chiefs are to take an important part in the native administration, they must be given some responsible powers. This necessity was apparently realized by the Minister of Colonies in 1922 when he declared that every effort should be made to restore hereditary authority.

[27] At a tax rate of thirteen francs.
[28] Cf. Vol. I, pp. 221, 362.
[29] Cf. Vol. II, p. 531.
[30] Cf. Vol. II, p. 541.

"As long as the chief is deprived of his former prestige, he looks as if he were merely the agent of the European, charged with imposing disagreeable duties upon the natives. In such a case his subjects will get in the habit of addressing themselves to our officials when they have need of justice or of advice and often for the smallest affairs of native life. Such a tendency will gradually ruin the authority of the chiefs and overburden the administration with a series of details which it will be impossible to perform." [31]

In the chefferies decree of 1910, a number of duties were delegated to the chiefs. They are obliged to transmit to their subjects the orders of the European authority, police the territory, aid in the census and the collection of taxes, inform the administration of all events which take place, especially serious crime, such as ordeal by poison, human sacrifice, cannibalism, the slave traffic, and the traffic in hemp—a narcotic. They are obliged to inform the administration of the appearance of contagious disease, to assist in the recruiting of the *Force Publique* and to perform other duties required by the government.

The decree of 1910 recognized in a vague way that the chiefs could exercise a judicial power, according to native custom. They could not, however, try cases which were not punished under native custom, and for some reason they could not impose fines as a form of punishment.[32] They were forbidden to impose any penalties other than imprisonment of not more than two weeks, with or without forced labor, or flogging if the latter was sanctioned by custom. Flogging was restricted to twelve strokes and it could not be inflicted upon old men, women and children.[33] Nevertheless, the chiefs of the Congo had no well-defined jurisdiction until 1926. European courts were not obliged to recognize their judgments; and European officials exercised no control. Native tribunals were not obliged to keep records or to account for fees. All crime was tried by European tribunals. While the chiefs settled "palavers" over marriage and property in informal courts, native tribunals were not an integral part of the administrative machinery. A native dissatisfied with the judgment of a chief could run to the administration. The chief had no power with which to enforce a traditional jurisdiction.[34]

Moreover, the chief did not have control over nor was he responsible for common tribal funds. Thus the Congo chief lacked the two fundamentals of self-government: judicial power and financial responsibility.

[31] Circular, *Recueil Mensuel du Congo Belge,* 1923, p. 174.
[32] *Recueil du Service Territorial,* p. 202.
[33] Cf. Article 12, decree of August 23, 1910, *Codes et Lois,* p. 204.
[34] Cf. A. Gohr, *De l'Organisation judiciare et de la Compétence en matière civilé et commerciale au Congo,* Liège, 1910, p. 57.

Neither did he have the power to make laws for his people, such as the chiefs in various British territories may make under the Native Authority Ordinances.[35]

Realizing that chiefs should be given greater authority, numerous administrators, in various parts of the Congo, who believed in the policy of indirect administration, began to establish definite native tribunals and native treasuries following the World War. The first development along these lines was taken by General de Meulemeester, Governor of the Oriental Province, who having in mind the courts in Uganda, instructed his district commissioners to enforce the judgments of native tribunals, install court records kept by native clerks, establish native treasuries, fed by native court fines and fees, in connection with each court, and to exercise control over the judgments of these courts by inspecting records, by hearing appeals and by transferring cases when desirable.[36] He also authorized the imposition of a local tax on the natives of a cheffery or secteur to support the native treasury. Some of these treasuries in the Uelle and Ituri districts have been highly successful. In the Ituri these treasuries have purchased ploughs and medicines for the tribe, and have expended sums on village schools, on a sugar cane factory, and on palm-oil extracting machines. In some districts the chiefs have agreed to pay part of their customary tribute into such treasuries. So far practically the only source of income of the native treasuries in the Eastern Province has been court fees. The result is that the amount of the funds is very low, some treasuries not having more than a hundred francs each.[37] If the native treasury idea is to have any real value, the Belgian administration should consider returning to these treasuries a third or a half of the native taxes—the policy followed in Nigeria and Tanganyika.[38]

6. *Native Courts*

In a decree of March 27, 1926, the government placed the native courts of the Congo upon a firm legal basis. This decree recognizes three main types of native courts: (1) the court of the cheffery, (2) the court of the secteur, (3) the court of the territory.[39] The first courts follow

[35] Cf. Vol. I, p. 688.

[36] *Instructions, Politique Indigène,* Congo Belge, Province Orientale, 1920, Stanleyville.

[37] Moreover, some courts have heard only twenty to fifty cases since their creation in 1922-1923.

[38] Cf. Chaps. 27, 41.

[39] The British and Belgian Governments have also established "frontier tribunals" to hear disputes of natives belonging to a tribe divided in two by the boundary. Usually these tribunals are composed of tribal chiefs on each side of the boundary.

native custom in organization and procedure. If a Paramount Chief has appellate jurisdiction over inferior chiefs according to native law, such jurisdiction should be recognized. The Paramount Chief may transfer any case from a lower court to his own jurisdiction,[40] and may suspend the execution or revise the judgments of the secondary court. By this means, the government has strengthened the power of the Paramount Chief over sub-chiefs.[41]

The district or the secteur courts correspond to the councils of the secteur, composed of representatives of small chefferies. The President of these courts may be chosen by rotation. These courts do not apparently have any control over the ordinary chiefs' courts. The supervision of the courts of the Paramount Chief and of the secteur is entrusted to the third tribunal—the territorial court which is composed of the territorial administrator and several native assessors taken from among the judges on the native courts. The territorial court has the same power of revision over the native courts as the court of the Paramount Chief has over subordinate tribunals. It does not appear, however, that a native has the right of appeal from one native court to another, nor to the territorial court. He may, however, ask to have his case revised. Finally, the tribunal of the Parquet, presided over by a professional judge, may annul on its own authority (*d'office*) judgments made by any native tribunal. But such an annulment can take place only on grounds of law; that is, if the court has not followed the proper procedure or if it has imposed penalties other than those authorized by decree. Annulments must be made within six months after the judgment, and the court cannot inquire into the principle of the case.[42] The Parquet tribunal may thus exercise a kind of control over courts presided over by natives as well as by the territorial administrator. It appears, however, that final decision as to the facts will rest with the territorial court, composed of a political officer. The new decree is silent as to periodic court returns, through which the territorial court and the Tribunal of the Parquet respectively may exercise control. But presumably these returns will be prescribed in local regulations.

These native courts have unlimited jurisdiction in civil disputes between natives, even those who are "registered." [43] In a case of an offense under

[40] Unless the secondary court is sitting under the district officer.

[41] Article 14, Decree of March 27, 1926, *Bulletin Officiel,* May,. 1926, p. 454. Cf. Appendix XXXI.

[42] "En aucun cas, le tribunal du parquet ne peut connaître du fond de l'affair." Rapport du Conseil Colonial sur le projet de décret sur les jurisdictions indigènes. *Bulletin Officiel,* 1926, p. 445.

[43] Under the Congo Civil Code (Articles 34-41) a native may become "immatriculated" or registered. Apparently the purpose of such registration originally was to give the more advanced natives a European status—the same motive back

native custom, but which is not a violation of written law, such as adultery, a native court may apply imprisonment not to exceed two months or flogging if authorized by custom, but not to exceed twelve strokes or a fine of two thousand francs.[44] The jurisdiction in these cases which are offenses under native custom alone is greater than in a case arising under written or Belgian law. In the latter case the native court may impose a month's imprisonment and a fine of not more than a thousand francs. But when the territorial administrator sits with the court it may apply in these cases two months' imprisonment and a fine of two thousand francs.[45]

Native courts follow their own procedure and if necessary the administrator will assist them in the enforcement of judgments. The Belgians do not authorize flogging for offenses against Belgian law, nor can it be imposed by Belgian tribunals. But they allow it to be imposed by native courts when authorized by custom.

The principle of flogging may not be objectionable provided the number of strokes is not excessive, the instrument used is not permanently injurious, and the person flogged is physically able to stand it.[46] But this decree imposes no supervision over the native court in imposing such a penalty. A chief may impose the sentence and execute it without the European administrator knowing what has taken place.[47] If flogging is to be imposed, it should take place in government prisons and after the inspection of a European doctor.

While the 1926 decree gives Paramount Chiefs control over sub-chiefs, it does not grant them greater original judicial power than the sub-chiefs possess. The courts of both may impose a maximum of imprisoment of one or two months. If the Paramount Chiefs are to become integral parts of government machinery, they should be given jurisdiction over more

of the naturalization of natives in French colonies. (Cf. Vol. I, p. 946.) But apparently no qualifications have been laid down as a condition of registration and the "privileges" of such a status have not been defined. Cf. L. Lotar, "Le statut des immatriculés," *Congo,* April, 1923, p. 451. It does not seem that *immatriculation* is of much importance in the Congo; and in subjecting registered natives to the ordinary native courts, the government apparently wishes to reduce the distinction between the registered and ordinary native still further, evidently on the belief that the educated native should not attempt to escape from his group but rather attempt to elevate it.

[44] In case a fine is imposed, imprisonment of two weeks may also be given.

[45] These penalties may be applied to an offense, the maximum penalty of which as prescribed by law is five years.

[46] There was some opposition to the principle of flogging in the Colonial Council; but no one appeared to point out that under the present decree, the possibility of abuse is great, even though the principle is sound. *Bulletin Officiel, cited,* p. 448.

[47] At one native court in Stanleyville, the writer saw an old man unmercifully flogged with a rhino hide at the order of a native court, because he was alleged to have attacked a sub-chief. For the limitations imposed on flogging by native courts in Tanganyika cf. Vol. I, p. 458.

serious crimes.[48] Finally the decree provides that fees and fines will go into a fund to pay the expenses of the court and other native needs—the principle of native treasuries.

7. *The Native Language*

Realizing the importance of a knowledge of the native language, the government as early as 1910 informed the administrators that a knowledge of the native language of the people with whom they worked was indispensable.[49] Two years later, the administration declared that a political officer could not enter directly into contact with the natives unless he had a good knowledge of their dialect, because, however conscientious interpreters might be, unconsciously they were apt to distort the meaning.[50] The Book of Instructions to administrators states that officials "should apply themselves with zeal to the study of native languages."[51] While magistrates are required to pass an examination in the native language, administrators are not subject to any such requirement in the field, as are British administrators. They are merely obliged to take a course in the native language while attending the Colonial University or School. Until such an examination is exacted, it is doubtful whether Belgian officials will actually live up to the obligations which government instructions now impose.

Thus by seeking out the traditional group and imposing upon the traditional leaders a controlled responsibility, the Belgian Administration is attempting to reconstruct native authority. When the system of paying chiefs is reorganized, when native treasuries fed by a portion of native taxes are installed, and when the land régime is modified,[52] the Belgian Administration will have done the utmost possible from the political standpoint to organize its native policy on the right lines.[53] Already the visitor

[48] Cf. Index—native courts, for the jurisdiction of chiefs in Uganda, Tanganyika, and Nigeria. The extension of the jurisdiction of the chiefs in the Congo is difficult, however, because of the limited judicial power of the territorial administrator (cf. Vol. II, p. 469). The government does not wish to give chiefs greater powers than European officials, no matter what rank they occupy.

[49] *Recueil Mensuel,* 1910, p. 172.

[50] *Ibid.,* 1912, p. 248.

[51] *Recueil du Service Territorial,* p. 43.

[52] Cf. Chap. 88.

[53] In the past, however, many districts have concentrated native villages along the roads and rivers in order to place them under more effective administrative control. Thus, part of the banks of the Lualuba and the Upper Congo are lined with native villages which appear to have been constructed during the last few years. This policy of changing tribal environment inevitably unsettles group life—a fact recognized by the Congo regulations which forbid the moving of villages except in case of sleeping sickness, etc. *Recueil Territorial,* pp. 67, 213. In 1919 the Commission for the Protection of the Natives declared that abuses had occurred in the moving of villages and that this measure should be taken only in cases authorized by legislation. *Bulletin Officiel,* 1920, p. 674.

to the Oriental Province may see community centers, composed of a brick court house, dispensary, and school, erected on modern sanitary lines but according to native forms of structure—all carrying on various activities which promote native welfare, under the general supervision of the chief.

8. *Missions and Native Policy*

The entrance of a foreign Christian mission into a native community inevitably disrupts to a certain extent native social organization. Upon becoming a Christian, a native must give up many customs which his tribe condones or prescribes, such as polygamy, human sacrifice, witchcraft, slavery, and obscene dances. Some missionaries require natives to give up the circumcision rites and the dowry custom. A Christian thus becomes a marked man, and in some cases he comes to look to the native teacher or catechist as a higher authority than the tribal chief.

The division between Christian and pagan natives in the Congo has been intensified to a greater extent, perhaps, than in other parts of Africa, because of the policy of Catholic and of some Protestant missions to gather their converts in special Christian villages in the vicinity of the mission stations, who thus escape from the control of the customary chiefs. The head of the Jesuit mission in the Lower Congo in 1893, Père Van Hencxthoven conceived the idea that young liberated slaves should be gathered by the State and turned over to the missionaries to be educated in so-called Chapel-Farms. They should also receive military instruction so that they might become soldiers in the *Force Publique*. Through this method, the Jesuits believed they could obtain quick and numerous conversions to Catholicism, and bring about the civilization of native groups *en masse*.[54] Accepting this idea, the Free State Administration authorized, in a decree of 1892, the establishment of Chapel-Farms to be composed of abandoned children.[55] The administration of the mission "colonies" was criticized by the 1904 Commission of Inquiry which declared that many children had been forced to enter these colonies above the designated age limit and without the consent of their parents. It declared, "From information which we have received, it appears that the priests, covering themselves with the authority of the State, proceeded without interruption to a veritable recruiting of children. Thus applied, the decree of 1892 might become in the hands of the missionaries an easy means of acquiring abun-

[54] Cf. Le P. P. Dom, *Les Jesuites belges et Les Missions*, Gand, 1924, p. 73.

[55] The Decree of March 4, 1892, placed abandoned children under the tutelage of the State and provided that they should be brought together in "colonies," some of which were established by the State and some by Catholic missions, under the authority of the State. Cf. *Recueil Usuel*, Vol. I, p. 100.

dant labor. . . ." [56] It also declared that, while in some cases the children were treated well, in other cases they were put in irons and flogged and forced to work without pay on Chapel-Farms. At the advice of the Commission of Inquiry, the government declared that children in such colonies become of age at eighteen, and thereupon obtained their liberty.[57] At present the entrance of children into these "colonies" is in the hands of an official Commission in each district, and regulations prescribe the missions, both Catholic and Protestant, to which such children may be assigned. It is the practice to place the mulatto children in the Colony in one of these villages where they are cared for and educated.[58]

Mission villages are maintained also for the purpose of housing natives who come from their homes to undergo religious instruction at a European station and to become baptized. The administrator must grant a native desiring to go to a station for this purpose a provisional passport which is good for six months. After this period, if the native wishes to take up permanent residence in the mission village, he must obtain a permanent passport. The government may refuse to make his provisional passport definite, if it believes that there are social reasons why the native should return to the village.

A difficult question arises when the wife of a pagan husband wishes to go to a mission station to become a Christian. When the marriage is monogamous and the husband is opposed to his wife's departure, the government's policy is to refuse the woman a passport. When the marriage is polygamous, as is usually the case, the government will refuse a passport to the first wife, but it will grant a passport to another wife, despite the husband's opposition, if it is sure that she wishes to receive religious instruction. Any married woman who leaves her home without a passport is liable to punishment.[59]

Originally the Belgian Government favored the establishment of "extra-customary villages" under artificial or conventional chiefs, on the theory that the more civilized natives should live to themselves. But the villages of ex-soldiers and ex-workers soon became centers of immorality and disorder; [60] while the extension of these artificial units threatened to disintegrate native institutions. Members in the Christian villages, sometimes

[56] The Report of October 31, 1905, *ibid.*, Vol. V, p. 531. Cf. also the complaints of the Congo Missionary Conference, *Report,* 1907, p. 189. Jesuits said that these statements were prompted by Protestant missionaries. Vermeersch, *La Question Congolaise,* p. 294.

[57] Decree of January 3, 1911. *Codes et Lois,* p. 573. Cf. the decree of June 3, 1906, *Recueil Usuel,* Vol. VI, p. 699.

[58] Cf. "Protection des Enfants Abandonnés," *Recueil du Service Territorial,* p. 360.

[59] *Recueil de Service Territorial,* p. 333.

[60] Cf. Vol. II, p. 499.

ruled by a native catechist in the territory of a chief, declined to perform tribal duties and in some cases flaunted the authority of the tribe. Consequently Governor-General Lippens in 1922 issued orders that these villages should be closely controlled.[61] This action aroused the criticism of the Catholics who declared that it was a violation of the Colonial Charter and the Act of Berlin to interfere in this manner with mission work and with the liberty of the native subject[62]—a position which the government declined to accept.[63] At present the policy of the government is to allow extra-customary villages to be established upon public land and not to interfere with those already established on tribal land. But the occupants of the latter villages must submit themselves to the authority of the chiefs and accept the obligations of the cheffery. In many native villages it is the practice for the native Christians to live to themselves in a separate part of the town, but to participate in all activities of the tribe which do not conflict with their religion.

Many missionaries believe that Christianity can best be propagated and native institutions developed through native converts living in their original villages;[64] and practically all societies now have missionaries who travel from village to village giving religious instruction and administering the sacraments, thus making it unnecessary for the native catechumens to take up even a temporary residence at a European station.

[61] Circular of January 25, 1922.
[62] Cf. Père L. Le Grand, "De la légalité des villages chrétiens," *Congo*, June, 1922, p. 1; and a brochure, *M. le Gouverneur Général Lippens et les Missions catholiques au Congo*, Brussels, Vromant, cited in *Congo*, November, 1922, p. 524.
[63] Cf. "De la légalité des villages chrétiens," *Congo*, November, 1922, p. 501.
[64] At a meeting at Kisantu in 1919 the heads of the Catholic missions in the Congo stated that Christianity could best be spread if Christian natives lived in pagan villages, provided they were strong. But missionaries should see to it that they kept in close touch with Christians and that they lived in a separate group in the village. *Missions Catholiques du Congo Belge, Instructions aux Missionaires.* Wettern, Belgique. Imprimerie De Meester & Fils, 1920, p. 30.

CHAPTER 86

OBLIGATIONS

1. *Taxation*

SINCE the abolition of the labor tax, the native men of the Belgian Congo have been subject to a regular capitation tax, the rates of which vary in accordance with the economic condition of the district concerned. Before 1926 the rate of this tax varied between two and twenty-five francs, but in the latter year the maximum was increased to fifty francs.[1] In addition to the ordinary head tax, a native must pay a supplementary tax for each additional wife—a tax on polygamy. Chiefs, members of the *Force Publique,*[2] taxpayers having four children born of a monogamous marriage, and taxpayers who have not been able to work for six consecutive months are exempt from the tax.

In the budget of 1924 and 1925, it was estimated that the native tax would bring in 28,500,000 francs—a figure increased in 1926 to 45,068,000 francs,[3] which is a per capita tax of between three or four francs.

While the per capita tax is less than that in French West Africa the burden on the Congo population of paying this tax seems to be somewhat greater than the burden in French West Africa because of the smaller per capita exports in the Congo.[4]

District Commissioners may delegate the task of collecting taxes to "tax collectors," who are sometimes native clerks of chiefs. While some clerks have performed these duties faithfully, it appears that others have abused their authority. Regulations now provide that native clerks thus employed should confine themselves to bookkeeping duties.[5] Collectors

[1] Decree of December 28, 1925, *Bulletin Officiel,* 1926, p. 37. The highest rate for 1927 was 30.60 francs. Ordinance of August 31, 1926. *Bulletin Administratif et Commercial du Congo Belge,* 1926, p. 345. In 17 districts the rate was above 25 francs.

[2] Cf. next page.

[3] These figures do not include Ruanda-Urundi.

[4] In 1923, the Commission for the Protection of the Natives declared that an ordinary laborer at Leopoldville earned, board and lodging deducted, about one hundred and fifty francs a year, but his tax was 24.60 francs, one-sixth of his income, which it said was excessive. It passed a resolution favoring the reduction of the tax one-half. *Bulletin Officiel,* 1924, p. 424. But the government increased the tax to a maximum of fifty francs, cf. above.

[5] *Recueil du Service Territorial,* p. 260.

go from village to village notifying the natives to gather at a certain point to pay their taxes to the Administrator. Individual receipts are given in the form of metallic discs and notations are made on the identity card. A native who defaults may be seized or he may be imprisoned for not more than two months.[6] During this period, defaulters may be employed on the roads, in the construction of buildings, or in other administrative work.

2. "Force Publique"

In the second place, the native population is obliged to furnish a certain number of men annually for the *Force Publique*.

Every government has found that some form of police or military force is needed to maintain order and to enforce its commands—a need which is greater in Africa than in communities ruled by consent of the governed. To perform this task, the Free State government organized a body called the *Force Publique*. Originally this force was composed of natives from foreign territory, some of them coming as far away as Abyssinia and Zanzibar. The first natives were recruited by Captain Coquilhat in 1885.[7] In the old days the Force was divided into a military section and a labor section.[8] With its aid Leopold gradually occupied the interior of the country and carried on expeditions to the Nile. It was by means of this Force that he collected rubber and imposed the other obligations of the Old Régime. In the days of the Free State, the term of enlistment in the *Force Publique* was originally five years, but it was extended to seven years in 1900. The soldiers received a wage of twenty-one centimes a day. The cost of maintaining this Force of fourteen thousand men in 1898 was nearly seven million francs.

At the present time the *Force Publique* numbers about sixteen thousand men. In 1926 about 33,500,000 francs were appropriated to support this Force—about 12 per cent of the total ordinary expenses. A soldier is paid thirty centimes a day which is increased upon reenlistment to forty-five centimes, and at the third reenlistment, to fifty-five centimes a day. Soldiers complain bitterly about the low wages which are about one-third of what the government pays on the railway and about one-third of the wage—in gold—received by members of the *Force Publique* in 1890.[9]

[6] *Ibid.*, p. 267. The commentary on this article says the period of two months is not meant to establish what is considered to be the equivalent of the amount of the tax, but merely as a sanction to oblige payment in the future.

[7] Wauters, *L'État Indépendant du Congo*, p. 446. Masoin, *Histoire de l'État Indépendant du Congo*, Vol. I, pp. 56 ff. At the present time, the great majority of soldiers in the Force are Congolese. In 1897 the army was composed of fourteen thousand men.

[8] Cf. Vol. II, p. 502.

[9] Four times a year each man receives one yard of blue cloth, while each wife is given two yards every six months.

Each year the government convokes an annual contingent which in 1917 was fixed at 3,750, in 1919 at 4,300, and in 1920 at 1,000.[10] In 1926 the number in the contingent was fixed at 5,040.[11] This figure varies with the political condition of the country and with the death rate of the troops.

In case the administration fails to secure a sufficient number of volunteers, the government may resort to conscription to fill these contingents.[12] In view specially of the low pay, few volunteers are forthcoming. The large majority of these annual contingents is raised by conscription.[13] The administration has not, however, attempted to control and organize conscription so that it will fall evenly upon the population, as has the French Government in West Africa.[14] The Governor of each province simply assigns so many men to each District Commissioner who assigns so many men to each chief. In some cases the administrators themselves conscript men. The Commission for the Protection of Natives in 1919 stated that the chiefs usually select impoverished natives, slaves, or natives who were the object of personal enmity. When the European administrator recruited soldiers directly, "the hunt for men throws terror into the villages, provokes rebellion, and arouses toward the Administration a state of surly defiance and hostility." [15] The Commission believed that the number of volunteers should be increased, that the term of service should be reduced from seven to five years, and that the soldiers should be trained in their own provinces. Since the Congo has established in theory an individual census, it should be possible to impose the burden evenly. More volunteers could probably be obtained if the government paid higher wages. The effect of this type of compulsion upon the death rate in Instruction Camps is elsewhere discussed.[16]

After being rounded up, the annual contingent is sent to an Instruction Camp where the recruits usually remain two years and where they receive a sound military training. Upon completing the course, the recruits may enter one of two kinds of service: (1) the Territorial Service, the members of which are divided into small detachments and assigned to each territorial administrator, (2) the *Troupes Campés*—battalions located at permanent centers, ready to respond to needs when they arise.

The Belgian Congo is the only territory in Central Africa in which

[10] The latter figure was fixed as a compensation for the loyalty of the natives and their sacrifices during the World War and it was filled by reenlistments. Cf. Report of Colonial Council, on Project of Decree fixing contingent for *Force Publique* in 1920, *Bulletin Officiel,* 1920, p. 36.

[11] Decree of December 9, 1925, *ibid.*, p. 700.

[12] Cf. Article 4, Decree of May 10, 1919, *Codes et Lois,* p. 212.

[13] At the Camp at Elizabethville, there are three hundred and sixty-three conscripts, sixty-six volunteers, and eighty-six reenlisted men. Among the latter, fifty had served more than ten years and thirty-six more than seven years.

[14] Cf. Vol. II, p. 11. [15] *Bulletin Officiel,* 1920, p. 647. [16] Cf. Vol. II, p. 571.

the police and military force is combined. In French and British territories, these two services are kept distinct. It is difficult if not impossible to determine whether the unified system found in the *Force Publique* is superior to the separate police and military systems found elsewhere. The percentage of costs of police and military expenditure in Uganda and Kenya is about ten per cent of the total ordinary expenditures, compared with about 12.25 per cent in the Congo. On the other hand, the percentage in Tanganyika, where separate police and military forces also exist, is 17.29 per cent. In the Belgian Congo there are about fifteen soldiers for every ten thousand inhabitants, compared with about ten soldiers and police in Tanganyika, and twelve in Uganda per ten thousand inhabitants. The cost of the *Force Publique* per man is comparatively low—about twenty-one pounds a year in comparison with the average cost per man in the police and military forces in Uganda of thirty-six pounds a year. This difference arises largely out of the fact that in comparison with Uganda, soldiers in the *Force Publique* are under-paid. From these figures it is not possible to say that the unified system of the Congo is more economical than the separate military and police systems of French and British territories.

On the other hand, some military officers believe that troops, divided up into small detachments to perform police duties, soon lose the military discipline and capacity which they develop in regular military organizations.

In the past a black subaltern could be placed in charge of wandering detachments of the *Force Publique*—a practice which led to pillaging. At present all such detachments must be under European command.

Any District Commissioner or territorial administrator may requisition troops and order "police operations" against the native population.[17] Even now punitive expeditions in the Congo are numerous. The right to call out troops should be placed under the rigid control of the Governor of each province.

In carrying on military operations, the military authority directs the troops, subject to the territorial administrator. A daily record of these operations is kept and embodied in the annual report of the *Force Publique* for the province.

While in the *Force Publique,* the natives are given an opportunity to learn French, and they are usually required to learn a trade. In fact, the Belgians do more in educating their soldiers than the British.

When his period of seven years is completed, the soldier has acquired different habits of living and a different outlook upon life. This makes him unfit to return to his village. As a result, many of them reenlist,

[17] *Recueil du Service Territorial,* pp. 131 ff. Separate police forces have now been established in European centers.

while those who are discharged take up their residences in special villages established by the government for "licenciés" over which the government has established "conventional" chiefs, usually a former native sergeant.

The government attempts to oblige these villages to conform to standards of European civilization. It has insisted that each ex-soldier should have not more than one wife. While the soldiers have lost their respect for native tradition and authority, they have not acquired civilized standards. So, consequently many of these villages become centers of illicit polygamy, vagabondage, and crime.[18] The government is in a dilemma. It cannot send these discharged soldiers back to their villages where they would be rebels against the chief. But the accumulation of these men in artificial villages further disorganizes administration and native development.

3. *Communal Labor*

In the third place, the members of each village are obliged to perform a number of communal tasks. They must keep the village clear of bush, build a temporary dispensary and a jail, establish a cemetery at least three hundred meters from the village, and take measures to prevent spread of sleeping sickness or other disease.[19] These duties are performed without payment, as in most of the British Colonies.[20]

The natives are also obliged, in return for pay, at rates fixed by the District Commissioner, to maintain the roads, construct bridges and paddle canoes, while they must likewise establish rest houses for Europeans and a school at the headquarters of the district. In paying the native for performing road maintenance work, the Belgians are more liberal than the French and the British.[21] No native can be obliged to work for whatever purpose more than sixty days out of the year or five days a month.[22]

These limitations are frequently exceeded, as the construction of a road near the capital of the Equator Province shows. This road, some sixty kilometers in length, runs along the left bank of the Congo River—

[18] Cf. *Recueil du Service Territorial*, p. 238.

[19] Article 23, Decree of May 2, 1910.

[20] Cf. Vol. I, p. 468.

[21] In a circular on Labor Policy (*Recueil Mensuel*, 1922, p. 101), the Governor-General pointed out that the Belgians were more liberal than the British who required roads to be kept by "Simple unpaid corvées." This is a mistaken idea as far as the main roads are concerned. Cf. Vol. I, p. 368.

In practice, the Congo Administration pays the natives only a nominal sum, and it has a tendency to follow the French in placing the construction of roads in the hands of administrative officials rather than in Public Works Engineers—a policy which is often inefficient and extravagant.

[22] This period may be extended when safety or health necessitate it. Article 26, para. 2, Decree of May 2, 1910. Except in cases of urgency, a native may furnish a substitute for this labor; but he may not redeem his obligations by a money payment.

navigated almost daily by boats. Apparently the only reason for the construction of this road is to serve the pleasure of Europeans who wish to go for an automobile ride in the evenings. In 1925-1926 the natives were obliged to work four months on this road. In order to conform to the sixty-day provision in the 1910 decree, the officials had them work during the months of October and December in 1925 and in the months of January and February in 1926.[23] This arrangement violated the provision that only five days of labor a month should be required. Women as well as men were obliged to work. Husbands having only one wife—the Christian natives—complained that there was no one to make their gardens. As a result of these complaints the administration agreed that women should work only two days a week. This labor received a franc a day for five days a week, plus a little manioc—a wage which did not equal even the ration money paid natives working for trading firms in the locality. The system of controlling native affairs in the Congo is so loose that it is doubtful whether the authorities even at Boma knew that this or similar activities were going on.

An ordinance-law of February 20, 1917, also imposed upon native groups the obligation of cultivating a certain amount of land, either for foodstuffs or for export crops. In many districts in the Congo each native is required to cultivate six *ares* of rice.[24] In the Ubangi district, he is obliged to cultivate ten *ares* of cotton and twelve palm trees.

In theory this type of cultivation is carried on for "the exclusive benefit" of the native. In fact, the administration has imposed this obligation in order to secure food for the natives working for the mines and other industrial enterprises in the Congo. Having required its production, the administration requisitions the food at a price which, it appears, is often below the market price.[25] A number of cases have occurred where administrative officials have required natives to grow a certain crop for export purposes, only to find when the crop is harvested that the price of such a product had fallen—a policy which discourages any real interest in agriculture.

In 1919 the Congo Commission for the Protection of Natives severely criticized this system of compulsory agriculture as follows: . . . "It has been pointed out that work undertaken by the chefferies, deprived of all suitable tools (*outillage*), constituted a waste of labor; that in certain

[23] In a circular issued in 1920 (*Recueil Mensuel,* 1920, p. 175) the Governor declared that while the law obliged a native to work only five days a month, the chief might use his persuasion to get him to work longer.

[24] *Codes et Lois*, p. 200; *Rapport du Congo Belge*, 1924, p. 41.

[25] For the same type of abuse in the Cameroons, cf. Vol. II, p. 326.

cases, natives have been held for several months far from their villages, and have necessarily been obliged to desert their regular occupations and to neglect their own gardens and homes.

"This disturbance in the ordinary native life may gravely compromise enterprise and prejudice the material interests most worthy of our solicitude.

"The Commission believes that it is an exaggeration to require natives to give a fifth of their working time to extraordinary works which can be carried out only to the detriment of the normal execution of ordinary labor relating to subsistence and the maintenance of the individual, family, and village.

"It believes that the method and the conditions of the work imposed are uneconomical and abusive.

"This corvée gives only an insignificant return; the quality of the labor is more than mediocre; the right to redeem this obligation should therefore be granted, and such sums utilized to the purchase of indispensable tools and equipment or to the remuneration of voluntary and skilled labor."

For these reasons, the Commission passed a resolution stating that "Whereas the term of sixty days during which the natives may be obliged to carry on work of an economic character in the chefferies appears exaggerated because it is susceptible of profoundly troubling native economic life; and whereas, on the other hand, it is necessary that the members of the chefferies who possess their own means of livelihood should be allowed to relieve themselves of this obligation by means of a pecuniary payment," the term of sixty days, provided for by the ordinance law of February 20, 1917, should be reduced one-half and any native should be authorized to redeem this corvée by paying an equivalent in money of the labor exacted.[26]

All of this work, except the compulsory cultivation of crops which is fixed by the District Commissioner, is done at the direction of the Territorial Administrator. Women may be obliged to keep the village clean and destroy weeds, but other work can be imposed only on able-bodied men.

Natives are also liable to what are called "Civil Requisitions." That is, the government officials may require them to serve as porters, guides, or paddlers, for public officials. This labor is paid. Natives working under contract are exempt. No one can be obliged to work under this provision more than two weeks in one month or twenty-five days in the

[26] Rapport au Roi de la Commission pour la protection des indigènes. *Bulletin Officiel,* 1920, p. 674.

year,[27] and any time thus served shall be deducted from the sixty-day period authorized in the 1910 decree.

Thus under these decrees, in regard to the Chefferies and Civil Requisitions, the native of the Congo may be obliged to perform sixty days of labor a year which may or may not be paid, according to the category into which it falls. Legislation carefully confines this compulsory labor to work within the administrative district for village purposes, for the cultivation of crops, or for transport. These decrees do not authorize the administration to conscript labor for railway construction or any other large scale public work. In practice, as will be shown, this form of conscription takes place uncontrolled by law. Under the present system, therefore, the Belgian native is liable to sixty days' labor, unpaid or underpaid, within his district. Many of them are also liable to several more months of labor for railway or private purposes.[28] In British East Africa the government has fixed the limit of compulsory labor for all public purposes at sixty days, and in Kenya and Uganda such conscription is, except for porterage, subject to the prior consent of the Secretary of State. These restrictions do not exist in the Belgian Congo.

4. *Railway Labor*

Under existing law, no administrative official, even the Governor-General, has the power to conscript labor for the purpose of railway or other important construction. This obligation can be imposed only by decree of the King, following the advice of the Cabinet and of the Colonial Council.[29]

But opinion in Belgium, influenced by the memory of the Free State, has been so strongly opposed to legalized compulsion that the King has not authorized forced labor even for public purposes since 1909.

In the Free State days, it was the practice to divide the annual contingent recruited for the *Force Publique* into two sections in proportions fixed by the government. Natives in the second section were employed as laborers upon work proclaimed as being of public utility. Laborers could be obliged to work under this provision for a period of five years. Thereafter they would be exempt from all military service.[30]

In 1906 government decrees declared that the construction of the Great Lakes Railway was a work of public utility and that a contingent of eight hundred men could be recruited for this purpose in that year.[31] At the expiration of these decrees at the end of 1908, King Leopold II

[27] Decree of December 26, 1922, *Codes et Lois*, p. 1331.
[28] Cf. Vol. II, p. 539. [29] Cf. Vol. II, p. 456.
[30] Decree of June 3, 1906, *Recueil Usuel*, Vol. V, p. 695.
[31] Decree of October 6, 1906, *ibid.*, Vol. V, p. 770.

issued a Royal *Arrêté* again declaring that the construction of the Great Lakes Railway and also of automobile roads in the Uele were of public utility. In January, 1909, he promulgated a decree fixing the number of laborers to be recruited for this purpose at 2,575 men.[32] This decree, which was one of the earliest submitted to the newly organized Colonial Council, led to a vigorous discussion. While a large majority of the Council finally gave their approval, one speaker, representing the minority, declared, "We are almost unanimous in recognizing that it is not illegitimate to oblige the natives to participate for a few weeks (perhaps even months) in works of public utility, to be executed in the region where they live and from which they therefore profit directly. But it is impossible to justify a system which condemns natives to be deported thousands of kilometers from their villages, to be compelled to perform the most painful labor under a climate sometimes fatal to them, in an unknown country where they are obliged to change their food and habits of life." [33]

Despite the Council's approval, the Chamber of Representatives, following an interpellation of the Ministry, passed an order of the day to the effect that voluntary labor should replace conscripts on public works "in the shortest possible delay." [34]

As a result, the government was obliged to do away with its contingent of conscripts on the Great Lakes Railway.[35] No decree authorizing forced labor has been enacted from that day to this. During the World War the Governor-General, acting under emergency powers, enacted an ordinance-law authorizing compulsory labor for the construction of the port of Matadi. But the home government declined to approve this ordinance-law within the next six months, and it thereupon lapsed.

Nevertheless, railway construction has been considered necessary. This construction is taking place not only in the Kasai on the "B. C. K." Railway but between Kinshasa and Matadi where a company is enlarging the existing railway. While the public urgency of the "B. C. K." Railway may be arguable, the enlargement of the Kinshasa-Matadi Railway is a necessity. At present virtually the whole colony depends for its access to

[32] *Arrêté* of January 4, 1909; Decree of January 6, 1909, *ibid.*, Vol. VI, p. 610.
[33] Minority Report, *Compte-Rendu analytique des séances du Conseil colonial* (1908-1909), p. 211.
[34] *Annales Parlementaires,* 1908, Chambre des Représentants, Session extraordinaire, pp. 514 ff.
[35] This railway was being constructed by the government for a Company which upon completion would acquire the ownership and would operate it as it does today. The question whether the construction under these circumstances was really for a public purpose was debated in the Colonial Council and decided in the affirmative, although one member pointed out that any economy realized in labor would ultimately benefit the Company. *Compte-Rendu du Conseil colonial, cited,* p. 58.

the sea upon the small gauge railway built in 1896. Periodically the government is obliged to subject all imports and exports to license, in order to keep the railway and port from becoming clogged. From the standpoint of Europeans and of natives, the widening of this railway is an essential public work.

In order to carry on this work in the Lower Congo on the railway and the port of Leopoldville, the government requires about fourteen thousand men annually. These requirements are so large that they must be spread over a large part of the Congo. The men employed in 1925 came from the following districts:

Labor on the Matadi Railway

Oriental Province	2,000
Equator Province	4,000
Sankuru district	2,000
Kwango district	3,500
Bas-Congo district	2,500
	14,000

To recruit this labor, some of which thus comes from more than a thousand miles away, the government has established a Labor Office at Kinshasa.[36] This Office maintains one recruiter in the Equator Province and two in the Lower Congo who assist district commissioners in obtaining the quotas assigned to them by the Governor of the province concerned. Before 1925 it appears that the administrators in the Equator Province left the task of recruiting many of these men to the Labor Office recruiters—a system which did not obtain the quotas. Consequently the Governor-General instructed the Governor of the Equator Province that the recruiting of this labor should be the first duty of the administration and that no efforts should be spared in obtaining men.

A Belgian paper edited in Kinshasa published an editorial in February, 1926, on labor recruiting, part of which declared, "Recently natives were called together by the administrator of the territory of Poko (High-Uele) to work on the cotton farm located in the region. Confident and full of good-will, a number of natives responded to the call of the Government representative. But bad luck awaited them. Scarcely arrived at the capital, half of the poor devils were notified that they must go to Leopoldville. And actually, a few days later, they were sent down the river with ropes around their necks. It is useless to say that their wives were not asked to accompany them.

"At the beginning of January, one hundred and fifty Bangalas were

[36] Ordinance of November 16, 1922, *Codes et Lois*, p. 1495.

waiting at the river, at Lisala, under the close supervision of police, for the boat to take them to Leopoldville. Many of them had been followed by their wives. Among the latter were some who had been married by religious ceremony. But all were without distinction driven away; only the husbands were allowed to go.

"As to the conditions under which these 'recruits' must travel, they are simply infernal. Crowded on to open barges, they remain exposed for days and days to the ardor of the sun, to the deluge of tornados. In regard to food we have seen natives receive only rice without palm oil and especially without a cooking pot. They arrived literally famished at their destination.

"Finally, official instructions totally neglected to provide wages for them en route. These people, thus torn from their homes, could not commence to receive wages until months after their 'engagement,' until recently when an administrative official of the Uele district undertook on his own responsibility to pay them wages en route.

"The responsible authors of these abuses are not, in our opinion, the humble territorial agents at the bottom of the administrative scale, charged with carrying out the recruiting orders which arrive in their territories. It seems to us rather that the high officials are responsible who, self-complacently, give orders which they know cannot be executed under the circumstances.

"Prudently sheltered under an administrative umbrella, they sign with a serene indifference, irreproachable orders by which they instruct subordinate officials to appeal to the influence over the native population and to the 'force of persuasion.' At the most they urge them to exercise on the natives only a 'certain moral pressure' in order to oblige them to accept the great law of labor, when they all know that this official logomachy can only end in the utilization of a few more yards of rope formerly called the 'cravate nationale.'

. . . "The emotion created in the Upper Congo by the operations which we denounce is so great that it did not escape His Royal Highness the Prince Leopold . . ." who was at that time traveling in the Congo.[37]

Similar criticisms were made by the Préfet Apostolique of the Ubangi who said:

"The territory of Ubangi is emptied of every able-bodied man. The majority of the young men, the hope of the future, is taken from its district of origin and transplanted in the country from which it will return,

[37] Cf. M. de Mey, "Les Recrutements de travailleurs," *L'Information Colònial,* February 6, 1926.

if it ever returns, corrupted and contaminated by every kind of subversive idea which they will spread upon returning home. . . .

"At Libenge the merchants have signed a letter protesting against this intensive recruiting which has deprived them of necessary labor. It is agreed that laborers are necessary for public work but they should first attempt to find them in the industrial centers of our Colony . . . where thousands of natives of every origin stagnate in laziness and live by numbers of robberies and other unspeakable practices. Let us first purge our European centers . . . and leave in repose our poor Ubangi already so severely drained, the population of which is so weak and stricken by so many diseases. . . .

"The population of Ubangi has given itself in complete confidence to Belgium; it has turned over to it its lands; in the name of civilization, it pays a heavy tax; a good number of the men have shed their blood for our cause in the great War. In return they well deserve our pity, our sympathy, and our effective assistance." [38]

Dissatisfied by this system of "voluntary persuasion," the Minister of Colonies prepared a decree in April, 1926, legalizing the conscription of labor for the railway. In a statement to the Colonial Council he declared that the enlargement of the Lower-Congo Railway would benefit native interests. Since the government rejected the idea of importing Chinese labor, conscription of the Congo native was the only alternative. He cited the example of Kenya and Madagascar. He proposed to recruit nine thousand men for a maximum period of two years, by methods followed for the recruiting of soldiers for the *Force Publique*. No more than five per cent of the adult males should be taken for this purpose.

After a vigorous debate in which members criticized the recruiting of labor for private employers,[39] the Colonial Council finally approved the project by a vote of nine to three.[40] The majority apparently took the position that it was better to put compulsion under the control of law than to tolerate its illegal existence. When the project came before the Belgian Cabinet, the decree was rejected on the ground that compulsion was contrary to Belgian principles.[41] The members of the Cabinet seemed

[38] "Dans l'Ubangi," *L'Information Colonial*, January 23, 1926.

[39] Cf. Vol. II, p. 439.

[40] *Compte-Rendu du Conseil colonial, cited*, 1926, pp. 426, 467. One member, a Belgian banker, made this significant comparison:

"Comment ne pas songer, quand on nous propose d'éloignés pour deux ans, dix mille novis de leurs huts familiales en les transportant à des milliers de kilometres, aux deportations de nos concitoyens dont nous fûmes les témoins pendant la Guerre?" *Ibid.*, p. 392.

[41] Cf. also the discussion in *La Dernière Heure*, July 31, August 6, 1926. It appears that articles in English newspapers, referring to this authorization of forced labor, had influenced the Cabinet's action.

to believe that the only alternative to legalized conscription was voluntary labor. But there is a second alternative to lawful compulsion and that is illegal and uncontrolled conscription, which is still being carried on.

This labor is brought down from Stanleyville and from hundreds of miles within the Ubangi upon a year's contract. About fifty per cent of the men recruited in the Equator Province re-engage; and it is doubtful whether a large per cent of the remaining workers return to their homes at the end of the first contract. The men are paid at the rate of seventy-five centimes a day during the first six months, in addition to their ration which costs the government between two and three francs a day. One-third of this pay is withheld until the end of the contract, and paid upon arrival home. Upon completing his contract every boy gets a bonus of a few francs. The cost of recruiting each man is high, coming to a total of about five hundred francs.[42]

Once these men are at work, they are treated well. The mortality rate on the Lower-Congo construction work is one of the lowest in Africa—about seven per thousand in 1926. Nevertheless, these men are being illegally compelled to leave their villages and go to work for a year at places located in some cases five hundred or a thousand miles away.

Some of these labor difficulties have been caused by too much administrative zeal to accomplish the "industrialization" of the Colony. If the Belgian Government would discontinue its policy of assisting the recruiting of labor for private employers,[43] more labor would be available for essential public enterprises.

[42] This represents the cost of passage of two hundred and seventy-six francs, twenty-five francs given each native for food en route, twenty-five francs for a blanket, twenty-two francs for a sweater, eighteen francs for cloth, and fourteen francs for a cooking dish, which each man is given. The cost of keeping him in the concentration camp before going to work is twenty francs for ten days. Upon the completion of the contract, the Office must pay his passage home.

[43] Cf. Vol. II, p. 439.

CHAPTER 87

THE PRESENT ECONOMIC SYSTEM

WHILE especially in recent years the Belgian Government has brought about the reduction of some large-scale concessions, it has also granted a number of new and important concessions,—if upon somewhat different terms. Since the annexation of the Congo the government has granted about thirty mining concessions. A concession confers upon the party the right to prospect in a determined region, sometimes covering five hundred thousand hectares for a period of two years, to the exclusion of other prospectors.[1] It likewise confers the right of reserving a number of zones, sometimes covering a fifth of the region where he may prospect for a new period of two years. The concessionaire has the exclusive right of exploiting the mines in these zones.[2] In the most recent concessions, the mining company is obliged to pay to the government a thousand francs annually for each prospector employed. Each company promises to invest a minimum of several million francs, to purchase more than half of its material from Belgium, and to employ Belgians to the extent of sixty per cent of its European personnel.

1. *Predominance of Mining*

Up to the present time, mining has been the most important activity of the Congo. Largely as a result of the efforts of the *Union Minière,* the fifth largest producer of copper in the world, the copper production in the Congo has increased from 2492 tons in 1912 to 89,323 tons in 1925. Production has increased out of all proportion to the labor supply. Having twelve thousand natives under employment in 1920, the Company produced nineteen thousand tons. With fourteen thousand natives in 1925,

[1] A decree of June 8, 1888, says: "Ces richesses minérales demeurent la propriété de l'État." *Codes et Lois,* p. 1265.

[2] Cf. the Decree of March 23, 1925, granting a prospecting monopoly over five hundred thousand hectares to certain individuals. *Bulletin Officiel,* 1925, p. 139. In 1926, the government granted four more mining concessions to groups comprising exclusive prospecting rights over an area of two hundred and fifty thousand hectares, and the right to exploit mines discovered in the allotted time within an area covering fifty thousand hectares.

Cf. also H. Leonard, "Les concessions de mines au Congo Belge dans les regions autres que le Katanga," *Congo,* January, 1925, p. 1.

it produced eighty-five thousand tons—an increase due to improved methods of production.[3]

In addition to these copper mines, there are important tin, diamond, and gold mines. Diamonds are found in the Kasai and are exploited by a joint Belgian-American company—the *Forminière;* while the gold is exploited in the government mines at Kilo-Moto. The importance of mining exports in the Congo may be seen from the following table:

VALUE OF EXPORTS FROM THE BELGIAN CONGO IN 1924

Mining Products	*Francs*
Copper	223,517,081
Gold	43,481,585
Diamonds	27,536,446
Tin	23,130,736
Total Mining Products	317,665,848
Total of all Exports	447,004,348

Thus about three-fourths of the value of Congo exports consists of mining products. This is due to the precipitous decline of wild rubber productions, the leading export in the old régime, to the liberal terms upon which the government has granted mining concessions, and to a transport policy which has aimed primarily to benefit mining interests.

At best, mining leads a hazardous existence, and it inevitably creates grave labor problems. Moreover, the export of wild products, the régime of the *cueillete,* may be immediately profitable, but eventually the wild products become exhausted as do mining products. Consequently, many Belgians realize that the foundation of any tropical colony must be agriculture,—the cultivation of crops must be encouraged in order to stimulate economic development. To bring about this development, the Belgian Congo has initiated the white settlement policy, as well as the plantation system.

2. *White Settlement*

Although the Congo lies in the very center of Africa, most of the interior consists of a plateau having an elevation of more than fifteen hundred feet above the sea. According to some authorities, its climate is less warm and its vegetation is less luxuriant than that of the equatorial areas of Brazil and of Malaysia.[4] Parts of the Congo, resembling the Highlands of East Africa, such as the southern Katanga, Kivu, Ruanda, and Urundi, and the plateaux of Lakes Edward and Albert, have an elevation of five thousand feet or more.

[3] Cf. *Comité Spécial du Katanga,* 1924, pp. 8 ff.

[4] E. Leplae, "La situation de l'Agriculture au Congo Belge," *Congo,* October, 1920, p. 492

Supporting the idea of white settlement, the Belgian Director of Agriculture writes that the "discovery in Central Africa of these vast areas habitable by whites is one of the most remarkable events of our time, and presages the establishment in the heart of Africa of numerous industries and a highly important European agricultural enterprise."[5]

Another Belgian writer points to "the example of Rhodesia and East Africa, where thousands of English families have established themselves. . . ."

He believes that real colonization will take place only when a stable European farming population which leaves "an indelible imprint" on the country, takes its place alongside traders.[6]

Less philosophical considerations have led to the demand for European farmers in the Katanga. In this area, which may become a second Johannesburg, several thousand Europeans and about fifty thousand natives must be fed. At present, Katanga imports most of its food from the Union of South Africa and Rhodesia, especially its meat, maize, and dairy products. Of the one hundred and ninety-five thousand tons of commodities which the Katanga imported in 1923, one hundred and seventy thousand tons came from Rhodesia.[7] Fearing the political ambitions of South Africa, Belgians do not wish to be dependent upon this territory for their food. They also feel that transport charges and the necessity of paying for these goods in dear money—the British pound—make the prices unduly high. They believe that the local production of food by Belgian farmers would have economies.

In 1911 and 1912, the government attempted to settle in the Katanga Belgian farmers who had unsuccessfully tried cattle ranching in Argentina. Settlers were offered free transport for themselves, their families, and their baggage, and maintenance for one month after arrival. They were given free land. The government also agreed to give them a subsidy upon the establishment of a farm.[8] But the experiment proved a total failure. The tsetse fly did away with most of the farmers' cattle. Now, only about one hundred and fifteen European farmers maintain an existence in this area.[9] Nevertheless, officials still believe that European farmers will be able to provide the Katanga mines with foodstuffs, but it seems to be agreed that European farming on a small scale will not be able to pro-

[5] Leplae, *cited*, p. 492.
[6] A. De Bauw, *Le Katanga*, Brussels, 1920, p. 49.
[7] *Statistique du Commerce Extérieur du Congo Belge*, 1923, Ministère des Colonies, p. 334.
[8] F. V. Elst, *Le Katanga*, Brussels, 1913, p. 236.
[9] F. Janssen, *Le Développement et l'avenir économique du Congo Belge*, extrait des Annales de la Société scientifique de Bruxelles, Vol. XLVI, 1926, Brussels, p. 9.

duce enough for export to European markets. At present the Belgian Government has concentrated on somewhat different and larger-scale type of European agricultural enterprise—the plantation system.

3. *The Lever Concession*

In order to encourage agricultural exports to take the place of wild rubber, the Belgian Government shortly after taking over the Congo introduced the plantation system. In 1911, it granted large holdings to Lever Brothers, the British soap firm, which had attempted to secure large concessions in Sierra Leone and the French Ivory Coast but without success because the governments did not believe such concessions would be compatible with native interests.

But because of the critical financial situation of the Congo following the abolition of the Leopoldian régime, the Belgian Government felt justified in introducing a policy in some ways resembling that of the old régime. The beneficiary of this grant—the Lever interests—took the name of *Huileries du Congo Belge,* a company incorporated in Belgium and commonly called the "H. C. B." [10]

Within five circles of land, each having a radius of sixty kilometers, and having a total area of about 1,100,000 hectares, the Company was allowed to lease palm-bearing lands not exceeding seven hundred and fifty thousand hectares. The Company was entitled to lease seventy-five thousand hectares in each circle in which it had erected by July 1, 1922, a factory capable of handling six thousand tons of fruit a year. The Company could lease two hundred thousand hectares in each circle in which it had erected by May 1, 1926, a fifteen thousand ton mill. But the total land occupied could not exceed seven hundred and fifty thousand hectares. At present, the Company has three mills with fifteen thousand tons capacity in the circles of Lusanga, Barumbu, and Bumba which entitles it to two hundred thousand hectares in each of these circles. In the two other circles, where the mills have a capacity of only six thousand tons each, the Company may occupy seventy-five thousand hectares in each. The present capacity of the "H.C.B." mills, therefore, entitles the Company to the maximum stipulated in the agreement, or nearly twenty-nine hundred square miles. This land must be chosen in blocks within the circles, subject to the rights of third parties, natives or non-natives.

The Company holds this land under lease until 1945 in return for a payment of twenty-five centimes a hectare.[11] After that date, it may select

[10] Convention of April 14, 1911, *Bulletin Officiel,* 1911, p. 390.

[11] The colony grants gratuitously land for the construction of roads, etc.; it undertakes to protect the agents of the Company; and it promises to sell to the Company land at Matadi for the establishment of storehouses, and other purposes.

and hold in "full property" an area of forty thousand hectares in each circle, not to exceed a total of one hundred and fifty thousand hectares in all. This figure may be extended to the full amount under lease—seven hundred and fifty thousand hectares—provided the Company produces a thousand kilograms of oil for every four hectares during the five years preceding 1945. This means that to obtain seven hundred and fifty thousand hectares of land, the Company must produce at least thirty thousand tons of oil a year. During 1923-24, the mills produced 8778 tons. In 1925, they produced 10,147 tons. In 1924, 4032 tons of kernels were exported; while in 1925, the figure was increased to 4757 tons. It is not improbable that when the palm plantations come into bearing, the figure of thirty thousand tons derived from plantations as well as from cleared palmeries will be reached. After having obtained full property the Company will nevertheless be obliged to export annually a thousand kilograms of oil for each twenty-five hectares of land of which it is the owner.

The lands which the Company have leased are as follows:

Circle of Ingende (Flandria)	75,000 hectares
Circle of Bumba (Alberta)	200,000 "
Circle of Barumbu (Elizabetha)	200,000 "
Circle of Lusanga (Leverville)	200,000 "
Circle of Basonga (Brabanta)	75,000 "
Total	750,000 hectares

In addition to paying a rent of twenty-five centimes per hectare, which will continue even after 1945, the Company is under the following obligations:

1. to pay adult native workers a minimum wage of twenty-five centimes a day not including rations. (At present, the wage paid is at least four times this figure.)
2. to provide for the medical needs of the population in the vicinity of the mills and to maintain a doctor and a dispensary in each of the five circles.
3. to maintain a school in each of the five circles where instruction will be given in the "national" or native language. (The Company now employs Catholic teachers in all of these schools.)
4. to employ Belgians in half of the positions open to Europeans; and to purchase in Belgium half of the merchandise which it imports in the colony.

All of these obligations are being fulfilled.

At Elizabetha, twelve hundred hectares have been planted, but since it takes seven years before trees come into bearing, most of the fruit now comes from wild palms, many of which have been cleared, thus increasing their yield.[12]

The total number of men employed on the various "H. C. B." blocks is about twenty thousand. While a large number of boys are employed in connection with mill operations, the others are engaged in collecting wild fruit. In the Elizabetha district, there are about forty fruit posts, each with a native clerk in charge. Around each post is a native village, a fruit hangar, and a company store. In the districts surrounding these posts, twelve hundred cutters are employed. They go from tree to tree in the forest, cutting régimes of fruit, for which they are paid twenty centimes each. In 1925, they cut about thirty-eight tons a day. Each man cuts from five to eight régimes a day. To secure weekly rations, he must cut thirty-six régimes a week, which would give him a minimum wage of seven francs and twenty centimes a week. The régimes are brought into the fruit hangar, where they are placed on racks and split in two. The fruit is then separated from the frame of the régime, and sent down to the mill, where it is separated from the shell, and the kernels and oil extracted. The kernels are sacked, while ordinary palm oil is shipped in hundred gallon drums. As a rule, the fruit of the palm tree contains about twenty per cent oil. The modern method used in the "H. C. B." mill extracts all but two per cent of this oil, in comparison with the primitive method of extraction, the native mortar, which wastes ten or twenty per cent. The oil produced by the Company mills contains five per cent free fatty acid, in comparison to that produced by native methods which contains 20 to 30 per cent free fatty acid. There is little doubt that from the standpoint of quality, mechanical extraction is superior to hand extraction. At the same time, the Company is subject to large overhead expenses and to the constant fear of a labor shortage. These considerations have led some colonies to attempt to improve native methods of extraction [13] rather than introduce the plantation system.

At each post, the Company has erected a native village, usually composed of brick houses, built according to government specifications. One family is entitled to one hut by itself; three bachelors must share a hut together. At the back of each hut, the family has a garden ten by twenty meters square. The village as a whole has a communal garden of twenty-five hectares.

In addition to the regular wage, each worker is given two francs and ten centimes ration money per week, provided he has worked full time. He is also given three kilos of rice or its equivalent. Complaints

[12] They remain in bearing about thirty years.
[13] Cf. Vol. I, p. 775.

have been made that this ration money is inadequate, and it would appear that the Company would insure better conditions if it assumed the full burden of feeding the natives. Only about a third of the men are married or have their wives with them.

4. *The Plantation Policy*

While the government has not made any grants similar to that held by the "H. C. B.," it still follows the policy of granting concessions for plantations of a smaller size. In November, 1917, the Minister of Colonies received requests for palm plantations aggregating 2,260,000 hectares, which the Governor-General recommended should be granted, subject to certain limits safeguarding native lands.[14]

In 1919, the Colony granted one such concession of ten thousand hectares near Kimpoko, to be chosen from among the vacant lands not reserved for the present or future needs of the natives, at an annual rent of twenty-five centimes a hectare. The lessee is obliged to establish plantations up to a thousand hectares, and to establish an oil factory which can treat four thousand tons of fruit annually. After 1930, he must export a thousand kilos of oil for every fifty hectares leased. He agrees to pay the natives twenty-five centimes a day—much below the market wage. If he concludes any contracts with natives for the regular delivery of fruit, the minimum price must equal the ordinary native wage for an eight-hour day. The lessee is obliged to establish workshops where fifteen natives may become apprenticed to learn manual and agricultural work. After 1935, the lessee becomes proprietor of the land if he has fulfilled the development conditions, subject to the annual rent of twenty-five centimes a hectare.[15]

In 1920, the Colony made a contract with the "Omnium African" for a lease[16] (*emphytéose*) of a total of ninety thousand hectares in six circles upon which it must install six oil factories, each capable of treating ten thousand kilos of fruit per year—at a rent of 25 centimes a hectare.

In 1922, it made a similar contract granting the Company of Kasai seventy-five thousand hectares of land to be chosen in five circles in the district of Kasai. The right to select land in the district is not, however, exclusive. In 1940, the government will sell to the Company land which it has developed, at the rate of five francs per hectare.[17] The Company

[14] *Rapport Annuel du Congo Belge,* 1917, p. 79.
[15] Decree of October 11, 1919, *Bulletin Officiel,* 1920, p. 29.
[16] Decree of June 19, 1920, *ibid.,* p. 1047.
[17] Convention of September 15, 1922, Decree of January 12, 1923, *Bulletin Officiel,* 1923, p. 109.

asked that this concession be granted in order to establish plantations to supply food to the native labor on the Kasai mines.

The same year, the government granted three more palm concessions, the first of which was to the *Palmeraies Congolaises*,[18] authorizing this Company to occupy twenty thousand hectares provisionally at a rent of twenty-five centimes per hectare. It may buy the land under development after January 1, 1933, at the rate of five francs a hectare. In 1925, the government granted a concession of twenty thousand hectares to the *Société Agricole du Mayumbe* in the districts of the Lower Congo, Middle Congo, the Equator, and Lake Leopold II.[19] These latter concessions do not contain the provision obliging the Company to provide schools and medical care for native families in its employ or to pay a minimum wage.

Within the last few years the Belgian Congo has begun to restrict the size of a palm concession to two thousand hectares, on the theory that an ordinary mill cannot handle fruit from a larger area.[20] But while it is imposing limits upon the size of each concession, it has placed no restriction upon the number of such concessions; so that from the standpoint of native labor and native land the effect is probably the same as if a few larger-scale concessions were granted. In fact, the smaller a concession is, the more intensive is development. Consequently, holders of small concessions will probably demand a greater labor supply per hectare than the holder of a larger area.

These large concessions have been the object of a number of criticisms by members of the Colonial Council. While the Minister of Colonies at one session expressed his opposition to large concessions in principle, he declared that the government was to a certain extent bound by the past. They could not "go from one extreme to another, and although the policy was directed toward a system of more restricted concessions, more in relation to the possibility of complete development in normal times, it was necessary to consider that, in order to obtain the necessary capital, concessions must have a certain size, in order to bear comparison with what has been done in the past." Another member expressed the fear that the rights of the natives would not be sufficiently respected. The president declared that the government had issued formal instructions that every precaution would be taken to protect native lands. Apart from laying down these principles, the Council could not go further. It could not "leave the realm of the legislative power to enter the realm of the

[18] Convention of June 24, 1922, and Decree of January 12, 1923, *ibid.*, 1923, p. 104.

[19] Decree of March 23, 1925, *ibid.*, 1925, p. 185.

[20] *Rapport du Congo Belge*, 1923, p. 24; *ibid.*, 1924, p. 26. Cf. the concession granted in a decree in the *Bulletin Officiel*, 1926, p. 563.

application which belongs to the executive."[21] In 1926, the Colonial Council studied the whole question of concessions and recommended that these principles should be followed: In granting a concession, no obstacles should be imposed on the present activity or the future development of native tribes; the possibility of labor recruiting, and the legitimate interests of existing enterprise should be considered; the general and permanent interests of the Colony should not be injured. Moreover, definitive title to a concession should never be granted unless the land had really been developed. The Council asked that the government liberally interpret the 1906 land decree in regard to native lands and that upon receiving land a concessionaire should receive a guarantee for a number of years that another concession would not be accorded in the vicinity—a provision designed to limit the demand for labor and competition between concession holders generally.[22] The Council also recommended that the labor recommendations of the 1924 Commission be adhered to in the vicinity of concessions.[23] Concession seekers are now obliged to submit to the Council a statement of the adult population of the district in which they wish a concession, the number of men already under employment, and the number of industries. This recognition of the connection between land alienation and the labor supply is of the greatest importance. If concessions really are limited in accordance with this principle, Belgium will have set an example which should be followed by Kenya and Tanganyika.[24]

So far, however, it has been the policy of the Belgian Government to push the plantation system, except in regard to cotton. To assist this development, the government maintains a staff of about seventy agricultural officers and about eleven veterinary officers,[25] while it is pushing a policy of railway construction and of "industrialization."[26] For the purpose of improving transport facilities on the Congo river, the government brought about in May, 1925, the amalgamation of two private companies, the *Citas* and the *Sonatras,* into which is called the *Unatra*—a company having a capital of 60,000,000 francs of which the government owns 36,000,000.

In order to encourage concessionaires, the policy of the government is to grant upon the fulfilment of development conditions "full property" titles in contrast to leasehold titles in British colonies. Moreover, the Congo sells land at such low figures that it is virtually given away. Since the cession is complete, the future increment in land value will go to the individual owner and not to the colony. Recognizing the defects of this

[21] Cf. *Bulletin Officiel,* 1923, p. 103.
[22] Cf. *Congo,* March, 1927, p. 420.
[23] Cf. Vol. II, p. 546.
[24] Cf. Vol. I, pp. 343, 502.
[25] *Annuaire Officiel, Ministère des Colonies,* 1925, p. 507.
[26] Cf. *Exposé des Motifs,* Loi du Budget contenant le Budget du Congo, Chambre des Représentants, No. 68, December 20, 1923.

policy, the government enacted a decree in 1920 providing for ninety-nine year leases or "concessions de droits d'emphytéose"—a term employed in civil law. The Colonial Council has declared that this form of holding should "in the majority of cases be sufficient to insure the development of uncultivated public land. . . ." It declared that it would be a mistake to continue the policy of large concessions granted "in full property." [27] So far this form of holding has been little used.

5. *Economic Results*

As a result of the encouragement which the Belgian Government has given to mining and plantation enterprise and of the efforts of European capital and native labor, production in the Belgian Congo has recently increased. The growth of commerce is shown in the following table:

AVERAGE ANNUAL EXPORTS—BELGIAN CONGO

Quinquennial Period	*Value at Place of Export*		*Quantity*	
1891-1895	7,350,400	francs	6,478,900	kilograms
1891-1900	26,629,000	"	9,643,000	"
1901-1905	52,015,700	"	13,090,600	"
1906-1910	56,662,800	"	13,868,200	"
1911-1915	58,807,134	"	31,758,102	"
1916-1920	186,610,265	"	76,369,435	"
1921-1925	434,029,190	"	150,997,264	"

The export of wild products has been as follows:

(000 omitted from francs)

Year	Ivory Tons	Ivory Francs	Rubber Tons	Rubber Francs	Copal Tons	Copal Francs
1898-1900	257	6,136	3,726	27,942	8	7
1901-1905	202	4,284	5,397	44,052	538	739
1906-1910	208	5,889	4,216	43,367	1,100	1,420
1911-1915	249	6,240	2,993	21,732	4,370	5,554
1918-			1,756	5,058	3,611	2,708

Year	Palm Kernels Tons	Palm Kernels Francs	Palm Oil Tons	Palm Oil Francs	Cocoa Tons	Cocoa Francs
1989-1900	4,776	1,297	1,505	738	3	4
1901-1905	4,807	1,489	1,726	936	107	150
1906-1910	5,436	1,958	2,005	1,341	649	927
1911-1915	7,788	3,683	2,428	1,586	708	1,037
1918-	31,363	20,386	362	2,164	743	1,486

While in 1910 there were only five hundred commercial establishments in the Colony, to-day there are three thousand. It is estimated that companies have invested a billion and a half in the territory.[28-29] Between 1922

[27] *Rapport* on the Decree of July 20, 1920, *Codes et Lois*, p. 302.
[28-29] Janssen, *Le Developpement et l'avenir économique du Congo Belge*, 6, 5.

and 1925 the European population increased from 9631 to 12,795. In the city of Kinshasa there are seventy trucks, one hundred and sixty automobiles, one hundred motorcycles, and a thousand bicycles.[30]

As a result of this activity, the shares of many Congo companies reach a high figure. Some of them are as follows:

CONGO STOCKS

	Nominal Value	Market Value
1. Compagnie du Katanga (priv.)	600	69,800
2. " " " (ord.)	...	65,800
3. Union Minière (priv.)	500	5,080
4. " " (dividend)	...	9,200
5. Auxiliarie Chemin de fer Grand Lacs (p. de fond)	250	14,250
6. Contonnière Congolaise	600	7,425[2]
7. Ciments du Congo	600	1,205
8. Ciments du Katanga	500	4,650
9. Belgika (ordinary)	...	9,100
10. Cie pour le Commerce et l'Industrie	...	5,475
11. Compagnie du Kasai (capital)	250	1,705
12. Géomines	250	5,330
13. Forminière	...	40,000[1]
14. Alimentation du Bas Congo	600	1,805
15. Congo Railway (ord.)	500	1,852
16. " " (p. de fond)	...	21,500
17. Katanga Railway	500	1,730
18. Congo Supérieur aux Grands Lacs (capital)	250	1,665

[1] While no Forminière stock is listed, it is understood that stock was recently sold privately at this figure. The par value of the other stocks is taken from *L'Echo de la Bourse,* September 8, 1926, p. 5; the market value is from *L'Essor Colonial et Maritime,* June 30, 1927, p. 18.

[2] As of September 8, 1926.

The height of these stocks is due not only to prosperity in the Congo but also to the desire of many Belgian investors, lacking confidence in the franc, to transfer their investments to the Congo where, because of the presence of British and American capital, a number of transactions are carried on in gold.

6. *Financial "Non-Intervention"*

Until recently these developments have taken place without any financial assistance on the part of the home government or of many colonial loans. Except for a 1909 loan of 6,429,000 francs the Congo made no loans between 1906 and 1922. Railway construction has been financed largely through concessions to private companies which in a number of cases have received a guarantee.[31]

In 1921, parliament changed this policy of financial "non-intervention"

[30] Emory Ross, "Survey 1921-1924," *Congo Missionary Conference,* 1924, p. 21.

[31] Cf. Vol. I, p. 421.

by enacting the law of August 21, 1921, which authorized the Minister of Colonies to proceed to the execution of a large program of public works, involving eleven different subjects, such as the railway from Stanley-Pool to the Bas-Congo; the extension and improvement of railways in the Katanga and in the Great Lakes area; the construction of the Congo-Nile Railway and the Benguela Railway, and certain roads. To carry out these works, the Minister of Colonies was authorized to issue bonds to the extent of three hundred million francs in successive series, as a charge on the Congo debt. This law was caused by the desire to intensify the development of the Congo so as to overcome the financial and economic situation of Belgium which had arisen out of the World War.[32] In addition, the Belgian Government between 1921 and 1926 advanced fifteen million francs annually to the Congo budget—a sum designed to cover the Congo's ordinary deficit which in 1924 amounted to 10,600,000 francs. These advances were made without interest and without a fixed term. But owing to the financial condition of Belgium, parliament was obliged to vote the advance to the Congo out of loans. In other words, the Belgian Parliament borrowed money in order to help pay the ordinary expenses of the Congo.[33]

This financing did not commend itself to the Belgian Government and in 1926 when the condition of the franc became especially critical and when it became necessary to pay the war-debt to America, the government discontinued the fifteen million franc advance to the Congo.

Apart from these advances which total seventy-five million and which apparently must eventually be repaid, the Belgian Government has made no grants-in-aid to the Congo since the annexation. One doubts, especially when he considers the vast sums which the British government has advanced to its colonies and the money which the French government has poured into "A. E. F.,"[34] whether it will be possible to develop the Belgian Congo, and not impose an excessive burden upon the native population, without financial help from the home country.

[32] The Exposé des Motifs of the 1924-25 budget (Chambre des Représentants, No. 68, p. 1) said, "Le Budget de la Colonie traduit deux préoccupations qui, d'après les voeux du Parlement, dominent notre politique au Congo; c'est d'une part, la décision d'activer, autant que la permet l'intérêt des populations indigènes, l'industrialisation de la Colonie, en la dotant d'un outillage convenable et moderne en matière de chemins de fer, de navires, de ports et voies navigables, de routes, etc.; c'est d'autre part, la volonté d'assurer un personnel suffisant aux differents services coloniaux et particulièrement à l'administration territoriale et à l'hygiene qui intéressent au premier chef nos sujets noirs."

[33] Cf. *La Politique Financière du Congo Belge,* Brussels, 1925, p. 52.

[34] Cf. Vol. II, p. 223. The total debt of the Congo in 1924 amounted to about 836,000,000 francs. In 1926 the King approved an increase in the Congo Debt of 300,000,000 francs. But Belgium makes no advances under this debt—the service is charged to the colony.

Despite recent increases in trade and the profits of a few companies, the per capita production of the Belgian Congo is lower than French West Africa and any of the three British West Coast colonies.[35] Likewise, its per capita revenue stands at the bottom of the ladder.

Out of a total importation of 443,877 tons of foodstuffs, in 1921, Belgium imported only 12,043 tons from the Congo. In 1923 Belgium exported 17,257,000 tons of merchandise having a value of 7,273,000,000 francs, but only 41,588 tons of a value of 73,000,000 francs went to the Congo—or about one per cent. In 1924, exports consisted of 166,192 tons of a value of about 477,000,000 francs; in 1925 they consisted of 213,342 tons of a value of 628,574,000 francs; which is an increase of 28.31 per cent in tonnage and 31.77 per cent in value. Since 1898 48 per cent of the exports have been sent to Belgium where most of the materials have been manufactured or shipped in transit to foreign markets.[36] In both 1924 and 1925 the Congo imported more than it exported. Belgium's share of the imports in 1925 was 56.04 per cent in value.

While the small trade of the colony may be due to the vast size of the Congo, this handicap is offset to a certain extent by the fact that this territory has a vast system of waterways, which is absent in more productive colonies. Unfortunately, from the economic standpoint, the only seaport into which this system of communication empties has been inadequate for Congo needs. The whole of the Lower Congo is dependent upon the port of Matadi and the Lower Congo Railway. This Railway which is one of the oldest in Africa, has a narrow gauge, and it must traverse mountainous country before reaching the commercial center of Kinshasa. At this point products must be again unloaded. The trains over the Lower Congo Railway do not, moreover, run at night—French Equatorial Africa is also dependent on this railway—a fact which still further contributes to congestion. The result has been, to use an American expression, an almost constant "traffic jam" on the Lower Congo, which has necessitated the recurrent establishment of export and import controls through a system of licenses.[37] Realizing that economic progress depends upon the improvement of this embouchement, the government, through a construction company, is enlarging the Lower Congo Railway, a task which should be completed about 1930.[38]

[35] Cf. the table in Vol. I, p. 942.

[36] F. Janssen, "Le Commerce extérieur de la Colonie en 1925," *Congo,* January, 1927, p. 14.

[37] Cf. the Decree of February 3, 1926, article 4, which was modified by the ordinance-law of February 10, 1926, and later approved by decree.

[38] The government has been criticized for pushing the construction of the "B.C.K." railway from Elizabethville across the Kasai which will add to the strain on the Lower Congo Railway.

In addition to the transport situation it is believed that the very system of economic development which has been introduced into the Congo imposes limits upon the productivity of the territory. The concentration of thousands of natives in industrialized areas has meant that thousands of other natives must spend their time growing food for men under European employment instead of growing export crops—an economic waste. Moreover, some doubt is now expressed as to the soil of the Congo, which is poor and sandy—a condition which makes large investments of capital in agricultural enterprises of dubious value. A recent writer states that the aid given to Belgium by the Congo during and since the War has been "negligible." He goes on to state that "its natural riches are far from being exuberant. If one excepts certain mining and agricultural concessions, privileged because of a combination of geographic, economic and social conditions, financiers are obliged to make very prudent calculations before investing capital in colonial enterprises." [39]

7. *Native Agriculture*

Because of the relatively meager returns of the Congo under the present system of production and the injury to the native population which it has caused,[40] a number of Belgians now advocate the development of native small farms in contrast to the European plantation.

At the present time, the principal means of existence of a native who is not under European employment is through the gathering of palm products from which he extracts oil and kernels, and through the gathering of copal, a gum which is manufactured into fine varnishes.

Since the decree of 1910, natives of the Congo may gather and sell wild produce found on public land without a permit.[41] Most of the natives take their produce to European trading posts or to native capitas who wander from village to village. These capitas roam through the country carrying wares which they sell to natives in exchange for produce. They require a large number of porters, and in many cases prey upon the credulence of the natives. The payment of natives in anything but money has been forbidden since 1916.[42] In a Decree of December 9, 1925, the government placed the number and activities of wandering native traders under control.

[39] G. Hostelet in *La Belgique Restaurée, Étude Sociologique,* 1926, pp. 615, 618. Edited by Ernest Mahaim. Institut de Sociologie Solvay.

[40] Cf. Vol. I, p. 539.

[41] A European wishing to gather produce by the employment of native pickers, etc., must take out a license.

[42] Decree of August 20, 1916, *Codes et Lois,* p. 1505.

Practically the only export crop grown by natives is cotton. Exports of 16,000 tons were estimated for 1927. Half of this amount comes from the Oriental Province. In the Tanganyika-Moero district the administration prohibits cotton cultivation on the ground that it will interfere with the labor supply and with the production of food for the mines. This question of native agriculture was discussed in 1914 at a time when the rubber plantations of the Dutch East Indies were putting the rubber plantations of the Congo out of business. During a debate in parliament in March, the Socialist leader, M. Émile Vandervelde, and the Minister of Colonies both agreed that native farms should be developed. But this opinion was not apparently shared by the Director of Agriculture who subsequently wrote that it was a "profound error" to develop native agriculture as opposed to large plantations. He cited the example of the wealthiest dependencies in the world, such as Hawaii, Ceylon, and Mauritius, most of which had been developed by the plantation system.[43]

Nevertheless, some leading business men[44] advocate native agriculture not only as a means of production but also as a means of increasing the buying capacity of the native population. In 1919, the Commission for the Protection of Natives advocated native agriculture as a means of combating depopulation.[45] Despite these opinions, the Belgian Government appears at present to believe that the production of export crops, except cotton, should remain with European plantations. Thus the administration encourages European planters to produce coffee, rubber, cocoa, and palm products, most of which in other territories are successfully grown by native farmers.[46] Native agriculture is encouraged for the purpose of growing foodstuffs, such as manioc, sweet potatoes, maize, and rice for the workers at the mines and plantations, and also cotton. To train monitors for this purpose the government has established a number of agricultural schools.

Any policy which limits native agriculture to the compulsory production of foodstuffs for internal consumption is liable to abuse because of the

[43] *Bulletin agricole du Congo,* Vol. V, March, 1914, pp. 1, 13. He said, "Vouloir développer l'agriculture indigène par un organisme purement officiel sérait une erreur." This work should be left to missions. In 1924, the same official pronounced the thesis "absurd" that the native should not work for a plantation but rather for himself. Leplae, "La question agricole," *La Politique économique au Congo Belge,* Rapport au Comité permanent du Congrès colonial, Bibliothèque-Congo, Brussels, 1924, p. 78.

[44] Cf. A. Delcommune, *L'Avenir du Congo Belge Menacé.* Brussels, 1921, Vol. II, p. 422.

[45] *Bulletin Officiel,* 1920, p. 661.

[46] This policy is outlined by M. Leplae, "La question agricole," Annexe I to *La Politique économique au Congo Belge.* The Report of the Permanent Committee of the Colonial Congress, Brussels, 1924, Bibliothèque Congo.

absence of guarantees that the native will be adequately paid.[47] Any such policy deprives the native of earning a return fixed by the market of the outside world. Moreover, in view of the critical population problem in the Congo, and of the difficulty of combating sleeping sickness until stable village life is restored, it would appear essential that the administration should encourage native agriculture for export as well as for domestic purposes, even at the sacrifice of the European labor supply.

[47] Cf. Vol. II, p. 500. An interesting attempt to combine the technical advantages of the plantation system and of native production is being made near Kisantu in the Lower Congo by the *Plantations Congolaises* which is cultivating foodstuffs to supply native labor under European employment. The Company is making contracts with native chiefs in which the latter agree to extend the area of land under cassava cultivation. In return, the Company agrees to plow this land by means of tractors, while it will advise the natives how to plant and keep the land clear. The natives will cut the cassava at harvest time, while the Company will transport it to manioc mills, where it will be ground into flour. Half of the flour is returned to the native and half belongs to the Company, which sells it. If this plan is administered so as not to lead to forced labor, and if the natives really receive their share, it will have educational merits.

CHAPTER 88

NATIVE LANDS

NATIVE custom in regard to land among the Bantu tribes in the Congo seems to be similar to the customs of Bantus in other parts of the continent. With certain exceptions private property is unknown. While a native may securely occupy land as long as he uses it, the land itself belongs to the tribe and is administered by the chief. The latter authority, however, may not do as he pleases with the land. He cannot usually sell it; but he must administer it for the good of the tribe.[1]

Some Belgian writers contend that the ownership of practically all of the land in the Congo is claimed by some native tribe; and that under native law there is little vacant land.[2] Moreover, under native law practically every palm tree has a native owner even though he may live many miles away.[3] The natives claim that every palm is the result of a native clearing and that there are no "natural" palms.

1. *The 1906 Decree*

When the agents of King Leopold II entered the Congo they were unaware of the nature of native land tenure. In 1885 and 1886 it was declared that vacant land belonged to and could be alienated by the State.[4] Originally the State did not interfere extensively with native land rights. But with the introduction of the State rubber monopoly, the State cut down so-called native land to that land under effective occupation. Throughout the remainder of the Congo the State had an absolute property right to all produce. As a result of the criticisms of the 1904 Commis-

[1] Cf. P. Salkin, *Études Africaines,* pp. 115 ff.

[2] Vermeersch, *La Question Congolaise,* 1906, p. 175; Cf. G. Van der Kerken, "Le Problème des terres vacantes au Congo Belge," *Notre Colonie,* January 1, 1926. Van der Kerken, *Comptes Rendues et Rapports, IIe Congrès Colonial Belge,* Brussels, 1926, p. 347.

[3] Père Hyac. Vanderyst, "Les Concessions de forêts secondaires et de palmerais congolaises," *Congo,* 1925, p. 731. Governor Duchesne (in "Du Droit des indigènes sur les palmerais naturelles," *Bulletin des Matières Grasses,* 1925, p. 86) agreed that palms originally resulted from native cultivation, but he declared that they should not now be necessarily regarded as native property, since native villages are moved usually once every ten years. The right of a village to palm trees should be recognized only over palms to which they claim exclusive right of ownership. He would seem to take the position that in moving away, the natives surrender their rights to the State.

[4] Cf. Vol. II, p. 426.

sion, the Belgian Government enacted as one of the reform measures of June 3, 1906, a decree which is the land law of the Congo to-day. While this decree does not recognize the native "ownership" of land, it recognizes lands which natives "inhabit, cultivate or exploit in any manner whatever in conformity to local custom as usage" as "lands occupied by natives." The nature and extent of these rights are determined by official inquiry, and the land is delimited on a map kept by the District Commissioner. Moreover, the Governor-General may grant to each village an area of land three times as great as that inhabited and cultivated by the natives and an even greater amount, if approved by the King.[5] Since it is the practice of most tribes to rotate land from year to year, the interpretation of the word "cultivate" becomes of great importance. In instructions to political officers, the government has stated that fallow lands should be included under cultivated lands and that in some areas such lands, which should be recognized as being occupied, are five to ten times the area actually under cultivation.[6] When the ordinance of February 20, 1917, obliged natives to cultivate foodstuffs,[7] the government also instructed administrators to extend the amount of land held by the natives so as to make this cultivation possible.[8] But the extension of native land has proved to be impossible in some areas where the lands surrounding native gardens have already been alienated to European concessionaires.[9]

It was the intention of the 1906 decree actually to demarcate native lands in the form of reserves, three times in area the amount occupied. But such a delimitation has been accomplished it appears only in the case of the *Bus-Bloc* concession and in a part of the Katanga.[10] Elsewhere the task has been too formidable. In 1922, Governor-General Lippens issued instructions that these attempts to demarcate native land should come to an end.[11] The decree provides that the natives may sell their rights in the land subject to the approval of the Governor-General.

When the government grants a concession to a European the grant is made subject to the rights of third parties—who are usually the natives. If a European wishes a concession in an area which embraces both government and native land, as defined in the decree, the prospective purchaser after making terms with the government may attempt to make terms with the native proprietors. If they do not choose to sell, the government grants

[5] Decree of June 3, 1906, *Codes et Lois*, p. 1203.
[6] *Recueil du Service Territorial*, p. 289.
[7] Cf. Vol. I, p. 500.
[8] *Ibid.*, p. 291.
[9] Cf. Vol. II, p. 527.
[10] In certain chefferies in the district of the Haut-Luapula the *Comité Spécial* has set aside native reserves amounting to 551,300 hectares out of a total area of 2,144,000 hectares for 16,894 people, making an average of 32.6 hectares per person.
[11] *Rapport du Congo Belge*, 1924, p. 44.

a concession subject to a number of native enclaves, the limits of which are not definitely defined.

2. *Sale of Native Land*

When a European wishes to buy out such enclaves, the governor appoints an official, either a magistrate or an administrator, who explains to the chiefs and notables the exact nature of the request. If the natives agree to sell, the delegate of the Governor is required to make sure that the contract conveys the exact intention of the parties. He also must determine whether the natives in question have the right under native law to sell. A document is then drawn up, called an "Acte Authentique," which is transmitted to the District Commissioner, the Governor of the province, and the Governor-General for approval. These officials examine it to determine whether the natives receive sufficient compensation, etc.[12] While there is thus a triple check, it appears that the Governor is obliged to follow the recommendation of the District Commissioner, while the Governor-General has no alternative except to follow the recommendation of the Governor, which makes this kind of check of little importance.

An actual example of this procedure is as follows: A Portuguese firm wishes to buy three hundred and fifty hectares of land occupied by certain natives in Mayumbe. The territorial agent questions thirty chiefs and notables in the villages where the land lies. He says to one of these notables: "I have gone over the land in your presence. You say it may be sold to the Portuguese firm without injuring the rights of the natives. Are there any villages now on the land?"

Answer: No. As a result of internal divisions, these villages have been definitely abandoned.

Question: What are the plantations which still exist on the land?

Answer: A cassava field.

Question: Are the lands cultivated by the villages sufficient for further increases?

Answer: Yes, provided that they are confined to the limits above indicated.

Question: Do you use your palms or other fruit trees on the land?

Answer: Yes, we use part of the palms. . . .

Question: Are there rivers in which you fish in this territory?

Answer: We wish to retain the right to fish in certain rivers.

Question: Do you have any other reservations to make?

Answer: No, we renounce the right of cultivation and the right to use the palm trees in question. . . .

[12] *Ordinance* of September 30, 1922, *Codes et Lois, cited*, p. 1206.

Question: Do you consent to grant such rights—the rights of cultivation and of exploitation of palms to the Portuguese firm?

Answer: Yes.

Question: What compensation do you desire?

Answer: We renounce our rights for the following sum: Three thousand three hundred francs to be divided up among various villages.

This was compensation for three hundred hectares of land, or about fifteen cents an acre.

Whether or not native rights are adequately respected under this procedure depends upon the fairness of the administrator. If he is under the influence of some large company, he may bring pressure to bear upon the chief.[13] One instance has recently occurred in the Lower Congo where an administrator obliged natives thus to sell land to a company into whose employ he later entered. At the complaint of the natives concerned, the government made an investigation and ordered the land restored.

3. *Tribal Contracts*

In the larger concessions it is obviously impossible to buy up native land rights since the conceded area usually contains hundreds of native inhabitants who continue to live in native enclaves surrounded by a European landlord. Under the decree of 1906, the native is entitled to the produce gathered on his own land. But he cannot legally gather palm fruit upon adjoining European land which has been made the object of a concession.[14] European traders have entered the native enclaves to purchase the produce of natives gathered presumably from native land. But when surrounded by land owned by Europeans, often indistinguishable from his own, the native has usually gathered and sold produce not only from native but from conceded areas. Already concession holders have complained about the "theft" of wild and even cultivated produce; and when plantations come into bearing, the complaints will probably become greater than ever.

The poaching of European traders and of natives upon conceded lands caused Governor-General Lippens considerable concern. In 1922 he declared that this poaching, carried on under pretext of commercial liberty, could not be tolerated much longer,[15] and in that year he enacted an ordinance which prevented chiefs from allowing traders to establish them-

[13] Cf. Vol. II, p. 486.

[14] Usually a native is allowed to fish and gather rubber, ivory and copal upon conceded land. Cf. Article 9 (4) of the convention of 1911 between the government and Lever Brothers.

[15] *Recueil Mensuel*, 1922, p. 7. M. Lippens later became associated with the Lomanl Company.

selves on native lands without the specific consent of the administrator.[16] Under this provision the administrator could exclude traders who, it was believed, would purchase illicit products.

For a time the government excluded European traders from the territory held by the Lomani Company, inhabited by at least fifty thousand natives. Obliged to obtain tax money, these natives had to sell their produce to agents of the Lomani Company who, having a buying monopoly naturally had no incentive to pay the market price. Similar conditions existed in other concessions. If traders were not excluded, the concessionaire would complain of poaching; if the traders were excluded, the rights of the natives suffered.[17]

In order to work out a compromise between native and company interests, the government now induced the Company of Lomani and different native tribes to enter into so-called Tribal Contracts. In these agreements the Company recognized the right of the natives to gather wild produce throughout the whole of the concession, whether on native land or not. In turn, the natives agreed to sell their fruit exclusively to permanent markets of the Company, at prices which should be fixed by the District Commissioner. As a result of these contracts, the price of such products increased from ten to twenty centimes a kilo. At present, however, the price paid to natives for palm products is still about fifty centimes below the market price, a fact which the administration justifies on the ground of high transport charges from the Lomani territory to the main lines of evacuation. It appears that the natives in the *Bus-Bloc* have made similar Tribal Contracts with the "S. A. B."

Somewhat different agreements, called *Contrats Tripartites,* have been made between the government, the "H. C. B." and different native tribes within two of the "H. C. B." circles. Under the Tripartite Contract, the Colony and the native chiefs agreed to lease to the "H. C. B." Company all native and public land within the blocks chosen provisionally by the Company under the terms of the agreement of 1911. The Company then agrees to place all of the land in the block, whether company, public, or native land "en indivision;" that is, the Company holds it jointly without any attempt to distinguish one type of land from the other. The native

[16] Ordinance of March 3 and August 6, 1922, *Codes et Lois,* p. 1205. These ordinances were later approved by decree.

[17] At its fourth session, the Commission for the protection of Natives declared that it had examined "la situation des indigènes dans les terres qui sont enclavées dans de vastes concessions et notamment, si le plein exercise de leur liberté de commercer n'était pas compromis.

"Elle a reconnu que dans certains cas particuliers, l'existence des grandes concessions écartait de l'indigène une concurrence salutaire, en dépit des abus qu'elle peut déterminer." *Bulletin Officiel,* 1924, p. 424.

tribes on these lands cede their rights to all palm fruit within the area; but in return, they receive the right to gather fruit throughout the entire concession, except on the lands actually under cultivation by the Company. But they are obliged to sell the fruit not used for domestic purposes to the Company at a price fixed to correspond to the market value of a day's labor, as determined by the District Commissioner.

Under this arrangement, the Company land is surveyed only as it is actually planted or otherwise developed; and the State is thus saved the tremendous expense of surveying all of the land provisionally chosen by the "H. C. B." under the 1911 convention.

In one tripartite contract made for the circle of Flandria, the "H. C. B.," the government, and four different chefferies, represented by about seventy-five different chiefs, sub-chiefs, and notables, advised by the *Procureur du Roi,* were parties. This particular contract applied to 19,500 hectares of native land and 25,793 hectares of public land and were placed "en indivision." The contract provides that "The Company will not trouble the natives in the enjoyment of the lands which they inhabit or cultivate." Subject to certain reservations, the natives may establish on their own behalf new houses or gardens, the enjoyment of which will be guaranteed to them, on all the land placed "en indivision" not to exceed the areas recognized as belonging to each cheffery.

Periodically the Company will indicate to the District Commissioner the number of hectares in this land held "en indivision" which it wishes to appropriate for cultivation purposes. These are called "reserved lands." The Commissioner will give his consent to this appropriation, if upon inquiry he finds that the blocks do not contain native lands, and that native land still remains available. The 19,500 hectares is recognized in the agreement as belonging to the native communities.

Natives may establish villages on "reserved lands" only with the consent of the Company. But once consent is given, the Company cannot evict natives except upon compensation as fixed by the Company and the local administrator, or in the absence of an agreement, by the District Commissioner. These contracts are made only until May, 1936, when the land reserved and appropriated by the Company will become its property under lease until 1945, when the Company may become full proprietor.

From the standpoint of the Company and of the government, there are many advantages to these agreements. The survey of Company land, apart from the areas actually utilized, is postponed; all independent traders are excluded from the lands leased to the Company under agreement; and the Company obtains a monopoly of all the palm produce. But the natives do not appear to receive anything that they should not have received under the land law of 1906 and under the decree on *"Biens Domainiaux"* of 1910, and they lose the freedom to sell their palm nuts and oil upon the open market.

While the government interposes some control to prevent the price from becoming derisory, the price guaranteed is not the market price for palm fruit, but a price equivalent to what a laborer could ordinarily earn working eight hours a day. Especially in the Congo, a native working for himself and selling his produce on a free market can make three or four times what he can make as an ordinary wage-earner. Under the tripartite contract, these profits go to the "H. C. B.," and there will be no incentive for the native to gather fruit, press oil, and extract kernels on his own initiative, when he can find an equally remunerative and more stable income by working for the "H. C. B." plantation. At Elizabetha, the Company does not encourage natives to pick fruit independently but prefers to use the fruit collected by its own staff of workers. It refuses altogether to buy any oil produced in the native villages. Thus the tripartite contracts tend to reduce the natives within the areas concerned to wage earners, and to increase the "H. C. B's." labor supply.

There is also the danger that natives will move off their traditional land to be near European centers of employment, thus surrendering the rights guaranteed to them by the decree of 1906, and receiving in exchange only a precarious title. Meanwhile, the Company will stake out all the best palm land in the *bloc,* and when the time comes to give natives "land of extension," no good land will be available for them.

Defenders of the tripartite contracts assert that the contracts grant a commercial monopoly to the "H. C. B." only in the *blocs* chosen by the Society and within the limits of the tribal contract, and not throughout the entire circle having a sixty-kilometer radius.[18] Whatever may be the legal aspect of this question, in practice the administrator excludes independent traders from the circle as a whole. In reply to a request from a trader at Basoko for a permit to enter the villages of Jambise and of Baseku, the administrator recently stated that "These villages are located in the radius of sixty kilometers around Barumbu where the commerce in oleaginous products is forbidden." Consequently, the trader could not enter and purchase native produce of any kind. This state of affairs explains why the Chambers of Commerce of Bumba and Kinshasa vigorously protested against the tripartite agreements.[19]

Presumably the tripartite agreements are to last only until 1936. But

[18] T. Heyse, *Congo, cited,* January, 1926, p. 12.
[19] "À propos du Contrat Tripartite," *Information Colonial,* November 1, 1924.

a Belgian writer has pointed out that the contracts will probably be renewed.[20]

This system proved so objectionable to the Governor of the Oriental Province that he declined the suggestion of the Minister of Colonies, made in 1922, that a tripartite agreement be made with the "H. C. B." in that province. After obtaining the opinion of the magistrates the Governor declared that the system did not protect the rights of the natives. Consequently, the definitive delimitation of native and of Company land is under way.

Confronted by the "H. C. B." example, other concessionaires, notably the Company of the Kasai, have demanded these tripartite contracts. But the government, apparently realizing these defects, has declined to make further contracts of this nature.

4. *Criticisms of the Land Régime*

Under the Belgian land system, the chiefs and notables of a tribe are presumed to be intelligent agents in signing agreements for the sale of their land or putting them "en indivision." But it seems clear that in many cases chiefs do not understand the transaction which is carried on in French and that in other cases they have no authority under native law to enter into such transactions. Belgian traders state that chiefs have been virtually obliged to sign contracts granting land and agreeing to furnish fruit to large companies. There is a danger that despite the insertion of principles upholding native rights, the very weight of the system will break down the safeguards, and that the underpaid official who is responsible for the enforcement of these rights will act more charitably toward European than native interests.

While the Belgian Government has gone through a formula for the protection of native lands in making concessions, it has ceded the right to use palmeries—i.e. wild palms to European companies on the assumption that they are *res nullius*. As we have seen, natives regard themselves as the owners of such palms. A Belgian missionary says: "Hundreds of thousands of hectares of palm lands have been or are on the point of being conceded by the State to companies, notwithstanding the public or private protests of natives who claim full and complete ownership over them." [21] Other Belgians have pointed out that under the present land régime in the Congo land is presumed to be vacant, when in view of native customs it should be presumed to be owned by natives. In their opinion the 1906

[20] Jonnart, "Contrat Tripartite," *Notre Colonie,* April 21, 1925.
[21] Père Vanderyst, *Congo,* p. 731.

decree ignores native custom and law. Apparently having the British West Africa system in mind, they propose that the State pay a regular portion of the annual rent derived from land leases to native tribes, instead of paying them, as at present, a single sum for the lands the occupation of which they surrender.[22] The adoption of this policy would oblige the government to inaugurate a system of leaseholds in favor of the present system of full property. The leasehold system would make it possible to terminate the rights of concession holders in the future and in the meantime to provide the tribes and the Colony as a whole with a share in the profits from the land. But even then, countless difficulties will arise in preventing natives from gathering either wild or plantation produce on conceded land. It would seem that the only adequate safeguard of native lands is a system of production which will emphasize the development of the country by native producers rather than by European landlords.

[22] Van der Kerken, *Les Sociétés Bantoues du Congo Belge,* 1920, p. 314; P. Salkin, *Études Africaines,* p. 247.

In certain respects, the Congo system is similar to that in the Gold Coast and southern Nigeria in that natives may dispose of their rights in the land. But there is this fundamental difference: while in the latter territories, all residual land is vested in the native communities, in the Congo the government does not recognize native ownership in any land, but merely the right of occupancy in land three times as great in area as that which the natives cultivate.

CHAPTER 89

LABOR POLICY

1. *The Labor Shortage*

THERE are three main facts to be taken into consideration in the discussion of the labor situation in the Congo. The first is the dearth of human resources and the fact that these resources have apparently decreased during the European occupation. The second is the vast material resources of the country—the copper mines of the Katanga, the diamond mines of the Kasai, the gold mines of Kilo-Moto—and the raw materials which grow wild or which may be cultivated, none of which can be developed without native labor. The third is the history of the Congo which committed the country to a policy of developing the territory through methods that financially linked up the government with the promotion of industry.[1] In 1926 the Congo Government realized 2,660,000 francs from the operations of the Kilo-Moto mines, while it obtained thirty million francs from its "portfolio" representing the government's share in companies most of whom operate in the Congo and depend upon native labor.

Following the revelations of forced labor in the Congo Free State Belgian opinion took an uncompromising stand against any form of forced labor for private purposes. Article 2 of the Colonial Charter declared that "no one can be compelled to work on account or to the profit of individuals or of companies." This provision was inserted by parliament to prohibit certain practices arising out of the contracts by which the Free State recovered the Anversoise and the Abir concessions.[2]

In return for this retrocession, the government had agreed to turn over to the Abir and Anversoise Companies at Antwerp until 1952 the rubber and ivory gathered on their former concessions.[3] To obtain these products, the government ordered the natives to pay their taxes in rubber and ivory—a practice which members of the Chamber of Representatives declared to be compulsory labor for private purposes. One of them stated, "To compel a human being to work not for himself, nor for the com-

[1] Cf. Vol. II, p. 445. [2] Cf. Vol. II, p. 553. [3] Cf. Vol. II, p. 440.

munity to which he belongs, but for foreigners whom he has never seen, whom he will never recognize and who will never render to him any service, is surely to maintain or to reestablish slavery." [4]

As a result, parliament inserted this provision in the Colonial Charter forbidding forced labor for private purposes.

In taking over the administration of the Free State, the Belgian Government did, as we have seen, introduce some genuine reforms.[5] But vested interests still remained, and mines and agricultural concessions continued to be opened, which required labor that was not forthcoming. In 1917 the Governor-General declared that the labor shortage was so acute that industries were obliged to curtail expansion. Meanwhile the labor under European employment has steadily increased as follows:

LABOR UNDER EUROPEAN EMPLOYMENT

Year	
1916	45,702
1922	147,667
1923	185,357
1924	278,104

Despite this increase the *Union Minière* declared in 1925 that the "entire Colony and Katanga in particular is suffering from a labor crisis which renders difficult the execution of projects under way." [6]

The Annual Report of the Colony also declared that "Industrial and commercial enterprises continue to encounter a thousand difficulties in obtaining necessary labor." [7]

While demands for labor come from all parts of the territories they are particularly concentrated at mining and concession centers. The mines of the Katanga employ about forty thousand men, while the enterprises in the province as a whole employ about eighty thousand men. Similar labor centers are found in the Kasai where the diamond mines are located and where railway construction is being carried out, in the Kilo-Moto district of the Oriental Province which employs about 25,000 men and in the Kinshasa district of the Lower-Congo.

Obviously, local labor,—i.e. labor from within the administrative district in which the enterprise is located—cannot fulfil the demands. These centers have therefore become magnets which have drawn men not only from the colony as a whole but also from foreign soil.

[4] Quoted, M. Halewyck, *La Charte Coloniale,* Vol. I, p. 92.
[5] Cf. Vol. II, p. 451.
[6] *Union Minière du Haut-Katanga, Rapports,* 1925, p. 13.
[7] *Rapport Annuel du Congo Belge,* 1924, p. 52.

2. *The "Bourses du Travail"*

To secure such men, employers, following the system which prevails in many other parts of Africa, retain labor recruiters who scour native villages for workmen. And the Congo, in imitation of South Africa and Rhodesia, has placed the recruiting for some enterprises in the hands of three elaborate organizations, the *Bourse du Travail du Katanga, Robert Williams and Co.,* and the *Bourse du Travail du Kasai.* Two Portuguese, the Correa brothers, also operate a highly successful agency in both the Kasai and Katanga. There are no such recruiting organizations in the Eastern or Equator provinces. The government maintains an *Office du Travail* at Leopoldville for administrative labor.[8]

Established in 1910[9] the *Bourse du Travail du Katanga* is a joint stock company, controlled by the *Union Minière,* the Katanga Railway and other enterprises, located for the most part in South Katanga where the native population is particularly sparse. The larger stockholders pay a capitation fee to the *Bourse du Travail* of forty-five francs per month per man. The average cost of recruiting a native is about thirty-six francs per month or about four hundred and sixty-six francs a year which seems to be higher than the cost in the South African recruiting organizations.[10]

A government official has served on the governing board of the *Bourse du Travail,* and the State confers upon it a labor monopoly in the sense that government administrators are now instructed to aid only the *Bourse du Travail* and not other recruiters in enlisting labor. The Bourse divides up the Katanga province into four recruiting zones which in turn are divided into a number of districts each in charge of a European recruiting agent, assisted by a native capita. The number of these agents has been increased until there are more than fifty employed. Until recently each agent was paid six francs per boy per month. Now they receive salaries. While cash advances are prohibited, recruiters may give boys promising to come to work a blanket, jersey, sweater, shorts and rations. If the wife comes along she is given a blanket as well as some calico cloth. Each child receives a small sweater. Officials of the Bureau state that the cost of these articles is borne by the Bureau and not deducted from the boys' pay. The increasing activity of the *Bureau du Travail* is indicated by the fact that the number of men-months obtained through its work increased from about 28,500 in 1913 to 131,500 in 1923-24. A decline set in, however, in 1925 when the number of men-months fell

[8] Cf. Vol. II, p. 504.
[9] Cf. *Recueil Usuel,* September, 1910, Vol. VII, p. 353.
[10] Cf. Chapter 2.

to 103,270. Out of the 80,000 men under employment in the Katanga in 1924, the *Bourse du Travail* recruited 7,184, in contrast to 9,037 in 1913.[11]

While the boys sign a contract for twelve months, the average boy stays at work for fourteen months,[12] since the time specified in the contract does not include Sundays and holidays.

The efforts of the *Bourse* have been in some years insufficient to fulfil the needs of the *Union Minière* and the Katanga Railway. At the end of 1923 they had a labor shortage of 1500.[13]

This shortage would be greater except for the recruiting activities of Robert Williams and Company which takes place in Northern Rhodesia. The recruiters of this British company operate in Northern Rhodesia much as do the recruiters of the Rhodesia Native Labor Bureau. The number of Rhodesians thus recruited increased from 4,137 in 1923 to 8,773 in 1924.[14]

This recruiting is controlled by a memorandum drawn up by the North Rhodesian government entitled "Conditions under which Messrs. Robert Williams and Company are permitted to Recruit Natives of Northern Rhodesia for Employment in the Mines of the Union Minière du Congo Belge." This memorandum provides that the mine must withhold and transmit to the Rhodesian Government for disbursement two-thirds of the boys' pay. This will insure their return home. The Company agrees to pay the poll tax for such boys if imposed by the Belgian government. The recruiters of the Company must take out a license from the Rhodesian government and they must be dismissed at the request of that government. Contracts are limited to seven months, unless the boys wish to reengage.[15] Before leaving Rhodesia they must undergo medical examination. The Memorandum allows the Company to deduct from the deferred pay the cost of blankets advanced to the native. It fixes a minimum wage of fifteen shillings a month, and accident compensation at from two to three pounds for partial disablement and five pounds for total disablement. These conditions seem to be better than those which the Congo natives secure. The treatment of Rhodesian labor in the Katanga is watched over by a British Vice-Consul. The Rhodesian Government tolerates no compulsion such as exists in the Congo. Apparently as a result of the fact that the Rhodesians are volunteers, the mortality rate of the Rhodesian natives at the mines is only a third of the Congo natives.[16]

[11] *Rapport Annuel du Congo Belge,* 1924, p. 87.
[12] *Bourse du Travail du Katanga, Rapport,* December, 1923, p. 12.
[13] *Comité Spécial du Katanga, Rapport,* 1923, p. 64.
[14] *Rapport Annuel du Congo Belge,* 1924, p. 87.
[15] An experiment with a ten months' contract failed.
[16] Cf. Vol. II, p. 570.

In view of the acute labor shortage in the Katanga the *Union Minière* secured in 1925 the permission of the administration as an experiment to recruit a number of boys from the mandated territory of Ruanda-Urundi located a thousand miles away.[17] It is understood that the Company is satisfied by the experiment that the natives can survive the change in environment and that it now plans to recruit a thousand men a month. Although Ruanda-Urundi is over-populated, it is doubtful whether many natives would voluntarily venture forth on the long journey to the Katanga, had they freedom of choice in the matter. The other mandates in Central Africa do not allow the recruiting of their labor to places of employment outside the mandate. One advantage of incorporating Ruanda-Urundi as a fifth province in the Congo is that it makes such recruiting easier to justify, since the mandate is no longer for the purpose of administration foreign territory. Nevertheless, if the Belgian Administration in recruiting natives for the Katanga mines utilizes the same system in Ruanda-Urundi as it employs in many parts of the Congo,[18] the result will be a system of compulsion which is prohibited by the express terms of the mandate. For that matter, the employment of organized migratory laborers a thousand miles from their homes, even under the best of circumstances, may be contrary to the spirit of the mandate system.

In 1921 another recruiting organization called the *Bourse du Travail du Kasai* [19] was established to operate in the Kasai. Out of the total number of seven hundred and fifty shares, three hundred are held by the Forminière, two hundred and fifty by the "B. C. K." railways, and fifty shares each by four mining groups. The purpose of this organization is to "facilitate the recruitment and to regularize the employment of native labor." Employers who belong to the Bourse must not utilize any outside recruiters, except in areas where the Bourse does not operate. In 1924 this organization recruited a total of 11,333 men. Despite the fact that the Forminière is the largest stockholder in this organization, its officials claim that the Forminière does not employ recruited labor but relies wholly on "volunteers."

In December, 1924, an advisory labor commission in Belgium recommended that a *Bourse du Travail* be established in each province.[20]

Many complaints from small employers of labor have been made against these semi-official Bureaus which have a virtual labor monopoly

[17] *Rapport présenté par le Gouvernement Belge au Conseil de la Société des Nations au sujet de l'Administration du Ruanda-Urundi,* 1925, p. 85.
[18] Vol. II, p. 539.
[19] For its Statutes, Cf. *Bulletin Officiel,* 1921, p. 842.
[20] "Rapport de la Commission pour l'Étude du Problème de la Main d'Oeuvre au Congo Belge," *Congo,* May-June, 1925, p. 21.

and charge fees for recruiting excessive for the small employer. These fears have been expressed in the Katanga where at a meeting of the Provincial Labor Commission, a Portuguese recruiter declared that a recruiting monopoly had no incentive to improve its methods. The *Bourse du Travail* at first obliged their natives to walk many days' travel. It utilized motor lorries only after the Portuguese had introduced mechanical transport which carried natives from the Angola frontier to the Katanga, thus saving the time of 13,376 men-days for six months. Katanga farmers also complain against the favoritism which the *Bourse* shows to the mines. The President of the Colonist Association recently said, "We have the impression that the economic policy at present followed will result in making the Katanga, not a colony settled by independent people, but a domain exploited by Big Business at home." [21]

Legislation attempts to establish safeguards against abuses of recruiting. The government insists that recruited natives sign a contract defining conditions of employment.[22] The recruiter must abstain from violence, threats, deceitful promises or fraud. He must also give to the administrative official a list of the recruited natives which the administrator must verify and visa. The recruiter is obliged to furnish the recruit with food and lodging on his way to work. Ordinances in the Eastern Provinces, the Congo-Kasai, and the Katanga require the recruiter to furnish the native with a blanket. Any contingent of more than fifty recruits must be accompanied by a conductor, chosen outside of the group. If it contains two hundred and fifty men, the conductor must be a European. The recruits cannot be obliged to walk more than thirty kilometers a day. One day's rest after six days' march must be given. Train accommodations must be provided for all recruits. The enforcement of these various obligations may be through civil or penal means by machinery later described. The recruiter who violates these provisions may be punished with a fine of a thousand francs or six months' imprisonment.[23] In a number of cases, little attention has been paid to these restrictions partly because, in the Katanga, the judicial officer responsible for their enforcement was for a long time also manager of the *Bourse du Travail*.[24]

[21] Cf. Report of M. Correa to Chamber of Commerce of Elizabethville, *Notre Colonie*, January 1, 1926.

[22] Vol. II, p. 553.

[23] Cf. Ordinance, Eastern Province, February 4, 1922, Ordinance, Katanga, February 18, 1922, *Codes et Lois*, pp. 1466 ff.; Cf. also Th. Heyse, *Le Régime du Travail au Congo Belge*, Brussels, 1924, second edition, Chap. VI.

[24] A speaker in the Chamber of Representatives recently said: "Je ne prétends pas que les contrats soient inutiles, mais encore faudrait-il que l'indigène sache de quoi il retourne exactement; . . . Ces gens, trop souvent, viennent s'engager à effectuer des travaux pour lesquels ils ne sont nullement préparés. C'est ainsi que l'on a à déplorer de nombreux accidents. . . . Le recrutement s'est fait

Thus recruiting is carried on by three semi-private organizations and the Office du Travail, which scour parts of the Congo and Rhodesia for laborers. Elsewhere the work is done by private recruiters and administrative officers.

3. *Government Recruiting*

While compulsory labor for private profit is prohibited by the constitution of the Congo, the administration subscribes to the East Africa doctrine of "encouragement." In 1912 the local administration declared that "private initiative is the principal force in the development and economic expansion of the Colony. It must be attracted, assisted and stimulated; such is the categorical desire of the government, and those who think or act otherwise run counter to the . . . general interest and are undesirable. . . ."[25]

In 1922 the Governor-General issued a circular stating that "It is a mistake to believe . . . that once taxes are paid and other legal obligations met, the native may remain inactive. Under no circumstances may magistrates or officials express this opinion. In every case I should consider this to be a lack of discipline violating the recommendations of the government and our most positive duties toward our black subjects. . . ."

In order to get the native to work, such powerful means may be used as "the moral authority of the magistrate and administrator, persuasion, encouragement, favors; and if these do not succeed, marks of displeasure must be imposed."[26]

In the same year Governor-General Lippens, the author of these remarks, declared that every government official should be "penetrated with the idea that his reason for existence is to favor and develop our occupation and that this duty consists in supporting every enterprise. You will put yourself to work to aid agriculture, commerce and industry. You will be apostles of labor, which you will preach constantly everywhere, not of an accidental labor which is content with paying taxes, but a persevering labor, which is the basis of all prosperity, development and civilization."[27] Later the Governor-General declared that anybody who told the native his obligation to work stopped when he had enough money to pay his taxes was an enemy to the colony.[28]

Under such instructions, administrative officials in the Congo have had only one course to follow. Administrative activities in support of the

d'une façon mensongère. On n'a pas resigné exactment l'ouvrier sur le pays ni sur le travail. . . ." Mr. Wauters, *Chambre des Représentants—Annales Parlementaires,* June 6, 1924, p. 1428.

[25] *Recueil Mensuel,* 1912, p. 207.

[26] *Ibid.,* 1922, p. 7.

[27] *Ibid.,* 1922, p. 139.

[28] *Ibid.,* 1922, p. 153.

Bourse du Travail du Katanga are evidenced by a passage from a report of an administrator of Kongolo territory which says, "I have profited from the visit of the chiefs of X to introduce the new recruiter to them and to communicate to them directions from the District Commissioner as to their obligation to aid in the recruiting for the 'B. T. K.' " Likewise the report declared that the head of the Grand Lakes Railway had asked the administrator to supply a hundred men. Another report says, "The chiefs, and others complain bitterly . . . of the greatest difficulties which they encounter in administering their chefferies specially after a period of recruiting. He [the native] regards the 'B. T. K.' work in the light of a labor tax which he must furnish Bula Matari"—the native nickname for the government.

According to an economic report (1923) "The *Bourse du Travail du Kasai* has been strongly seconded by the Administration, and it is thanks to its collaboration" that the number recruited has been reached. The same report says that the Bourse should have more solicitude for its recruits.

An economic report for a district in 1924 declares that "The authority and moral pressure of the Territorial Administrator are necessary to fill labor demands by recruiting. To realize this result, it is my opinion that every adult native should be strictly obliged to work for a determined period of time."

Still another report on recruiting says, "An intensive propaganda is being undertaken. It will be done by the recruiter. The action of the Administrator will then come to support the authority of the chief and emphasize the obligation which he is under to participate in the development of the colony by furnishing labor to large-scale enterprise." Still another report complains that more labor has not been recruited because of the "lack of time at the disposal of the territorial personnel to aid recruiting effectively. The Administrator's presence on the spot may be considered indispensable to arrive at a satisfactory result.

"The chefferies on the left bank have furnished, or nearly furnished, the contingent requested and fixed in agreement with the chief. . . . I may be permitted to emphasize the importance of the presence of the Territorial Agent, at the time of recruitment, by saying that the K—— where recruiting so far has been considered impossible, have furnished *regularly* and *without any trouble,* forty recruits in two days."

A short time ago there was a disturbance in the territory of "XX" because of recruiting for the "H. C. B." Likewise the territory of Isangi suffered from an "effervescence," provoked by recruiting for the Unatra Transport Company. In Ituri, an official reports that "in the Wamba territory the population, in order to escape the ever increasing (always new) corvée, has a marked tendency to disperse. . . ." In order to prevent this tendency, the government in many districts is grouping villages together along the ways of communications. Another report says, "As I pointed out last year, individual employers have recourse to the administrator for their recruiting. It is the simplest way for labor and it is the cheapest. . . . They are persuaded that they have a right to it, and that the administrator has no other reason for existence except to recruit for them."

When chiefs lag behind in furnishing men, administrators may reduce their status from that of a "very good" to that of a "good" or "mediocre" chief, which reduces their salaries, and they may even remove them from office altogether. Despite this pressure, many chiefs have not fulfilled their obligations. One administrative report says that "Notwithstanding the orders which I have given to the chief, the recruiting has been nul and may have even been marked by incidents. . . ." Another says that recruiting for the *Bourse du Travail du Katanga* found no favor with the natives. When it was announced that a recruiter was coming, the population would fly into the forest.

According to the report of the district of Ituri,[29] the administrators furnish monthly an average of eight hundred auxiliary workers to colonists. A report says that the government has also recruited for the *Huileries du Congo Belge,* and for the Kilo-Moto Mines. Thus the territory has been obliged to furnish the "H. C. B." concession at Elizabetha a permanent contingent of eight hundred workers, who are replaced every quarter. The administrator of the territory reports that he constantly "reiterates to the chief that he is obliged to aid the recruiting agent." Occasionally, the administrator himself lends assistance in recruiting. The manager of the "H. C. B." says that the administrator has given him "the most precious assistance. . . ." Another government report says, ". . . A recruiter of the 'H. C. B.' has visited the territory in February, May, August, and November. He visited the principal villages which are to furnish a number of men equal to those whose term has finished. . . . The Administration intervenes with the chiefs with advice. . . . A pronounced aversion exists against working for the 'H. C. B.,' especially against cutting régimes."

The report goes on to say that the "commercial houses and missions are discontented with the assistance given by the administrator to recruiting for the 'H. C. B.' The influence of the missions compromised the last recruits. They told the natives to refuse to work. . . . The number of

[29] Cf. also *Rapport Annuel du Congo Belge,* 1924, p. 73.

Catholics and Protestants recruited since the last effort is insignificant." A report from an official in the Aruwimi district says that the recruiting of labor for the "H. C. B." presents "serious difficulties. But the situation is considerably improved and I do not doubt that it will rapidly become very satisfactory if the 'H. C. B.' continues to improve the material situation of their labor, especially in regard to food."

In order to lessen the necessity for finding a greater number of men for the "H. C. B" the administrators in some districts have been instructed to urge the natives to enter into nine-month instead of three-month contracts. This would then leave them three months out of the year to work in their gardens.

In a letter of September 9, 1925, the administrator at X——, engaged in recruiting for the "H. C. B.," wrote to the District Commissioner that the population was profoundly discontented because of the exactions of the Administration. "The Territorial Administrators and their assistants are in a position to know that the exactions are becoming more numerous every day in every realm, and that they no longer leave to the populations respite or liberty. If these functionaries were to be sincere, they would tell you that the most disillusioned amongst them receive with melancholy official couriers demanding workers for plantations, requisitions, recruiting, recruiting and always recruiting. If it is necessary to employ the terms of your own despatches, instructing us with energy and tenacity to improve the native conditions of living and execute works which are imposed upon them largely for their own immediate benefit, what shall we say of recruitment? Perhaps one may pardon the functionary who gives way to sentiments of bitterness when he believes himself daily becoming more and more a veritable merchant of men, when his villages become empty at his approach, as at the approach of a slave-trader."

According to this letter, the natives are coming to regret the passing of the old Arab régime, which at one time held sway in parts of the Congo. "If the Arabs formerly deported slaves for the eastern coast, we do the same thing ourselves, *in the eyes of the natives,* [his italics] by recruiting 'by way of authority,' or, in other words, by force, laborers for regions very far from their homes. What would the peasants of Belgium (and the natives are fundamentally like them in that they are agriculturists) say if they were obliged to go to work in the factories of Bohemia . . . ?"

In reply to the demand of the "H. C. B." at Elizabetha in 1925 that its labor supply be increased from five thousand to fifteen thousand men, the administrator said, "It is urgent that the Government legislate in this matter. If abuses are inevitable under the régime of legal recruiting, as under the régime of recruiting by way of authority, still it is preferable, for our good name, to act under the cover of legality. . . . One preoccupation should dominate all others: to evade the definitive disaffection of the populations toward the established authority. . . . The present system which makes the authorities appear as merchants of human flesh destroys this sympathy." [30]

Since 1919 the government has operated *en régie* the profitable Kilo-Moto gold mines in the Oriental Province.[31] In the absence of a *Bourse du Travail,* recruiting for these mines is done by the administration. Commenting on the increase of auxiliary labor at the mines, the Minister of Colonies declared in a report to Parliament, "It is thanks to the active collaboration of the territorial service that the number of auxiliary workers has been augmented in such proportions. . . ." On April 17, 1925, the Governor-General wrote to the Governor of the Oriental Province, "It is evident from your letter . . . that the recruiting for the mines is sometimes carried on by force. This method of recruiting is not admitted even for works of public utility; *a fortiori* it cannot be for other works. But is this to say that the territorial authority should abstain from using all the moral persuasion which he possesses to furnish laborers to the mines? Assuredly not, but he should fulfil his role in such a manner that neither his agents nor his native chiefs can be charged with violence which is liable to criminal punishment." Apparently the only restriction on the recruiters is that they shall not commit criminal assault on laborers.

The result of this compulsion in the Congo, imposed for private enterprise, soon became apparent. Within the last few years migrations of natives from the Kilo-Moto district into Ruanda and Uganda have taken place to avoid the exactions of the government mines. Despite the fact that the treatment of labor, once on the spot, is as good in the Congo as in any other part of Africa, mortality rates have been excessive.[32]

The British colony of Kenya has a larger number of men under European employment in proportion to population than has the Belgian

[30] Mr. Ormsby-Gore has made this frank comment on the Congo system: "It is perfectly clear that the type of concession which Lord Leverhulme enjoyed in the Congo is out of the question in a British Protectorate, for it involves the provision by the government of labour for the working of the concession. . . . There can be no doubt that the system which obtains in the Congo does involve not only the monopoly rights but also elements of compulsion; and the trouble with compulsion in any form is that it is only successful in the long run if it is carried out consistently and completely." W. G. A. Ormsby-Gore, *Visit to West Africa,* Cmd. 2744, London, 1926, p. 107.

[31] Cf. Col. Moulaert, "Les Mines de Kilo-Moto," *Congo,* February, 1926, p. 155; Cf. also *Arrêté royal* of December 29, 1919, "Régie industrielle des mines," *Codes et Lois,* p. 1271.

[32] These rates are discussed in detail in Vol. II, p. 570.

Congo.[33] But because of the comparatively small territory which Kenya natives occupy, and the easy and quick transport facilities by which they may reach European centers, the effect of European industrialism upon the Kenya native population is probably not as severe as upon the Congo population which must be taken long distances to work and who are not obliged by a land shortage or heavy taxation to seek work upon their own initiative.

Under the past system of labor requisitions, the employer and the government both inevitably lose sight of the possibility of developing voluntary labor, partly because to secure such labor higher wages must be paid. The 1924 Report for the Congo declares that "Industrial and commercial enterprises encounter a thousand difficulties in securing necessary labor which is due to the disproportion existing between the price of a day's work and the rate at which wild produce gathered in the forest may be sold. Within a few days a native can earn the monthly wage of a native in European employment."[34] But instead of asking that European employers increase wages in accordance with the law of supply and demand, officials now propose that the government establish maximum prices for which native produce may be sold. Already the labor policy of the government, which necessitates the absence of a large number of men from home, has hindered the development of native agriculture.[35]

Finally, the labor policy of the government has been defeating its policy of reconstructing and developing native institutions. The 1924 Report of the Belgian Congo says, "As a result of the extremely rapid development of the Province of Congo-Kasai, questions of an economic nature have absorbed nearly the whole attention of the functionaries and agents in the territorial service and progress realized in the organization of native society has been insignificant (*peu marquants*).

"Industrial and agricultural enterprises are multiplying in this district and do not cease to demand a constantly increasing labor supply. . . . The effort which is demanded of them [the natives] in certain regions is excessive and measures should be taken to safeguard the normal existence and development of communities. . . . In the Katanga attempts to establish secteurs and organize native tribunals have been made without great success. This failure explains itself.

"A large number of natives of the Province spend their time, for

[33] Cf. Vol. I, p. 343.

[34] *Rapport Annuel du Congo Belge*, 1924, p. 52.

[35] The Report of the *Comité Spécial* states the converse side of the question as follows: "La récolte du coton immobilise chaque année des milliers de porteurs et entrave ainsi le recrutement." *Comité Spécial du Katanga, Rapport*, 1923, p. 55.

months and even for years, under European employment. . . . Under these conditions, it becomes extremely difficult, if not impossible, to strengthen and develop among them institutions whose utility they no longer feel and which no longer satisfy their aspirations. . . . The day is near where the number of laborers actually employed can no longer be increased without compromising the future development of native communities." [36]

The Report also says, "The influence of economic factors upon our native policy is daily increasing and an inevitable antagonism exists between native groups who live to themselves and European enterprises which live upon the labor of fugitives from these groups." [37]

The Report on the Katanga Province says, "If it is true that the submission of native groups to our authority is now actually accomplished it is not less true that in a number of territories will be found a more and more accentuated exhaustion (*effritement*) of the native authority of recognized chiefs; because of our more and more effective occupation, as a result of a growing economic progress, of the employment of a large number of laborers, the majority of the natives properly speaking have evolved in the direction of individualism and the native tends more and more to free himself from the armature of the native tribe, from the charges and the obligations which customs impose sometimes a little heavily upon the shoulders of the ordinary native for the benefit of chiefs and notables." [38]

The Belgian Government had adopted a policy of developing native institutions,[39] on the belief that unless such institutions are maintained, the population will find itself in anarchy and become impossible to administer, and that indeed it will decline in numbers. But there are a number of officials, as shown in the above passages from the Annual Report of the Colony, who realize that the economic policy of the government which has virtually obliged large numbers of men to leave their villages and take up European employment, will defeat the native policy which the government attempts to follow.

[36] The Report further says, "On ne saurait assez insister sur ce point que notre occupation effective constitue le contrefort qui soutient l'édifice social indigène. Jadis, il s'appuyait sur diverses institutions coutumières solides; nous avons du les détruire parce que condamnables et nous les avons remplacées par notre action directe. Que celle-ci vienne à s'affaiblir, c'est tout l'édifice social indigène qui croule, plongeant la population dans l'anarchie. . . ." *Rapport du Congo Belge*, p. 32.

[37] *Ibid.*, pp. 5, 33. This condition relates to the Province of Congo-Kasai.

[38] *Ibid.*, 1924, p. 62.

[39] Cf. Vol. I, p. 483.

4. *The 1924 Labor Commission*

Apparently realizing the injury done to native groups and to the ultimate interests of the Colony, and encouraged by discussions of the Colonial Congress and writers in Belgium, the Belgian Government appointed a commission to study the labor problem, which met in December, 1924. In appointing this commission, the Minister of Colonies declared that "Everywhere labor is demanded which does not exist; moreover, the demand for labor is not judiciously organized. . . . What are the measures which may be taken to provide all enterprises with the men which they need, without hindering the development of the population and at the same time promoting its physical, moral, and intellectual advancement?"[40] While he called attention to the provision in the Colonial Charter prohibiting forced labor, he declared that the Colony had the right to persuade the natives to work, and that the Commission should examine the desirability of organizing government recruiting.

This Commission which was composed of officials, business men, and labor employers declared that Belgium was not only under the obligation of developing the Colony materially, but that "it had the duty of elevating the physiological, moral, intellectual, and social level of the people which it administers. . . . The economic prosperity of the Colony depends upon the physical, intellectual and moral elevation of the population." The Commission cited the international obligations to which Belgium had subscribed in the Act of Berlin and the Act of Saint Germain.[41] It realized that in drawing up the program for the development of these colonies, account should be taken of the social state of the native populations. "Their manner of life, their time-honored habits do not correspond in any respect with economic enterprise as organized in European countries. Before a native society as a whole can participate in an economic activity of this sort, it must evolve. Undoubtedly, it is legitimate and necessary to hasten this evolution; but under the penalty of provoking in the midst of the native society grave crises, from which European enterprise would be the first to suffer, it would be dangerous to wish to go too fast. Colonization is a work of time."

The Commission then proceeded to inquire into the proportion of labor which could be taken from its native surroundings and employed on European enterprise. "Placed in contact with civilization, native communities show an extreme fragility. As these societies and families are not at the

[40] "Rapport de la Commission pour l'étude du problème de la main d'oeuvre au Congo Belge," *Congo,* May-June, 1925, p. 2.

[41] Cf. Vol. II, p. 889.

stage of relatively mutual independence of European countries, any event which injures the one fatally reacts on the others. It is necessary, therefore, to be prudent and to bring about a transition between the present and the following period. Actually, any exaggerated levying on the group would injure it at its source and would compromise the birth rate." It was the general opinion that five per cent of the able-bodied men could be taken from a native community without harmful effect. "These workmen could be temporarily removed from their milieu, on condition that they find with their employer a more favorable situation than they had in their home surroundings."

It was the opinion of the Commission that for European enterprises located within a radius of about two days' march from the village, an additional contingent of five per cent might be taken without inconvenience and without breaking the ties between the worker and his family since the natives could easily go home.[42]

Moreover, the Commission also believed that fifteen per cent more of the male population could be employed in the vicinity of their homes in the production of foodstuffs, or in porterage for short distances. This percentage would include, therefore, native farmers.

Applying these rules to the population of the Congo, the Commission estimated that the available supply of labor in the Congo was as follows:

LABOR SUPPLY

Based on the Adult Male Population Actually Enumerated

	5%	10%	15%	25%
Congo Kasai	32,500	65,000	97,500	162,500
Province Equatoriale	22,500	45,000	67,500	112,500
Oriental Province	48,500	97,000	145,500	242,500
Katanga	14,500	29,000	43,000	72,500
Total	118,000	236,000	353,500	590,000
Estimated Population				
Total	133,000	267,200	401,000	668,000

[42] The Commission added: "En d'autres termes, on peut admettre que, pour entretenir la vie sociale et familiale des milieux coutumiers, il convient que dans une collectivité determinée, la proportion d'hommes adultes et valides présents ne tombe pas en-dessous de 22.5 pour 75 femmes, enfants, vieillards et infirmes.

"Pour se rendre compte de la réelle signification de ce chiffre, on peut le comparer à la situation que crée dans un pays européen une mobilisation générale. On sait qu'un grand trouble est apporté dans la vie d'un pays par des appels qui peuvent atteindre 15 à 16 p.c. de la population. Nos sollicitations auprès des indigènes s'arrêtent a 2.5 p.c. de la population, c'est-à-dire à moins de 1/6 de ce qui est demandé à une population européenne mobilisée; il n'est pas à craindre qu'une proportion aussi minime compromette le dévéloppement des milieux indigènes. On estime, toutefois, qu'il serait dangereux de les dépasser, tout au moins avant que l'évolution des milieux indigènes coutumiers ait fait des progrès marqués." *Congo, cited,* p. 9.

Having thus estimated the supply, the Commission turned to the demand, which they calculated as follows:

LABOR DEMAND

	1925	1930
Congo Kasai	115,000	135,000
Province Equatoriale	104,000	120,000
Oriental Province	125,000	150,000
Katanga	72,500	95,000
	416,500	500,000

Thus the estimated demand for labor in the Congo in 1925 is estimated to be one hundred and fifty thousand larger than the supply if the limit of ten per cent is imposed. Apparently, the Commission's demand figures do not include the sixteen thousand natives required for the *Force Publique* or other government needs, which demand twenty-five thousand men and more.

In July, 1925, the Governor-General issued instructions in regard to these limitations of five per cent, ten per cent and twenty-five per cent recommended by the Commission. The instructions declared that "it follows that in the future no recruiting may take place among the native groups where these percentages have already been attained." It appears, however, that in estimating these percentages the government takes into account only "recruited" and not "voluntary labor," and that as many laborers may voluntarily leave the community as wish. Moreover, in those communities which already have more than ten per cent of men out at work, the government has not attempted to make the excess over ten per cent working away from home return.

According to the above estimate of the Commission, the available labor supply of the Congo [43] is about two hundred and sixty-seven thousand men. When laborers are employed away from their villages in excess of this figure, the Commission believed that native life would suffer.[44]

Despite the government's instructions, it is evident that this limit has already been exceeded. According to the Annual Report of the Colony, two hundred and seventy-eight thousand men were under employment in 1924, a number which did not include personal servants or natives engaged in porterage.[45] The number presumably increased in 1925 and

[43] Always excluding Ruanda-Urundi.

[44] The Commission arrived at its figure of available male population by dividing the total population by four. In South Africa and Kenya, however, the rule has been to divide the total by five. If this rule is accurate, the number of available laborers in the Congo would be still further reduced.

[45] *Rapport Annuel du Congo Belge,* 1924, p. 6.

1926. A total of 300,000 natives now can be said to be under European employment, the largest number in any territory in Africa, outside of the Union of South Africa.

In the Katanga province the situation is particularly acute. The male population is estimated to be about 317,000, of which about 73,000 are under European employment or nearly twenty-three per cent, in contrast to the ten per cent fixed by government instructions. In the district of the Upper Luapula the percentage is nearly thirty-four. In the Oriental Province, according to the figures placed before the Advisory Labor Commission of the Province, about 250,000 out of the 1,040,000 men are under employment—or nearly twenty-five per cent. From this figure about 17,000 men should be deducted who are gathering products for themselves. In the Lower-Congo Kasai Province about 80,300 out of 665,500 men are at work for Europeans, or about twelve per cent.[46] This figure is disproportionately low, because only 4.5 per cent of the men in the Sankuru district are under employment and because porters are not included. The Economic Report of the Kasai District for 1924 says, "We have touched the extreme limit of recruiting possibilities." This conclusion was accepted by a recent industrial employers and the District Commissioners meeting at Luluaburg, who declared that further recruiting would gravely compromise the political and agricultural future of the people. In the Equator Province the percentage is lower because of the absence of mines and large concessions. Here about forty thousand out of an estimated 458,000 men are at work for Europeans—or nearly nine per cent. It is probable that the number of natives away from their homes is much greater than these figures indicate, because the figures do not include, in many cases, natives working for the government, and domestic servants.

Thus it is evident that the ten per cent limit fixed by the Governor-General has in many parts of the Congo been exceeded. Nevertheless, the Congo administration made a determined effort to keep the percentage from getting greater in 1926. In that year local ordinances were issued prohibiting recruiting within a number of chefferies in seven different areas for a period of from one or more years.[47] In ten other territories ordinances restricted recruiting to within the cheffery or territory concerned.[48] These ordinances are usually preceded by the preamble, stating that "re-

[46] *Ibid.*, p. 39.

[47] *Bulletin Administrative et Commercial*, 1926, pp. 169, 322, 418, 421, 423, 564, 620.

[48] *Ibid.*, 1926, pp. 27, 28, 29, 195, 235, 278, 328, 398, 399, 435. In April, 1927, the government created an Advisory Committee on Labor in each province, *Ibid.*, 1927, p. 151.

cruiting already carried out for work far from the cheffery here concerned is of a nature to compromise the social equilibrium in native societies." The Congo administration has demonstrated remarkable and unique courage in attempting to impose limits upon the rate of development in the colony. It is the only colony in Africa which not only has realized the seriousness of the problem but which has attempted to grapple with it. Its example is one which Kenya, the Transkei and Basutoland should seriously study.

5. *A New Recruiting Policy*

In the report of the 1924 Labor Commission it was implied that the government would recruit labor up to the limits suggested by the Commission. From the description of the recruiting system in vogue in the Congo, it seems clear that this recruiting has taken place and that it is, in effect, compulsory labor for private purposes and therefore a violation of the Colonial Charter. Once the principle is accepted that the government may, whether directly or indirectly, oblige a minimum percentage of the native population to accept European employment, it is probable that, as a result of pressure, any limits imposed on paper will be exceeded. In fact, this has already occurred.

Consequently, in Belgium the protests against any kind of government recruiting of laborers for private enterprises have been growing. They became so strong that in December, 1925, the Minister of Colonies issued instructions ordering the administrative officials to stop the "direct recruiting of labor for private employers" and "direct cooperation with private recruiters."[49] Nevertheless, the officials are "far from prohibited from lending an effective assistance by preaching to the natives the law of labor, in enlightening them as to the advantages which they may derive from placing their hands at the disposal of European employers. . . . Such advice should be repeated at every opportunity, either in a general manner or in particular cases, in every measure compatible with the economic and social needs of the population. . . ."

In order to bring about the transition from a primitive to an industrial society, "there must be a period in which the territorial authority continues a more or less direct intervention, at least in the region where

[49] In a communication to the *Association des Intérêts coloniaux belges,* the Minister made this admission: "Le Gouvernement a constaté que dans de nombreuses régions, ses fonctionnaires territoriaux avaient été amenés à remplir trop souvent, dans l'intérêt d'entreprises privées, un rôle qui appartient normalement à des agents de ces entreprises, et cela en opposition avec le caractère dont nos fonctionnaires doivent être revêtus et même au detriment de l'accomplissement d'autres devoirs essentiels qui leur incombent et qui, vous ne l'ignorez pas, sont nombreux."

circumstances justify it. Any intervention may, however, be exercised only in favor of enterprises which have the desire to observe conscientiously the obligations provided in the decree on hygiene, to insure the health, well-being and other interests of the natives." Thus the government will "indirectly" aid employers who treat their labor well.

In June, 1926, the Association of Belgian Colonial Interests protested against these instructions on the grounds that the government recruiting was essential to the industrial interests of the colony. This led the Minister of Colonies to instruct the Governor-General not to apply these new instructions too hastily nor to suppress the "practical intervention" of the authorities before a period of transition could elapse.[50] It is evident that these instructions do not abolish government pressure of an "indirect" and "moral" nature. The system is open, therefore, to the objections which have characterized government intervention elsewhere in Africa where it has been tried.[51] The difference between the present labor policy of the Congo and that of British East Africa is that in East Africa the native has theoretically been given the alternative of working for himself. Despite this alternative, the application of any form of pressure by the administrator, far removed from the influence of opinion or of effective judicial control, inevitably opens the way to abuse harmful to natives as individuals and destructive to the development of the native group as a whole. The "pressure" policy means that compulsion is uncontrolled by law. The abuses under this system were recognized by the Belgian Government itself in advocating a decree legalizing compulsion for railway labor.[52] The dangers of this system can be averted only by the adoption of a policy of neutrality, in so far as securing labor for private employers is concerned. The fundamental solution lies in imposing restrictions upon the demand for labor; that is, the limitation or suspension of further concessions. It is much easier to enforce this type of control, which is legislative in nature, than to enforce restrictions on labor recruiting, once the employer is admitted to the territory.

In attempting to fix the limit to the number of natives under European employment and in doing away with direct government recruiting for private employment, the Belgian Administration has taken two important steps in slowing up the present pace of industrial development out of consideration of native needs. In August, 1926, the Belgian cabinet adopted a third step by deciding to suspend the construction of public works not yet started and to continue the completion of those under way but which were

[50] *Essor Colonial et Maritime,* July 3, 1926.
[51] Vol. I, pp. 128, 339.
[52] Vol. II, p. 506.

not strictly indispensable. Despite the goodwill which underlies these measures it is somewhat surprising that the government, in continuing a policy of labor "pressure," should be more solicitous of the needs of private employers than of the public. But in judging the Belgian Congo, the fact must be reiterated that the financial and industrial situation which confronts the administration of this territory is, next to Equatorial Africa, the most difficult of all the territories in Africa, not only because of the private interests which became entrenched in the Leopoldian régime, but because of the fact that mining—the chief resource of the Colony—is wholly dependent upon a native labor supply.

CHAPTER 90

THE TREATMENT OF LABOR

1. *Desertion*

THE protection and control of native labor in the Congo is based upon a number of legislative provisions, the principal one of which is the decree of March 16, 1922.[1] Under this decree, no labor contract may be valid for longer than three years—a period somewhat longer in the average than a British or French colony.[2] In practice, labor contracts on the mines and railway construction are for a period of one year. From the employer's standpoint, there are great advantages in having a laborer sign a contract for a definite time. Before its expiration, it is illegal for the native to terminate his employment.[3] The penalty for violating the contract or desertion is a fine of fifty francs or two months' imprisonment, or both. The imprisonment may be increased to three months if the laborer has received advances from the employer, or if he is a porter.[4] This penalty is much less severe than in British East Africa where desertion is liable to be punished by six months' imprisonment.[5] The Congo law is also more liberal than the Tanganyika and Uganda law in that desertion is not an offence cognizable to the police. Article 48 of the Decree of March 16, 1922, provides that prosecutions for infractions under these articles "may take place only on the complaint of the employer."

If the laborer enters into such a contract willingly and with full knowledge of the provisions, these sanctions may not be objectionable, but when this system of labor contracts is combined with a system of compulsory labor,[6] abuses become inevitable. A man having been virtually compelled to come to work is through the penal sanction compelled to stay. The result is not only compulsory labor but involuntary servitude.[7]

[1] On "Contrat du travail entre indigènes et maîtres civilisés." *Codes et Lois*, p. 1425. Cf. Appendix XXXVI.

[2] Chaps. 22, 65.

[3] Except when the employer "gravely" disregards his obligations. Article 18, Decree of March 16, 1922.

[4] Article 47.

[5] Cf. Appendix VI.

[6] Cf. Vol. I, p. 500.

[7] In discussing the article in the Colonial Charter prohibiting forced labor for private purposes (Cf. Vol. II, p. 533) the Minister of Colonies said in 1908, "It

Despite these sanctions, the percentage of desertion among the laborers employed on the mines and railways of Katanga was 13.78 per cent, a figure which dropped to 9.74 per cent in 1924.[8] In other parts of the Congo, the percentage of desertions to men under employment has been as high as 15 and even 20 per cent in contrast to the South Africa mines where it is about 2 per cent.[9] These figures would tend to show therefore that Congo natives work more unwillingly than South African natives—i.e., they are recruited by more direct methods of compulsion.[10]

When one finds a Company which employs casual laborers—that is, natives who sign no contract but may come and go when they like—it may be assumed that such a company has not invoked compulsion to obtain such labor. Apparently the only large company in the Congo which follows the casual labor system is the Forminière—the American-Belgian diamond concession. Labor willingly seeks employment with this Company because it houses its labor in villages resembling those to which they are accustomed at home, and because of other attractive labor conditions. Most of the other companies employ the contract system.

In addition to this provision against desertion, the government authorizes the imposition of penalties for negligence and disobedience. If the employer wishes to enforce his rights, he must address himself to the competent judge. But if the native employee is more than twenty-five kilometers from a court, any government agent or officer in the *Force Publique,* at the simple request of the employer, may summon and oblige the native to appear before an officer of the *Ministère publique* or the competent judge.[11] These offenses committed by the native employee may be tried by the territorial administrator, acting as a judge of police.

should be understood that this disposition has no other end than to prevent the government arbitrarily from placing the labor of individuals at the disposition of other individuals or societies. But it cannot prevent the courts from taking measures of compulsion to insure the execution of obligations freely contracted in conformity to civil and commercial law.

"In Belgium, when an individual is obliged to furnish a certain road tax (prestation d'ouvrage) and does not carry it out he may be obliged to do so. The courts impose a fine (dommages-intérêts) the amount of which, if necessary, is recovered by measures of execution on his property." Quoted in M. Halewyck, *La Charte Coloniale,* Vol. I, p. 93. But the Minister did not say that in Belgium an individual could be put in jail for breach of labor contract. For the question in Tanganyika, Cf. Vol. I, p. 500.

[8] *Rapport, Comité Spécial du Katanga,* 1924, p. 66.

[9] Vol. I, p. 42.

[10] Cf. the remarks by M. Wauters, *Chambre des Représentants,* June 6, 1924, p. 1429.

[11] Article 50, Decree of March 16, 1922. The conviction of a native workman does not terminate the contract. It may be extended at the pleasure of the employer.

2. *Employers' Fines*

While the Congo legislation does not authorize flogging,[12] it does allow employers to fine workmen for committing breaches of discipline.[13] Thus in the establishments of the Upper Luapula, it is customary to fine every native coming late to work with a fine of twenty-five centimes.[14]

These fines cannot exceed the daily wage of the laborer or one-half of such wage if the laborer is not fed or housed by the employer.[15] When the employer comes to deduct from the employees' wages fines accumulated over a period of time, he cannot take more than a third of the salary.[16]

If the native accepts the fine, the employer must note it in the *livret* of the worker. If the native protests as to the fact of the offense or the amount of fine, the question may go to the courts—a right which is probably more theoretical than real. In Belgium where this system is followed, the employer is obliged to pay such fines into a special account used for the benefit of the workers of the factory. In submitting its decree to the Colonial Council, the government proposed the same system for the Congo. But the Council rejected the idea on the ground that it would be impossible to enforce. At present, therefore, it is to the self-interest of the employer to fine his workmen. On the Lower Congo Railway labor managers have imposed fines upon natives to such an extent that the system has been severely criticized.

Moreover, when a native destroys or injures the property of the employer the latter may withhold a part of his wages, past or future.[17] In case the native opposes the deduction, the court may decide.

The Belgian Government justifies this system of fines and deductions on the ground that some disciplinary process must be established in order to prevent employers separated by long distances from magistrates from taking the law into their own hands. Consequently, the Government has adopted this means of letting the employer be a judge and party to the dispute—a system which is being introduced in a modified form in Tanganyika.[18] Theoretically, the native may appeal to the courts, but they are even less accessible to him than to the employer.

[12] When the State employed part of the annual contingent of the *Force Publique* as laborers, it could impose corporal punishment under the general *Force Publique* regulations. But the State no longer utilizes the *Force Publique* for industrial purposes, and to-day it has no more powers over laborers on public works than have private employers. Heyse, *Le Régime du Travail au Congo Belge,* p. 217.

[13] Such fines can be imposed only in case provision for them, as is usually the case, has been made in the labor contract.

[14] *Heyse, cited,* p. 58.

[15] Article 15 of the Decree of March 16, 1922.

[16] Or a fifth when the employee is not found by the employer. Articles 15, 12.

[17] Article 15 (a).

[18] Cf. Vol. I, p. 500.

3. *Wages*

The employer is also placed under a number of obligations. He must provide the employee with a *Livret* that the latter must carry, in which the payments of wages are inscribed, together with fines and the sums held back. If the employer does not note the payment of wages in this book, the legal presumption is that the wages have not been paid.

The employer is obliged to give the employee at least four days rest a month and pay him a wage in cash,[19] but only for days on duty. An exception is made in case of sickness or labor accident. He then pays one-quarter or one-half of the salary, depending upon whether the native is lodged and fed by the employer. This obligation ends with the termination of the contract. When the native is housed and fed by the employer, he must be paid at least once a month; when he is not housed and fed, he must be paid weekly. In case of bankruptcy or death of the employer, wages are a first lien. In paying wages, the employer may deduct the fines imposed on and advances made to the employee, but only to the extent of a third of the employee's wage.

The Belgian Government, unlike the French Government, does not attempt to prescribe minimum wages for laborers. On railway construction, labor is paid seventy-five centimes or a franc a day. In 1924 the industrial workers in the Katanga received on an average of between thirty and forty-five francs for thirty days of work; while farm laborers in the Katanga received from twenty-five to forty francs per thirty days.[20] In addition, such laborers are fed and clothed. The Union Minière estimates that the maintenance of each laborer, including his wage, amounts to between six and seven francs a day.

Until 1926 the Forminière paid its workers practically the same wages they were paid before the World War—seven or eight francs a month. To offset this low rate, it kept the prices of goods sold at company stores, where the natives presumably spent their money, at what they were before the War. Any such system proves liable to abuse, and the Forminière has now abolished it. In both French and Belgian territory generally the daily wage averages about a franc, in contrast to a shilling in British territory.

4. *Housing*

The employer is obliged to repatriate the employee at the end of the contract. He must feed and house his laborers according to government

[19] Articles 14, 15, 27, 11, Decree of March 16, 1922.
[20] *Rapport, Comité Spécial du Katanga,* 1924, p. 67.

requirements,[21] unless he wishes to redeem this obligation by the payment of money to the workers, based on the average local prices. The governor of each province may, however, prohibit him from making a money payment. In Katanga, the law provides that the employer may replace the ration only in case of employees receiving less than 1.50 francs a day. In the Congo-Kasai the employer may make a payment only by express authorization;[22] rations must be furnished to laborers who do not receive fifty francs a month. This limit is fixed in order to make sure that the natives will have sufficient money to buy food.

In the Congo-Kasai, according to local regulations, the ration should represent a minimum of 3,500 calories a day. It should include for every unit of protein 0.8 units of fat and 4.5 units of carbohydrates. A purely vegetable ration can be distributed only seven days out of the month. The ration must also contain salt and vitamines. In the Oriental Province, rations must comprise 3,700 calories per day. The employer must furnish his workers with firewood and sufficient water. He must furnish rations at least twice a week.

Regulations are also laid down in regard to housing. In urban districts employers must lodge their employees in the Native City, in approved houses. Servants, however, may inhabit European quarters. Outside of urban districts, the natives are supposed to be lodged in labor camps. The ordinances lay down provisions in regard to water supply, ventilation, kitchens, latrines, and incinerators.

In Katanga every employer of three hundred natives must employ a separate European *chef de camp*.[23] These *chefs de camps* must be approved by the administration. They must enforce the hygienic provisions, send sick workmen to the doctor and receive complaints. In the Congo-Kasai and Oriental Provinces similar provisions have been enacted.

In the Oriental Province the employer must provide housing for natives working more than three kilometers from their village. Such houses must contain four square meters for each occupant. An employer cannot erect a camp without the preliminary approval of the District Commissioner.

In Katanga a native coming to work must be furnished gratuitously with a blanket[24] and a *vareuse*. These articles become the property of the

[21] Housing and medical care are governed by Articles 13 and 14 of the Decree on Labor Contracts, but primarily by the Decree of June 15, 1921, on the Hygiene and Security of Laborers. *Codes et Lois,* p. 1447, and the arrêtés enacted to carry the latter decree into effect. Cf. Appendix XXXVII.

[22] Art. 27. Katanga Ordinance of February 18, 1922. *Codes et Lois,* p. 1476. Article 18, Congo-Kasai Ordinance of August 12, 1923. Appendix XXXVIII.

[23] When he employs between fifty and three hundred men, the employer himself may act as *chef de camp*.

[24] Weighing 1 kgr. 600 gr.

worker at the expiration of his contract. A native is entitled to a new blanket every year.

In the Oriental Province workers must also receive every four months a piece of cloth measuring 1.80 meters by ninety centimeters. Similar provisions exist in the Congo-Kasai.

In the Katanga, legislation provides that in the so-called industrial *arrondissements,* laborers must conform to minimum physical requirements. They must have an age of sixteen; a height of 1.50 meters and other measurements in proportion.[25] Natives afflicted with any one of seventeen different diseases, ranging from syphilis, tuberculosis, to open sores and sleeping sickness, are not allowed to accept any kind of employment. Natives suffering from any of fourteen other diseases or disabilities, such as the loss of an eye or of two fingers, are barred from industrial employment, but may work in agriculture.

Every native in the industrial *arrondissement* must obtain a health certificate testifying to his physical fitness and must be vaccinated for smallpox.

In a number of provinces an employer having more than fifty men must appoint a dispenser and maintain a first aid equipment, and if the number exceeds two hundred and fifty in the Katanga, the employer must engage a doctor who must reside within a radius of twelve kilometers and maintain hospitals or dispensaries having beds to accommodate five per cent of the employees.[26] There are similar provisions for the Oriental Province and for the Congo-Kasai.

While legislation provides that accidents must be reported and that injured natives must be furnished medical aid, no provision requires the employer to pay accident or death compensation, once the term of employment comes to an end,[27] which seems to be a serious defect in view of more or less hazardous work upon which natives working on mines and railways are engaged. In the Industrial *Arrondissements* of Elizabethville and Likasi in 1924 a total of two hundred and ninety-six accidents occurred, causing the death of two Europeans and thirty-four natives, and the permanent incapacitation of two whites and ninety-one blacks.[28] While usually the injured employee or his family is paid an indemnity, any system which depends upon the whims of the employer is defective.

[25] A *pérmitre thoracique* of 175 for a height of 1.50 meters. For porters the *pérmitre thoracique* must be 80 meters.

[26] Cf. Vol. II, p. 577.

[27] Injured laborers are paid a part of their salary for the period of the engagement.

[28] *Rapport, Comité Spécial du Katanga,* 1924, p. 66.

5. *Porterage*

Legislation also attempts to impose special restrictions upon the work of porterage. In the Oriental Province only able-bodied men may be employed as porters. In practice, however, women are thus employed, as any traveler down the Lualaba or the Congo Rivers may observe. Loads are limited to thirty kilograms, and porters cannot without special government consent, be taken more than two hundred and fifty kilometers from their homes. Except in case of emergency, marches are limited to twenty-five kilometers a day in ordinary country and fifteen kilometers a day over hills or through swamps. The porters are supposedly allowed to rest between eleven in the morning and three in the afternoon unless they are walking through the forest. The minimum pay for porters is fixed at forty centimes a day. Canoe paddlers must not work more than eight hours a day going up stream or ten coming down. Porters cannot be employed over roads suitable for automobile, without the express authorization of the District Commissioner. In 1925 the government enacted a decree authorizing the governors in each of the provinces to prohibit porterage when the state of the road makes possible other means of transport. Under the authority of this decree the Governor of the Congo-Kasai province has issued an ordinance forbidding the transport by porters of imported materials, cement, palm kernels, coffee, cotton, rubber, ivory and copak, exceeding 10 kilograms in weight, within certain localities in the district of Sankuru.[29] In the Katanga regulations provide that for every two months' porterage a native must perform one month's sedentary labor or rest in order to relieve the physical strain.

At first glance it would appear that human porterage would be the most devastating occupation imaginable—in which natives carry on their heads a load of fifty pounds day in and day out, through rain and cold, supplied with uncertain food and with leaky shelter. But despite the onerous nature of porterage, natives stand up under their burdens better than might be expected. In speaking of porters, long accustomed to their work, Drs. Pearson and Mouchet state: "The hardihood and endurance which they will exhibit is almost phenomenal. It has been our misfortune on one occasion to travel with ninety carriers during six weeks of a famine period in the rains. Throughout that journey, which each carrier commenced with a kilo of meal, they were almost entirely dependent on meat for food. For meat they depended on our luck as hunters, and there were

[29] Ordinance of January 20, 1927, *Bulletin Administrative et Commercial*, 1927, p. 151.

occasions when they went without food at all for thirty-six hours. During the whole period the amount of carbohydrate available for each boy could not have exceeded an average of 100 grammes a day. Yet there was no sickness among these boys, and no apparent weakening of their powers to carry loads." [30]

Under peace conditions, the death rate for carriers of the Tanganyika Concessions Company has been not more than twelve per thousand. But during the World War under abnormal conditions with the spread of dysentery and pneumonia, the death rate of the native carriers with the Congo troops in the African campaign amounted to two hundred and forty-two per thousand, largely from disease and desertion (June, 1917, to March, 1918). During the same period the death rate per year of the actual combatant troops—the *askari*—was 90.8 per thousand killed in action and seventy per thousand through invaliding and disease.[31]

There is a good deal of child labor in the Congo, especially among business firms at Kinshasa [32] and upon agricultural plantations. Except for the age limit of sixteen in the Katanga, it does not appear that the government has imposed any age limitations upon labor. There is, moreover, no legislation in regard to women workers except that they shall not be porters.

Despite these lacunae, especially the absence of accident compensation legislation, the Congo Government has imposed more severe requirements and more detailed provision for food, housing and medical care of African labor upon employers than any other colony in Central Africa. These requirements are equalled only in the Transvaal.[33]

6. *Labor Villages*

Whether or not because of these requirements, the care given to laborers is evident to the visitor in the native cities of Elizabethville and Kinshasa, in the villages maintained by the *Union Minière* and the *Forminière* and the *Huileries du Congo Belge.* In order to provide for the 20,000 men under their employ the *Forminière* maintains half a dozen large farms of about a thousand hectares, together with herds totalling 7000 cattle. The Company has adopted the policy of establishing villages in which its laborers may live, resembling as closely as possible the good features of the villages from which the laborers originally came. The Company has constructed about twenty "villages routiers," each one of which consists of a number of brick houses with a sixteen hectare cassava garden and mango, banana and palm trees. Kitchens and poultry are

[30] Pearson and Mouchet, *The Practical Hygiene of Native Compounds in Tropical Africa,* London, 1923, p. 18.
[31] *Ibid.,* p. 18. [32] Cf. [33] Cf.

also provided. These "villages routiers" are usually composed of laborers who have served the Company for eight years. Each village ordinarily houses nine families. In addition to a house, each native receives six chickens and two goats which become his property if he remains in the village two years. The former workers who come to live in these villages for two years receive the same wage and rations they received while working on the mines. After that they are paid only for the work which they do, consisting largely of keeping up the roads. The Company continues to give them tools. Its interest is prompted by the belief that the children of the natives inhabiting these villages will become future laborers. It hopes also that through these villages the native population will gradually be able to grow its own food, and thus relieve the Company of a heavy burden.[34] The "H. C. B." has also constructed model native villages in its different circles.[35]

In Elizabethville, the center of the copper area, the social conditions under which natives live, while artificial, impress one as being superior to those in Johannesburg, South Africa.[36] The native population is better housed and supervised. The Native City at Elizabethville is infinitely superior to the Johannesburg slums. The 4500 natives who live in this city may rent plots from the government upon which they may build homes.[37] Every native who comes to Elizabethville has a record taken of his finger-prints, and if he deliberately avoids work he is sent home.

In the compound of the *Union Minière* at Lubumbashi, which is distinct from the Native City, the boys live in smaller groups than they do in the Johannesburg compound. The *Union Minière* authorities believe that the death rate in a small compound is less than that in a large compound—a belief supported by the following table showing the death rate in eight different compounds, ranging in size from 149 to 2578 native inhabitants.

Compound Mortality Rate per Thousand. .1919

Population	149	270	284	313	806	1,322	2,319	2,578
Death Rate	0	29.6	17.6	3.2	21	37.8	75.5	64.7

Figures from the mines of Southern Rhodesia show a similar result; namely, in seven mines containing over a thousand natives in a compound the death rate in 1914 was 39.85; but in one hundred and nine compounds containing between twenty-five and six hundred and seventy-three natives,

[34] Cf. "Chalux." *Un an au Conge Belge,* p. 225.
[35] Cf. Vol. II, p. 509. [36] Cf. Chap. 3.
[37] The natives of Elizabethville several years ago organized an interesting society, called *Les Belges,* a society which mimicked the Belgian government. Thus one native was called the King and another the Governor. Fearing that the organization was tending toward sedition, the government at first attempted to suppress it, but is now trying to develop it on constructive lines.

the death rate was 26.80.[38] Once an epidemic enters a large compound its control is much more difficult than in a small compound.

The *Union Minière* experience has also shown that the death rate is increased by moving natives from one camp to another. In 1917 a number of Angola natives were moved into a new compound. Despite the fact that they were placed in clean huts, the morbidity immediately increased largely on account of pneumonia. Within a few months the rate had subsided. It then became necessary to move these natives into huts which had been occupied by other natives, which led to a new outbreak of pneumonia.[39]

Likewise the Elizabethville mines have found that the death rate of unmarried natives is considerably higher than that of married natives. This is partly because the hut of an unmarried native lacks a woman's care and partly because the unmarried native must cook his own food after working hours. In this respect the Elizabethville system differs from the Johannesburg system where food is prepared for the boys by the mine authorities. Doctors Pearson and Mouchet tell of a small section of the *Union Minière* compound occupied by the *capitao* or head-man class of natives, who have some education and who are usually married, among whom the lowest death rate of the whole compound was found. Nevertheless, the conditions under which they lived are "such as violate all accepted principles of hygiene in housing, and to allow unmarried natives to dwell in such huts would be to invite certain disaster. Within a year they would become infested with ticks. As it is, there are no ticks in them, the interiors are kept reasonably clean, and the bad features of construction do not appear to have affected the health of their occupants, among whom there has been no death for years. This is undoubtedly due to the presence of the women and to the powers of natural resistance which these natives have acquired." [40]

In order to improve health and social conditions the *Union Minière* has made an effort to have the laborers bring their wives with them. The Company provides each wife with transportation and each couple with a brick house. The Company employs a woman doctor or a midwife to tend cases of childbirth, and gives a present of some kind to the parents when a child is born. The policy has not, however, succeeded in increasing the number of births, nor in inducing the majority of boys to bring their wives with them. Only a quarter of the boys are married.

In contrast to the Johannesburg system, the *Union Minière* has not established any form of deferred pay or savings bank facilities for Congo

[38] Pearson and Mouchet, *cited*, p. 7.
[39] *Ibid.*, p. 12.
[40] *Ibid.*, p. 17.

natives. Likewise no social, religious or educational work is at present being carried on in the *Union Minière* compounds.[41]

In the Lower-Congo, another industrialized area of a different nature will be found. There are no great mines in this area which assume responsibility for large bodies of men. But there are dozens of employers engaged in the business which accumulates at the entrance of a Colony. These various employers rely upon native laborers, most of whom reside in the native city of Kinshasa-Leopoldville. About 22,000 natives inhabit this city—13,500 men, 4,000 women and 4,000 children. About 5,000 of these natives are said to have come from Portuguese Angola; while about half of the native women are said to be prostitutes. There are no government schools of any kind in the Kinshasa native city. About a thousand native children between the ages of eight and twelve work for European employers. The native city is kept clean and is well laid out. It contains a number of native shops which sell trinkeries and soda water to the native residents. Native shoemakers repair European and native shoes, while native "mechanics" repair bicycles.

The administration of the native city is under the control of a European *Chef de Cité* who collects the ordinary head tax and in addition a tax on native lodging keepers of ten francs a year. Twenty-four hundred natives who rent rooms in their homes to other natives, must pay this extra tax. The village is divided up into six quarters, each in charge of a native who looks after passports. Every native entering the city must be in possession of a passport. But the system does not work well; and it is believed that 4,000 natives in the city are there illegally—i.e., many of them are vagabonds if not criminals without a passport. All offenses are tried by the European courts. A native coming to the city may obtain free use of twenty meters of land from the government upon which he may erect a house which he may sell to another native.

The European community has been recurrently alarmed at the crime committed by these detribalized natives and by the general moral conditions existing in the village.[42] The administration believes that an offshot of the Garvey movement is working in Kinshasa; but apparently it has confused this with the negro Faith Tabernacle Mission in Togoland which has opened a branch in the Congo. A number of natives from British West Africa are working in Kinshasa offices, and they are suspected of sowing the seeds of sedition.[43] Other natives are in communication with astrologers in India and in Europe and with various distant fortune

[41] Cf. Vol. I, p. 39.

[42] Cf. "Chalux," *Un an au Congo Belge*, p. 124 ff. P. Daye, *L'Empire Coloniale Belge*, Ch. XXI.

[43] Cf. Vol. II, p. 603, for their part in the Prophet movement.

tellers who prey upon local credulity. More practical natives (like the natives particularly in the French Cameroons) do an immense business with European mail order houses who prepare special catalogues to attract the native eye.

Thus the Belgians have made strenuous efforts to minimize the evils arising out of a detribalized native community living under industrial conditions. But many of them believe that these evils in the system are inherent, and that the fundamental solution is to restore village life.

7. *Labor Inspection*

While it should be to the self-interest of employers to keep labor well-fed and contented, many of them do not take the long view and constantly oppose measures which will increase immediate expense. Moreover, the more minute and severe the standards of labor legislation are, the more difficult their observance and enforcement become.

Opposition to labor legislation has been particularly noticeable in the Congo-Kasai where employers have bitterly protested against the provision of Ordinance Number 47 which defined rations, housing and medical requirements.[44] The Annual Report of the government for 1924 states that "little progress is to be reported in regard to the domain of labor hygiene. The general health of the industrial workers of the Upper Katanga has not materially improved and the employers of labor in the province of the Congo-Kasai . . . have opposed the legislation in regard to the protection of the health of laborers, with the greatest possible force of inertia."[45]

The report goes on to say . . . "It seems that we have arrived at a stone wall (*point mort*). . . . Every one is in agreement in recognizing that the solution which may modify the situation lies in the improvement of the preparation of natives to work. They demand a more thorough choice at the time of recruiting, better conditions for the transport of recruits toward the high Katanga plateaus, the prolongation of stay in the assimilation camps."

This passage would imply that, despite laws and precautions, the death rate is high because of the fact that natives have been torn from their villages too precipitately,—compulsion breaks down morale.

The government has set private employers a bad example by ignoring the provision of the law in regard to labor employed on the Kilo-Moto gold mines in the Oriental Province—a state concern. In 1923-24 complaints were repeatedly made to the *procureur du roi* that the labor

[44] Cf. Appendix XXXVIII.
[45] *Rapport Annuel de Congo Belge,* 1924, p. 15.

protection ordinances were being violated in these mines. Judicial officers reported that the Company obliged porters to go without sufficient food and shelter; that it obliged women to work; that it abused the task and bonus system; and that it required laborers to work excessive hours. In some cases the Company held back the wages of natives. In other cases it refused to report accidents. To relieve a food shortage the Territorial Agent at Wambu furnished 1,763 men to the Interfina, a trading company, to carry up food to the mines. But instead of using them for this purpose the Company had obliged the porters to carry up steel rails and liquor. The Tribunal of First Instance at Stanleyville, July 8, 1925, sentenced two agents of the Kilo Mines to a number of days in jail and one hundred francs fine for flogging native employees. Labor for these mines has been recruited, as we have seen, by compulsion.[46] Although the government presents an annual report to the Belgian Parliament in regard to the operation of these mines, these reports have not contained any description of labor difficulties. It is understood, however, that by 1926 conditions had improved. While the courts may punish minor officials of the Company for occasional acts of cruelty, under the existing control which the administration imposes over the judicial system, the courts will find it extremely difficult to oblige the high officials in charge of the Company[47] to live up to the general requirements of the law unless the administration and the Colonial Office also insist upon it. Since these are government mines, the Administration is not as disinterested in the enforcement of labor legislation as in the cases of private mines.[48]

As these examples show, the enforcement of labor legislation is as important as the legislation itself. If the laws are really to be enforced, some system of independent inspection is necessary. Following the example of South Africa the Congo administration has established a number of industrial *arrondissements* in the mining and commercial centers of the territory at the head of each of which is placed an inspector who is responsible to the Chief of Economic Affairs of Commerce and Industry. These inspectors visæ labor contracts, try labor cases,[49] inspect labor camps, and generally enforce labor ordinances. These industrial *arrondissements* have been created in the Katanga, at Elizabethville, Likasi, and Albertville. In the Congo-Kasai Province there is an industrial *arrondissement* of the Lower-Congo which includes the cities of Kinshasa and Matadi. In 1926 industrial *arrondissements* of the Kasai-Sankuru and of Kwango-

[46] Cf. Vol. II, p. 543.
[47] The president is a former vice-governor-general of the Congo.
[48] Cf. Vol. II, p. 464.
[49] Cf. Vol. II, p. 468.

Kwili were also created.[50] As yet there are no such *arrondissements* in the Oriental and Equator Provinces. Four inspectors are employed for the Katanga; two in Leopoldville who inspect produce as well as labor, and two in the Kasai. An inspector has recently been appointed in the Oriental Province despite the fact that it does not as yet contain an industrial *arrondissement,* who inspects labor on the Uelle Railway and on the "H. C. B." plantations. The government plans to appoint an inspector for the Kilo-Moto mines. Likewise one is being assigned to the mines belonging to the Great Lakes Company—making a total of eleven. The government has also established a Service of Industrial Hygiene in the Katanga which supervises the enforcement of labor legislation relative to health and hygiene. Elsewhere physicians in the regular medical service may be empowered to investigate industrial enterprises to determine whether labor legislation is being applied.[51]

While the Congo, in comparison with some colonies, has made liberal provision for inspectors, the resources and area of the colony are so vast, that even a larger number of such officials should be appointed if labor legislation is to be effectively enforced.

[50] *Bulletin Administrative et Commercial,* 1926, pp. 273, 301.
[51] Cf. Heyse, *Le Régime du Travail au Congo Belge,* Chap. IX.

CHAPTER 91

THE PROBLEM OF POPULATION

1. *Depopulation?*

THERE is widespread belief that during the last hundred years population throughout the continent of Africa has declined. This belief is held particularly in regard to the Belgian Congo. In 1888 and later, the population of this territory was estimated by various travellers to be twenty and twenty-nine million people.[1] But these estimates were based purely on the guesses of voyagers or administrators which were undoubtedly exaggerated, in some cases to impress home governments as to the importance of these newly discovered territories.

The first real effort to take a census of the Congo population came after the enactment of the 1916 decree providing for an individual census.[2] In 1915 the enumerated population was 5,976,461. By 1921, it stood at 7,014,864. The administration declared, however, that only two-thirds of the inhabitants had actually been enumerated, and that the real population of the Colony was about twelve million.[3] While the 1923 report placed the enumerated population at 7,727,316,[4] the 1924 report printed no figures at all. Officials believe, however, that all but two or three million natives have been enumerated. If this is true, the total population of the territory, excluding Ruanda-Urundi, is only 10,500,000, which is just half the original estimate. Assuming that this latter figure is approximately correct, it may be said that the population density of the Congo is 7.5 per square mile, which is considerably less than that of Kenya and Tanganyika, and even less than that of French West Africa.[5] Nevertheless, despite these considerations, there is a widespread opinion among Europeans in the Congo that the native population has greatly decreased since the European occupation.[6]

[1] A. J. Wauters, *L'État Indépendant du Congo,* p. 261; A. Delcommune, *L'Avenir du Congo Belge Menacé,* Vol. I, p. 56.

[2] Decree of November 16, 1916, *Codes et Lois,* p. 206.

[3] *Rapport Annuel du Congo Belge,* 1921, *Chambre des Représentants,* 1922-23, No. 162, 1923, p. 74.

[4] *Rapport Annuel du Congo Belge,* 1923, p. 24.

[5] Cf. the table, Appendix, Vol. II, p. 889.

[6] Such is the opinion of Governor-General Rutten. Cf. "Notes de démographie congolaise," *Congo,* December, 1920, p. 260. Dr. Schwetz also states that the

What is even more disturbing than the sparsity of population revealed by the census figures is the fact that the proportion of children to adults is abnormally low. Out of the twenty-two districts in the Congo there were nine, according to the figures published in 1917, where the number of children did not equal half the number of adults. Out of the total enumerated population of 5,997,461 individuals, there were only 1,982,577 children, or less than one child per woman. Statistics kept by Catholic missionaries in the Upper-Congo pointed to the same condition. In 1916 15,871 monogamous homes contained 10,898 living children—or less than two children for three familiies. In 1917 16,802 homes contained 13,229 children—the same ratio; while in 1918, 18,673 homes showed 15,150 children, or more than five children per six families. If a population is to reproduce itself, there must be at least two children per family, and even more to make up for fruitless unions. But these figures in the Congo indicate a different state of affairs.

Partly on the basis of these figures, the Commission for the Protection of Natives declared in its third session in 1919, that it was under the sad impression "that the populations of the Colony, innocent victims of European circumstances of the last years, had to pay a very heavy, even fatal tribute to the diseases which the vigilance and the activity of the Government had attempted for many years to check." It then proceeded to examine the causes of depopulation, the existence of which was "undoubted in the minds of the members; it is real, it is rapid, it is alarming." It passed a resolution stating that despite the fact that originally the population of the Congo had been overestimated by two-thirds, it had actually declined since the beginning of the European occupation to such a point that it was no exaggeration to say that it has been reduced one-half.[7] The basis for these conclusions was soon challenged. In the following year, M. Rutten, who later became Governor-General, wrote that it was as yet impossible for the administration accurately to enumerate the total population. In 1916 the district of Kivu contained 137,865 enumerated persons; but in 1917 the numbered persons increased to 704,876—a figure which would vitally change any conclusions based on the figure of the preceding year. He also declared that it was almost impossible to draw an accurate distinction between a "child" and an "adult"; natives do not know their ages; and the same census taker may place natives having the same age in different categories; while different census takers have no single standard to follow. Consequently he did not believe any accurate con-

government figures are full of errors. "Contribution a l'Étude de la Démographie Congolaise," *Congo,* March, 1923, p. 305. He shows that the administration usually underestimates the number of children.

[7] *Bulletin Officiel,* 1920, pp. 636, 652, 660.

clusions could be drawn from the fact that there were less "children" than "adults" in the Colony.[8]

In a later article, the same author declared that it could not be proved that the population had actually declined; no one knew the average life of the native, nor the birth and death rate over a period of years.[9]

Support to the opinion that no conclusions could be drawn from the government figures as to the proportion of children to adults were given by a careful census made by Dr. Schwetz, connected with a government sleeping sickness mission in the Kwango. He carefully examined a large number of villages, after which he came to the conclusion that the political officers who had based their estimates largely on tax returns had underestimated the number of children. Thus in the Lukula territory the political census had reported in January, 1923, 6,132 children. But the medical census, taken much more carefully, in the following months, reported 25,351 children.[10] Dr. Schwetz asked the adult women in 329 villages in the Kwango district to produce their living children and to tell him the number that had died. Of the 2,685 children born to 1,328 women, 1,219 or 450 per thousand had died. This is not the infant mortality figure,[11] however, because it covers deaths over a period of years. The 1,466 living children represented a ratio of 337 per thousand of the total population; while the proportion of children in Belgium itself was only 358 per thousand in 1900. Dr. Schwetz concluded that "The Congo population is more numerous than was believed, the birth rate was not at all so low, and infant mortality was not so high, the proportion of children in relation to adults is about normal, and polygamy, or at least bigamy, does not have any disastrous influence upon the birth rate. . . ." [12]

While Dr. Schwetz declared that the fact that population in the Congo had declined could not be scientifically proved, many observers who had lived a long time in the Congo believed that this was so. He added, "If, notwithstanding this progressive depopulation, we now find more natives than we once thought to exist, this merely means that the population at one time was so large that notwithstanding progressive decrease, there still remains for the moment many more people than was suspected."

Likewise Governor-General Rutten, while insisting that a decrease in population could not be proved, agreed that it was not increasing. He stated: "Everyone is agreed on this point: that the population of the

[8] Rutten, *cited*, p. 260.
[9] Rutten, "Démographie Congolaise," *Congo*, June, 1921, p. 6.
[10] J. Schwetz, "Deuxième contribution à l'étude de la Démographie congolaise," *Congo*, March, 1924, p. 341.
[11] I.e. under twelve months.
[12] Schwetz, "Contribution à l'étude de la Démographie Congolaise," *Congo*, March, 1923, p. 322.

Colony at present is insufficient and that it should become more considerable."[13] Its development was an essential condition to the prosperity of the colony.

This controversy would seem to show that the population statistics gathered for the Colony as a whole so far are of little value in drawing any precise conclusions. Mortality statistics are kept with more accuracy for natives employed in European centers of industry. The first group of figures below relates to mines and railways and recruiting organizations on the Katanga mines. According to official figures, the death rate for the Katanga Railway in 1924 was 22.9 per thousand; for the "B. C. K." railway it was 46.3; for the Charbonnage Luena it was 59.4; for the *Bourse du Travail du Katanga* it was 32.80; for Robert Williams and Company it was 17.80. In 1923 the death rate reported for natives employed in the Congo-Kasai industries and on government work was 23.6 per thousand; in 1922 the death rate on the *Union Minière* was 33.07 per cent.[14] The *Bourse du Travail du Katanga* and Robert Williams and Company both recruit labor for the mines. It is a significant fact that the death rate of the Robert Williams natives, recruited in Rhodesia where the government prohibits compulsion, is a little more than half the rate of the natives recruited by the *Bourse du Travail*. Moreover, while great progress has been made in reducing the death rate since 1917 when it was as high as 102 per thousand,[15] the present figure of 33.07 (1922) is more than three times the rate on the Transvaal mines. The death rate in a normal population is between twelve and twenty per thousand. In some cases the excessive rates in the Congo are due to epidemics; in other cases these rates are apparently due to the breaking down of native resistance by the confined and wholly strange environment which European industry imposes. It seems that the greater part of deaths are due to pulmonary diseases. According to government statistics, the death rate of natives working on European agricultural enterprises is only 8.2 per thousand[16] in comparison with a rate three to five times as large in industry. While statistics from agricultural undertakings are probably less reliable than from large-scale industries, it nevertheless seems that a difference exists which may be due to the fact that a native working in agriculture, even if under a European employer, is working more nearly in the environment to which he is accustomed than in a mine or factory.

The next group of figures relate to prisons, where the confinement of

[13] *Congo*, December, 1920, p. 268.
[14] Cf. *Bulletin Officiel*, 1920, p. 657. *Ibid.*, 1924, p. 416.
[15] *Rapport de la Commission de protection des Indigènes, Bulletin Officiel*, 1924, p. 415.
[16] *Rapport Annuel du Congo Belge*, 1923, p. 17.

natives and the régime to which they are subjected is more strange than that in a mining compound. Consequently the mortality figures—and despite the fact that the treatment of these prisoners is usually good—are even more excessive than in industry. They are as follows:

Prisons	*Number in Jail*	*Death Rate Per Thousand*
Leopoldville East		118.
Leopoldville West		46.
Coquilhatville	273	118.
Boende	20	100.
Stanleyville	274	171.5
Buta	167	42.
Basoko	120	92.
Kasongo	74	68.
Elizabethville	448	42.

If one turns to another group of natives—the *Force Publique,* most of whom were originally conscripted, and who now live an artificial existence—he finds the same state of affairs. These recruits first go to Instruction Camps for a period of training, after which they are assigned to administrators and to regular units. The death rate of troops who have passed through Instruction Camps is comparatively low. In 1924, the rate of "Troupes Campés" ranged from 8.3 in the Katanga to 21.1 per thousand in the Congo-Kasai. But the rate among recruits is excessive. In 1924 the rate in the Congo-Kasai was 106.4 per thousand; and in the Katanga, it was 153.6 per thousand. In the other two provinces it was much lower—9.7 in the Equator province and 28.06 in the Oriental Province. At the end of the Instruction Camp, weaker natives have died and the remainder have accustomed themselves to the new régime, so that the death rate of the regular troops is much lower, and in some parts of the territory approaches normal.[17] The conclusion seems logical that the conscription of the native by the methods followed in the Congo and the sudden transplanting of a bush native to a military camp breaks down his morale and lowers his resistance to disease.

While the native death rate in industrialized and military centers is high the native birth rate in these centers is meager. The proportion of women to men, despite efforts of the government and industrial companies to correct the situation, is low; and as a result many of the women become prostitutes for the bachelor majority.[18] The following table shows the birth rate of native families per thousand living in European centers, in

[17] Strict measures to safeguard the health of troops were enacted in 1921. *Règlement d'Hygiène pour la Force Publique,* 1921.

[18] For the situation at the Union Minière, cf. Vol. II, p. 562.

comparison with the rate in native centers.[19] While these figures, especially

			Percentage of Births
European Centers			
Leopoldville	651 families	46 births	7%
Kinshasa	900 families	73 births	8%
Coquilhatville	829 families	49 births	6%
Boma	420 families	51 births	12%
Basankusu	387 families	23 births	6%
Native Centers			
Kizu	725 families	220 births	30%
Bokoro	1,176 families	224 births	19%
Boyange	1,383 families	264 births	19%
Bokakata	202 families	6 births	3%—a sleeping sickness area.

for native centers, are not completely accurate, they would seem to show that the birth rate of native families in the cities is about half the rate in the village areas.

A similar situation exists in the families of native soldiers stationed in *Force Publique* camps. At the Instruction Camp at Kurundu, about two-thirds of the native soldiers are married. The government gives a bonus of twenty-five francs to a soldier at the birth of a child and twenty-five more at the end of six months if the child lives. Nevertheless, few soldiers have children. In the troops in the Territorial Service in the Equator Province in 1924, there were seven hundred and eighty-three married men without any children; two hundred and seventeen married men with one child each; and one hundred and three with three children each. Altogether there were 1,348 married men who had a total of only five hundred and forty children. Among the troops stationed at regular camps there were five hundred and twenty married men having two hundred and forty-one children. This condition has been attributed to abortion, prostitution, venereal disease, preventive measures, and the general effect of living a detribalized existence.[20]

On the other hand, the population in monogamous communities living under the influence of a mission station, such as at the Jesuit mission at Kisantu and the White Fathers mission at Baudouinville, has shown within the last few years rapid increases. In one Kisantu cheffery there are one hundred and thirty Catholic families having six hundred and

[19] *Commission for the Protection of Natives, Bulletin Officiel,* 1920, p. 659.

[20] In 1913 the Commission for the Protection of Natives said, "Nous avons le conviction que l'avortement et les moyens propres à limiter la famille sont très fréquemment pratiqués dans les villages indigènes et dans les agglomérations de soldats et de travailleurs où le nombre d'enfants n'est certainement pas en rapport avec la population adulte." *Bulletin Officiel,* April 10, 1913, p. 279.

ninety-four children alive; while two hundred and fifty-eight more families have four hundred and thirty children alive.[21] This condition is attributed not only to the medical attention given in these communities, but to the moral condition of the inhabitants and to the fact that a relatively small proportion of men are absent at labor centers. The missionaries, at least of Kisantu, inform the natives that they cannot legally be compelled to work for private employers; and recruiting methods in this area are consequently different from those employed elsewhere.

In summarizing a study on population in the Congo, a committee of the National Colonial Congress stated that among the natives who have left their villages to accept European employment the death rate is excessive and the birth rate low. While there is a difference of opinion in regard to whether the population of the colony as a whole has decreased, there was not a single affirmation that it is increasing.[22] The present population of the colony is extremely sparse—only seven per square mile. Since economic development depends upon a more abundant labor supply, most Belgians agree that material considerations as well as humanitarianism demand that human life be preserved and multiplied.

2. *Causes of Under-Population*

The continent of Africa is not heavily populated to-day partly because of the slave raids and inter-tribal wars which ravaged it until and even after the European occupation; and because of the lack of knowledge of the proper care of children, as a result of which the infant mortality is excessive. In some areas thirty and forty per cent of the children die before the end of the first year after birth. Many deaths are due to disease and under-nourishment, which the primitive native does not know how to combat. There is also reason to believe that polygamy, upon a large scale at least, is responsible for a relatively low population. When a chief takes to himself fifty or a hundred wives, poorer men are deprived of the opportunity of establishing families because there are not, unless a large proportion of the men have been wiped out by war, enough women to go around. Statistics collected in the Congo seem to show, tentatively at least, that the number of children under large scale polygamy is comparatively small. In the Base-Uele a leading chief has thirty-five wives of whom twenty-four have no children. Four of them have two children and seven have one each. Under the system of large-scale polygamy, women do not receive the consideration they usually find in a monogamous home; they are often passed

[21] E. Tibbaut, "L'assistance sociale au Congo," *Congo,* November, 1926, p. 502.
[22] *La Question Sociale au Congo.* Bibliothèque-Congo, Brussels. 1924, p. 41.

from one guest to another, thus contracting disease. Under the guise of purchasing a wife, wealthy old men acquire the possession of many small girls who are used in such a way that many of them can never become mothers. The Commission for the Protection of Natives has urged that the government take gradual steps to abolish polygamy, not only as a means of increasing the population, but of elevating the general position of women.[23]

Probably sleeping sickness has been more important than any of these factors in causing the under-population of the Congo. One experienced missionary has expressed the opinion that sleeping sickness has destroyed eight- or nine-tenths of the population of the Middle-Congo.[24] In the territory of Kikwit 12.1 per cent of the natives are now infected. Before the arrival of the Europeans, this disease existed only on the west coast of Central Africa; but by means of the porters and soldiers who accompanied the Europeans into the interior, the disease was spread into thousands of native villages. At present it is found in practically every part of the Congo except in Ruanda-Urundi. This disease in many cases results directly in death and in other cases it increases infant mortality. Among the people of the Lower Congo, the proportion of involuntary abortions among monogamous families exempt from trypanosomiasis is 7 per cent, but among families where the mother has sleeping sickness the rate is 24.5 per cent.[25]

While the European occupation has thus extended the scourge of diseases already in the Congo, it has also introduced new diseases of which tuberculosis and venereal disease are the most important. The first case of tuberculosis noted in the Katanga was in 1912. In 1917 55 cases were reported to the doctors. The death rate from tuberculosis among natives at Stanley-Pool has recently been 21.2 per 10,000 compared with a rate in Belgium of 9.2 per 10,000. The Native Affairs Commission declared in 1920 that tuberculosis "has been introduced into central Africa by Europeans and it threatens to become a terrible scourge in the future for the blacks who are more susceptible to the tuberculux virus than the

[23] *Rapport, Bulletin Officiel,* 1920, p. 638. Also the *Charte Colonial,* Vol. II, p. 481. In 1912 the Commission declared, "Nous sommes profondément convaincus de ce que le développement de la société indigène est lié à la question du mariage monogamique et de ce que l'abandon progressif de la polygamie marquera les étapes du relèvement moral et matérial des populations sauvages de l'Afrique."

In 1913 it said, "Nous sommes unanimes à considérer la polygamie comme une des plaies de l'Afrique et nous la dénonçons comme une des plus graves dangers pour l'avenir de la race. . . ." *Bulletin Officiel,* April 10, 1913, p. 272.

[24] Père le Grande, quoted in *La Question Sociale,* p. 52.

[25] Figures of Père Greggio, quoted by the Commission for the Protection of Natives, *Bulletin Officiel,* 1920, p. 654. A native superstition prevents a woman from nursing the child of another. Consequently if the mother dies from sleeping sickness or another cause, the child is almost certain to die.

whites. . . ." [26] In addition to tuberculosis and venereal disease, it appears that bacillar dysentery, cerebro-spinal meningitis, yellow fever and Spanish influenza were first introduced into the Congo by Europeans.

While disease therefore remains an important factor in preventing the increase of population, many students are agreed that there are more important factors still—notably the profound revolution in the framework of native society which the introduction of European industrialism has wrought.

Dr. Schwetz, who has made the most careful studies of population in the Congo, says that "the principal cause of depopulation of the Congo is the European penetration itself.

"The natives do not stand up under 'European civilization' with all of its corollaries: porterage, continuous labor, sudden changes in diet, more or less sudden transplanting into another environment, in a word, the recruiting of laborers from one territory for another. This is the principal cause of depopulation. And since all of these causes increase more and more as the economic, commercial and industrial development of the Colony increases, the depopulation becomes equally more and more threatening. And since, on the other hand, economic development is a *sine qua non,* a question of life and of death for the future of the Colony, the Government find itself before an unenviable dilemma: stagnation of the Colony with the natives, or a great temporary development with the disappearance of the natives, that is to say, with a final catastrophe in perspective. I state expressly the Government, because despite the usual custom of criticizing the Government, it alone is really disinterested, can and may envisage a menaced future. The others, individuals and corporations, are too interested and too selfish, to be able to enlarge their horizon and to foresee what will later take place." [27] A member of the Commission for the Protection of Natives also said that "Our occupation and the introduction of trade have modified the conditions of life of the natives in many regions and have diminished their vitality.

"Hitherto the rubber corvées, the corvées of various other products, and the commercial transactions freely entered into at present out of the thirst for gain, have submitted and still submit natives to conditions of life which are an obstacle to their multiplication." It declared that it was necessary to protect the native in his ordinary mode of living and that the intense desire for production and the multiplication of new industries was in "flagrant opposition" to this end.[28]

[26] *Ibid.*, 1920, p. 656.

[27] *Congo,* March, 1923, p. 323. For a similar opinion cf. Père Vanderyst, "Démographie et exploitation intensive des palmeraies en Afrique occidentale," *ibid.*, January, 1924, p. 64.

[28] *Bulletin Officiel,* 1920, p. 661.

The mortality statistics cited above appear to bear out these statements. Those natives who had become accustomed to European employment or who had sought it voluntarily seem as far as the death rate is concerned to survive to a greater extent than natives suddenly compelled not only to live but to work in an entirely strange environment. Unhealthy conditions of transport, and change in climate and food also break down their resistance.[29] As far as the absence of births in these centers is concerned, the Commission for the Protection of Natives declares that "immorality is a fundamental cause for the absence of births; it exists everywhere and gains ground among the natives who have left their villages to live in the large centers." The immorality of Europeans increases looseness among native women. In its 1925 report the Sub-commission for the protection of natives in the Katanga emphasized the responsibility of Europeans in this respect, and pointed out that the immorality of Europeans not only contributed to the demoralization of the native women, but aroused the hostility of the native men against the Europeans. The Sub-commission recommended the passage of legislation punishing a European, even with the consent of a native husband, for having relations with a native married woman.[30] The full Commission also passed a resolution asking that adultery be made a penal offense.[31]

Such are the factors which are responsible for the failure of the Congo population to increase. After a consideration of these. and other conditions, the permanent Committee of the National Colonial Congress of Belgium declared that "We run the risk of some day seeing our native population collapse and disappear, so that we will find ourselves confronted with a kind of desert." [32]

3. *Remedies*

In an effort to remedy the physical causes which are preventing the increase of the native population in the Congo, the administration has organized a very effective medical service. Before 1908 the doctors in the territory took their orders from the administrators, but in that year the Direction of the Service of Hygiene was established under a Chief Medical Officer. The doctors in the field still remained, however, under the administrators. It was only in 1922 that the Medical Service was given an entirely autonomous organization. At present the service is headed by

[29] One case is reported in 1918 where only 46% of the natives recruited in the Kasai finally arrived at their place of employment in the Katanga. 11½% died during the journey; 24.7% proved physically unfit (*réformés*) and 17.7% deserted. *La Question Sociale au Congo*, p. 76.

[30] Rapport, *Bulletin Officiel*, April 15, 1925, p. 210.

[31] *Ibid.*, May 15, 1920, p. 642.

[32] *La Question Sociale*, p. 101.

a Chief Medical Officer who is directly responsible to the Governor-General. Likewise there is a chief medical officer in charge of the work in the province, including special medical missions and laboratories. In 1885 there were only two doctors in the Congo, a number which was increased to eight in 1891.[33] A few years previously an *Association Congolaise et Africaine de la Croix Rouge* built a hospital at Boma, and in 1897 it constructed one at Leopoldville. In 1903 the number of doctors increased to twenty-five, in 1908 to thirty and in 1910 to fifty-nine. At the outbreak of the World War there were eighty-one doctors in the Congo service. Apparently as a result of the World War, the number of doctors in the Congo was reduced, so that at the end of 1919 there were only thirty-one in the Colony.[34] Following the warning of the Commission for the Protection of Natives in 1919, the government increased the number of doctors to sixty-three at the end of 1923. By 1925 the number had reached ninety-five, while the 1926 Estimates provided for one hundred and thirty-two, or one for every 80,000 natives. This number of doctors is nearly as large as in French West Africa. Nigeria, having a population about twice that of the Congo, has only about the same number of doctors.[35] In addition to the ninety-five doctors in 1925, there were fifty-two doctors employed by private companies and twenty-seven mission doctors[36]—making a total of one hundred and seventy-four doctors actually in the colony. The government also employs eight pharmacists and forty-eight European sanitary agents; twenty-five lay nurses, seventy-two nursing sisters and one hundred and twenty-two Native Auxiliaries.

A government doctor in the Congo receives a salary of 26,000 francs plus indemnities of one form or another which raise the total to 38,000 francs, which is about the income of a government doctor in the French Cameroons.[37] These salaries do not seem to attract Belgian doctors who can earn larger salaries in the employ of private companies.

The government has recognized the work of missions by granting a diploma to mission and other private doctors who are known as "medicins agrées," and it has not hesitated to employ aliens in the government medical service. About forty-six of the doctors in the Belgian Medical Service to-day are Italians including the Chief Medical Officer, Dr. Trolli. This is a policy which the French are to a certain extent following, and which

[33] Dr. Trolli, "Le service médical au Congo Belge depuis sa création jusqu'en 1925," *Congo,* February, 1927, p. 189.
[34] *La Question Sociale,* p. 187.
[35] Cf. Vol. I, p. 653.
[36] All of these were at Protestant missions.
[37] Cf. Vol. II, p. 347.

should commend itself to the British.[38] In 1910 the government appropriated 926,000 francs for medical work. In 1924 this sum had been increased about eight fold upon a gold basis to 24,000,000 francs. In 1926 the figure was increased to 30,312,850 francs [39] which is 11.10 per cent of total ordinary expenditures. This percentage is more than twice that of French West Africa. Moreover, per capita medical expenditures in the Congo are more than twice what they are in French West Africa.[40] The Belgians are among the leaders in the struggle against African disease.

Native welfare expenditures are as follows:

EXPENDITURES FOR NATIVE WELFARE—BELGIAN CONGO
(Amounts—per cent—per 100 persons)
1926

	Amount Francs	Amount Sterling	Per Cent of Total Ordinary Expenditures[2]	Amount per 100 Persons £
Agriculture	8,711,100	87,111[3]	3.19	.829
Education	10,714,990[1]	107,150	3.93	1.022
Sanitation	30,312,850	303,128	11.10	2.889
Total Welfare	49,738,940	497,389	18.22	4.740

[1] Includes grants to missions of 2,127,192 francs, in addition to educational grants-in-aid; cf. Chaps. V, VII, 1926, Budget Loan.
[2] Based on total Ordinary Expenditures of fr. 273,294,990 or £2,732,950.
[3] Converted to sterling at the rate of 100 francs per pound.
Source: Budget for 1926.

A government Medical Service has built a number of well-equipped bacteriological institutes and laboratories at the provincial capitals and in 1921 it adopted a general hospital plan which will place a native hospital in the capital of each of the administrative districts of the territory, and dispensaries in each of the one hundred and twenty-five territories. The hospitals at Stanleyville and Elizabethville are especially notable from the standpoint of equipment and cleanliness.

The Medical Service is also organizing a corps of native medical assistants, having three grades, together with native nurses. Schools for medical assistants with a three-year course have been established at Coquihatville, Elizabethville, Stanleyville and Leopoldville. Two other schools for native nurses also exist.[41] The school at Stanleyville is organized on somewhat

[38] Between 1898 and 1912 sixty-four Italian doctors served in the Congo. Apparently for "nationalistic reasons" the recruiting of Italians was stopped in 1912. But so serious did the shortage become that recruiting started in 1921.
[39] Budget, *cited*, p. 50.
[40] Cf. Vol. I, p. 941.
[41] There are one or two schools where girls receive midwife instructions.

the same basis as the Uganda and Dakar medical schools except that the aim is not as yet to train assistant doctors.[42]

Not the least interesting enterprise of the Congo government is its efforts to build up new food resources which the people have hitherto lacked. It is encouraging the cultivation of rice and has brought in scientists to investigate the possibilities of developing fisheries.[43]

In 1924 the Medical Service treated 183,912 cases—a number which is not large in comparison with other colonies.[44] The most serious diseases with which the Medical Service must contend are sleeping sickness, malaria, syphilis, tuberculosis and leprosy.[45] It has made strenuous efforts to combat the advances of sleeping sickness. In 1906 the Congo Free State organized a special sleeping sickness mission and King Leopold established a fund of 200,000 francs for the discovery of a remedy. Five special missions are now at work treating victims of this disease.[46] Altogether more than 1,305,000 natives were examined and 69,000 natives treated for sleeping sickness in 1924 in comparison with 4,000 in 1919.[47]

Until recently the Belgian doctors have treated cases with atoxyl but with the aid of the Rockefeller Institute, the Belgian Medical Service has introduced successfully a new preparation, tryparsamide, which has cured many cases of sleeping sickness. Much use has been made of native *infirmiers,* as injectors, many of whom exceed Europeans in skill. In addition to sleeping sickness, practically all of the venereal disease which plagues the native population may be cured by simple injections. Some doctors believe that properly trained native assistants could handle ninety per cent of the disease in the country. Nevertheless, experience here as well as elsewhere in Africa has shown that these native assistants must be closely supervised if they are not to abuse their power.

Although the Medical Service in the Congo has attempted a policy of clearing bush and of moving villages to get them out of tsetse areas, the

[42] Ordinance of June 10, 1925. To be admitted, a student must know how to read and write a native tongue and have an elementary knowledge of French. An excellent handbook has been prepared for the use of native assistants by Dr. David, *Vade-Mecum, A l'Usage des Infirmiers & Des Assistants Médicaux Indigènes,* Ministère des Colonies, Brussels, 1922.

[43] Paul Van Oye, "Les pisciculture dans les pays tropicaux," *Congo,* January, 1926, p. 16.

Van Oye, "Kongoet het Bevokings probleem in Belgie," *Vlaamschen Gids,* June, 1925.

[44] Cf. Vol. I, p. 897.

[45] Cf. J. Rodhain, "Les grands problèmes de l'Hygiène et l'Organisation du Service médical au Congo belge," *Congo,* June, 1926, p. 11.

[46] The *Forminière* has also supported a Sleeping Sickness mission. Dr. J. A. Fourche, "Rapport de la Mission contre la Maladie du Sommeil," Société Internationale Forestière et Minière du Congo, reprinted from *Annales de la Société Belge de Médicine Tropicale,* January, 1926.

[47] *Rapport Annuel du Congo Belge,* 1924, p. 15.

task has been almost impossible because of the dense tropical forest. The chief emphasis has therefore been placed upon the methodical detection of sleeping sickness and of cure. Control is maintained also over the movement of persons from sleeping sickness to clean areas.[48]

While in comparison with Europe, the present efforts of the Belgian Congo Medical Service amount to little, yet in comparison with other African territories they are notable.

It is believed that the susceptibility of natives to sleeping sickness depends partly upon whether or not they receive the proper nourishment. Many missionaries and doctors now feel that if they can build up the proper food resources and can establish stable native villages, the inhabitants will gradually acquire an immunization against the disease. Such is the experience of the Jesuits at Kisantu. The struggle against sleeping sickness in the Congo cannot succeed, it appears, until the exactions of the government and of industry upon villages are placed under control. As long as the unceasing migration of labor continues, no medical service can combat the spread of sleeping sickness or build up the physical as well as the psychical resistance to disease which is of as much if not more importance than actual curative measures. As the report of the 1924 Labor Commission indicated, the Belgian Government now realizes that the fundamental solution of the population problem is the imposition of some restriction upon the number of laborers who may be taken away from their villages.

While the adoption of this remedy will mean the temporary curtailment of industrial development, it will not mean the deliberate sacrifice of European economic interests for the sake of the populations of the Congo. In the long run, the economic return from the Belgian Congo which, doubtless because of the exaggerated development of the concession system is now among the lowest in Africa,[49] will be immeasurably greater if the territory has a growing and prosperous native population.

[48] Ordinance of July 8, 1920, *Codes et Lois*, p. 824. Cf. also ***Interim Report on Tuberculosis and Sleeping Sickness in Equatorial Africa***, League of Nations, 1924, p. 62.

[49] Cf. Vol. I, p. 898.

CHAPTER 92

MISSIONS

SHORTLY after the Portuguese explorer Diogo Cam discovered the mouth of the Congo in 1482, Catholic missionaries entered the country and baptized the king of the Congo into the Christian faith. In 1549, a Jesuit mission was established at his capital, which was christened São Salvador. This mission was maintained until 1759 when, as a result of native hostility, civil war, and other causes, the missionaries finally withdrew. For a century and a half, no further missionary efforts were made in this part of Africa.

1. *French v. Belgian Catholics*

Following the explorations of Stanley and Livingstone—the latter had been a missionary of the London Missionary Society—interest was revived. In 1878 the Pope, Leo XIII, divided up central Africa into four vicariates; on the west coast mission stations were gradually established by the Fathers of the Holy Ghost, a French order, while the Congo was entered from the East Coast by the White Fathers under the intrepid direction of Cardinal Lavigerie.[1] The entrance of both of these Catholic orders, which were predominantly French, caused Leopold II, ardent Catholic though he was, some concern in view of the French designs upon the State.[2] A Belgian Catholic writes that the Free State was "especially desirous of getting rid of the French priests, who rightly or wrongly were believed to favor the view of their government in regard to the Congo."[3] Consequently, Leopold II now successfully negotiated with the missionaries of Scheut, a Belgian order which had previously carried on work in Mongolia, to undertake missionary work in the Congo. He then induced Cardinal Lavigerie to withdraw the work of the White Fathers to the shores of Tanganyika and the Pope in 1888 to place the whole of the Congo as a single vicariat in the hands of the missionaries of Scheut. As a result of this action the Fathers of the Holy Ghost withdrew from the Lower Congo, with the exception of three stations.[4]

[1] Cf. Vol. I, p. 277. [2] Cf. Vol. II, p. 417.
[3] F. Masoin, *Histoire de l'État Indépendant du Congo,* Vol. II, p. 312.
[4] *Ibid.,* p. 309.

Apparently satisfied that the French "menace" had disappeared, Leopold II asked the Jesuits to occupy the Lower Congo in 1892, where to-day they carry on a notable work with headquarters at Kisantu. A number of other societies followed. Successive papal decrees carved up the vicariate of the Congo established in 1888 until to-day there are sixteen vicariates of which only three are occupied by the missionaries of Scheut. This order maintains thirty-six stations and one hundred and thirty-three priests in contrast to the White Fathers, the second largest order, which supports thirty-four stations and ninety-seven priests.[5] At present there are sixteen missionary orders, three organizations of "Frères" and thirteen orders of nuns (*religieuses*) at work in the Congo.

2. *The 1906 Concordat*

In 1906, King Leopold II and the Vatican entered into a Convention.[6] The preamble stated that the Holy Apostolic See desired to insure the methodical diffusion of Catholicism in the Congo, and that the Government of the Free State appreciated the important part Catholic missionaries took in the civilizing work of central Africa. Consequently, the State agreed to make perpetual grants of lands to Catholic missions gratuitously. By the terms of the Convention one hundred hectares might be granted to a mission, selected by agreement between the Governor-General and the Superior of the mission. This land could not be alienated, and had to be used for the work of the mission. In return each mission agreed to create a school where the natives would receive instruction, especially in agriculture and manual crafts. The program of studies had to be submitted to the Governor-General who in person or by delegate might inspect the school; instruction in the "national" language of Belgium was essential. Each Superior of the mission, whose nomination was required to be notified to the Governor-General, was to report periodically to the Governor-General on the organization and progress of schools. The State agreed to compensate the missionaries for scientific work in ethnology and languages; and the Catholic missionaries promised to perform religious ceremonies for which they would be compensated by the government. In case of permanent residence, the government would pay the salary of such priests.

In 1924 and 1925, the Congo budget made annual grants to Catholic missions of 2,117,000 francs. In 1926 it appropriated 2,127,192 francs.

[5] *Annuaire des Missions Catholiques au Congo Belge,* par L'Abbé Alfred Corman, Brussels, 1924, see the table facing p. 200. Cf. also the monograph, "Les Missionaires de Scheut," *Revue de l'Exposition Missionaire Vaticane,* 1924-1925, p. 495.

[6] Convention of May 26, 1906, *Recueil Usuel,* Vol. V, p. 637.

At present, each Catholic mission having three missionaries receives an annual subsidy of five thousand francs. This subsidy is doubled in the case of a mission in a center of more than a hundred Europeans. The government also pays the traveling expenses of curates and the transport up the Congo of Catholic missionaries. In 1926 it expended three hundred thousand francs upon the establishment of new mission stations. Except for twenty-five hundred francs to the Baptist Missionary Society, the government makes no payments of this kind to Protestants. According to the Minister of Colonies, these subsidies to Catholics are merely for religious work, "properly speaking." [7]

As a result partly of this support and of missionary zeal, there are more Catholic missionaries in the Belgian Congo than in any other territory in Africa, and they outnumber the Protestants by about three hundred. One out of every ten Europeans in the Congo is a Catholic missionary. Of the one thousand and thirteen Catholic missionaries, four hundred and seventy-two are priests and two hundred and eighty-three are nuns. The remainder are lay brothers and other workers.[8] These missionaries, scattered at one hundred and fifty-two different stations, supervise the work of 7,442 native catechists. The total number of baptized natives is about four hundred thousand while catechumens and adherents bring the total within the Catholic community to seven hundred thousand—about seven times the number of native Protestants. In addition to a system of village schools headed by native catechists, and having an enrollment of between sixty and ninety thousand natives,[9] the Catholics maintain two *Grands Séminaires* and nine *Petits Séminaires* for the purpose of training native priests, one hundred and forty-eight central schools, and sixty-three special schools. While the absolute number of natives attending Catholic village schools is a few thousand more, according to these figures, than the number attending Protestant schools, the Catholic number in schools in relation to the Christian community is smaller than the Protestant. It seems correct to say that until the last few years, with the exception of the White Fathers, the Catholics have confined themselves primarily to evangelization, while the Protestants have stressed education, elementary though it may be.[10]

[7] *Exposé des Motifs,* 1926 Budget, *Chambre des Représentants,* 1926, No. 240, p. 814. Also Chapter VII of the Budget. Cf. also Appendix XXXIX.

[8] *Annuaire, cited,* p. 203.

[9] The *Annuaire* (p. 199) accepts the former figure, while the *Rapport Annuel du Congo Belge* accepts the latter figure.

[10] A Catholic writes, "Le caractère de l'evangélisation protestante, c'est de s'attacher presque exclusivement à des écoles et de former des catéchistes. Sous ce rapport on doit reconnaître qu'ils ont développé abondamment la lecture et l'écriture. . . ." Masoin, *cited,* Vol. II, p. 393.

3. *Catholic Methods*

The dominant aim of Catholic missions in the Congo, as in other parts of Africa, has been to build a church which will be linked up as an integral part of the Church Universal. Consequently, the activities of its village schools have been chiefly devoted to memorizing the words of the catechism. Believing that the Church exists above and apart from the individuals who compose it, the Catholics seem to stress the actual sacraments more than they do the personal conduct of members. In the Congo they do not, moreover, ask native members to contribute to the support of the Church except through the payment of fees for a mass or penance. In contrast, the Protestant missions aim to make local native churches and schools self-supporting as soon as possible.

At certain stations in the Congo, the Catholics have carried on highly effective work in technical and agricultural education. Both the Jesuits at Kisantu and the White Fathers at Baudouinville devote care and time to the study of native agriculture and other needs. The Jesuits at Kisantu have developed a herd of about four thousand cattle in an area where ordinary cattle cannot live because of the presence of sleeping sickness.[11] The botanical garden at Kisantu is celebrated throughout Africa. The White Fathers have organized a system of "Chapel Schools" which are located in populous native communities and each of which is in charge of two native catechists who instruct the children as well as the adults of the village in religion, reading, writing, arithmetic, gardening, and the care of animals. Once or twice a week the catechists visit the villages within a radius of about twelve miles of the Chapel School. Every two weeks the school is inspected by a European missionary.[12] At Baudouinville the White Fathers have introduced several crops such as wheat and the potato to the native population; under their influence thirty-five catechists each has become the proprietor of a small herd of cows.[13] Mention should also be made of the village schools which the Fathers of the Sacred Heart have established in the Oriental Province. Here the natives receive well-disciplined instruction in hygiene, and are obliged to work in school gardens. The Redemptorist Fathers at Kimpese also give excellent industrial training.

While there are no physicians at any of the Catholic mission stations,[14] the Catholics do a vast amount of dispensary and maternity work among

[11] Le P. P. Dom, *Les Jésuites belges et les Missions,* Gand, 1924, pp. 67-97.
[12] T. J. Jones, *Education in Africa,* New York, 1922, p. 268.
[13] *Annuaire, cited,* p. 19.
[14] Apparently because the organization of a Catholic order has hitherto made no place for doctors.

the natives.[15] Moreover, the Jesuits at Kisantu are now building a hospital which will be manned with doctors supplied by the newly established *Fondation médicale de l'Université catholique de Louvain au Congo.*

The Catholic work in the Congo as elsewhere in Africa is under the control of the Sacred Congregation of the Propaganda of the Faith at Rome. Papal decrees divide the territory into vicariates or prefectures under the control of a *vicaire* or a prefect respectively. A single missionary congregation is usually assigned to a vicariate. The missionaries in a vicariate are responsisble to the local *vicaire* and also to the *Supérieur Religieux* of the order in Europe.

In case of conflict, the opinion of the *vicaire* prevails unless Rome decides otherwise. This centralized and well-disciplined organization prevents duplication of effort and quickly settles conflicts between groups when they arise. Behind the missionary on the spot is a hierarchy which controls his action and which lends him financial and spiritual support. No examples among Catholics can be found which match those of independent Protestant missionaries who have entered the Congo, relying only upon faith for their physical needs. As a result, some of them have died and others become public charges to the detriment of Protestantism generally. While the larger Protestant missionary organizations have worked out methods of control, all of them have a good deal to learn from the administrative methods of the Catholics.[16]

4. *Protestant Work*

Preceding the Catholics by ten years, one of the first Protestant societies to enter the Congo was the English Baptist Mission, which took up work in 1878 at São Salvador, which later became part of the Portuguese Congo. Gradually they penetrated into the interior, and under the leadership of a remarkable spirit, George Grenfell, who discovered and first explored much of the land, they established a chain of stations along the banks of the Congo River as far north as Yakusu.[17] The English Baptists, who are the leading English missionaries in the Congo, were followed by American societies—the American Baptists, the Southern Presbyterians,

[15] E. Tibbaut, "L'assistance social au Congo,"—L'évolution juridique de la société indigène—Annuaire des Missions," *Congo,* November, 1926, p. 485; *ibid.,* December, 1926, p. 669.

[16] Many interesting suggestions about the control of the native church will be found in a publication, *Missions Catholique du Congo Belge, Instructions aux Missionaires,* Wettern, Belgique, Imprimerie De Meester & Fils, 1920. They were drawn up at a meeting of the *Supérieurs Ecclésiastiques,* and other churchmen, at Kisantu in 1919.

[17] Sir Harry Johnston, *George Grenfell and the Congo,* 1908, Vol. I, Chaps. VII-XII. Cf. also H. Sutton-Smith, *Yakusu. The Very Heart of Africa.* London, Chaps. XVII-XVIII.

the Disciples of Christ, and the Christian and Missionary Alliance. These various societies have, through written and tacit agreements, divided the Congo into zones of influence. Probably as a result of these agreements, there is very little duplication of Protestant work except in the Lower Congo. At one time, the rule was followed that each station should have a radius of four to six days' march. It is interesting to note that the societies believing in baptism by immersion are confined to the basin of the Congo and the Ubangi, while the "sprinkling" societies, such as the Presbyterians and Methodists, are found in the Kasai-Katanga. The work in the Congo basin proper has been divided between the English and American Baptists.[18]

At present, there are twenty-three Protestant missionary societies and about 950 missionaries—a larger number than in any territory in Africa—at work in the Congo. They have a total of one hundred and twenty-one stations and claim one hundred and eight thousand adherents.[19] Setting an example in missionary cooperation, most of these societies have become members of a Conference of Congo Missionaries, which holds periodic meetings, usually once every three years. More frequent meetings are not held because of the difficulty and slowness of traveling from one end of the colony to the other. In the meantime, the work is despatched by a "Congo Protestant Council," [20] elected by the member missions, which holds annual meetings. The work of the Congo Missionary Conference has been chiefly educational. Through its instrumentality, one society has been able to find inspiration in the work of another society. A Committee on Christian Literature supervises the preparation of uniform textbooks and translations in the native language. The Conference also publishes a quarterly magazine, called the *Congo Mission News*. Six missions maintain at Kinshasa a Union Mission House in charge of a missionary who devotes his whole time to the care of incoming missionaries and to the business of the missions in the interior.

The services of Protestant missions in the Congo have been of great importance, especially in the line of educational and medical work. These missions maintain schools having an attendance of about eighty-two thousand scholars. These schools are of two kinds: the central school, usually located at a European station and under a European teacher, and the village school, where primarily religious instruction is given, for short periods, by a native monitor or catechist.

[18] Cf. a paper, "The Division of the Field into Districts so as to save Overlapping," *Proceedings, Congo Conference*, 1907.
[19] *World Missionary Atlas*, p. 76. Of the 108,000 adherents, 59,486 have been baptized.
[20] For its constitution see *Congo Missionary Conference*, 1924, p. 73.

Practically every society now takes the position that the work of evangelizing the native can be carried on successfully only through the medium of the school. Originally the Church and Missionary Alliance attempted to carry on a strict evangelization program, without the aid of schools, but it has now abandoned this method, and is introducing an educational system. While naturally the missions have been interested primarily in religion, many of them have adapted their schools to fit the immediate practical needs of the natives. The English Baptist Mission at Yakusu is giving the natives instruction in agriculture and hygiene;[21] the Methodists, Southern Presbyterians and Baptists maintain agricultural missionaries; while the Disciples of Christ Mission at Bolenge operates a saw mill and otherwise gives professional instruction fitting natives to become artisans and craftsmen. The Bolobo English Baptist Mission also gives technical training.[22]

5. *The Kimpese School*

One of the most interesting schools in Africa is the Training School maintained jointly by the English and American Baptists at Kimpese in the Lower Congo, which was founded in 1908 for the purpose of training native ministers and teachers. This is a "family" school in the sense that the students, who now number about thirty men, come to Kimpese with their wives and children and, therefore, do not as do students in many African schools, live a dormitory life to which they are not accustomed. Husbands, wives, and children all undergo some form of instruction for a period of three years, broken by vacations during which they return to their villages. The women are taught the principles of hygiene and domestic economy; while they also receive religious instruction so that they will be able to assist their husbands in their work. By this system, the danger of creating through education a gap between a literate native and an illiterate wife is overcome. These families live in houses of improved native style, and they eat native food. Women and men work in the gardens every day. In addition to receiving a literary education, each man receives a practical education. But instead of attempting to make each student an expert in one trade, the school attempts to teach him the elementary principles of a number of trades, such as agriculture, house-building, and brickmaking.

[21] Rev. W. Millman of this Mission has written, besides other texts, a useful *Primer of Agriculture for Tropical Schools,* London, 1923, which is being translated into the native language.

[22] An official in the Belgian Colonial Office writes that the Protestant missionaries, who are foreigners, "at present have a considerable advantage over the Belgian missionaries from the point of view of equipment of schools of arts and crafts," which fact he attributes to the superior purchasing power of the pound and dollar. E. de Jonghe, "L'Instruction publique au Congo belge;" *Congo,* April, 1922, p. 510.

Consequently he returns to his village as a preacher or teacher, prepared to elevate the material as well as the spiritual existence of his fellow men.

Protestant missions have also done effective medical work. The scourge of sleeping sickness has been attacked at hospitals at Yakusu, Bolenge, and Luebo, where native dispensers are also being trained. At present, Protestant missions maintain twenty-seven doctors, forty-eight European nurses, one hundred and fifty native dispensers, eighteen hospitals, and eighty dispensaries.[23] The government assists this work by admitting some medical supplies into the territory free of duty, and by granting small subsidies to mission doctors and hospitals.

6. *Religious Antagonism*

Despite the great numerical superiority of the Catholic to the Protestant native community, the relations between the two in the Congo have become frequently strained. In 1917, the natives presumably of the Catholic faith attacked a number of Protestant missionaries at Bulape, in the Kasai province; other attacks were made in 1918 and 1919. A number of cases occurred where Protestant out-stations in charge of native evangelists were burned. In view of the danger to American missionary interests the American State Department ordered a consular officer to make an investigation of the situation in 1920. Within the last few years, the situation in the Kasai has greatly improved, while in other parts of the Congo the relations between Protestants and Catholics are cordial. Some of the difficulties in the past have arisen out of the fact that missionaries of different denominations have not taken the trouble to know each other. One Protestant mission in the Kasai unnecessarily intensified feeling by adding to its staff a former priest, who had worked at a local Catholic mission, and had renounced his vows and married. Part of the difficulties have also arisen out of the fact that many of the priests belonging to the Missionaries of Scheut have been Flemish peasants who have had little general education and no contact with Protestants until coming to the colony. The establishment of advisory committees on education, composed of representatives of Protestant and Catholic missions, would help to remove causes of misunderstanding.

The position of Protestantism has been made particularly difficult by the fact that most of the Protestant missionaries are Anglo-Saxons who speak the English language, in contrast to the Catholic missionaries, three-fourths of whom are Belgians, who speak French. Moreover, Catholicism is the leading religion of Belgium. It is only since the close of the World War that Belgian Protestants have undertaken any work in Africa. At

[23] *Congo Mission News*, January, 1925, p. 13.

present, they support five stations in the mandated territory of Ruanda-Urundi, which belonged to German societies before the War. There is no Belgian Protestant work in the Congo proper. Under existing conditions, therefore, it is easy for the Catholic missionaries to state, despite contrary provisions in the Colonial Charter [24] and the Act of Berlin, that Catholicism is the official religion of the Congo. In some cases, Catholic natives have been taught to call Protestants "foreigners," "people of Luther," and "people of the Devil."

In the movement against the old Free State régime the Protestants were accused of wishing to oust the Belgians in favor of the English.[25] Some Catholic missionaries to-day encourage the belief that Protestants are agents of the American and English governments and are working for political ends.[26] The discussion in the Chamber of Representatives in 1924 in regard to the compulsory use of the French language illustrates the same point of view, if more mildly.[27]

Some Belgians also declare that because of its philosophy Protestantism makes the natives critical of the State. In an appeal for funds in Belgium, a Catholic organization recently declared that it was of the greatest importance that a Catholic mission be opened at a particular post since "foreign Protestants were relentlessly preaching to the poor natives doctrines of independence and of rebellion." [28]

The vast majority of Protestants in the Congo are attempting to overcome these misconceptions. They have felt in such a delicate position that within recent years few of them have dared publicly to criticize administrative policy, in contrast to many Catholic priests who are outspoken in voicing their protests against forced labor and the plantation system.[29] Many Protestant societies in the Congo now send new missionaries to Brussels to learn French. In some cases, they also have employed Belgians to teach French in the native schools; the Southern Presbyterian Mission in the Kasai has five Belgians on its staff. Recently the

[24] Cf. Vol. II, p. 599.
[25] Cf. Vol. II, p. 437.
[26] Cf. the following passage from the *Annuaire des Missions Catholiques au Congo Belge* (p. 204), "L'effort protestant paraît viser surtout le Katanga et la région du nord-est.

"Que les catholiques de la mère-patrie relèvent le gant et soutiennent leurs missionnaires; la liberté est notre sauvegarde ailleurs, elle n'est funeste qu'à ceux qui ne savent pas s'en servir."

"Les lamentations sont stériles, les actes seuls sont féconds."

[27] Cf. Vol. II, p. 477.
[28] This question is discussed in greater detail in connection with the Kimbangu affair. Cf. Chapt. 94. The Belgian press also ascribed the Watch Tower incident which in 1926 led to the drowning of a number of natives, to a native leader trained in a Protestant school. This statement was denied by the Protestant representative. *Congo Mission News*, April, 1926.
[29] Cf. Vol. II, pp. 505, 541.

Protestant Societies of the Congo have created a *liaison* agent at Brussels, who is a Belgian Protestant pastor, M. Henri Anet, to represent their point of view and interests vis-à-vis the government. All difficulties with the government are handled by a Belgian dealing with Belgians. Thanks to this type of control, many misunderstandings have been cleared away. The experiment is one which foreign Protestant missionaries working in French and in Portuguese territory might follow.

CHAPTER 93

EDUCATION

UNTIL recently, the administration of the Belgian Congo has left the burden of education to missionary societies, except for a few government schools, largely professional in nature. The total number of natives under some form of instruction is estimated to be about two hundred thousand, or about one-eleventh of the school population of the territory. The numbers are as follows:

NATIVE SCHOOLS IN THE CONGO

Type	*Enrollment*
Official schools	4,000
Recognized schools (écoles agrées)	2,560
2532 Catholic village schools	95,000
2913 Protestant village schools	82,000 [1]

Despite this enrollment which is the largest in Africa, the educational efforts of the missions and of the government in the Congo have been of the most rudimentary nature. The mission schools have been primarily devoted to religious instruction and the government schools to filling immediate administrative needs. One does not find in the Congo the class of native "intellectuals" which exists on the British West Coast. In fact, the whole cultural and educational level of the native population appears to be as low here as anywhere on the continent. This condition may be partly due to the history of this territory, which has already been described.

1. *Official Schools*

Immediately following the annexation of the Congo, the Belgian Government opened seven so-called Official Schools. The number has since increased to twelve. These schools are located in the leading European centers in each province. While it gives a preparatory education, each school is devoted primarily to technical or clerical education. For a time, it was the policy to train artisans and clerks in the same school—a plan now followed in the *École Professionnelle* at Stanleyville. But this plan, in the opinion of some officials, has not been a complete success. The policy now is to concentrate the training of clerks at the government school at Boma.

[1] *Rapport Annuel du Congo Belge,* 1924, p. 29. For a comparative table cf. Vol. II, p. 62.

The program of instruction at these schools has been adapted to meet native needs. In the primary school at Stanleyville, all students study "religion and morals," [2] the Swahili language, grammar, writing, arithmetic, geography, drawing, singing, gymnastics, agriculture, hygiene, and French. In the geography course chief emphasis is placed upon the local district—its population, products, rivers, roads—and upon the Congo and its organization. No attempt is made to teach the natives the detailed history of Belgium,[3] but simply general facts in regard to its ports, royal family, and principal cities.

These schools are unique in that the government employs as teachers members of Catholic orders. Thus the Salesian Fathers are in complete charge of the *École Professionnelle* at Elizabethville; the *Frères Maristes* conduct the school at Stanleyville; and the *Frères de la Doctrine Chrétienne* direct the government school at Boma. The employment of members of Catholic orders as the teachers in official schools has certain administrative advantages. These Brothers bring to their work a devotion which is seldom matched by secular teachers; some of them take leave only once every ten years; they are not burdened with the responsibility of a family; they work for a mere pittance, thus relieving the government of the financial burden which the support of secular teachers would impose.

While some of these orders are thorough educators, notably the *Frères de la Doctrine Chrétienne,* the work of other orders has not been upon such a high level. Manned by a clerical staff, these schools emphasize theological instruction. Thus in the geography course, the boys learn about the Pope and other ecclesiastical authorities, and, to a lesser extent, local political organization. In addition to the study of the Old and the New Testaments, native pupils learn the Catholic catechism and the ordinary prayers of the Catholic church. Crucifixes are hung in the school rooms as well as in government hospitals.

Under such a system, the native population will probably gain the impression that Catholicism is the official religion of the territory. When

[2] Governor-General Rutten declared in 1922: "Whatever may be our philosophical opinions, whatever may be the credit which we attach to dogma, we must recognize the perfection of Christian morality, the influence which it has had and which it maintains on the development of civilization in the world. To deprive ourselves of this means of elevating the black race would be a folly which we should not commit. . . ." *Exposé des Motifs, Chambre des Représentants,* No. 24, 1926, p. 8[11].

The same opinion was expressed by the report of the National Colonial Congress which said that native education should have a religious basis because of the necessity of giving a sanction to a new code of morality which natives would not otherwise observe. *Congo,* July, 1922, p. 194. Cf. *Recueil du Service Territorial,* p. 329.

[3] Cf. "Programmes," *École de Stanleyville,* Dirigée par les Frères Maristes. A School for Chiefs is maintained as a separate section of this school.

native boys who have attended Protestant village schools go to a professional school directed by a Catholic Order, they become subject to the influence of Catholicism. While they are not obliged to follow religious instruction, the atmosphere of this school system overshadows the Protestant faith.

In discussing the question of technical education, mention should be made of the shops and schools maintained in the camps of the *Force Publique,* the military organization of the colony, where natives learn to repair guns, make brick, and become tailors and chauffeurs. The Katanga Railway is also training native engine drivers and mechanics. Until several years ago, these drivers were Europeans, but owing to fondness for liquor and for other reasons, they became so unreliable that the Railway substituted native personnel on all trains, except weekly passenger trains which retain a European conductor for the benefit of European passengers. This native personnel receives a thorough training at a railway school. While the depreciation of rolling stock so far has been greater under native than under European operation, the railway authorities believe that even so, native personnel is less expensive, and that its efficiency will gradually improve. Partly because of the safety devices employed on the railway, apparently there are no more serious accidents under native operation than under the old régime. The personnel on the Great Lakes and the Lower Congo railways also is largely native.

Apart from professional, medical, and agricultural schools[4] the Belgian Administration does nothing directly for native education. Until 1926, there was no Department of Education either in the central government at Boma or in the Provinces. Those duties of an educational nature which had to be performed were assigned to the Department of Justice. The government was content to leave education with the missions. But mission schools in the Congo have been subject to the same weaknesses as schools elsewhere in Africa. Courses of instruction have not been sufficiently adapted to native needs, and discipline has sometimes been lacking. European personnel has been inadequate to supervise these schools properly and finances have been meager. Consequently, Belgian opinion, following the World War, came to realize that the government should assume greater responsibilities.

An important body, the Permanent Committee of the National Colonial Congress of Belgium, prepared a report on this subject in 1922.[5] It declared that the purpose of education should be not to fit natives for Euro-

[4] Cf. Vol. II, p. 522.

[5] "Rapport du Bureau du Comité permanent du Congrès colonial national sur la question de l'Enseignement au Congo;" *Congo,* July, 1922, p. 165.

pean employment, but to develop natives for the sake of themselves. An official declared that as large a proportion as possible of the native tax should be returned to the natives in the form of education.[6] The report of the British Advisory Committee on Education also had some influence upon the formulation of an educational policy.[7]

2. *A New Program*

Following the visit of an official to the Congo, and the advice of a Belgian educational commission, the government mapped out an educational program in 1924, which is now being put into effect. The 1926 Estimates made provision for an Inspector General to supervise the education of the colony as a whole, and for an inspector of education with similar duties in each province. Under their direction, the government plans to aid and develop what are called "national" mission schools. Assisted schools must give a primary education of two grades: the first grade school will give instruction for at least two years; while the second grade school, which will be established chiefly in industrialized centers, will give instruction for three years. Special schools with courses extending over three years will train clerks, teachers, and artisans. In all three types of school, moral education is placed at the head of the curriculum. This emphasis arises out of the fact that in Africa the school is obliged to instill traits of character which in Europe and America are ordinarily instilled in the home.

What language to be employed in these schools has been an object of discussion in the Congo as well as elsewhere in Africa. Both Catholic and Protestant missionaries in the Congo have decided to employ an African rather than a European language in primary school instruction. Protestant missionaries have reduced to writing more than twenty-five native languages in the Congo.[8] In addition to the multitude of tribal languages and dialects in the Congo, there are four widely spoken *linguæ francæ:* Kikongo, Lingala, Tshiluba and Swahili. Apparently the latter is the most developed and widely spoken of the four languages. For a time the Government and some missionaries feared the spread of Swahili on the ground that it might be a vehicle of Islam, but these fears have not apparently materialized. The *Frères Maristes* teach Swahili in the govern-

[6] E. de Jonghe, *cited,* Vol. I, April, 1922, p. 530.

[7] "La politique scolaire dans les colonies anglaises de l'Afrique," *Congo,* September, 1925, p. 193.

[8] Cf. F. Rowling and C. E. Wilson, *Bibliography of African Christian Literature,* London, 1923. For language distribution in Africa, see *The Ethnographic Survey of Africa,* compiled by W. J. W. Roume, of the British and Foreign Bible Society, London.

ment school at Stanleyville today. *Lingala* is the language employed in the *Force Publique*. Some students believe that eventually Swahili and Lingala will merge into a single language. Although mission schools use the vernacular in primary work, they usually teach natives one of these four commercial languages, the employment of which makes possible the intercourse of natives throughout large parts of the colony.

The government has not only tolerated but encouraged the use of the native languages. Apparently it believes that elementary education can only yield its best fruits through a native instead of a European medium and that out of respect for native institutions, the native population should be taught to read and write its own tongue. The failure to insist more vigorously upon instruction in French has also been due to the division between French and Flemish speaking peoples in Belgium. This bi-lingual régime now makes it necessary to print most official documents in the Congo in both languages. If the government attempted to make the teaching of French obligatory it would be followed by a demand for compulsory Flemish! Recently, however, the government has been moving in the direction of the compulsory teaching of a "national" language, partly because of political fears.[9] Its educational program provides that instruction in assisted schools must be given only in the native language or in one of the "national" languages of Belgium. Oral instruction in the national language shall be confided exclusively to European teachers. French is the medium in all secondary work and in the primary schools in the urban centers, where a French-speaking population is more necessary from the administrative and commercial standpoint than in the country. Except for the schools in industrial centers, all of these schools must also give instruction in agriculture. Wherever possible, they must maintain gardens where foodstuffs and export crops shall be grown. At least one hour a day in the primary schools must be devoted to manual work—a period which is increased to two in the normal schools.[10] These schools must be open between two hundred and two hundred and forty days a year; primary schools must be open at least four hours a day; special schools must be open for five hours a day.

Those national missions which inaugurate the programs of instruction outlined by the government and who submit to government inspection will be entitled to receive a subsidy. A primary school of the first grade, i.e., a rural school, having twenty-five scholars, is entitled to receive a subsidy of four hundred francs a year. A primary school of the second grade,

[9] Cf. Vol. II, p. 477.

[10] Details will be found in the brochure, *Projet d'organisation de l'Enseignement libre au Congo Belge avec le concours des Sociétés au Congo Belge*, Ministère des Colonies, 1925, reprinted in Appendix XXXIX.

or an urban school, having sixty students, is entitled to receive an annual sum of eight thousand francs, which shall be applied to the salaries of a European teacher and three native instructors, and to the maintenance of the pupils.

Special schools for the training of teachers and of clerks, having thirty students who have gone through primary schools, will receive twenty thousand francs a year, representing an allowance for two European teachers, two native instructors, and the maintenance of boarding students.

In addition each school having an enrollment of at least thirty children will receive an allowance of five thousand francs for the director, three thousand francs for the European instructors, and six hunded francs for the native instructors. The mission will also receive for each student an allowance of thirty francs a year for cloth; and a sum of two hundred or three hundred francs upon the graduation of each student, depending upon whether he has passed an examination of 50 per cent or of 75 per cent. These very liberal subsidies will be paid upon the declaration of the missionary-inspector that half of the students have followed their courses with profit.

3. *Missionary Inspection*

Missions schools adopting government programs and receiving these subsidies must submit to inspection. Under the government provincial Inspector of Education, will be missionary-inspectors and assistants, appointed by the Missionary Society concerned. The number of such inspectors will be fixed by agreement with the Provincial Inspector. If the missionary-inspector is not a priest, he must have an educational diploma. All inspectors must know one of the two "national languages." The missionary-inspector will see that the government program of instruction is carried out. He will be responsible for the schools in his area, and will fix the date of vacations, and the time of examinations. The assistant inspectors, working under the missionary-inspector, must visit each primary school assigned to them at least twice a year; they must visit special schools four times. The missionary-inspector shall send annually to the provincial inspector returns for each class of school, together with a general progress report. The missionary-inspector will receive an annual allowance from the government of ten thousand francs while each assistant will receive six thousand francs.

The Missionary Societies must also provide buildings and equipment for the schools receiving government financial aid.

This system of inspection is unique in Africa. In British territory the government employs a large number of officials as inspectors of mission schools.[11] Whether missionaries will be able to inspect their own schools as objectively as government officials remains to be seen.

More than 3,500,000 francs out of the 8,600,000 francs voted for education in the Congo in 1926 is allocated for subsidies to mission schools. This sum compares favorably with the total of 33,500 pounds voted for this purpose by Uganda and Tanganyika. The total sum voted for education is, however, much lower than in these other governments because of the fact that the Congo government maintains no educational personnel to speak of and because it operates few schools of its own.[12] The per capita educational expenditures of the Belgian Congo are about the same as in French West Africa.[13]

4. *The Pro-Catholic Policy*

No mission in the Congo is obliged to conform to the government educational program nor to submit to inspection unless it wishes to receive a subsidy. In this respect, missionaries have more freedom in the Congo than in any French and most British territories. Those missions which wish to receive this support must enter into an agreement or "convention" with the Belgian authorities, stipulating the subsidies the mission shall receive. In these agreements made for a period of twenty years, the Colony also undertakes to pay the mission the sum of three thousand francs for each new native dialect, the grammar and vocabulary of which the mission supplies to the government.

Protestantism is not strong in Belgium and, except for Ruanda-Urundi where Belgian Protestants have taken over former German work, there is not a single Belgian Protestant mission in the Congo.[14] The new educational plan of the government means therefore that no Protestant missions in the Congo proper will be eligible for a government subsidy, supposedly because they are foreign. According to the government interpretation, all Catholic missions will be entitled to receive such subsidy. But as a matter of fact only eight hundred out of the one thousand and thirteen Catholic missionaries in the Congo are Belgian,[15] and the only two Catholic congregations in the Congo which have their Mother House in Belgium are the Missionaries of Scheut and *Prêtres du Sacré-Cœur de Jésus.*

Some Protestant missionaries would not care to accept the financial

[11] Cf. Vol. I, p. 728.

[12] The Congo educational vote amounts to eighty-six thousand pounds in comparison with 112,432 pounds for the other two territories alone.

[13] Cf. Appendix, Vol. II, p. 889.

[14] The 1926 Ruanda budget appropriates twenty-five thousand francs for Protestant missions.

[15] *Annuaire des Missions Catholiques,* p. 203.

support of the Belgian Government on the ground that it would prejudice their independence. Nevertheless, the present system only increases the division between Catholics and Protestants and between foreigners and Belgians which it should be to the interest of the Belgian Government to diminish. The British colonies subsidize British and foreign and Catholic and Protestant missions alike; the French Government in Togo and the Cameroons follows the same policy.[16] As a result of this aid, the Catholic schools in the Congo should gradually become more effective educational centers. But the State has no guarantee that Protestant schools, which now have an enrollment of eighty-two thousand, nearly as large as that in Catholic schools, will similarly improve. The dangers to the State of a superficially educated native are so great that it would seem that the Belgian Government would wish to improve and to control Protestant as well as Catholic education.

From the religious standpoint, this one-sided financial aid will give natives another reason for believing that Catholicism is the official religion. Obviously, this policy will handicap the development of Protestantism.

5. *The Act of Berlin*

The rights of missionaries in the Congo are guaranteed originally by the Act of Berlin in which the governments undertook to protect and favor all religious institutions "without distinction of creed or of nation."[17] In pursuance of this Act, the Free State in 1888 provided that any one who interfered with the free exercise of religion guaranteed by the Act of Berlin should be punished with imprisonment of from one week to two years and a fine of from twenty-five to five hundred francs.[18]

Only those missions are recognized who enjoy "civil personality", i.e., who have become incorporated. Unlike the French government, the Belgian Government grants "civil personality" to Protestant and Catholic missions alike.[19] After thus being incorporated, a mission may acquire land from the government or presumably from the natives. Unlike grants to ordinary concessionaires mission grants are not full property grants, but merely a perpetual leasehold. While in the past, Protestants have complained that the administration has purposely delayed or withheld their requests for incorporation or for land grants, at present the administration does not seem to draw any distinction between Protestants and Catholics.

[16] The Belgian policy is, however, apparently followed in French Equatorial Africa (cf. Vol. II, p. 73); and it has recently been adopted for the Portuguese colonies.

[17] Cf. Appendix, Vol. II, p. 889.

[18] Section XXVI, Penal Code of 1888, *Recueil Usuel,* Vol. I, p. 205.

[19] Decree of December 28, 1888, *Codes et Lois,* p. 498.

From this standpoint Protestantism in the Belgian Congo occupies a firmer position than in French Equatorial Africa, despite the fact that both are controlled by the Act of Berlin.

In various circulars, the government has cautioned administrators about following a policy of religious neutrality. At times a Catholic administrator has been known to exempt Catholic villages from obligations to furnish laborers, and has punished native employees for following one religion and not another [20]—practices warned against by the administration. Whether or not administrators on the spot follow this policy of neutrality depends not only upon the attitude of the government but upon the personal relationship which various missionaries establish with the administrator.

At present the administration of the Congo is under the control of the Colonial Charter—a law of the Belgian Parliament—which guarantees the liberty of religion to all the inhabitants of the colony.[21] It is also controlled by the Act of Berlin as revised in 1919.[22] The Belgian Government has lived up to its obligations under this Act to the extent that it has imposed no obstacles to the entrance of foreign missionaries, the incorporation of foreign churches, acquisition of land, or the use of the native language as have the French and the Portuguese. But the question arises whether in paying out subsidies to national or Catholic missions for religious and educational purposes amounting to more than five million francs a year, and in employing clerical orders in government schools, to the exclusion of Protestants, the government is conforming to the Act of Berlin which obliges the signatory governments to "protect and favor all religious institutions without distinction of creed or of nation."

A semi-official commentator on the Colonial Charter points out that in Belgium the government subsidizes the pastors of the Anglican as well as of the Belgian churches. He expresses the opinion that the Colonial Charter (as well as Article 6 of the Act of Berlin) obliges the home government to protect religious organizations *without distinction of nationality or of religious sect.* (His italics.) While the Colonial Charter does not oblige the government to grant subsidies to religious organizations, it provides in his opinion that "the moment a religious organization receives this special protection, the same favor should be granted to every other church which, finding itself in identical conditions, requests the same

[20] Cf. the general warning in the circular of August 31, 1911. *Recueil Mensuel,* 1911, p. 514. Cf. also the Circular relative to the Guarantee of Liberty of Conscience to the Natives, *Recueil Mensuel,* 1918, p. 214, which instructs officials to advise natives that they have the right to choose their religion regardless of the chief or anyone else.

[21] Article 2; i.e., as one of the rights guaranteed under the Belgian constitution.

[22] Cf. Appendix, Vol. II, p. 889.

assistance."[23] Since this commentary was written, the Act of Berlin has been revised and governments may impose restrictions upon missionary enterprise "as may be necessary for the maintenance of public security and order, or as may result from the enforcement of the constitutional law of any of the Powers exercising authority in African territory." While it is difficult to determine what the last part of the proviso means, it does not seem to affect the question of whether or not Belgium may legally discriminate between Belgian and foreign missions in the matter of schools. A subsidy is not a restriction, such as the Act of Berlin envisages, while the constitutional law of the Colony guarantees the liberty of religion.[24] Both from the standpoint of policy and of obligation, the clerical policy of the Congo Government seems to possess a number of disadvantages. The Belgian Government should seriously consider the wisdom of establishing official schools with lay teachers and of adopting the policy of subsidizing foreign and national missionaries, both Catholic and Protestant, a policy followed by the British Government in its colonies and by the French Government in its two mandates.

[23] Halewyck, *La Charte Coloniale,* Vol. I, p. 191.

According to a decree of June 3, 1906, the Governor-General was authorized to make Catholic missionaries the marriage officers of the State. These officers could refuse to perform the ceremony if they were not satisfied that the prescriptions of the Church in regard to the church ceremony had been performed. The official commentary on the Colonial Charter (*ibid.,* p. 89) declares that this decree gave the Catholics a privilege not granted to other denominations, and hence constituted a violation of the religious equality provisions of the Colonial Charter and of the Act of Berlin.

[24] In the Panama Canal tolls controversy, the British Government stated that "If the United States exempt certain classes of ships from the payment of tolls the result would be a form of subsidy to those vessels which His Majesty's Government consider the United States are debarred by the Hay-Pauncefote Treaty from making." *Foreign Relations of the United States,* 1912, p. 486. The Hay-Pauncefote Treaty provided that "The canal shall be free and open to the vessels of commerce and of war of all nations observing these Rules, on terms of entire equality, so that there shall be no discrimination against any such nation. . ."

CHAPTER 94

THE PROPHET MOVEMENT

One of the most remarkable features of the European occupation of Africa is the patient submission of the black man to the white man's rule. Regardless of provocation, revolts have been few and order is to-day maintained throughout the continent with a surprisingly small force of troops and a still smaller number of Europeans.[1] When trouble has come it has often been occasioned and stimulated by religious fanaticism, such as the Chilembwe rising in Nyasaland, the Israelite movement in South Africa, the Thuku movement in Kenya and the Elijah rising in Nigeria.[2] The same type of phenomena has also appeared in the Congo, not only in the Watch Tower movement, which seems to have crossed from adjoining British territory, but also in the so-called Prophet movement. Whether or not these examples are symbolic of the future no one can say.

1. *Simon Kimbangu*

In the spring of 1921 a native named Simon Kimbangu, a convert to Christianity, who was a carpenter at Stanley Pool, had a dream in which he was divinely directed to go out and heal the sick. As a consequence he began to effect some "miracles", commanding, in the name of Christ, the halt and the blind, wherever he could find them, to be cured of their infirmities and the dead to rise again from their sleep. Thousands of natives in the Lower Congo were attracted to Kimbangu, who became known as the Prophet and the Doer of Miracles.

Since he had been a member of the English Baptist mission, many natives at first believed that Kimbangu was leading a Protestant movement. Consequently, the Baptist churches in the Lower Congo were crowded for a time. But the disapproval of Protestant missionaries of Kimbangu, whose "miracles" some missionaries denounced as fraudulent, caused natives to leave the mission churches, under European control, and become members of the newly-established Prophet's Church. As a result, the Wathen district of the English Baptist mission lost nine hundred members; their Thysville mission lost three hundred. In

[1] The French maintain 16,000 troops in West Africa in contrast to 30,000 in Syria.

[2] Cf. Index—native revolts, etc.

1922 there were 3000 defections from the Sona Bata field of the American Baptist mission. For a time, many of the established Protestant churches were literally deserted. The followers of Kimbangu declared that they were tired of paying money to European churches and that the time had come when they should pay this money to themselves. They demanded a wholly independent native church. This movement also affected some of the Catholic missions in the Lower Congo, but to a less extent than it did the Protestants, because of the authoritarian doctrines of Catholicism; and the Catholic policy does not encourage natives to develop financially self-supporting churches.

This demand for an independent native church was not due to a revolt against the severe standards of morality which European-controlled churches had imposed. On the contrary, the Kimbangist movement was puritanical. It attracted not only a large number of the best native Protestants, but also large numbers of pagans. In many villages where fetishism had prevailed, not a fetish could be found in 1922. Drumming and dancing became taboo; and even polygamous chiefs gave up their surplus wives and became baptized.

Inspired by the teachings of the Prophet, natives established independent chapels, churches and schools throughout the Thysville and Sona Bata districts. The Kimbangist school at Wathen had one hundred and fifty pupils. Kimbangu's emphasis on the reading of the Scriptures, brought a great demand for Bibles, hymn books, and school supplies, which were obtainable only from the Protestant missions. When the government frowned on the policy of selling such books, the missions discontinued the practice.

A month after Kimbangu began to effect his "cures," an administrator visited the Prophet at Kambo, surrounded by seven or eight hundred people, four minor prophets, and about fifty catechists. During the interview Kimbangu waved before the Administrator a picture of David and Goliath—an unpleasant implication; while he quoted numerous passages from the Bible saying, "My enemies can do nothing against me." For the next few months the government followed a policy of toleration. Meanwhile, Kimbangu's fame continued to grow, and his "miracles" were soon performed before crowds of 10,000 people. European medicines were thrown away; relatives and friends carried their sick for miles; and an organized appeal was made to natives to contribute money to purchase food for the vast multitudes who came to be cured. One of the beneficial results of the movement was that the natives learned to apply upon a larger scale the virtues of cooperation and philanthropy, which previously they had restricted to the family group.

These demonstrations soon came to affect European interests. A number of natives died at Kambo and the government feared the spread of disease. While European employers at Thysville at first sent their natives to Kimbangu to be cured, the number became so large, that it was feared that industry would be brought to a standstill. Native plantations, upon which the food supply for native employees of the railway and other public enterprises depended, were deserted. While the natives did not organize a strike, the government feared that they would attempt to shut down the Lower Congo railway upon which the whole colony relied. When the leaders of the Prophet Church fixed Wednesday instead of Sunday as the Day of Rest, European industry became more disorganized than ever. Meanwhile Minor Prophets sprang up, professing to be followers of Kimbangu and performing similar "miracles." Some of these were teachers who had been excluded from Protestant schools for disciplinary reasons and who soon became anti-European. One of them formed an independent church; another, regarding himself as a kind of John the Baptist, went about baptizing people with little or no conception of what the rite implied.

Soon after Kimbangu began his activities, more wealthy and sophisticated natives, working in Kinshasa, became interested and sent in contributions, in money and ideas, both of which Kimbangu and his followers used. Some of these ideas imported, into the colony by West Coast clerks,[3] were colored with radicalism. This influence and the growing hysteria of Kinshasa merchants made the Kimbangist movement appear more and more anti-European in character. According to rumor, the leaders of the Prophet Church even fixed October 21, 1921, as the date for the end of the world. On that date fire from heaven would wipe out all the white men! Other preachers were reported to have declared that the American negro would come and deliver his Congo brother from white oppression, and that the second coming of Christ, for this same purpose, was imminent. It does not appear that Kimbangu himself preached such doctrines. They emanated from his Minor Prophets. In no case did any adherent to the movement actually do violence to any European; nor was there any organized movement of passive resistance to European authority.

2. *His Trial*

Nevertheless, so threatening did the movement become, in the eyes of the Belgian government, that in June, 1921, it ordered the local administrator to arrest the Prophet. The arrest was made at Kambo by the administrator and a few native soldiers. While Kimbangu was being put under guard in a hut, some one in the crowd threw stones at the soldiers.

[3] Cf. Vol. II, p. 563.

A fracas immediately resulted. At this the administrator ordered his soldiers to fire "in the air." Despite this latter injunction, one woman was killed, and several others wounded, including two soldiers. Having dispersed the crowd the soldiers proceeded to loot the native village. Kimbangu's guard, determined not to miss any booty, deserted their prisoner and joined in the pillaging and Kimbangu slipped his ropes and disappeared. Thus, to the native mind, another Miracle had occurred and the government was impotent before the Prophet's supernatural power.

This administrative blunder gave a psychologic impulse to the movement; it increased the hold of Kimbangism on the natives, while it made the European community in the Lower Congo almost panic-stricken. The streets of Kinshasa were posted with machine guns in hourly expectation of a Kimbangist attack; the words in such songs as "Onward Christian Soldiers" and "Forward be your Watchword," which the Protestant missions had been singing in the native language for the last twenty-five years, now took on a revoluntionary meaning.

Between June and September, 1921, the Belgian officials scoured the country for Kimbangu. Throughout the entire period Kimbangu remained in one village and was visited by thousands of natives, who loyally kept all knowledge of his hiding-place from the whites.

In an attempt to cope with a semi-hysterical situation, the District Commission subjected ten chefferies and eight sub-chefferies to the régime of military occupation.[4] In August, 1921, the Governor of the Province of the Congo-Kasai went further and issued an ordinance[5] placing the Thysville district under a "mitigated military régime." This meant that martial law would apply to natives, but not to Europeans.

On September 12, Kimbangu and his followers voluntarily revealed themselves to the authorities by building a great fire at the village of Kambo, around which hundreds of natives chanted. Arrested along with many of his followers, who, martyr-like, begged to be imprisoned, Kimbangu was taken to Thysville, where, in October, he was tried by a military court on the charge of disturbing the security of the state and public tranquillity. At the trial Kimbangu and his followers defended themselves in a dignified manner. Questioned as to why he thought he was a prophet, Kimbangu quoted a verse[6] to the effect that "thou hast hid these things from the wise and prudent, and hast revealed them unto babes." When the president of the court asked what these Things were, Kimbangu replied by repeating the ten commandments. When he started to repeat the

[4] Cf. Vol. II, p. 498.
[5] Ordinance No. 89, August 12, 1921.
[6] Matthew 11:25.

seventh he was ordered to stop by the captain, whose native concubine was present in the court room.

On October 3, 1921, the court handed down a judgment, based largely on the translation of Kimbangu correspondence, and on the general trend of his teaching. It declared that the crowds which gathered around the Prophet had been manifestly hostile to the State—they had attacked the government's soldiers with stones; that Kimbangu had circulated false rumors of cures and the resurrection and had posed as an envoy of God, and, spreading alarm among the native populations, had disturbed the peace; that Kimbangu, by false teachings of the Bible, excited his followers against authority; that he had even set himself up to be the Saviour of the Black Race and had called the white men his "abominable enemy"; that he preached the coming of a new God, a God more powerful than the State, and that a national Black Church would be founded.

For these reasons, the military court held that the Prophet Sect was an organization tending to overthrow the present régime; that it had used religion only as a means of inciting the population; and that the organization was spreading hatred toward whites with alarming rapidity among the natives, many of whom had already left their employment. The court admitted that the movement had demonstrated its hostility to the government only by seditious songs, isolated outrages and "rebellions"; nevertheless, it believed that the movement should be crushed or it would lead to a large revolt. Consequently it imposed the death penalty upon Kimbangu; condemned nine of the minor prophets to life imprisonment, two of them to twenty years and one to five years; while it imposed a sentence of two years upon Mandombe, a Prophet girl who had played a picturesque part in the movement. When Kimbangu's correspondence and "seditious" hymns were sent after the trial to Boma, the capital, it was found, according to government officials, that the translations upon which the Council of War had based its decision were full of errors—for example, the word "abominable" should have been translated merely as "bad."

Meanwhile, European traders at Thysville petitioned the King that Kimbangu should be hanged. On the other hand, the Protestant missionaries petitioned for clemency. The outcome was that the King commuted the sentence to life imprisonment, and Kimbangu to-day spends his time in prison at Elizabethville. About a hundred of Kimbangu's followers were sent in small colonies to Lowa, Bangala, and Ituri, where they were allowed their liberty, except that their mail was censored.[7] There is

[7] According to a decree of July 5, 1910, the governor may oblige any native to leave one part of the territory and take up his residence elsewhere, if he

evidence that some chiefs handed over innocent, but (to the chiefs) undesirable subjects, to Administrators for deportation. These "relegués" lived such exemplary lives that in 1925 the government permitted them to be joined by their wives and families. It is not improbable that within the next few years the government will allow these natives to return to their homes, for it has already granted such permission to one chief.

The ban on the religious activities of the Kimbangist followers who had been allowed to remain was lifted by the government in 1923, and they were given the privilege of conducting their own churches and schools. Native churches began to flourish, and a large section of the native churches belonging to the American Baptist mission in the Sona Bata field left the mission and became independent. This was true also of many of the members and adherents of the Catholic Redemptorist mission in the same area.

These secessions alarmed missionaries and government officials, and anxiety was increased by a demonstration of several thousand natives at Thysville at Christmas, 1923. In the following year, a Catholic priest published an article attacking the Administration for its lukewarm policy toward the movement and implying that it had been caused by the Protestant missionaries[8] for the purpose of increasing British influence in the colony—a view which some administrators and traders supported. Apparently, as a result of these charges, the Belgian government appointed a magistrate to make an inquiry into the status of the Prophet movement. After making such an inquiry (October, 1924), the magistrate (M. Voisin) reported that while the natives were carrying out their obligations to the government fully, they expected the miraculous reappearance of Kimbangu, and the departure of Europeans from the country. He reported, however, that the natives expected that this would result from divine intervention and not from their own acts. Moreover, no organization existed to further this movement. The magistrate reported that the Kimbangists were bitter against the Protestant missionaries for having "betrayed" them. There was no evidence, according to the Magistrate, that the Protestants approved or gave any support to this movement, which had, in fact, been so damaging to Protestant interests.

Upon the basis of this report, the District Commissioner of Thysville issued an order prohibiting any native teacher or catechist from carrying on his activities, unless provided with a certificate from a Catholic or Protestant missionary organization.

obstructs public peace. *Codes et Lois,* p. 501. Cf. also the instructions, *Recueil du Service Territorial,* p. 115. For a similar ordinance in Kenya, cf. Vol. I, p. 375.

[8] Father Defontennoy, in the *Bulletin trimestriel de la ligue pour la protection et l'évangelisation des noirs,* No. 2, 1924.

3. *The Fruits of Protestantism*

It thus appears that, for the time being, the Kimbangist movement has been crushed; but the fear that it will reappear under a more radical form remains. The government asserts that the movement was not a protest against government policy, but merely a demonstration of religious fanaticism. Administrative officials join with Catholic missionaries in asserting that the movement was a logical outgrowth of Protestant doctrine. While no responsible official or Catholic missionary asserts that Protestants deliberately encouraged Kimbangism, they nevertheless believe that the Protestant policy of "giving the native the whole Bible," and its doctrine of individual interpretation of the Scriptures will inevitably lead to the premature establishment of native churches, and, what is worse from the administrative standpoint, to the literal interpretation and application of the Scriptures, particularly of the Old Testament. For example, Protestant natives may easily come to believe that they are the Children of Israel, who must struggle against their Egyptian taskmasters—the whites. Officials frankly state that Catholicism, which teaches the unquestioning discipline of authority, is a better "religion administrative" than Protestantism.

It is not surprising, therefore, that the Belgian government now indirectly supports the conclusion that the native population should have more Catholicism and less Protestantism.[9] On the other hand, the Protestants teach the natives to render to Caesar what belongs to Caesar. In a resolution adopted in 1921 at the time of the Prophet movement, the Congo Protestant Missionary Conference passed a resolution which declared that "The constant policy of our Protestant Missions has always been to teach the natives respect 'for the powers that be,' submission to laws, payment of taxes, and to avoid protecting our adherents when they are unjustly accused of wrong-doing. . . ." [10]

If the Belgian government assumes that Roman Catholicism is from the administrative standpoint more helpful than Protestantism, it has overlooked the fact that, unlike Protestantism, which recognizes the separation of Church from State, Catholicism always preaches the supremacy of the church over civil authority in certain matters such as education and marriage—matters of great importance to the native people. Prot-

[9] Cf. Vol. II, p. 595.

[10] *Congo General Conference Report*, Bolenge, 1921, p. 201. The resolution also stated that the authorities had been obliged to take severe measures to check the Prophet Movement "which became rapidly favourable soil for propaganda hostile to all white men, endangering civilization itself." It urged the native members of their congregations not to participate in the movement.

estantism, on the other hand, does not have an international organization nor does it preach unquestioning obedience to a supernational authority at Rome. It does not engage in controversies with the state as has the Catholic Church in Portugal, Italy, France and Mexico. While European Catholics have, for the most part, silently accepted the demands of the secular state, there is a danger that simple-minded African converts will accept the teaching of the priesthood literally and, in case of conflict with the State, implicitly bow to the Church. Already natives submit to the authority of a priest more unquestionably than to the authority of the administrator. Thus the discipline which the Church instills in its followers may prove more harmful to the Congo government than the Protestant doctrine of individual judgment. On the other hand, if the government believes that Catholicism dulls the resentment of its followers to political oppression, it is misjudging the social implications of the Catholic religion.

While it appears that the Kimbangist movement was originally religious, the evidence points to the fact that a large number of natives rallied to it because of hostility to the exactions which the Congo government had imposed. A more moderate policy will not necessarily eliminate the recurrence of organized native movements against European political or religious authority. The extreme credulity with which natives, under the spell of a leader claiming divine or mystical power, will throw away their material interests and recklessly sacrifice their lives is one of the most amazing features of Africa to-day. The African native is, however, not likely to express this type of fanaticism in a deliberate attack upon European authority. But he has already demonstrated an extraordinary power of passive resistance which will make the problem of control more difficult than if the native population attempted to massacre the Europeans in cold blood. While Europeans have been guilty of many sins, few of them will stomach a policy of shooting down people whose crime is that they will do nothing.

4. *Conclusion*

The task of administering the Belgian Congo, from the standpoint of commercial development and of native interests, presents many oppressing difficulties. A territory ravaged by the slave trade and intertribal war, drained by the rubber exactions of King Leopold and financially bled to erect monuments in Europe, its population has become sparse, listless, and socially disorganized. Despite efforts of reform, the ravages of sleeping sickness and the exactions of industrialism still make inroads upon the native people. Meanwhile financial enterprises, whose roots go back to the

Leopold régime, show large profits. Confronted by the conflicting needs of a disintegrating native population and an ever-expanding industry, the Belgian government is now courageously attempting to impede the rate of development so that the native population may be saved and ultimate production be greater than if the native population languishes. It has not as yet accomplished its aim—partly because of the strength of necessarily short-sighted business men and the fact that the government itself holds stock in many of these enterprises. But in the pursuit of this goal Belgium has shown a vision which deserves to be followed by other governments in Africa; in the realization of this aim she deserves the sympathy of the entire world.

APPENDICES—BELGIAN CONGO

APPENDIX XXXV

Decree on Native Courts

RAPPORT DU CONSEIL COLONIAL SUR LE PROJET DE DÉCRET SUR LES JURIDICTIONS INDIGÈNES.

Le Conseil Colonial, saisi de ce projet de décret, en renvoya l'examen préalable à une commission spéciale. Celle-ci déposa le rapport suivant dont il fut donné connaissance au Conseil dans la séance du 27 mars 1926.

* * *

RAPPORT DE LA COMMISSION.

Le projet de décret sur les juridictions indigènes qui a été examiné par la commission, dans ses séances des 18 et 25 février, 6 et 20 mars 1926, autorise tout d'abord le pouvoir exécutif à consacrer le pouvoir juridictionnel des tribunaux indigènes existant dans les chefferies, conformément à la coutume.

Mais à l'encontre de la législation actuelle (décret du 2 mai 1910 et du 20 août 1916) qui ne reconnaît un pouvoir juridictionnel qu'aux chefs et sous-chefs reconnus et qui se borne à tracer quelques limites à leur pouvoir répressif, le projet de décret conserve aux autorités coutumières, ne fussent-elles pas les chefs, le pouvoir judiciaire que la coutume leur attribue; il étend même leur compétence; il édicte, en outre, certaines règles de procédure; enfin, il donne à leurs décisions le caractère de véritables jugements soumis aux règles générales sur l'exécution.

Cependant, le décret ne se borne pas à consacrer l'existence des juridictions coutumières; il permet la création de deux espèces de tribunaux que les coutumes ne connaissent pas. En effet, dans les régions où les groupements sont trop peu organisés pour être érigés en chefferie ou encore là où les chefferies sont peu importantes, le pouvoir exécutif est autorisé à réunir plusieurs juridictions coutumières en une seule; de même dans les agglomérations d'indigènes de races différentes qui se sont formées spécialement dans le voisinage des grandes stations européennes, l'autorité administrative peut créer un tribunal composé d'indigènes et qui, partant, se rapproche des juridictions coutumières.

Le principe fondamental du décret, c'est de maintenir et de fortifier les juridictions indigènes, là où elles existent, d'en établir là où des agglomérations d'indigènes se sont artificiellement créées, de façon à rapprocher la justice des justiciables et, en même temps, à assurer l'application aux indigènes des règles qui répondant à leurs conceptions et au stade de leur développement matériel et moral, sont seules à même—envisagées dans leur ensemble et évoluant sous l'influence de nos facteurs de civilisation—de soutenir leur ordre familial et social et de leur procurer ainsi les conditions indispensables à leur développement moral et matériel.

On ne doit pas perdre de vue que nous ne sommes pas en mesure d'assurer nous-mêmes ce résultat. Imprégnées du respect pour les droits de l'individu, nos règles juridiques ne répondent pas aux besoins d'une société dont la vie, sous un grand nombre de ses aspects, a plutôt un caractère communautaire. Même leurs institutions essentielles qui se rapprochent des nôtres, ont une autre base, un autre cadre, d'autres soutiens. Aussi appliquées à ces institutions, nos lois n'ont aucune efficacité pour les faire vivre. Le plus souvent notre législation est insuffisante car elle no prévoit pas tout ce que le coutume prévoit. Elle constitue donc une armature tout à fait inadéquate pour les sociétés indigènes.

Sans doute de tout temps, la loi coloniale a-t-elle posé comme principe que les règles à appliquer aux indigènes doivent être, non nos lois écrites, mais leurs coutumes. Mais nous n'avions pas suffisamment tenu compte que seuls des juges indigènes étaient à même d'en saisir toutes les nuances et d'appliquer la règle aux seuls cas pour lesquels elle est faite. Nous n'avons pas tenu suffisamment compte non plus que pour ne pas rester à l'état de pure théorie le pouvoir judiciaire chargé d'appliquer les coutumes devait avoir des organes dans tous les groupements et que pour avoir de l'autorité les décisions devaient autant que possible être rendues par les personnes traditionnellement chargées de prononcer sur les contestations.

En ne reconnaissant comme juges indigènes que les chefs investis prévus par le décret sur les chefferies, nous avons détruit ou tout au moins paralysé un des facteurs essentiels, à l'existence des sociétés indigènes. Partout l'on a constaté que faute de ce soutien, celles-ci sont en train de s'effriter, l'anarchie dans le domaine politique, social ou même purement moral les menace.

Le projet de décret constitue une heureuse tentative de consolidation et de reconstruction dont il faut attendre de précieux résultats pour l'ordre interne des chefferies, pour la conservation des organisations familiales, comme aussi pour la confiance des indigènes envers le pouvoir occupant.

* * *

Comme les règles essentielles de la justice et du droit peuvent être méconnues par les juridictions indigènes prévues par le décret et que le Gouvernement ne peut faire ou laisser exécuter des sentences violant l'équité ou l'ordre public, le décret très sagement a institué une juridiction de revision et même une juridiction d'annulation.

Remarquons encore que le décret impose comme condition essentielle de la composition de toutes ces juridictions, la présence d'un greffier ou tout au moins d'un juge sachant écrire.

I.—Organisation.

Le décret prévoit quatre espèces de tribunaux indigènes:

1° *Les tribunaux de chefferie* qui sont ceux existant d'après la coutume. Il ne peut y avoir dans une chefferie qu'un seul tribunal principal, mais il peut y exister plusieurs tribunaux secondaires. Pour les premiers, le ressort est celui de la chefferie; pour les seconds, il est déterminé par la coutume. La composition de ces tribunaux est déterminée par la coutume. Cette composition peut donc varier suivant la nature de la contestation. Cependant, en vue de fortifier l'autorité des chefs investis, le décret leur donne la faculté de faire partie du tribunal de chefferie, même si, d'après la coutume, il n'ont pas ce droit; d'autre part, le Commissaire de district pourra nommer d'autres indigènes pour faire partie du tribunal. L'autorité administrative doit, en effet, être, le cas échéant, armée contre une opposition systématique de ces juridictions.

L'ordonnance du Gouverneur de la Province, qui ne fait que reconnaître ces juridictions, mentionnera leur caractère principal ou secondaire.

2° *Les tribunaux de secteur.*

On appelle ainsi la juridiction constituée par la fusion des juridictions coutumières de plusieurs petites chefferies ou de plusieurs groupements trop peu organisés. Leur ressort est déterminé par le Gouverneur de Province. C'est le Commissaire de district qui désigne les chefs et les notables qui en font partie.

3° *Les tribunaux de centre.* C'est-à-dire ceux installés dans les agglomérations d'indigènes de races différentes. Ils sont naturellement créés de toute pièce par l'ordonnance du Gouverneur de la Province qui fixe leur ressort et c'est le Commissaire de district qui en désigne les juges.

4° *Les tribunaux de territoire* qui sont également une création du décret dans le but, principalement, de reviser les sentences rendues par les précédentes juridictions. Ils ont comme ressort la circonscription territoriale toute entière. Ils sont composés de l'administrateur territorial en qualité de président et d'un nombre pair d'indigènes assumés par lui parmi les juges des tribunaux de chefferie, de secteur ou de centre du territoire.

Le projet disait (article 6) que le juge de police était le président du tribunal de territoire, mais la Commission a préféré dire l'administrateur territorial, parce que c'est l'autorité qui a, dans ses attributions, la politique indigène que l'on a voulu désigner et non un fonctionnaire d'un autre service qui peut être revêtu de la qualité de juge de police.

* * *

Deux dispositions du décret ont retenu spécialement l'attention de la Commission.

La première est celle formant l'article 7 et qui donne au juge de police la faculté de présider avec voix délibérative l'un quelconque des tribunaux indigènes de son ressort. La présence au siège de ces juridictions du représentant de l'autorité gouvernementale sera parfois de plus utiles et il en sera ainsi spécialement dans les débuts de leur fonctionnement, afin d'initier les juges indigènes à la nouvelle organisation. Mais à part les débuts, ce ne sera qu'exceptionellement et dans des circonstances tout à fait spéciales que ce fonctionnaire devra user de cette faculté; il faut, en effet, que les indigènes se rendent bien compte que ces juridictions sont leurs juridictions coutumières.

Pour les raisons signalées plus haut, les mots "juge de police" de l'article 7 sont également remplacés par les mots "l'administrateur territorial"; la Commission propose d'ajouter que le "Commissaire de district" aura le même pouvoir puisque les circonstances peuvent être telles que la présence de celui-ci sera préférable, même à celle de l'administrateur territorial.

La deuxième disposition intéressante est celle qui, découlant d'une règle exprimée dans l'article 29 du projet, et qui réclame la tenue d'un procès-verbal d'audience, exige la présence dans toutes les juridictions indigènes d'un greffier, à moins qu'un des membres du siège ne soit capable de rédiger ce procès-verbal.

Il est certes à craindre que ce greffier n'exerce une influence prépondérante sur la juridiction à laquelle il est attaché; cependant, la Commission été unanime à penser que les avantages que l'on retire de l'obligation d'un écrit pour constater la décision intervenue compenseront largement cet inconvénient; l'on ne doit d'ailleurs pas l'exagérer; l'administration aura soin de combattre l'influence du greffier là où elle deviendrait excessive. Au surplus, le temps qui va multiplier la connaissance de l'écriture par les juges indigènes, fera lui-même disparaître assez rapidement cet inconvénient.

II.—Compétence.

Pour définir la compétence, il n'était pas possible de copier la différence existant dans les législations civilisées entre compétences civile, commerciale et pénale.

Tantôt, en effet, la coutume indigène applique des sanctions répressives là où nous ne voyons que des contestations d'ordre purement privé; tantôt elle ne voit que des atteintes à des droits privés là où nous réprimons les faits comme des atteintes à l'ordre public.

Dés lors, le projet a judicieusement distingué entre les contestations entre personnes privées et les autres, c'est-à-dire celles qui n'entraînent qu'une décision d'ordre répressif. Il importait, d'autre part, de limiter les peines que les juridictions indigènes pourraient appliquer dans l'un et l'autre cas ci-dessus. Il n'était pas possible, en effet, de donner à la juridiction une compétence illimitée, au point de vue pénal, alors que l'administrateur, en sa qualité de juge de police, ne peut lui-même connaître que d'infractions entraînant des peines légères. Le tribunal indigène pourra connaître par exemple des conséquences dommageables d'un meurtre, sans pouvoir appliquer de peine au meurtrier.

a) Les juridictions indigènes connaissent donc d'abord de toutes les contestations entre personnes privées, mais sous les conditions suivantes:

1° Que les indigènes soient seuls en cause. La commission a estimé qu'il y avait lieu de faire, à cet égard, une exception au bénéfice des militaires et des agents du cadre indigène du moment qu'ils sont défendeurs devant un tribunal autre que le tribunal de territoire. Il ne peut, en effet, être oublié que les contestations d'ordre privé peuvent, d'après la coutume, donner lieu à l'application de peines;

2° Que la coutume soit applicable à la contestation. C'est la raison pour laquelle le décret a pu disposer que les indigènes même immatriculés seraient justiciables des tribunaux indigènes, car il peut se présenter des cas où c'est la coutume qui leur sera applicable.

C'est évidemment la coutume du ressort qui doit être applicable. Comment le tribunal indigène pourrait-il régler, en effet, le différend s'il était soumis à des règles inconnues de lui? Cependant, le décret prévoit qu'il peut avoir application des coutumes des ressorts limitrophes parce que dans le ressort des tribunaux de centre, il n'y a pas encore de coutume bien assise;

3° Que le défendeur se trouve dans le ressort du tribunal.

Cette condition a retenu l'attention de la commission; en effet, étant donné l'esprit de solidarité si vivace entre indigènes d'un même groupement, n'y avait-il pas lieu de craindre que le tribunal indigène ne donnât toujours raison à son ressortissant, au détriment de l'autre partie?

Mais comme les tribunaux principaux de chefferie ont la même compétence que les tribunaux secondaires, et les tribunaux de territoire la même compétence que toutes les autres juridictions indigènes, et qu'ils ont même un droit de revision, ils pourront être saisis du différend directement ou par voie de recours. Le danger redouté peut donc être écarté.

Nous avons dit que le défendeur "se trouve," alors que le projet porte "réside," parce que la commission a estimé que le tribunal doit être compétent à l'égard d'un indigène simplement de passage dans son ressort.

b) Ils connaissent également des faits qui, ne donnant pas lieu à contestations entre personnes privées, sont cependant réprimés par la coutume ou par la loi, si les conditions suivantes sont réunies:

1° Que le fait ait été commis par un indigène et ici il faut la même remarque que plus haut, il s'agit de tous les indigènes à l'exception des militaires et des agents du cadre indigène;

2° Que le fait ait été commis dans le ressort du tribunal;

3° Que le prévenu se trouve dans le ressort du tribunal.

Mais comme il est dit ci-dessus, des restrictions sont apportées à cette compétence, les faits graves ne pouvant être de la compétence de ces juridictions. Aussi le décret stipule que les tribunaux indigènes ne pourront pas infliger de peines:

1° Si le fait est puni par la loi écrite d'une peine de servitude pénale supérieure à cinq ans;

2° Si, alors même que la loi écrite punirait le fait d'une peine qui n'est pas supérieure à cinq ans, il y avait lieu, d'après les circonstances, à appliquer une peine dépassant un mois de servitude pénale et mille francs d'amende et dans le cas où l'administrateur territorial ou le Commissaire de district siège comme président, une peine de deux mois et deux mille francs d'amende.

* * *

Bien qu'en principe, tous les tribunaux aient la même compétence matérielle, le décret a donné certaines prérogatives aux tribunaux principaux de chefferie à l'égard des tribunaux secondaires et aux tribunaux de territoire à l'égard des trois autres juridictions.

C'est ainsi qu'ils ont le droit:

1° De se réserver telles affaires qu'ils déterminent;

2° D'évoquer toutes affaires soumises au tribunal subordonné, à moins que celui-ci ne soit présidé par l'administrateur territorial ou par le Commissaire de district;

3° D'abandonner toute affaire à un tribunal secondaire compétent pour autant, lorsqu'il s'agit de contestations entre personnes privées, que les deux parties résident dans le ressort du tribunal. Le fait que le demandeur ne réside pas dans le ressort du tribunal du défendeur peut précisément être la raison pour laquelle il s'était adressé au tribunal principal ou au tribunal du territoire;

4° De suspendre et de reviser les jugements d'un tribunal subordonné, à moins qu'il n'ait été rendu sous la présidence de l'administrateur territorial ou du Commissaire de district.

Le décret envisage enfin le cas où un tribunal européen et un tribunal indigène, tous deux compétents, sont saisis de la même affaire; il donne naturellement au tribunal européen prévention sur le tribunal indigène, tout en laissant au tribunal européen le droit d'abandonner le litige à la juridiction indigène, si les deux parties résident dans le ressort de celle-ci.

III.—Règles de fond

La règle fondamentale c'est que les tribunaux indigènes applique la coutume, mais lorsque cette coutume est contraire à l'ordre public universel, ou bien la loi écrite l'a remplacée, alors les tribunaux appliqueront celle-ci, ou bien la loi écrite est restée muette et alors ils se guideront d'après l'équité.

En ce qui concerne les peines, pour éviter toutes difficultés, le décret a déterminé celles que les tribunaux indigènes peuvent prononcer en l'absence de dispositions dans la loi écrite. Si le fait est prévu par la coutume en même temps que par la loi écrite, le tribunal peut choisir entre les différentes sanctions. Si le fait n'est prévu que par la loi écrite, il applique les peines qu'elle prévoit.

Naturellement, les tribunaux ne peuvent appliquer toutes les peines ci-dessus envisagées que dans les limites de leur compétence.

L'amende et la confiscation pourront, si la coutume le permet, être attribuées en tout ou en partie, aux plaignants et venir ainsi en déduction des dommages-intérêts qui pourraient être dus.

En cas de concours d'infractions, le tribunal indigène prononcera la peine de chacune d'elles sans que le total des peines de servitude pénale principale et d'amende ne puisse dépasser le maximum des peines rentrant dans sa compétence.

Il importait spécialement d'assurer l'exécution des décisions des tribunaux indigènes et c'est pourquoi l'article 23 stipule que si l'indigène condamné se refuse à s'exécuter, le tribunal pourra, indépendamment de l'exécution directe sur l'objet de la condamnation ou de l'exécution forcée sur ses biens, le frapper d'une contrainte par corps dont la durée maximum est fixée à un mois.

IV.—Procédure

Les règles de procédure sont, comme pour le fond du droit, celles de la coutume du ressort ou des ressorts limitrophes du tribunal, avec cette même réserve que toute règle contraire aux principes d'humanité et d'équité est rejetée. Le projet a cependant prévu le cas où le défendeur ou le prévenu se refuseraient à comparaître et il a autorisé la délivrance d'un mandat d'amener par un des juges ou le greffier, sur l'ordre du tribunal. Celui qui en est l'objet ne peut être retenu sous le coup de ce mandat plus de trois jours au siège du tribunal, avant d'être interrogé et, au total, plus de huit jours avant d'être jugé.

La commission a envisagé le cas où le mandat d'amener devait s'exécuter en dehors du ressort du tribunal et elle a décidé, pour éviter toutes difficultés, que dans ce cas le mandat d'amener serait soumis au visa préalable de l'administrateur du territoire dans lequel le mandat doit être exécuté.

Le visa sera encore nécessaire si le mandat doit s'exécuter dans le ressort de ce tribunal, mais dans un établissement non indigène.

Le mandat d'amener a été jugé nécessaire, même dans ce que nous appelons des affaires civiles, parce que l'application de la coutume est parfois rendue difficile, en raison des modifications que notre occupation a apportées dans l'état social indigène et que nous devons viser à renforcer l'autorité de ces juridictions.

Sauf le cas d'indigence, la partie demanderesse doit consigner les frais avant qu'il soit procédé à un acte quelconque; le Commissaire de district tarifera les frais pour chaque tribunal.

Un registre servira à l'inscription des procès-verbaux d'audience, qui mentionneront notamment les motifs et le dispositif du jugement.

* * *

Le droit de revision accordé aux tribunaux principaux de chefferie et aux tribunaux de territoire ne peut s'exercer qu'aux conditions suivantes:

1° S'il ne s'est pas écoulé plus de trois mois depuis la date du jugement à reviser;

2° Si les parties ont été entendues ou appelées en temps utile par le tribunal de revision. Mandat d'amener peut être décerné à l'égard des deux parties dans les conditions stipulées plus haut.

V.—Surveillance des tribunaux indigènes et annulation des jugements.

Il est évident que les tribunaux indigènes sont exposés à méconnaître les règles de compétence, de procédure et de fond que le décret leur prescrit d'observer.

Il faut, autant que possible, prévenir ces erreurs et, en tous cas, trouver un moyen pour les corriger lorsqu'elles peuvent être réparées.

Ce rôle de direction et de surveillance, comme celui de soumettre à une réformation les jugements qui auraient violé quelque règle essentielle, ne peuvent être confiés qu'à une autorité dont la fonction suppose une formation juridique déjà assez développée.

Cet élément technique n'est représenté à proximité des tribunaux indigènes que par le juge du parquet; ce juge, en effet, d'après les règles d'organisation de ce tribunal, ne peut être qu'un magistrat de carrière.

La commission approuve entièrement le système du projet qui fait intervenir le tribunal du parquet dans la surveillance et la direction des tribunaux indigènes et qui lui donne même le droit d'annulation des jugements, en vue d'empêcher que des sentences contraires à l'ordre public ne conservent leur caractère exécutoire.

Les règles formulées à cet égard par le décret sont les suivantes.

Le juge du tribunal du parquet a pour devoir de surveiller la composition et l'action des juridictions indigènes; il peut, à cet effet, obtenir, mais au siège même du tribunal, communication et au besoin copie conforme des registres et documents de tous ces tribunaux.

Il peut donner aux tribunaux indigènes les directives qu'il croira nécessaires pour la bonne administration de la justice, mais par l'intermédiaire de l'administrateur territorial.

Comme corollaire de ce droit de surveillance, le décret donne au tribunal du parquet compétence pour annuler, même d'office, les jugements des juridictions indigènes de son ressort.

Ce droit d'annulation s'exerce par jugement prononcé en audience publique et seulement pour les motifs suivants:

1° Composition irrégulière du tribunal ou incompétence, mais seulement au point de vue de la matière;

2° Violation des formes substantielles prescrites par la coutume ou par les lois applicables à ces juridictions;

3° Application d'une coutume contraire à l'ordre public universel ou aux lois écrites applicables aux indigènes;

4° Sanctions autres que celles autorisées par le décret.

L'annulation ne peut plus être prononcée après un délai de six mois, à dater du jugement, sauf dans les cas suivants:

1° Tant que l'action publique n'est pas éteinte, lorsque l'infraction était prévue par la loi écrite;

2° Tant qu'il y aura utilité à le faire, lorsque la coutume appliquée ne pouvait pas l'être, pour une des causes prévues par le décret;

3° Tant que la peine n'aura pas été complètement exécutée, lorsque la sanction prononcée n'était pas autorisée par le décret.

En aucun cas, le tribunal du parquet ne peut connaître du fond de l'affaire.

Lorsque donc l'annulation est prononcée, la juridiction indigène compétente est saisie à nouveau du fond par la partie demanderesse, à moins qu'il ne s'agisse d'une infraction à la loi écrite et que le Ministère public n'en saisisse le tribunal européen compétent.

Lorsqu'il estime qu'il y a lieu à annulation, le tribunal du parquet peut suspendre, en tout ou en partie, l'exécution du jugement attaqué pendant un délai maximum de trois mois.

VI.—De l'exécution des jugements.

Les jugements rendus par ces juridictions sont exécutoires immédiatement, à moins que le tribunal principal ou le tribunal de territoire ou encore le tribunal du parquet n'aient suspendu l'exécution, ainsi qu'il a été dit plus haut.

L'administrateur territorial a pour devoir de participer à leur exécution, dans la mesure du besoin.

La servitude pénale comme la contrainte par corps pourront être subies dans la prison du chef-lieu du territoire, sur l'ordre de l'administrateur territorial, donné au bas de l'extrait du jugement. Cet extrait portera, entre autres mentions, la durée de la détention déjà subie.

L'administration indigène du ressort du tribunal perçoit les frais de procédure, de même que les amendes et les confiscations qui ne seront pas compensatoires.

Ces recettes sont affectées aux dépenses nécessaires au fonctionnement du tribunal (par ex. émoluments des juges) et de l'administration du groupement. C'est le Commissaire de district qui détermine périodiquement dans quelle mesure la répartition doit être faite.

En ce qui concerne le tribunal de territoire et le tribunal de centre, ces perceptions sont effectuées par l'administrateur territorial ou son délégué et versées dans la caisse de la Colonie.

VII.—Dispositions transitoires.

L'organisation judiciaire, telle qu'elle est prévue par le projet de décret, n'entrera évidemment pas en vigueur du jour au lendemain. Ce n'est que petit à petit, et suivant la situation spéciale de chaque région que les autorités locales réussiront à en organiser les différents rouages.

Dans toutes les parties de la Colonie, où les dispositions nouvelles ne pourraient être appliquées, il faut donc maintenir l'organisation ancienne, sous peine de créer l'anarchie dans les agglomérations où ces tribunaux conformes au projet n'auraient pas été constitués.

Ce danger, le projet avait certes voulu l'éviter; mais le système imaginé à cet effet n'a pas, dans sa forme, rallié l'opinion de la commission. Il ne laissait aux autorités coutumières qu'une juridiction arbitrale, tout en ne considérant pas comme des infractions les peines que les chefs et sous-chefs investis auraient infligées, du moment qu'elles restaient dans les limites que le projet déterminait.

La commission a préféré laisser aux autorités coutumières un véritable pouvoir judiciaire; elle laisse ce pouvoir même aux autorités coutumières qui ne rentrent pas dans le cadre du décret sur les chefferies. Elle propose donc de substituer à l'article 39 du projet, les dispositions qui feront l'objet des articles 39 à 43 nouveaux.

Dans les régions qui ne formeront pas le ressort d'un tribunal de chefferie, de secteur ou de centre, on maintient tel qu'il est fixé par la coutume, le pouvoir judiciaire des autorités indigènes coutumières ou de celles qui leur sont substituées par le décret sur les chefferies.

On le maintient également dans le ressort d'un tribunal principal de chefferie, mais uniquement pour les parties de ce ressort constituant une sous-chefferie et qui ne sont pas le siège d'un tribunal secondaire; dans ce cas, le tribunal principal organisé conformément au décret, jouira néanmoins, à l'égard de l'autorité judiciaire coutumière de cette sous-chefferie, du droit de se réserver certaines affaires, ainsi que du droit d'évocation, du droit de suspension et de révision. Ce sont les droits que l'article 14 attribue au tribunal principal de chefferie à l'égard des tribunaux secondaires, sauf celui d'abandonner la connaissance de l'affaire à la juridiction subordonnée. Cette dernière faculté ne se justifierait pas lorsque la juridiction subordonnée ne constitue pas un tribunal organisé selon les vœux du décret.

L'organisation judiciaire coutumière, dans sa forme primitive, peut également fonctionner dans tous les cas si, par suite d'une circonstance quelconque, l'action du tribunal organisé était suspendue.

Ce pouvoir judiciaire que le décret maintient provisoirement, ne peut prononcer des peines que sous les conditions suivantes:

1° Que le fait soit puni par la coutume;

2° Que cette coutume ne soit pas contraire à l'ordre public universel ou aux lois applicables aux indigènes;

3° Que la peine prononcée ne dépasse pas un maximum déterminé par le décret.

De même que le tribunal principal d'une chefferie peut reviser les sentences rendues par le pouvoir judiciaire maintenu provisoirement, le tribunal de territoire exerce le pouvoir de révision qui lui est attribué par le présent décret à l'égard des sentences rendues par les autorités indigènes purement coutumières, avec cette différence qu'il pourra y procéder, même si plus de trois mois se sont écoulés depuis la date du jugement, lorsque la sentence n'aura pas encore été exécutée. Il fallait, en effet, prolonger ce pouvoir de révision parce que le pouvoir d'annulation ne s'exerce pas vis-à-vis des juridictions qui ne sont conservées que provisoirement.

Le tribunal de territoire peut aussi suspendre l'exécution des sentences intervenues.

Le fait qu'une infraction à la loi écrite aurait été jugée par une des autorités indigènes coutumières visées dans ces dispositions transitoires, n'enlève pas aux tribunaux européens compétence pour en connaître à nouveau. Le tribunal européen devra seulement tenir compte de la peine qui aurait déjà été subie.

Si le Ministère public estime devoir saisir la juridiction européenne d'une infraction déjà jugé, il a le droit de suspendre l'exécution de la sentence.

* * *

Indépendamment des changements repris dans cet exposé, la Commission a encore apporté de légères modifications de pure forme ou de si peu d'importance qu'il est inutile de les indiquer dans le présent rapport; elle propose au Conseil Colonial d'adopter ce projet qui constitue un travail remarquable, faisant honneur à son auteur.

Le Conseiller-Rapporteur,
F. WALEFFE.

* * *

Le Conseil Colonial marqua son accord sur les conclusions de ce rapport et adopta, à l'unanimité des membres, moins une abstention, le projet de décret, modifié comme il est indiqué ci-dessus.

Un membre, toutefois, exprima le regret de voir la peine du fouet consacrée par le projet, estimant que cette peine peut entraîner de graves abus. C'est pour cette raison qu'il décida de s'abstenir au vote. Il lui fut répondu que le décret ne réglemente cette peine que pour son application par les juridictions indigènes et pour autant qu'elle soit conforme à la coutume indigène.

Bien que la question ainsi soulevée eut un caractère très limité, M. le Ministre profita de l'occasion pour demander au Conseil son avis sur la peine du fouet en général. Il interrogea successivement chacun des membres. Ceux-ci, à l'unanimité, moins le membre que éleva les critiques exprimées ci-dessus, estimèrent que la peine du fouet, si elle blesse notre sensibilité, s'adapte encore à la mentalité des noirs, qu'elle est souvent d'une grande efficacité et, au fond, moins cruelle que l'internement qui amène parfois la mort du noir. Mais l'avis fut aussi exprimé que la peine du fouet ne devrait être prononcée qu'en vertu d'une décision judiciaire et être bannie en matière disciplinaire. On fit observer que, sur ce point, la pratique correspond à cet avis puisqu'elle l'exclut peu à peu des règlements de discipline administratifs. D'autre part, le fouet n'est pas au nombre des peines que les tribunaux européens peuvent prononcer.

M. le Ministre put conclure de cette consultation qu'un jour viendra où on pourra renoncer à la peine du fouet mais que, dans les conjonctures présentes, des raisons d'opportunité commandent de la maintenir.

Bruxelles, le 27 mars 1926.

L'Auditeur, *Le Conseiller-Rapporteur,*
M. HALEWYCK. F. WALEFFE.

JURIDICTIONS INDIGÈNES

ALBERT, ROI DES BELGES,

A tous, présents et à venir, SALUT.

Vu l'avis émis par le Conseil Colonial, en sa séance du 27 mars 1926;

Sur la proposition de Notre Ministre des Colonies;

Nous avons décrété et décrétons:

DES JURIDICTIONS INDIGÈNES

CHAPITRE PREMIER

Institution, composition et surveillance.

ARTICLE PREMIER

Les seules juridictions indigènes régulières sont:

1° Les tribunaux de chefferie existant conformément à la coutume dans les chefferies, et reconnus par le Gouverneur de la Province.

Si dans une même chefferie, il existe un tribunal principal et des tribunaux secondaires, l'ordonnance qui les reconnaît, mentionne, pour chacun d'eux, leur caractère principal ou secondaire;

2° et 3° Les tribunaux de secteur et les tribunaux de centre créés par le Gouverneur de la Province;

4° Les tribunaux de territoire. Il en existe un dans chaque territoire.

ART. 2.

Le ressort du tribunal principal de chefferie est celui de la chefferie; celui des tribunaux secondaires est déterminé par la coutume.

Le ressort des tribunaux de secteur et celui des tribunaux de centre sont déterminés par le Gouverneur de la Province.

Le ressort du tribunal de territoire comprend tout le territoire.

Tous les tribunaux indigènes siègent valablement dans n'importe quelle partie de leur ressort.

ART. 3.

La composition des tribunaux de chefferie, tant principaux que secondaires, est déterminée par la coutume.

Quelle que soit la coutume, le chef investi d'une chefferie a la faculté de faire partie du tribunal principal et des tribunaux secondaires de la chefferie. Le Commissaire de district peut de son côté nommer des indigènes pour faire partie des tribunaux principaux ou secondaires.

ART. 4.

Les tribunaux de secteur sont composés de chefs et d'indigènes notables nommés par le Commissaire de district.

Il en désigne le président et le vice-président.

Il peut aussi établir un roulement entre les membres du tribunal pour l'exercice des fonctions de président et de vice-président.

Les tribunaux de secteur siègent valablement dès que la moitié des membres nommés, y compris le président ou le vice-président, sont présents.

ART. 5.

Les tribunaux de centre sont composés d'un ou de trois juges indigènes nommés par le Commissaire de district.

ART. 6.

Les tribunaux de territoire sont composés de l'administrateur territorial, comme président, et de deux ou plusieurs indigènes, assumés par lui parmi les juges des tribunaux de chefferie, de secteur ou de centre institués dans le territoire, ou à défaut de ceux-ci parmi les chefs investis de ce territoire.

Les juges indigènes ne peuvent être qu'en nombre pair.

Si le litige se meut entre des parties résidant dans des ressorts différents, le président ne peut assumer aucun des juges du tribunal de chefferie ou de secteur dans le ressort duquel une des parties réside.

ART. 7.

L'administrateur territorial peut présider, avec voix délibérative, l'un quelconque des autres tribunaux indigènes institués dans le territoire.

Le Commissaire de district a le même pouvoir à l'égard de tous les tribunaux indigènes institués dans le district.

ART. 8.

Dans tous les cas où un tribunal indigène comporte deux ou plusieurs membres, la voix du président, en cas de partage, est prépondérante.

ART. 9.

Les tribunaux indigènes ne peuvent siéger valablement sans le concours d'un greffier nommé par l'administrateur territorial du ressort ou, en cas d'absence ou d'empêchement du greffier, sans le concours d'une personne majeure et sachant écrire, assumée par le juge ou par le président du tribunal.

L'absence du greffier ne sera pas une cause de nullité de la procédure si le président, le juge ou un des juges, a rédigé le procès-verbal de l'audience.

ART. 10.

Le juge du tribunal du Parquet surveille la composition et l'action de tous les tribunaux indigènes institués dans son ressort.

Il a le droit d'obtenir, au siège même du tribunal indigène, communication des registres et autres documents du tribunal.

En cas de nécessité, il peut demander copie conforme de tout jugement.

Indépendamment des autres pouvoirs qui lui sont attribués par le présent décret, il donne aux tribunaux indigènes les directives nécessaires pour la bonne administration de la justice par les tribunaux indigènes.

Ces directives sont données aux tribunaux indigènes, autres que le tribunal de territoire, par l'intermédiaire de l'administrateur territorial.

CHAPITRE II

Compétence des Tribunaux Indigènes

Art. 11.

Les tribunaux indigènes connaissent des contestations entre indigènes, même immatriculés, du Congo ou des colonies voisines aux deux conditions ci-après:

1° Que la contestation soit soumise à l'application des règles consacrées par les coutumes indigènes du ressort ou des ressorts limitrophes;

2° Que le défendeur se trouve dans le ressort du tribunal.

Toutefois, lorsqu'ils sont défendeurs, les militaires en activité de service ainsi que les agents du cadre indigène, échappent à la compétence des tribunaux de chefferie, de secteur et de centre.

Art. 12.

Dans les limites déterminées par l'article 13 ci-après, les tribunaux indigènes connaissent à l'égard des indigènes, même immatriculés, du Congo ou des colonies voisines, des faits qui, tout en ne donnant pas matière à contestation entre personnes privées, sont réprimés par les coutumes indigènes du ressort ou des ressorts limitrophes ou par la loi écrite.

La compétence du tribunal indigène est toutefois subordonnée aux deux conditions ci-après:

1° Que le fait ait été commis dans le ressort du tribunal;

2° Que le prévenu se trouve dans ce ressort.

Toutefois, échappent à la compétence des tribunaux de chefferie, de secteur ou de centre, les militaires en activité de service ainsi que les agents du cadre indigène.

Art. 13.

Les tribunaux indigènes ne peuvent prononcer de peines:

1° Si la loi écrite commine contre les faits une peine de servitude pénale supérieure à cinq ans;

2° Si, même lorsque la loi écrite commine contre les faits une peine de servitude pénale qui n'est pas supérieure à cinq ans, la peine méritée doit, en raison des circonstances, dépasser un mois de servitude pénale et une amende supérieure à 1000 francs, ou une de ces peines seulement.

Toutefois, lorsque les tribunaux indigènes siègent avec l'administrateur territorial ou le Commissaire de district, ils peuvent appliquer la loi pénale écrite aux infractions prévues au 2° ci-dessus, du moment que la peine méritée ne doit pas, en raison des circonstances, dépasser deux mois de servitude pénale et 2.000 francs d'amende.

ART. 14.

Par mesure d'ordre intérieur, le tribunal principal de chefferie peut, à l'égard des tribunaux secondaires institués dans son ressort, se réserver la connaissance de telles affaires qu'il détermine.

Il peut aussi évoquer toute affaire soumise à la connaissance du tribunal secondaire compétent, sauf lorsque celui-ci procède sous la présidence de l'administrateur territorial ou du Commissaire de district.

Le tribunal principal peut également abandonner toute affaire à un tribunal secondaire compétent, pour autant que, lorsqu'il s'agit de contestations entre parties privées, elles résident toutes dans le ressort du tribunal secondaire.

Il peut enfin suspendre l'exécution et procéder à la révision des jugements d'un tribunal secondaire, à l'exception de ceux auxquels l'administrateur territorial ou le Commissaire de district aurait participé.

ART. 15.

Les pouvoirs reconnus par l'article précédent aux tribunaux principaux de chefferie appartiennent également aux tribunaux de territoire, par rapport à tous les tribunaux indigènes établis dans leur ressort.

ART. 16.

Les tribunaux européens ont toujours prévention à l'égard des tribunaux indigènes, sauf le droit pour le tribunal européen d'abandonner la connaissance du litige du tribunal indigène pour l'application des dispositions qui rentrent dans les pouvoirs de ce tribunal et pour autant, lorsqu'il s'agit de contestations entre personnes privées, qu'elles résident toutes dans le ressort du tribunal indigène.

CHAPITRE III

DES RÈGLES DE FOND APPLICABLES PAR LES TRIBUNAUX INDIGÈNES

ART. 17.

Les tribunaux indigènes appliquent les coutumes, pour autant qu'elles ne soient pas contraires à l'ordre public universel.

Dans les cas où les coutumes sont contraires à l'ordre public universel, les tribunaux indigènes jugent d'après l'équité.

Toutefois, lorsque des dispositions légales ou réglementaires ont eu pour but de substituer d'autres règles à la coutume indigène, les tribunaux indigènes appliquent ces dispositions.

ART. 18.

Dans le cas où un fait, auquel la coutume attache des peines, n'est pas érigé en infraction par la loi écrite, les peines applicables sont exclusivement:

1° La servitude pénale principale sans qu'elle puisse dépasser deux mois;

2° Le fouet, si la coutume le permet et sans que cette peine puisse excéder douze coups et être prononcée contre les vieillards, les infirmes, les femmes et les enfants et les autres catégories de personnes déterminées par le Gouverneur de la Province.

Pour un même fait, le fouet ne peut être cumulé avec la servitude pénale principale;

3° L'amende, sans qu'elle puisse dépasser la somme de deux mille francs ou une valeur équivalente;

4° La servitude pénale subsidiaire à l'amende, sans qu'elle puisse dépasser quinze jours;

5° Si la coutume la prévoit, la confiscation des choses formant l'objet de l'infraction ou qui ont servi ou qui sont destinées à la commettre, quand la propriété en appartient au condamné, et la confiscation des choses qui ont été produites par l'infraction.

ART. 19.

Le tribunal en condamnant à l'amende ou à la confiscation pourra, si la coutume le prévoit, attribuer tout ou partie de celle-ci à la victime ou à ses ayants-droit et en déduction des dommages-intérêts qui pourraient être dûs par application de la coutume.

ART. 20.

Dans le cas où un fait auquel la coutume attache des peines, est en même temps érigé en infraction par la loi écrite, les tribunaux indigènes peuvent, dans la limite de leur compétence, lui appliquer soit les peines comminées par celle-ci, soit les peines prévues par les coutumes, dans les conditions déterminées par les articles 18 et 19 ci-dessus.

ART. 21.

Dans le cas où la législation attribue aux tribunaux indigènes la connaissance d'infractions qui ne sont prévues que par la loi écrite, ils appliquent à ces infractions les peines prévues par la législation écrite.

ART. 22.

En cas de concours entre des faits érigés en infractions soit par la coutume, soit par la loi écrite, les tribunaux indigènes prononceront les peines prévues pour chacune de ces infractions, sauf à réduire le total des peines de servitude pénale principale et d'amende ainsi prononcées, au taux de celles qui servent à déterminer la compétence du tribunal.

ART. 23.

Sans préjudice à l'exécution directe sur l'objet de la contestation et à l'exécution forcée sur les biens du condamné, l'indigène qui refuse d'exécuter la condamnation ou qui n'obtempère pas à une injonction ou une défense prononcée par le tribunal indigène, peut, si la coutume ne prévoit pas l'application des peines, être frappé d'une contrainte par corps pour une durée maximum d'un mois.

CHAPITRE IV

PROCÉDURE

ART. 24.

Sauf ce qui est dit dans les articles ci-après, les régles de procédure sont: pour les tribunaux principaux et secondaires de chefferie, celles de la coutume; pour les tribunaux de secteur, de centre et de territoire, celles en vigueur dans les tribunaux de chefferie avoisinants, à moins que ces règles coutumières ne soient contraires aux principes d'humanité ou d'équité.

ART. 25.

Quelle que soit la coutume, aucun jugement n'est rendu sans que les parties elles-mêmes ou leur mandataire n'aient été, au préalable, mises à même de contredire aux allégations et aux preuves de la partie adverse et de préparer et de faire valoir leurs moyens en toute liberté.

ART. 26.

Le défendeur ou le prévenu qui ne comparaît pas personnellement, peut être l'objet d'un mandat d'amener délivré sur l'ordre du tribunal, par un des juges ou par le greffier du tribunal.

Si le mandat doit être exécuté en dehors du ressort du tribunal qui l'a délivré, le mandat ne pourra être exécuté que moyennant visa préalable de l'administrateur du territoire dans lequel l'exécution du mandat doit avoir lieu, ou de son délégué.

Il en sera de même lorsque le mandat doit être exécuté dans le ressort du tribunal, mais çomporte pour celui qui est chargé de l'exécuter, l'obligation de pénétrer dans un établissement non indigène.

ART. 27.

La personne qui est l'objet d'un mandat d'amener ne peut être maintenue en détention préalablement au jugement que pendant trois jours depuis celui de son arrivée au siège du tribunal. Toutefois, si dans ce délai, le tribunal l'a interrogée, il peut prolonger la durée de cette détention préalable de cinq jours au maximum.

ART. 28.

Sauf indigence prouvée et admise par le Juge-Président, il ne sera procédé par le tribunal indigène à aucun acte à la demande d'une partie, si elle n'en a, préalablement, consigné la taxe pour l'inscription de l'affaire, entre les mains du Juge-Président ou du greffier.

La taxe pour l'inscription et les autres frais seront tarifés pour chaque tribunal par le Commissaire de district.

La taxe et les autres frais seront supportés par la partie qui succombera.

ART. 29.

Le procès-verbal de l'audience est inscrit dans un registre et indique sommairement les noms des parties, l'objet de la contestation ou la nature de l'infraction, la date où l'affaire a été examinée et jugée, la publicité des audiences, les noms des juges qui ont conouru à l'examen de l'affaire et au jugement, les motifs et le dispositif du jugement. Le procès-verbal est daté. Il est signé par le ou les juges qui savent le faire et par le greffier, si le tribunal en comprend un.

ART. 30.

Le droit de revision accordé par les articles 14 et 15 au tribunal principal et au tribunal de territoire, ne pourra s'exercer que si au jour où le tribunal de révision se réunit pour connaître de l'affaire, il ne s'est pas écoulé plus de trois mois depuis la date du jugement à reviser.

ART. 31.

Dans tous les cas, la revision ne pourra être effectuée que si les parties ont été entendues contradictoirement ou appelées en temps utile par le tribunal de revision.

Si l'une d'elles ne comparaît pas, elle pourra être l'objet du mandat d'amener prévu à l'article 26, quel que soit son rôle dans l'instance qui a donné lieu au jugement à reviser.

ART. 32.

La procédure en revision donne lieu à l'application du tarif établi, en exécution de l'article 28, pour la juridiction qui opère la revision.

Toutefois, la procédure est gratuite lorsqu'elle est opérée d'office.

CHAPITRE V

DE L'ANNULATION DES JUGEMENTS DES TRIBUNAUX INDIGÈNES

ART. 33.

Le tribunal du Parquet, par jugement prononcé en audience publique, peut annuler, même d'office, mais sans statuer au fond, les jugements rendus par les tribunaux indigènes de son ressort, qu'ils aient siégé avec ou sans juge de police:

1° Si le tribunal indigène était irrégulièrement composé ou incompétent au point de vue de la matière;

2° S'il y a eu violation des formes substantielles prescrites par la coutume ou par la loi;

3° Si la coutume dont il a été fait application est contraire à l'ordre public universel ou aux dispositions législatives applicables à tous les indigènes;

4° Si le jugement a prononcé des sanctions autres que celles autorisés par le présent décret.

Dans les cas visés aux 3° et 4° ci-dessus, l'annulation pourra ne porter que sur la partie critiquable du jugement.

ART. 34.

L'annulation ne pourra cependant être prononcée que dans les six mois de la date du jugement, à moins:

1° Qu'il n'ait porté sur un fait érigé en infraction par la loi écrite, auquel cas l'annulation pourra être prononcée, tant que l'action publique ne sera pas éteinte par la mort du prévenu ou par la prescription;

2° Que la coutume dont il a été fait application ne pût, pour une des causes prévues par le présent décret, être appliquée, auquel cas l'annulation pourra être prononcée, aussi longtemps qu'il y aura utilité à le faire;

3° Qu'il n'ait infligé des sanctions autres que celles autorisés par le présent décret, auquel cas l'annulation pourra être prononcée aussi longtemps qu'elles n'auront pas été complètement subies.

ART. 35.

En cas d'annulation, l'affaire pourra, à l'initiative de la même personne qui, dans la première instance, a saisi le tribunal, être jugée à nouveau par le tribunal qui avait rendu le jugement annulé, à moins que le litige ne rentre pas dans sa compétence.

Toutefois, si le jugement annulé portait sur un fait érigé en infraction par la loi écrite, le Ministère Public pourra en saisir les tribunaux européens compétents.

ART. 36.

S'il estime qu'un jugement pourrait être susceptible d'annulation, le tribunal du parquet peut ordonner que l'exécution de ce jugement, dans tout ou partie de son dispositif, sera suspendue pendant un délai qu'il déterminera, mais qui ne pourra dépasser troit mois.

CHAPITRE VI

DISPOSITIONS GÉNÉRALES

ART. 37.

Les jugements des tribunaux indigènes, institués en vertu du présent décret, sont exécutoires dès le jour où ils ont été rendus, à moins que l'exécution n'en soit suspendue, ainsi qu'il est dit aux articles 14, 15 et 36 du présent décret.

L'administrateur territorial participe, autant qu'il est besoin, à leur exécution.

Les peines de servitude pénale et la contrainte par corps peuvent être subies dans la maison de détention instituée au chef-lieu du territoire, sur l'ordre donné par l'administrateur territorial au bas d'un extrait du jugement de condamnation. Cet extrait mentionne le tribunal qui a rendu le jugement, la date du jugement, le nom du condamné, la durée de l'incarcération ordonnée.

Mention de la durée de la détention déjà subie est portée à la suite de l'extrait.

Art. 38.

Les frais de procédure, les amendes et les confiscations prononcées par les tribunaux indigènes, sauf les amendes et confiscations compensatoires, sont, pour chaque tribunal, perçus par l'administration indigène du groupement dans lequel ce tribunal est institué et sont affectés, dans telle mesure qui sera déterminée périodiquement par le Commissaire de district, aux dépenses nécessaires au fonctionnement du tribunal et aux autres dépenses occasionnées par l'administration du groupement.

Toutefois, les frais, les amendes et les confiscations non compensatoires prononcés par un tribunal de territoire ou de centre sont perçus par l'administrateur territorial ou son délégué et versés dans les caises de la Colonie.

Dispositions Transitoires

Art. 39.

Dans toutes les parties d'un territoire qui ne formeront pas le ressort d'un tribunal principal de chefferie, d'un tribunal de secteur ou d'un tribunal de centre, les autorités indigènes coutumières ou celles qui leur sont substituées par application des dispositions législatives sur les chefferies, continueront à exercer le pouvoir judiciaire qui leur est reconnu par les coutumes ou par la loi, mais sous les réserves déterminées à l'article 41 ci-après.

Elles continueront à exercer ce même pouvoir judiciaire, même dans le ressort d'un tribunal principal de chefferie, si ces autorités exercent leurs fonctions dans un sous-groupement, constitué en sous-chefferie par application des dispositions sur la matière, mais qui n'est pas le siège d'un tribunal secondaire, tel qu'il est prévu par le présent décret.

Dans le cas prévu à l'alinéa précédent, le tribunal principal jouira vis-à-vis de ces autorités des pouvoirs qui lui sont reconnus à l'égard des tribunaux secondairies par les alinéas 1, 2 et 4 de l'article 14 du présent décret.

Art. 40.

Même dans les parties d'un territoire qui formeraient le ressort d'un tribunal principal ou secondaire de chefferie ou d'un tribunal de secteur. les autorités indigènes coutumières prévues à l'article 39 exerceront le pouvoir judiciaire que cet article détermine dans tous les cas où, par suite de quelque circonstance, l'action du tribunal de chefferie ou du tribunal de secteur compétent serait suspendue.

ART. 41.

Quelles que soint les coutumes, les autorités visées à l'article 39 ci-dessus ne pourront prononcer de peines qu'aux conditions ci-après:

1° Que la coutume prévoie des peines contre les faits;

2° Que la coutume qui punit les faits ne soit pas contraire à l'ordre public universel ou aux dispositions législatives ou réglementaires qui substituent d'autres règles aux principes de la coutume indigène;

3° Que les punitions infligées ne sont que:

a) L'amende d'un montant maximum de 100 francs ou d'une valeur equivalente;

b) L'incarcération sans torture corporelle d'une durée maximum de quinze jours, avec ou sans travail forcé; le travail forcé ne peut consister que dans l'exécution des travaux imposés aux chefferies par les dispositions légales sur la matière;

c) Le fouet infligé sous les réserves et dans les conditions déterminées à l'article 18.

ART. 42.

Le tribunal de territoire, à la demande des parties intéressées, procède à la revision des sentences rendues par les autorités indigènes en application de l'article 39 ci-dessus.

Il peut y procéder d'office.

La revision s'opère dans les délais et dans les conditions prévues par les articles 30, 31 et 32 du présent décret.

Le tribunal de revision peut cependant procéder à la revision en dehors des délais prévus à l'article 30, lorsque la sentence de l'autorité indigène n'a pas encore été exécutée.

Le tribunal de revision pourra toujours en suspendre l'exécution.

ART. 43.

Sans préjudice au pouvoir d'annulation que le tribunal du Parquet peut exercer conformément aux articles 33 à 36 du présent décret, contre les jugements de revision qui seraient rendus par les tribunaux de territoire, par application de l'article 42 ci-dessus, les tribunaux européens restent compétents pour connaître de toute infraction à la loi écrite qui a fait l'objet d'une sentence d'une des autorités prévues à l'article 39.

Dans le cas où il estime qu'il y a lieu de saisir la juridiction européenne, le Ministère Public pourra suspendre l'exécution de la sentence de l'autorité indigène.

En cas de poursuites devant le tribunal européen, le jugement tiendra compte des peines déjà subies.

Art. 44.

Les articles 19 et 20 du décret du 2 mai 1910, tel qu'il est modifié par le décret du 20 août 1916, sont abrogés.

Donné à Bruxelles, le 15 avril 1926.

ALBERT.

Par le Roi:
Le Ministre des Colonies,
Henri Carton.

APPENDIX XXXVI

Contrat de Travail

DISPOSITIONS ORGANIQUES

Contrat de travail entre indigènes et maitres civilisés.

16 mars 1922.

I.—Dispositions générales.

1. Les dispositions du présent décret sont applicables au contrat par lequel un indigène du Congo ou des colonies voisines, immatriculé ou non, engage ses services, soit à un maître qui n'est point lui-même un indigène du Congo, soit à un maître indigène du Congo, pourvu que ce maître soit soumis à un impôt personnel autre que l'impôt indigène.

2. Sauf les exceptions stipulées aux articles 3 et 4, tout indigène adulte, qu'il soit ou non majeur, peut valablement engager ses services.

3. Les indigènes adultes placés sous la tutelle de l'État ou des associations autorisées ne peuvent, jusqu'à leur majorité ou jusqu'à leur émancipation, engager valablement leurs services sans l'assistance de leur tuteur.

4. La femme mariée, civilement ou religieusement ou suivant la coutume indigène, ne peut engager valablement ses services sans l'autorisation expresse ou tacite de son mari.

5. Les conditions du contrat de travail sont réglées par la convention, sauf les restrictions stipulées ci-après.

6. En cas de silence de la convention et du décret, les obligations des engagés et des maîtres sont réglées par les coutumes locales, en tant qu'elles ne sont pas contraires à l'ordre public.

II.—De la durée du contrat.

7. Aucun contrat de travail ne peut avoir une durée de plus de trois ans.

Toute convention stipulant expressément ou implicitement une durée plus longue est réduite de plein droit à ce terme.

8. Lorsque la durée de l'engagement n'est fixée ni par les termes de la convention, ni par la nature du travail, elle est réglée par l'usage, sans qu'elle puisse être supérieure à trois mois.

9. Lorsque la durée de l'engagement n'est fixée, ni par les termes de la convention, ni par la nature du travail, ni par l'usage, dans les limites indiquées par les articles précédents, chacune des parties a le droit de mettre fin au contrat par un congé donné à l'autre partie.

L'une des parties ne peut donner congé à l'autre qu'en observant le délai fixé par la convention.

A défaut de convention, le délai est fixé par l'usage, sans qu'il puisse être supérieur à un mois.

A défaut de convention et d'usage, le délai est de quinze jours.

III.—Des obligations de l'engagé.

10. L'engagé a l'obligation:

1° D'exécuter son travail ou service au temps, au lieu et dans les conditions convenus;

2° D'agir conformément aux ordres qui lui sont donnés par le maître ou ses préposés, en vue de l'exécution du contrat;

3° De s'abstenir de tout ce qui pourrait nuire soit à sa propre sécurité, soit à celle de ses compagnons ou de tiers;

4° De respecter les règlements de discipline qui auraient été édictés pour l'atelier, l'établissement ou le lieu dans lequel l'engagé doit fournir son travail;

5° De restituer en bon état, au maître, les outils et les matières premières restées sans emploi qui lui ont été confiés, sauf les détérioration ou l'usure dues a l'usage normal de la chose ou la perte qui arrive par cas fortuit.

IV.—Des obligations du maître.

11. Le salaire doit être stipulé en monnaie ayant cours légal.

A défaut de stipulation en monnaie ayant cours légal, le contrat n'est point reçu à la formalité du visa; l'engagé peut, jusqu'à complète libération du maître, demander au magistrat ou fonctionnaire compétent d'évaluer le salaire encore dû et d'en ordonner le paiement en monnaie ayant cours légal.

Le juge de première instance, le juge territorial, leurs suppléants ou leurs auxiliaires, l'officier du Ministère public, le juge de police et les fonctionnaires à ce délégués par le Vice-Gouverneur général de la province, sont compétents pour connaître de cette demande sans appel.

Tout paiement de salaire stipulé en monnaie et effectué sous une autre forme est nul et non avenu, sauf le cas de force majeure.

Le salaire est cessible et saissisable jusqu'à concurrence d'un tiers, lorsque l'engagé est logé et nourri par le maître; dans le cas contraire, le salaire est cessible et saisissable jusqu'à concurrence d'un cinquième seulement.

Toutefois, le salaire est cessible et saisissable à concurrence des deux tiers ou de la moitié, selon les distinctions prévues à l'alinéa précédent, pour cause d'obligation alimentaire prévue par la loi ou par la coutume indigène.

La saisie ou la cession autorisée pour toute créance et celles autorisées pour créance alimentaire, peuvent s'opérer cumulativement.

13. Sauf stipulation contraire, le contrat de droit l'obligation pour le maître:

1° De payer la totalité du salaire mensuellement et même hebdomadairement, si l'engagé n'est pas nourri et logé par le maître;

2° De fournir à l'engagé, outre la somme prévue comme salaire une nourriture suffisante, un logement convenable et les objets de couchage nécessaires.

Ces prestations, sauf dans les régions déterminées par le Vice-Gouverneur général de la province, peuvent être remplacées par leur valeur en argent. A défaut de convention sur ce point, cette valeur est déterminée par les prix moyens de la région où l'engagé preste ses services; elle est incessible et insaisissable.

Le Vice-Gouverneur général ou son délégué peut fixer, d'après les régions et d'après le lieu d'origine des engagés, les conditions à observer en matière de logement, d'objets de couchage et de nourriture pour qu'ils soient considérés comme convenables, sains et suffisants.

La nourriture en nature ou sa valeur en argent doit être fournie par anticipation; la nourriture en nature, au moins deux fois par semaine, avec un intervalle qui ne sera pas supérieur à quatre jours; la valeur, hebdomadairement. Toutefois, le Commissaire de district peut fixer l'intervalle auquel ont lieu les distributions, en tenant compte des usages et des nécessitiés régionales.

14. Nonobstant toute stipulation contraire, le maître a l'obligation:

1° De veiller avec soin à ce que le service ou travail s'exécute dans des conditions convenables au point de vue de la sécurité et de la santé de l'engagé;

2° D'accorder à l'engagé au moins quatre jours de repos par mois, sans déduction des frais de nourriture et de logement pour ces jours-là;

3° Autant qu'il est possible, de donner à l'engagé, s'il est malade, les soins nécessaires jusqu'au jour où le contrat prend fin, soit par l'expiration du terms, soit par la résolution de l'engagement, sans que l'obligation de donner ces soins puisse durer moins de quinze jours.

Toutefois, dans les contrats dont la durée est fixée à moins de quinze jours, l'obligation de donner des soins aura une durée égale à celle du terme convenu, mais elle prendra cours au jour où l'engagé a cessé de travailler par suite de maladie.

En cas d'accident survenu à l'engagé au cours du travail et par le fait de l'exécution du contrat de travail, l'obligation de lui donner des soins sera portée au double du temps prévu par les alinéas ci-dessus, sans préjudice aux droits qui lui seraient reconnus par d'autres dispositions légales.

4° De payer à l'engagé malade ou blessé, le quart du salaire pendant une durée égale à celle pendant laquelle il reçoit les soins médicaux; le paiement sera de la moitié du salaire si l'engagé n'est pas logé et nourri par le maître.

L'obligation de payer un salaire à l'engagé malade ou blessé prendra cependant fin le jour où l'engagement arrivera à expiration;

5° De rapatrier l'engagé dans la région où le contrat a été formé. Le maître qui engage un travailleur qui lui a été amené par un recruteur, a l'obligation de rapatrier l'engagé dans la région où le recrutement a eu lieu.

L'exécution de l'obligation de rapatriement doit être réclamée par l'engagé dans le mois de l'expiration du contrat. Le maître satisfait à cette obligation, soit en remettant à l'engagé, soit en payant à sa décharge, le montant des frais de rapatriement.

15. Est nulle de plein droit, toute stipulation:

1° Différant au delà d'une semaine le paiement d'une partie quelconque du salaire, si l'engagé n'est pas nourri et logé par le maître.

2° Attribuant au maître le droit d'infliger des amendes dépassant, même en les totalisant, le salaire dû pour le jour dans lequel elles ont été encourues et même la moitié de ce salaire, si l'engagé n'est pas nourri et logé par le maître.

Nulle amende ne peut être appliquée que pour la répression des infractions à la discipline du travail ou de l'établissement.

Si, au jour où le paiement du salaire doit être effectué, le total des amendes à retenir dépasse la portion cessible et saisissable, telle qu'elle est déterminée à l'article 12, ce total sera ramené dans les limites de cette portion; l'excédent des amendes ne pourra, en aucun cas, être retenu sur les salaires futurs de l'engagé;

3° Attribuant au maître le droit d'infliger à titre de dommages-intérêts des réductions de salaire.

Toutefois:

a) Le maître pourra faire des réductions à titre d'indemnité pour perte, destruction ou détérioration d'objets lui appartenant, pour malfaçon ou emploi abusif de matériel, de matières premières ou de produits;

b) L'ouvrier n'a pas droit au salaire pour les journées pendant lesquelles il a refusé ou s'est abstenu de travailler;

4° Faisant supporter par l'engagé le coût des livrets, médailles, insignes ou autres objets qui lui sont remis par le maître, soit en vertu d'une disposition légale ou réglementaire, soit pour les besoins du service, sauf en cas de perte ou de destruction volontaire.

V.—De la résolution du contrat.

16. Le maître peut rompre le contrat sans préavis et avant l'expiration du terme, lorsque l'engagé manque gravement aux obligations du contrat ou, en dehors même de ses obligations contractuelles, se rend coupable, vis-à-vis du maître, d'une faute lourde, notamment:

1° Lorsque l'engagé se rend coupable d'un acte d'improbité ou de voies de fait ou d'injures graves à l'égard du maître ou de son personnel;

2° Lorsqu'il leur cause intentionellement un préjudice matériel pendant ou à l'occasion de l'exécution du contrat;

3° Lorsqu'il se rend coupable de faits immoraux pendant l'exécution du contrat;

4° Lorsqu'il compromet, par son imprudence, la sécurité de l'établissement du travail ou du personnel.

17. Dans le cas de résolution du contrat par la faute de l'engagé, le juge décide, selon les circonstances, si et dans quelle mesure, le maître reste encore tenu de l'obligation du rapatriement.

Les magistrats et fonctionnaires désignés à l'article 11, paragraph 3 sont compétents à cet effet.

18. L'engagé peut rompre l'engagement sans préavis et avant l'expiration du terme, lorsque le maître manque gravement aux obligations du contrat ou, en dehors même de ses obligations contractuelles, se rend coupable, vis-à-vis de l'engagé, d'une faute lourde, notamment:

1° Lorsque le maître ou son préposé se rend coupable envers lui d'un acte d'improbité, de voies de fait ou d'injures graves, ou tolère, de la part des autres engagés, de sembables actes à son égard;

2° Lorsque le maître ou son préposé lui cause intentionnellement un préjudice matériel pendant ou à l'occasion de l'exécution du contrat.

19. L'engagé peut aussi rompre l'engagement sans préavis et avant l'expiration du terme, lorsque, au cours du contrat, sa sécurité ou sa santé se trouvent exposées à ses dangers graves qu'il n'a pu prévoir au moment ou il a contracté, ou lorsque sa moralité est mise en péril.

VI.—De la preuve des obligations des parties.

20. La teneur des contrats de travail peut être etablie par toutes voies de droit, témoins compris.

21. Tout contrat de travail revêtu du visa prévu à l'article 28, fait preuve des conventions des parties. Aucune preuve n'est admise contre et outre les stipulations qu'il contient.

22. Tout contrat de travail, même s'il ne tombe pas sous l'application de l'article 1er du présent décret, peut être soumis au visa des autorités compétentes, qui ne refuseront de le viser que dans les cas déterminés par les lois, décrets et règlements.

23. La maître est tenu de soumettre au visa tout contrat dont la durée est de plus de six mois, ou qui exonère le maître des obligations prévues à l'article 13, ou qui attribue à l'engagé un salaire inférieur à celui qui, pour les travailleurs de son âge et de ses aptitudes et pour la nature des services qu'il s'est obligé à prêter, est en usage dans la région où le contrat doit être exécuté.

Est considéré comme conclu pour une durée de plus de six mois, tout contrat de renouvellement dont le nouveau terme, joint au temps de service qui reste à accomplir en vertu du contrat antérieur, entraîne un engagement de plus de six mois.

Le maître qui, dans l'un des cas prévus ci-dessus, a négligé de faire viser le contrat, ne pourra invoquer d'autre preuve que l'aveu de l'engagé, à moins que l'absence de visa ne résulte d'un refus de l'engagé de se présenter à cette formalité.

Néanmoins, le maître qui invoque un contrat que pour une durée de six mois au plus peut toujours le prouver par toutes voies de droit.

24. A défaut de preuve de la stipulation d'un salaire déterminé, le maître doit à l'engagé le salaire en usage dans la région où le contrat doit être exécuté, en tenant compte tant de l'âge et des aptitudes de l'engagé que de la nature du travail, comme aussi des crises temporaires qui peuvent avoir amené une hausse ou une baisse anormale.

25. A moins de stipulation contraire, établie par le nouveau contrat visé, lorsque, avant l'expiration de son contrat, l'engagé, sur l'initiative ou avec le consentement de son maître, consent à passer au service d'un nouveau maître, il n'est tenu envers celui-ci que pour le terme qui restait à courir en vertu du contrat primitif et il a droit à des conditions au moins aussi favorables que celles qui étaient établies par ce même contrat; le nouveau maître est tenu d'exécuter toutes les obligations qui incombaient à l'ancien maître en vertu de l'ancien contrat, au moment où le nouveau contrat s'est formé, et l'ancien maître reste solidairement responsable des obligations du nouveau maître envers l'engagé.

26. Dès la formation du contrat, tout engagé, même à l'essai, doit être muni, par le maître, d'un livret de travail, dont le modèle est déterminé par le Vice-Gouverneur général de la Province.

Le maître est tenu d'y inscrire:

Les noms de l'engagé, avec indication de son village et de sa chefferie;

La qualité en laquelle il fournit ses services ou la nature de ceux-ci;

Le temps et le lieu où ils sont prestés;

Le taux du salaire, et si l'engagé doit être nourri et logé par le maître;

Les époques de paiement des rémunérations;

Si elle a été fixée conventionnellement, la durée de l'engagement;

Le lieu et la date de l'engagement et toutes autres mentions qui seraient ordonnées par le Vice-Gouverneur général de la Province.

Ce livret doit être signé par le maître ou par son préposé; il doit être laissé en la possession de l'engagé, même après que celui-ci a cessé ses services.

Ces dispositions ne sont pas applicables aux porteur et pagayeurs engagés en cours de route ou pour un voyage dont la durée n'excède pas quinze jours. Toutefois, le Vice-Gouverneur général pourra prescrire les formalités destinés à suppléer au livret.

27. Les paiements sont inscrits dans le livret à leur date. Il en est de même des amendes et des retenues; le livret doit indiquer leur motif.

Ces inscriptions sont datées et signées par le maître ou par son agent autorisé à cette fin.

Sans préjudice à l'application de l'article 54, seront rejetées sans examen, les allégations du maître concernant les paiements effectués, les amendes infligées et les retenues opérées au cours de l'engagement, si l'inscription n'en a pas été faite à l'époque et dans les formes déterminées par les deux alinéas précédents, à moins qu'il prouve qu'il ne lui a pas été possible de la faire par la faute de l'engagé, ou qu'il y ait preuve écrite, commencement de preuve par écrit ou aveu de l'engagé.

28. Le Gouverneur général désignera les magistrats, fonctionnaires et agents chargés de viser les contrats de travail et déterminera les formalités du visa.

29. Tout contrat présenté au visa est rédigé en un seul exemplaire.

L'autorité compétente n'accordera le visa qu'après s'être assurée que l'engagé a une connaissance parfaite des conditions de son engagement.

Le visa est apposé, tant sur le livret prévu à l'article 27 que sur le contrat. Celui-ci est conservé dans les archives de l'autorité. Les juges peuvent en ordonner la communication.

Le maître peut cependant présenter au visa, pour être conservées par lui, plusiers copies ou extraits conformes à l'original. Ceux-ci sont également visés.

30. Le visa des contrats de travail est soumis au paiement d'une taxe fixée à 1 franc par engagé.

Toutefois, quel que soit le nombre de travailleurs engagés par le même contrat, la taxe perçue n'est pas supérieure à 10 francs, pourvu que tous les travailleurs soient engagés vis-à-vis d'un même maître et aux mêmes conditions.

Ne donne pas lieu à la perception, le visa apposé sur le double du contrat destiné au maître, et le visa apposé sur le livret si ces documents sont présentés au visa en même temps que le contrat destiné à être conservé par l'administration.

VII.—*Du recrutement.*

31. Recrute, au sens du présent décret, celui qui, sans conclure actuellement de contrats de travail avec des indigènes, les amène ou tente de les amener à quitter leur résidence en vue d'obtenir un emploi à une distance de plus de vingt cinq kilomètres.

32. Celui qui recrute ou fait recruter est présumé, sauf preuve contraire, s'être obligé à fournir au recruté, au lieu de destination, un engagement d'une durée qui ne sera pas inférieure à six mois et à des conditions comportant, outre le logement, la nourriture et les soins médicaux, un salaire égal à celui généralement payé, au lieu de destination, aux engagés de l'âge et des aptitudes du recruté.

Il est, en outre, tenu, nonobstant toute convention contraire:

1° De fournir, au recruté, dès le moment où il consent à quitter sa resédence, un logement convenable, une nourriture saine et suffisante, les soins nécessaires en cas de maladie ou d'accident et de lui confier les objets de couchage nécessaires.

Le Vice-Gouverneur général de la Province ou son délégué pourra fixer, d'après les régions et d'après le lieu d'origine du recruté, les conditions à observer en matière de logement, de couchage et de nourriture, pour qu'ils soient considérés comme convenables et suffisants;

2° De lui verser, dès le surlendemain du jour où normalement il devait être arrivé à destination, une indemnité journalière correspondant aux conditions de salaire auxquelles le recruteur avait promis de lui fournir un emploi, sans préjudice aux autres dommages-intérêts éventuels;

3° De le rapatrier à sa demande, soit en lui remettant, soit en payant à sa décharge, le montant des frais de rapatriement.

33. Les obligations prévues aux 1° et 2° de l'article précédent cessent lorsque le recruté entre au service d'un maître ou dès le moment où il est rapatrié au lieu du recrutement.

Les présentations à fournir, en vertu du 1° et du 2° de l'article 32, pendant les jours de voyage de retour du recruté vers le lieu du recrutement, ne sont dûes que pour le nombre de jours normalement nécessaires pour faire le voyage de retour.

L'obligation de rapatriement cesse dès que le recruté est entré au service d'un maître.

Toutefois, l'obligation de rapatriement subsistera pendant un an à partir du jour de l'arrivé du recruté au lieu de destination, si l'employeur n'est pas lui-même tenu au rapatriement dans le village où le recrutement a eu lieu.

34. Les obligations prévues à l'article 32 cessent également dès que le recruté a, de mauvaise foi, refusé l'engagement qui lui a été présenté par le recruteur, aux conditions de salaire et de durée qu'il lui avait promises.

35. Les magistrats ou fonctionnaires désignés à l'article 11, § 3, sont compétents pour connaître les contestations relatives aux obligations des recruteurs ou de leurs mandats.

36. Celui qui recrute des indigènes est tenu, dès que le recruté a consenti à être dirigé vers le lieu de destination fixé par le permis, de lui remettre un écrit indiquant:

1° Les lieu et la date du recrutement;

2° Le lieu de destination;

3° Les condition de salaire et de durée, auxquelles le recruteur promet au recruté de pouvoir lui procurer du travail au lieu de destination.

Cet écrit est daté et signé par le recruteur. Il doit être laissé en la possession du recruté, même après son engagement ou son rapatriement.

37. Les paiements sont inscrits sur ce document à leur date et datés et signés par le recruteur ou par son agent autorisé à cette fin.

Sans préjudice à l'application de l'article 46, seront rejetées sans examen, les allégations du recruteur concernant les paiements effectués, si l'inscription n'en a pas été faite à l'époque et dans les formes déterminées par alinéa précédent, à moins qu'il prouve qu'il ne lui a pas été possible de la faire par la faute du recruté ou qu'il y ait preuve écrite, commencement de preuve par écrit ou aveu du recruté.

VIII.—*Du permis de main-d'œuvre.*

38. Quiconque recrute ou tente de recruter, engage ou tente d'engager des indigènes, est tenu de se munir d'un permis.

Le permis est individuel.

Toutefois, n'est pas soumis à l'obligation de se munir d'un permis:

1° Celui qui, recrutant ou engageant des indigènes pour lui-même, ne porte pas à plus de 10 unités simultanément en service le nombre de ses engagés;

2° Celui qui, recrutant ou engageant pour le compte d'un particulier ou d'une société dont il est exclusivement et, depuis trois mois au moins, le mandataire ou le préposé, ne porte pas à plus de 10 unités simultanément en service, le nombre des indigènes engagés a son intervention.

39. Le permis est délivré gratuitement à celui qui recrute ou engage ses

propres travailleurs ou qui n'en recrute ou n'en engage que pour le seul compte d'un particulier ou d'une société, dont il est exclusivement, et depuis trois mois au moins, le mandataire ou le préposé.

Dans tous les autres cas, la délivrance du permis est soumise au paiement préalable d'une taxe de 100 francs.

Cette taxe est réduite à 50 francs lorsque le permis est délivré après le 30 juin.

40. Le permis est valable jusqu'au 31 décembre de l'année pendant laquelle il a été délivré.

Il détermine la région dans laquelle le recrutement ou l'engagement est autorisé et, éventuellement, le lieu vers lequel les indigènes devront être dirigés.

41. Une ordonnance du Vice-Gouverneur général de la Province détermine:

1° Les autorités chargées de la délivrance des permis;

2° Les formes dans lesquelles les permis seront demandés, délivrés, refusés ou suspendus.

42. La délivrance du permis peut, par ordonnance du Vice-Gouverneur général, être subordonnée au versement d'une garantie.

Dans ce cas, l'ordonance détermine le montant de la garantie, les modalités de celle-ci, les prélèvements qui pourront être opérés sur les sommes déposées, ainsi que le mode de liquidation.

43. A la demande des autorités chargées de délivrer les permis, tout recruteur est tenu de faire connaître les noms et origine des indigènes qu'il a recrutés et tous les renseignements qu'il possède sur leur sort.

Pareillement, tout maître est tenu de faire connaître les conditions auxquelles il a engagé ses travailleurs et tous les renseignements qu'il possède sur leur résidence actuelle.

44. Le Vice-Gouverneur général peut pour des raisons d'intérêt public et par ordonnance motivée, défendre qu'il soit procédé, pendant le terme qu'il fixe et dans les régions qu'il détermine, à des opérations de recrutement ou même d'engagement, ou subordonner celles-ci à la condition que les indigènes ne soient pas amenés en d'autres régions.

45. Le même pouvoir appartient, en cas d'urgence, aux commissaires de district.

Ils portent immédiatement leur décision à la connaissance du Vice-Gouverneur général, qui statue par ordonnance motivée.

Si la décision du commissaire de district n'est pas, dans un délai de quatre mois, ratifiée par le Vice-Gouverneur général, elle cessera ses effets, de plein droit, à l'expiration de ce délai.

IX.—*Des sanctions répressives.*

46. Sera puni au maximum d'une amende de 50 francs et d'une servitude pénale de sept jours ou d'une de ces peines seulement, l'engagé ou le recruté qui, volontairement, aura, soit détruit ou lacéré le livret ou le document qui

lui a été remis en exécution de l'article 26 ou de l'article 36, soit rendu illisibles les inscriptions qui y ont été portées, ou qui refusera de présenter le livret ou ce document au maître ou à son préposé dans le but de les empêcher d'y inscrire, à leur date, les paiements effectués, les amendes infligées et les retenues opérées.

47. Sera puni au maximum de 50 francs d'amende et de deux mois de servitude pénale ou d'une de ces peines seulement, l'engagé qui, de mauvaise foi, dans l'exécution du contrat de travail, contreviendra aux obligations qui lui sont imposées par le décret, la convention ou l'usage.

La peine de servitude pénale pourra être portée à trois mois s'il avait reçu des avances, sous quelque forme que ce soit, en vue du travail que, de mauvaise foi, il refuse d'exécuter, ou s'il s'agit d'un porteur de caravane, ou d'un pagayeur de transport, s'il s'est rendu coupable, soit de désertion, soit d'abandon de charge.

48. Sera puni au maximum de 50 francs d'amende, ou de quinze jours de servitude pénale, ou d'une de ces peines seulement, l'engagé qui se rendra coupable d'une infraction grave ou d'infractions répétées à la discipline du travail ou de l'établissement.

Néanmoins, le juge pourra, selon les circonstances, se borner à admonester le prévenu, avec ou sans condamnation aux frais de la procédure.

En cas de condamnation à la servitude pénale, le juge pourra réduire ou même lever les amendes infligées par le maître pour les fautes qui ont motivé la condamnation.

49. Les poursuites pour les infractions prévues aux articles 46, 47, et 48 n'auront lieu que sur la plainte du maître.

50. Si l'engagé se trouve dans un rayon de 25 kilomètres au plus du lieu où siège la juridiction compétente, tout agent de l'autorité ou de la Force publique peut, sur la simple réquisition de l'employeur ou de l'un de ses agents, contraindre l'engagé à comparaître immédiatement devant l'officier du Ministère public ou le juge, pour l'une des causes prévues par les articles 46, 47 et 48 ci-dessus.

51. Si l'engagé reste obligé à servir son maître, le juge peut, même en cas d'acquittement, ordonner que l'engagé soit reconduit chez son maître ou patron.

52. Dans les cas prévus aux articles 46, 47, et 48 ci-dessus, le juge ne pourra prononcer contre l'engagé une peine de servitude pénale subsidiaire supérieure à sept jours et une contrainte par corps supérieure à sept jours.

53. En cas de condamnation de l'engagé, le salaire n'est pas dû pendant le chômage occasionné par les poursuites, la contrainte ou la servitude pénale.

La durée du contrat pourra, au gré du maître, se prolonger de celle de la servitude pénale, tant principale que subsidiaire et de la contrainte par corps subie par l'engagé, par application des articles 46, 47 et 48 ci-dessus, même si l'engagé n'était obligé à servir que jusqu'à un jour déterminé.

Cette disposition ne sera pas applicable si la durée du contrat a été déterminée par la nature du travail et si celui-ci a été achevé.

§ 2.

54. Seront punis au maximum d'une amende de 200 francs et d'une servitude pénale de sept jours ou d'une de ces peines seulement:

1° Le maître qui contreviendra a l'alinéa 1er de l'article 11, aux articles 26, 27, et à l'alinéa 2 de l'article 43;

2° Le recruteur qui contreviendra aux articles 36, 37 et a l'alinéa 1er de l'article 43.

55. Sera puni au maximum d'une amende de 2,500 francs et d'une servitude pénale de deux mois ou d'une de ces peines seulement, le maître qui, de mauvaise foi, dans l'exécution du contrat de travail, contreviendra aux obligations qui lui sont imposées par le décret, la convention ou l'usage.

§ 3.

56. Celui qui se rendra coupable d'infraction à l'article 38 du présent décret, sera puni au maximum de 100 francs d'amende et de sept jours de servitude pénale ou d'une de ces peines seulement.

Si le contrevenant a négligé de se munir d'un permis soumis à la taxe, les peines d'amende et de servitude pénale pourront être portées respectivement à 400 francs et à un mois.

S'il s'est livré à des opérations pour lesquelles le permis est requis, bien que celui-ci lui ait été refusé ou bien que le permis ait été retiré ou suspendu, la peine d'amende pourra être portée à 1,000 francs et celle de servitude pénale à six mois.

57. Sera puni des peines prévus par l'article 56, alinéa 3:

1° Quiconque usera de violence, de menaces, de promesses mensongères ou de manœuvres frauduleuses, soit pour recruter les indigènes ou les engager, soit pour s'opposer à leur recrutement ou à leur engagement;

2° Quiconque excitera un engagé à refuser, de mauvaise foi, d'exécuter les obligations qui lui sont imposées par le décret, la convention ou l'usage;

3° Quiconque se rendra coupable d'infraction, soit aux obligations imposées par l'article 32, soit aux ordonnances ou décisions prises par application des articles 44 et 45.

Dans tous les cas, le jugement de condamnation pourra, en outre, prononcer la suspension du permis et interdire la délivrance d'un nouveau pour un terme ne dépassant pas cinq ans.

X.—*De la protection des noirs et spécialement des engagés.*

58. Le Gouverneur général, les Vice-Gouverneur généraux, le Procureur général, les officiers du Ministère public et tous les fonctionnaires territoriaux, exercent une protection spéciale sur les noirs indigènes et immigrés, spécialement en matière de contrat de travail.

Les officiers du Ministère public peuvent agir au civil par voie d'action principale au nom et dans l'intérêt des noirs qui ont été lésés.

XI.—*Abrogations.*

59. Le décret du 17 août 1910, celui du 25 janvier 1912, les dispositions encore en vigueur du décret du 9 février 1912, ainsi que l'article 14 du décret du 8 novembre 1888, sont abrogés.

Toutefois, les ordonnances prises en exécution du décret du 17 août 1910 et du décret du 25 janvier 1912, sont maintenues en tant qu'elles ne sont pas contraires aux règles édictées par le présent décret.

Dispositions transitoires.

60. Par exception à l'article 11, alinéa 4, le salaire, dans les régions dans lesquelles le décret du 20 août 1916 sur le troc n'a pas été rendu applicable, peut, si l'engagé le demande, être payé en marchandises, à condition que ces fournitures soient faites au prix de revient.

Les magistrats et fonctionnaires désignés à l'article 11, alinéa 3, sont compétents pour connaître des contestations relatives à la valeur des marchandises portées au compte de l'engagé.

61. Le maître qui aura porté au compte de l'engagé, à titre de salaire, des marchandises évaluées à un prix supérieur à leur prix de revient, sera puni, au maximum, d'une servitude pénale de sept jours et d'une amende de 200 francs ou d'une de ces peines seulement.

APPENDIX XXXVII

Hygiène et Sécurité des Travailleurs

Dispositions organiques

Décret sur l'hygiène et la sécurité des travailleurs, 15 juin 1921.

Le Gouverneur général prescrit les mesures propres à assurer la sécurité et l'hygiène des artisans, ouvriers et porteurs employés dans les entreprises commerciales, industrielles ou agricoles, d'exploitation publique ou privée.

Ces mesures peuvent être imposés tant aux susvisés qu'aux chefs d'entreprises et à leurs gérants ou préposés.

2. Le Gouverneur général peut déléguer tout ou partie de ses pouvoirs aux Vice-Gouverneurs généraux administrant les provinces.

3. Les fonctionnaires et agents désignés par le Gouverneur général ou, en cas de délégation, par les Vice-Gouverneurs généraux des provinces, pour surveiller l'exécution des dispositions légales relatives à l'hygiène et à la sécurité du personnel engagé par les entreprises privées, ont libre accès à tous les lieux où ce personnel est employé, logé ou nourri.

Dans les locaux servant au logement, les visites d'inspection ne peuvent avoir lieu qu'après le lever et avant le coucher du soleil.

Les chefs d'entreprises et leurs gérants ou préposés, ainsi que les artisans, ouvriers et porteurs, sont tenus de fournir à ces fonctionnaires et agents les renseignements qu'ils demandent pour s'assurer de l'observation des dispositions légales.

4. Quiconque fera obstacle à la surveillance exercée en vertu de l'article précédent et les personnes qui, en violation du même article, refuseront de donner les renseignements demandés, seront punies d'une servitude pénale de quinze jours au maximum et d'une amende qui n'excèdra pas 500 francs, ou d'une de ces peines seulement, sans préjudice des sanctions comminées par le Code pénal, notamment en matière de rebellion.

5. Les ordonnances prises conformément aux dispositions du présent décret pourront être sanctionnées par des peines qui n'excèderont pas un mois de servitude pénale et 2,000 francs d'amende.

6. Les chefs d'entreprises sont civilement responsables des amendes prononcées à charge de leurs gérants ou préposés, en vertu des ordonnances prises pour assurer l'exécution du présent décret.

7. Le décret du 4 juin 1913 est abrogé. Toutefois, les ordonnances prises en exécution de ce décret restent en vigueur pour autant qu'elles ne sont pas contraires aux dispositions décrétées ci-dessus.

APPENDIX XXXVIII

Ordinance No. 47, Province of Kasai, on the Protection of Labor.

GOUVERNEMENT DE LA PROVINCE DU CONGO-KASAI

Ordonnance du 12 août 1923, No. 47, sur l'hygiène et la sécurité des noirs au service des enterprises d'exploitation publique ou privée de la province du Congo-Kasai.

Le Gouverneur p. i. de la Province Congo-Kasai,

Vu la loi du 18 octobre 1908, sur le Gouvernement de la Colonie;

Vu l'arrêté royal du 28 juillet 1914 réorganisant le Gouvernement Général de la Colonie, modifié par celui du 6 juillet 1922;

Vu le décret du 15 juin 1921 et l'ordonnance du 29 juillet 1921, du Gouverneur Général, sur l'hygiène et la sécurité des travailleurs;

Vu le décret du 16 mars 1922, sur le contrat de travail entre indigènes et maitres civilisés;

Vu l'ordonnance du 17 février 1919, du Gouverneur Général, sur la police des établissements dangereux, insalubres et incommodes, modifiée par celle du 29 juillet 1921,

Ordonne:

I.—Organisation de l'inspection de l'hygiène du travail.

Article premier.

L'hygiène et la sécurité des artisans ouvriers, aides et apprentis, porteurs et pagayeurs, employés à des entreprises ou dans des travaux commerciaux, industriels ou agricoles d'exploitation publique ou privée, sont placées sous le contrôle d'un médecin qui recevra du Gouverneur de la province une commission d'inspecteur de l'hygiène du travail.

Le Gouverneur peut commissionner des médecins en qualité d'inspecteurs-adjoints de l'hygiène du travail: il détermine le ressort dans lequel s'exerce leur action.

Article 2.

L'inspection de l'hygiène du travail procède en collaboration avec le service de l'inspection de l'industrie et du commerce.

Les inspecteurs de l'industrie et du commerce font appel au concours des médecins de l'inspection de l'hygiène du travail pour s'éclairer de leurs connaissances technique spéciales. Réciproquement ils ont pour devoir de signaler à l'attention de ces autorités, les situations qui paraîtraient suspects au point de vue sanitaire.

Les médecins chargés de l'inspection de l'hygiène du travail, informent les inspecteurs de l'industrie et due commerce des mesures sanitaires prises à la suite de leurs visites et qui sont de nature à intéresser ces fonctionnaires.

ARTICLE 3.

Le médecin-inspecteur ou éventuellement le médecin-inspecteur adjoint de l'hygiène du travail peut, l'inspecteur du commerce et de l'industrie ou, à son défaut, le Commissaire de district préablement entendu, prescrire des mesures exceptionnelles, propres à sauve-garder la santé des travailleurs, notamment la remise gratuite de vêtements spéciaux ou d'autres objets.

Toutefois, en cas d'urgence, le médecin ne sera pas tenu de demander cet avis préalable. Dans ce cas, il préviendra immédiatement le chef de la province des mesures qu'il a ordonnées et des circonstances que les commandaient.

L'exploitant ou son préposé pourra proposer la modification ou l'annulation des mesures dont l'application lui paraîtrait vexatoir ou inefficace. A cette fin, il adressera dans les huit jours, au Gouverneur de la province une requête motivée.

La décision du Gouverneur de la province sera motivée et notifiée au requérant et à l'auteur de la mesure ayant fait l'objet du pourvoi.

Le pourvoi est suspensif, sauf, lorsque dans le texte de sa décision, le médecin aura invoqué et indiqué les raisons qui commandent impérieusement une intervention urgente; dans ce cas, l'execution provisoire sera par lui limitée aux mesures strictement indispensables et réalisables avec le minimum de frais et d'inconvénients pour l'exploitant.

II.—Des certificats d'aptitude physique.

ARTICLE 4.

Tout travailleur doit avoir en sa possession un certificat d'aptitude physique.

ARTICLE 5.

Le certificat est défintif ou provisoire.

Le certificat définitif est délivré par un médecin du gouvernement ou par un médecin agréé.

Le certificat provisoire est délivré par les agents sanitaires, administrateurs territoriaux ou inspecteurs de l'industrie et du commerce lorsque le médecin se trouve à plus de 12 km. de distance. Il doit être remplacé par un certificat définitif aussitôt que possible.

Lorsqu'il n'y a aucune autorité compétente dans un rayon de 12 km., les travailleurs peuvent être engagés sans cette formalité, mais ils devront être munis de certificats aussitôt que possible.

Il sera loisible au Gouverneur de la province d'agréer des médecins privés pour délivrer des certificats. S'ils résident dans la même localité qu'un médecin du Gouvernement, ils rempliront exclusivement cette formalité à l'égard des indigènes engagés ou recrutés par l'organisme dont ils assurent le service.

ARTICLE 6.

Si l'aptitude n'est pas total, le certificat précisera le genre de travail auquel l'engagé est reconnu apte.

Les certificats sont établis dans le livret d'identité.

ARTICLE 7.

Les médecins-inspecteurs de l'hygiène du travail ont droit de contrôle sur tous les certificats délivrés. Leur décision peut être modifiée par une décision du médecin en chef du service de l'hygiène de la province.

ARTICLE 8.

Les travailleurs inaptes devront être repatriés au lieu de leur engagement ou de leur recrutement.

ARTICLE 9.

La durée des certificats d'aptitude est indéterminée.

La modification ou l'annulation du certificat peut survenir lors des inspections.

ARTICLE 10.

Les travailleurs doivent présenter toutes les apparences d'une bonne constitution physique. Ils doivent être adultes, c'est-à-dire que leur âge apparent doit être d'au moins seize ans; toutefois, l'emploi d'indigènes non-adultes est autorisé dans les exploitations agricoles et dans les industrie qui forment des artisans.

Toutes les préscriptions relatives aux travailleurs adultes sont applicables aux travailleurs non-adultes. Les fonctionnaires chargés de l'inspection de l'hygiène du travail veilleront d'une manière spéciale à ce que les travaux auxquels sont affectés les non-adultes ne nuisent pas à leur développement physique.

La taille des adultes doit être de 1 m. 50 au minimum.

Le périmètre thoracique doit être proportionné à la taille; il sera mesuré lorsque le sujet a les bras pendants, et après exhalation.

Pour les porteurs et les pagayeurs, le périmètre thoracique sera de 0. m. 80 au moins pour les tailles supérieurs à 1 m. 60, et égal à la moitié de la tailles pour les individus mesurant moins de 1 m. 60.

Toutefois, une insuffisance de taille ou de périmètre thoracique ne sera pas considérée comme condition suffisante de refus ou de révocation du certificat d'aptitude, si le sujet est vigoureux, ou si elle constitue un caractère somatique de la race à laquelle il appartient.

ARTICLE 11.

Tout travailleur employé dans un arrondisement industriel, qui est rapatrié par expiration du terme ou par réforme, et dont le lieu de travail se trouve distant de moins de 12 kilomètres de la résidence de l'une des autorités désignées à l'article 5, devra être visité par un médicin du gouvernement ou par un médecin agréé, ou, à défaut de praticien, par l'agent sanitaire, par l'inspecteur de l'industrie et du commerce ou par l'administrateur territorial.

Cette visite est gratuite; si les résultats sont favorables, le mention "apte au rapatriement" sera portée par celui qui l'a faite au livret d'identité de l'intéressé. Dans le cas contraire, l'employeur devra lui assurer les soins médicaux que nécessite son état, dans la limite des obligations fixés par le décret sur le contrat de louage des services.

L'employeur est tenu de signaler à l'administration le nom des travailleurs inaptes au rapatriement et envers lesquels il est délié de toute obligation. Cet avis doit être donné au plus tard le jour où ces travailleurs cessent d'être à sa charge.

III.—Equipment des recrutés et des engagés.

ARTICLE 12.

Tout recruté sera muni, dès le recrutement, d'une couverture et d'un pagne.

La femme du recruté qui accompagne son mari sera munie d'un pagne.

Sauf à celui dont le salaire mensuel atteint 50 francs, ration non comprise, ou à celui qui a bénéficié de la disposition prévue au premier alinéa, une couverture devra êtra remise à tout indigène qui engagera ses services, par contrat visé, pour une durée de six mois au moins.

ARTICLE 13.

Le poids de la couverture sera de 1500 grammes au minimum.

ARTICLE 14.

Les objets spécifiés à l'article 12 seront mis gratuitement à la disposition des travailleurs; ceux-ci n'en acquerront la propriété qu'à l'expiration du terme d'engagement, pour autant que ce terme soit de 12 mois au moins, ou lors de la réforme.

Ils seront renouvelés après chaque période de 12 mois.

ARTICLE 15.

Les objets d'équipement cédés à un titre quelconque par l'engagé seront remplacés à ses frais.

Article 16.

Il en sera de même des objets perdus ou détruits, à moins que le travailleur ne prouve que la perte ou la destruction s'est produite sans qu'il y ait faute de sa part; dans ce cas l'employeur remplacera les objets perdus.

IV.—Des recrués employées aux travaux industriels.

Article 17.

Les médecins chargés de l'inspection de l'hygiène du travail pourront prescrire des mesures spéciales dans l'emploi des recrues aux travaux industriels.

Sont considérés comme recrues: les travailleurs employés pour la première fois dans une entreprise industrielle et ayant moins de six mois d'engagement

Eventuellement il appartiendra à l'employeur de prouver que ses travailleurs ne sont plus des recrues.

V.—De la ration.

Article 18.

Sauf pour les travailleurs jouissant d'un salaire mensuel de 50 francs au moins, ration non comprise, la ration des travailleurs des exploitations publiques ou privées doit être fournie en nature et représenter un minimum de 3500 calories par jour.

Les aliments la composant doivent être choisis de telle manière qu'ils contiennent pour 1 de protéine, 0,8. de graisse et 4,5 d'hydrates de carbone.

Une ration contenant des matières protéiques d'origine exclusivement végétale ne peut être distribuée pendant plus de sept jours par mois.

La ration comprendra en outre du sel et des vitamines.

Le tableau figurant à l'annexe II indique la valeur calorigène des aliments usuels; les tableaux de l'annexe III donnent quelques exemples de rations répondant aux exigences physiologiques.

Article 19.

Toutefois, par mesure transitoire, l'employeur pourra assurer la nourriture de ses travailleurs, en leur remettant hebdomadairement des espèces ou des bons, à condition de leur fournir directement ou indirectement pour la somme ou pour le bon remis, une quantité de vivres correspondant aux éléments de la ration physiologique telle qu'elle est déterminée à l'article précédent.

Si une partie de la ration est donnée en nature, la somme ou le bon remis devra permettre l'acquisition du complément.

Une ordonnance spéciale déterminera la date à laquelle il sera mis fin au régime exceptionnel institué par le présent article.

Article 20.

Les vivres donnés ou cédés en ration doivent être de qualité saine.

ARTICLE 21.

Il est interdit aux travailleurs de céder, à un titre quelconque, aucune partie de leur ration.

Il est défendu d'acquérir, à un titre quelconque, aucune partie des denrées provenant de la ration des travailleurs.

VI.—Du transport des recrutés et des engagés.

ARTICLE 22.

Tout contingent de plus de 50 recrutés ou engagés devra être conduit par un convoyeur à choisir en dehors du contingent.

Lorsque l'effectif atteindra 250 hommes, le convoyeur sera de race européenne.

Les convoyeurs veilleront à l'observation des prescriptions de la présente ordonnance, relatives au transport, aux soins médicaux, à l'habillement et à la nourriture des recrutés ou des engagés. Les convoyeurs blancs seront en outre chargés d'assurer aux recrutés et aux engagés les soins médicaux imposés au recruteur et aux employeurs par le contrat de louage des services.

ARTICLE 23.

Un recruté ou un engagé, malade en cours de transport, ne pourra être laissé en arrière que s'il est possible de le confier à une personne ayant accepté d'en prendre soin. L'arrangement intervenu devra être porté à la connaissance de l'administrateur territorial du ressort.

ARTICLE 24.

Les étapes imposées aux recrutés ou engagés au cours de leur acheminement vers le lieu d'emploi, ne dépasseront pas en moyenne 30 km par jour.

ARTICLE 25.

Les transports par eau et par chemin de fer devront présenter les garanties de sécurité et d'hygiène suffisantes.

ARTICLE 26.

A défaut de stipulations contraires dans leur contrat d'engagement, aucun travail ne peut être imposé aux recrutés ou aux engagés au cours de leur voyage; sont notamment visés ici: le portage, la coupe et le chargement du combustible, le chargement ou le déchargement de marchandises.

Une dérogation à cette prescription est admise pour le transport des hommes tombés malades pendant leur acheminement.

VII.—Du logement et des camps.

ARTICLE 27.

Dans les arrondissements industriels, le maître qui loge ses travailleurs en dehors des cités indigènes, a l'obligation de soumettre à l'approbation du médecin chargé de l'inspection de l'hygiène du travail, les plans et les spécifications relatifs à l'emplacement du camp, au logement et à leurs dépendances à y construire pour ses travailleurs.

Les agrandissements ou modifications, à l'exception toutefois des réparations, sont subordonnés à la même formalité.

Les plans et spécifications fourniront les indications énumérées à l'annexe IV.

L'approbation ou le refus d'approbation sera notifié à l'employeur dans les 15 jours suivant la réception des plans.

Les installations ne pourront être utilisées sans une inspection préalable du médecin, sauf avis contraire de celui-ci à l'employeur.

L'inspection devra avoir lieu 15 jours au plus tard après l'achèvement des installations; passé ce délai, il sera loisible de procéder à leur occupation.

Article 28.

L'emplacement des camps, des logements et dépendances qui y seront érigés pour être mis à la disposition des travailleurs, devra satisfaire aux prescriptions spécifiées à l'annexe IV.

Article 29.

Lorsque les ressources de la région ou d'autres motifs ne permettent pas ou ne justifient pas l'observation de certaines prescriptions, le médecin chargé de l'inspection de l'hygiène du travail ou, à défaut, l'inspecteur de l'Industrie et du Commerce ou l'administrateur territorial pourront donner par écrit à l'employeur qui en fera la demande, l'autorisation d'y déroger.

Cette approbation est toujours révocable; son retrait devra être motivé.

Par contre, des dispositions plus rigoureuses pourront être imposées par les autorités susmentionnées, dans les circonscriptions urbaines ou dans une zone distante de 2 kilomètres de leurs limites, suivant les règles établies à l'article 3.

Article 30.

L'emplacement du camp sera maintenu en parfait état de propreté.

Les immondices, détritus et balayures seront enlevés pour être incinérés, enfouis ou détruits de toute autre façon compatible avec l'hygiène, la salubrité publique et les lois et les règlements sur la matière.

L'incinération et l'enfouissement s'effectueront à 50 mètres au moins de toute habitation.

Article 31.

Les habitations et leurs dépendances seront maintenues en parfait état d'entretien et de propreté.

Trimestriellement les murs en pisé ou en briques sèches seront chaulés à l'intérieur et à l'extérieur: les autres, exception faite pour les huttes en paille, seront aspergés sur leur face interne et externe, à l'eau additionnée d'un produit désinfectant.

Les parquets devront être lavée trimestriellement de la même manière.

ARTICLE 32.

Tout camp, tout logement établi avant la mise en vigueur de la présente ordonnance devra, dans un délai de trois mois à dater de son application, répondre, sous peine de désaffectation, aux prescriptions spécifiées à l'annexe 5.

Des dérogations pourront être autorisées dans les conditions et de la manière prévues à l'article 29.

Si les camps occupés par les travailleurs ne répondent plus aux exigences de l'hygiène, le médecin-inspecteur ou le médecin inspecteur adjoint peut, le chef du service des affaires économiques ou le commissaire de district préalablement entendu ordonner la désaffectation des habitations et de leurs dépendances, ou prescrire d'y apporter les réparations nécessaires dans un délai déterminé.

Pendant un délai d'un mois à compter de sa notification, la décision de désaffectation est susceptible d'appel à introduire sous forme de requête motivée auprès du Gouverneur de la province.

La décision sera motivée et notifiée au requérant et à l'auteur de la mesure ayant fait l'objet du pourvoi; elle fixera, le cas échéant, le délai d'evacuation.

ARTICLE 33.

L'approbation des plans et spécifications n'est pas requise, s'il s'agit d'un camp permanent destiné à abriter moins de 50 travailleurs, ou d'un camp desservant une exploitation agricole, quel que soit le nombre des travailleurs logés.

Quant aux camps provisoires, c'est-à-dire ceux dont la durée n'excèdera pas 9 mois, leur édification et leur emploi ne sont assujettis qu'à la formalité d'en donner avis à l'autorité médicale chargée de l'inspection de l'hygiène du travail, qui pourra toujours exiger que soit observé un minimum de condition d'hygiène.

VIII.—Des chefs de camps.

ARTICLE 34.

Tout employeur ayant à son service plus de trois cents travailleurs logés dans un camp, en dehors d'une cité indigène, doit faire surveiller celui-ci par un chef de camp européen.

Dans ce cas, la personne, désignée comme chef de camp, ne poura accomplir aucune mission qui la tiendrait éloignée du camp, notamment celle de surveiller des indigènes sur un chantier quelconque.

Le cumul des fonctions de chef de camp pour le compte de plusieurs employeurs est interdit.

ARTICLE 35.

Nul ne peut exercer, pour son compte ou pour le compte d'autrui, les fonctions de chef de camp ou d'assistant de chef de camp, sans être muni, au préalable, d'un permis délivré par l'inspecteur de l'industrie et du commerce ou, en dehors des arrondissements industriels, par le commissaire de district ou son délégué.

ARTICLE 36.

Le permis est demandé par écrit au fonctionnaire compétent, suivant la formule modèle ci-annexé.

Avant de délivrer le permis, le fonctionnaire s'assure de la moralité du candidat, de ce qu'il est âgé de 21 ans au moins, de sa connaissance des dispositions légales et réglementaires relatives au contrat de louage de services, à l'établissement et à l'entretien des camps, à l'hygiène des travailleurs; le candidat devra justifier de sa connaissance d'au moins une langue indigène du Congo Belge.

Le refus du permis doit être motivé et notifié à la personne qui l'aura sollicité.

ARTICLE 37.

Le permis de chef de camp est gratuit; il est valable dans l'arrondissement industriel ou le district pour lequel il a été délivré.

ARTICLE 38.

Le permis peut être suspendu ou retiré par l'inspecteur de l'industrie et du commerce, ou par le commissaire de district, en cas d'abus, de négligence grave ou répétées ou d'une condamnation pour sévices envers les indigènes.

La suspension et le retrait doivent être motivés et notifiés au bénéficiaire du permis et éventuellement à son employeur.

Appel de la décision de refus, de suspension, de retrait, peut être porté devant le Gouverneur de la province. L'exécution de la décision est différée en cas de suspension ou de retrait du permis.

ARTICLE 39.

Les chefs de camp ou, à leur défaut, leurs assistants assurent notamment les obligations suivantes:

1. de veiller à l'observation des dispositions légales et réglementaires relatives au logement, à l'equipement, au rationnement et à l'hygiène des travailleurs, et d'une manière générale, de toutes les prescriptions destinées à assurer le bien-être des travailleurs pendant leur séjour au camp;

2. d'envoyer immédiatement les travailleurs malades au médecin ou, à son défaut, à la personne chargée de leur donner les soins médicaux qu'exige leur état;

3. de recevoir et de transmettre à leur employeur les plaintes formulées par les travailleurs au sujet des mauvais traitements dont ceux-ci auraient été victimes;

4. si le nombre des travailleurs du camp dépasse 300, d'inscrire dans un registre *ad hoc* toute plainte relative au 1°, 2° et 3°, ainsi que la suite qui lui a été réservée.

IX.—*Des soins médicaux.*

Article 40.

Tout employeur de main-d'œuvre indigène doit tenir un registre journalier des malades, renseignant les noms des malades et la date du début et de la fin de la maladie.

Article 41.

Tout employeur est tenu, dans les entreprises industrielles, agricoles et commerciales, et spécialement dans les établissements classés, en cas d'accident ou d'indisposition grave survenant à l'un de ses travailleurs, au cours de l'exécution du contrat de travail, de prendre rapidement les mesures nécessaires pour abriter la victime, lui procurer les premiers soins et au besoin l'assistance du médecin.

En outre, lorsque le déplacement dans les conditions ordinaires serait préjudiciable au blessé ou au malade, l'exploitant est tenu d'assurer promptement, par le moyen le plus approprié à l'état du patient, le transport commode de celui-ci, soit chez un médecin, soit à l'infirmerie ou à l'hôpital le plus proche.

Tout accident susceptible d'entrainer une incapacité de travail de plus de deux jours, doit être notifié dans les 24 heures, par les soins de l'employeur, au médecin-inspecteur de l'hygiène du travail et à l'administrateur territorial qui avertira le parquet compétent.

La même obligation incombe au recruteur, pour les hommes recrutés et non encore engagés.

Article 42.

Tout employeur de main-d'œuvre indigène est tenu de posséder une boîte de secours qui sera exclusivement destinée aux premiers soins à donner.

Elle contiendra, selon le nombre de travailleurs en service, les médicaments, objets de pansement et accessoires d'usage courant spécifiés à l'annexe VII, ou d'autres ayant la même efficacité.

Article 43.

Les médicaments, objets de pansement et accessoires seront toujours en parfait état de conservation et d'utilisation immédiate.

Chaque récipient doit être pourvu d'une étiquette indiquent le contenu, son mode d'emploi et la date de la réception.

Article 44.

Lorsque le nombre des travailleurs au service d'un même maître dépasse 50 hommes par localité, un préposé de l'employeur sera spécialement chargé des fonctions d'infirmier. L'infirmier peut être un homme de couleur: il aura constamment accès à l'infirmerie.

Article 45.

Quand l'exploitation n'est pas desservie régulièrement par un hôpital extérieur, un ou plusieurs locaux spéciaux devront être réservés à l'usage d'infirmerie, lorsque le nombre de travailleurs dépassera 50 hommes par localité.

Ces locaux seront construits et aménagés à la satisfaction du médecin chargé de l'inspection de l'hygiène du travail, à l'approbation duquel les plans auront été soumis au préalable.

Ils contiendront un nombre de lits calcut à raison de 5% du nombre de travailleurs.

Un espace minimum d'un mètre séparera les lits d'une rangée; à chaque lit correspondra un cubage d'air qui sera au moins triple du cubage exigé pour chaque occupant d'une habitation.

Chaque malade disposera de deux couvertures.

Article 46.

Tout employeur occupant trois cents travailleurs et plus établira, dans chacune des localités comportant cet effectif, un service médical qui sera placé sous la direction d'un médecin s'il en réside un dans un rayon de 12 km. Ce médecin organisera sous sa responsabilité les soins médicaux à donner aux blessés et aux malades.

Article 47.

Le médecin chargé de l'inspection de l'hygiène du travail a le droit de contrôle sur le personnel des infirmeries et des hôpitaux ainsi que sur l'organisation du service médical attaché aux entreprises occupant trois cents travailleurs et plus.

Article 48.

En temps d'épidémie, le médecin chargé de l'inspection de l'hygiène du travail pourra défendre le déplacement des travailleurs d'un camp dans un autre, de même que l'admission de nouveaux engagés dans un camp.

En outre, il a qualité pour ordonner toute mesure ayant pour objet l'isolement des travailleurs.

Article 49.

Tout travailleur malade est tenu de se présenter à la visite du médecin ou de la personne chargée des soins médicaux, dès le début de la maladie, et ensuite, aussi souvent qu'il lui sera prescrit de suivre le traitement imposé, d'utiliser les médicaments et objets de pansement, instruments, aliments de régime, etc., qui lui seront remis.

Est présumé malade, celui qui s'absente du travail pour cause de santé ou celui qui est déclaré malade par le maître ou son préposé.

X.—Des renseignements statistiques.

Article 50.

Les employeurs ayant au moins 50 travailleurs à leur service enverront mensuellement au médecin-inspecteur ou au médecin-inspecteur adjoint de l'hygiène du travail un relevé modèle H. I. n° VIII, ci-annexé.

Les directeurs d'entreprises de recrutement et tout recruteur de main-d'œuvre pour le compte de particuliers, enverront mensuellement à cette autorité, un relevé du même modèle dont les chiffres porteront sur l'ensemble des recrutés engagés qui ne sont pas encore remis à des particuliers.

XI.—Du portage et du pagayage.

Article 51.

Tout indigène employé aux travaux de portage ne pourra être astreint à parcourir en moyenne une distance supèrieure à 25 km. par jour.

Le poids de la charge ne dépassera pas:

a. 25 kg. avec tolérance jusqu'à 32 kg. maximum, dans le cas où la charge est confiée à un seul homme.

b. 45 kg. avec tolérance jusqu'à 55 kg. au maximum, dans le cas où la charge est confiée à deux hommes.

c. 60 kg. avec tolérance jusqu'à 70 kg. maximum, au cas où trois porteurs sont employés pour le transport de la charge.

d. 75 kg. avec tolérance jusqu'à 85 kg. maximum, au cas où 4 porteurs sont employés pour le transport de la charge.

Pour chaque augmentation de 15 kg., il faut un porteur supplémentaire.

Le poids maximum toléré dans chacun des cas spécifiés ci-dessus comprend le poids des bagages et celui de la nourriture éventuelle du porteur.

Tout indigène employé aux travaux de pagayage ne pourra être astreint à fournir en moyenne plus de 9 à 10 heures de travail par jour. Les porteurs auront droit à deux jours de repos par quinzaine.

Article 52.

Les contrats par lesquels une entreprise de portage ou un organisme qui a un besoin régulier de porteurs s'assure les services de porteurs permanents, stipuleront que chaque période de portage de deux mois devra être interrompue par un travail sédentaire d'une durée d'un mois ou par un repos de même durée.

Les porteurs et pagayeurs permanents seront munis d'un certificat du modèle a ou d'un certificat du modèle A-bis, attestant qu'ils sont aptes au travail pour lequel ils sont engagés; si au cours de l'engagement, l'inaptitude aux travaux de portage ou de pagayage est reconnue, le certificat sera retiré par les autorités qualifiées pour le délivrer.

L'employeur prendra les dispositions nécessaires pour fournir la ration fixée par la présente ordonnance; elle sera distribuée tous les deux jours au moins.

La remise de la contre-valeur en argent pourra être autorisée dans les conditions prévues à l'article 19.

L'équipement prescrit par l'article 12 est obligatoire pour les porteurs et pagayeurs permanents.

Si les porteurs permanents ou les pagayeurs permanents doivent circuler entre deux points déterminés, l'employeur établira sur le parcours des camps ou gites d'étapes qui seront construits et aménagés conformément aux prescriptions sur la matière.

ARTICLE 53.

Les porteurs et pagayeurs occassionels, c'est-à-dire ceux dont l'engagement ne comporte qu'un seul voyage, seront examinés au point de vue de leur aptitude physique par le premier médecin chargé de l'inspection de l'hygiène du travail et, à son défaut, par le premier inspecteur de l'industrie et du commerce ou administrateur territorial rencontré sur la route.

En cas d'inaptitude reconnue, ils devront être renvoyés dans leurs villages d'origine, conformément aux prescriptions de l'article 8.

S'il n'y a pas obligation de fournir à ces porteurs et pagayeurs la ration réglementaire, il incombe néanmoins à l'employeur de leur donner une ration saine, abondante et variée, composée suivant les ressources de la région, sinon de remettre la contre-valeur en argent si celle-ci est aussi favorable à leur alimentation.

La remise de l'équipement réglementaire n'est pas imposée.

ARTICLE 54.

Il est interdit d'employer comme porteurs des indigènes qui ne possèdent pas les aptitudes physiques mentionnés à l'article 10.

ARTICLE 55.

Toute caravane de porteurs permanents devra disposer d'une petite pharmacie portative dont la composition sera conforme aux indications figurant à l'annexe IX.

La même obligation est imposée aux caravanes de porteurs occasionnels comprenant 25 hommes au moins.

Les soins médicaux sont dûs aux porteurs blessés ou malades, dans les conditions et de la manière prévues par les articles 40 et suivants.

Les caravanes de porteurs permanents seront convoyées à raison d'un capita par contingent de 25 porteurs ou fraction de 25 porteurs.

Elles seront accompagnées d'un porteur de renfort par 10 hommes.

ARTICLE 56.

Les entrepreneurs de transports qui utilisent des embarcations mues à la rame sont tenus de ne mettre en circulation que des embarcations solides, en bon état d'entretien.

Les autorités énumérées à l'article 5 ont le droit de visiter les embarcations, toute embarcation ne présentant pas les garanties de sécurité requises pourra être marquée par elle et son usage interdit soit définitivement, soit jusqu'à ce que les réparations ordonnées aient été effectuées et reconnues suffisantes.

XII.—Surveillance.

ARTICLE 57.

Les fonctionnaires et agents, désignés pour surveiller l'exécution des dispositions de la présente ordonnance, relatives à l'hygiène du personnel engagé par les entreprises privées, ont libre accès à tous les lieux où le personnel est employé, logé ou nourri.

Dans les locaux servant au logement, les visites d'inspection ne peuvent avoir lieu qu'après le lever et avant le coucher du soleil. Les chefs d'entreprise et leur gérant ou préposé, ainsi que les artisans, ouvriers, porteurs et pagayeurs, sont tenus de fournir à ces fonctionnaires et agents les renseignements qu'ils demandent pour s'assurer de l'observation des dispositions légales.

XIII.—Sanctions.

ARTICLE 58.

Sera puni d'une amende qui n'excèdera pas 500 francs et d'une servitude pénale de 15 jours au maximum, ou d'une de ces peines seulement, l'exploitant ou préposé qui n'aura pas pris les mesures prescrites en vertu de l'article 3 par le médecin chargé de l'inspection de l'hygiène du travail.

ARTICLE 59.

Les contraventions aux prescriptions du par. 11 relatives aux "certificats d'aptitude physique" seront punies d'une amende qui ne sera pas supérieure à 200 francs et d'une servitude pénale qui ne dépassera pas 7 jours, ou d'une de ces peines seulement.

Si, malgré l'inaptitude reconnue, le maître ou le recruteur a engagé, employé ou continué à employer un indigène, et que la santé de celui-ci a subi de ce fait un grave dommage, l'amende pourrait être portée à 500 francs et la servitude pénale à 15 jours.

ARTICLE 60.

Sera puni d'une servitude pénale d'un mois au maximum et d'une amende qui n'excédera pas 500 francs, ou d'une de ces peines seulement, l'indigène qui fera usage ou tentera de faire usage d'un certificat d'aptitude falsifié, périmé ou appartenant à autrui; de même que l'indigène qui, dans un but de fraude, se sera présenté, sous nom supposé, à l'une des visites médicale prévues par la présente ordonnance ou aura fourni de fausses déclarations aux autorités chargées de l'examen.

ARTICLE 61.

Les contraventions aux prescriptions des par. III, IV, VI, VII, X concernant l'équipement, l'emploi de recrues aux travaux industriels, le transport des recrutés et des engagés, le logement et les camps, la transmission des renseignements statistiques, seront punies d'une amende qui ne sera pas supérieure à 200 francs et d'une servitude pénale qui ne dépassera pas 7 jours, ou d'une de ces peines seulement.

ARTICLE 62.

Les contraventions aux prescriptions du par. V. relatif à la ration seront punies d'une amende qui ne sera pas supérieure à 2,000 francs pour le maître, et 200 francs, pour l'engagé, et d'une servitude pénale qui ne dépassera pas un mois, ou d'une de ces peines seulement.

Ceux qui acquerront à un titre quelconque des denrées provenant de la ration des travailleurs, seront punis d'une amende qui ne sera pas supérieure à 2000 francs, pour les non-indigènes, et 200 francs, pour les indigènes, et d'une servitude pénale qui ne dépassera pas un mois, ou d'une de ces peines seulement.

ARTICLE 63.

Sous réserve des sanctions prévues à l'articles 65 les contraventions aux prescriptions des paragraphes VIII et IX relatifs aux chefs de camp et aux soins médicaux seront punies d'une amende qui ne sera pas supérieure à 200 francs et d'une servitude pénale qui n'excèdera pas 7 jours ou d'une de ces peines seulement.

ARTICLE 64.

Seront punies des peines portées à l'article 63 les contraventions aux prescriptions relatives au portage et au pagayage, autres que celles pour lesquelles des sanctions ont été prévues aux articles précédents.

ARTICLE 65.

Sans préjudice de l'application des ordonnances réglementant l'hygiène publique, les recrutés, les engagés et les indigènes en général, qui se rendent coupables de faits, d'inobservation d'ordonnances et règlements ou de manquements quelconques de nature à compromettre l'hygiène ou la santé, qu'il s'agisse de la leur ou de celle de leurs compagnons de travail, sur les lieux d'emploi ou dans les camps et logements, seront punis d'une amende qui n'excédera pas 200 francs et d'une servitude pénale qui ne sera pas supérieure à 7 jours, ou d'une de ces peines seulement.

ARTICLE 66.

Quiconque fera obstacle à la surveillance exercée en vertu de l'article 57, et les personnes qui, en violation du même article, refuseront de donner les renseignements demandés, seront punis d'une servitude pénale de 15 jours au maximum et d'une amende qui n'excédera pas 500 francs, ou de ces peines seulement, sans préjudice des sanctions comminées par le code pénale notamment en matière de rébellion.

ARTICLE 67.

Les chefs d'entreprises sont civilement responsables des amendes prononcées à charge de leurs gérants ou préposés, pour contravention aux dispositions de la présente ordonnance.

ARTICLE 68.

Les chefs du service de l'Hygiène, le chef du cervice du Commerce, de l'Industrie et du Travail et les commissaires de district sont chargés de l'exécution de la présente ordonnance.

ARTICLE 69.

La présente ordonnance entrera en vigueur 30 jours après sa publication, sauf, les articles 40, 41, alinéa 3, 50, relatifs à la documentation statistique, qui entreront en vigueur dès sa publication.

Léopoldville, le 12 août 1923.

ENGELS.

ANNEXE I.

Certificat d'aptitude physique

Mod. A.

Nom..................de................Aptitude physique..................
Vaccination ....Observations ....
A.................., le....................192

Le médecin,

Certificat d'aptitude physique provisoire

Mod. A *bis*

Nom..................de................Aptitude physique..................
Vaccination ....Observations ....
A...................., le..........................192

L'Agent sanitaire,

ou

L'Inspecteur de l'I. G.,

ou

L'Administrateur Territorial,

ANNEXE II. BIJLAGE II.

Tableau de la valeur calorigène des aliments entrant généralement dans la composition de la ration.

La ration type se compose de 3500 calories	1° Matières protéiques	120 fois 4 =	480	Calories
	2° Graisses	90 fois 9 =	810	Calories
	3° Hydrates de carbone	550 fois 4 =	2200	Calories
	4° Vitamines et sel	....	o	
		Total	3490	Calories

Aliments renfermant une proportion notable de matières protéiques.

Nom de l'aliment	% de matières protéiques qu'il contient	Quantité nécessaire à la composition de la ration en matières protéiques	Autres éléments contenus dans cet aliment		Valeur calorigène totale de 100 grs. de cet aliment	Vitamines	Observations
			Hydrate de Carb.	graisses			
Viande fraiche	20	600	o	4,5	120,5	oui	
Viande fumée-séchée après dépeçage grossier	50	220	"	4,5	240,5		
Poisson frais	20	600	"	4,5	120,5	oui	
Poisson fumé ou séché	50	220	"	6	254		
Légumineuses haricots, pois, etc.	24	500	57	2	342	oui	
Farine de maïs	9	1300	72	5	369		
Farine de bié	11.75	1000	72	1,6	349,6		
Arachides	27	440	20	40	548		
Biscuits	11.75	1000	72	"	335,2		
Pain frais	8	1500	47	"	220		

Aliments renfermant une proportion notable de matières grasses.

Nom de l'aliment	% de graisse qu'il contient	Quantité nécessaire à la ration en matières grasses	Autres éléments contenus dans cet aliment		Valeur calorigène totale de 100 grs. de cet aliment	Vitamines	Observations
			Hydrate carbone	Matiéres grasses			
Huiles	100	90	—	—	900	—	—
Noix de palme	20	450	—	—	180	oui	20% utile
Arachides	40	225	20	27	548	oui	
Graines de sésame	50	180	14	18	578	oui	

Aliments renfermant une portion notable d'Hydrate de Carbone

Nom de l'aliment	% Hydrate de Carbone qu'il contient	Quantité nécessaire dans la ration	Matières grasses	Matières protéiques	Valeur calorigène totale de 100 grs. de cet aliment	Vitamines	Observations
FARINE							
Bananes	78	700	1	4	337 Cal.		
Arrow-root	84	650	—	1,5	342		
Sorgho	69	800	3	10	343		
Maïs	72	760	5	9	369		
Manioc	89	620	—	3	368		
Arbre à pain	82	670	—	2	336		
de blé	72	760	1,5	11,75	349,6		
Riz	76	720	1	8	345	oui	
Millet	70	780	4	11	360	oui	
Légumineuses	57	960	2	24	342	oui	
Manioc frais	30	1830	—	1,5	126	oui	
Ignames et patates fraîches, arbres à pain frais	28	1950	—	1	116	oui	
Pommes de terre	23	2400	—	2	100	oui	
Bananes pelées	22	2500	—	1,5	94	oui	l'écorce pèse 32%
Canne à sucre	15	3600	—	0,5	62	oui	
Biscuits	72	760	—	11,75	335,2		
Chikwangues	38	1450	—	3	164		
Pain frais	47	1170	—	8	220		

ANNEXE III

Exemples pratiques de rations répondant aux conditions prescrites et constituées en vivres se trouvant assez fréquemment dans la Colonie.

TYPE 1

Viande fraîche — 360 grs	ou	Viande séchée — 180 grs	ou	Poisson sec — 180 grs	ou	Corned beef — 240 grs	ou	Sardines — 260 grs
Riz — 300 grs	ou	Farine de céréales — 325 grs	ou	Biscuits 325 grs	ou	Bananes séchées 415 grs		
Chikwangues — 700 grs	ou	Farine de manioc — 350 grs	ou	Farine de bananes — 350 grs	ou	Manioc frais — 1100 grs	ou	Bananes fraîches — 1600 grs

Huile de palme ou huile ou graisse comestible quelconque : 90 grs.
Sel — 15 grs.
Légumes ou fruits frais : 1 kilog. par semaine.

TYPE 2.

Viande fraîche — 260 grs	ou	Viande séchée — 130 grs	ou	Poisson sec — 130 grs	ou	Corned beef — 170 grs	ou	Sardines — 180 grs
Haricots secs — 200 grs	ou	Pois secs — 200 grs	ou	Lentilles sèches — 200 grs				
Riz — 200 grs	ou	Farine de céréales — 215 grs	ou	Biscuits — 215 grs	ou	Bananes séchées — 290 grs	ou	Bananes fraîches — 1000 grs
Chikwangues — 600 grs	ou	Farine de manioc — 350 grs	ou	Farine de bananes — 350 grs	ou	Manioc frais — 1000 grs		

Huile de palme ou huile ou graisse comestible quelconque : 100 grs.
Sel — 15 grs.
Légumes ou fruits frais : 1 kgr. par semaine.

TYPE 3

Viande fraîche — 150 grs	ou	Viande séchée — 75 grs	ou	Poisson sec — 75 grs	ou	Corned beef — 100 grs	ou	Sardines — 105 grs
Haricots secs — 100 grs	ou	Farine de manioc ou de bananes — 360 grs	ou	Lentilles sèches — 100 grs	ou	Arachides fraîches — 100 grs	ou	Arachides sèches — 65 grs
Riz — 200 grs	ou	Pois secs — 100 grs	ou	Biscuits — 325 grs	ou	Chikwangues — 460 grs	ou	Bananes fraîches — 1300 grs
Farine de céréales — 400 grs	ou	Farine de manioc ou farine de bananes — Manioc meel of meel van bananen 450 grs	ou	Biscuits 400 grs	ou	Chikwangues 800 grs	ou	Bananes fraîches 2000 grs

Huile de palme ou huile ou graisse comestible quelconque : 50 grammes.
Sel — 15 grs.
Légumes ou fruits frais. 1 kgr. par semaine. (per weck.)

TYPE 4

Viande fraîche — 130 grs	ou	Viande séchée — 65 grs	ou	Poisson sec — 65 grs	ou	Corned beef — 85 grs	ou	Sardines — 90 grs
Haricots secs — 100 grs	ou	Pois secs — 100 grs	ou	Lentilles sèches — 100 grs	ou	Arachides fraîches — 100 grs	ou	Arachides sèches — 65 grs
Farine de céréales — 680 grs	ou	Riz — 650 grs	ou	Farine de manioc ou farine de bananes — 800 grs	ou	Biscuits — 680 grs	ou	Bananes sèches — 950 grs

Huile de palme ou huile ou graisse comestible quelconque : 4 grs.
Sel — 15 grs.
Légumes ou fruits frais : 1 kgr. par semaine.

TYPE 5

Viande fraîche — 200 grs	ou	Viande séchée — 100 grs	ou	Poisson sec — 100 grs	ou	Corned beef — 130 grs	ou	Sardines — 140 grs
Haricots secs — 50 grs	ou	Pois secs — 50 grs	ou	Lentilles sèches — 50 grs	ou	Arachides fraîches — 50 grs	ou	Arachides sèches — 35 grs
Riz — 650 grs	ou	Farine de céréales — 680 grs	ou	Biscuits — 680 grs	ou	Farine de manioc ou farine de bananes — 800 grs	ou	Bananes sèches — 950 grs

Huile de palme ou huile ou graisse comestible quelconque : 85 grs.
Sel — 15 grs.
Légumes ou fruits frais : 1 kgr. par semaine.
On peut remplacer la *moitié* du riz ou de ses équivalents par 650 grs. de chikwangues ou 1100 grs. de manioc frais.

TYPE 6

Viande fraîche		Viande séchée		Poisson sec		Corned beef		Sardines
—	ou	—	ou	—	ou	—	ou	—
190 grs		95 grs		95 grs		120 grs		130 grs
Farine de manioc ou de bananes		Chikwangues		Manioc frais		Biscuits		Bananes fraîches
—	ou	—	ou	—	ou	—	ou	—
800 grs		1500 grs		2500 grs		700 grs		3700 grs

Huile de palme ou autre huile ou graisse comestible : 85 grs.
Sel : 15 grs.
Légumes ou fruits frais. 1 kgr. par semaine.

TYPE 7

Haricots secs		Pois secs		Lentilles sèches		Arachides fraîches		Arachides sèches
—	ou	—	ou	—	ou	—	ou	—
340 grs		340 grs		340 grs		340 grs		225 grs
Farine de manioc ou de bananes		Chikwangues		Manioc frais		Manioc cuit		Bananes fraîches
—	ou	—	ou	—	ou	—	ou	—
700 grs		1350 grs		2800 grs		650 grs		3200 grs

Hiule de palme ou autre huile ou graisse comestible : 50 grs.
Sel — 15 grs.
Légumes ou fruits frais : 1 kgr. par semaine.

NOTA BENE

Il n'est pas indiqué d'équivalent en riz ou farine de céréales dans les rations type 6 et type 7, attendu qu'elles sont composées en supposant que ces produits manquent sur place.

La ration type 7 ne peut être que temporaire et ne doit pas être donnée plus de 7 jours par mois.

Dans les tableaux ci-dessus les termes:

Farine de céréales se rapportent à farine de maïs, d'éleusine, de sorgho, de blé de millet.

Manioc frais signifie: pesé avec écorce.

Bananas fraîches signifie pesées en "mains."

Biscuits se rapporte à "biscuits de mer."

Viande fraîche ou séchée sont employés pour viande ayant au maximum 20% de déchets (os, peaux, etc.).

ANNEX IV.

PLANS ET SPÉCIFICATIONS À FOURNIR POUR L'ÉTABLISSEMENT D'UN CAMP DE TRAVAILLEURS.

1° Plan indiquant: l'emplacement et les distances par rapport aux bâtiments voisins ou aux rivières coulant dans un rayon de deux kilomètres, ainsi que la source d'alimentation qui desservira le camp.

2° Un plan d'ensemble des constructions à ériger indiquant:

a) la distance entre les diverses constructions;

b) le système de drainage.

3° Les plans détaillés du type de chaque genre de construction, spécifiant:

a) la nature des divers matériaux employés pour les murs, le toit et le parquet;

b) le nombre maximum d'occupants par logement;

c) le système de latrines;

d) le système de cuisine, de lavoirs et d'incinérateurs.

ANNEXE V.

PRESCRIPTIONS IMPOSÉES POUR LES CAMPS, LES LOGEMENTS ET LEURS DEPENDANCES DESTINÉES AUX TRAVAILLEURS.

A.—Conditions générales s'appliquant aux camps et aux logements, quelles que soient leur durée et la nature des matériaux employés.

1.—Camps.

a) le terrain présentera une pente naturelle assurant l'écoulement des eaux, ou sera aménagé de manière à satisfaire à cette condition;

b) l'approvisionnement en eau potable et en eau nécessaire aux soins de propreté et à la préparation des aliments, sera assuré;

c) les camps doivent être entourés d'une clôture à 10 m. des bâtiments extérieurs, le terrain sera débroussé jusqu'à 25 m. à l'extérieur de la clôture;

2.—HABITATIONS.

a) les murs extérieurs auront au moins 2 m. de hauteur à partir du parquet jusqu'à la naissance du toit;

b) exception faite pour les huttes en paille et de pisé, le parquet sera constitué en briques recouvertes d'une couche de ciment ou en béton et en tous cas présentera une pente convenable assurant l'écoulement des eaux.

Si l'hygiène l'exige, le médecin peut prescrire le parquet en ciment dans les camps en pisé;

c) chaque occupant devra disposer d'une surface de parquet de quatre mètres carrés au moins; la surface pourra être réduite à 3,9 m. pour les habitations en matériaux durables;

d) le nombre maximum d'occupants par chambre servant de logement, ne pourra dépasser quatre; s'il s'agit d'un ménage, une chambre lui sera affectée;

e) les habitations ou les blocs seront disposés en alignement et de telle façon qu'il existe entre les parois extérieures des habitations un espace libre de 5 m. au moins et entre les parois extérieures des blocs un espace libre de 10 mètres au moins;

f) toute chambre servant de logement doit être dégagée au moins de deux cotés.

B.—Conditions spéciales s'appliquant aux habitations suivant la nature des matériaux employés.

1. HABITATIONS EN PAILLE.

a) Durée et emplacement.—La durée maximum est fixée à un an. Après cette période, les habitations devront être détruites et évacuées; le même emplacement ne pourra être réoccupé qu'après un délai d'un an.

b) Parquet.—Le parquet sera constitué par de la terre battue et surélevé de dix centimètres par rapport au niveau du terrain;

c) Epaisseur des parois et du toit.—Les parois et le toit seront formés par une couche de paille épaisseur minimum de douze centimètres.

2.—HABITATIONS EN PISÉ.

a) Durée et emplacement.—La durée maximum est fixée à trois ans. Après cette période, les habitations devront être détruites et évacuées; le même emplacement ne pourra être réoccupé qu'après un délai d'un an; toutefois la durée des camps pourra être prolongée suivant l'avis conforme du médecin inspecteur de l'hygiène du travail.

b) Parois.—Les murs en pisé seront lissés extérieurement et intérieurement et ne présenteront pas de lézardes.

4.—HABITATIONS EN BRIQUES SÈCHES.

a) Durée.—La durée maximum est fixée à 5 ans, mais pourra être prolongée. Après cette période, les habitations devront être détruites et évacuées; le même emplacement ne pourra être réoccupé qu'après un délai d'un an.

b) Parois.—Les murs seront cimentés à l'extérieur et à l'intérieur sur une hauteur de 20 centimètres à partir du parquet.

c) Fenêtres.—L'ouverture des baies correspondra à 1/15 de la surface du parquet.

5.—HABITATIONS EN BRIQUES CUITES OU EN PIERRES.

a) Durée.—La durée est indéterminée.

b) Parois.—Les murs seront rejointoyés extérieurement et intérieurement; leurs deux faces seront cimentées sur une hauteur de 20 centimètres à partir du parquet.

c) Fenêtres.—L'ouverture des baies correspondra à 1/15 de la surface du parquet.

C.—Ventilation.

a) Habitations en pisé, en paille et en tôles.

Des orifices de ventilation seront aménagés à la partie supérieure de chaque habitation; ils seront disposés de façon à empêcher la pluie de pénétrer à l'intérieur et mesureront au moins 10 décimètres carrés.

b) Habitations en briques sèches ou cuites et en pierres.

Des orifices de ventilation seront aménagés à la partie supérieure et inférieure de l'habitation de façon à assurer une ventilation efficace de bas en haut.

D.—Literies.

a) Pour les logements ayant une durée de *plus de 3 ans* des lits seront mis à la disposition des travailleurs.

Les lits seront constitués par des supports en fer et des couchettes amovibles en planches en vue de leur désinfection périodique.

Tout autre genre de lit sera autorisé avec l'approbation préalable du médecin chargé de l'inspection de l'hygiène du travail.

b) Si les logements ont une durée *inférieure à 3 ans,* l'employeur n'est pas tenu de fournir des lits. Toutefois, il mettra à la disposition des travailleurs, les moyens pour en construire eux-mêmes.

E.—Dépendances.

I.—Cuisines.

Tout camp qui aura une durée d'au moins 9 mois sera pourvu de cuisines; celles-ci seront constituées par un simple hangar et comporteront un mètre carré de superficie par travailleur.

Chaque hangar ne couvrira pas une superficie supérieure à 40 mètres carrés.

II.—Latrines.

Tout camp, tout groupe d'habitations servant de logement de travailleurs, devra êtra muni de latrines convenablement établies et présentant des garanties d'hygiène suffisantes.[1]

Les latrines comporteront notamment:

a) un orifice ou un seau par dix indigènes.

b) une cloison de séparation entre les orifices ou seaux voisins.

III.—Incinérateurs.

Les camps seront pourvus d'incinérateurs convenables.

Ceux-ci seront distants de 30 mètres au moins de toute habitation.

[1] A défaut de système plus perfectionné, l'employeur qui a au moins cinquante indigènes à son service, est tenu d'employer le système de latrine appele "fosse à fumigation."

Plans type.

Des plans type d'habitations, de cuisines, de latrines, de lavoirs et d'incinérateurs, répondant aux prescriptions, seront établis et déposés dans les bureaux des médecins chargés de l'inspection de l'hygiène du travail, des inspecteurs de l'industrie et du commerce et des fonctionnaires territoriaux, où ils peuvent être consultés par les employeurs; ceux-ci ont la faculté de s'en écarter, à condition d'observer les règles imposées, celles-ci étant considérées comme un minimum.

ANNEXE MODÈLE VI

CONGO BELGE

PROVINCE DU CONGO-KASAI

DEMANDE DE PERMIS DE CHEF DE CAMP

Je soussigné sollicite un permis de chef de camp pour le camp de travailleurs
situé à ....
Il parle la langue indigène suivante...
Nom et prénoms du demandeur ....
Nationalité ....
Addresse ....
A.............................. le .... 19...
(Signature du demandeur),

ANNEXE VII A.

Boite de secours pour exploitations occupant:	Moins de 25 travailleurs	25 travailleurs plus fraction de 25	50 travailleurs plus fraction de 50	100 travailleurs plus fraction de 50	150 travailleurs plus fraction de 50	200 travailleurs plus fraction de 50
Médicaments. —						
Acide borique en comprimés de 0.50 gr. (10 comprimés dans un litre d'eau bouillie et filtrée) contre les ophtalmies	50 gr.	100 gr.	150 gr.	200 gr.	250 gr.	300 gr.
Acide phénique avec 50% de glycérine (une cuillerée à soupe dans un litre d'eau bouillie et filtrée)	300 gr.	500 gr.	750 gr.	1,5 L.	1,5 L.	2 L.
Acide picrique en comprimés de 1 gr. (un comprimé dans deux litres d'eau bouillie et filtrée) contre les brûlures	25 gr.	50 gr.	75 gr.	100 gr.	125 gr.	150 gr.
Ammoniaque liquide	100 gr.	125 gr.	150 gr.	200 gr.	250 gr.	300 gr.
Aspirine en comprimés de 0.50 gr.	25 gr.	50 gr.	75 gr.	100 gr.	125 gr.	150 gr.
Bismuth en comprimés de 0.50 gr.	25 gr.	50 gr.	75 gr.	100 gr.	125 gr.	150 gr.
Chlorodine anglaise	25 gr.	50 gr.	75 gr.	100 gr.	125 gr.	150 gr.
Huile de ricin	1 L.	1,5 L.	2 L.	2,5 L.	3 L.	4 L.
Iodoforme	50 gr.	75 gr.	100 gr.	125 gr.	150 gr.	200 gr.
Iodure de potassium en comprimés de 0.50 gr.	25 gr.	50 gr.	75 gr.	100 gr.	125 gr.	150 gr.
Permanganate de potasse en comprimés de 0.50 gr. (deux comprimés dans un litre d'eau bouillie et filtrée)	25 gr.	50 gr.	75 gr.	100 gr.	125 gr.	150 gr.
Quinine en comprimés de 0.25 gr.	50 gr.	75 gr.	100 gr.	150 gr.	200 gr.	250 gr.
Sel anglais	1,5 K.	2,5 K.	3,5 K.	3,5 K.	4 K.	5 K.
Sublimé en comprimés de 1 gr. (un comprimé dans un litre d'eau bouillie et filtrée)	25 gr.	50 gr.	75 gr.	100 gr.	125 gr.	150 gr.
Teinture d'iode	50 gr.	100 gr.	150 gr.	200 gr.	250 gr.	300 gr.

ANNEXE VII A (*suite*)

Boite de secours pour exploitations occupant:	Moins de 25 travailleurs	25 travailleurs plus fraction de 25	50 travailleurs plus fraction de 50	100 travailleurs plus fraction de 50	150 travailleurs plus fraction de 50	200 travailleurs plus fraction de 50
Pansements. —						
Bandes de cambric de 7 et 10 centimètres	1 douzaine de chaque	1 douzaine de chaque	2 douzaines de chaque	2½ douzaines de chaque	3 douzaines de chaque	4 douzaines de chaque
Bandes de gaze de 5, 7 et 10 centimètres	2 douzaines de chaque	2 douzaines de chaque	3 douzaines de chaque	4 douzaines de chaque	6 douzaines de chaque	8 douzaines de chaque
Gaze neutre en paquets de 1 mètres	12 M.	18 M.	24 M.	30 M.	48 M.	60 M.
Ouate hydrophile en paquets de 25 et 50 gr.	1,5 kg.	2 kg.	2,5 kg.	3 kg.	4 kg.	5 kg.
Accessories. —						
Bassin en fer émaillé	1	1	1	2	2	2
Bouilloires de 2 ou 3 litres	1	1	1	2	2	2
Bouilloires de 5 litres	—	—	1	1	2	2
Brosses à ongles	—	1	1	2	2	2
Ciseaux de pharmacie (paire)	1	1	1	2	2	2
Compte-gouttes	3	4	5	6	6	10
Désinfectant (créoline, lysol ou produit analogue)	10 L.	12 L.	15 L.	20 L.	25 L.	30 L.
Epingles de sûreté	2 douzaines	3 douzaines	4 douzaines	6 douzaines	6 douzaines	10 douzaines
Essuie-mains	2	2	2	2	4	6
Gobelets	2	2	2	3	3	4
Pinceaux		4	6	6	10	12
Savon antiseptique (brisques)	6	6	8	12	12	12
Seau en métal avec couvercle pour pansements usés	1	1	1	1	1	2
Seringues uréthrales	2	2	3	3	4	6
Table en bois recouverte de zinc, large de 70 cm., longue de 1 m. 90, pour y étendre les blessés graves	—	—	—	1	1	1
Table (petite) pour pansements, en fer ou en bois couverte de zinc	1	1	1	1	1	1
Thermomètres centigrades	2	2	2	3	4	6
Toile imperméable d'hôpital	1 M.	1.50 M.	2,50 M.	2,50 M.	3 M.	3 M.

ANNEXE VII B.

Boîte de secours pour exploitations occupant 250 travailleurs et plus.

Médicaments:

Acide borique en comprimés de 0.50 grs. (10 comprimés dans un litre d'eau bouillie et filtrée) contre les ophtalmies	1 kg.
Acide phénique avec 50% de glycérine (une cuillerée à soupe dans un litre d'eau bouillie et filtrée)	2,5 litres
Acide picrique en comprimés de 1 gr. (un comprimé dans deux litres d'eau bouillie et filtrée) contre les brûlures	150 grs.
Ammoniaque liquide	500 grs.
Aspirine en comprimés de 0,50 gr.	300 grs.
Bismuth en comprimés de 0,50 gr.	250 grs.
Chlorodine anglaise	150 grs.
Chloroforme en ampoules de 50 grs.	4 amp.
Chlorure d'étyle	6 tubes
Ether sulfurique en ampoules de 0,25 gr.	6 amp.
Huile de ricin	5 litres
Iodoforme	250 grs.
Iodure de potassium en comprimés de 0,50 gr.	150 grs.
Nitrate d'argent en crayons	6 crayons
Permanganate de potasse en comprimés de 0,50 gr. (deux comprimés dans un litre d'eau bouillie et filtrée)	150 grs.
Quinine en comprimés de 0,25 gr.	300 grs.
Sel anglais	5 kgs.
Sublimé en comprimés de 1 gr. (un comprimé dans un litre d'eau bouillie et filtrée)	150 grs.
Teinture d'iode	250 grs.

Ampoules hypodermiques:

Adrénaline de 1 cgr.	1 boîte de 12 ampoules.
Caféine de 0,25 gr.	1 boîte de 12 ampoules.
Chlorhydrate d'émétine de 2 cgr.	1 boîte de 12 ampoules.
Ergotine de 1 gr.	1 boîte de 12 ampoules.
Morphine de 1 c. c.	1 boîte de 12 ampoules.

Pansements:

Bandes de cambric de 7 et 10 centimètres	12 douzaines de chaque.
Bandes de gaze de 5, 7 et 10 centimètres	12 douzaines de chaque.
Gaze neutre en paquets de 1 mètre	72 mètres.
Ouate hydrophile en paquets de 25 et 50 gr.	6 kgrs.
Toile imperméable d'hôpital	4 mètre.

Modèle H. I No. VIII.

PROVINCE DU CONGO-KASAI

I INSPECTION DE L'HYGIÈNE INDUSTRIELLE

Chef de l'exploitation:

Exploitation:

Relevé des causes de morbidité et de décès parmi les travailleurs indigènes.

Mois de 19 .

Nombre de travailleurs indigènes en service au dernier jour du mois:

MALADIES	Malades au premier jour du mois		Nouveaux cas		Guéris		Décédés		Malades au dernier jour du mois		OBSERVATIONS (2)
	Soignés à l'hôpital	Soignés ailleurs qu'à l'hôpital	Enregistrés à l'hôpital	Enregistrés ailleurs qu'à l'hôpital	A l'hôpital	Ailleurs qu'à l'hôpital	A l'hôpital	En dehors de l'hôpital	A l'hôpital	Ailleurs qu'à l'hôpital	
Pneumonie											
Phtisie											
Autres maladies de poitrine											
Dysenterie											
Diarrhée											
Autres maladies intestinales											
Maladies de cœur											
Débilité											
Scorbut											
Syphilis											
Autres maladies vénériennes											
Fièvre malarienne											
Fièvre typhoïde											
Autres fièvres											
Accidents {graves											
Blessures {légères											
Autres maladies											
Totaux (1)											

[1] Pour les entreprises auxquelles il n'est pas attaché de médecin, la ligne "totaux" du relevé I doit seule être remplie et seulement les colondes 5, 6 et 7 du relevé nº II.

[2] Mentionner dans la colonne "Observations" les causes de décès non spécifiés dans la colonne "maladie."

Instruments de chirurgie.

Abaisse-langue	1
Aiguilles en platine pour seringue de 2 c. c	4
Aiguilles en platine pour seringue de 5 c. c	4
Attelles en fil métallique, assorties	12
Bistouri courbe	1
Bistouri droit	1
Catgut n°s 2, 3, 4	2 tubes de chaque
Ciseaux courbes	1 paire
Ciseaux droits	1 paire
Crin de Florence	3 tubes
Curette	1
Fil de soie n°s 2, 3, 4	2 tubes de chaque
Garrot	1
Lancettes à vacciner	6
Pinces à dissection	2
Pinces hémostatiques	6
Porte-aiguilles	1
Rasoir	1
Seringue Record ou Martha de 2 c. c	1
Seringue Record ou Martha de 5 c. c	1
Seringues uréthrales	6
Sonde cannelée	1
Sonde de Nélaton	1
Stylet	1

Accessoires.

Rassins en fer émaillé	2
Bouilloires de 5 litres	2
Brancard ou hamac pour le transport des maladies ou blessés	1
Brosses à ongles	4
Ciseaux de pharmacie	2 paires
Compte-gouttes	12
Cuvette	1
Désinfectant (créoline, lysol, ou produit analogue)	30 litres
Epingles de sûreté	12 douzaines
Essuie-mains	6
Gobelets	6
Irrigateur d'Esmarck en émail de 2 litres avec cannules vaginales et annales (2 de chaque)	1
Lavabo avec 2 bassins émaillés	1
Pinceaux	12
Porte-crayons	1
Réchaud pour stériliser les instruments	1
Savon antiseptique	12 briques
Seaux en métal avec couvercle pour pansements usés	2
Table en bois recouverte de zinc, large de 70 c. m. longue de 1 m. 90. pour y étendre les blessés graves	1
Table (petite) pour pansements, en fer ou en bois recouverte de zinc	1
Thermomètres centigrades	6

II Origine des indigènes décédés et des réformés pour cause de maladie

TERRITOIRES (1)	Pneumonie (2)	Dysenterie (3)	Autres causes naturelles (4)	Accidents (5)	Totaux (6)	Réformés pr cause de maladie (7)	Observations (8)
Congo Belge: Bas-Congo							
Congo Belge: Moyen-Congo							
Congo Belge: Kasai							
Congo Belge: Kwango							
Congo Belge: Sankuru							
Congo Belge: Province de l'Equateur							
Congo Belge: Province Orientale							
Congo Belge: Province du Katanga							
Afrique Equatoriale Française							
Angola							
Autres pays							
Totaux							

Je soussigné certifie sincères et véritables les indications ci-dessus.

Le Médecin, Le Chef de l'exploitation,

Ce relevé doit être adressé mensuellement au médecin: inspecteur de l'Hygiène industrielle ou au médecin-inspecteur adjoint de l'arrondissement industriel.

ANNEXE IX

Boite de secours pour les caravanes de porteurs

Caravanes composées de:	moins de 50 porteurs	50 porteurs et plus
Bandes de cambric de 5, 7 et 10 c. m.	36 bandes	60 bandes
Ciseaux (paire)	1	1
Gaze en morceaux de 12 c. m.	3 m.	6 m.
Gobelet	1	1
Iodoforme	50 gr.	100 gr.
Ouate en paquets de 25 gr.	200 gr.	400 gr.
Pinceaux	1	2
Quinine	25 gr.	50 gr.
Savon antiseptique	2 briques	3 briques
Sel anglais	250 gr.	500 gr.
Teinture d'iode	50 gr.	100 gr.

APPENDIX XXXIX

EDUCATIONAL POLICY

PROJET D'ORGANISATION DE L'ENSEIGNEMENT LIBRE AU CONGO BELGE

AVEC LE CONCOURS DES SOCIÉTÉS DE MISSIONS NATIONALES.

CONSIDÉRATIONS GÉNÉRALES.

Il serait vain de transporter en Afrique l'organisation scolaire de Belgique. La psychologie de l'enfant, son degré de développement lors de l'admission à l'école, le milieu familial et économique, tout diffère profondément de l'Europe.

Le Congo appelle une organisation scolaire spéciale, judicieusement adaptée au milieu.

En Belgique, l'école est surtout appelée à instruire. Au Congo, elle devra avant tout éduquer. Le milieu familial, que est le foyer de l'éducation en Europe, exerce en Afrique une influence déprimante: cases en ruines, hommes en guenilles si pas nus, parents frustes et sans retenue, préoccupations qui ne vont pas beaucoup au delà des besoins de la vie animale, tout cela ne constitue pas précisément un milieu éducatif.

Cette situation ne pourra être supprimée brusquement. Sa transformation lente sera l'œuvre des générations gagnées à nos conceptions. En attendant, l'objectif principal de l'éducateur doit être l'amélioration graduelle des mœurs indigènes; celle-ci importe plus que la diffusion de l'instruction proprement dite.

Dans cette tâche délicate se manifeste la valeur de l'œuvre de relèvement moral poursuivie par les missions religieuses.

L'instituteur indigène devra, par sa manière de vivre, remplir un rôle éducatif important. La formation d'instituteurs, hommes de couleur, qui feront rayonner autour d'eux la civilisation, est une question essentielle.

Il se présente au Congo une autre difficulté importante: celle d'attirer les enfants à l'école et de les y maintenir. Si les enfants sont devenus assez confiants, il arrive parfois que les parents restent hostiles. Pour une futilité, l'école sera désertée. Le bon plaisir d'un seul chef indigène peut, du jour au lendemain, ruiner l'organisation scolaire dans toute une région.

Ce n'est pas d'emblée que l'enfant de la brousse se soumettra à la discipline scolaire. L'organisation d'une école en brousse constitue déjà par elle-même un grand progrès, car elle suppose une population gagnée à l'influence européenne et des enfants habitués à la régularité et à la discipline. Plusieurs années d'efforts sont quelquefois nécessaires pour atteindre ce résultat.

La préparation du terrain favorable à la vie scolaire requiert du doigté surtout parce qu'elle est l'œuvre des sociétés de missions qui ne disposent pas de moyens de pression. Au début, il faudra souvent attirer les enfants à l'école par la promesse d'une récompense dont les parents, et quelquefois le chef, ont leur part. Généraliser l'enseignement dans ces conditions entraîne des charges considérables.

Il est agréable de constater qu'actuellement, dans les centres européanisés, les enfants sont avides de s'instruire; leurs parents veillent à ce qu'ils fréquentent régulièrement l'école.

L'indigène apprécie peu ce qui ne coûte rien. Aussi, dans certaines colonies, s'efforce-t-on d'obtenir des élèves un minerval si faible qu'il soit. Au Congo, on pourra déjà, dans certains centres, s'orienter dans cette voie. Récompenses destinées à assurer la fréquentation de l'école, distribution de vêtements et de nourriture disparaîtront au fur et à mesure que la population indigène se sera rendu compte de l'utilité de l'instruction.

Pour favoriser le développement progressif des populations indigènes, l'enseignement doit être généralisé et étendu aux parties facilement accessibles du territoire. Il doit atteindre la grande masse des enfants.

Cela soulève un problème difficile: quels instituteurs desserviront ces écoles qui devront être multipliées rapidement? Il sera difficile, si non impossible, de les confier à des instituteurs européens.

Les Européens qui, au cours d'une carrière coloniale, s'assimileront suffisamment la langue indigène et pénétreront bien la mentalité de l'enfant de couleur, seront rares. Arrivés au Congo, il leur faut reviser leurs connaissances pédagogiques, puis adapter les données de leur expérience d'Afrique au milieu dans lequel ils devront enseigner. Dans ces conditions, on ne pourra compter que sur le concours de peu d'instituteurs isolés.

Afin d'assurer aux écoles officielles, les fruits de l'expérience acquise, le Gouvernement a jugé sage de les confier à des congrégations enseignantes. L'esprit de corps et la continuité de vues qui prévalent au sein de celles-ci permettent d'adopter une méthode, malgré les mutations de personnel.

Seul l'instituteur de couleur bien formée et bien encadré est capable d'assurer l'éducation de la masse. Mieux que personne il connaît la mentalité de ses congénères. Il sait aisément capter leur confiance et former le trait-d'union entre la mentalité européenne et la leur. Il comprend leurs aspirations. Son exemple de vie réglée est infiniment édifiant pour les hommes de sa race. Son prestige, ses succès constituent pour ses semblables un stimulant autrement agissant que cent ouvrages d'art élevés par les Européens.

Il est douteux qu'il se trouve des instituteurs d'Europe en grand nombre qui veuillent faire carrière de maître d'école au Congo.

A côté du problème du recrutement, se pose celui non moins important de la rémunération des instituteurs.

Les instituteurs de couleur feront réaliser une économie énorme. Ils sont à même de fournir une longue carrière moyennant une rétribution qui serait pour l'Européen absolument dérisoire.

Jusqu'à présent l'effort éducatif a porté au Congo davantage sur les garçons. Cela tient aux parents indigènes. Ils envoient assez volontiers leurs jeunes gens à nos écoles, mais ils hésitent à nous envoyer leurs fillettes. Celles-ci ne puiseraient-elles pas dans notre enseignement des aspirations à l'indépendance? Or, l'on sait que la femme est cédée en mariage contre paiement d'une dot versée aux parents. Ceux-ci ne favoriseront pas volontiers l'éveil chez la femme noire d'un esprit d'indépendance qui porterait préjudice aux droits coutumiers des parents.

Cependant, c'est sur l'élément féminin que l'effort de relévement des populations s'exercerait avec le plus d'utilité. La mère est la gardienne fidèle des traditions. Elle passera aux générations futures les idées qui lui ont été inculquées.

Il faut donc attacher à l'enseignement pour les filles la même importance qu'à l'enseignement pour les garçons. Les écoles pour filles ne sont pas assez nombreuses; elles devront être multipliées dans la même proportion que celles pour garçons.

Quelles que soient les ressources qu'elle consacrera à l'enseignement, la Colonie restera forcément en dessous de sa tâche.

Que l'on songe aux proportions de la machine administrative à mettre sur pied pour assurer la construction et l'entretien des locaux scolaires, approvisionner les écoles en fournitures classiques et en manuels,—former, rémunérer et surveiller des milliers d'instituteurs qui seront disséminées sur un territoire grand comme quatre-vingts fois la Belgique. Dans l'état de développement actuel du pays, cette tâche est trop lourde pour la Colonie.

En dehors des grands centres, qui sont d'ailleurs pour la plupart dotés d'écoles à caractère officiel, la Colonie doit compter sur le concours bénévole des missions religieuses. Celles-ci maintiennent dès à présent une organisation d'enseignement très étendue.

Cette collaboration des missions à la grande œuvre de l'enseignement s'est heurtée à des difficultés multiples et parfois insurmontables.

Une première difficulté qui s'est dressée devant les éducateurs était l'absence de la langue indigène écrite. Ils ont dû transcrire les langues indigènes, tracer les règles grammaticales, composer le vocabulaire. Pareil travail a exigé pour chacun des nombreux dialectes plusieurs années d'études.

Des résultats précieux ont été atteints dans ce domaine. Nombreux sont à présent les ouvrages édités. A côté de simples abécédaires, on trouve des manuels d'arithmétique, des livres d'histoire sainte, de géographie, de botanique, d'hygiène, des livres de lecture variés, même un opuscule sur l'électricité en langue Tshiluba.

Quelques-uns de ces manuels paraissent très bien faits. Ils mériteraient d'être répandus dans les diverses écoles.

La Colonie tirera un meilleur parti du concours des missionaires lorsque les travaux de ceux-ci seront bien coordonnés et guidés par un service de l'enseignement agissant par l'organe d'un inspecteur général et d'inspecteurs provinciaux.

L'inspecteur général de l'enseignement et ses collaborateurs devront avoir une culture suffisante pour apprécier un enseignement qui doit être plus éducatif qu'instructif. La connaissance du milieu social et économique leur sera nécessaire pour orienter cet enseignement. Il est indispensable aussi qu'ils possèdent un ou plusieurs dialectes indigènes. Il faudra donc faire appel à des personnes qui ont déjà séjourné au milieu des populations congolaises. Ces personnes se rendront mieux compte de ce qu'il est possible de réaliser et des difficultés à surmonter. Pour le personnel enseignant indigène, les inspecteurs devront être des guides paternels plutôt que des critiques sévères.

La langue véhiculaire de l'enseignement doit retenir l'attention. Le Congo ne forme pas une unité linguistique. A côté des multiples dialectes locaux, quatre *linguae francae,* de grande diffusion, sont en usage: le Kikongo, le Lingala, le Tshiluba et le Kiswahili.

L'enseignement en langue européenne se heurte à des objections sérieuses d'ordre pédagogique. C'est autant que possible dans leur langue qu'il faut enseigner aux indigènes si l'on veut que l'enseignement porte des fruits.

Mais à quel dialecte indigène convient-il de donner la préférence?

Certains dialectes locaux sont parlés par un nombre considérable d'indigènes et leur importance justifie l'impression de manuels classiques spéciaux et la formation d'un personnel enseignant en ces dialectes. Le même effort serait impossible à réaliser pour les dialectes peu répandus.

Pour autant que la langue commerciale ne soit pas un simple sabir et se rapproche du dialecte local, c'est sans conteste à la première qu'il convient de donner la préférence, même à l'école rurale.

Les élèves de l'école primaire du second degré devraient apprendre au moins quelques éléments de la langue commerciale en usage dans leur région.

L'enseignement de l'une de nos langues nationales a son utilité dans les écoles primaires du second degré et dans les écoles spéciales. Les élèves groupés en ces établissements seront en effet en contact avec les Européens. Pour les commis, et quoique dans une mesure moindre, pour les instituteurs, la connaissance convenable de la langue du colonisateur est indispensable.

Au surplus, il faut tenir compte de l'intérêt supérieur qu'il y a à créer un lien linguistique entre les indigènes et la métropole, à mettre à la portée de l'élite des populations congolaises notre patrimoine intellectuel, à faciliter les rapports entre colonisés et Européens.

Dans maints centres, les indigènes témoignent d'un vrai engouement pour la langue européenne. Il leur semble que la connaissance de cette langue doive du coup les hausser au niveau de l'homme blanc. Il est indiqué de tirer parti de cette disposition, mais ce serait une erreur regrettable de sacrifier la formation générale et surtout la formation au travail à une connaissance linguistique dont l'utilité pratique serait nulle, si elle ne sert pas de complément à une formation générale.

* * *

L'enseignement doit se limiter aux notions dont les indigènes peuvent tirer utilité dans leur milieu économique. La formation du caractère par la morale religieuse et par l'habitude du travail régulier doit, dans toutes les écoles, avoir le pas sur l'enseignement des branches littéraires et scientifiques.

Pour être adapté aux besoins des populations, l'enseignement doit différer suivant qu'il s'adressera à la population rurale ou à celle des centres européanisés.

I.—TYPES D'ÉCOLES, ORIENTATION ET MÉTHODE.

1. Écoles primaires du premier degré, rurales ou urbaines où l'enseignement littéraire est réduit à un minimum, et dont la durée des cours est d'au moins deux ans;

2. Écoles primaires du deuxième degré dans les centres européanisés; l'enseignement littéraire y est plus développé et comporte normalement trois ans de cours;

3. Écoles spéciales qui forment des commis, des instituteurs et des artisans, —La durée des cours est en moyenne de trois ans.

1. Écoles primaires du premier degré: rurales ou urbaines.

Dans ces écoles, le travail sera le pivot de toute l'activité scolaire. Et comme le travail des populations rurales est surtout agricole, tout l'enseignement s'attachera à donner le goût de l'agriculture, à en perfectionner les méthodes, à en démontrer le profit.

Aux enfants des régions rurales, un enseignement littéraire quelque peu développé serait de faible utilité. Il leur suffit de savoir lire, écrire et calculer en leur dialecte. En enseignant ces branches, il importe que le maître reste bien pénétré de sa mission: la formation de l'enfant à un travail régulier dans le domaine de l'agriculture et des métiers indigènes.

Afin de faire acquérir aux enfants l'habitude du travail, au moins une heure par jour doit être consacrée aux exercices manuels. L'agriculture en formera la partie essentielle.

Une petite exploitation agricole bien tenue où les élèves seraient formés par un travail à caractère éducatif, serait le meilleur centre d'éducation rurale.

Une véritable exploitation agricole serait même désirable, au moins dans les endroits où les produits trouveraient un débouché. Il n'y aurait point d'inconvénient à ce que l'école vende les produits des cultures et de l'élevage et qu'une partie du produit de cette vente soit attribuée à l'instituteur.

Partout où c'est possible sera crée près des écoles rurales un champ d'essai; chaque élève y aura sa parcelle à cultiver. Les cultures porteront à la fois sur les produits d'alimentation pour indigènes et sur un ou plusieurs produits d'exportation dont la diffusion est souhaitable. Il est instamment recommandé de disposer des produits cultivés au profit des élèves, et cela en vue d'éveiller en eux l'intérêt du travail et de leur faire saisir la relation entre l'effort accompli et la rétribution.

Il est à désirer que l'instituteur possède du petit bétail et de la volaille, afin que les élèves puissent s'initier à l'élevage et en apprécier le rendement.

Les travaux de construction et de réparation exécutés avec l'aide des élèves, de l'outillage agricole ou d'habitations, seront extrêmement instructifs.

Il doit être entendu que la pratique à l'école des principaux métiers indigènes marquera un perfectionnement sur les procédés coutumiers de la région.

* * *

L'enseignement, pour porter des fruits, doit être pratique et intuitif. L'habitation, le jardin d'essai et, le cas échéant, l'exploitation agricole de l'instituteur constitueront une leçon de choses bien vivante qui frappera, mieux que les préceptes théoriques, l'esprit des élèves. Le maniement des outils fera mieux connaître ceux-ci que les meilleurs commentaires.

L'enseignement de l'hygiène sera plus efficace s'il est occasionnel et démonstratif. Un exposé théorique pourrait ne pas éveiller l'intérêt des élèves.

Le programme de l'enseignement dans les écoles rurales doit se borner à des généralités, afin de ne pas en restreindre le champ d'application. En un pays vaste comme le Congo, un programme détaillé, précis et restrictif, ne pourrait être mis uniformément en vigueur.

Il faut s'arrêter à un programme moyen, susceptible d'être adapté aux différents milieux. Il peut être exécuté même sous la direction d'un maître de formation littéraire peu développée, pourvu que celui-ci soit bien pénétré de sa mission éducatrice.

Dans les écoles dites urbaines, la part à faire à l'enseignement littéraire devra être plus grande. Il s'agit ici de préparer les élèves à des études plus avancées. Mais la tendance de l'enseignement restera la même: formation au travail et à l'effort continu. Aucun élève ne doit être dispensé du travail. Dans les écoles mixtes, il importe que les garçons aussi bien que les filles participent au travail agricole.

2. Écoles primaires du deuxième degré

Ces écoles grouperont des élèves sélectionnés, recrutés parmi les meilleurs sujets sortant des écoles rurales et parmi ceux sortant des écoles urbaines du premier degré. Seuls les élèves qui manifestent la volonté de s'instruire seront acceptés. En ordre principal ces établissements prépareront les élèves en vue de l'admission dans les écoles spéciales.

L'école sera située dans un centre où l'émulation est facile à susciter. Les élèves en contact avec l'élément européen auront davantage l'ambition de s'élever; souvent leurs ascendants se trouveront sous les ordres d'Européens et ils pousseront leurs enfants à fréquenter l'école.

La direction de l'école du deuxième degré sera confiée à un missionnaire qui pourra surveiller et guider le travail des instituteurs de couleur, suppléer éventuellement à leur insuffisance et donner personnellement certains cours essentiels, tel l'enseignement de la langue nationale. Ce sera aussi le rôle du missionnaire directeur de veiller à l'orientation de l'œuvre d'éducation.

Tous les élèves, malgré la sélection qui aura été opérée lors de l'admission, ne passeront pas aux écoles spéciales; il faut donc leur donner une formation qui vaille par elle-même et qui prépare des hommes utiles au milieu indigène. Aussi attachera-t-on aux exercices pratiques la même importance qu'à l'école rurale. L'habitude d'une activité régulière sera un ressort précieux pour tous, quelles que soient les fonctions qu'ils aient plus tard à remplir.

Il est recommandé d'insister ici encore davantage sur le respect dû à l'autorité, au résidents européens et à eurs biens.

Le directeur fera œuvre utile en éveillant par des causeries et des devoirs de rédaction, les sentiments d'entr'aide et de coopération. Les jeux d'ensemble sont à organiser et à diriger vers le même but. Mieux que les préceptes théoriques, ils développeront la droiture et la correction; ils donnent la promptitude de décision et excitent l'amour-propre.

A toute école du second degré devra être annexée une exploitation agricole comportant les cultures et l'élevage de façon que les élèves puissent participer aux travaux d'agriculture. Un champ d'essais serait avec grand profit mis en culture par les élèves à l'occasion des exercises d'ensemble, suivant le système préconisé pour les écoles rurales.

Un atelier pour le travail du bois, un local pour la couture, le repassage et la cuisine, ainsi qu'un chantier où seront fabriqués briques, tuiles et poteries, compléteront les installations scolaires.

Ces installations seront assez vastes et requerront une grande superficie de terres arables qu'il ne sera pas toujours facile de trouver dans les centres. Mais il est à remarquer que les stations de missions près desquelles se trouvent déjà établies des écoles qui se rapprochent du type de l'établissement préconisé, sont pourvues de la plupart de ces installations.

Puisque l'école vise à donner un enseignement pratique qui s'adresse aux yeux en même temps qu'à l'esprit, la valeur éducative des installations scolaires devient évidente.

Le programme proposé pour l'école du second degré est le développement de celui de l'école rurale. Il importe que l'enseignement y ait le même caractère d'objectivité dans la mesure où c'est compatible avec la matière enseignée.

La matière qui fera l'objet du cours d'hygiène a été précisée. Le programme indique les notions qu'il serait utile de vulgariser.

3. Écoles spéciales.

a) Section des candidats-commis;

b) Section normale;

c) Sections professionnelles.

Ne doivent être admis dans ces sections que les élèves qui ont suivi avec fruit l'enseignement primaire du deuxième degré et qui sont jugés aptes à poursuivre les études.

A.—*Section des candidats-commis.*

La section des candidats-commis est appelée à former les commis et les employés subalternes que l'Administration et les entreprises privées réclament en grand nombre: commis aux écritures, dactylographes, magasiniers, douaniers, aides-collecteurs d'impôts, gardes-convois, garçons de vente, etc.

Dans un avenir pas trop éloigné, on peut espérer pouvoir remplacer, par des employés de couleur, un grand nombre des agents subalternes européens. Ces derniers coûtent cher en traitement, frais de voyages, soins médicaux, etc. Ils grèvent lourdement le budget de la Colonie et le prix de revient des exploitations commerciales et minières.

Rien ne servirait de former des commis bien stylés, assez instruits, mais d'une honnêteté douteuse. Dans tout l'enseignement, les devoirs envers l'employeur, la probité dans l'exercice des emplois administratifs et privés, le sens de l'honneur professionnel et de l'honneur d'appartenir à un corps public devront être la préoccupation dominante du maître.

Les manuels et travaux de rédaction devront comprendre des exemples et des sujets illustrant ces obligations de moralité professionnelle.

Cette catégorie d'auxiliaires est appelée à travailler en contact avec l'Européen. Il faut donc qu'ils se présentent sous des dehors convenables et qu'ils aient de la tenue; pour qu'ils se sentent chez eux parmi leurs collègues européens, il importe que leurs manières ne choquent pas. Il faut dans une certaine mesure les européaniser.

Les futurs commis porteront à l'école un costume européanisé, simple, en bon état de proprieté et entretenu par l'élève lui-même. A table, ils devront se servir de fourchettes, cuillers et couteaux.

Le programme déterminé pour les élèves commis développe à son tour les matières du programme des écoles primaires du second degré. Quelques notions de sciences naturelles rendant compte des phénomènes de la nature, et des éléments d'histoire relatifs à la Belgique et au Congo y ont été ajoutés.

Ce programme paraît assez chargé si l'on considère que les élèves auront à s'assimiler en trois ans la connaissance convenable du français. Par le système suivant on pourrait éviter le surmenage:

Pendant deux années, l'effort essentiel porterait sur l'enseignement de la langue nationale et sur l'arithmétique.

Quant aux autres matières de l'enseignement, notions d'histoire de la Colonie, de nature à faire ressortir l'œuvre civilisatrice de la Belgique,—notions de sciences, de nature à faire ressortir le caractère naturel des phénomènes,—notions de géographie, de nature à faire connaître la Colonie,—elles constitueraient la base de manuels et de livres de lecture rédigés en français qui seraient lus et commentés par le maître.

De cette façon, on pourrait, tout en entretenant et en développant les notions antérieurement acquises, amener l'enfant en deux ans à connaître suffisamment la langue nationale en même temps que les problèmes et les exercices d'arithmétique auraient formé son esprit.

Ces leçons ne se donneraient que le matin, l'après-midi serait consacrée à des exercices pratiques, aux devoirs, etc.

Au cours de ces exercices et d'une année de formation spéciale, l'élève serait soumis à un entraînement pratique en vue de ses fonctions futures: les dictées, les travaux de copie d'après des minutes d'écritures variées, la dactylographie, l'établissement de comptes simples, d'états, la tenue de livres élémentaires, les formules de correspondances administratives usuelles en feraient partie.

Les commis recevraient ainsi un enseignement strictement professionnel et à tendance utilitaire.

Des écoles de ce type pourraient être organisées dans certains centres secondaires où il n'y aurait pas d'école officielle de commis.

Il faudrait consacrer quelques heures par semaine à des travaux de culture et de jardinage.

Il faudrait aussi inculper aux élèves l'esprit d'épargne.

B.—*Sections normales.*

Les écoles primaires des deux degrés seront multipliées autant que possible sur tous les points du territoire. Il faudra un nombre de plus en plus élevé d'instituteurs pour les desservir. Au Congo il faut recourir aux instituteurs de couleur.

Les écoles primaires développeront graduellement parmi les populations indigènes les qualités morales, l'aptitude au travail et l'habitude de l'effort continu, qui est la caractéristique de toute civilisation progressive.

A cet effet, l'enseignement disposera, d'une part, de l'éducation religieuse et morale; d'autre part, de l'initiation au travail manuel que compléterait un enseignement littéraire très simple et quelques notions d'hygiène.

Appelé à propager cette éducation, l'instituteur devra se l'être assimilée lui-même. Aussi le sentiment de l'honneur et de la dignité, la prédominance des intérêts généraux, les habitudes de véracité et de droiture, la pratique d'une bonne hygiène et da la propreté seront au premier plan des préoccupations de l'enseignement et de la discipline des écoles normales.

L'instituteur indigène devra être un exemple édifiant et pour ses élèves et pour toute la population qui l'entoure. Les préceptes de morale qu'il enseigne à l'école régleront sa vie de famille.

Par sa vie, sa famille, sa maison, ses aptitudes, il sera un apôtre et un modèle. Le désir de se maintenir à un niveau supérieur et d'amener à ce même niveau les enfants qui lui sont confiés, devra se manifester dans toute son activité.

Grâce à ses soins, son habitation sera un modèle de propreté et de tenue; il sera apte à préparer les meilleurs repas indigènes; il confectionnera et entretiendra ses vêtements, y compris ses chaussures; il donnera des soins intelligents aux blessés et aux malades; il pratiquera l'hygiène et une propreté rigoureuse.

Comme cultivateur, il produira les plus beaux légumes et fruits et les plus belles récoltes de plantes commerciales; il élèvera les meilleures races de petit bétail.

L'école normale lui aura appris à fabriquer des briques, des tuiles et des carreaux, à maçonner et à charpenter et à meubler sommairement une habitation indigène, à confectionner et à préparer des ustensiles de ménage et des instruments aratoires.

Il aura une certaine pratique des métiers indigènes de sa région et n'ignorera pas les petits perfectionnements dont ils sont susceptibles.

Des hommes d'expérience attachés à l'école normale comme directeur, ou professeur, sont tout désignés pour entretenir cet esprit de progrès et maintenir le contact entre l'école normale et les anciens élèves établis comme instituteurs dans la région.—La nécessité de ce contact est incontestable mais celui-ci ne doit pas dégénérer en un système d'inspection compliqué.—L'inspecteur doit être un guide paternel pour les maîtres d'écoles indigènes.

Le programme des écoles normales devra être adapté au milieu dans lequel travailleront les futurs instituteurs.—Suivant qu'ils seront destinés à enseigner dans une école urbaine ou une école rurale, ils se spécialiseront dans la pratique de certains travaux professionnels ou agricoles, les uns plus utiles dans les centres, les autres plus utiles à la campagne.—Une distinction doit être faite également entre les instituteurs urbains et ruraux au point de vue de l'étude de la langue nationale. Les premiers devront apprendre la langue nationale très convenablement et continuer à se perfectionner dans cette langue; aux seconds, il suffira d'entretenir les notions acquises à l'école normale.

La langue indigène enseignée à l'école normale sera une des quatre *linguæ francæ*.

Pour les futurs instituteurs des centres urbains, l'arithmétique devra comprendre des notions de calcul commercial et de géométrie pratique.

L'enseignement des autres branches sera identique pour les uns et pour les autres:

En géographie, il y aura un enseignement intuitif de la géographie du Congo, des éléments de la géographie de Belgique et de la géographie générale.

Les leçons d'histoire porteront principalement sur la situation de l'Afrique tropicale avant l'arrivée des Belges, sur le développement du Congo et sur le rôle civilisateur de la colonisation.

Il faudra soigner la calligraphie au tableau et à la plume.

Le dessin comportera des exercices à main libre au tableau; les dessins de géométrie pratique ne seront pas négligés.

Le futur instituteur devra être exercé au chant.

Les cours de pédagogie et de méthodologie auront un caractère tout à fait pratique; ils consisteront en leçons à donner à l'école d'application; les futurs instituteurs s'y exerceront à l'enseignement sous le contrôle de leurs maîtres.

L'enseignement de l'agriculture, qui aura une place importante dans le programme, sera adapté au milieu économique, à la nature des terres et au climat. Il conviendra d'insister sur les phénomènes naturels relatifs à la culture, l'amendement des terres, l'emploi des engrais, les soins à donner aux animaux domestiques, la pisciculture, l'apiculture, etc., suivant les régions.

Comme travaux manuels, sont recommandés l'art d'entretenir une maison, la cuisine, le lavage et le repassage, et suivant les régions, les métiers de menuisier, de forgeron, de potier, de tisserand, etc.

Les connaissances techniques à exiger des instituteurs ne seront fatalement qu'élémentaires notamment en matière d'arts et métiers indigènes.—Il serait illusoire d'exiger que l'instituteur soit à la fois un forgeron accompli, un tisserand accompli, un potier accompli, etc. La tâche de l'instituteur se bornera à pousser au perfectionnement des diverses industries locales.

Les écoles normales à établir dans des centres choisis de la Colonie feront partie d'un groupe scolaire comprenant chacun, outre l'école normale, une école primaire du premier degré et une école primaire du second degré, des sections professionnelles et agricoles; ces établissements serviront d'écoles d'application et de milieu d'études.

Aux endroits de la Colonie qui semblent plus particulièrement désignés pour recevoir des groupes scolaires complets, il pourrait être procédé dès à présent par des personnes compétentes au choix d'un terrain convenant pour l'enseignement de l'agriculture. Cet enseignement agricole est essentiel dans les écoles normales qui doivent former des instituteurs de villages.

C.—*Sections professionnelles.*

La formation professionnelle peut être poursuivie à l'atelier ou à l'école. Les deux modes de formation répondent à des besoins spéciaux.

Les ouvriers destinés à la grande industrie sont en majorité initiés dans les ateliers; grâce à la division du travail, leurs connaissances techniques générales peuvent être très limitées. Déjà les grandes entreprises du Congo ont commencé à former avec succès leur main-d'œuvre ouvrière. Ce n'est pas la tâche de l'école.

L'apprentissage par l'école vise la constitution d'une classe d'artisans et de contremaîtres dont les chefs d'entreprises exigent des connaissances plus étendues et le sens de la responsabilité.

Pour cette catégorie d'apprentis, il faut distinguer aussi deux systèmes: la formation à l'école professionnelle proprement dite, et l'apprentissage dans les ateliers combiné avec l'enseignement primaire. L'un et l'autre système peuvent donner de bons résultats.

L'organisation de l'enseignement primaire préconisée donne à toutes nos écoles une tendance professionnelle en imposant, dans toutes, les travaux agricoles et l'exercice des métiers indigènes.

Enfin, il est signalé que les soldats de la force publique peuvent recevoir dans les camps une formation professionnelle complétée par des éléments d'enseignement littéraire.

Il faut insister aussi sur l'utilité très grande de cours de théorie professionnelle à organiser, en dehors des heures de travail, à l'usage des ouvriers indigènes désireux de se perfectionner dans leur métier. C'est un enseignement que peut s'organiser dans les centres européanisés sous la forme de cours du soir.

Pour donner des fruits, l'école professionnelle doit être réservée aux seuls jeunes gens qui ont suivi l'enseignement primaire; le recrutement des élèves se limiterait aux enfants ayant atteint l'âge de 13 ans environ et possédant des aptitudes physiques et intellectuelles pour l'apprentissage.

La durés des études doit être de *trois ans au moins* afin d'inculquer aux apprentis en même temps que l'habileté professionnelle, l'habitude du travail.

Les travaux pratiques sont essentiels; ils doivent occuper les trois quarts des heures de classe. Ils seront complétés par des cours de théorie: calcul, mesurage, dessin professionnel, lectures, entretiens et rédactions, le tout en rapport étroit avec les métiers enseignés.

L'agriculture, l'horticulture, les cultures de plantes industrielles et l'élevage seront des sources de richesse à développer partout. L'école professionnelle doit, pour ce motif, comporter une section agricole où il sera matériellement possible de l'organiser.

L'éducation domestique des femmes est un facteur de première importance dans le relévement de la race et dans le développement de ses besoins.

Les filles doivent être associées à l'éducation agricole et être enrôlées dans une section ménagère-agricole. Le programme de celle-ci comportera tous les travaux agricoles et domestiques, les industries domestiques locales ainsi que les soins aux malades et aux blessés.

Les travaux des sections professionnelles devront être adaptés aux besoins des industries régionales. Il conviendra de les préciser avec le concours des chefs d'industries de la région.

Là où il n'existe pas encore de grande industrie, la maçonnerie, la charpenterie, la menuiserie et l'ébénisterie enseignées en vue de la diffusion de méthodes de construction plus rationnelles, occuperont la première place après l'agriculture.

La où les travailleurs du métal ne peuvent pas encore trouver à s'employer, la forge, la serrurerie, la fonderie, le travail du cuivre pourraient néanmoins former une section d'enseignement à raison de l'importance fondamentale de ces métiers comme facteurs d'éducation et de progrès et aussi à raison de leur utilité pour l'avenir.

La valeur éducative des écoles professionnelles se trouve naturellement accrue lorsqu'elles font partie d'un groupe scolaire.

II.—PROGRAMMES.

1. ÉCOLES PRIMAIRES DU PREMIER DEGRÉ: RURALES OU URBAINES.

1° Religion et morale: Matières à déterminer par l'autorité religieuse.

Dans les leçons, l'instituteur doit se préoccuper de la formation du caractère des enfants en insistant sur le respect dû à l'autorité et sur les services rendus par celle-ci à la population;

2° Les leçons d'hygiène: Les leçons porteront sur l'hgyiène du corps, le pansement des plaies, l'alimentation et les vêtements,—sur la pratique de l'hygiène de l'habitation et du village,—sur l'origine des principales maladies tropicales et sur les précautions élémentaires à prendre pour les éviter.

Chaque jour les enfants seront examinés au point de vue de la proprieté;

3° Jeux et exercices d'ensemble de nature à éveiller et à développer les sentiments de coopération, de discipline et de droiture;

4° Langue indigène: Exercices d'écriture et de lecture de textes faciles dans la langue régionale;

5° Arithmétique: Les leçons d'airthmétique apprendront à compter, mesurer, peser, évaluer en monnaie, etc.

L'instituteur s'attachera aux poids et mesures de capacité en usage dans la région. Les problèmes seront élémentaires et de nature à éveiller l'intérêt et le goût du travail; ils seront empruntés à la vie indigène et au milieu économique de la région;

6° Géographie: Entretiens sur les phénomènes naturels de la région, sa configuration, sa flore et sa faune;

7° Travaux manuels et ruraux: Exercices pratiques de petit élevage, en rapport avec le milieu indigène.—Jardinage.—Initiation aux principaux métiers indigènes.

2. ÉCOLES PRIMAIRES DU DEUXIÈME DEGRÉ.

1° Religion et morale: Revision et développement des notions enseignées à l'école du premier degre;

2° Hygiène: Propreté des cases, aération des locaux, danger des eaux contaminées, dangers des changements de température, propreté de la personne et des vêtements, dangers d'infection des plaies, précautions à prendre au travail, soins à donner en cas d'accident, soins à donner aux malades et blessés; bref, des règles élémentaires d'hygiène;

3° Gymnastique: Jeux organisés.

Maintien et politesse en tenant compte des usages indigènes;

4° Langue indigène: Lecture de textes de difficulté graduée. Exercices d'écriture et de rédaction.

L'enseignement des éléments d'un des *linguæ francæ* serait souhaitable;

5° Langue nationale (obligatoire pour les centres urbains, facultative pour les autres centres): Lecture et écriture. Petites dictées. Explication de la grammaire. Leçons de conversation;

6° Arithmétique: Opérations et problèmes élémentaires;

7° Géographie: Revision des notions du premier degré. La carte de la région;

8° Dessin;

9° Travaux manuels professionnels s'adaptant au milieu,—fabrication de briques, tuiles et poterie, travaux de maçonnerie, de charpenterie et de menuiserie;—pratique de métiers indigènes;—pratique de travaux de cultures: agricole, horticole, forestière;—pratique de la couture, du lavage et du repassage. Préparation des aliments. Entretien d'une habitation.

3. ÉCOLES SPÉCIALES.

A.—*Sections des candidats-commis.*

1° Religion et morale: Programme à déterminer par l'autorité religieuse;

2° Formation du caractère professionnel: Devoirs envers le Gouvernement, probité dans l'exercice des fonctions publiques,—le sens de l'honneur professionnel;

3° Hygiène: Cours primaires approfondis;

4° Gymnastique: Idem.

Exercices répondant au développement physique des jeunes gens;

5° Langue indigène: Lecture de textes de difficulté graduée et exercices de rédaction dans une des *linguæ francæ.*

6° Langue nationale: Exercices de grammaire, de lecture et de rédaction. Leçon de conversation quotidienne;

7° Dictées et travaux de copie d'après manuscrits,—dactylographie, établissement de comptes, d'états, faisant application des principes élémentaires de la tenue des livres, formules de correspondances administratives;

8° Arithmétique: La règle de trois. Le calcul de l'intérêt. Le système métrique.

Établissement de comptes et d'états faisant application des principes élémentaires de la tenue des livres;

9° Géographie: Les voies de communications du Congo et des pays limitrophes. La géographie politique de la Colonie. La carte de la Belgique;

10° L'administration de la Colonie exposée à grands traits;

11° Sciences naturelles: Notions scientifiques de nature à faire ressortir le caractère naturel des phénomènes;

12° Histoire: L'arrivée des Belges au Congo. L'œuvre civilisatrice des Belges. Le développement de la Colonie. Quelques faits saillants de l'histoire de Belgique;

13° Calligraphie: Bonne écriture à exiger dans tous les devoirs.

B.—*Section normale.*

1° Religion et morale: Matières à déterminer par l'autorité religieuse;

2° Travaux professionnels et agricoles: Pratique méthodique et raisonnée—complétée d'explications théoriques graduées (au choix):

a) De travaux domestiques: Préparation de repas et tenue d'une maison; couture et réparation de vêtements, lavage, repassage et teinture; soins aux malades et blessés;

b) De travaux et d'essais de cultures horticoles, agricoles, forestières et industrielles, adaptées au milieu; travaux d'industries agricoles; élevage;

c) De travaux plus ou moins complets, suivant les nécessités locales, de charpenterie et de menuiserie, de forge, de poterie et briqueterie et industries similaires; maçonner, charpenter et meubler une habitation pour indigène, répondant aux conditions d'hygiène et de commodité;

d) Étude approfondie jointe à une pratique individuelle prolongée, de travaux spéciaux agricoles et professionnels, selon le caractère rural ou urbain des écoles primaires auxquelles se préparent les moniteurs;

e) Pratique raisonnée des métiers indigènes de la région;

3° Hygiène. Cours primaires approfondis.

4° Dessin géométrique et à main levée. Croquis d'application d'après des modèles et objets empruntés aux travaux et au milieu;

5° Ecriture: Lectures, entretiens et rédactions en *linguæ francæ* sur des sujets religieux et moraux sur l'hygiène, le travail, les phénomènes naturels se rapportant au climat, aux cultures et travaux;

6° Langue nationale (suivant les exigences de la région): Vocabulaire, exercices oraux et écrits, entretiens et lectures graduées. Les éléments indispensables de la grammaire. Dictés et rédactions;

7° Calcul et mesurage: Les opérations fondamentales sur les nombres entiers et les fractions. La règle de trois. L'intérèt. Le système métrique et des notions de géométrie pratique. Mesurages et évaluations en rapport avec la vie indigène, les métiers et industries, les coutumes rurales;

8° Géographie et histoire: Étude intuitive des éléments de géographie physique, économique et administrative de la Colonie. La Belgique. Idée des cinq parties du monde. Les phénomènes célestes;

9° Pédagogie et méthodologie: Notions générales. Pratique raisonnée de l'enseignement dans les classes des écoles primaires du premier et du second degré.

C.—*Sections professionnelles.*

1° Section ménagère agricole;
2° Section agricole;
3° Sections professionneles.

1° *Section ménagère agricole pour filles.*

a) Travaux pratiques (trois quarts du temps de l'horaire):

Couture, lavage, repassage, entretien d'une habitation;
Industries domestiques: tissage, réparations, etc.;
Cultures agricoles, horticoles et industrielles;
Elevage suivant les possibilités locales;
Soins aux malades et aux blessés (hygiène);

b) Cours d'éducation générale (un quart du temps de l'horaire):

Religion et morale;
Lectures, entretiens et rédactions;
Calcul et mesurages appliqués aux travaux professionels et ménagers, à l'épargne et au commerce.

2° *Section agricole pour garçons.*

a) Travaux pratiques (trois quarts du temps de l'horaire);

Défrichement de terrains et leur mise en culture;
Entretien de plantations agricoles et horticoles, forestières et industrielles;
Elevage, pisciculture, apiculture, etc.;
Confection de matériel et d'outils;
Industries agricoles;
Construction et réparation d'habitations, de meubles, d'instruments aratoires, etc.;
Fabrication de briques et de tuiles, charpenterie, travaux domestiques;
Soins aux malades et aux blessés;

b) Cours généraux (un quart du temps de l'horaire):

Religion et morale;
Lecture, entretiens et rédactions, sur l'hygiène, les travaux et les produits, les phénomènes naturels, la vie des plantes, les questions d'ordre moral, etc.;
Calcul et mesurages.

3° *Sections professionnelles.*

A.—*Du bois et de la maçonnerie.*

a) Travaux pratiques (trois quarts du temps de l'horaire):

Choix, abatage et débits des arbres;
Qualités et défauts du bois. Les outils;
Initiation aux travaux de charpenterie, de menuiserie, d'ébénisterie; le tournage;
Travaux gradués de maçonnerie;
Exécution de travaux d'ensemble.

b) Cours généraux (un quart du temps de l'horaire):

Religion et morale;	Appliqués aux métiers enseignés.
Lectures, entretiens et rédactions	
Calcul et mesurages	
Dessin professionnel	
Soins aux malades et aux blessés	

B.—*Du métal.*

a) Travaux pratiques (trois quarts du temps de l'horaire):

Initiation à la forge, à l'ajustage à la main et éventuellement à l'ajustage mécanique;
Fonderie de cuivre et alliage;
Travail de la tôle, du fer et de l'acier;
Application aux industries et métiers locaux.

b) Cours généraux (un quart du temps de l'horaire):

Religion morale;
Lectures, entretiens et rédactions
Calcul et mesurages
Dessin professionnel
Soins aux malades et aux blessés.
} Appliqués aux métiers enseignés.

III.—INSTALLATIONS.

Les écoles comporteront les installations suivantes:

1. Ecoles primaires du premier degré: rurales ou urbaines.

1° Une salle de classe;

2° Une maison d'habitation pour l'instituteur avec jardin potager et de préférence une petite exploitation agricole, comportant basse-cour et petit bétail;

3° Une jardin attenant à l'école réservé aux travaux pratiques d'agriculture des élèves;

4° Le mobilier classique: tableau, bancs, pupitres, mètres, etc.;

5° Un local contigu à l'école contenant les outils servant aux exercices pratiques: hache, coin, scie, marteau, truelle, cordeau, fil à plomb, leviers, etc.;

6° Les fournitures classiques: au minimum ardoises, touches, papier et crayons.

2. Ecoles primaires du second degré.

1° Trois salles de classes;

2° Des dortoirs et réfectoires s'il y a nécessité;

3° Une maison d'habitation avec jardin potager pour chacun des trois instituteurs indigènes;

4° Une exploitation attenant à l'école et comportant les cultures horticoles et agricoles ainsi que l'élevage, là où existent des terres arables disponibles.

Des ateliers de menuiserie-charpenterie, et un chantier pour la fabrication de tuiles, briques et poteries;

5° Le mobilier classique: tableaux, bancs et pupitres;

6° Les fournitures classiques: papier, plumes, crayons et encre;

7° Des outils qui serviront aux exercices pratiques.

3. Ecoles spéciales.

A.—*Section des candidats commis.*

1° Trois salles de classe;

2° Des habitations avec potager pour les instituteurs noirs;

3° Des dortoirs s'il y a nécessité;

4° Un réfectoire avec bancs, tables, vaisselle et couverts;

5° Un jardin attenant à l'école, réservé aux travaux de culture et de jardinage;

6° Une plaine de jeux;

7° Le mobilier classique, y compris une collection des unités du système métrique les plus usitées;

8° Les fournitures classiques.

Le trousseau des élèves comprendra: vareuse, culotte, peigne, mouchoirs et essuie-mains.

B.—*Section normale.*

1° Trois salles de classe;

2° Dortoirs (chambrettes et pavillons séparés), réfectoire;

3° Des habitations avec potager pour les instituteurs indigènes;

4° Des terrains de culture potagère, agricole, forestiére et de petit élevage, d'aviculture, d'apiculture, de pisciculture (suivant les possibilités du milieu);

5° Des ateliers outillés de charpenterie, de menuiserie, de forge, de poterie, briqueterie, etc.;

6° Le mobilier classique et les fournitures, des collections de produits de la Colonie et de produits d'importation, une collection de poids, de mesures, de monnaies, etc.

Les futurs instituteurs porteront des vêtements qu'ils confectionneront si possible eux-mêmes, et ils les entretiendront aussi en bon état de propreté. A table, ils disposeront de vaisselle et de couverts. Leurs réfectoire et dortoirs seront meublés avec simplicité. Ils rappelleront le confort européen.

C.—*Sections professionnelles.*

1° Maisons d'habitation avec potager pour les instructeurs indigènes;

2° Dortoirs (chambrettes et pavillons séparés) et réfectoire pour les élèves;

3° Des salles de classe pour l'enseignement théorique;

4° Des ateliers outillés;

5° Une exploitation agricole avec ferme d'élevage, apiculture, etc.

IV.—ORGANISATION, INSPECTION ET SUBSIDES.

Les écoles organisées au Congo sur les bases indiquées ci-après, et desservies par le Sociétés de Missions nationales, seront de droit subsidiées.

Les diplômes et certificats que ces écoles délivreront, seront reconnus par la Colonie.

Missionnaires-inspecteurs et leurs adjoints.—Les écoles subsidiées relèveront directement du missionnaire-inspecteur et des inspecteurs adjoints désignés par les Sociétés de Missions.

Le nombre des inspecteurs adjoints sera déterminé de commun accord, avec l'inspecteur provincial, suivant l'interêt du service.

Si le missionnaire-inspecteur et ses adjoints ne sont pas prêtres, ils devront justifier de la possession d'un diplôme de l'enseignement supérieur ou normal. Tous auront à justifier, en outre, de la connaissance de l'une des deux langues nationales.

Le missionnaire-inspecteur traitera directement avec l'inspecteur provincial du Gouvernement des questions relatives à l'enseignement.

Programme et durée des cours.—Le missionnaire-inspecteur s'engage à faire observer les programmes et les horaires arrêtés pour chaque catégorie d'écoles.

L'enseignement ne pourra être donné qu'en langue indigène ou en l'une des langues nationales de Belgique.

L'enseignement oral des langues nationales sera confié exclusivement aux instituteurs européens.

Les garçons et les filles peuvent fréquenter les mêmes écoles primaires, à moins que des écoles distinctes ne soient établies.

Le programme de l'enseignement primaire sera identique, sauf en ce qui concerne les travaux manuels.

Les écoles fonctionneront au minimum 240 jours par an.

Ce nombre pourra être réduit à 200 jours pour les écoles primaires du premier degré, là où le milieu économique local l'exigera.

Les écoles primaires seront ouvertes pendant quatre heures et les écoles spéciales pendant cinq heures par jour au minimum.

Au moins une heure par jour, dans les écoles primaires, et deux heures par jour, dans les écoles normales, seront consacrées aux travaux manuels.

Le missionnaire-inspecteur déterminera uniformément pour sa circonscription, les jours de congé, la période des vacances, l'horaire des cours et la date des examens de sortie.

Ces décisions seront notifiées à l'inspecteur provincial du Gouvernement.

Les périodes de vacances seront déterminées d'après les circonstances locales.

Installations.—Les Sociétés de Missions pourvoiront elles-mêmes aux bâtiments, mobilier et fournitures classiques des écoles subsidiées.

Les locaux des écoles primaires du deuxième degré et ceux des écoles spéciales seront exécutés en matériaux durables.

En dehors des chefs-lieux de districts et des agglomérations urbaines, les locaux des écoles primaires du premier degré pourront être construits en matériaux non durables.

Tous les locaux scolaires seront tenus en état de propreté par les élèves eux-mêmes.

INSPECTION ET CONTROLE

Les inspecteurs adjoints visiteront au moins deux fois par an chacune des écoles primaires situées dans leur sphère d'action.

Ils visiteront au moins quatre fois par an les écoles spéciales.

A l'occasion de leurs inspections, ils s'assureront que le programme et l'horaire des cours sont observés, que le registre des élèves est bien tenu, que les installations sont suffisantes et en état de propreté. Ils procéderont aussi chaque fois à un examen des élèves.

Le missionnaire-inspecteur enverra annuellement à l'inspecteur provincial du Gouvernement, d'après les renseignements de ses inspecteurs adjoints, des états mentionnant par catégorie d'écoles:

1° Le lieu où elles sont établies;

2° Les noms du personnel enseignant et une appréciation sur la valeur professionnelle de celui-ci;

3° Le nombre des élèves par école et par année d'étude;

4° Les résultats obtenus par les élèves aux examens;

5° Une carte indiquant l'emplacement des différentes écoles.

Au sujet de chaque catégorie d'écoles, le missionnaire-inspecteur fournira un rapport général sur les progrès accomplis et sur les amélioration à introduire dans l'enseignement.

Chaque école tiendra un registre nominatif des élèves indiquant l'âge autant que possible avec exactitude, les absences, la conduite, la valeur du travail dans le courant de l'année et les résultats obtenus aux examens trimestriels.

Rémunération des missionnaires-inspecteurs et le leurs adjoints.—Le missionnaire-inspecteur recevra une indemnité annuelle de 10,000 francs, et chacun de ses adjoints, une indemnité annuelle de 6,000 francs.

SUBSIDES ET PERSONNEL ENSEIGNANT

1. Écoles primaires du premier degré: rurales ou urbaines.

Pour chaque groupe d'au moins vingt-cinq élèves desservi par un instituteur distinct porteur du diplôme d'aptitude, il sera alloué un subside annuel de 400 francs.

Le subside sera payé sur la déclaration du missionnaire-inspecteur attestant que la moitié des élèves ont suivi l'enseignement avec fruit.

Dans les centres urbains et les stations de missions, lorsque au moins trois groupes d'élèves du premier degré se trouvent réunis, il sera alloué à la mission 4,000 francs à titre de traitement de l'instituteur européen qui aura la direction et la surveillance du personnel enseignant indigène.

En attendant que la mission dispose d'un nombre suffisant d'instituteurs diplômés, seront assimilés aux diplômés les instituteurs munis d'un certificat d'aptitude délivré par le missionnaire-inspecteur, sous sa responsabilité, et suivant une base de connaissances à déterminer, de commun accord avec le Gouvernement.

Dans les centres européanisés où il n'y a pas de missionnaires en permanence, la direction de l'école peut être confiée à un instituteur noir reconnu spécialement apte. Dans ce cas, le subside sera calculé à raison de 1,000 francs pour l'instituteur noir directeur et de 400 fr. par instituteur noir groupant au moins 25 élèves. Ces chiffres peuvent être majorés sur proposition motivée du missionnaire-inspecteur, au cas où ils seraient trop inférieurs aux salaires locaux.

2. ÉCOLES PRIMAIRES DU DEUXIÈME DEGRÉ.

Personnel enseignant.

Un missionnaire chargé de la direction et autant que possible du cours de langue nationale.

Trois instituteurs indigènes diplômés.

En attendant que la mission dispose d'un nombre suffisant d'instituteurs diplômés, seront assimilés aux diplômés les instituteurs munis d'un certificat d'aptitude, délivré par le missionnaire-inspecteur, sous sa responsabilité, et suivant une base de connaissances à déterminer de commun accord avec le Gouvernement.

SUBSIDE

Le subside accordé à chaque groupe d'au moins 60 élèves, sera de 8,000 francs, se décomposant comme suit:

1° Indemnité au missionnaire directeur . . . . fr.	4,000.00
2° Traitement de trois instituteurs indigènes	1,200.00
3° Entretien des locaux et frais de matériel didactique,—secours aux élèves indigènts (nourriture, pagnes et fournitures classiques)	2,800.00 (1)
Total . . . . . fr.	8,000.00

(1) Chiffre à fixer en proportion du nombre des élèves.

Le chiffre prévu pour traitement des instituteurs indigènes peut être majoré sur proposition motivée du missionnaire-inspecteur dans les cas où il serait trop inférieur aux salaires locaux.

Il en est de même lorsque l'instituteur est européen.

ÉCOLES SPÉCIALES

A.—*Section des candidats commis.*

Personnel enseignant

1° Deux instituteurs européens ou des personnes ayant fait des études supérieures;

2° Deux instituteurs indigènes connaissant l'une de nos langues nationales.

SUBSIDE

Il sera alloué à chaque école de candidats commis groupant 30 élèves un subside minimum de 20,000 francs, calculé sur les bases suivantes:

1° Traitement de deux instituteurs européens . . . . fr.	10,000.00
2° Traitement de deux instituteurs indigènes	2,000
3° Locaux scolaires, matériel didactique et frais d'entretien .	2,000
4° Nourriture des élèves, vêtements (vareuse et culotte), effets personnels (peigne, essuie-mains, mouchoirs) et fournitures classiques (200 fr. par élève et par an) . . .	6,000
Total . . . . . fr.	20,000

Outre les subsides ci-dessus, il est accordé à la mission par élève ayant subi avec succès l'examen de sortie, une prime de 400 ou de 600 francs, suivant que l'élève aura obtenu, a cet examen, plus de 50 ou plus de 75 p. c. des points.

L'inspecteur provincial et, à son défaut, l'inspecteur-missionnaire qu'il désigne, assistera à ces examens.

B.—*Section normale.*

Personnel enseignant.

1° Deux instituteurs européens ou des personnes ayant fait des études supérieures;

2° Deux instituteurs indigènes reconnus spécialement aptes.

SUBSIDE

Il sera alloué aux écoles normales compatant trente élèves un subside minimum de 20,000 francs, calculé sur les bases suivantes:

1° Traitement de deux instituteurs européens ou des personnes ayant fait des études supérieurs . . . . . . fr.	10,000.00
2° Traitement de deux instituteurs indigènes	2,000.00
3° Entretien des locaux et frais de matériel didactique . .	2,000.00
4° Nourriture des élèves; vêtements (vareuse et culotte); effets personnels (peigne, mouchoirs, essuie-mains et fournitures classiques) (200 fr. par élève et par an) . . .	6,000.00
Total . . . . . fr.	20,000.00

Outre les subsides ci-dessus, il est accordé à la mission par élève ayant subi avec succès l'examen de sortie, une prime de 250 ou de 350 francs, suivant que l'élève aura obtenu à l'examen plus de 50 ou plus de 75 p. c. des points.

L'inspecteur provincial et, à son défaut l'inspecteur-missionnaire qu'il désigne, assistera à ces examens.

C.—*Sections professionelles.*

Personnel enseignant.

La direction de l'école sera confiée à un Européen.

Il pourra être assisté d'instructeurs européens ou indigènes, à raison d'un instructeur pour chaque quinzaine d'apprentis.

SUBSIDE

Il serra alloué a chaque école ayant une population scolaire minima trente élèves, un subside calculé sur les bases suivantes:

1° Indemnité au directeur . . . . fr.	5,000.00
2° Indemnité aux instructeurs européens	3,000.00
3° Indemnité aux instructeurs indigènes	600.00

Outre le subside ci-dessus, il sera alloué à la mission, par élève et par an:

a) Une prime pour vêtement de 30 francs;

b) Une prime de sortie de 200 ou de 300 francs par élève suivant que ce dernier aura obtenu plus de 50 ou plus de 75 p. c. des points à l'examen de sortie.

L'inspecteur provincial et, à son défaut l'inspecteur-missionnaire qu'il désigne, assistera à cet examen.

Les subsides des écoles pour garçons et pour filles seront calculés sur les mêmes bases.

Ces subsides seront payés sur la déclaration du missionnaire-inspecteur attestant que la moitié des élèves ont suivi l'enseignement avec fruit.

Les pièces servant de base à la détermination des subsides seront approuvées par l'inspecteur provincial du Gouvernement.

Celui-ci pourra inspecter les écoles chaque fois qu'il le jugera opportun.

Dans le courant de l'année scolaire, le missionnaire-inspecteur recevra, à titre d'avance, des versements à valoir sur les subsides. Le total n'excédera pas les huit dixièmes des subsides accordés pendant l'exercice précédent.

PROJET DE CONVENTION

À CONCLURE AVEC LES MISSIONS DE RELEGIEUSES

Entre la Congregation des Sœurs de . . . . représentée par sa Supérieure . . . .

Et la Colonie du Congo Belge, représentée par M. le Gouverneur Général, il a été convenu ce qui suit:

1° *La Colonie rétribuera la Mission des SS. . . . . . à raison des écoles subsidiées qu'elle dessert dans sa sphère d'action, au taux prévu au règlement d'organisation de l'enseignement libre subsidié, ci-annexé.*

Toutes les écoles subsidiées de la Mission seront ouvertes à la visite de M. l'Inspecteur provincial;

2° *Si les avantages dérivés de la présente convention étaient de fait inférieurs à fr. . . . . . , soit les subsides actuels accordés par la Colonie à la Mission des SS. . . . . pour ses œuvres en général, la Colonie comblerait le déficit pendant une période de cinq ans;*

3° *La présente convention n'affecte pas les arrangements actuellement en vigueur concernant la rétribution des Sœurs infirmières dépendant de la Mission des SS. . . . . ;*

4° *La Mission des SS. . . . . fournira annuellement le tableau statistique de ses œuvres et un rapport général sur les progrès réalisés, à son intervention, dans le domaine tant moral que matériel, par les populations indigènes;*

5° *La présente convention est faite pour une durée de vingt ans. .*

Fait en double, à . . . . , le . . . .

Entre la Congrégation de . . . . représentée par son Supérieur . . . .

Et la Colonie du Congo Belge, représentée par M. le Gouverneur Général, il a été convenu ce que suit:

A.—SERVICES DES CULTES.

1° *Par application de la convention conclue avec le Saint-Siège, le 26 mai 1906, la Colonie du Congo Belge accordera une allocation de 5,000 fr. par an et par établissement de mission assurant le ministère sacerdotal dans les centres importants du Congo.*

Sont considérés "centres importants" les chefs-lieux de provinces et de districts, les localités qualifiées circonscriptions urbaines et, en outre, toutes les stations d'évangélisation auxquelles sont attachés normalement au moins trois missionnaires.

Dans les centres qui comptent plus de 100 Européens, l'allocation sera portée à 10,000 fr.

B.—ENSEIGNEMENT.

2° *La Colonie rétribuera la Mission de . . . . à raison des écoles subsidiées qu'elle dessert dans sa circonscription religieuse au taux prévu au règlement général d'organisation de l'enseignement libre subsidié.*

Toutes les écoles subsidiées de la Mission seront ouvertes à la visite de l'inspecteur provincial.

C.—ETUDES LINGUISTIQUES ET DE SOCIOLOGIE.

3° *La Colonie versera à la Mission une somme de 3,000 fr. pour chaque dialecte indigène inconnu dont la Mission fournira, en manuscrit, la grammaire, le vocabulaire, un croquis indiquant l'aire de diffusion et un recueil de phrases usuelles avec traduction en langue nationale.*

Le Gouvernement aura la faculté d'imprimer ces ouvrages ou de les faire imprimer à ses frais.

La Mission effectuera le travail de correction.

100 exemplaires de l'ouvrage seront remis gratuitement à la Mission . . . . contre renonciation par celle-ci à ses droits d'auteur à l'égard de la Colonie.

Une somme à convenir sera versée à la Mission pour des études que le Gouvernement aurait jugé utile de lui demander.

4° *Si les avantages dérivés de la convention nouvelle étaient de fait inférieurs à fr. . . . , soit les subsides ordinaires actuels accordés par la Colonie, la Colonie comblerait le déficit pendant une période de cinq ans.*

5° *La Mission fournira annuellement le tableau statistique de ses œuvres et un rapport général sur les progrès réalisés, à son intervention, dans le domaine tant moral que matériel, par les populations indigènes.*

6° *La présente convention est faite pour une durée de vingt ans.*

Fait en double, à . . . . , le . . . .

SECTION XIV

THE LIBERIAN REPUBLIC

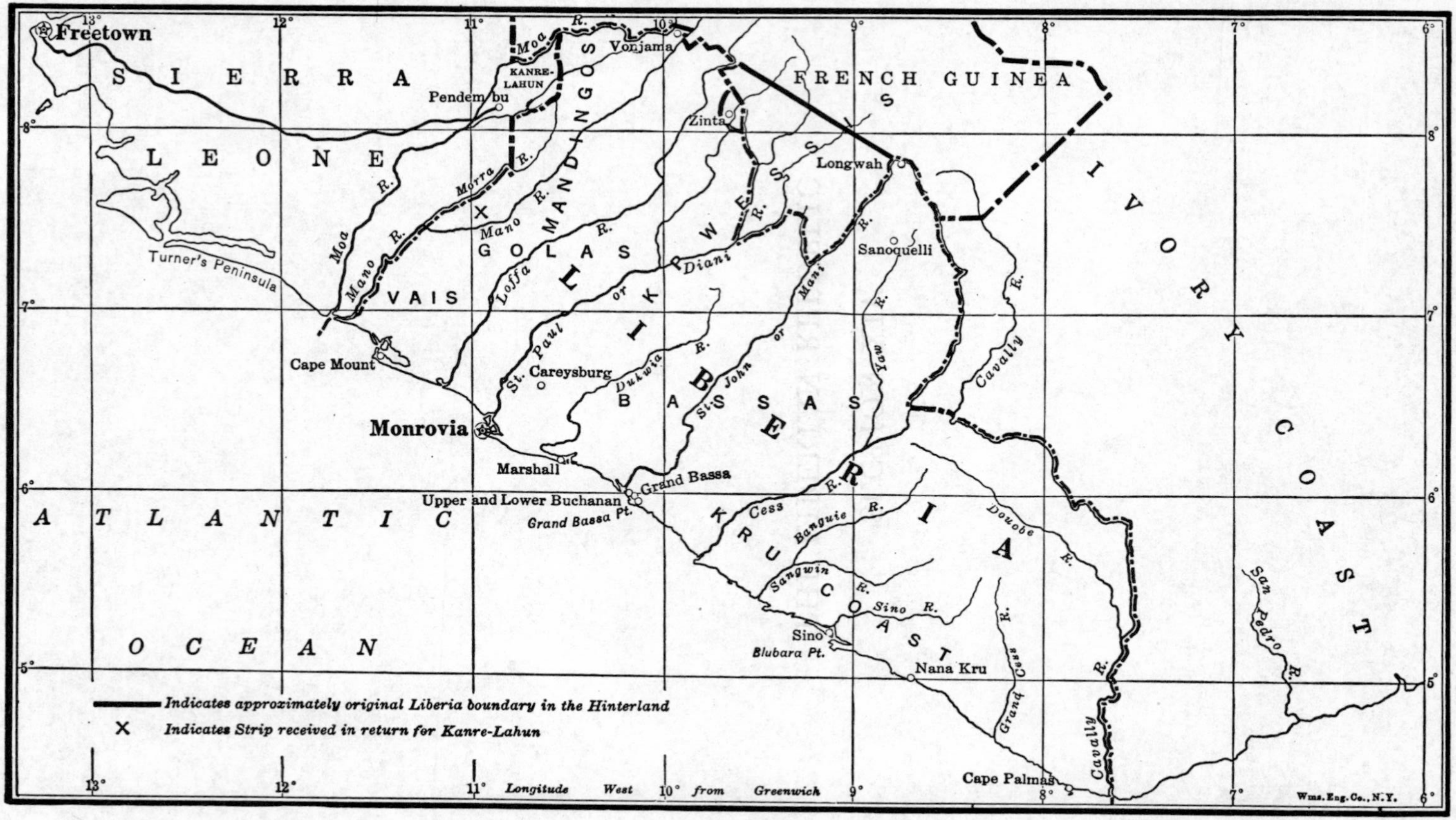
Freetown
SIERRA
LEONE
Pendembu
KANRE-LAHUN
Moa R.
Vonjama
FRENCH GUINEA
MANDINGOS
Zinta
Longwah
Sanoquelli
IVORY COAST
Morra R.
Mano R.
GOLAS
Turner's Peninsula
Moa R.
Mano R.
VAIS
Loffa R.
St. Paul or Diani R.
WESS
St. John or Mani R.
Yaw R.
Cavally R.
LIBERIA
Cape Mount
Careysburg
Dukwia R.
BASSAS
Monrovia
Marshall
Grand Bassa
Upper and Lower Buchanan
Grand Bassa Pt.
ATLANTIC
OCEAN
Cess R.
KRU COAST
Banguie R.
Douobe R.
Sangwin R.
Sino R.
Sino
Blubara Pt.
Nana Kru
Grand Cess R.
Cavally R.
San Pedro R.
Cape Palmas
Indicates approximately original Liberia boundary in the Hinterland
X Indicates Strip received in return for Kanre-Lahun
13° 12° 11° Longitude West 10° from Greenwich 9° 8° 7° 6°
8° 7° 6° 5°
Wms. Eng. Co., N.Y.

Liberia

CHAPTER 95

THE GOVERNMENT

LIBERIA is the only negro republic in Africa. Except for Haiti it is the only negro republic in the world. Lying along the West Coast of Africa between La Côte d'Ivoire and Sierra Leone, it has an area of forty-two thousand square miles—about the size of the State of Pennsylvania; and a native population estimated, in addition to about one hundred and fifty Europeans, to be between 1,500,000 and 2,000,000 people.[1] In the hinterland and to a certain extent along the coast tribes are found similar to those in other parts of West Africa. The leading tribes are the Vai, Bassas, Mandingos, Kpwessis, Grebos, and Krus. The latter two tribes are related. The Vai people are apparently the only people in Africa who have developed a written language without European aid.[2] The Kru people, who are one of the most remarkable people inhabiting the West Coast, have created some problems which are later discussed.

1. *Its Foundation*

In 1816 the American Colonization Society was founded to colonize American negroes on the West Coast of Africa.[3] Attempts to settle the coast of what the Society named Liberia—the home of the Free—were made in 1820 and 1821. In the latter year, amid difficulties greater perhaps than the Pilgrim Fathers experienced in landing in America, a settlement was founded on the Mesurado River, in a town which was named after the President of the United States—Monrovia.[3a] In 1825 a Constitution for this settlement was approved by the American Colonization Society.[4] This Constitution provided that the Colonization Society should

[1] One writer puts the population as low as six hundred thousand or seven hundred thousand. L. Jore, *La République de Liberia,* Paris, 1912, p. 28.

If Liberia has the same population density as Sierra Leone, namely, 56.2 per square mile, its total population would work out at 2,350,000.

[2] Cf. G. W. Ellis, *Negro Culture in West Africa,* New York, 1924, Chapter X. The Bassas, according to some natives, at one time devised a language which has now disappeared. The Sultan of Foumban in the Cameroons has devised a type of language which is widely employed.

[3] This philanthropic body was assisted by the American Government. Cf. Vol. II, p. 782.

[3a] These settlers came from Sherbro, Sierra Leone, where an attempt at settlement was first unsuccessfully made.

[4] It appears that the Constitution was first drawn up in 1820, cf. *Constitution, Government and Digest of the Laws of Liberia,* May 23, 1825, p. 1.

make rules for the government of the settlement. A "Plan for Civil Government" declared that the Agent of the Colonization Society possessed "sovereign power," subject to the decisions of a Board of Managers. The Judiciary should consist of the Agent and two Justices of the Peace. The Agent should annually in pursuance of a vote of the majority of the freeholders, appoint a Committee of Agriculture, a Committee of Public Works, a Committee of the Colonial Militia, and a Committee of Health. While the common law was made applicable, the government also prepared a Digest of Laws which declared among other things that "quarrelling, rioting, drunkenness, Sabbath-breaking, profaneness and lewdness are infractions of the public peace." Every able-bodied man receiving rations had to labor for the public two days a week.[5] Every married man was entitled to a town lot and also to five or ten acres of plantation land.

When the colonists, under the leadership of Ashmun, a white man, arrived in Liberia, they found the coast occupied by native tribes. Ashmun did not assume that the country was without rulers or that the land was vacant. Instead, he negotiated with many of these rulers for the cession of land and other privileges. By this means the whole left bank of Stockton creek from the Montserado to Saint Paul's was purchased. The Annual Report of the American Colonization Society for 1828 says: "Large and important accessions have been made during the year to the territories of Liberia. The negotiations which were stated, in our last report, to be in progress with the chiefs of Cape Mount . . . have been satisfactorily concluded. . . . The chiefs have stipulated to build a large and commodious factory for the Colonial Government, to guarantee the safety of all persons and property belonging to the factory . . ."[6] to encourage trade, and to exclude foreigners from any right of occupancy. While it appears that some land was later acquired by conquest, the Liberian Government recognized, in an Act defining the boundaries of the Republic, that its jurisdiction was based on treaties made with the chiefs. This Act stated that the people "have at different times, for good and adequate pecuniary consideration, purchased from the native proprietors of the soil the line of coast from Shebar on the North West to Grand Cesters on the South East"; . . and that "said native proprietors have not only ceded to this Republic their property in the soil originally owned by them, but yielded up to this Republic all and every species of political ascendancy and sovereignty over the same." . . . Therefore, the

[5] Sixth Article, *Digest, ibid.*, p. 9.

[6] *Eleventh Annual Report of the American Society for Colonizing the Free People of Colour of the United States*, 1828, p. 41. The texts of agreements with chiefs for land are printed in *ibid.*, pp. 61 ff.

Legislature, "in virtue of the purchases and treaties made as above stated," defined the boundaries of the country.[7]

In 1832 a number of state colonization societies in America were founded which established separate settlements along the coast. In 1837 these settlements, except for Maryland, came together in a central government. Maryland entered this Union in 1857. So far the government of the Commonwealth was directed by the American Colonization Society—a private body in the United States. The Commonwealth's right to exercise the powers of government was soon challenged by British merchants who declared that since it had no international status, Liberia could not levy custom duties nor monopolize trade, as it had attempted to do. In a note of August 9, 1843, the British Minister declared to the American Secretary of State that certain differences between British traders and the authorities of Liberia "render it very necessary, in order to avert for the future serious trouble and contention in that quarter, that her Majesty's Government should be accurately informed what degree of official patronage and protection, if any, the United States Government extend to the colony of Liberia, how far, if at all, the United States Government recognize the colony of Liberia, as a national establishment. . . ." He added that the authorities of Liberia "have shown a disposition to enlarge very considerably the limits of their territory; assuming to all appearance quite unjustifiably, the right of monopolizing the trade with the native inhabitants along a considerable line of coast, where the trade had hitherto been free. . . ."[8] In reply, Mr. Upshur, the American Secretary of State, said, "It is due to her Majesty's Government that I should inform you that this Government regards it [Liberia] as occupying a peculiar position, and as possessing peculiar claims to the friendly consideration of all Christian powers; that this Government will be, at all times, prepared to interpose its good offices to prevent any encroachment by the colony upon any just right of any nation; and that it would be very unwilling to see it despoiled of its territory rightfully acquired, or improperly restrained in the exercise of its necessary rights and powers as an independent settlement."[9]

Apparently acknowledging that a fully independent government must be established before Liberia could be recognized as a state, the American Colonization Society severed all political connections with its ward in 1846. On July 29, 1847, the people of Liberia held a convention in which they drew up a Declaration of Independence and a Constitution. The

[7] *The Liberian Blue Book.* A Compilation of Laws before 1857, p. 133.
[8] Printed in *American Journal of International Law, Supplement,* Vol. 4 (1910), p. 211.
[9] Note of September 25, 1843, *ibid.*, p. 214.

first of these documents was modelled somewhat after the American Declaration of Independence. After reciting the disabilities under which they had suffered in the United States, and summarizing the history of Liberia, it closed as follows: ". . . In the name of humanity, and virtue and religion—in the name of the Great God, our common Creator, and our Common Judge, we appeal to the nations of Christendom, and earnestly and respectfully ask of them, that they will regard us with the sympathy and friendly consideration to which the peculiarities of our condition entitle us, and to extend to us that comity which marks the friendly intercourse of civilised and independent communities."

The Constitution, like that of the United States, provided for an elected president, a legislature of two houses, and a Supreme Court.[9a] No attempt was made to establish a federal type of government. Instead the sea-board extending back for a period of some forty miles has been divided up into a number of counties, districts, and territories, later described. The motto of the new state was "The Love of Liberty Brought Us Here."

2. *Liberian Diplomacy*

Great Britain almost immediately recognized the independence of this new state; it was followed by France. The United States, however, did not recognize Liberia until 1862. At the present time Liberia is in theory an independent state. It is an original member of the League of Nations (thanks probably to President Wilson), and in 1926 the Liberian representative was elected a vice-president of the Assembly. It maintains diplomatic representatives in at least two European capitals—London and Paris. In the past Liberia's diplomatic representatives have not as a rule been native Liberians. But her envoys are usually wealthy Europeans—one of them a Baron—who like diplomacy so much that they serve Liberia without charge. The 1925 budget of Liberia merely appropriates fifteen hundred dollars for the expenses of the London and Paris legations. Before the World War, a German, who had for many years conducted business in Liberia, acted as the Liberian consul-general in Berlin. The outstanding exception to this rule of "white" diplomats was Dr. W. E. Blyden, probably the most intelligent man that Liberia has produced, who for a time was Minister at the Court of Saint James.

Following the World War the government inaugurated the policy of using Liberians in the consular service. One of them is now consul-general in London, while another, an aboriginal native, is consul-general to Germany. The government also has had a Liberian as consul at Fernando Po. Strangely enough, Liberia has no diplomatic representative in

[9a] Cf. Vol. II, p. 855.

the United States. In 1920, the Legislature authorized the appointment of a diplomatic representative to Washington and appropriated the sum of eight thousand dollars as the annual compensation for this office.[10] This appointment fell through following the failure of the American loan. At present Liberia is represented by a consul-general at Baltimore, a negro, who was formerly Minister of the United States to Liberia. Liberia has a white man as a consul in New York.

In 1922 President King told the Legislature that his government had been approached through "indirect diplomatic channels," with a view to the exchange of Diplomatic Representatives with the Vatican. He said that in view of "the powerful moral position held in the world by the Roman Catholic Church," this exchange was desirable.[11] But the Legislature was too Protestant to authorize such a transaction.

A number of foreign powers are represented at Monrovia. In 1868 the Black Republic of Haiti maintained a consul-general at Monrovia.[12] At present the United States is represented by a Minister who also serves as consul-general—a post which the State Department sometimes finds difficult to fill despite the understanding that a negro shall hold the post.[13] France, Spain, Great Britain, Holland, and Germany also maintain consular officers at Monrovia. The Dutch position is held by a trader.

Within the coastal area, the descendants of the American-Liberians who founded the country now live. It is estimated that through the efforts of the American Colonization Society 18,858 negroes before the Civil War[14] emigrated from the United States to Liberia. During the first fifty years of its existence the American Colonization Society expended $2,141,307.

Of those settled by the Society 4541 were born free; 344 purchased their freedom; 5967 were emancipated to go to Liberia; 1227 were settled by the Maryland Society; 5722 were recaptured Africans settled by the United States Government. Their descendants number, according to most estimates, ten thousand or twelve thousand. Altogether there are between fifty thousand and sixty thousand people living along the coast who, as a result of the influence of the American-Liberians, have become "civilized." The Liberian Government has been confronted with two general types of problems: (1) those relating to the administration of the American-Liberians and of the natives—the problem of internal administra-

[10] *Acts*, 1919-1920, Chapter XVIII.
[11] *Message of the President*, 1922, p. 4.
[12] *Ibid.*, 1868, p. 1.
[13] A temporary exception was made in the case of Mr. Clark who accepted as *chargé*, cf. Vol. II, p. 825.
[14] *Memorial of the Semi-Centennial Anniversary of the American Colonization Society, Washington*, 1867, p. 190.

tion, (2) the problem of defending itself against outside powers. The internal problem will be discussed first.

3. *The Legislature and President*

The Constitution of 1847 remains, with a number of amendments, the law of the land to-day. Needless to say, every official in Liberia [15] is a negro. Legislative power, in this Constitution, is vested in a legislature composed of two houses—the House of Representatives and the Senate. The former body is composed of a number of representatives of the counties, based roughly on population. At present the House contains twenty-one members.[16] Representatives receive a salary of twelve hundred dollars a year, in addition to mileage. The Senate is composed of ten members, two from each county, each of whom is paid two thousand a year. To be eligible for election, candidates must possess property of the value of one hundred and fifty dollars in case of a Representative, and two hundred dollars in the case of a Senator. Since 1907 the term of a Representative has been four years, and of a Senator, six years. The hinterland is not represented in the Legislature. Nevertheless, upon the deposit of a hundred dollars a tribe may send a Referee to watch legislative proceedings. While the Referees may not vote, they may speak every Friday on affairs affecting the tribe. There were two such Referees representing the Krus in the 1925-26 Legislature. Both Houses in the Legislature meet in a three story building in Monrovia, which shelters, in addition to the Legislative Chambers, a number of government offices and the Supreme Court. The Legislature holds annual sessions which last usually two or three months. Both Houses follow American legislative procedure, based on Jefferson's Manual, Curtis' Rules, and Roberts' Rules of Order. Again following American practice they have organized themselves into a large number of committees. Thus in the 1925-26 session of the thirty-fifth Legislature there were a total of thirty-six committees on the Senate Committee Roll. The laws passed by the Legislature are published annually; and a compilation of laws, to supplement the Blue Book, which compiled these laws up to 1857, is now being prepared. The Legislature enacts and publishes an annual budget.

The most important cog in the Liberian Government is not the Legislature nor the Supreme Court,[17] but the President. The Constitution grants him powers similar to those held by the President of the United

[15] With the exception of super-imposed American controllers, cf. Vol. II, p. 805.

[16] This includes the number authorized in the act of January 21, 1926, granting an additional member to each of the Counties of Montserrado, Grand Bassa, Sinoe, and Maryland.

[17] Cf. Vol. II, p. 715.

States. He holds office for four years,[18] and draws a salary of five thousand two hundred dollars. In addition, he receives a travelling allowance of five thousand dollars, an entertainment allowance of two thousand dollars, a grant of four hundred dollars for a butler and a housekeeper, an Executive Mansion "Contingent" of five hundred dollars, together with an Executive Mansion which the government does not own, but which it rents for $1200 a year. Excluding the last two items, the total authorized income of the President is $12,600 a year.[18a] He is assisted by a Vice-President who receives three thousand dollars and a travelling allowance of five hundred dollars, and by a Cabinet composed of Secretaries of State, Treasury, Justice,[19] War, Interior, and Public Instruction, as well as a Postmaster-General—seven members in all. Each Cabinet member receives three thousand dollars a year.

Confronted by conditions which would make even Mussolini shudder, the President of Liberia is obliged to be something of a despot. The Legislature is so small—containing only thirty-one members in all—that the President may control it without much difficulty. Directly or indirectly, the government controls every printing press in Monrovia, except the one belonging to the Methodist mission; and it can consequently keep the press under control. It frequently exercises a censorship. During the course of the 1923 campaign in which President King was being vigorously opposed for reelection by candidates of the People's Party, his opponent wrote a letter to the United States describing conditions in Liberia. The administration removed this letter from the post-office, and President King read extracts from it during the election campaign. At the end of the election, the author of the letter sued for its recovery. The Circuit Court judge, unfamiliar with the fact that the President was not amenable to judicial process, issued a mandamus ordering the President to deliver up the letter. When the President heard of this summons, he is said to have called the judge, the attorneys involved, and the sheriff to the White House; and after lecturing them upon the omnipotence of the President, fined the judge $150, and the other *participes crimines* smaller sums.

4. *Political Parties*

The predominant political party in Liberia is the Whigs—an organization which has almost continually controlled the Liberian Government. Between 1871 and 1877 it fell from grace over the attempts to amend the

[18] Between 1847 and 1907 the term was only two years.

[18a] In December, 1926, the Legislature granted President King six months' leave "for the recuperation of health," and appropriated $5,000 for his travelling expenses. *Acts, 1926,* p. 20.

[19] An official who is Attorney-General.

Constitution so as to extend the presidential term from two to four years—a reform finally enacted in 1907, and President Roy's attempt to stay in office after the expiration of his two year term. This action and the difficulties arising out of the 1871 loan [20] irritated the Whig opponents, who called themselves the Republican party, with the result that they drove Roy out of office. In attempting to flee from their wrath he was drowned. It is a remarkable fact that this has been the only approach to a revolution in Liberian history, which is probably due to political indifference as much as to anything else. The Republicans retained control of the government until 1877 when in a hot political fight the Whigs again won. From that time until 1923, the Whigs had no difficulty in maintaining office.[21]

In 1923 an opposition party arose, called the People's Party, supported by a former president and Whig, Mr. Daniel Howard. This party made a strenuous campaign against the Whigs in the presidential elections of 1923 and 1927. It is the only opposition party which has managed to hold together between two election campaigns.

The Whigs have organized themselves on lines similar to those found among parties in the United States. It has its county committees, and its national conventions which meet every four years and which are attended sometimes by five hundred delegates. The party is governed by a National Chairman and an Executive Committee, composed of the members of the Cabinet and of both Houses of the Legislature. The Constitution of the party requires every member of the Executive Committee who is a government official to pay two per cent of his salary annually into the party treasury, to constitute a campaign fund.[22] In practice, the Treasurer deducts ten per cent from the monthly salary of government employees, all of whom are Whigs, until the expenses for the past campaign are met. The Treasurer made such deductions until November, 1925,[23] to pay for the elections of 1923 at which the Whigs spent a sum estimated to be between fifty thousand and one hundred thousand dollars, or about one-eighth of the annual revenue of the government.

Every officer in the government, whether a judge or administrator, must belong to the Whig party before he can secure an appointment. There is no civil service. Only Whigs are appointed as jurors at ordinary trials. Except for the elected officials—members of the Legislature, the President, and the Vice-President—all of the positions in the government

[20] Cf. Vol. II, p. 796.
[21] In 1903 an opposition party was organized, but it was shortlived.
[22] *General Rules or Constitution for the Government of the True Whig Party*, Paynesville, 1919, p. 8.
[23] *Liberian Tribune*, October 31, 1925, p. 11.

are appointive. Until recently the Chairman of the party, upon the advice of the Senators of each county, allotted offices to party men; but within recent years, the heads of the departments and the President have taken most of this power out of the hands of the National Chairman.

The positive character of President King and the control he has over the Whig party was illustrated by an incident which occurred in the spring of 1926. Taking advantage of the absence of the President in Fernando Po, the Chairman of the Whig party called a meeting at which definite opposition to a third term for President King was expressed. Upon his return the President promptly dismissed from his Cabinet the Postmaster-General and the Secretary of War who had led the movement against him. They nevertheless retained their position as officials in the party, but instead of leading a revolt they calmly accepted their chastisement and supported Mr. King as the party's candidate in 1927.[24]

5. *The Electoral System*

Part of the repeated successes of the Whig party has been due to the election system. The Constitution provides (Article 1, Section 11) that every male citizen of twenty-one years of age, possessing real estate, shall have the right of suffrage. A prospective voter, wishing to register, must present a property deed to a voting registrar. Under the Electoral Registration Act, the President appoints a Commissioner of Elections for each of the five counties, who in turn appoints a registrar for each township. Thus there are twenty-seven registrars in Montserado County alone. These officials receive registrations for four weeks before election, for four days out of each week, for which they are paid $1.50 a day. In addition they receive two cents for each person registered. Because of this financial inducement and the large number of registrars, there is an incentive to register fictitious voters. Before 1905 it was the practice of the government to urge chiefs holding a collective title to land to register and vote as a unit the members of their tribe. But this led to so many abuses that the Legislature enacted a law [25] prohibiting the registration of deeds containing the names of more than three persons unless the deed was "of ancient date." This law has not always been enforced.

Originally election polls were opened by the judges of the local courts at the request of a certain number of voters. Because of abuses arising out of the opening of a large number of polls, the Legislature in 1910 strictly limited to thirty-four centers the opening of such precincts.[25a] But in

[24] Cf. *The Liberian News,* April, 1926, p. 9.
[25] *Acts passed by the Legislature of the Republic of Liberia,* during the Session 1904-1905, Monrovia, p. 11. (Hereafter cited as *Acts.*)
[25a] *Ibid.,* 1909-1910, p. 36.

order to make secure his reelection in 1923, the President induced the House of Representatives to pass a resolution authorizing him to open additional voting polls by proclamation. Following the passage of the resolution by the House, the People's Party petitioned the Senate to reject the bill on the ground that it would mean "a complete destruction of the voice and power of an intelligent electorate." The Senate, being solidly Whig, passed the resolution.[26] The President thereupon opened three new precincts in remote spots (Kakatown, Mt. Coffee and Cheesemanburg), which rolled up tremendous majorities for the incumbent administration.

To register as a voter, a Liberian need not register personally. If in the good graces of the Whig party, a man may bring to the registrar a list containing, say, one hundred and fifty names, together with deeds purporting to show that the men listed own property and hence are entitled to vote. The clerk thereupon registers the list. As no check is made to insure accuracy, a large number of fraudulent registrations may easily take place. On election day the man who registered the list of one hundred and fifty men brings around, say, fifty boys to answer to the names on the list; after casting his ballot, a boy is said to go to the end of the line, sometimes changing his clothes, to vote again when another name is called. The opposition party is supposed to be entitled to a judge, but voting is so rapid that it is impossible to check names accurately. Before the election each party prints its own ballot-tickets, containing the names of the candidates, in a color which it keeps secret until election day in the hope of deceiving the other party. These ballots are distributed wholesale on the streets to the voters who attempt to stuff as many into the ballot boxes as possible. Polls are opened between nine and twelve, when time is taken out to count the votes; they are again opened from two to five, when the remaining votes are counted. After voting hours the ballots are confided to a Whig sheriff.

In order to limit ballot stuffing, the two parties in the 1923 election made an agreement that each should take turns in voting their man, in tandems of half an hour each. But the Whigs "humbugged"—to use a pidgin English expression—the People's Party by challenging every one of the voters of the latter party during the half-hour period so that few votes could be cast. Many Liberians assert that the 1923 election was the worst in the history of the country. The number of property owners eligible to vote in Liberia is about six thousand. But in this election a total of fifty-one thousand votes were cast of which Mr. King, the incumbent, received forty-five thousand. It was generally believed, however,

[26] *Ibid.*, 1922-23, p. 31.

that Mr. King's opponent had obtained the real majority. In 1927 President King was reelected for a third term with an "unprecedented majority" of one hundred and twenty-five thousand votes over the candidate of the People's Party.[27] Former presidents had used methods similar to those of Mr. King. In 1903 the *Liberian Recorder* declared that the election of President Barclay was due to "wrong and unrighteous measures" which "throws quite a shadow over the success achieved. The evils are growing to alarming proportions." [28]

One of the great needs of Liberia is a vigorous opposition party. But as long as the President has such complete control of the ballot box, the opposition has no incentive to employ constitutional means. At the 1923 election, a revolution nearly occurred. Some Liberians threaten such a revolution if elections in the future are not more honest. But the success of such a move is doubtful, not only because of general indifference and the absence of vigorous and educated men, but also because of the presence of American capital and the insistence of the United States on "constitutional" government in those small countries to which its influence extends.

6. *The Judiciary*

The judicial machinery of Liberia consists of a Supreme Court of three judges, four regular Circuit Courts, and four provisional Courts at Grand Cape Mount, Marshall, Careysburg, and Cavella. The Chief Justice receives an annual salary of thirty-five hundred dollars, while the associates receive three thousand each. The circuit judge receives a salary of fifteen hundred dollars. In addition to the Circuit Courts, each county has a "Monthly Court" with a judge who receives seven hundred and fifty

[27] A Liberian correspondent writes, "Irrespective of their expressions, these natives were forced, under the direction of Secretary of Interior, John Lewis Morris, to appear at the polls on election day and there with soldiers at their backs, place ballots in the boxes, ballots which they were unable to read, and practically all of which were marked with King's name. In some places the chiefs refused to force their men to vote but most of them yielded when they were threatened with imprisonment.

"There has been no legal registration in the interior. Pseudo names were entered in the registration books and the practice was to vote as many men as could be secured over and over again until the lists were exhausted. This was practiced throughout the republic. In some cases legal voting was thwarted and legal voters driven from the polls. Another method was to place hundreds of ballots in the boxes before the voting began, or to create an excitement and in the confusion put in several hands-full of tickets."

Another writes, "The government put the Frontier Soldiers at all the polls and forced the majority of those that desired to vote the People's Ticket and compelled the people to vote the Whig Ticket. This brought about considerable fighting at many of the polls, but no one was killed or seriously wounded."

Some Liberians also criticized the American Receivership for setting off fireworks from the lighthouses at the announcement that King had been re-elected.

[28] *Liberian Recorder,* May 23, 1903.

dollars a year. The basis of the judicial system is the justice of the peace. Every justice of the peace may hear a petty criminal case in which the fine does not exceed ten dollars, and a civil case not exceeding thirty dollars, subject to appeal to the Monthly Court.[29] Each county likewise has its sheriff and jailer who receive salaries ranging from two hundred and fifty dollars to eight hundred dollars a year. The Monthly Court also has original jurisdiction over cases of debt between thirty and two hundred dollars and over misdemeanors involving a fine of between ten and twenty dollars. More serious cases go to the Circuit Courts, with appeal to the Supreme Court.[30] This system has little to do with the natives of the hinterland, who are tried by the chiefs and native commissioners.

One's impression of the Liberian judicial system is that it is over-loaded with judges and courts, who constitute a drain upon the finances of the government, but have comparatively little to do. The Supreme Court sits in full session only about three months out of the year; the Circuit Courts sit about twelve weeks, while the Monthly Courts are open only three or four days a month. The remainder of the time, the judges of the Supreme and Circuit Courts are supposed to hold "Chambers" sessions in which they grant writs, but during this period it is customary for most of the judges to retire to their farms.

President Howard attempted to abolish the Monthly Courts and combine their duties with those of the Circuit Courts. But the present system was later restored, apparently for political reasons. In 1922 the Circuit Courts heard only one hundred and thirty-five cases, a number which increased to one hundred and seventy-two in 1923,[31] or in the latter year, or a little more than one case a month for each court. One well-organized and reasonably hard-working court could despatch the business upon which the Circuit Courts are now engaged. In addition to paying the salaries of the judges, of the Supreme, Circuit, Monthly, Territorial and District Courts, the Estimates provide appropriate lump sums for "judicial estimates" in the five counties, amounting to $15,300. The country also supports an Attorney-General, a Solicitor-General, and a series of county attorneys. Moreover, it is impossible to tell from the Liberian Estimates what disposition is made of judicial fines and fees. The total cost of the judiciary system and the Department of Justice in 1925

[29] *Blue Book,* p. 114; also James A. Tolliver, *Rules and Regulations for the Circuit Courts of the Republic of Liberia,* July, 1912. *Code for Justices of the Peace, Republic of Liberia,* 1907.

[30] For the procedure in these courts, see A. Karnga, *A Guide to Our Criminal and Civil Procedure,* Monrovia, 1914.

[31] L. A. Grimes, *Report and Opinions of the Attorney-General,* 1923, p. 5; *ibid.,* 1924, p. 10.

was more than sixty-three thousand dollars or nearly nine per cent of the total revenue, in contrast to two per cent (15,320 pounds) in the neighboring territory of Sierra Leone.[32] Despite the large number of judges, the Attorney-General complains of delay in the administration of justice.[33]

The Liberian judicial system has been subject to more serious criticisms than that of delay. The judges of these courts frequently display an astonishing knowledge of American decisions and the common law, as recorded by such writers as Blackstone, but in cases involving the government, it is difficult for a Liberian to get justice from a court because of the interference of the executive.[34] No lawyer in Monrovia—and they all are negroes—would dare to apply for an injunction against a prominent government official. Moreover, the members of a jury in both criminal and civil cases are invariably Whigs, so that it is difficult for an opponent of the government to get an impartial decision.

Under the Constitution, the Legislature has the power not only to impeach judges but to authorize the President to remove them simply by an address passed by a two-thirds vote. In the past Liberians have protested against the exercise of this power, and of the abuses of the judicial system in general.

In an address Judge McCants Stewart said, "It cannot be denied, however, that our judicial system to-day is the object of serious charges. . . . Our Chief Executive has declared to the Legislature that evils exist in our judicial system which must be speedily remedied if we desire to strengthen ourselves as a nation.

"Gentlemen of the Bar: Can we be quiet while our judges are charged both at home and abroad with (1) ignorance, (2) excessive use of intoxicants, (3) the exhibition of prejudice or passion in the trial of causes, (4) shocking immorality, (5) accepting retainers from private parties, (6) sharing moneys offered as a reward for the arrest of criminals, (7) accepting bribes."[35] Judge Stewart was himself removed from office in 1914 on the address of the Liberian Legislature. According to Judge Stewart, this action was precipitated in order to make a place on the Bench for a certain politician who had been promised the Vice-Presidency, "which said promise said leaders abandoned because of the subsequent decision to make another person the beneficiary of their influence." He also stated that the resolution of removal was not passed by the requisite two-thirds vote. But the Supreme Court, to which he appealed, rejected his contentions on the

[32] Excluding police and prisons.
[33] *Report, cited,* 1924, p. 11.
[34] Cf. Vol. II, p. 711.
[35] "The Impartial Administration of Justice: the Corner Stone of a Nation." *Address to the Executive Committee of the Liberian Bar Association,* 1909.

ground that the case was brought before it under the wrong procedure and that no support of the facts had been given.[35a]

Foreign nations have also complained of the treatment accorded their nationals in Liberian courts. The German, Dutch, and British foreign offices registered such protests in 1904, 1908 and 1922 respectively.[36] One of the latest cases occurred in 1922 when the *Oost Afrikannische Compagnie,* a Dutch concern, was adjudged guilty by the Supreme Court of having violated a contract made with a Liberian. The court, however, reserved the publication of its judgment until the next term. This led to a protest from the Dutch consul that the court was guilty of "serious blunders and dereliction of duty." In reply the Attorney-General declared that a litigant had no right to protest against a judgment simply because it was not published.[37] Nevertheless, he recommended the passage of an act requiring the Court to give an opinion at the same time as a judgment.

At one time the British diplomatic representative suggested the establishment of extra-territorial courts, such as have existed in China and Turkey; and the proposed 1921 loan agreement provided that American officials in Liberia should under certain circumstances be exempt from local judicial process. While the Liberian Government accepted this provision, the loan failed to go through.[38]

Despite the absence of a Law School there are more than one hundred negro attorneys in Liberia. After reading law in an office, candidates may be admitted to the bar by one of the Circuit Courts. In 1924 the Attorney-General declared that "complaints are constantly made that persons imperfectly trained, and in many instances of meagre intellectual qualifications, are being admitted to the Bars of our several Circuit Courts, with the result that the standard of proficiency once set is being very much

[35a] "Re Notice from the President of the Removal of Associate Justice McCants Stewart," *Opinions and Decisions of the Supreme Court of the Republic of Liberia,* 1915, Semi-Annual Series, No. 5, p. 1.

[36] *Message of the President of Liberia,* 1904, p. 9; *ibid.,* 1908, p. 16; *ibid.,* 1922, p. 13.

[37] *Report and Opinions of the Attorney-General,* 1923, pp. 15, 4.

[38] Cf. Vol. II, p. 816. The Agreement said, "Should any action be filed in the courts of Liberia which may in any way affect the resources of Liberia or the collection, application, and administration of the assigned revenues and receipts, the attorney general, the financial commissioner, and the legal counsellor shall immediately confer for the purpose of determining the course which shall be followed with reference to the aforesaid action. The members of the financial commission shall be granted by the Government of Liberia such immunity, in so far as they may be subjected to arrest or to civil or criminal process of the Liberian courts, as shall leave them unimpeded and unembarrassed in the discharge of their official duties. . . ." (Article V, para. 1.)

The restrictions which Liberia still maintains over Europeans outside of ports of entry also remind one of the extra-territorial régime in China. Cf. Vol. II, p. 770.

lowered."[39] In the same year President King, commenting on these conditions, said that "there is at least a moral responsibility attached to the Government for every incompetent person palmed off upon the community by the courts as a lawyer." Consequently, he recommended that the admission of new lawyers be transferred from the Circuit Courts to a Bar Committee, appointed by the Chief Justice and having the Attorney-General as Chairman. This Committee should prescribe a course of legal studies and set an examination.[40]

For many years the President of Liberia has called attention to the condition of the prisons. In 1922 Mr. King declared that "complaints are constantly being made against the insanitary condition of our prisons and the manner in which we treat our prisoners. Apart from the moral obligations which the Government owes to persons thus unfortunately deprived of their liberty, felons though they may be, the subject is also pregnant with possibilities for international friction. On the 8th of June last, the condition of the prison at Cape Palmas was incidentally one of the counts in a complaint filed by the British Representative at this capital . . . If our Prisons are kept in such insanitary condition as not to permit foreigners being placed in them, we shall in fair Justice have to grant the same privilege to Liberian citizens . . ."[41] In the next message, the President repeated this criticism, and declared that a National Prison should be built to which all prisoners sentenced for more than one month should be sent.[42] In 1895, an act provided for the construction of an up-to-date prison on these lines; nevertheless, the old prison at Monrovia still does duty.

Despite these present defects in the judicial machinery, the fact remains that comparatively few serious crimes are committed in Liberia, and that when crime is committed it is quickly punished. The government has maintained order throughout the entire country since the Kru war of 1915; and life and property are more secure, it appears, than in many other parts of the world.

7. *Military Organization*

Before 1908 the chief means of maintaining order and suppressing revolts in the country was the Liberian militia. It was by means of the militia, convoked on occasion, that the government suppressed the native

[39] *Report*, 1924, p. 17.
[40] *The 1924 Message of His Excellency Charles Dunbar Burgess King, President of the Republic of Liberia.* December 9, 1924, p. 33. (Hereafter cited as *Message of the President.*)
[41] *Ibid.*, 1922, p. 16.
[42] *Ibid.*, 1923, p. 15. This idea was adopted by an act of January 17, 1895, but never carried into effect.

wars of 1873, 1884, 1893, and 1910. In the treaty of 1907, France required Liberia to establish a permanent Frontier Force [43] of native soldiers, which has taken away many of the duties of the former volunteer organization. Nevertheless, the militia remains in existence to-day. Every man between sixteen and fifty must be enrolled unless exempted. The military organization of Liberia is controlled by a Secretary of War and a Military Council, a body which has not, however, functioned. The Liberia militia now consists of four organized regiments and one detachment on the point of being organized at Cape Mount. At the head of this organization is a Brigadier-General, and two Major-Generals; while a Colonel commands each regiment. These regiments are composed of companies of forty men each.[44] At present about three thousand men are enrolled. The first Thursday of every month a company drill in each settlement is held, which lasts two hours. Four regimental parades are held each year at the headquarters of each regiment. These parades last for two days, the first being for officers and the second being for general drill. Neither officers nor men are paid for these drills. They must supply their own uniforms and sustenance; but they are furnished transportation.

The law exempts a number of classes from going to these drills.[45] Others who absent themselves are liable to a fine of a dollar and a half a day in the case of a private for a monthly company drill, and of three dollars a day in the case of regimental parades. Fines are imposed by court martial and collected by military fine collectors. In 1920 the Bureau of Internal Revenue complained that "not more than about 12½ per cent of this source of revenue is at present being collected owing mainly to the absence of any effective summary manner in which to handle delinquents . . . Many going so far as to threaten Collectors with bodily injury if any attempt is made to enforce payment." [46] The Collector receives fifteen per cent of the fines, the remainder of which he should pay into the Treasury. The Estimates do not contain any item for this particular kind of receipt, although it may be included under "Miscellaneous." Despite this system of fines, it does not appear that the men universally respond to this obligation. In 1922 only fifteen hundred men attended the regimental parades, out of an enrollment of three thousand.[47]

Owing to the lack of organization and equipment, these regimental

[43] Cf. Vol. II, p. 787.

[44] Cf. *Laws Relating to the Militia,* compiled in 1921, Republic of Liberia, Monrovia, Chap. V.

[45] Sections 23-25, Militia Laws.

[46] *Report of the Secretary of the Treasury,* 1919-20, p. 19. In 1926, fines amounting to $1,139.22 were collected from two regiments. *Message of the President,* 1926, p. 24.

[47] *Message of the President,* 1923, p. 19.

parades are frequently accompanied with many humorous incidents which appeal to Liberians as much as to foreigners. Presidents have pointed out that the attempts to go through complicated parade formations four times a year have a greater spectacular than military value. In 1924 the President declared: "Our entire Military system is now obsolete and requires reorganization on more modern lines." [48] Liberia's purpose might be better achieved by organizing rifle companies, such as the European settlers of Southern Rhodesia have formed, the purpose of which is to teach good marksmanship through target practice.

In case of a native revolt or other trouble, the Militia may be called into active service, when the men and officers are both entitled to receive a scale of pay fixed by law.[49] In past wars, men have also been rewarded with bounty land grants of thirty acres of land each. As a rule, the government has been too impoverished to pay its military obligations in cash. Consequently, it has issued in addition to bounty grants certificates of indebtedness which may be redeemed in grants of land. Speculators buy up these certificates at a low figure and thus acquire land very cheaply. Within recent years, the government has not been obliged, however, to call out the Militia because of the six hundred men in the Frontier Force, who are commanded by mulatto officers from the American army.

Foreign powers have obliged the Liberian Government to establish the Frontier Force as a minature standing army to police the frontier and maintain order. It now has about six hundred men divided into two battalions, together with two labor companies of twenty-five men each. Enlistment is for a period of five years, and pay is at the rate of one pound a month. The number of men is so small that there is no difficulty in getting volunteers. The force is now only at about half its pre-War strength. Both officers and men have complained bitterly at their arrears in pay, more than twenty thousand dollars of which was still outstanding in 1923.[50] While the War Department expended only $8,119 in 1925, the Frontier Force consumed $111,880, making a total of $120,000—16.7 per cent of the budget—a fairly large figure.[51]

The American officers assigned to reorganize the Force have done something to improve its discipline, but the lack of funds and other factors have prevented further progress. Complaints are frequently made of the exactions upon the natives made by the soldiers. The Force is now undergoing re-organization as a result of the 1927 American loan.[52]

[48] *Ibid.*, 1924, p. 40; *ibid.*, 1909, p. 8.
[49] Cf. Appendix B, Militia Laws.
[50] *Report of the Secretary of the Treasury*, 1923, p. 21.
[51] Cf. Vol. II, p. 498.
[52] Cf. Vol. II, p. 841.

8. *Local Government*

At present the seaboard of Liberia, inhabited by the "civilized" population, is divided up into the counties of Montserado, Grand Cape Mount, Sinoe, Maryland, and Grand Bassa, the territories of Cavalla and Careysburg, and the Commonwealth District of Monrovia. Except for Montserado[53] each county and the territories of Marshall and Careysburg are in charge of a "superintendent" appointed by the President, and who receives (in three counties) a salary of eight hundred dollars. Each county contains a large number of townships, under the general supervision of the County Superintendent, each of which is governed by an annual town meeting which elects three commissioners. There have been also nine or ten incorporated cities, such as Clay-Ashland, Greenville, Grand Cape Mount and Harper. The ordinary incorporated city has a negro mayor and council.

Many difficulties between the Monrovia Government and these local authorities have arisen. Some superintendents have regarded themselves as virtually independent of Monrovia. Thus in 1904 one of them went so far as to make a loan in the name of the Republic. In his inaugural address in 1904, the President of the Republic said: "Very large sums of money have been lost to the Country through the illegal action or criminal neglect of the Superintendents."[54] . . . Some County Superintendents are said to use their position to recruit labor.[55] In other cases, Cabinet members in Monrovia have transmitted orders to subordinates in the counties without informing the Superintendents.

Even greater difficulties have arisen in regard to the administration of the incorporated cities and townships. The administration of the capital of Monrovia was, according to the President, so "incompetent" that in 1917 he recommended that its charter be repealed. This request was repeated in 1919 and 1921.[56] As a result of this request, the Legislature passed an act in February, 1922, creating the Commonwealth District of Monrovia under a Municipal Board appointed by the President. This Board estimated the indebtedness of the city, under the former council, to be about six thousand five hundred dollars. President King stated: "No monies were turned over and no assets of the City were found except a few buildings which had been erected in the public streets by private persons on spots leased to them by the City Authorities. All other property and real estate had all been disposed of by the outgoing City Administration. Even ma-

[53] In 1917, the position of Superintendent of this county was abolished. The county is under the President.

[54] *Liberian Recorder,* January 23, 1904.

[55] Cf. Vol. II, p. 80.

[56] Cf. *Message of the President,* 1921, p. 20.

terials which had but then been recently purchased for the erection of a new Market had been disposed of. No books, or accounts of the City were turned over to or found by the Board." [57]

At the present time, the Government of Monrovia is in the hands of a Commissioner and a Municipal Board composed of the superintendent of police, a director of public works, and a sanitary inspector. The revenues of the city come from a portion of the real estate and poll taxes collected by the general government and a large number of petty fees, including lawyer's licenses at twelve dollars a head and a bank license of one hundred and twenty-five dollars. The largest item in the 1925 budget, which totalled $16,700, was estimated to be $3800 from liquor licenses—a sum which, however, fell short. Instead of charging the patrons of the city's electric light system on the meter, the city levies an electric light tax of a dollar a year on every native man whether he uses electric light or not. By this means, the Krus, few of whom use electricity in Krutown, contribute to the light bill of the "civilized" people on the hill.

Under this new system of administration Monrovia cleaned up its streets, laid sidewalks and installed electric lights. Revenues greatly increased. In the spring of 1926 the capital had a more sprightly appearance than for years. A relapse came, however, in the summer when the President found it necessary to remove the Commissioner from office on the ground of wholesale misappropriation of funds.

In Grand Bassa County, similar difficulties have been experienced with the Corporations of Upper and Lower Buchanan where, to quote the President, "acts of a criminal and disloyal" nature brought about the intervention of the Monrovia Government. In his 1924 Message, the President said that in view of the "national and international responsibility resting upon the Central Government and the failure and neglect of the Corporations of both Upper and Lower Buchanan to effectively exercise the police powers delegated to them by the Government, through the Legislature, for the maintenance of law and order," the Cabinet had decided to suspend the Charters of Upper and Lower Buchanan; and to place the districts under a Special Commission having the County Superintendent as Chairman [58] and supported by a detachment of the Frontier Force. The President declared that "The unfortunate state of affairs then existing in Bassa County . . . was only the natural continuation of a series of acts of lawlessness perpetrated from time to time by lawless groups of individuals, some of whom were not originally Bassamians . . . The apparent indifference manifested on the part of some of the local officials and prominent citizens of the County for selfish political motives and

[57] *Ibid.*, 1922, p. 32.

[58] *Ibid.*, 1924, p. 49.

otherwise, has tended to encourage and embolden these criminals in the commission of crime, without the least dread of the law. In this way has the fair name of Grand Bassa been besmirched." In reply to the protests of the Bassa people against the establishment of this régime, the President said it was much better to have Liberian troops occupy the county than foreigners. About the same time the city of Harper was placed under the control of an Administrative Board appointed by the President.[58a] In 1926 the Legislature abolished the Mayor and Council of the cities of Upper and Lower Buchanan and placed these cities under the Central government.[59]

9. *Internal Revenue*

Largely because of difficulties in administration, the principal revenue of Liberia in the past has been from customs duties. Thus in 1911 the total revenue of the country amounted to four hundred and eighty-three thousand dollars, of which all but forty-three thousand dollars came from customs.[60] At the present time the proportion of internal revenue has increased so that in 1925 out of a total revenue of nine hundred and forty-three thousand dollars only $455,458 came from ordinary customs. The second largest item consists of hut taxes and real estate taxes—amounting to $318,881.[61] This latter sum comes largely from hut taxes imposed on natives in the hinterland.[62]

The Liberians living on the seaboard are liable to a real estate tax of one-half per cent of the value of unimproved land, and one-quarter per cent of improved land; but the minimum tax on town lots on which there is nothing but weeds and bush is fixed at $2.50 a year.[63] Every adult male not possessing real estate is liable to a tax of $1.00. All Liberian men are also subject to an educational tax of $1.00 for the upkeep of schools.[64]

The government has not attempted to collect the latter tax extensively —in 1925 it was estimated to produce only $2000. The sums derived from real estate taxation on the "civilized" folk have not been much larger, because of low assessments and faulty methods of collection. Until recently, tax collectors collected this tax on behalf of each township,—which was allowed to retain half of the tax but was obliged to send the remaining half to the central government.

In 1899, a leading Liberian newspaper complained of "the reckless and

[58a] *Acts*, 1923-1924, p. 28.
[59] *Ibid.*, 1925-1926, p. 25.
[60] *Message of the President*, 1911, p. 7.
[61] *Ibid.*, 1925, p. 9.
[62] Cf. Vol. II, p. 747.
[63] *Acts*, 1911-1912, p. 48.
[64] Cf. *The Laws and Regulations Governing the Treasury Service*, Liberia, 1873-1924, p. 25.

illegal exactions of some of the Justices of the Peace and Tax Collectors, in the several settlements on the river toward our uncivilized natives.

"We have been informed from quite reliable sources that it is customary for the poor native man, living in some of the villages and native hamlets, to be served with a writ of arrest, issued by a Justice of the Peace, and sworn by one of the Tax Collectors . . . charging him with having refused to pay his taxes . . . when to the native's surprise the Collector has never made any demand upon him for the same at any time previous. He is, however, arraigned and being ignorant of the advantages and privileges afforded him by our Laws, and also having no means to come to the city, Monrovia, for the purpose of procuring the professional service of a Lawyer, to make the necessary defence, the Justice then proceeds to render judgment, ordering him, the Defendant, to pay said Tax immediately, together with the precious cost of said suit, which rarely is less than $15 or $20."[65] While presumably conditions are now improved, abuses still occur. Each tax collector receives as a fee 15 per cent of the tax collected, but until recently at least this did not satisfy some of them who made off with part of the remainder. So many misappropriations occurred that the appointment of all tax collectors has now been concentrated in the hands of the President. As a result of this change, there are now two collectors in Montserado County in place of fifteen under the old system. The new collectors are responsible to the Bureau of Internal Revenue, a branch of the Treasury Department of the Central Government. Instead of depositing the tax in the county and township, these Collectors deposit it in the Central Treasury which in turn remits a share to the local unit.

In Liberia, heads of departments may impose administrative fines which may be used for current departmental expenses; the balance at the end of the year to be paid into the Treasury. But with the exception of the Department of State no accounts reached the Bureau during 1919-1920.[66] The Liberian Treasurer reports that "Officials responsible for the enforcement of the Stamp Act are palpably guilty of criminal neglect, thousands of dollars being lost to the Government annually thereby." In another report he says that "from reliable information received from time to time this source of revenue (the Hut tax) has been improperly collected and applied; the Government have received not more than 33 per cent to 40 per cent of this revenue. These conclusions are based on reasoning that since the indigenous population is reckoned at 1,500,000, rating five per-

[65] *Liberian Recorder,* September 14, 1899.
[66] *Report of the Secretary of the Treasury,* 1919-1920, pp. 19, 20.

sons living in one hut, it would require 300,000 huts to house them . . ."[67] The Treasurer probably exaggerates the amount which should be received.

The chief difficulty in the counties has not been so much the misappropriation of funds as the under-assessment of real property. Assessors of these taxes are appointed by the President. While in theory their assessments are subject to judicial view, complaints have been made against arbitrary valuations. In 1914 the President of the Republic declared that "the assessors too often act in a most arbitrary manner in these valuations. A case in point is fresh in my mind when, years ago, a certain person from Brewersville was appointed one of the assessors and who had a pique against a citizen of that settlement. When the assessment list came out, this poor individual's property was taxed far in excess of every one's else in the place."[68] At present this abuse, if it still exists, is over-shadowed by wholesale failure to collect these taxes. The Liberian Commissioner of Internal Revenue reported in 1920 that "Liberians in all probability possess more real estate per capita than the citizens of any country, the meanest plebeian (Am. Lib.) being the proud but unhappy possessor, by inheritance of one or more town lots or several acres of farm land.[69] Unmindful of the value of such an asset *and not forced to pay the Annual Tax,* [his italics] he, in the majority of cases, dies leaving it to another relative as unconscious of its value as the deceased. Approximately 50 per cent of the real estate now under private ownership lacks legal title, is not cultivated and yields no revenue to the Government. Persons desiring to open up a small farm or to acquire a town lot for the erection of a home find themselves estopped because of the 'dog in the manager' policy of supposed owners who ask prohibitive prices and often refuse sale. Conditions will not change until a new assessment based upon some modern and practical method is undertaken and completed, the title to property being fully established."[70]

According to the assessed valuation, the property of the Commonwealth District of Monrovia should return to the government an annual tax of more than $65,000. But the real estate tax for the whole of Liberia in 1922 was only $1,053—a sum which in the following year declined to $721.[71] In the county of Sinoe, thirty-nine persons in 1924 paid a tax of three cents each on their property; while the remaining taxes on the American Liberians ranged usually between ten and twenty-five cents.[72]

Following administrative admonitions, the return from the real estate

[67] *Ibid.*, 1922-1923, p. 12. [68] *Message of the President,* 1914, p. 14.
[69] Upon arrival each immigrant was given land grants free, cf. p. 735.
[70] *Report of the Secretary of the Treasury,* 1919-1920, p. 17.
[71] *Ibid.*, 1922-1923, p. 12.
[72] *Report and Opinions of the Attorney-General,* 1924, p. 13.

tax in 1923-24 increased to $4,688.[73] In an effort to make the "civilized" Liberians bear their share of the burden, the Legislature passed a new enforcement act in 1924.[74]

In view of the difficulties of assessment and collection of a real estate tax, it would appear that greater and more equitably imposed revenue would be obtained simply by imposing a head tax of $2.50 a year on all male residents within the five counties.

Once the money is housed in the Treasury at Monrovia, difficulties of control have arisen, which have caused international problems discussed in another chapter.[75]

In order to prevent abuses of local officials, the central government, as previous pages illustrate, has within the last few years deprived many localities of municipal self-government and placed them under central commissions. Likewise it has taken the handling of tax revenues out of local hands. While this policy undoubtedly has eliminated certain abuses, it has imposed an added burden on a handful of men in Monrovia, and it is not tilling the soil from which successful self-government may spring. If it were not for six or seven men, the administration of the country would go to pieces. Even should an opposition party come to power, it would probably be obliged to ask the present cabinet members to continue in office. But it is perhaps futile to expect new men to arise out of local communities until a better educational system is installed.

10. *Sierra Leone and Liberia*

A comparison between Sierra Leone and Liberia shows some interesting contrasts. Both territories were settled with the purpose of founding a home for freed slaves and their descendants. While Liberia has remained a republic, almost entirely under the control of negroes, Sierra Leone has continued to be a British Colony.[76] The table on page 728 compares the financial status of each country as well as native welfare work in each.

This table shows that Sierra Leone which has a population about that of Liberia has more than four times the trade and revenue of Liberia. Per capita expenditures, revenue and trade in Liberia are much the lowest in Africa.[77] It has nearly six times the public debt. Sierra Leone expends more than twenty times the amount expended by Liberia on native welfare by which is meant native education, medical and agricultural work. To the credit of Liberia her school attendance is relatively high.[77a] The

[73] *Message of the President*, 1924, p. 12.

[74] Cf. Chap. XIX, Act to Prescribe how Real Estate Taxes shall be Collected, *Acts*, 1923-1924, p. 22.

[75] Cf. Vol. II, p. 795 ff.

[76] Cf. Vol. II, p. 859.

[77] Cf. Vol. I, p. 942.

[77a] Cf. Vol. II, p. 761.

COMPARISON OF BUDGET, TRADE, NATIVE WELFARE, AND PUBLIC DEBT

SIERRA LEONE AND LIBERIA

Item	Sierra Leone (Population) (1,541,311) Dollars	Liberia (Population) (1,500,000) Dollars	Per cent of Liberia figure to that of Sierra Leone
Revenue	3,318,000	713,040	21.4
Expenditures	3,112,000	591,420	19.0
Imports	7,950,000	2,100,000	26.4
Exports	7,340,000	1,744,556	23.8
Total Trade	15,290,000	3,844,556	25.2
Total Native Welfare	753,000	23,820	3.2
Government Medical Staff	15 whites and 7 African medical officers	2	9
Number of children enrolled in school	12,783	9,000	70.4
Public Debt	6,860,000	2,500,000	36.4
Cost to Services of the Debt	440,000	210,000[1]	47.7

Source:—Budget:—Sierra Leone, Estimate of Revenue and Expense, 1926; Liberia, Budgetary Estimates and Appropriations, 1925.
Trade:—Sierra Leone, Blue Book, 1924, Estimate of Revenue and Expense, 1926; Liberia, Liberia Official Gazette, Vol. IV, No. 9, 1926; Budgetary Estimates and Appropriations, 1925.
Native Welfare:—Sierra Leone, Medical and Sanitary Report, 1924; Blue Book, 1924; Liberia, Budgetary Estimates, 1925.
Public Debt:— Sierra Leone, Estimate of Revenue and Expenditures, 1926; Liberia, Budgetary Estimate, 1925.

[1] Includes $35,000 sinking fund due annually after six years.

Sierra Leone Government maintains a medical staff of twenty-two officers, while the Liberian Government has two medical officers in charge of a newly-established government hospital in Monrovia. Moreover, for many years the French Consul at Monrovia was a physician. Likewise missionary organizations and the Firestone Company support doctors of their own, while a Hungarian maintains a private practice. It is thus evident that from a material standpoint the native inhabitant of Sierra Leone is considerably better off than the native inhabitant of Liberia. Nevertheless, the people of Liberia utilize the devices of industrial civilization to a much greater extent than one would suppose. The city of Monrovia has an ice plant, a telephone system and electric lights. As a result of the recent construction of roads,[78] a large number of automobiles is now in use.

[78] Cf. Vol. II, p. 771.

Partly because total revenue is so low and the number of office seekers is so large, about ninety per cent of the government receipts are consumed in the payment of salaries to administrative officials and employees. With the exception of eighteen thousand dollars for education the government expends very little on the actual improvement of the lives of the people. The cost of collecting customs and interest on loans takes about sixty per cent of the customs revenue; military expenditures are high.[79] Moreover, the Estimates support an unnecessarily large number of judges and pay disproportionately large salaries to members of the Legislature.[80] There is no reason why a member of the Legislature who sits only a few weeks out of the year should receive a salary larger than that of the County Superintendent. If the American financial adviser [81] wishes to effect economies, he might suggest to the Liberian Government the possibility of reducing the number of judges as well as the salaries of members of the Legislature; he might also persuade the Liberian Government to itemize its budgeting expenditures according to methods followed in British and French colonies.

While the inhabitant of Liberia may be deprived of certain material advantages accorded to the inhabitant of Sierra Leone, and while he may not have the book-learning of the Free Town native, the Liberian does have an intelligence and *savoir faire* which is unique throughout the continent of Africa. The very fact that the inhabitants of Liberia have been called upon to carry the full burden of government has developed in them qualities which have not yet appeared among natives elsewhere. Moreover, one does not find in Liberia the bitterness between the Creole and the aboriginal native which exists in Sierra Leone, nor the intense feeling which embitters the relations of the Creoles and British officials. The Liberian carries himself as a free man. His feeling was expressed by an American negro born in Vermont who, during a visit to the United States, said, "I have never been happy until I made Liberia my home. Not even in my childhood, for my recollection does not recall a time when I was not aware of my true status as a Negro in this country [America]. I have suffered more during the week past in this country than all of the horrors of African fever and the discomforts of poverty—in a word, than all that sickness and hunger and all the manifold ills of Africa can inflict. Still I have had but one or two direct insults since I arrived; but the very presence of this mighty

[79] Cf. Vol. II, p. 721.
[80] I.e., a Representative receives twelve hundred dollars and a Senator receives two thousand dollars, while the County Superintendent receives eight hundred dollars.
[81] Cf. Vol. II, p. 805.

civilization in which 'the Negro is so completely hidden is oppressive." [82]

Consequently, the Liberians have developed an intense racial nationalism. Many leaders do not wish the wholesale immigration even of intelligent negroes from the United States out of fear that the newcomers would assume that the Liberians on the spot were ignorant and that they would attempt to take over the government.[83]

Moreover, while as President King has said, "Considerable sympathy is felt in Liberia, and justly so, with efforts of our racial groups all over the world to ameliorate" their position, Liberia does not wish to risk its political independence in behalf of any world-wide negro cause.[84] This was illustrated in her attitude toward the Garvey movement.

11. *The Garvey Movement*

In 1914 Marcus Garvey, a pure-blooded Negro from Jamaica, organized the Universal Negro Improvement Association with headquarters in New York. This Association, which in 1925 claimed to have a membership of six million negroes, believed in the "promotion of a strong and powerful Negro nation"—in Africa for the Africans.[85] Garvey took upon himself the title of "Provisional President of Africa." He established a number of

[82] Professor Freeman, who at one time was President of Liberia College, quoted by G. W. Allen in *The Trustees of Donations for Education in Liberia,* Boston, 1923, p. 29.

[83] The other point of view was stated by the *Liberian News* (October, 1925, p. 7), in commenting on the Firestone concession. It said: "When we consider the stand adopted by the Jews in America who are constantly sending large sums of money to build up and develop their ancestral home—Palestine—we can but think of the Negroes in America whom we have been patiently waiting for for over a hundred years to come over and possess undeveloped land of theirs. We find them until today watching the flesh pots of America, and discussing equal rights and social equality with the white man, while he, the white man, is occupying the land which they themselves should have occupied and developed. This we say is the shameful aspect of the whole business."

The government has, however, made it extremely easy for an alien, if colored, to become a citizen. The Naturalization Act of 1908 provides that any alien negro of the age of twenty-one may become a citizen simply by declaring his intention after which he is immediately given a certificate of citizenship. (*Acts,* 1908, p. 24.) Under this law, an immigrant landing in Liberia one day may become a citizen the next.

[84] *Message of the President,* 1924, p. 51.

[85] Cf. the following statement of Garvey: "My advise to all friendly whites—Keep out of Africa and Asia. Leave South Africa alone. Go to North and South America and Australia. Stay in Europe, but remember, give Africa a long berth, for one day God and His hosts shall bring 'Princes out of Egypt and Ethiopia shall stretch forth her hands.'" Amy Jacques-Garvey, *Philosophy and Opinions of Marcus Garvey,* New York City, 1926, Vol. II, p. 412.

In 1922 the Association sent a delegation to the League of Nations with a petition asking that all of the German colonies in Africa be turned over to the Association. According to Garvey, this petition was presented to the League by the Persian delegation (*ibid.,* p. 406), but the published records of the League do not reveal the presentation of any such document.

negro orders of nobility, such as the Dukes of Uganda and the Knights Commander of the Nile. He published a newspaper called the *Negro World,* and established an African Orthodox Church. He held annual international conventions in New York which were attended by natives from Africa and negroes from other parts of the world.[86]

In 1920 Garvey sent a delegation of negroes to confer with the Liberian Government in regard to the settlement of Liberia with Garvey immigrants. The delegation informed the President that the Universal Negro Improvement Association wished to transfer its headquarters to Liberia. It asked if the government would give the Association facilities for securing land. In return it offered to raise "subscriptions the world over to help the country to liquidate its debts to foreign governments," and to organize a Black Star Steamship line between America, the West Indies, and Liberia. In reply the Liberian Secretary of State said that "the Government of Liberia, appreciating as they do the aims of your organization as outlined by you, have no hesitancy in assuring you that they will afford the Association every facility legally possible in effectuating in Liberia its industrial, agricultural and business projects." [87] The mayor of Monrovia, Liberia, who attended the Convention of the Association in New York City in 1920 as a delegate, was elected Potentate of that organization.[88] In December, 1923, Garvey sent another delegation to Liberia to complete the plans for colonization. It offered to bring between twenty thousand and thirty thousand families to Liberia a year. The delegation was greeted by President King who appointed a local committee containing the Vice-President and the Chief Justice to cooperate with the parent body of the Improvement Association in New York. The first emigrants were to arrive in 1924.[89]

Meanwhile Dr. W. E. B. Du Bois of the National Association for

[86] The "Declaration of Rights of the Negro Peoples of the World," drawn up at the Convention in 1920, is printed in the Appendix, Vol. II, p. 889.

The Garvey Movement should not be confused with the Pan-African Congress, an international body representing the more conservative negro groups in the various countries. The last Pan-African Congress was held in New York City in August, 1927.

[87] The documents are printed in Amy Jacques-Garvey, *Philosophy and Opinions of Marcus Garvey,* Vol. II, Part III.

[88] Garvey states that President King thereupon became jealous of Johnson because of his great honor, and began to cool in his enthusiasm for the Garvey movement, *ibid.,* p. 365.

[89] The Chief Justice of Liberia, now deceased, took advantage of the opportunity to write to the Negro Improvement Association in support of a pamphlet containing an oration by him on the "Origin, Rise and Destiny of Liberia." He declared that "this would be interesting reading to all concerned in Liberia, and serve as a propaganda in your emigration enterprise. I told them [the delegation] that they might have a few thousand copies printed and sold at about twenty cents per copy, and after paying the cost of printing to remit me the balance together with 500 copies for circulation out here." Letter of May 2, 1924, *ibid.,* p. 378.

Colored People in New York, which bitterly opposed the Garvey movement, was appointed as Ambassador Extraordinary by President Coolidge to attend the second inaugural in 1924 of President King. Garvey implies that Du Bois, as well as foreign governments, influenced King against the colonization scheme.[90] Consequently, when a number of negro engineers and two shipments of material sent out by Garvey arrived in Liberia in the summer of 1924, in conformity with his previous understanding, the Liberian Government deported the group on the ground that their landing was unauthorized and that they would stir up political trouble. President King declared that "the loud and continued boasts of members of that association in America, to the effect that they had obtained a firm foothold in Liberia, and that the Republic would be used as the *point d'appui* whence the grandiose schemes of their leader, finding their fruition, would be launched, made it necessary for the Executive Government of Liberia to take such concrete and effective steps as would show to our friendly territorial neighbours and the world at large, that Liberia was not in any way associated or in sympathy with any movement, no matter from what sources arising, which tends to intensify racial feelings of hatred and ill will." [90a] The government also announced, through its consul-general in Baltimore, that passports of members of the Association wishing to go to Liberia would not be viséed. In August, 1924, the Liberian Government sent a note to the American Government stating that it was "irrevocably opposed both in principle and act to the incendiary policy" of Garvey's association. It desired to place on record its protest "against this propaganda so far as it relates to Liberia." The attempt to colonize Liberia came to an end with a petition to the Liberian Legislature from the fourth Annual "International Convention of Negro Peoples of the World," protesting against this deportation.[91]

[90] Amy Jacques-Garvey, *Philosophy and Opinions of Marcus Garvey,* Vol. II, Part III. [90a] *Message of the President,* 1924, p. 51.

[91] For its text, cf. *ibid.,* p. 386. Garvey was soon convicted of having used the mails to defraud, in endeavoring to sell stock in the Black Star Line, especially to colored men and women. The court declared him guilty on the ground that the defendant must have known that the stock could never have been worth the five dollars for which it was sold. He was sentenced to five years in the federal penitentiary after which he will be deported. Garvey's friends assert that the sentence was a "frameup." *Marcus Garvey v. the United States of America,* Circuit Court of Appeals, 2nd circuit, 4 Federal Reporter (1925), p. 974. The persons indicted with Garvey were acquitted and Garvey, who defended himself, was convicted only on one count, that is, of selling fraudulent stock. Yet the Black Star Line actually had been in operation. While it was obliged to close down because of the speculations of certain members in the firm, Garvey's supporters declare there was no evidence that Garvey himself embezzled the money and that the sentence imposed for this offense was unusually severe and that the purchasers of the stock still support Garvey, despite their losses. Garvey attributes his conviction to the efforts of Dr. Du Bois and other negroes who opposed him. Cf. his application for a pardon, *Philosophy and Opinions, cited,* Vol. II, pp. 243, 366.

Apparently President King had been warned by neighboring powers that they would not tolerate the presence in Liberia of an organization working for the overthrow of European supremacy in Africa. At a dinner given in honor of President King in Freetown, in January, 1925, the Governor of Sierra Leone, Sir Ramsford Slater, declared, "Lastly, may I say how warmly we in Sierra Leone appreciated your courage and applauded your statemanship in taking such prompt and vigorous steps to show that Liberia would have nothing to do with any movement having as its avowed object the fomenting of racial feeling of hatred and ill-will. Your Excellency, by slamming the door on spurious patriots from across the Atlantic, men who sought to make Liberia a focus for racial animosity in this Continent, deservedly earned the gratitude not only of every West African Government but of all who have the true welfare of the African at heart." [92]

It seems clear, therefore, that the Liberian Government is more interested in the welfare of the nation which it represents than in movements designed to attract the negro race as a whole.

12. *Liberian Nationalism*

This sentiment of nationalism was expressed by President King when he declared, "Liberians, standing alone and fighting their own national battles for the last hundred years, have developed an enlarged political outlook and a *national* point of view. They fully realise and are conscious of the fact that Liberia's immediate objective is toward *nationalism* and not *racialism;* the making of a nation and not a race. . . . As the United States of America have been the melting pot, from which has emanated a strong, vigorous and united nation, composed of every nationality in Europe and of even the descendants of the various black tribes of Africa, so must Liberia be also the melting pot, for the members of our racial group in America, from which will also emanate a strong, vigorous and united African Nation, with malice and ill-will towards none but with love for all, contributing its quota towards the world's civilisation and the uplift of humanity." [93]

Neither do the Liberians wish to become second rate Europeans or

[92] In coming to Freetown, on the way to inspect the Liberian hinterland via the Sierra Leone Railway, President King travelled from Monrovia to Freetown on H.M.S. "Dublin"; he and his wife were guests at Government House; there the Liberian flag was flown side by side with the Union Jack. The Sierra Leone Government also gave the President a banquet, followed by a reception and ball attended by about two hundred guests. "Visit of the President of Liberia to Sierra Leone," January, 1925, *Sierra Leone Sessional Paper No. 5* of 1925.

Garvey asserts that following the deportation, President King "was made a Chevalier of the Legion of Honor of France." *Philosophy and Opinions,* Vol. II, p. 385.

[93] *Message of the President,* 1924, p. 53.

Americans. Although they have modelled many of their houses in Monrovia after the colonial style of the American South; although they buy American shoes and read an amazing number of American magazines, ranging from the *Saturday Evening Post* to *Foreign Affairs;* although government officials religiously pore through American government documents, whether it be the Supreme Court Reports or the publications of the Department of Agriculture, the American-Liberians do not wish to become American subjects. They wish to be free. Strange as it may seem, they believe that they can maintain this freedom against foreign aggressors only by admitting large American investments. But a reaction has now occurred and apparently the tide of anti-foreign feeling is as strong as ever.[94]

All of the people are unduly sensitive to criticism. Much of this sensitiveness is justified, not only because of British and French attempts to encroach upon Liberian territory, but also because of unsympathetic jibes which foreigners, especially the passengers on West Coast steamers, constantly make against the Republic. The Liberians realize that through themselves the negro race is on trial before the world. They feel, with some justification, that the white races have not given them a fair chance to prove their capabilities. But the task of the educated negro in Liberia is much more difficult than the problem merely of governing himself. It is particularly difficult because of the even greater problem of ruling the aboriginal native in the hinterland, which will now be discussed.

[94] Cf. Vol. II, p. 825.

CHAPTER 96

LIBERIAN NATIVE POLICY

1. *Land*

THE negro colonists of Liberia experienced the same difficulties with the native inhabitants of the country as did European colonists and traders entering other parts of Africa. Many of these difficulties arose over the rights in the land without which the colonists could not live. Originally, as we have seen, the American Colonization Society obtained land grants through treaties with the local chiefs.[1] But in alienating this land to incoming settlers, the government seems to have paid little regard to the fact that much of it was already under native occupation. At present the system of land administration in the Liberian Government is in a state of disorganization. Instead of a single land commissioner at Monrovia controlling land grants, there is a land commissioner for each county who does about as he pleases.[2] There is also a bewildering number of methods by which an individual may acquire land from the government. Newcomers to Liberia are entitled to an Emigrant Allotment Deed granting them, if married, a maximum of ten acres of farm land and a town lot.[2a] As a result virtually every family living in the towns along the seaboard has a farm or a number of farms located a few miles in the interior. Liberians may also buy land at a minimum price of fifty cents an acre. Supposedly the price should be fixed at auction, but whether or not this is held depends upon the discretion of the county land commissioner. Many government officials are owners of large quantities of land. The government, as we have seen, also makes Bounty Land Grants to soldiers. Moreover, it gives the natives an opportunity to secure land titles. Under an act of 1905 an aboriginal native may acquire a town lot, on condition that he erect a house upon it, while he may also obtain a deed for a farm on condition that he place a quarter of it under cultivation.[3] Another act provided that a

[1] An early act provided that no action should be "employed to deprive them [the Chiefs or Headmen] of their rights in any respect, and more especially with regard to lands when they signify an unwillingness to deal in the way of pacific negotiation." *Blue Book,* p. 143. It does not appear, however, that this act has always been observed.

[2] Cf. an Act Regulating the Sale of Public Lands, *ibid.*, p. 139.

[2a] *Ibid.*, p. 136.

[3] *Acts,* 1904-05, p. 11.

native district or township should be granted a deed to a tract of agricultural land upon a basis of twenty-five acres to each family.[4] This land should be held in common unless the inhabitants petition for individual tenure. The government may grant such petition if it believes the natives are sufficiently civilized. One year after such division, the men may receive the right to vote.

Following the French example, this system presupposes that the natives are intelligent enough to understand the procedure and to appreciate this kind of document. In fact, since the granting of the Firestone concession, there has been a rush to the Land Offices on the part of some chiefs to secure communal titles, to prevent their land being taken by the Firestone people.[5]

Despite this theoretical safeguard of native rights, the government has in the past experienced a great deal of trouble with the natives on the Kru coast and in Maryland county over the land question. In 1870 the Liberian government claimed that the Grebos, who are related to the Krus and who had combined into a G'debo United Kingdom, had ceded certain lands to the Maryland government when that government was independent of the rest of Liberia. The Grebos denied, however, that they had parted with their land, and the war of 1875 was the result.[6] In an address to the President of Liberia, some chiefs declared in 1904, "The land question was very pressing to them; they have been deprived of all their lands and practically possessed none now, due to the civilized citizens taking up very large areas which included their towns." [7] In his inaugural address of 1904, the President declared that "When the chiefs of the country executed the deeds of cession to Liberia, there was in some deeds an express, and in others an implied reservation of the towns and plantations in actual occupancy. . . . The reservation has too often been ignored, and the native populations of many well-known towns near the settlements were gradually deprived of their lands by settlers." [8] It thus appears that in parts of the coastal area, the aboriginal tribes have been deprived of their lands by American-Liberians just as natives in other parts of Africa have been deprived of their lands by Europeans. Apparently it was the intention to protect native interests against the encroachment of white plantation owners by the provision of the Liberian Constitution which states: "No person shall be entitled to hold real estate in this Republic, unless he be a

[4] *Acts, cited,* p. 25.
[5] Cf. Vol. II, p. 832.
[6] Cf. "A Brief Review of the Land Question in Maryland County," *Cape Palmas Reporter,* Vol. I, No. 2 (1898).
[7] *Liberian Recorder,* August 6, 1904.
[8] *Ibid.,* January 23, 1904.

citizen of the same."[9] In granting the Firestone Plantation Company, an American corporation, and other outside concerns the right to "hold" a concession, it would seem that the government has established a precedent which apparently violates the Constitution and which overturns the safeguards which the framers of the Constitution wished to establish.

2. *Native Revolts*

From the beginning, the Liberian settlements have been obliged to fight a series of wars with the aboriginal tribes. Sometimes these wars have been over the land question; in other cases they have been due to general conflicts in the hinterland. In the early years the settlers succeeded in putting down their opponents through the help of American cruisers. In 1832 a Dey-Golah war took place and was suppressed by the Liberian Government.[10] In 1852 another uprising against the Liberian Government took place in Grand Bassa. At the request of President Roberts, the *John Adams,* which was cruising in West African waters, was despatched to the aid of the Liberians "in such measures as might be deemed necessary to establish full confidence in the minds of the settlers of their security, by assurances of protection to them by the naval forces of the United States when their situation needs it."[11] In 1856 the Liberians became involved in a war with the Grebos over the land question; and a few years later war broke out between the Padees and the Naffaws, two native tribes, one of whom appealed to the government for protection. The government brought about the submission of both tribes by means of the militia and levies on the aborigines. About 1875 the seaboard tribes between Grand Cess and San Pedro formed the G'debo Reunited Kingdom and attempted to drive out the civilized Liberian settlements. This war lasted a year, and it was ended only by the intervention of an American cruiser, acting apparently under Article VIII of the treaty of October 3, 1862, between Liberia and the United States.

A state of relative peace reigned in Maryland county until 1893 when war again broke out between two sections of the Grebo tribe, which was suppressed by the Liberian militia after three years' fighting. Shortly afterward, the government was obliged to send an expedition against the Pitty people who were besieging Nana Kru. Another war between the

[9] Article V, Section 12. The section also declares, "Nevertheless, this article shall not be construed to apply to Colonization, Missionary, Educational, or other benevolent institutions, so long as the property or estate is applied to its legitimate purposes."

[10] F. Starr, *Liberia,* Chicago, 1923, p. 72.

[11] *Report of Commander W. F. Lynch in relation to his Mission to the Coast of West Africa, 1854,* H. Doc. 1, p. 64.

Kru tribes in 1910 turned into a revolt against the government in Maryland county, which brought out the Liberian militia, the Frontier Force, and the American cruiser *Birmingham,* a ship which was instructed to give Liberia "such moral support as might be necessary." [12] When peace was restored, the government required the Grebos to build a road from Philadelphia to the Cavalla, and obliged the inhabitants of the Kabiliki area to pay a fine of a thousand dollars. Thus between 1850 and 1910 the southern end of Liberia—especially in Maryland county and among the Kru people—was in a chronic state of revolt. The area again became inflamed in 1916. In 1911 a revolt in the Pessah country occurred.[13]

This unrest was partly due according to Liberians to the policy of the Monrovia Government. In 1900 a mass meeting of citizens denounced the depredations committed in the interior by a band of American-Liberians calling themselves the Allies, led by one Eli Butler.[14] In 1903 a newspaper suggested that the capital be moved from the seaboard to an inland point in order to quell native disturbances more easily,[15] a suggestion which is still being discussed. In 1904 Mr. King, who is now President, wrote that "for the past eight years the condition of our interior, especially that of Montserado County, has been everything but what should be desired. Chaos and darkness, brought about by intertribal wars and raids, reign supreme. Peace and happiness is a thing of the past. During this period valuable lives have been lost to the State, trade has been stopped, large tracts of land formerly under cultivation have been laid waste, public funds have been largely expended to no advantage, and the government's influence to a degree, has been considerably weakened. All of this has been caused by the selfish intrigues of some unscrupulous citizens who have systematically been at work endeavoring to set at defiance the orders of authorized government, and antagonizing native chieftains against each other, for the sole purpose of carrying out their selfish plans, to the detriment of public interest.

"The government's blame and responsibility lie in its desultory and slow actions in bringing to the bar of public justice those citizens who have been the immediate cause of the present conditions of affairs in the interior. . . ." He advocated the appointment of Residents to govern the natives in the interior which at that time was No Man's Land.[16]

[12] *Message of the President,* 1910, p. 8. *Foreign Relations of the United States,* 1910, p. 705.

[13] *Message of the President,* 1911, p. 14.

[14] *Liberian Recorder,* December 13, 1900.

[15] *Ibid.,* November 28, 1903. Cf. also *Message of the President,* 1908, p. 30.

[16] *Liberian Recorder,* August 6, 1904.

The President of Liberia in 1909 declared, "Every thinking citizen recognizes by this time that the old method of governing the country by which the criminal elements of the population were allowed to pursue its feuds, devastate the country, close the roads at will, obstruct, annoy, and plunder the rudious [*sic*], peace-loving laborers, the Government only interfering when things became unbearable or some Americo-Liberian was held in captivity or killed, has become impossible. . . . If we allow the old order of things to continue then we should soon lose by emigration the cream of our really industrious population." [17]

Another instance of the activity of Liberian officials came in 1912 during the course of the survey of the Sierra Leone boundary. For some reason two Liberian officials killed eight native chiefs which led the British government to demand that they be withdrawn. The Liberian government assisted by certain Americans brought the officials to Monrovia for trial. But while the charge of killing the chiefs was admitted by the defendants, the jury acquitted them on the ground of "justification in a military emergency." This acquittal led the British Foreign Office to protest to the United States that "cruel and cold blooded murder was committed" while the American chargé at Monrovia informed the State Department that "foreign representatives and local unbiased opinion regard trial as farcical." [18]

Further evidence that conditions in the hinterland had in the past not been ideal was given in the address of the President to the Legislature in 1922 when he said, "Our policy is to encourage by every legitimate means the return of the populations that have fled from the country. For political and economic reasons, we should welcome their return and place no obstacles in their way from so doing. We must heal old sores and cease pondering over the regrettable past with all of its mistakes and failures." [19]

3. *Native Administration*

In an effort to remedy the conditions which had led to trouble with the native population and to place the hinterland under an orderly ad-

[17] *Message of the President*, 1909, p. 9. That the Liberians were not wholly guilty was the opinion expressed by President Howard in 1912 when he declared, "We will not disavow that much wrong has been done to that portion of our citizenship [the natives]; but it is equally true that much of the dissensions and misunderstandings of the past have been due to machinations, and subterfuges of some unscrupulous aliens, among whom have been some missionaries, who have done all in their power to make and widen the breach between the two elements of our citizenship. . . ." *Inaugural Address*, January 1, 1912, p. 14.

Some of the difficulties with the interior have also been due to the efforts of the government to break up the Human Leopard Society, an organization which the British have also attempted to suppress in Sierra Leone.

[18] *Foreign Relations of the United States*, 1912, p. 660.

[19] *Message of the President*, 1922, p. 18.

ministration, the Liberian Government enacted in 1905 a law for the Government of Districts Inhabited by Aborigines.[20] This act provided that every district inhabited exclusively by an aboriginal tribe should be regarded as a township, the people of which should have the right to choose a chief, subject to the approval of the President of Liberia, and they should be given land upon a basis already discussed.

These native districts were supervised by District Commissioners appointed by the President who had judicial as well as administrative powers. Every chief and his council constituted a court for the preservation of order and the settlement of disputes, subject to appeal to a Liberian District Commissioner and principal chiefs.

In 1910 the government started the policy of holding meetings with the chiefs several times a year, a policy which has been extended with fruitful results by President King.

4. *The Kru War of 1915*

Despite these efforts to administer the country, trouble continued, particularly with the Kru people who beseiged Sinoe in 1915.[21] Declaring themselves in rebellion against the Liberians and the Germans, the Krus killed several Liberian customs officers. Had the Krus succeeded in this revolt, this port would have been closed to commerce and Liberian revenue further curtailed. Customs had already declined 60 per cent on account of the World War. Moreover, the Liberian Government had cut the Frontier Force in half as part of an economy campaign and it had little ammunition with which to suppress the revolt. The Liberian Government had reason to believe that if this revolt were not quickly suppressed, the French and British governments would take the opportunity to intervene and terminate the independence of Liberia on the ground that the government was unable to maintain order and that if the Allies did not intervene, Germany would. These fears were partly based on the visit of *H. M. S. Highflyer* to Monrovia and the offer of its services to the Liberian Government, which was refused. The vessel was withdrawn as a result of representations by the American State Department.[22]

Realizing the seriousness of the situation, the Monrovia government conferred with the American diplomatic officials and the General Receiver of Customs, and asked them to use their good offices to procure an American warship to save the situation. The American officials declared, however, that they would make this request only on condition that the Liberian

[20] *Acts*, 1905, p. 25.
[21] Cf. *Foreign Relations of the United States*, 1915, p. 627.
[22] *Ibid.*, p. 629.

Government reform its native administration, dismiss all the native commissioners then in office and tighten up the system of selling munitions, for the Krus had owed their immediate success to the fact that they had been supplied with ammunition from the government arsenal. Having secured the acceptance of these proposals, the American officials asked the American State Department for a warship on the ground that it was necessary to prevent the destruction of American interests.

In November, 1915, the *U. S. S. Chester* finally arrived at Monrovia from Turkish waters. Meanwhile, the Liberian government had proceeded with its reforms. It issued orders providing that licenses for the sale of arms should be issued only by the Secretary of War, and it also declared that "From and after the 15th day of October, 1915, each and every interior and Native African Commissioner . . . and any and all other persons exercising or claiming to exercise civil administrative authority over the native population . . . is hereby suspended from his post without pay. . . ."[23] In the following year the President laid down new rules in regard to native policy.[24]

Still another order provided that the court messengers and other attendants in the interior who had terrorized the native population should be disarmed.[25] The President also issued a proclamation appointing a commission of three Liberians and the General Receiver of Customs with full powers to settle the Kru dispute.

This commission proceeded on the *U. S. S. Chester* to the scene of the revolt, the General Receiver of Customs, Mr. Reed Paige Clark, and the commander of the vessel, Captain Schofield, going to Blubarra point, the armed camp of the Krus, to investigate the trouble. Captain Schofield later reported that the native administration had been tyrannous, that only twenty-five per cent of the taxes collected ever reached the central government, and that the Krus had been subjected to a large number of petty abuses. The Krus for their part declined to make peace with the Liberian Government except on condition that (1) the Liberian soldiers be taken back to Monrovia, (2) the Krus be allowed to purchase ammunition so as "to keep wild animals out of their farms," (3) new ports of entry be established, (4) no taxes be imposed on towns where the government did nothing, (5) due respect be given to the Kru chiefs.

The commission, however, ordered the Krus to cease hostilities, to give up their guns, and to surrender for trial the persons who had seized the

[23] Executive Order, No. 4, October 7, 1915; Executive Order, No. 6, October 15, 1915.

[24] Laws Governing the Commissioners, Officers, and the Frontier Force within Native Districts in the Interior, February 3, 1916.

[25] Executive Order, No. 5, 1915.

surf boats and the Sinoe mail. Confident in their strength, and expecting to receive help from the British, the Krus decided to fight. The Liberian Government was not in a position to suppress their opponents because the Frontier Force was low on ammunition and because British ships on the West Coast declined to carry munitions to Liberia on account of the shipping exigencies created by the European War. Consequently the Liberian Government again implored aid from the United States, as a result of which the American War Department finally sent over five hundred Krag carbines and two hundred and fifty thousand rounds of ammunition at half price. It insisted, however, that the Liberians pay for this ammunition before shipment. The American collier, *Sterling,* carried these stores to the Canary Islands where it was met by the *Chester* which transported them to Liberia in March, 1916.[26] Thus supplied, the Liberian Frontier Force under American army officers nearly decimated the Kru population, after which they hanged some Kru chiefs; while according to reports, the Force killed a number of prisoners. This severity was so great that some Catholic missionaries on the spot made a protest to the British Foreign Office. Owing to previous indiscretions of the British diplomatic officer at Monrovia, who was later transferred, the British Foreign Office believed that any representations it would make to the Liberian Government would be misinterpreted, and so it remained silent.[27] Had the Krus won the war, there is no doubt but that they would have declared their allegiance to the British, whether the British liked it or not. At no time did the *U. S. S. Chester* fire upon the rebels. It merely patrolled the coast, transported fifty frontier soldiers to Sinoe, forestalled foreign intervention and gave to the Liberian Government "its moral assistance." [28]

Having received this aid from the United States which enabled it to crush the rebellion, the Liberian Government now declined to carry out the reforms which it had accepted as a *quid pro quo* of American aid. Most of the native commissioners were restored and the court messengers were again armed. The American Government made representations to the government at Monrovia in regard to the administration of the interior. The continuance of these conditions, the United States declared, would be

[26] *Foreign Relations of the United States,* 1916, p. 455.

[27] On December 11, 1915, the British Consul-General at Monrovia wrote to the Kru chiefs, "You have been told by me before . . . to live peacefully and do your duty to the Liberian Government whose subjects you are. . . . Instead of that you have foolishly and wickedly begun to fight the Liberian Government, and have used the British flag, which you have no right to use. . . . I now tell you one and all that if you want the British Government to think well of you, you must never again use the British flag; you must give up fighting with the Liberian Government. . . ." *Ibid.,* 1915, p. 635.

[28] *Ibid.,* 1915, p. 633.

an affront to its good offices. Largely as a result of this situation, together with the financial mismanagement of the Liberian Government,[29] Mr. Clark, the General Receiver of Customs, resigned in 1916.

In a firm note of April 4, 1917, the American State Department declared that the General Receiver should assist in controlling the sale of arms and ammunition, that a Mr. Massaquoi should be removed as native commissioner,[30] that the number of commissioners should be limited by agreement with the Financial Adviser and that no official should be stationed in the interior whose appointment had not been agreed to by the Adviser. The Liberian Government should also draw up a simple and effective plan for the administration of the interior in which native customary law should not be lost sight of; taxes should be collected, so far as possible, through chiefs; and an equitable portion of such taxes applied to public work of direct benefit to natives.[31] The State Department insisted that while it would accept cheerfully the promises of Liberia, "it will not be satisfied with promises alone; tangible and permanent results must follow."

During the loan negotiations with the Liberian Government at Paris and in Washington following the World War, the United States again insisted upon reforms in Liberia's native policy, and in the loan agreement of 1921 she went so far as to insist upon the appointment of American native commissioners.[32]

5. *The 1921 Reforms*

By this time, the Liberian Government fully realized the necessity of improving the relations between the American-Liberians of the seacoast and the interior tribes. Departmental Regulations, issued in 1921, provided that for purposes of administering the territory, the native population should be divided into (a) county jurisdiction, and (b) interior jurisdiction. Within the counties along the seacoast the natives would be responsible to county commissioners who receive three hundred dollars a year. The hinterland, on the other hand, is divided into five districts,[33] in general charge of a Commissioner General in turn responsible to the Minister of the Interior. Under the Commissioner General, a Liberian District Commissioner, who receives a salary of eight hundred dollars a year, administers each district. He has several assistant commissioners, receiving five hundred a year, and several station agents under his super-

[29] Cf. Vol. II, p. 807.
[30] He was later appointed as Consul-General to Germany.
[31] *Foreign Relations of the United States,* 1917, p. 878.
[32] Cf. Vol. II, p. 813.
[33] The original number was eight, but it was reduced to five in May, 1923.

vision. At present there are seventeen Liberian District Commissioners or one for every eighty-eight thousand inhabitants. The natives in the hinterland should be governed by Native Law and Custom provided they are humane and do not contradict the laws of the Republic. The 1921 Regulations declare that "It shall be the duty of District Commissioners to protect the Chiefs and their people from any exploitation or infringements of their rights by traders, travelers or any other strangers in the Interior." It shall be their duty "to assist and protect the Chiefs and their people in marketing their produce and making their purchases, seeing that they get fair prices in both buying and selling." They also assert that "It is expected that District Commissioners will respect the Chiefs and headmen of their districts and that they will work as far as possible in harmony with and through them, until such Chiefs shall be found guilty of a deed which shall abuse this respect in which case such Chief shall be punished." The District Commissioners shall encourage the people to commence farming and see to it that no public or private work interferes with farm operations. They should also see that the people remain loyal to the Chiefs and that no outsider interferes with the "sacred institutions" of the country. No official shall accept "any valuable present" from Chiefs. No government officials shall engage in a trading business or sell or barter gin or rum. The latter prohibition extends to any individual. No officer or soldier of the Frontier Force or court messenger shall menace or impede natives in making complaints to the Secretary of the Interior, nor take any woman to any barracks or stations without first paying the proper dowry—a catalogue of prohibitions that implies that hitherto these practices had been current.

Paramount Chiefs, who are elected by the natives concerned "without any interference" from the government, and commissioned by the President, are responsible for maintaining peace, undertaking public work, and collecting taxes. Each district has three types of courts: (a) Court of Chiefs, (b) Court of Paramount Chiefs, (c) Court of the District Commissioner. The first courts adjust all minor disputes within the town. Appeals from the decision of such courts may be taken to the Court of Paramount Chiefs. The latter court has authority over cases between residents of different towns of the chieftainship, excepting serious criminal cases which go to the Liberia courts. It also tries cases for non-performance of government obligations, all "woman palaver, witchcraft and bad-medicine cases." (In British territory the two latter types of cases are reserved to British judges because chiefs themselves are usually subject to the spell of witchcraft.) An appeal may be taken from the Paramount Chief to the District Commissioner, provided sufficient cause for a second hearing is shown. The Court of the District Commissioner hears cases between chiefs of the same district, cases between civilized persons and natives, and appeals from the Paramount Chief. It has authority to impose fines not exceeding one hundred dollars and imprisonment not exceeding one year. Appeals may be taken to the Commissioner-General provided sufficient cause is shown. Cases arising between chiefs of different districts go to the Commissioner-General.[34] It appears that the Liberian Administration interferes very little in the settlement of disputes among the natives in the hinterland and that the chiefs exercise their powers as they did before the establishment of the present system of control. The chiefs retain their court fees and fines. They are not obliged to keep any court records, nor does the Liberian district commissioner exercise any regular revisionary power. Few hinterland cases ever get to the Commissioner-General.

Each district commissioner is supposed to send in a quarterly report to the Commissioner-General, containing a record of the cases tried and a description of general conditions. He also keeps books in regard to taxes and court fees and fines. The Frontier Force within his district is under his control in so far as it cannot engage on punitive expeditions except at the order of the district commissioner or the Commissioner General.

In 1923 Regulations fixed limits to the number of carriers and subordinates the various officials might have. It declared that cases of murder, arson, and waging of war should be only examined by the District Commissioner, associated with the Paramount Chiefs. If the case is of sufficient magnitude, the persons involved, including the witnesses, must be forwarded for trial at Monrovia. The Regulations forbade any native from giving any District Commissioner a woman. It declared that chiefs should furnish carriers to travellers in return for payment. "A refusal on the part of the Chiefs to furnish such carriers shall subject them to a fine." Chiefs could only be required to furnish District Commissioners one hundred and twenty-five hampers of rice and two tins of palm oil a month. These articles apparently must be provided free.[35] Chiefs and responsible natives are entitled to have a gun for the protection of crops and for hunting purposes. All such guns must be registered and accounted for by the District Commissioner every six months. The Regulations also

[34] *Departmental Regulations Governing the Administration of the Interior of the Republic of Liberia*, Monrovia, January 21, 1921. Also *Supplementary and Revising Existing Regulations Governing the Administration of the Interior of the Republic of Liberia, Including General Circulars Number One and Two*, August, 1923.

[35] The 1923 Regulations (section 24) provided that District Commissioners would be obliged to pay for fowls and palm wine. They did not require payment for the rice and palm oil.

laid down rules as to pawns and dowry, while they fix the damages to be paid for adultery at three pounds. "If a man is enticed by a woman however great a flirt she may be known to be," he must nevertheless pay her husband or parents the above sum. Other sexual offenses are punished with fines ranging as high as twenty pounds.

Marked improvement in the relation of the civilized population of the seaboard and the tribes of the hinterland has taken place during the last few years due partly to the system of native administration installed in 1921 and partly to the policy and personality of President King who has been the first Liberian President actually to tour the hinterland for the purpose of acquainting himself with conditions and of hearing complaints of native tribes. Upon one occasion he visited Cape Palmas to settle land controversies between the various Grebo and Kru tribes in Maryland county. Likewise, he has presided over three conferences of native chiefs—at Suenh in 1923 and at Vonjama and Sanoquelli in 1925. At the latter conference the question of civil, military and native administration was frankly discussed and petitions and complaints from natives were received. Not only did the chiefs give their views freely but a deputation of working boys complained of the excessive fees in the chiefs' courts, especially for immorality offenses. They also complained that they were sent all over the country on errands; moreover they did not wish to do road work as long as the Mandingo people escaped. In another case chiefs made a batch of complaints against a certain District Commissioner and station master. After hearing both sides of the question, the President ordered the dismissal of the latter official. In no other part of Africa does a native as frankly criticize the administrative officials over him as in Liberia. To the native the right to complain is even more important than the right to secure redress.[36]

When a Liberian District Commissioner is conscientious—and this is often the case—he seems to be able to get closer to his subjects than does a European Commissioner, because of the element of race.[37] His standard of living and his method of thought more nearly approach that of the native than do that of the European. Moreover, in the past, while there have been a number of cases of abuse and some atrocities, the Liberian Government has not been strong enough to impose upon the natives of the hinterland the grinding exactions which an industrialized administra-

[36] For the minutes of the Vonjama conference, see the *Liberia Gazette,* August 31, 1925, p. 3; the Sanoquelli Conference, cf. *ibid.,* September 30, 1925, p. 3.

[37] At the Sanoquelli Conference, President King declared "that on the French and English sides when one heard talk of the Governor, it was always understood to refer to a white man; but in the case of Liberia, the Governor was as black as they, which indicated brotherhood. . . . *Ibid.,* p. 3.

tion has imposed upon the natives in many other parts of Africa. The native in the hinterland has had a comparatively easy time of it because no economic development has taken place. But this state of affairs is changing.

6. *Taxes and Road Work*

At present the principal obligation imposed on the native population relates to taxes and labor for porterage and road work. The natives are liable to an annual hut tax of one dollar. The chief makes an assessment of the huts and collects the tax under the direction of the District Commissioner, in return for which he receives a ten per cent commission. The District Commissioner gives a receipt to the chief for the money and forwards it to the Commissioner-General. The Commissioner of Internal Revenue has frequently complained that part of this money has not reached Monrovia—whether court fees or taxes.[38] In 1919-20 the Commissioner reported that "towards the middle of the fiscal year the Bureau took up somewhat sternly the question of accountability for fines of this class but without satisfactory result. Some of the district commissioners have shown this item in their reports while without one exception all native African commissioners" have stated that they have tried only civil cases where no fines are imposed. The commissioner adds, "Plans will soon be set in motion to defeat this specious method of 'getting by!' "[39] The fact remains that the collection of the hut tax has steadily increased. In 1911 it was less than $10,000 but in 1925 it was estimated at $178,540. This is a sign of administrative progress.

If the financial exactions imposed upon the hinterland native were limited to a dollar hut tax, the native would have little cause for complaint. It appears, however, that illegal exactions are made. According to the Liberian Commissioner of Internal Revenue, "Because of the lack of a uniform, definite and effective system, loyal aboriginal citizens in many sections are the prey of unscrupulous men, who, bearing the flag as the emblem of authority, suddenly enters [*sic*] a town, plants the flag down, declares himself clothed with power and proceeds with the speedy collection of the tax, often imposing fines and assuming to adjudge matters. This class is made up almost exclusively of uncivilised persons, whose daring unscrupulous methods and cruelty to their own kith and kin—persons living under like conditions to themselves—are not only marvelous but inexplicable. This band of highway robbers so time their venture as to precede officials of the Bureau and thus render payment of the tax to the proper source a burden. . . ." Moreover, according to this report, the census

[38] Cf. Vol. II, p. 724. [39] *Report of the Secretary of the Treasury*, 1919-20, p. 19.

takers appointed to count the huts "pay more attention to the levying of a special tax against each town visited by them of four shillings in coin and sundry articles of food raising the tax to from eight to ten shillings and the assurance of its collection, than to the counting of the huts. . . ." [40]

In 1926 a committee of the Liberian Legislature also disclosed the fact that in the name of providing entertainment for the President who was making a tour of the hinterland, several native commissioners collected without payment from the natives about two hundred goats, five hundred and eighty-five hampers of rice, forty tins of palm oil, four hundred chickens and other articles of food—valued at $1600. Although the President found it impossible to visit the area, the commissioners kept the food. Moreover, the natives were entitled to receive compensation for such requests, since the President receives five-thousand dollars as an entertainment allowance. After the investigation the House of Representatives passed a resolution asking that the salary of one commissioner be withheld until he returned the articles to the government and that the other commissioner be dismissed. Both commissioners were aboriginal natives and not "American-Liberians." This was the first time since 1910 that the Liberian Legislature investigated the administration.[41] While it met some opposition from the government, it may start a precedent which will establish more strict control over native affairs.

The natives of the hinterland are also obliged to furnish porters for the government. The Commissioner-General and the Major commanding the Frontier Force are each entitled to thirty-two couriers, while a district commissioner and a Paramount Chief may each have sixteen.[42] These porters receive no pay. Private parties going through the hinterland may receive porters who go only from village to village, and these must be paid a shilling a day.

Likewise the natives must also furnish labor for the roads. Before the World War, the government made no effort to establish communications with the interior except by footpaths—there was not a single road in Liberia. But since the War, this work has been undertaken with vigor. Each chief is held responsible for the clearing of a road through his district, under the direction of the District Commissioner. This work is done by wholesale requisitions of unpaid labor. No time limit was originally imposed; and in many cases natives have been obliged to work on the roads for four and six months out of the year. The policy is for a contingent to work two weeks and then rest at home for two weeks before

[40] *Report of the Secretary of the Treasury*, 1919-20, p. 16.
[41] Cf. *The Liberian Star*, February 29, 1926, p. 10.
[42] *Departmental Regulations*, 1923.

returning. The natives soon began to complain that under this system they had no time to plant their gardens. The exactions became so heavy in parts of Liberia that some Liberians prophesied in 1926 that a revolt would occur unless the demands were modified. The President at the Vonjama conference of chiefs,[43] ruled that three months in every year should be left for the cultivation of farms. Under this ruling the government may requisition labor for a period of nine months, which is still an excessive period for unpaid labor.

In the 1925 presidential campaign, the People's Party, which opposed President King, while expressing its approval of the development of roads, opposed the "method of using the Aborigines as laborers without food, pay, or the supplying of tools to work with." [44] With the introduction of the plantation system of industry into the country, the demands upon the native population will necessarily increase.[45]

7. *Assimilation*

According to universal testimony, the old American-Liberian families are dying out and the descendants of the former colonist population are decreasing. It would be a mistake to believe, however, that there is a clear-cut distinction between the ten thousand American-Liberians in charge of the government and the million and a half subjects over whom they rule. It is likewise a mistake to believe that the American-Liberians are gradually being submerged by an aboriginal tide. In practice, an amazing process of amalgamation is going on between the colonist families and the aboriginal tribes. Originally the Liberian colonists maintained an attitude of high superiority toward the native population—many of them regarded themselves as Virginia gentlemen. This attitude was at first fostered by the European missionaries who limited their activities to the colonists and declined to accept natives in their schools. A change soon came, largely because of the influence of Mary Sharpe, a Methodist missionary, who, when she was not allowed to admit Kru boys to the regular

[43] Cf. the *Liberian Gazette*, August 31, 1925.

[44] *Platform of the People's Party, Campaign of 1927*, p. 5. A correspondent in Liberia writes in May, 1927, that President King had forced the natives "to work the roads without tools, food, or pay; that on road work they were unjustly and excessively fined for the slightest breach of the regulations under which they worked; that the chiefs have had to pay heavy fines in rice and livestock whenever the required quota of men were not furnished; that the towns were required to furnish for travelling messengers, officers, soldiers, commissioners, in short a host of petty officials, food and shelter and every luxury which was to be had, and that for such services there had been no compensation whatever; that the paid soldiery were permitted to pillage the towns through which they passed; that they, the uncivilized elements of the country, were admitted to no rights which the privileged officialdom was bound to respect."

[45] Cf. Vol. II, p. 831.

mission schools, started a Kru boy school of her own. At present, aboriginal and colonist children go to school side by side. In many cases intermarriages between the two elements have taken place.

This assimiliating process has been caused largely by the practice of "adoption." In the early days of the republic missionaries induced chiefs to give them children to be educated, and in some cases it appears that they even paid them something for such children.[46] Chiefs hearing of the "book" of the coast people, themselves walked miles to ask colonist families to take and educate their children. This practice continues at the present time. Chiefs and fathers still attempt, and in some cases with success, to peddle their children among city folk or mission schools. Missionaries are glad to receive possible converts; while the colonist families are glad to take such children, since they perform a good deal of domestic service and manual labor. In order to obtain such children, some families give the chief a "dash," but in most cases these children are acquired without a money transaction. Practically every negro family in Monrovia and the other coast towns has such children in its household. Often such children stay in their new family for a period of ten or fifteen years. During this period they are obliged to do the housework and a number, it appears, perform labor on the farms. In some cases, such children are mistreated.[47] Nevertheless, it seems that many of them receive the same kind of education as the colonist children; and legally they may leave their foster-parents and return to the bush when they like. The children frequently marry into the family; in other cases, adopted girls become concubines. The same system prevails among the Creoles of Freetown, with the important difference that the Creole seldom makes a hinterland child a real member of the family or gives him an education. Sierra Leone officials call the institution nothing more than a "white slave" traffic. In contrast, the Liberian system has given the native children an education which many of

[46] Cf. the following excerpts from an agreement made many years ago between Tweh, King of Dena, his headmen and people, and the Methodist Episcopal Mission; "Article I. The mission school is to have at all times at least ten boys; and more if they should be wanted. Girls at all times are desirable. Article IV. As long as the authorities continue to fulfill this agreement, by giving the children for school instruction and by protecting the mission and mission-premises from intrusion and disturbance, the mission will give them annually (about Christmas) one piece of blue baft, two small kegs of powder, ten bars of tobacco, ten bars of pipes, and fifty gun-flints; with the understanding that this being done, they are not to be teased for dash to any one."

Quoted from Hoyt's *Land of Hope* by F. Starr, *Liberia,* p. 174.

[47] In 1923 a prominent Liberian in a departmental investigation was found guilty of mistreating eight boys who ran away and took refuge with the County Attorney. The Attorney-General referred to this incident as "peonage against uncivilized persons. . . ." *Report and Opinions,* 1923, p. 27.

This system was the object of discussion in the second session of the Temporary Slavery Commission, *Minutes of the Second Session,* C. 426. M. 157. 1925, VI, p. 25.

them would not have otherwise received; and by injecting new blood into the coastal population, the system is forging a Liberian "nation." Nevertheless, there are in any such system certain obvious abuses which should, if possible, be prevented by law. Every family accepting such children should be obliged to assume the obligations of a guardian, enforced by the courts.

A number of Liberians have, if clandestinely, adopted the native practice of "pawning" which is closely connected to the "adoption" system. Under the pawning system, which prevails generally throughout West Africa, a native may place himself or his wife or children in pawn to another native as security for a loan. In 1923 the government attempted to control this custom as between natives in the hinterland by providing that pawns should be allowed to redeem themselves, and that a pawn should be redeemed by the repayment of the original sum and nothing more. These regulations also forbade the pawning of Liberians to foreign subjects. No person could be pawned without his or her consent, and if a woman was taken as a pawn, the holder could "take her to wife until redeemed." [48]

A literal interpretation of the Constitution of 1847, which provides that "There shall be no slavery within this Republic; nor shall any citizen of this Republic nor any person resident therein deal in slaves either within or without this Republic," [49] might make the practice illegal not only for American-Liberians but also for the aboriginal natives. While the Attorney-General takes this position,[50] the leading chiefs have prevented the abolition of both domestic slavery or pawning, institutions found throughout most of the tribes of Africa.

In 1923 the Attorney-General proposed the enactment of a statute forbidding the pledging of any human being. He declared that in case of financial need, natives should pledge their lands. There would seem to be stronger reasons for enforcing a rule prohibiting pawning against the "civilized" Liberians who profess a high standard of ethics, than against the aboriginal tribes.

Because of the decreasing number of Liberian families who have not intermarried with aboriginal tribes, the number of aboriginal children in the schools now far exceeds the children of the colonists. According to some estimates, all but six hundred out of the 9000 children in school in Liberia are "aborigines." In the future the educated leadership of Liberia will gradually come from the people who are indigenous to the country. This process is already taking place. The Vice-President of the Republic

[48] Article 19, *Departmental Regulations,* 1923.
[49] Article I, Section 4.
[50] *Report and Opinions,* 1923, p. 9.

between 1922 and 1927 was a Kru. Several years ago the Whig party made a deal with the Grebo people that they would name a Grebo as member of the Legislature from the newly established territory of Cavalla. While no member from this territory was at first elected, the Grebos were satisfied with the election of a Kru Vice-President. The Vais have furnished an Associate Justice of the Supreme Court and a Suffragan Bishop of the Episcopal Church (the Bishop is now an American). The Secretary of Public Instruction is a Bassa; the former Postmaster-General is a "Congo man." [51] The County Attorney of Montserado county and the judges of Grand Bassa and Cape Palmas are Grebos. As early as 1912 a Senator had a Bassa mother.[52] Two or three members of the House of Representatives and several District Commissioners are aborigines. It is not improbable that an aboriginal native will be President within a few years, and that the future government will fall into the hands of the natives originating not so much in the hinterland as on the coast, such as the Vais, the Krus, and the Grebos.

Hitherto the participation of the educated and "assimilated" aborigines in the government has been gradual. They have fitted into existing parties along with the colonist stock. But within recent years a frankly racial movement has come into existence, in the form of an Aborigines Political Association, organized by the Krus in October, 1922. The program of this Association calls for a "Strong Central Government." The members of the Association believe that "the civilized Aborigines are the interpreters of the native point of view as well as the intermediaries between the central government and the Natives. . . . The Association will support that political party which in the opinion of the members works for the best interest of Liberia, the race, and the objects which the Association advocates." Disturbed at the attempt of this Association to make a cleavage between the two groups within the Republic, the government has induced the Association to drop its present name. The Association continues to grow, nevertheless, under intelligent Kru control; and it may be the instrumentality, provided a fair election can be held, by which the Krus will gain control of the government and thus obtain in different form and by different means what they fought for in 1915. Some natives also advocate making the native "bush" organizations the basis of a new political party in Liberia.[53]

If and when the aboriginal population succeeds in getting control of

[51] A few miles outside of Monrovia is a "Congotown" composed of the descendants of freed slaves supposed originally to have come from the Congo.

[52] *Inaugural Address of President Howard,* 1912, p. 15.

[53] For the "bush organizations," G. W. Ellis, *Negro Culture in West Africa,* New York, 1914, Chap. V.

the government, the form of administration which they will carry out will presumably be that which exists as prescribed in the Liberian constitution to-day. Presumably an American rather than an African system, it will try to bring about the amalgamation of the native tribes with the coastal people into a metamorphosed territorial group, called the Liberian nation. Such an aim would be similar to that which has animated French policy. Owing to the community of race between the colonist-rulers and the aborigines of the interior, the Liberians may succeed in this aim where the French have failed. But whether negro district commissioners will rule any more successfully over native tribes than such commissioners in British territory or other territories in Africa, remains to be seen. It is not impossible that eventually the government will work out a type of tribal federation headed by an elected President in Monrovia and a Legislature containing tribal representatives. Should Liberia succeed in achieving a really national unity without destroying the African roots, she will have made a great contribution to the political destinies of the continent. Her success, however, will depend upon her educational system, a subject which will now be discussed.

CHAPTER 97

EDUCATION AND MISSIONS

1. *Government Education*

Recognizing that an educational system was necessary if the government wished to survive, the Legislature provided in an early act for the establishment of common schools in each settlement and township under the control of elected school committees. This act authorized the towns to impose an annual school tax, and provided that no teacher should receive more than four hundred dollars a year.[1] In view of the immediate needs of training men capable of operating the government, Liberia soon concentrated its attention upon a secondary institution called Liberia College. The establishment of this institution was first suggested by the Massachusetts Colonization Society in 1849, as a result of which the Massachusetts Legislature incorporated the Board of Trustees of Donations for Education in Liberia, composed largely of Massachusetts people. In 1851 the Liberian Legislature incorporated Liberia College, which was organized and financed in part by this Board of Trustees.[2] The College did not open, however, until 1863. The first President was Joseph J. Roberts, who had been the first President of Liberia. The Board of Trustees of Donations, cooperating with the New York Colonization Society, entirely supported the College Department from 1863 to 1878, while the government paid the salary of the Principal of the boys' division of the preparatory department. In more recent years the Board of Trustees has merely contributed toward the salaries of various professors and made occasional donations for books. Since 1893, the Liberian Government has endeavored to carry the bulk of the expenses of the College, but this support has, in view of the financial condition of the government, been necessarily irregular.[3]

Liberia College has had a stormy history. There have been disputes within the faculty,[4] many of which arose over Dr. E. W. Blyden who is

[1] *Blue Book*, p. 166.
[2] G. W. Allen, *The Trustees of Donations for Education in Liberia*, p. 13.
[3] *Catalogue of Liberia College for 1916 and Historical Register*, 1919, Brookline, p. vii.
[4] *The Trustees of Donations*, p. 27. It appears that some of these disputes arose out of jealousies between professors who were pure negroes and those who were mulattoes. *Ibid.*, p. 28.

probably the most brilliant man that Liberia has produced. Despite his high intellectual qualities, he was currently engaged in quarrels with other members of the faculty, both as professor and as President.[5] The Board of Donations, which had control over appointments, finally suspended Dr. Blyden's salary on the ground that he left the College "for Sierra Leone, leaving the College to take care of itself, and without explanation of any kind."[6] The Board has taken similar action in other instances; likewise, it has withheld funds. It appears that with the exception of Professor Freeman, the presidents of Liberia College have been more interested in politics than in education, and have used the College as a means of securing political appointments.

In order to strengthen the teaching force of the College, American negro teachers have in several cases been induced to go to Monrovia. But in some cases such teachers have quarreled with the Liberian authorities; and in other cases, they have not liked the climate.[7]

Throughout its history the College, the doors of which have been entirely closed for periods of time, has concentrated most of its attention upon the preparatory department. While between 1877 and 1900 there were no graduates of the College, thirty-four Liberians were graduated between 1903 and 1916. The Catalogue of the College says, "The standard of the graduates since 1903 has not been on the upward trend, owing to the lack of facilities and modern appliances."[8] Probably because of the apparent decline in the educational system, the quality of expression and of thought in the annual messages of the President and in the Liberian press is visibly lower to-day than twenty-five and fifty years ago.

Part of the College's difficulties has been due to finances. In 1922 the resources of the College amounted to less than $4,000.00 of which $2,875.00 came from the Liberian Government. About a thousand dollars came from the Boston Board.[9] In 1923 the Liberian Legislature appropriated $10,000, a sum which declined to $7,000 in 1925. Hereafter the College hopes to obtain $10,000 a year from the government and $2,800 from the American Colonization Societies.

Hitherto, the curriculum of Liberia College has been exclusively literary,—it has been designed to train a political class for the purpose of operating the government. While textbooks have been imported from Europe and America, they have not been kept up to date. For example,

[5] *Ibid.*, pp. 28 ff., 47 ff. [6] *Ibid.*, p. 57.

[7] *Ibid.*, p. 51. The negro author, Benjamin Brawley, likewise spent a few months as a professor at Liberia College in 1922, but was obliged to return home on account of ill health.

[8] *Catalogue of Liberia College*, p. viii.

[9] "Annual Report for 1922," printed in *Report of the Preisdent of Liberia College, respecting his Visit to the United States of America*, Monrovia, 1923, p. 101.

an 1885 edition of Jevons' *Logic* is still being used. In 1917 Mr. Edwin Barclay, who is now secretary of state in Liberia, reported that the answers to examinations in Liberia College "do not tend to show that the student has developed power of observation nor any independent thought on the particular subject. . . . It is obvious that men trained along these lines, unless possessed of inquiring minds, will never be anything more than parrots. They become the slaves of books, then, which produce nothing more than intellectual sloth, and will never be fitted to do the constructive work required to be done in our several communities." [10] It appears that this judgment still holds true to a large extent to-day. At the present time there are one hundred eighteen students in Liberia College of whom sixteen are in the College department.

Throughout the history of Liberia College, various people, colored and white, have insisted that this College should install an agricultural and technical department, and that, partly to promote this type of activity, the College should be moved into the interior. Despite the repeated indorsement of this idea, the College remains in Monrovia. In fact, when the authorities did decide to move from Cape Mesurado, a mile or two from the center of Monrovia, they erected a brick building on the rocky end of Broad Street which they have, after a few years again decided to abandon in favor of a site a few miles removed from the town. The authorities hope to obtain $50,000 from the American loan for new buildings. Liberia College must now compete not only with the College of West Africa, and the Methodist High School, but also with Monrovia College, an institution recently erected by the African Methodist Church. This institution was originally designed as an industrial institution; but the founders placed all of their money in the building, with the result that they have not been able so far to finance the installation of the necessary equipment to give an industrial training. Owing to the political situation of Liberia, which obliges the local population to assume full responsibility for the government, a secondary education of a literary nature will always remain fundamental—an education which Liberia College has attempted to give.

At the same time, there is a growing realization that the political future of Liberia must rest upon an economic basis; otherwise the politicians as well as others would soon starve to death. Moreover, if Liberia is to become really democratic, education should not be limited to a priviliged few in the towns, but should be expanded throughout the villages and adapted to the needs of the people.

Apparently these considerations prompted the Liberian Legislature to establish a Department of Public Instruction in 1912. In the same year

[10] Cited in *The Trustees of Donations,* p. 98.

the Legislature imposed a school tax of one dollar a head, and passed a law providing for compulsory education, probably the only law in Africa embodying this principle.[11] But no attempt is made to enforce the compulsory education law, except in the cities like Monrovia. Nor has much effort been made to collect the special school tax. In 1920 it yielded only $178.00, a figure which increased to $1,109.00 in 1923 and to $3,609.00 in 1924—an increase which is encouraging.

The act of 1912 provides that when permanent revenue reaches a million dollars, a sum of $18,000.00 shall annually be appropriated for the Board of Education. The sums actually appropriated and expended by the Liberian government on education are as follows:

	Appropriated	*Amount Paid*	*Unpaid*
1920	$ 2,000	$1,116.56	$ 883.40
1921	2,000	604.55	1,395.40
1922	2,000	2,000.00	......
1923	20,000	4,950.00	15,149.19
1924	11,900	6,992.62	4,970.30

The 1925 budget carries an appropriation of $18,120, including $7,000 for Liberia College. To this should be added $5,000 taken from the native poll taxes, which brings the total to $23,100, which constitutes a little over three per cent of the total government revenue. While this percentage compares favorably with some British colonies, the absolute sum is small, compared with educational expenditure of $186,000[12] in Sierra Leone, a territory having about Liberia's population.

In 1924 there were fifty-five government schools in Liberia, having an enrollment of 1898. Most of these schools go only from the first to the third grade; but eighteen of the fifty-five schools give instruction above the third grade. The government has not confined its educational efforts to the seaboard, but is extending them into the hinterland. The number of the latter schools has increased from two having forty-five students in 1920 to twenty-four such schools with an enrollment of seven hundred and four students in 1924. The government pays its teachers from $100 to $400 a year. The government also maintains two night schools for native "pawns," and it is organizing a Teachers' Association. Instruction is in English, which the Liberian Government regards as an essential means of moulding a Liberian nationality. No special or sectarian religious instruction may be given in the public schools except general instruction in morals.

[11] Act of February 5, 1912 published with other documents in *Vade Mecum,* (For Schools of the Republic). Compiled by the Secretary of Public Instruction, B. W. Payne, M.D., 1924. The French have adopted the principle of compulsory education for the sons of chiefs.

[12] Cf. Vol. II, p. 728.

The flag of the Republic must be daily displayed at every school house. The Colors must be hoisted and struck, attended by "such ceremonies as shall tend to instil in the minds of the pupils a respectful veneration of the flag and a knowledge of the principles for which it stands." [13] American educators state that the government village schools maintain as high standards as those maintained by mission schools. In view of the circumstances, the educational efforts of the Liberian Government are remarkable.

2. *Missions*

Since the first arrival of colonists in Liberia in 1821, who were accompanied by a negro Baptist preacher as chaplain, missionary societies have carried on work in this territory. At present about ten American Protestant societies, manned by a hundred missionaries, are at work. There are about a hundred ordained native ministers in Liberia—the same number as in Sierra Leone. The "Christian community" totals about twenty thousand which is only two-thirds of that in Sierra Leone. About nine thousand of these Liberians belong to the Methodist Church and another nine thousand to the Episcopal Church, both of which are directed from the United States. Membership in one of these organizations, together with the Masonic Order, is almost essential if a Liberian wishes to succeed in politics. The remaining hundreds are scattered between the National Baptist Convention and the Lott Cary Missionary Board—two American negro organizations, the United Lutheran Church and several other Methodist denominations.[14] The Lutherans maintain about twenty-five white missionaries—the largest number of any society in Liberia. Their work has its headquarters at Muhlenburg on the Saint Paul River and it has been carried on primarily among aboriginal natives. Very little control from home is imposed upon the Lutheran missionaries who are organized into a self-governing conference. In addition, the Pentecostal Mission is active, having the second largest number of Europeans on the field, maintaining twelve stations and thirteen white missionaries. These stations are also known as Assemblies of God. Likewise, an independent Liberian Presbyterian Church is in existence—the product of Presbyterian work started in 1832 but withdrawn five years afterward. It is organized into the Presbytery of West Africa.[15]

Until recently difficulties with the government prevented the Catholics from carrying on work. But two years ago the government incorporated the Lyons Fathers, which carries on extensive work in other parts of the West Coast and which has now opened a mission at Monrovia. While

[13] Sections 46, 47, Act of February 5, 1912.
[14] *World Missionary Atlas,* New York, p. 109.
[15] *Acts,* 1905-1906, p. 35.

the Catholics have made little progress among the American-Liberians they are making considerable headway with the aboriginal population. They now have about 2280 followers.[16]

Hitherto, the various American mission boards, aided to a certain extent by the various Colonization Funds, have annually poured into Liberia a sum of three hundred thousand dollars which more than equals the internal revenue of the Liberian Government. This money has been expended largely on Liberian teachers and preachers, and has apparently kept many people alive who otherwise would have starved, owing to the absence of economic enterprise in the country.

3. *A National Church*

In view of the political independence of Liberia it is interesting to find that apparently the Liberian Presbyterian Church is the only denomination independent of American control. Nevertheless because of the political status of the country and the negro constituency in the churches in America, the Liberian churches have been given a high degree of autonomy, amounting in the case of the Methodists almost to independence. The work of the Methodist Episcopal Church in Liberia established in 1834 is under the supervision of a negro bishop who is stationed in Kentucky and who attempts to get to Liberia for three months once every year. In his absence, the Liberian clergy have very little supervision and the Liberian Conference is virtually self-governing. But at the same time the clergy is supported to a large degree by contributions from the United States. Three years ago the Methodist Board served notice on the Liberian Conference that funds from the United States would come to an end in 1934, when the Liberians should become financially self-supporting.[17] Liberian Methodists now frankly say that if this takes place, they will declare themselves independent of all American control and elect a bishop of their own.

The Episcopal Church maintains closer control over the local clergy because it maintains a bishop on the spot. Since the establishment of the work in 1830, this position has been held by a white American, with the exception of the Right Reverend Samuel D. Ferguson, a Liberian, who was consecrated bishop in 1885.[18] Difficulties similar to those experienced with a negro bishop in Lagos[19] have led the Episcopal Board since to maintain an American bishop in charge of the work, assisted by a suffragan African

[16] *Manuel des Missions Catholiques,* Louvain, 1925, table 35.
[17] Cf. *Official Journal, Liberia Annual Conference,* 1925, p. 37. For some reason, the membership in this organization declined about two thousand in 1925. Cf. Statistician's Report, *Ibid.*
[18] Cf. Sir Harry Johnston, *Liberia,* London, 1906, Vol. I, p. 374.
[19] Cf. Vol. I, p. 718.

bishop. At the retirement of Bishop Overs, the Episcopal Church in Liberia memorialized the Church in the United States to give it a Liberian bishop.[20] When the American authorities declined to do so, some Liberians proposed the establishment of an independent Episcopal Church. This principle won the support of President King who in his message to the Legislature pointed "with patriotic pride and pleasure, to the new thought now moving through the Nation towards Liberia's religious independence by complete severance from all foreign Ecclesiastical control." After referring to the history of the established church in England, he declared, "The Churches in Liberia in their awakening to national and racial consciousness must and will proceed upon these very lines. The control of foreign religious Bodies must be withdrawn, as well as their financial support, from the Churches in Liberia. . . ."[21] It is an interesting paradox that a President who welcomes foreign economic control, in the form of the Firestone interests, should in the same breath denounce foreign "ecclesiastical" control.

Some Liberians suggest the establishment of a Liberian Church modelled after the Abyssinian Church, which would recognize native customs and would even, according to some advocates, recognize polygamy among Christian aborigines,[21a] but not among the "civilized" element. This Church, they believe, should engulf all existing denominations and be supported by government funds. The theological differences between Liberians are probably too divergent and acute to allow this type of National Church to come into existence. Nevertheless, it is probable that the movement of existing denominational groups toward complete independence from American control will grow. This tendency would be diminished if the missionaries in Liberia took a more sympathetic attitude toward native customs, particularly toward dowry marriages and bush ceremonies which missionaries in other parts of Africa are fitting into the practices of Christianity.[22]

4. *Mission Education*

In addition to establishing about one hundred and forty organized churches in Liberia, the various missionary enterprises have maintained a

[20] *Liberian News,* September, 1925, p. 7.

[21] *Message of the President,* 1925, p. 45.

[21a] The Abyssinian Church does not, however, tolerate polygamy.

[22] Cf. Bishop of Masasi, "The Educational Value of Initiatory Rites," *International Review of Missions,* April, 1927, p. 192. There are, however, differences of opinion in regard to the extent to which native customs can be reconciled to Christian ethics. Cf. M. Schlunk, "The Relation of Missions to Native Society," and W. Millman, "The Tribal Initiation Ceremony of the Lokele," *ibid.,* July, 1927. R. P. Piolet, "Les Missionaries et Les Coutumes Indigènes," *Biblicthèque Coloniale Internationale, Rapports preliminaires,* 1923, p. 324. Cf. also *Les Aspirations Indigènes et Les Missions, Compte Rendu de la Troisième Semaine de Missiologie de Louvain,* Louvain, 1925.

large number of schools. It is estimated that about seven thousand Liberians are in attendance at mission educational institutions, most of which are village schools manned by native teachers. These schools have been subject to the same criticism as mission schools in some other parts of Africa—they have not been subject to much European supervision; their educational program has been largely evangelical, and their teachers have been untrained and unpaid.

These missions nevertheless maintain some worth-while secondary institutions. The leading educational institution in Liberia to-day, from the standpoint of the quality of its work, is the College of West Africa, a Methodist institution (directed by Mr. R. L. Embree, an American educator) at Monrovia. This College in theory is a high school which prepares for entrance to Liberia College—the government institution. But as a matter of fact its work is of higher quality than that of the College. The Methodist Church also maintains at Monrovia the Stokes Theological Training School for the purpose of training religious leaders. The Protestant Episcopal Mission supports the St. John's Academy and Industrial School at Cape Mount and the Cuttington College and Divinity School at Cape Palmas, while the Lutherans direct a Boys' School at Muhlenberg which gives some agricultural instruction.

Altogether, counting government and missions schools, there are about one hundred and fifty schools in Liberia, having about nine thousand students. Only ten of these schools do work above the eighth grade and they have an enrollment of about a hundred. It is estimated that only five or six hundred students out of the total enrollment of nine thousand are American-Liberians. Government and missions now cooperate through a Board of Education.

Believing that there has been a great deal of duplication and misdirected energy on the part of the various mission and colonization societies who have put about three hundred thousand dollars into Liberia annually, the Phelps-Stokes Foundation and other groups came together in 1923, forming an Advisory Committee for Education in Liberia. This Committee has engaged an experienced American educator, Mr. James L. Sibley, as Educational Advisor to their work in Liberia. His task is to coordinate the activities of these different organizations, and to map out a mission school system which will improve the quality and extend the quantity of education. While he is technically an Advisor to the missions, his assistance has been welcomed by the Liberian Government. The plan now is for the government eventually to assume support for public elementary education, in addition to Liberia College, while the missions will concentrate on secondary education and a few special schools. So far the most significant activity of this new organization, which centers in Mr. Sibley, is the preparation of a series of textbooks and Teachers' Handbooks for use in village schools. The Elementary School is to have a course of four years, in which the following subjects are taught: health (child life, not precepts); environment (child life); home making, recreation (games, music). These subjects are to be taught in the native language. In addition, the natives, especially during the third and fourth years, will be taught English, Arithmetic, Hygiene, and Geography. In the first year, about a fourth of the time will be spent upon English, a period which in the fourth year will increase to about half. Each subject is to be adapted to the environment in which the native lives. He will not be taught English or American games entirely, but will use the games with which he is already familiar. For example, along the coast the boys will be taught to make toy boats or canoes in clay, which will be related to health through paddling, pulling, perspiring and breathing. It will be related to arithmetic by telling the number of men or paddles needed to operate the canoe and why. It will be related to music by the rhythm of paddling. Some of the textbooks which Mr. Sibley has prepared are unique. A Hygiene Primer contains photographs on each page of a scene in a native village, illustrating the principle which the author wishes to convey. Other texts, called "See—Do—Tell Books," have drawings of native children, illustrating similar principles. Geography is taught by having the children fill out questionnaires such as follows: What is the name of my village? Of my Chief? Of my Family? What is the name of the next village? What is the name of the river which goes through my village? The aim of this method is that "each pupil shall think, reason, and act. He should have a use for every bit of vocabulary which he learns; he should easily recognize the characters, the situation, and the action which is pictured for him by the teacher or the text." This educational effort, designed primarily to reach the village natives and give them an education which will fit them for a wholesome and constantly improving village life, is the most helpful development in Liberia to-day. It is a development which wishes to coordinate widely scattered American efforts in the past. But Liberia cannot live on knowledge alone; she must have food.

CHAPTER 98

LIBERIAN TRADE

1. *Dearth of Food*

FROM the economic standpoint, the history of Liberia is the history of a people attempting to keep themselves from starving to death. One would suppose that the tropics could easily provide the food which colonist inhabitants might require. But whether because of an inhospitable soil or the dislike of the colonist population for manual activity, much of the food of Liberia is imported from Europe and America. This fact makes the cost of living in Monrovia probably higher than in any place else on the West Coast of Africa.

In 1924, out of total imports of $679,000, the port of Monrovia imported foodstuffs amounting to about $172,000 in value—or 25 per cent of the total. About $22,000 of fish, nearly $5000 ham and bacon, $3,700 of biscuit, nearly $11,000 of salted beef, over $57,000 of rice, and $18,000 of sugar were imported. There does not seem to be any economic reason why Liberians should not furnish many of these wants by a little physical effort. In his Inaugural Address in 1924, President King asked, "Why, then do we Liberians continue to live in Liberia and board in Europe and America? Such a course is sapping the vitals of our national life and rendering our boasted independence a mere sham and disgrace. The products of our land—Coffee, Cocoa, Cotton, Ginger, Pepper, Sugar-cane, Bananas, Oranges, Ground-nuts, Cocoa-nuts are in great demand abroad. Why should we not produce these products in such large quantities so as to be able to exchange them with the products of foreign markets?" He then called attention to the output of cocoa on the Gold Coast.[1]

A Government pamphlet says, "For a country of its size and age to export practically nothing in the line of cultivated crops or domesticated animal products is a serious reflection."[2] Apparently these conditions are of comparatively recent origin. When the colonists arrived in Liberia many of them became farmers. The leading citizens in the '50's engaged in agriculture and in trade. Liberians operated coastwise steam vessels.[2a]

[1] *Inaugural Address,* 1924, p. 16.

[2] *Program for the Agricultural Development in Liberia,* Liberian Government, Monrovia, 1924, p. 1.

[2a] D. Karnga, *The Negro Republic on West Africa,* Monrovia, 1909, p. 390.

It appears that the impetus which led many Liberians to desert the farms for the cities was a drop in the price of coffee from twenty cents to five cents many years ago. During the first fifty years the country was in the hands of Liberian merchants. To-day, except in the cases of two traders, the trade has passed into Syrian and European hands. For the last twenty or thirty years, few of the colonist stock have been interested in anything but politics and theology.

A number of years ago Mr. Ferguson said, "Compare, you say, the present with the past. Where are the schooner and cutters that were used to be built right here in Liberia, when nearly every responsible man had his own? Where are the tons of sugar that used to be shipped to foreign parts by our fathers, and the barrels of molasses, and the tons of camwood?[3] Where are the financial men of the country that looked upon the holding of public offices as almost beneath them, who had to be begged to fill them? Where are those who when they had their farms lived off the farms? Oh, where are the honest, upright and loyal government officials of 1847? You answer for yourselves. Where have the great Liberian merchants of Monrovia, Grand Bassa, Sinoe, and Cape Palmas gone!"[4]

While there is a tendency to be pessimistic in regard to the present as compared with the "good old days," progress along certain economic lines has been made. In 1885 coffee exports from Liberia were reported at 561,201 pounds; in 1894 they were 980,847 pounds.[5] But in 1925 coffee exports totalled 2,848,519 pounds. Assuming that the earlier figures are correct, it would appear that present coffee exports are much greater than twenty years ago. While many American-Liberians have deserted the coffee farms, the natives, such as the Golas, are cultivating the crop. The Grebos at Cape Palmas are also starting the cultivation of cocoa, having learned its cultivation during their sojourn as laborers at Fernando Po.[6] This crop may become important in the future.

2. *The Balance of Trade*

Except for coffee, the principal exports from Liberia take the form of wild produce—palm kernels, oil, and piassava—the fiber of the raphia palm which is used for broom straw and other purposes. In order to improve the quality of Liberian palm oil, the African International Corporation—

[3] Camwood was an important export in the '70's and '80's, being used for dyes. But it became unimportant as a result of the discovery of aniline dyes. Johnston, *Liberia*, Vol. I, p. 410.

[4] F. Starr, *Liberia*, p. 131.

[5] *Seventy-Eighth Annual Report of the American Colonization Society of Liberia*, February, 1895, p. 11.

[6] Cf. Vol. II, p. 777.

a British concern—has offered to install and operate machine cracking plants at sites provided by the government, and ship the kernels thus obtained under a special mark, to insure a better price. But it asks that the government issue orders to ensure a reasonable supply of nuts for cracking.[7]

The principal exports from Liberia since the World War have been as follows:

PRINCIPAL EXPORTS—1921-1925.[1]

Commodities	*1921*	*1922*	*1923*	*1924*	*1925*
Coffee	1,401,516 lbs.	2,626,819	2,031,668	3,797,404	2,848,519
Ivory	4,770 "	9,998	10,568	15,876	9,218
Palm kernels	9,886,128 "	12,780,432	15,748,096	18,487,784	20,094,172
Palm oil (Boechina)	203,000 gals.	327,802	416,905	438,415	671,937
Palm oil (Nechina)..	2,592 "	1,860	1,528	726	669
Piassava	7,571,529 lbs.	9,654,044	8,340,833	9,354,662	13,558,144
Rubber	....	....	10,564	9,238	441,066

[1] *Liberia Gazette,* February 27, 1926, p. 4.

The jump in rubber exports from 9000 pounds to 441,000 pounds between 1924 and 1925 was due largely to the exploitation of the Mount Barclay Rubber Plantation, an abandoned British concern, by the Firestone Rubber Company.

It is almost impossible to obtain early trade figures of Liberia, or even figures for the period between 1900 and 1914. But in 1850 an American Congressional Committee estimated the exports of Liberia to be about $500,000 a year.[8] At present exports are nearly three times as large.[9]

Trade since 1920 is illustrated by the following figures:[10]

Year	*Exports*	*Imports*
1920........................	$1,123,781.84	$1,922,292.50
1921........................	819,594.78	1,231,701.77
1922........................	1,045,382.78	1,501,515.52
1923........................	1,166,735.49	1,361,700.32
1924........................	1,416,869.41	1,433,184.69
1925 (9 mos.)...............	1,268,915.12	1,570,069.84

[7] R. E. Durant, *Liberia, A Report for the African International Corporation,* London, 1924, p. 28.

[8] *Report of the Naval Committee to the House of Representatives, August, 1850, in favor of the Establishment of a Line of Mail Steamships to the Western Coast of Africa,* Washington, 1850, p. 14.

[9] The Customs revenue—which is indicative of trade, shows an increase as follows:

1892..............	$188,000	1917-18............	$161,449
1906-07...........	362,175	1920-22............	249,285
1912-13...........	485,577	1924-25............	481,879 *

* Statement of Senator Morgan, *Liberia,* February, 1895, p. 22; *Message of the President,* 1907, p. 17, *Annual Report of the General Receiver of Customs and Financial Adviser to the Republic of Liberia,* 1924-1925, Monrovia, p. 2.

[10] *Import, Export and Shipping Statistics,* 1924, p. 49.

At present the per capita trade of Liberia is much the lowest among the territories on the African continent.[11] From the above figures it would seem that since the World War Liberia has had an unfavorable balance of trade which was especially serious during the depression of 1921. But this unfavorable balance may not actually be as large as the figure indicates. The value of some exports such as rubber has been underestimated.[12] This statement is probably true if one includes the earnings of laborers at Fernando Po and on coastwise boats, and the three hundred thousand dollars contribution of the missionary societies, and if one considers the fact that many natives near the Sierra Leone and Ivory Coast borders trade via British and French ports—figures which are not reflected in the Liberia trade reports. For this and other reasons the Receiver of Customs believes that "Liberia still remains a creditor nation with a favorable balance of trade."[13]

3. *The German Position*

Before the War Germany controlled Liberia's trade largely because of the high type of German trader in Liberia and of liberal credits. Dutch interests were also strong. In 1904 the Woermann Company and the *Oost Afrikanische Compagnie* made an agreement dividing up the Liberia coast into spheres of commercial influence, each one agreeing not to open factories in the sphere of the other. This agreement fell to the ground at the outbreak of the World War. The Germans maintained a bank in Monrovia, called the Deutsche-Liberia Bank. In the summer of 1914 it signed a contract with the British Bank of West Africa in which the latter bank agreed to withdraw on the understanding that the Deutsche-Liberia Bank would not compete against it in any other place in West Africa. The outbreak of the War cancelled this contract, and at present the banking business of Monrovia is monopolized by this British concern which charges high rates on cable transfers of funds and other services. For many years the Liberian Government has attempted to rid itself of this type of control. In 1909 it commissioned a German business man, who also acted as Liberian consul in Berlin, to secure the financial means in Germany for the establishment of a Liberian Government bank. It is understood that the German Government declined to act, however, without the cooperation of the British Government, which apparently was not forthcoming.

[11] Cf. Vol. I, p. 942.

[12] For some unknown reason, exporters valued their exports of 291,000 pounds in 1924-1925 at $38,000 when according to the market price it was worth $203,700. *Annual Report of the General Receiver of Customs and Financial Adviser to the Republic of Liberia,* Monrovia, 1924-1925, p. 19. This was not done to avoid the export duty since it is specific.

[13] *Annual Report of the General Receiver,* 1924-1925, p. 20.

Before the World War, the Germans also established and maintained a cable station at Monrovia in connection with a line from Teneriffe to Togo and the Cameroons and to Pernambuco in South America. In order to secure the right of building this cable it was necessary for Germany to gain the consent not only of Brazil but of France. In 1891 the Brazilian Government had granted the South American Cable Company, theoretically an English concern, of which the French Government was the only stockholder,[14] a monopoly of cables from any point in Africa to Pernambuco, and the French accordingly laid a line from Dakar. The Monrovia route which the Germans wished to follow was, however, shorter and therefore of mutual advantage to Brazil and Germany. But in order to gain the consent of the French to surrender their monopoly, the *Deutsch-sud-amerikanische Telegraphengesellschaft* was obliged in agreements of February 4 and March 25, 1910, to build at its own expense and hand over to the French a cable from Conakry to Monrovia and Grand Bassam. The Germans thereupon constructed their cable from Monrovia to Pernambuco. When Liberia entered the war in 1917, at the request of the United States and in order to obtain Allied shipping, the government took over the station which it now uses as an infirmary for the Frontier Force, while the Allies cut the cable. No effort has been made to restore the cable, probably because the French are willing to have the business remain with the Dakar-Pernambuco line.

Likewise the Liberian Government expelled the German traders in 1917, terminated the commercial treaty with the German Government, and sequestered German property. The sums derived from the sale—amounting to more than $154,000—were for a while held by the American Financial Receiver as Alien Property Custodian. The Liberian Government ratified the Treaty of Versailles subject to the reservation that it would not be bound by the clearing office provisions in the Reparations section of the Treaty.[15] In 1922, the government paid out one hundred thousand dollars of this money to extinguish its indebtedness to the Bank of British West Africa.[16] During the 1923 elections, the King administration is reported by various sources to have expended the remainder upon the election campaign. It felt justified in using this money as an

[14] A fascinating but little-known aspect of the international relations of Germany, England, and France before the World War concerns the construction of and control over these various South-Atlantic cables. For the Liberian incident, cf. C. Lesage, *Les Cables Sous-Marins Allemands,* Paris, 1915, Chaps. III and IV.

[15] *Acts* 1919-20, p. 5.

[16] Cf. *Report of the Secretary of the Treasurer,* 1922-1923. The Secretary asserts that the Reparations Commission awarded Liberia one hundred and twenty-five thousand pounds claims against Germany. For the bombardment, cf. A. Karnga, *Liberia before the New World,* London, 1923, p. 31.

offset to the damage which Monrovia received from bombardment by a German submarine in 1918. Apparently the German Government does not intend to raise this property issue because it does not wish to place any political obstacle in the way of the revival of German trade. In 1925 Germany again led all other foreign nations in Liberia in both the matter of imports and exports; and it is not improbable that in the course of a few years, Germany will receive a majority of Liberia's trade.[17] A new commercial treaty is now being negotiated.

The United States is the source of about one-tenth of Liberia's imports,—partly of American automobiles which have increased as a result of the recent construction of roads. America's share of the exports from Liberia increased from six thousand dollars in 1924 to forty thousand dollars in 1925, and consisted largely of Firestone rubber. Even now purchasers from America constitute only three per cent of Liberia's total. About one-tenth of Liberia's total imports come from Holland—partly of trade gin.

4. *Trade on the Coast*

While Liberia's economic backwardness is due partly to the dislike of the American-Liberian population for manual labor, it is also due to the restrictions which the Liberian Government has placed upon European commerce. Before the passage of the Port of Entry Law, it was customary for German and British trading vessels to cruise down the west coast, stopping whenever they saw the smoke of villages on the shore to trade with natives who would come out to the vessels in canoes. This system of trade made the collection of customs impossible, and traders could abuse the confidence of the native buyers. Consequently, the Liberian Government passed the Port of Entry Law restricting foreign commerce to certain ports supervised by Liberian customs officers.[18] The government has gradually increased the number of these ports until at present there are eleven at which foreign vessels may trade. These are Monrovia, Cape Mount, Marshall, Grand Bassa, River Cess, Sinoe, Nana Kru, Sasstown, Grand Cess, Foya, and Cape Palmas.

In 1922 the Legislature enacted a law, imposing port and harbor dues upon vessels at $35 a vessel in the leading ports.[19] These dues are collected by the Customs Department and are used only for the maintenance and improvement of the ports, particularly lighthouses. At first these dues met the opposition of foreign ships, but most of them now willingly pay because the government has used the money to erect, with American

[17] In 1925 German exports constituted $626,739 out of a total of $1,268,915; German imports constituted $576,513 out of $1,570,069.

[18] Cf. Article IV, *Blue Book*, p. 96.

[19] *Acts*, 1922-1923, p. 6.

technical assistance, lighthouses at Monrovia, Sinoe, and Cape Palmas. In 1924-1925 these dues amounted to $23,620.

The Liberian Government, aided by Mr. Firestone, now plans to build a harbor at Monrovia which will do away with the difficulties of crossing the dangerous bar at the mouth of the river, and also a wharf at Grand Bassa. Likewise it contemplates establishing a monthly or bi-monthly mail service along the Liberian Coast.[20] At present there is no coastwise service, which makes communication between one port and the other depend upon the calls of West Coast freighters.

For many years Liberia has been at the mercy of foreign shipping, and with the forced withdrawal of the Woermann Line, during the World War, the Elder Dempster Company had a freer hand than ever.

With the return of the Germans and the competition of the Dutch line, the West Coast hoped to secure some competition in shipping. Instead, the British, German, American and Dutch lines entered into a rate and shipping agreement in 1924 which, according to the American Receiver of Customs, "probably has been beneficial to the Lines who are thus able to profit at the expense of passengers and shippers. It has certainly benefitted no one else. To-day, passenger rates and freight rates on the West Coast of Africa are entirely out of proportion to rates existing for similar services in other parts of the world. First class passenger rates are charged on converted freight boats, and freight on a certain class of raw products from Monrovia to New York by direct ship is very much higher than freight rates on the same products from Singapore to New York where there is not only a longer haul but expensive canal charges to be met."[21] Liberia is, from this standpoint in no worse condition than any other West Coast territory.

So far the government of Liberia has not developed any protectionist tendencies. Under the Customs law of 1910 all imports were subject to a duty of 12½ per cent ad valorem, excepting luxuries and arms, which were subject to specific duties.[22]

The 1910 tax law likewise imposed specific export taxes on practically all exports, such as coffiee, ivory, palm products, piassava and rubber. The rate of duty on coffee was $1.50 per bushel, and on rubber, 12 cents per pound.

In order to increase revenue the Liberian government enacted a new tariff law in 1923 which increased the ad valorem duty to 15 per cent and increased a number of specific duties—thus the duty on spirits increased

[20] *Message of the President,* 1925, p. 15. The government has already purchased a revenue cutter called *Mesurado.*
[21] *Report, cited,* 1924-25, p. 13.
[22] *Acts,* 1910, p. 73.

from $1.20 to $2.50 a gallon, and on whisky from $2.00 to $3.00 a gallon. The 1923 law removed the export duty on coffee and rubber altogether.[23]

Imports are also subject to a twenty per cent surtax for the Emergency Relief Fund.[24]

5. *Trade in the Hinterland*

Because of past difficulties with foreigners in the hinterland, the government has felt obliged to impose severe restrictions upon their movements among native tribes. Before 1909 traders were restricted to ports of entry. But in that year an act was passed authorizing foreigners established at one of these ports to trade in the interior, and lease land for trading purposes not to exceed an acre a factory.[25] At the outbreak of the World War and the subsequent unrest, the President issued an executive order, later confirmed by the Legislature in an act of November 6, 1916, suspending this right and closing the hinterland to all foreigners. Natives wishing to sell their kernels and other products were thereafter obliged to market them on the coast—which automatically imposed an obstruction to trade which does not exist in other parts of Africa where traders are allowed to establish factories throughout the interior. In 1923 the Liberian Legislature repealed this legislation and authorized the President at his discretion to proclaim areas in the interior where foreigners could trade and lease an acre of land, subject to the provision that each trader should employ three Liberians for every foreign citizen employed.[26] This obligation has proved so burdensome that few if any traders who dominate

[23] Act of January 26, 1923. *Acts,* 1922-1923, p. 22.

[24] Cf. Vol. II, p. 808.

[25] Before any individual could establish a factory outside of any regular port he was obliged to enter into a contract with the government to abstain at all times from any conduct that would tend to incite natives to revolt and from all interference with the domestic relations of the Natives and their customary laws. *Acts,* 1909, p. 13.

[26] Act of January 24, 1923, *Acts,* 1922-1923, p. 3. No claim against the government may be made if it expels a foreign trader convicted of improper conduct, of disturbing the social organization of the tribe, or of disturbing the peace of the Republic.

No foreign trader, by virtue of a license under this act, may build railways or telegraph lines, nor may he engage in mining. Mining is regulated by an Act of February 4, 1924, which provides that all minerals belong to the Republic of Liberia with certain exceptions such as building stone. Any person may obtain a license to explore for a fee of two hundred dollars. Any person may apply for a mining concession if he is a citizen of Liberia or if a foreigner provided that his application is approved by the Legislature. The government may demand a royalty on the value of the product not to exceed 15 per cent.

In an act of the same date, the Attorney-General was authorized to give three years' notice to the holders or owners of franchises and concessions previously granted by the government, the rights of which the holder had not exercised, of his intention to ask the courts for an annulment. In case the holders do not exercise these rights in the following three years, the Circuit Court may issue an annulment decree.

the trade at the coast towns have established posts in the interior. The Liberian Government finds it difficult to choose between economic prosperity and the political dangers which arise from the presence of a large number of European traders in the interior.

Trade has also been obstructed by certain legislation of the Liberian Government. In 1914 the Legislature passed an Embezzlement Act which in effect prevented an employer from bringing an action against a clerk for embezzlement. This act led employers to import clerks from the Gold Coast and Sierra Leone while it caused them to distrust the government generally. In 1905 the Legislature passed an act under which judgment debtors could not be obliged to liquidate their debts at a rate greater than thirty dollars a month. Thus if a person was adjudged a debtor for a thousand dollars, he was given nearly three years in which to pay off the debt, without interest, regardless of whether he had sufficient property immediately to meet the obligation. Following criticism of European traders, President King declared in 1922 that "The passage of these two laws was one of the greatest mistakes ever made by us. It gave the Commercial world a sad impression as to our honesty and ideals of public morality. No greater blow could have been given the Republic by its bitterest enemies, than the one it received through the passage of these Acts." [27] As a result of his request, the Legislature repealed the Embezzlement Act of 1914 and enacted in its place a law providing for the punishment of embezzlement.[28] In the following year it repealed the act regulating the payment of judgment debts, and provided that in case the Court was satisfied that the defendant could not make immediate payment, it could allow a delay of two months if the sum involved was one hundred dollars; four months if the sum was five hundred dollars; and six months if the sum went as high as a thousand dollars. The defendant could invoke this delay only on condition that he filed bond with two sureties and paid twenty-five per cent of the principal immediately and six per cent interest on the unpaid balance.[29] Both of these acts were passed with the avowed purpose of making the investment of foreign capital in the country more attractive.

6. *The Road Program*

The development of transportation is as fundamental to the agricultural development of Liberia as the cultivation of the soil. But before the World War, there was not a single road leading into the hinterland of Liberia or even connecting one county with another; nor were there, of

[27] *Message of the President,* 1922, p. 31.
[28] *Acts,* 1922-23, p. 31. [29] *Ibid.,* 1923-24, p. 6.

course, any railways. All transportation had necessarily to be via porters who trudged along footpaths which covered the country. In 1912 the Legislature granted a concession to the Cavalla River Company to make roads along the Cavalla river for the purpose of encouraging the rice industry. A German firm, Wichers and Helm, was also given the right to construct a light railway from White Plains to Careysburg. Other railway projects have frequently been discussed,[30] but none of these has materialized. In view of the costly experience of other African Governments with railways and of the technical difficulties which the maintenance of such a system would impose upon Liberia, the construction of railways does not for the present appear feasible.

Following the World War, the Liberian Government came to believe that instead of relying upon foreign concessionaires to develop a transport system, it should install a road-program of its own. Without the aid of engineers or even competent surveyors, it outlined a chain of roads, connecting the interior frontier with the coast, which is now being constructed by the Department of the Interior and the district commissioners, cooperating with the chiefs who have furnished the labor[31] The Monrovia to Sanoquelli road, three hundred miles in length, is under construction, of which about one hundred and thirty miles had been completed by 1925. Thirty-eight miles of road between Brewerville and Relie Yalla and a road linking up Monrovia and White Plains for a distance of twenty-four miles have been built. A road also extends inland thirty miles from Harper, Maryland County, and another road extends for sixty-five miles within Cape Mount County. In some cases natives have levelled down hills for twenty or thirty feet with no other implements than sharp sticks and hoes.[32]

The African International Corporation, a British concern interested in Liberian trade, has donated to the government 2000 trench spades together with pick-axes and crow-bars for the purpose of aiding this work. These roads are not properly graded, nor do the bridges and culverts measure up to technical standards. Nevertheless they will serve a useful purpose.

In the Act of January 14, 1925, the Liberian Legislature defined rules of the road, and limited speed to eight miles an hour in business sections of the town, fifteen miles an hour in other parts of the municipality, and thirty-five miles outside. It declared it unlawful to operate a motor vehicle without a license issued for a fee of five dollars.

Likewise the administration has begun the installation of a coastwise

[30] F. Starr, *cited*, p. 141.

[31] Cf. Vol. II, p. 747.

[32] *Message of the President*, 1925, p. 32.

telephone system connecting Monrovia with Cape Mount at the end of the coast and Cape Palmas at the other. An American, originally sent to Liberia by the American State Department as Assistant Boundary Engineer, is directing the survey of the line which is now being erected under the general control of the American Receiver of Customs. The city of Monrovia has had a telephone system for a number of years.

Judged by increased customs returns, legislation designed to protect capital and increase trade in the interior, and road and telephone construction, Liberia has made considerable economic progress since the end of the World War. Further progress will depend upon agricultural education. While the government at present has a Commissioner of Agriculture, receiving a salary of seven hundred dollars, little is done in promoting agricultural instruction among the native population, and the government makes no appropriation for the subject. Progress also depends upon the development of an intelligent Public Works Department. Liberia already has one or two negro engineers and more can be found in America. So far the government has not placed any responsibility, in regard to Public Works, upon competent Liberians—largely for political reasons.

CHAPTER 99

EXPORTED LABOR

1. *The Kru Boys*

OWING partly to the absence of opportunities for local employment in Liberia many natives now seek work outside the boundaries of the country. According to the Gold Coast census, about thirteen thousand Liberians are in that territory.[1] Liberia is the center of the Kru sea-going population, the activities of which have already been described in connection with Sierra Leone.[2] Each ship taking on boys at Monrovia pays to the Liberian Government one dollar head money, which brought into the Liberian Government twenty-two thousand dollars in 1925. This head money should not legally be deducted from the boy's pay, but shipping agents state that in practice this is done. In view of the difficulty of enforcing the law, it might be desirable, from the standpoint of the Kru boys, for the Liberian Government to dispense with this source of revenue. The Sierra Leone Government does not charge head money upon such labor.

In the early days of the Republic the Woermann Company, the leading German firm in West Africa, secured from the government a concession under which it was entitled to a certain number of Kru boys for its ships, in return for which it agreed to collect taxes from the boys for the government and to advance money generally to the government for its expenses.

When the 1911 loan agreement was made, the head moneys collected by the Woermann Company under this agreement were, according to one interpretation, exempted from the control of the International Customs Receivership. The Woermann rights came to an end in 1917 and now all head moneys are collected by the Liberian customs subject to the supervision of an American Receiver.

The Krus now live in Krutown, which is a unique spot located on the

[1] *Census Report,* 1921, Accra, Appendix G.

[2] Cf. Vol. I, p. 876. Apparently European slavers first employed Kru boys to maintain their vessels off the West Coast. According to Mary Kingsley, the slavers, in order to prevent the Kru boys from being carried into slavery by mistake, persuaded them to tattoo a band of basket-work pattern down their foreheads. Mary Kingsley, *Travels in West Africa,* London, 1897, p. 646.

sand beneath the hill upon which Monrovia stands. A city of tin roofs, it houses about 3000 Kru men, each of whom has a number of wives and children. The total population of the town is placed between six thousand and eight thousand. It is estimated that each of these men went to sea three or four times in 1925—making about thirteen thousand boy-voyages. Many Kru boys have farms up the river where they keep their wives. The inhabitants of Krutown are highly intelligent and they may play an important part in the politics of the Republic in the future.[3]

Krutown is under the control of a Governor, himself a Kru, appointed by the President of the Republic. He is assisted by a court, presided over by the Vice-Governor, which has six councillors, one from each of the six Kru tribes represented in the town, who are paid out of the court fees. The fines supposedly go to the Central Government. Different churches conduct three primary schools in Krutown, including the Mary Sharpe School, named after the first missionary to become interested in these people. Despite their unabashed polygamy, most of the Krus are church members.

On his return from a boat, the Kru boy pays one shilling into a municipal fund, used by the Krutown Governor to construct public works, including an "Executive Mansion" to house himself. The Governor also imposes a sanitary tax of three and a half shillings. The Central Government collects light and poll taxes, so that together with the exactions of the boat headmen and "gifts" made to the Governor, the Kru boy is lucky if he escapes with half of his earnings. He does not seem to be worse off in this respect than the Kru boy in Freetown.[4] Many Kru boys also become in debt to tradeswomen who advance them money before going to sea, which they give to their families or with which they purchase clothes.

In the past, Kru boys did not always receive good treatment from the steamer-employer. In 1902 a case was reported of a German sea captain cruelly beating a Kru boy on shipboard.[5] In 1903 the Kru boys on the Woermann boats struck for increased pay from twenty-four to thirty-six cents a day. After holding out for four months, the boys finally were obliged to withdraw their demands.[6] Other instances have occurred in which ships bound for Europe have dumped boys on shore at places from which they had not shipped.[7] In 1924 fourteen Kru boys complained that they had been unjustly imprisoned at Warri, a port in Nigeria, as a result of the complaint of a British captain, their employer, who charged that they had refused to obey his orders. The boys stated that they had been

[3] Cf. Vol. II, p. 752.
[4] Cf. Vol. I, p. 876.
[5] *Liberian Recorder*, September 29, 1902.
[6] *Ibid.*, May 23, 1903.
[7] *Ibid.*, May 20, 1905.

frequently compelled to work over-time from three o'clock in the morning to midnight—twenty-one out of twenty-four hours; and that at Warri they had worked storing palm oil from three o'clock one morning to one o'clock the following morning, when they were given permission to rest. At 2:45 A. M. they were ordered to scrub down the deck. At the same time the captain upbraided them for having left three casks of oil on deck. The boys by this time "began to jeer and to behave insolently," whereupon the captain had them arrested and they were placed in a British prison while the steamer sailed away.[8]

The Liberian Legislature has attempted to give some protection to such laborers by an act [9] obliging ship captains to return and account for deck laborers going to sea, under penalty of a fifty dollars fine. A captain is also liable to a fine of fifty dollars for mistreating laborers. But since most of these offenses, when they occur, take place on the high seas or in foreign ports, the enforcement of any such legislation by the Liberian Government is difficult. This is a problem which should attract the attention of the International Labor Office.

Charges have been made that the government "hires out" Kru boys, the implication being that these boys go under some form of compulsion. It does not appear, however, that the Kru boy is subject to this type of abuse. The Krus have engaged in this type of labor ever since the white man first came to the coast of Africa; and they are too independent to be an object of compulsion. Exploitation may arise out of the charges which their own headmen impose, part of which goes to communal purposes, but the Krus do not, apparently, object to the system.

In 1853 a London firm, which had contracted with the British Government to furnish laborers from the African coast to the West Indies, sent some of their ships to the Liberian coast and offered an advance of ten dollars for every person who could be induced to emigrate. Apparently this offer was taken advantage of by many chiefs who had under their control a number of natives of the class which they had been accustomed to sell when the slave trade was legal. Especially since this sum of ten dollars was nearly equivalent to the amount paid for slaves when the trade was legal, the Liberian Government feared that the system had been revived under another form. To prevent this development, President Roberts issued a proclamation to the effect that vessels carrying away immigrants must come to Monrovia to obtain passports.[10]

[8] L. A. Grimes, *Report and Opinions of the Attorney General,* Liberia, 1924, p. 49.

[9] *Acts,* 1908, p. 30.

[10] Proclamation of February 26, 1853, printed in the appendix to the *Report of Commander Lynch, cited,* p. 61.

2. *Fernando Po*

In addition to furnishing boat labor, Liberia has been a source of recruited labor for plantations in other parts of Africa. In 1890 the French recruited Liberian laborers to work on the Panama Canal and to serve in the French colonial army, despite the refusal of the Liberian Government to authorize such recruiting.[11] In 1897 the Liberian Legislature granted a German firm a concession for recruiting labor for foreign districts. This concession apparently expired in 1903.[11a] Shortly after 1900 German planters in the Cameroons and Spanish planters in Fernando Po attempted to recruit Liberian labor for their plantations, particularly among the Vais.

At first the Liberian Government frowned upon the export of labor. In his message of 1902, the President said, "I trust you will see the importance of discouraging any proposal looking to the removal of labor out of the country." [12]

In 1903 the Legislature imposed severe restrictions on this exportation by forbidding recruiting for foreign labor unless a recruiter secured a license costing two hundred and fifty dollars and made a deposit of one hundred and fifty dollars guaranteeing each laborer's return.[13] No laborer under twenty-one should be shipped and a fee of five dollars per laborer was imposed.

Despite negotiations opened in 1904 between the Spanish and Liberian Governments in regard to labor for Fernando Po, the Liberian Legislature passed an act in 1908 forbidding altogether the shipment of laborers to any foreign country from Montserado and Grand Bassa Counties.[14]

This prohibition was due to the agitation of Liberian farmers who complained that these exports injured their labor supply. Elsewhere exportation of labor continued under conditions which not only violated Liberian laws but which led to diplomatic problems. In 1913 the British Consul General at Monrovia informed the Liberian Government that "It is reported that Liberians have recently been taken into slavery in other parts of Africa, Krumen being shipped by steamers on the Liberian Coast and landed without their consent at Fernando Po where they find themselves forced to work on plantations. The attention of the Spanish government has been called to the matter and His Majesty's Government is carefully watching any British ships which may be suspected of conniving at the practice, but it is hoped that the Liberian Government will themselves consider what steps can be taken to prevent labourers leaving the

[11] *Message of the President*, 1890, p. 10.
[11a] *Acts*, 1903, p. 41.
[12] *Ibid.*, 1902, p. 5.
[13] *Acts*, 1903, p. 41.
[14] *Ibid.*, 1908, p. 29.

country without contracts or some other means of watching over them." In reply to this note, the Liberian Government sent a special mission to Fernando to inquire as to conditions.[14a] In the House of Commons in 1913, Sir Edward Grey, replying to a question, said, "His Majesty's Government have reason to believe that some British coloured subjects have been recruited clandestinely for Fernando Po, and that the conditions under which they are employed are unsatisfactory."[15] Shortly after the 1913 protest the Liberian Government prohibited recruiting for Principe—a Portuguese island—on the ground of the existence of sleeping sickness.[16]

3. *The Convention of 1914*

Meanwhile the Liberian and Spanish Governments carried on negotiations with a view to controlling the employment of this labor. After various *modi vivendi,* the two governments signed a convention on June 12, 1914. This convention remains in force until one party denounces it after giving six months' notice. Following the negotiations of this convention, the President of Liberia asked the Legislature to remove the restrictions which it had imposed on recruiting in Montserado and Grand Bassa counties.[17] Under this convention the Liberian Government stations a consul at Fernando Po. It also appoints at each embarkation port a "Labor Agent" who is subject to the inspection of the Custom Authorities. The Spanish Governor-General of the Spanish possessions of Guinea appoints recruiting agents, who work under the supervision of the Spanish consul at Monrovia.[17a] The recruiting agents present in quadruplicate to the Liberian Labor Agent at the port of embarkation a list of the contracts which has been made, which is visaed by the Labor Agent. One copy remains in the custody of the Customs authorities; another is sent to the Liberian State Department; another to the Liberian Consul at Fernando Po; and the fourth to the Government of Spanish Guinea. These summaries should state clearly the names of the laborers and their addresses, the term for which they are bound to serve, and the date when the term expires. They are presented to the Labor Agent at least three days before the steamer sails. The maximum length of contracts is for two years; the minimum is for one year. The term commences to run when the native registers his contract with the Curador, a Spanish official in Fernando Po.

[14a] *Annual Report of the Secretary of State for Foreign Affairs,* Liberia, 1913, p. 23.

[15] *House of Commons Debates,* January 14, 1913, col. 1856.

[16] *Proclamation,* March 1, 1913.

[17] *Message of President,* 1914, p. 12.

[17a] Until the Government of Fernando Po nominates recruiting agents, the Liberian Government, at the request of the Spanish Government, may unofficially indicate four persons to exercise such functions, for recruiting may be carried only by such agents.

When the steamer carrying laborers to Fernando Po arrives, it is met by the Liberian Consul. He turns over the laborers to the Curador, who cares for them until they go to work. The Curador, who contracts these laborers to employers on the day following arrival, makes out the contracts in the presence of the Liberian Consul. Four lists are made out on the same terms and disposed of in somewhat the same manner as the lists made in Liberia.

The Spanish Government guarantees the payment of the laborer's wage. It also guarantees that half of his wage "which he should receive at the end of the contract will be changed into English money" by the Curador's Office. The boy's wages are paid upon his return to Monrovia by the captain of the returning steamer in the presence of the Liberian Labor Agent. The workmen are then taken on shore by the Labor Agent who certifies on the contract lists that the laborers have been paid the amounts due. These amounts are expressed in pesetas and pounds, and at the foot of the summary the rate of exchange is stated. Whether or not the boys receive the second half of their pay upon returning to Monrovia depends solely upon the honesty of the Spanish Consul and the Liberian agent. The boys do not read or write. The other half of the wages is paid monthly to the laborer.

Under this agreement, the Liberian Consul may appear at the Curador's Office as representative of the laborers to make as many claims as he thinks proper; he may also denounce any cases of bad treatment, whereupon the Curador is obliged to make an immediate investigation. The Consul may appeal against the findings to the Spanish Governor-General. The Liberian Consul is furnished with a copy of the judgment in judicial proceedings in which Liberian subjects are involved. The consul may with the previous authorization of the owners or their representatives visit the plantations to inform himself of the considerations under which the laborers work. Laborers bound to Fernando Po under this arrangement are transported only in Spanish steamers; the passage money is paid by the employers.

In the event of the death of a laborer the Liberian Consul may reclaim the property of the deceased which he shall remit to the Liberian State Department to be delivered to the deceased's family. The employer must pay the Liberian Consul two shillings for every contract made before the Curador; he must pay four shillings upon the repatriation of each laborer. Likewise the Liberian Government receives passport fees and a head tax of four dollars a boy.

While the 1914 convention attempts to erect certain safeguards protecting Liberian labor, two main criticisms against the system have been made: first, in regard to recruiting such labor, and second, in regard to its treatment at Fernando Po. At present each recruiter in Liberia is paid five dollars for each boy, a system which several years ago at least encouraged compulsion. In some counties native commissioners engaged in recruiting, sharing the profit with the chiefs; and in one county at least the County Superintendent carried on these activities. Recently a government official was reported to have arrested wholesale a batch of natives and brought them to the coast ostensibly for placing them in jail; but instead he shipped them off to Fernando Po.[18] While at present recruiting conditions have improved, particularly because of the prohibition of recruiting in parts of Liberia and because of the Firestone competition, any system under which both the government and recruiters make a profit out of each boy exported contains inherent possibilities of abuse.[19]

4. *Complaints*

A number of complaints have recently been made of the treatment of Fernando Po labor after it has been recruited. The opinion of the Liberian Legislature in regard to conditions in Fernando Po was shown in the preamble of an act, passed in 1921, which declared "that the shipment of the native citizens and laborers into Foreign Ports and Colonies has not only proven injurious" to the farming operations, "but to the health and lives of the laborers themselves, which is generally impaired and generally results in death on their return home."

In this act the President was directed to give six months' notice to the Spanish Government that shipment of laborers from the county of Montserado, and the territories of Grand Cape Mount and Marshall was prohibited.[20]

In 1924 the Legislature prohibited the shipment of laborers to Fernando Po from the county of Grand Bassa.[21]

This belief in regard to the mistreatment of Liberians at Fernando Po was also illustrated in the comments of Monrovia papers upon the recent visit to Liberia of the Governor-General of Fernando Po, which said, "We would drop this hint just here, however, that unless we see more of

[18] Cf. also the instances related in H. F. Reeves, *The Black Republic,* London, 1923, p. 131. Cf. the discussion in the Second Session of the Temporary Slavery Commission, *Minutes of the Second Session,* C. 426. M. 157. 1925. VI, p, 25.

[19] Each recruiting agent is also paid a shilling a day for feeding the men when waiting for a boat—a system which may be abused.

[20] *Acts,* 1920-1921, p. 5. It appears that the main reason for the embargo was to protect the labor supply of the Liberian farmer. A resolution declared that "the shipment of laborers from the aforesaid County and Territories has proven a source of inconvenience to the farming operations of the above mentioned Counties and Territories" and that "there is a great decline in said operations, most of the farms having overgrown in bush thereby causing loss and injury to the farming class of citizens . . . in consequence of the want of labourers."

[21] *Ibid.,* 1923-1924, p. 21.

our boys returning home when the time for which they shipped to Fernando Po is out, . . . certain steps will be taken to put an end to the labor shipping contract, if this part of the Agreement is not satisfied. . . ." [22] Another paper declared that the Firestone concession would have no effect on Fernando Po labor if "our boys are treated more humanly than heretofore by the authorities at Fernando Po." [23]

In 1924 a diplomatic incident occurred over the arrest of the acting Liberian Consul in Fernando Po because he insisted upon inspecting some cocoa plantations apparently without the consent of the owners. Taking the position that the acting consul who had been in the employ of the State Department was entitled to diplomatic immunity, the Liberian Government broke off relations with Fernando Po and claimed an indemnity of two thousand dollars. The Spanish planters themselves raised the sum and turned it over to the government for transmission to Liberia because they did not wish to have their labor supply jeopardized. But from this standpoint, it seems that the money was wasted. Because of this dispute over the consul and legislative prohibitions, no laborers were sent to Fernando Po in 1925 and only forty in the first six months of 1926.

The entrance of the Firestone interests has increased the fears of Fernando Po that Firestone will absorb labor which has hitherto been exported. This probably explains the frequent exchanges of visits between the President of Liberia and the Spanish Governor-General. Despite these visits, it is understood that this source of labor is being dried up as a result of developments which will keep the labor at home.

[22] *Agricultural World*, February, 1925.
[23] *Liberian News*, February, 1926.

CHAPTER 100

PROTECTING THE BOUNDARY

To the northwest of Liberia lies the British territory of Sierra Leone and to the northeast lies French territory. Both the French and English powers at some period in Liberian history would, no doubt, have welcomed the disappearance of the negro republic since they regarded it as a standing challenge to European control over other parts of African soil. As late as 1923 the annual report of French West Africa said, "The question of extending our influence over Liberia remains uncertain." But Liberia has been saved from extinction not only by the skill of her diplomats, which at times has been remarkable, but through the influence of the United States Government.

1. *American Policy*

The American Government lent official assistance to the founding of the Liberian Republic when the Congress of the United States in an act of March 3, 1819, authorized the President to employ American armed vessels off the coast of Africa for the suppression of the slave trade, and to appoint agents residing upon the coast of Africa to receive recaptured Africans.[1] President Monroe sent two agents to cooperate with the American Colonization Society,[1a] and altogether the American Government settled 5,722 recaptured Africans in the country. The assistance of American warships enabled the Liberian colonists to put down rebellious tribes; while the note of the American Secretary of State to the British government in 1847, to the effect that the American government would use its good offices to prevent any encroachment upon Liberia,[2] probably prevented British intervention. Despite the fact that, following the adoption of the constitution of 1847, the European governments quickly recognized the independence of Liberia, the United States delayed doing so until 1862, because of its controversy over slavery. At this date, however, the American Government not only recognized the independence of Liberia, but entered into a treaty of October 3, 1862, Article VIII of which pro-

[1] *United States Statutes at Large,* Vol. 3 (1813-23) p. 532.

[1a] Message of December 17, 1819, J. D. Richardson, *Messages and Papers of the Presidents,* 1789-1897, Washington, 1896, Vol. II, p. 64.

[2] Cf. Vol. II, pp. 738, 741.

vided that the United States would never "interfere, unless solicited by the Government of Liberia, in the affairs between the aboriginal inhabitants and the Government of the Republic of Liberia, in the jurisdiction and territories of the Republic. Should any United States citizen suffer loss, in person or property, from violence by the aboriginal inhabitants, and the Government of the Republic of Liberia should not be able to bring the aggressor to justice, the United States engages, a requisition having been first made therefor by the Liberian Government, to lend such aid as may be required." [3]

The Liberian government, apparently believing that it could successfully appeal to the United States at will under this treaty, in a number of instances, notably in 1887 when American missionaries were attacked by natives, invoked the aid of the American Government. But the Department of State replied that Article VIII of the treaty of 1862 did not invest the Liberian government with the right to call upon the United States, but that the sole determination whether a case under the article existed, belonged to the United States. An American citizen affected should first present his case to his government which would then decide whether to approach the Liberian Government. Upon another occasion, the State Department informed the Liberian Government that the treaty of 1862 was not intended to authorize the United States to enforce Liberia's municipal law.[4]

The only other treaty negotiated between the United States and Liberia has been a general arbitration agreement, signed in 1926, modelled after those signed with various governments by the United States in 1908.[4a]

Repeatedly throughout the history of Liberia, the American Government has sent cruisers to assist the government in the suppression of native revolts, and to prevent foreign intervention. It has likewise defended the interests of the country in regard to its boundaries. In 1879 when the French consul-general at Monrovia was reported to have offered to place Liberia under French protection, the United States declared that it must "feel a peculiar interest in any apparent movement to divert the independent political life of Liberia, for the aggrandizement of a great continental power." [5]

[3] *Treaties and Conventions of the United States*, 1776-1909, Vol. I, p. 1051. The Article also said, "Citizens of the United States residing in the territories of the Republic of Liberia are desired to abstain from all such intercourse with the aboriginal inhabitants as will tend to the violation of law and a disturbance of the peace of the country."

[4] J. B. Moore, *Digest of International Law,* Vol. V, pp. 771, 769.

[4a] Convention of February 10, 1926. *U. S. Treaty* Series No. 747.

[5] Moore, *Digest of International Law,* Vol. V, p. 766. Other expressions of official opinion are published in the *Supplement to the American Journal of International Law,* Vol. 3 (1910) p. 188.

At the Conference of Brussels the United States representative made an explicit declaration, on June 16, 1890, that the General Act, drawn up by the Conference should contain a provision to the effect that the Liberian Republic would be invited, as a sovereign power, to adhere to the Act.[6] It was the United States which brought about the establishment of the international receivership in 1912 and the final delimitation of the French and British boundaries.[7] In 1910 Secretary of State Elihu Root frankly stated that "Liberia is an American colony."[8]

At the failure of the Liberian government to reform its administration of finances and of administrative affairs, the United States Government, in a note of April 4, 1917, firmly declared that it was disappointed with Liberia and that it, "as next friend to Liberia, must insist upon a radical change of policy." The Government of the United States can no longer be subjected to criticism from other foreign Powers as regards the operation of the loan agreement, and can no longer tolerate failure on the part of the Liberian Government to institute and carry out necessary administrative reforms.

"Unless the Liberian Government proceed without delay to act upon the advice and suggestions" of the American Government it would "be forced, regretfully, to withdraw the friendly support that historic and other considerations have hitherto prompted it to extend."[9] The fear that the American Government may at any time carry out this promise and withdraw its support from Liberia, surrounded as it is by French and British neighbors, has had a direct bearing, as the next chapters will point out, upon Liberia's foreign as well as domestic policy.

2. *The Sierra Leone Boundary*

One of Liberia's earliest boundary disputes arose with the Government of Sierra Leone in 1860 out of the refusal of a British trader by the name of Harris, who had installed himself near the River Mano, in territory which Liberia had purchased from chiefs, to recognize the authority of the negro republic. The Liberian Government seized two of Harris' vessels upon the suspicion of carrying on the slave trade. This led to the appearance of a British gun boat which forcibly took away the two vessels. In the negotiations which followed, the British finally recognized that Liberia's territory extended as far as Turner's Peninsula, east of the Mano

[6] "Protocols and General Act of the Slave Trade Conference held at Brussels, 1889-90," Africa No. 8a (1890) *British Parliamentary Papers,* p. 107. The Act however merely provides (article XCVIII) that powers who have not signed the present general act shall be allowed to adhere to it.

[7] Cf. Vol. II, p. 790.

[8] *Foreign Relations of the United States,* 1910, p. 700.

[9] *Ibid.* 1917, p. 877.

River. Meanwhile Harris continued his evasion of the Liberian customs laws, and, according to an English authority, he also provoked a civil war between two native tribes.[10]

As a result of this war, Harris claimed an indemnity from Liberia of thirty thousand dollars for the destruction of property—a claim apparently supported by the Sierra Leone Government. At this time an American naval vessel appeared, the commander of which, Commodore Shufeldt, acted as chairman of a mixed claims commission. Harris was awarded $1500 for damages. The British now took the position that Liberia could not maintain order on the border; and demanded the extension of the Sierra Leone boundary territory as far as the Mano River. They repeated this demand until 1882, when Sir Arthur Havelock, aroused by the pillaging of a shipwrecked British boat, came to Monrovia with four gun boats and demanded that the Liberian Government cede part of its coast line to Sierra Leone and pay another indemnity to Harris. The Liberian Senate declined to accept these proposals; and the Sierra Leone Government proceeded to occupy the land in dispute—land which had cost the Liberian Government, in one way or another, about $100,000.[11] These events led to the resignation of President Gardner. The situation was finally recognized by the treaty of November 11, 1885, in which Liberia ceded to Great Britain about sixty miles of coast line, restricting the boundary to the Mano River. In return the British Government repaid to Liberia the sums which the latter had paid out to the chiefs, an amount fixed at $4,075.[13]

A dispute now arose over the interpretation of the 1885 treaty. The Liberians claimed that they were entitled to freedom of navigation on the Mano River without being obliged to pay customs duties to the Sierra Leone Government. To settle the matter, a commission was appointed in 1901; as a result an agreement was signed by which the Liberians could trade on the river, but not consider it to be a right. It allowed the Government of Sierra Leone to build bridges over the river and any roads in the neighborhood, and offered to survey the boundaries of Liberia. It also declared that Great Britain would "at all times be ready to advise them in matters affecting the welfare of Liberia, and to confer with the Government of the Republic as to the best means of securing its independence and

[10] Sir H. Johnston, *Liberia*, Vol. I, p. 245. Cf. *Message of the President*, 1866, p. 11.

[11] *Ibid.*, p. 279.

[13] Hertslet, *The Map of Africa by Treaty*, p. 782. A few years earlier a German steamer was shipwrecked at Nana Kru and pillaged by Krus which led the German Government to send a man-of-war to bombard Nana Kru. It presented a claim of $4500 on behalf of the shipwrecked Germans—which was finally paid with the aid of European merchants. Johnston, *Liberia*, Vol. I, p. 270.

integrity". Fearing that these terms would authorize unlimited intervention by the British, the Liberian Senate amended the treaty to such an extent that it was never ratified.[14]

In 1904, the British complained that the Kissi people were raiding British territory. They asked permission to be allowed to cross in to Liberian territory to repress the trouble—a request which Liberia granted. Following the repression of the trouble, the Liberian Government assumed that the British troops had withdrawn. But in 1906 a Liberian official found on visiting the spot—Kanre-Lahun—that it was still occupied by British troops who declined to depart. In 1908 the Liberian Government sent a delegate to England to negotiate in regard to the matter. He was informed by the British Foreign Office that while the British had no designs on Liberia, they believed that the French were planning to encroach upon this territory; and that if this should happen Great Britain would find it necessary to take territory along the Sierra Leone border as a matter of self-defence. In reply the Liberian Government asked that Great Britain and the United States jointly guarantee the independence and political integrity of the Republic—a proposal similar to that made by the British Government in 1897.[15] A Liberian Commission visited the United States in 1908 to ask the United States to take the initiative in this proposal. On June 13, Elihu Root informed the Commission that the United States would open the matter with Great Britain, making the communication of 1879 the basis of negotiation. While the United States finally declared that a guaranty would be "impracticable", the visit of the American Commission to Liberia in 1910[16] and the activity of the American Government in establishing a receivership[17] led Great Britain to settle the boundary question.

When negotiations over the frontier did start, the British insisted upon retaining the Kanre-Lahun District, having about three hundred square miles, despite the fact that the British had recognized this territory as

[14] Starr, *Liberia,* p. 108.

[15] On March 8, 1897, the British Ambassador at Washington proposed that "It might prove of service to the Liberian Republic and encourage it to resist absorption by a foreign power were the Governments of Great Britain and of the United States to make a joint declaration of the special interest taken by them in the independence of that Republic."

In reply the United States declared its "special interest" in the independence of Liberia and expressed its gratitude that the British Government entertained "a similar special interest." *Foreign Relations of the United States,* 1910, p. 696.

[16] Cf. Vol. II, p. 802. In its Report the Commission stated: "The British Foreign Office has protested that Great Britain has no designs on Liberian territory. We find it hard to reconcile this protestation with the acts and attitude of her officials in Serra Leone and Liberia." Its Report is printed in "Affairs in Liberia," *Senate Document* No. 457, 61st Congress, 2d session (1910), p. 16.

[17] It was at this time that Mr. Root declared that "Liberia is an American colony."

Liberian soil in 1904. In return they agreed to give Liberia a piece of territory lying between the Morro and Mano Rivers, previously a part of Sierra Leone. In view of the fact that the territory was undeveloped, the British Government agreed to pay Liberia four thousand pounds. A convention to this effect was signed in January, 1911.[18] Apart from a minor frontier incident in 1923, the British-Liberian frontier has no longer been a cause of difficulty.[19]

3. *The Cadell Incident*

Liberia's fears of the British were intensified by her experience with the Frontier Force. Before 1908 Liberia attempted to keep order among the native tribes through its militia. It had no organized military force. In 1907 the French Government obliged Liberia to occupy the border.[19a] On the other hand the Sierra Leone authorities made numerous protests that Liberian tribes along the Sierra Leone boundary raided the frontier districts of Sierra Leone. In January, 1908, the British Consul demanded that Liberia organize a Frontier Force under European supervision. His demands also arose out of the conduct of the Liberia militia in the Kanre-Lahun district.[20] The Liberian Legislature authorized the establishment of such a Force in the act of February 6, 1908.[21] A Major Cadell, who had been in the British Army, was now appointed commandant. While he seems to have organized the Force on a sound basis, his methods were not popular with the Liberian Government. The uniforms and munitions he imported from Great Britain, while he employed a large number of natives in the Force who had formerly served in companies in Sierra Leone. The French Vice-Consul at Monrovia soon protested that Cadell's force was merely a "British army of occupation." He demanded that an equal number of French officers and French subjects be enlisted to balance the British. Meanwhile Major Cadell took command of the Monrovia police, which soon became composed largely of Sierra Leone natives, while he took over the duties of various municipal offices.[22] After

[18] Convention of January 21, 1911, *British and Foreign State Papers,* Vol. 104, p. 181.

[19] "Despatches relating to the Frontier between Sierra Leone and the Republic of Liberia at the Mouth of the Mano River," *Sierra Leone,* Sessional Paper, No. 3 of 1923.

[19a] Cf. Vol. II, p. 790.

[20] *Message of the President,* 1908, p. 17. The French made similar demands, cf. Article II of the Treaty of 1907, p.

[21] *Acts,* 1908, p. 23. This act fixed a limit of seven to the number of foreign officers which might be employed and provided that an English officer could not permanently be stationed on an English frontier, nor a French officer on the French frontier, etc.

[22] *Report of the American Commission,* "Affairs in Liberia," *cited,* p. 18. Starr, *cited,* p. 122.

receiving a number of such rebuffs, the Liberian Government finally asked him to resign—a request with which he refused to comply. The French continued to make demands for the appointment of a French officer which the President of Liberia finally accepted. A French medical officer for a while served with the Frontier Force. But at this juncture, another Britisher who was an officer on the Frontier Force presented to the President what purported to be a memorandum from the British Government protesting against the appointment of French officials. At this, the Legislature passed an act discharging the commander,[23] and placing the Force under a Liberian Colonel. The act also provided that two officers, preferably American, should command detachments on the English and French frontiers; French officers might be appointed to serve in a minor capacity. Before resigning Cadell informed President Barclay that the native troops threatened to mutiny because of back pay and said that if their grievances could not be redressed, the men would not be responsible for what took place. A week before the President was warned by Cadell of the impending mutiny, the British Foreign Office received a cable from Englishmen at Monrovia saying that such a mutiny might take place and asking for protection. The day before the mutiny, a British gunboat appeared in the harbor of Monrovia. It was afterward learned that a British regiment in Sierra Leone was under orders to go to the same destination. A mutiny actually took place on February 1, 1909. But the Liberian Government quickly suppressed it by calling out the militia.

Commenting on this incident, the American Commission of 1910 declared: "But for the prompt and judicious action of the Liberian Executive aided by the American minister resident, the following would presently have been the situation: a British gunboat in the harbor, a British officer in command of the frontier force and a large number of British subjects among the enlisted men, a British official in charge of the Liberian customs, a British officer in command of the Liberian gunboat Lark, a British regiment in the streets of Monrovia. . . ."

The Commission likewise declared: "There is a widespread belief among them [the Liberian people] that this was a plot on the part of British subjects in Liberia to make it appear that the Government was tottering to its fall and bring about the British occupation of Monrovia. . . ."[24] Largely as a result of this incident, the Liberian Frontier Force was finally placed under American army officers.[25]

In 1915 the Liberian Government similarly suspected British motives at

[23] *Acts,* 1909, p. 1.
[24] "Affairs in Liberia," *cited,* pp. 18, 19.
[25] Cf. Vol. II, p. 806.

the midst of the Kru rebellion, on account of some letters which the Krus had written to the British Consul-General. There is no evidence that the British Government itself aided the Krus in revolt.[26]

4. *Trouble with the French*

While Liberia no longer distrusts the motives of Great Britain she is not quite so sure about the friendship of France. Before becoming part of Liberia, the Maryland Government acquired the land extending along the coast as far as the San Pedro River, sixty miles east of the Cavalla, the present boundary between Liberia and the French Ivory Coast. Since this area is inhabited by Krus, the San Pedro constituted not only a geographic but an ethnographic boundary. But the very fact that this coast was inhabited by a valuable source of labor supply, made France desire its possession. In 1885 France contended that the Ivory Coast boundary extended not only as far as Cavalla but up to Cape Palmas. She even advanced claims to Cape Mount and Grand Bassa on the basis of agreements made by French naval commanders and native chiefs.[27] At various times the United States attempted to modify the French demands.[28] France finally agreed to restrict the boundary to the Cavalla River, and presented a treaty to this effect in 1892 which the Liberian Government resolutely declined to accept.[29]

Despite the appeal of the Liberian Government and of the United States, France occupied the territory and it is part of the French Ivory Coast to-day. Liberia was obliged to agree to the accomplished fact in a

[26] Cf. Vol. II, p. 742.

[27] Cf. *Foreign Relations of the United States,* 1892, p. 170.

[28] These treaties with chiefs were notified to the United States under article 34 of the Act of Berlin. But in a note of June 4, 1892, James G. Blaine declared that this notification was not binding on the United States which was not a party to the Act of Berlin. Moreover if the protectorate claimed by France under these treaties invaded "the sovereign jurisdiction of the Republic of Liberia, the Government of the United States could not fail to feel the deepest concern and make earnest remonstrance against such encroachment." He recalled that in 1886 when it was reported that the French claimed jurisdiction west of the San Pedro River, the United States had protested.

Mr. Blaine declared that in view of the "special ties" of Liberia to the United States, this government could not "acquiesce in" any proceeding to dispose of any territory justly claimed by Liberia. He hinted about the "more positive assertion of the duty of the United States."

[29] In an appeal, the Liberian Government said, "We appeal to all the civilized nations of the world. . . . Is there not to be a foot of land in Africa that the African, whether civilized or savage, can call his own? Do not wrest our territory from us and hamper us in our operations, and then stigmatize the race with incapacity. . . . We have no power to prevent this aggression on the part of the French Government; but we know that we have right on our side, and we are willing to have our claims to the territory in question examined. . . . We implore you, the civilized and Christian nations of the world, to use your influence to have these, our reasonable requirements secured to us." F. Starr, *cited,* p. 114.

treaty of December 8, 1892,[30] which recognized the Cavalla River as the boundary between the two territories. In return France paid Liberia an indemnity of twenty-five thousand francs.

Disputes over the application of the treaty, the terms of which were extremely confusing, now arose. Frontier difficulties also occurred in the north which offered French troops an opportunity to occupy further portions of Liberia's soil. In 1903 Liberia asked that the boundary be delimited once for all and in 1904 sent a mission to Paris for this purpose. Negotiations dragged on over a period of three years in which the French attempted to draw the boundary so as to deprive Liberia of the basin of the Cavalla and the Upper St. Paul Rivers. The final draft drawn up in 1907 provided that Liberia should cede a salient of two thousand square miles in the hinterland and that the boundary should be established by a mixed commission. The American Ambassador at Paris advised Liberia to accept this treaty, in order to prevent further encroachments from France. This treaty was signed on September 18, 1907.[31]

Article II of this treaty provided that "In order to exercise an effective police along the frontier the Liberian Government will assume the obligation of establishing a certain number of posts which the French authorities would be allowed to occupy if the resources of the Liberian Government do not allow her at the time to keep up a garrison there herself. . . .[32]

[30] In this treaty the French Government declared that it would be bound only so long as Liberia remained independent or in case it should alienate any part of its territory recognized in the Convention. Liberia also agreed to facilitate the "free engagement of laborers in Liberia for French citizens or the Government, in return for the same facilities on French soil."

A special clause in the treaty provided that in case chiefs belonging to French territory took refuge on Liberian territory, Liberia would give the French Government "all facilities consistent with the dignity of a free independent state . . . for the pursuit and capture of fugitives. . . ." These clauses are not printed in Martens, *Recueil,* but are included in the text given in *Foreign Relations of the United States,* 1893, p. 297.

[31] The preamble said, "The Government of the Republic of Liberia and the Government of the French Republic desiring to fix in a definitive way the frontiers between French West Africa and Liberia, but recognizing that the clauses in the treaty of December 8th, 1892, concluded to that effect are of an impossible material application, have decided by mutual agreement not to have recourse to theoretical lines in order to establish the frontiers but to utilize in the largest possible way the natural topographical lines, the best adapted to prevent any possible contentions in the future and to insure to both parties an effective domination. . . ." (Liberian text.)

[32] It also said that "the number of and the place where these posts should be will be determined on the spot by mutual agreement when pegging out the frontier. The garrison of each of these posts should not exceed forty or fifty men. It is understood that the Liberian Government will inform the French authorities two months beforehand of her intention of occupying the post or posts thereabove mentioned and that the handing over of this post or posts shall be effectual within five days after the arrival of the Liberian police force."

The French is as follows: "Dans le but d'exercer le long de la frontière une police efficace, le gouvernement libérien assumera l'obligation d'établir un certain

A serious difference of interpretation over this article arose between the two governments in 1924. At this time three French native subjects lost their lives at the frontier town of Boni in Liberia. The French Government declared that these subjects had been murdered while the Liberian Government declared that they had drowned. The French Government would not accept the decision of the Liberian investigation in the matter, on the ground the investigation was not made under the surveillance of a French official. It declared that if such incidents should recur, it would be obliged to occupy certain posts in Liberia as a guarantee, under Article II of the Treaty of 1907. In reply, the Liberian Government asserted that the Liberian population had been subjected to unprovoked outrages committed by French subjects and that it could not accept the interpretation placed upon the 1907 treaty by the French Government. It declared that the article in question "was designed to satisfy a temporary condition." But the Richard-Nabors boundary mission settled the points on the frontier at which Liberian posts should be established which were immediately occupied by the Liberian Government. The article was, therefore, a "dead letter." [33]

So far this difference in interpretation has not been settled. If the French position is correct, France would seem to have the right to intervene in Liberia, similar to the rights which the United States holds under treaty in Cuba, Haiti, and Panama.[34]

Both governments, following the signature of the 1907 treaty, proceeded to appoint members of a delimitation commission—called the Richard-Nabors Commission—which began work in 1908. For three years the Commission did little because of French conflicts with native tribes. The 1907 agreement had provided [35] that the boundary should follow a line running southeast from the Makona River joining a source of the Nuon River or one of its affluents to be agreed to on the spot, at a maximum of ten kilometers from Lolo. The treaty provided that in this section the frontier should be drawn to prevent any villages of the same tribe or sections being separated. Between 1908 and 1911 the French, engaged in fighting belligerent tribes, made a deep salient into this line.

nombre de postes que les autorités françaises auront la faculté d'occuper si les ressources du gouvernement libérien ne lui permettaient pas à ce moment d'entretenir lui-même une garnison. Le nombre et l'emplacement de ces postes seront déterminés sur place d'un commun accord au moment de l'abornement; l'effectif de chacun d'eux ne dépasserait pas 40 à 50 hommes." Article 2, "Arrangement" of September 18, 1907, Martens, *Recueil,* 3rd series, Vol. III, p. 1004.

[33] Note given in *Message of the President,* 1924, p. 6.

[34] *Treaties and Conventions of the United States,* Vol. I, p. 363; Vol. II, p. 1349; Vol. III, p. 2673.

[35] Article I, section 2.

Having conquered the territory, they claimed it as French soil—a claim recognized in a new treaty signed on January 13, 1911, which declared that the boundary at this point should follow the meridian of 11 degrees, 50 minutes. The French Foreign Minister now stated that the boundary was "now and henceforth settled." [36]

5. *The Zinta Sector*

Nevertheless, further French demands for "rectification" were presented in 1912 and 1913. But the Liberian Government declined to change the limits fixed by the agreement of 1911 and it proceeded to erect beacons along the frontier. In October, 1913, the French Ambassador at Washington asked the State Department to name an American engineer to represent Liberia in the delimitation of this boundary. A controversy soon arose between the French and the Liberians over the meridian of 11 degrees, 50 minutes,—whether it fell on the French or on the Liberian side of what is called the Zinta sector, which is apparently rich in agricultural products and from the strategic standpoint would extend the French salient into Liberia.

The Richard-Nabors line drawn under the 1907 treaty had placed Zinta in Liberia. In 1912 the Governor-General of West Africa had offered Liberia an additional strip of territory east of Zinta for concessions elsewhere, apparently admitting that the town belonged to Liberia. But later the French declared that an astronomical error had been made in locating the meridian; and a new commission, composed of an American engineer and M. Villete, drew a line, supposedly giving the town to the French. But before the American engineer could give his definite approval of the line, he died. A new American engineer made a survey and concluded that Zinta fell on the Liberian side of the meridian.

In 1916 the French Government withdrew its commissioners on the ground that they were needed in the War. About the same time it demanded that Liberia effectively garrison the frontier; it also sent a naval vessel to Monrovia. This was followed by a frontier incident which led France to threaten the occupation of the territory. Following the close of the War, the French Government in November, 1919, appointed a new commission and asked that the work of delimitation of a boundary originally laid in a treaty of 1892 should start immediately. Although the Liberian Government at once sent a commission to the frontier, the French again postponed the delimitation on the ground of the pending 1921 loan,[37] which, it intimated, would establish an American protectorate over the

[36] *Foreign Relations of the United States,* 1911, p. 345.
[37] Cf. Vol. II, p. 814.

country. The Liberian government, believing that France had for the last ten years forestalled the survey of the boundary until she could occupy the whole country, and believing in fact that the very existence of Liberia was at stake, now appealed to the United States. On December 3, 1921, the American State Department instructed the American Ambassador at Paris to approach the Paris Foreign Office to urge that it resume the work of delimitation at once. The next month, the Ambassador reported that the Ministry of Colonies was blocking action and that, according to the Foreign Office, the Liberian Government should take the matter up directly with the Colonial Office. Matters dragged along until April, 1925, when a detachment of French troops crossed the border and occupied about ten Liberian villages, presumably on the ground that these native inhabitants had been raiding French territory.

Again alarmed, the Liberian Government once more invoked the good offices of the United States, and instructed Mr. Barclay, the Secretary of State, to take up the matter during his trip to Washington. To obtain diplomatic aid the Liberian Government was prepared to make concessions to the Firestone interests and to accept loans from American bankers. Many Liberians believed that it was only by securing the investment of American capital in Liberia that the government could count on the continued support of the United States.[38] Mr. Barclay left for Washington in July. About the same time in negotiations between the Liberian representative and the French Government at Paris, the French Government agreed to resume the boundary survey, provide for the settlement of minor disputes between French and Liberian natives, and to negotiate a treaty of arbitration with Liberia.[39] In September, 1925, the Secretary of the Interior of Liberia conferred with the Governor-General of French West Africa at Dakar in regard to the application of these principles. After considerable delay the French and Liberian members of the boundary commission [40] began work. The survey established that the village of Zinta was on the French and not on the Liberian side of the meridian. Neverthless, the French conceded the town to the Liberians in return for a concession of territory at a different point of the frontier. In the meantime the Liberian Government had accepted the American loan and the Firestone Agreements.

In December, 1925, President King speaking of the negotiations with France, declared to the Liberian Legislature, "Our Representatives were given a friendly hearing at the French Foreign Office, where we found that these recurring incidents along the frontiers are as much re-

[38] Cf. Vol. II, p. 846.
[39] *Message of the President,* 1925, p. 6.
[40] Liberia was represented by an American engineer selected by the State Department.

gretted in Paris as they are in Monrovia. This fact was proven by the ready acceptance on the part of the French Government of the proposals offered by us which in our opinion would minimize if not totally prevent the recurrence of these frontier incidents."[41] By this means the French "menace" disappeared.

[41] *Message of the President,* 1925, p. 6.

CHAPTER 101

LIBERIAN FINANCE

OWING partly to the poverty of its inhabitants, to laxness of administration, and to foreign interference, Liberia has led, as we have seen, an impoverished existence. Even to-day, the per capita revenue of the government is the lowest of any territory in Africa. This condition has been due not only to the economic reasons discussed in a preceding chapter but it has also been due to Liberia's system of finance. In 1864 one of the earliest indications that the government was not getting all of the money to which it was entitled was given by the report of a Special Committee on Public Accounts which investigated the affairs of the Secretary of the Treasury. This Committee reported that they had been greatly handicapped by the "habitual absence of the Secretary of the Treasury from the office"; nevertheless, they were able to state that "there has been much irregularity and looseness in keeping the Public Accounts . . ." which shows "great lack of order and regularity; and in order to arrive at some correct idea touching the Public Finances, they had to greatly tax themselves." The Committee found that large sums had been paid out which were not reported by the Secretary. During the last four years, there had been a deficit amounting to $118,957 which had been met from the Recaptured African fund,—money appropriated by the American Congress for the support of recaptured and liberated slaves. It appeared also that part of this fund had been "used for private speculation for the benefit of President Benson." Large amounts of merchandise invoiced to the government were placed to President Benson's account at very low prices; and the goods were afterwards sold by the Government Store Keeper at high prices, the profit being credited to the President. "The books further show that a portion of the same goods were transferred back to the Government within two months at prices of about one hundred per cent advance on what they were originally charged to Mr. Benson." Other scandals were reported, particularly in regard to the misuse of funds of the American Colonization Society.[1]

[1] *Report of the Special Committee of the House of Representatives on the Public Accounts,* Adopted, February 19, 1864, Monrovia. More recent examples of misappropriation in connection with taxes are discussed in Vol. II, p. 724.

1. *The Loan of 1871*

During this period, the government was also experiencing difficulty with paper currency. In 1865 it decided not to re-issue the Treasury "demand notes" which had served as currency. As a result of this decision the Treasury experienced a shortage of funds and was obliged to negotiate local loans in order to pay administrative expenses.[1a] In 1866 the government unsuccessfully negotiated with a London banking house in order to obtain financial aid.[2] In 1870 the Legislature authorized President Roye to negotiate a loan of $500,000 of which $100,000 should be used to buy up government paper of any kind outstanding; $100,000 more should be deposited as the basis of a new issue of Treasury Notes, while the balance should be deposited in a bank as an emergency fund.[3] The President appointed the British consul in Monrovia together with two Liberians to go to London to negotiate this loan. They arranged a loan with a banking firm of which the British consul was apparently an agent. The bankers agreed to loan the nominal sum of $500,000 at a discount of 30 per cent, and seven per cent interest, repayable in fifteen years. That is to say, in return for issuing bonds amounting to $500,000 and paying seven per cent interest, the Liberian Government was to receive only $350,000. Despite the fact that the loan was guaranteed by the customs, the bankers said that these terms were not exorbitant in view of the financial condition of the Liberian Government. President Roye did not consult the Legislature as to these particular terms and there is evidence that he expended a good portion of the money on himself and his friends.[4] It was at this time that he attempted to extend his term of office two years. According to some estimates, the Liberian Government actually received only $100,000 out of the $500,000 which was "borrowed." [5] It is not clear that the Liberian people received anything of permanent value from the proceeds of this sum. Articles of merchandise purchased with this money were, according to one writer, "charged in excess of their market value, many of them inferior in quality, and some nearly, and others entirely useless in Liberia." [6]

Following the deposition of President Roye by the Legislature, Mr. Roberts again became president. In his inaugural address he declared, "While it is clearly evident there has been culpable laxity and want of system at the Treasury Department, it is equally apparent that we have

[1a] *Message of the President,* 1865, p. 11.
[2] *Ibid.,* p. 11.
[3] Starr, *Liberia,* p. 199. The official currency of Liberia is the dollar but frequently transactions take place in pounds, which are more common.
[4] Starr, *cited,* p. 200.
[5] Johnston, *Liberia,* Vol. I, p. 264.
[6] Starr, *cited,* p. 200.

been reduced to our present deplorable monetary condition by gross official corruption and a lavish misapplication of the public funds."

In 1874, the Liberian Government declined to pay the interest charges on the 1872 loan. After a long period of negotiation, the Liberian Government finally agreed in 1898 to pay off the principle of a sum ranging from $350,000 to $400,000 at a progressive interest rate from three to five per cent. Liberia paid this interest between 1898 until 1913 when the 1871 loan was refunded by the 1912 loan agreement.[7]

2. *The "Order" System*

Her finances worse than ever, Liberia issued a ten year 6 per cent domestic bond issue in 1880 to take the place of paper currency which was still in circulation but at a rapidly depreciating figure. To check depreciation, the government made it a misdemeanor for any disbursing officer to issue orders for the payment of money except upon warrant and unless the money was actually in the treasury. In 1883 the Legislature enacted a law that one-half of the paper currency paid into the government treasury should not be re-issued and that one-tenth of all gold coin paid in should be placed in a fund to meet foreign claims. It declared that officials should be paid half in gold and half in paper currency. In 1884 the Legislature provided that domestic creditors should be paid two-thirds in gold and one-third in paper; and that domestic bonds should be redeemable in gold. These efforts to wipe Liberia's paper money out of existence might have corrected the evils in Liberian finance had it not been for the Grebo rebellion in 1893 which necessitated further internal issues, as a result of which the paper currency fell to 75 per cent below par. The government floated several internal loans of about $25,000 each. Nevertheless it found itself without sufficient means to carry on business; no one would accept its paper, and there were no banks to make advances.[8]

As a last resort, the government turned to the European merchants of Monrovia with whom an arrangement was made under which the government would issue "orders" on the merchants for supplies which the government needed. The merchants could use these orders in the payment of customs dues which were not payable until from six to twelve months after the landing of the goods. The government also came to

[7] Cf. *Report of the Council of Foreign Bondholders*, 1925, p. 259. The export duty on rubber of six cents a pound which was security for the 1871 loan was to be paid by the exporters direct to the Consul General for Liberia in London who turned it over to the banks; the service of the loan was also secured by the customs. The text of the 1898 agreement is printed in Johnston, *Liberia*, Vol. I, p. 266.

[8] L. A. Grimes, *Oration on the Occasion of the Celebration of the Twenty-Sixth of July*, A.D. 1920, p. 31.

issue "orders" to officials authorizing them to draw half of their salary in cash and half in merchandise from the European stores. The merchants sold goods at three prices: a cash price; a higher price when goods were purchased with kind; and a still higher price when government officials presented a "half and half" order, which meant that they were entitled to half its value in merchandise and the other half in cash. As a result of this system, government officials received merchandise worth about half the sum to which they were entitled. On the other hand, the merchants presented these orders in payment of customs at par. This was called "jobbing" salaries. When the Liberian Government installed a customs service in 1900—and without foreign assistance of any kind—the merchants nevertheless insisted that customs duties continue to be paid in these "orders."[9] In a number of cases it appears that European trading firms made advances to the government. In other cases the traders purchased government bills purporting to bear the signatures of auditors, which had been forged. In 1904 the total debt of the Liberian Government was about $800,000 of which about $480,000 represented the sums due under the 1871 loan. The internal bonded debt amounted to about $135,500 of which $36,000 bore interest at six per cent and the balance at three per cent. The floating debt amounted to about $200,000 and consisted of bills and drafts, most of which were held by foreign merchants. According to President Barclay, "To meet the deficit and pay current expenses of Government, the Treasury has constantly to ask for advances from the mercantile holders of the debt. For this accommodation it is paying interest at the rate of 25 per cent to 30 per cent."[10] The floating debt of the country had been created largely by the fact that the various counties had greatly exceeded the amounts of expenditure which the Legislature had approved. In order to remedy the situation, President Barclay asked that the Legislature limit the budget of the general and local governments to a total of $107,000 a year.

In 1905 the Legislature provided that Audited Bills should no longer be negotiable[11] and that checks upon the expenditure of money and the incurring of floating debts should be imposed. It also authorized the President to negotiate a loan of $200,000 for the purpose of liquidating

[9] At this time the government had divided duties into special and ordinary duties, the special duties being set aside to pay off the 1871 loan. The German traders took advantage of this distinction to demand that unless government orders were redeemable in special duty paper, they would discount them from ten to fifty per cent. *Ibid.*, p. 32.

[10] *Message of the President*, 1904, p. 16.

[11] *Acts*, 1904-05, p. 20.

the floating debt of the country. In another act it authorized the Secretary of the Treasury to arrange a five per cent loan of $2,000,000 in the United States, to be devoted to roads and the liquidation of the floating debt.

3. *The 1906 Loan*

Unable to negotiate such loans, the Liberian Government negotiated a second loan in England in 1906.[12] This loan was negotiated through Sir Harry Johnston, the well-known Africa authority, on behalf of the Liberia Development Company—a British concern interested in rubber.[13] It provided for a capital sum to be advanced to the Liberian Government through the Erlanger Company of $500,000 at six per cent interest. Of this sum, $150,000 should go to redeeming the floating indebtedness and Treasury Notes of Liberia, and the balance should be returned to the Rubber Company to be employed in the construction of roads, in paying off indebtedness of the Company, and in financing a bank. The Rubber Company was also to receive ten per cent of any excess over $250,000 in customs revenue per year. The loan was guaranteed on the customs, the collection of which was supervised by two European Customs Inspectors, and Financial Advisers, recommended by the British Government. The powers of these Inspectors were not defined and disputes later arose as to their jurisdiction. Nevertheless, this control was "highly effective." [14] It appears that as a result of this transaction about $200,000 passed to the Rubber Development Company with which it constructed fifteen miles of automobile road in the Careysburg district, placed a small launch on the St. Paul River, and purchased two automobiles. The Company then announced that its funds were exhausted. In 1908 the Liberian Government used harsh words with the Rubber Company. In a special message to the Legislature in January, 1908, President Barclay declared that in London Sir Harry Johnston proposed that the government buy out the Development Company for $500,000—a proposal which he had indignantly rejected. Despite repeated requests, the Company declined to keep or to show any accounts of how it had expended the money which Liberia had advanced to it. President Barclay said he had ascertained that "every expense of the Company was being paid out of the 100,000 pounds borrowed on

[12] Agreement of January 6, 1906, between Liberia and the Liberia Development Company, *Acts*, 1905-06, p. 3.

[13] It is understood that Sir Harry wrote his two volume work on Africa, with the aid of some experts, as a prospectus for this loan.

[14] Report of the American Commission of 1910, "Affairs in Liberia," *Senate Document* 457, *cited*, p. 20.

behalf of the Republic, rents, directors' fees, officers' salaries, travelling expenses, and also that the Company was sending out prospectors and paying them out of this money." [15]

In an effort to liquidate the situation, the Liberian Government negotiated an agreement in 1908 with the Liberia Development Company and the Erlanger Company in which the unused balance, $150,000, was returned to the government; it then severed all connections with the Development Company, making itself responsible for the remainder of the loan directly to the Erlanger group.[16]

This dispute was made the occasion for preemptory demands of the British Government that Liberia strengthen the customs administration by the appointment of three additional British officials; that it establish an adequate frontier force under European officials; and that it reform the treasury and the courts. In a letter of January, 1908, the British Consul stated that if these reforms were carried out within six months, Great Britain would be disposed to help Liberia, but if not, she would be inclined to demand immediate adjustment of all pending questions.[17]

As a result of this demand, the Liberian Legislature passed an act to employ three additional foreigners in the customs [18]—positions given to Englishmen. It likewise organized a Frontier Force [19] under English officers. Two years previously it had attempted to economize by authorizing the Secretary of the Treasury to reduce salaries by ten per cent, except those of the President and Judges.[20] This plan of reforms did not, however, entirely succeed. The American Commission which visited Liberia several years later declared: "That it failed of complete realization, and that in the early part of 1909 it came to a sudden stop, was due more than anything else to the bungling of British officials. The British consul-general displayed an utter lack of diplomatic qualifications for the difficult task of adviser to a foreign power which had been intrusted to him, and the British commander of the frontier force became embroiled in successive controversies with his Liberian employers which resulted in his discharge." [21]

[15] According to Mr. E. J. Scott, one of the members of the American Commission who visited Liberia in 1909, Sir Harry Johnston "persistently refused to render any accounts, until he found the position he maintained was so untenable that he could not depend upon his Government for support. . . ." "Is Liberia Worth Saving" *Journal of Race Development,* Vol. I, No. 3, January, 1911, p. 291.

[16] *Acts,* 1908, p. 38.

[17] "Affairs in Liberia," *Senate Document,* No. 457, cited, p. 24.

[18] *Acts,* Monrovia, 1908, p. 35.

[19] Cf. Vol. II, p. 720.

[20] *Acts,* 1905-06, p. 60.

[21] Cf. "Affairs in Liberia," *cited,* p. 24.

Meanwhile, the Liberian Government was groaning under a constant deficit and a heavy indebtedness. The debt stood as follows in 1910:

Foreign:	
Loan of 1871, 4½%, principal and unpaid interest....	$ 443,025
Loan of 1906, 5%	464,640
Domestic:	
Funded at 3%, principal and unpaid interest........	113,207
Funded at 6%, principal and unpaid interest........	30,000
Unfunded, non-interest bearing	238,698
	$1,289,570

Much of this domestic debt consisted of paper in the hands of foreign traders which they had acquired considerably below par. Internal revenue was pitifully small, and the native tribes of the hinterland at that time contributed nothing to the treasury.

According to the report of the American Commission, "the aggregate revenues of the country are barely sufficient for its urgent governmental needs. . . There is a steady pull on the government treasury, and no elasticity. There is neither a reserve balance in the treasury nor are there any resources of income capable of expansion to meet government emergencies. An empty treasury is so frequent as to be almost the rule. This situation makes it difficult to meet extraordinary expenditure. Not infrequently such expenditure has grown out of international relations, claims of foreign powers, the expenses of boundary commissions, and the like, and where they occur there have been inevitable delays in payment which have made more acute the problems of foreign intercourse.

"The urgent need for current expenditure, lack of skill in estimating receipts, and indifference as to the outcome have brought it about that for many years the appropriations and expenditure as well, so far as it has been possible to contract debt, have exceeded the revenue.

"The lack of equilibrium in the budget has been aggravated by the crudest sort of treasury management. There is no adequate check upon public expenditure. Appropriations have frequently been exceeded and other unauthorized expenditure has been made. . . . There is no check on fraud or dishonesty in the purchase of supplies for government use.

"The result of all this has been to involve the country in a considerable debt." The Secretary of the Treasury "can hasten or delay the payment of a government creditor, and thus reward friends and punish enemies." [22] In 1908 the Liberian Government sent a commission to appeal for help in the United States.[23] In correspondence between the British and American

[22] "Affairs in Liberia," *Senate Document No. 457, cited,* p. 21.
[23] Cf. Vol. II, p. 786.

Governments which followed, the British Government declared that the "main risk to the future of Liberia arises from the inefficiency of Liberian administration of their own affairs, especially in matters of finance." In view of the British officials already in the Liberian customs service and the Frontier Force, the British Government expressed doubt "whether there is at the present time any scope for the cooperation of the United States Government in the customs or police." If the United States wished to aid Liberia, Sir Edward Grey suggested that it lend an official to serve as judicial adviser to bring about reforms in the Liberian judicial system.[24] Nearly two years later, the British Government informed the United States that it would support any scheme for a loan which would put Liberia's finances in shape, "provided that the preferential rights and privileges of the British bondholders of the present customs loan were maintained and that provisions were made in the scheme for the payment of outstanding British claims." It was also of the opinion that "complete control of revenue and expenditure" of Liberia should be placed in the hands of European or American commissioners.[25]

4. *The American Commission*

On March 4, 1909, the Congress of the United States appropriated a sum whereby a Commission appointed by the President could proceed to Liberia to investigate its affairs. This Commission arrived in May, 1909, and remained in the country about a month. After an examination of the general state of affairs in the Republic, it declared that Liberia was in need of foreign assistance. Despite the "unmistakable evidences" of friendliness in the past, Great Britain could not extend further help because of the "spirit of great bitterness" engendered among the Liberian people against Great Britain, and lack of confidence in her disinterestedness—all due to the unfortunate actions of certain personalities in the past. Moreover, France had protested against British advisers in Liberian affairs. The Commission stated that "If Liberia is to be dismembered, France wants a share in it. . . . It is generally believed in Liberia that Germany has been biding her time till she could undertake with good grace an intervention in Liberian affairs." Logically, therefore, only the United States could give effective aid.[26]

The Commission made the following proposals: (1) that the United States extend its aid to Liberia in the prompt settlement of pending boundary disputes; (2) that the United States enable Liberia to refund

[24] Note of July 23, 1908, *Foreign Relations of the United States,* 1910, p. 698.
[25] Note of March 14, 1910, *ibid.,* p. 704.
[26] "Affairs in Liberia," *cited,* p. 28.

its debt by assuming as a guarantee for the payment of obligations under such arrangement the control and collection of the Liberian customs. It proposed the establishment of a customs receivership analogous to that existing in Santo Domingo; (3) that the United States lend its assistance to the Liberian Government in the reform of its internal finances; (4) that the United States should lend its aid to Liberia in organizing and drilling an adequate constabulary or frontier force; (5) that the United States should establish and maintain a research station in Liberia; (6) that the United States should reopen the question of establishing a naval coaling station in Liberia.

Following the visit of the American Commission, the Liberian Legislature enacted a customs law imposing a duty of 12½ per cent, and in 1912 it enacted a Retrenchment Act, reducing salaries by one-third.[27]

5. *The 1912 Loan Agreement*

Presidents Roosevelt and Taft did not accept entirely the proposals of the American Commission which had in mind a treaty which would give the American Government the exclusive right to collect the Liberian customs. Since the rejection of the Santo Domingo Receivership treaty, it was doubtful whether the Senate would accept a treaty establishing similar control over Liberia. Consequently, the government worked to bring about a private loan and the establishment of control over Liberian finances through the banks. It was not successful, however, in making the control wholly American, as the 1909 Commission suggested. About this time German interests negotiated with the Liberian Government in regard to a loan, the acceptance of which would have defeated the American plan.[28] British or French interests were no more willing to withdraw. Consequently, the United States agreed to an international receivership with an American as General-Receiver assisted by French, German and British Receivers. Two years of tedious negotiation followed in which the French Government insisted on the retention of the French surgeon in the employ of Liberia. The German Government made a number of demands which were later relinquished except in regard to the employment of a German Receiver who, because of Germany's large trade in Liberia, it was agreed should act for the American General Receiver in the latter's absence. In return for this concession to Germany, the French Government not only demanded a rectification of the 1911 boundary[29] but also

[27] *Acts,* 1912, p. 51.
[28] Cf. *Foreign Relations of the United States,* 1912, p. 675.
[29] Cf. Vol. II, p. 791.

asked that the French Receiver be assigned the post nearest the Franco-Liberian boundary.[30]

Having cleared away these diplomatic obstacles, the American State Department suggested that certain American and European banking groups make a loan to Liberia.[31] These banks thereupon entered into an agreement with the Liberian Government providing for the reorganization of Liberia's finances, which went into operation in November, 1912.

The agreement provided for a loan of $1,700,000 at five per cent interest, to mature within forty years or in 1952. According to the Prospectus, "The purpose of the Loan is the adjustment of the indebtedness of the Republic and the settlement of claims and concessions, while any eventual balance of the proceeds of the Loan will be used for productive purposes."

Although in 1909 the debt of Liberia was $1,289,570, by 1912 it had mysteriously grown to $1,627,518, the increase being in internal indebtedness, etc. The external obligations arising out of the loans of 1872 and 1906, which were now refunded, amounted to $977,295; while the internal obligations amounted to $650,220. The latter obligations consisted largely of orders and internal bonds held by European traders in Liberia, which they had acquired from Liberian officials and others at greatly depreciated value.[32] It appears that except for $54,000 which apparently had been contracted after the agreement had been negotiated, the 1912 agreement redeemed these internal obligations at 90,[33] making in some cases a profit of 100 per cent for many local traders. The agreement also redeemed the 1872 loan at 95 on the basis arrived at in 1898, and refunded the 1906 loan at 105.[34]

A public issue of $1,400,000 was made in 1913 while a further amount of $158,000 was later issued privately, making the total actually issued $1,558,000 out of the $1,700,000 authorized. These bonds were issued at 97. Making allowances for the fact that the bonds were issued at 97 per cent plus three per cent to cover commissions and charges, it appears that Liberia realized $1,464,520 from an issue the face value of which was $1,558,000. The former figure scarcely covered the obligations ($1,573,-000) which the loan was obliged to redeem. In other words, the 1912 Liberian loan yielded nothing to the Liberian Government for productive

[30] Note of July 19, 1912, *Foreign Relations of the United States,* 1912, p. 683.

[31] The banking groups were J. P. Morgan & Company, Kuhn Loeb & Company, the National City Bank, the First National Bank, all of New York; M. M. Warburg & Company of Hamburg, Hope & Company, Amsterdam; Banque de Paris et des Pays Bas, Paris; Robert Fleming & Company, London.

[32] Cf. Vol. II, p. 797.

[33] *Foreign Relations of the United States,* 1912, p. 679.

[34] Cf. *Report of the Corporation of Foreign Bondholders,* 1913, p. 208.

purposes; it went to redeem previous bond issues which had also been unproductive, and paper "notes," the redemption of which yielded European merchants large profits. The greater part of the bonds were issued directly to creditors in payment of claims. Bonds to the amount of $225,000 were delivered in Germany, $715,000 in London, $460,000 in Amsterdam, and $158,000 in New York.[35]

In order to make sure that the Liberian Government would meet the charges on this loan, the 1912 Loan Agreement provided that the principal and interest would constitute a first charge on the customs, the rubber taxes and head moneys, which were called Assigned Revenues.[36] Their collection was placed in the hands of a Customs Receivership administered by a General Receiver "designated" by the President of the United States and subject to removal at his pleasure, and by three Receivers designated respectively by the Governments of the German Empire, France, and Great Britain. This Receivership was authorized by the Agreement to collect and administer the Assigned Revenues "without the intervention of any Liberian official." The "compensation, allowances and other emoluments of General Receiver and of the Receivers" were fixed respectively at five thousand dollars and two thousand five hundred dollars per year.[37] Interest and sinking fund on the loan amounted to $99,500 a year, while the assigned revenues in 1911-1912 amounted to $494,736.

"For the future security of the revenues," the Liberian Government agreed to maintain a Frontier Force and to request the President of the United States to designate trained military officers to organize such a Force. A majority of the Receivers could set aside out of the Assigned Revenues amounts necessary for the maintenance of this Force.

The Assigned Revenues were to be applied, first, to the payment of costs of collection, and second, to the service of the Loan. The residue was to go to the Republic.

The General Receiver was also the Financial Adviser of the Liberian Government. He could make recommendations to the Legislature in respect to any changes which he believed desirable in the laws regarding the use of public funds and proper accounting. The Liberian Treasurer was obliged to prepare, with the approval of the Adviser, before the opening of each session of the Legislature the annual estimates and receipts. Appropriations could not exceed the estimate of the amounts available for appropriations. In case the appropriations of the Legislature exceeded

[35] National City Bank to Secretary of State, November 30, 1917, *Foreign Relations of the United States,* 1917, p. 897.

[36] Subject only to the head moneys in favor of the Woermann concession.

[37] A Joint Resolution of 1911 expressly fixed the salary of the General Receiver at $5000. *Acts,* Call Session, 1911, p. 29.

estimated revenue, a Board of Revision consisting of the President and Secretary of the Treasury of Liberia together with the Financial Adviser should adjust such appropriations so as to make the budget balance. The Treasurer and the accounting officials were bound by this revision. It appears that the Board of Revision reduced the Liberian estimates only once—and this was in 1913.[38]

During these loan negotiations, the American Government selected three "ex-army officers" to take over and reorganize the Liberia Frontier Force. In 1912, the American military attaché at Monrovia reported that the members in the Force were neither fed nor paid, and that for the last three years their pay had been "jobbed" by Liberian officials. He reported that in the past the officers in the Force had also acted as native commissioners who have "stolen from the natives their women and children, killed their men, purloined their food, ivory and other possessions; and have in general brought about all the dissensions and wars waged on the frontier, together with the defection of the natives." [39]

Amidst quarrels over the location of the various national receivers and the attempt of the German Receiver to serve also as consul to Liberia, Mr. Reed Paige Clark, the first General Receiver of Customs, took over and reorganized the administration which had formerly been in the hands of British inspectors. Likewise he assisted the Liberian Secretary of the Treasury in preparing a budget and installing modern auditing methods.

The establishment of the Receivership was marked by certain disorders in the city of Monrovia. Several Europeans were attacked after dark and stones were thrown through the windows of the American Legation.[40] At the same time native disorders occurred in the Bassa district, which apparently arose out of the refusal of the Liberian Government to permit foreign merchants to sell the natives gunpowder. In these disorders some German property was destroyed, which led the German Government, upon the receipt of apparently distorted accounts,[41] to send the *Panther* and the *Bremen* to Liberia. On November 12, 1912, the German commander of the *Panther* served the Liberian Government with an ultimatum that satisfactory measures must be taken within twenty-four hours.[42] The American *Chargé* reported that the German attitude was due to the fact that the German merchants were "completely hostile to the establishment

[38] Cf. Act of April 13, 1913, making appropriations for the Expenses of the government as adjusted by the Board of Revision, under the provisions of the Refunding Loan Agreement.

[39] Report of October 9, 1912, *Foreign Relations of the United States,* 1912, p. 665.

[40] *Foreign Relations of the United States,* 1913, p. 656.

[41] *Ibid.,* p. 660.

[42] *Ibid.,* p. 662.

of the gold basis by Liberia, in the matter of paying customs . . ." since this meant a loss in the profits derived from "jobbing" duty paper.[43]

At the intervention of the American Government,[44] the German Government accepted the apology of the Liberian Government, and the dismissal of a Liberian officer accused of assault upon some Germans. The Liberian and German Governments also agreed to establish a claims commission to determine the reparations due to Germans as a result of the disorders. After protracted haggling over the composition of the Commission, the governments finally agreed upon three members. The Commission made awards of $5,602—a sum which the German merchants complained was much too small.[45]

6. *Near-Bankruptcy*

A year later the World War broke out, reducing Liberia's customs about 50 per cent, as a result of the stoppage of German and British shipping to the West Coast. On September 24, 1914, the American Minister in Monrovia cabled the State Department that financial assistance was imperative.[46] The Secretary of State asked Kuhn Loeb and Company if they could offer any suggestion looking to the relief of the situation. In reply the banking concern stated that it was not possible to arrange a loan. Meanwhile the payment of interest on the 1912 loan fell into arrears, and the Receivership decided that it could not legally use its funds to pay the men in the Frontier Force until interest charges had been met. But the bankers stated that under the agreement, the funds of the Receivership could be used for that purpose even if interest had not been paid.[47]

Meanwhile the Receivership reduced its personnel and its cost of collection nearly one-half and brought about the reduction of the size of the Frontier Force. The General Receiver proposed that all government revenue, whether assigned or not, should be pooled and placed under his control—a suggestion which the Liberian government declined to accept.

The advice of the General Receiver as to finance was resented by members of the government, and when the Receiver asked the government to cut salaries, employees became antagonized. An open break almost occurred over the method of paying the Frontier Force. Mr. Clark interpreted the agreement to the effect that the Receiver should pay the expenses of the Frontier Force only after receiving vouchers that the money would be properly expended.[48] The Liberian Government took the position that

[43] Cf. Vol. II, p. 797.
[44] Note of January 10, 1913, *Foreign Relations of the United States*, 1913, p. 664.
[45] *Ibid.*, p. 680. [46] *Ibid.*, 1914, p. 440.
[47] *Foreign Relations of the United States*, 1915, p. 637.
[48] Cf. *Message of the President*, 1914, p. 23.

a lump payment should be made to the Liberian Government and no questions asked. Following these and other difficulties which arose out of the Kru war, Mr. Clark resigned in 1916.

In an effort to reduce expenditure, as the Financial Adviser had requested, the Liberian Legislature enacted the Emergency Mode of Procedure Act in 1915 which provided for a reduction in the number of officials to those needed for routine necessities, and for the payment of only fifty per cent of their salaries. The other half was credited to them on the books of the Treasury.[49] Moreover, non-interest and non-negotiable bearing "statements of indebtedness" were issued which the legal owner could use as an offset for taxes and for the purchase of public land.[50] A later Act cut minor salaries twenty per cent.[51]

It appears that despite these measures the more important officers in the government continued to receive their full pay.[52]

In order to keep back salaries in order, the Liberian Government appointed a Domestic Debt Commission. Under its supervision, the Liberian Government issued in 1917 and 1918 three per cent bonds to the amount of $215,000, and a certain amount of "due notes" to cover these statements of indebtedness. Despite this issue, the government at the end of the World War owed in the form of an unfunded debt nearly $91,000 to officers and men in the Frontier Force and more than $23,000 to government employees.[53] In 1922 a further issue of three per cent bonds were issued to satisfy this indebtedness.[54] All statements of indebtedness had to be presented by September 30, 1923. That is to say, an official was given an interest paying bond to represent the amount of arrears in his salary. In 1924 an act was passed to fund the floating debt —all arrears in salaries and claims against the government—by an issue of five per cent bonds not to exceed $250,000, for thirty-five years. Holders of the three per cent issue could convert them into the five per cent issue,[55] at a discount of 33⅓ per cent. Many of these domestic bonds were acquired by European merchants in Monrovia at a great discount from employees in need of hard cash.

Having thus made it possible for government employees to live, the government attempted to find new sources of revenue. In 1915, it passed an Emergency Relief Fund Act imposing a stamp tax amounting to twenty

49 *Acts*, Call Session, 1915, p. 5.
50 Cf. the Relief of Officials Resolution, *ibid.*, p. 12.
51 *Ibid.*, p. 13.
52 Cf. Mr. Bundy's despatch, *Foreign Relations of the United States*, 1915, p. 639.
53 *Report of the Secretary of the Treasury*, 1920, p. 9.
54 *Acts*, 1922-1923, p. 11.
55 *Ibid.*, 1923-1924, p. 27.

per cent of the duties levied on imported goods.[56] While this was virtually an increase in duties, the tax was given another name to keep it from going into Assigned Revenues to meet sinking fund payments. It was estimated that this tax would bring in $18,300 a month—barely enough to pay the minimum government salaries.

An important step in accounting for government revenues which hitherto had been handled in a most haphazard manner was taken in the conclusion of a Depositary Agreement between the Liberian Government and the Bank of British West Africa in 1915. This agreement provided that all moneys collected by the government, including the residue of revenue received from the Receivership, should be paid into the Bank and placed to the credit of the Liberian Government. For this service the Bank received a commission of three-quarters per cent upon all moneys paid in. This agreement was made for two years.[57]

In view of the impoverishment of the Liberian Government the Bank of British West Africa agreed in 1917[58] to make a new Depositary Agreement in which it undertook to advance monthly to the Liberian Government a sum not to exceed nine thousand dollars which represented a twelfth of the annual appropriations. When the balance owed the Bank reached 100,000 dollars, no further advances would be made. Supposedly taxes and other revenue, which the government promised to deposit in the Bank as collected, would eventually cover these advances; but in practice the Liberian Government at the end of the year found itself deeply in debt. Moreover, it also overdrew its allowance.[59] On September 30, 1919, the government was indebted to the Bank nearly $101,000.[60] Uneasy at this situation, the Bank threatened to cut down on the government. Finally in 1923, the government paid up its debt by using German reparation money,[61] following which a new agreement was made. The Bank now agreed to advance monthly at eight per cent to the government one-twelfth of the annual revenue of the last year, minus a margin of ten per cent. The government agreed to limit expenditures. Under this arrangement the government is indebted to the Bank for eight months out of the year, but during the last three or four months it gradually pays off this debt by incoming taxes. The Receiver pays over to the

[56] *Ibid.*, 1915, p. 1.
[57] The text of this agreement is printed in *Foreign Relations of the United States*, 1915, p. 642.
[58] The text is in *ibid.*, 1917, p. 889. For this service the Bank received one-half of one per cent upon principal amount of each loan and interest of seven per cent on balance debited to the government.
[59] *Report of the Secretary of the Treasury*, 1918, p. 4.
[60] *Ibid.*, 1919. p. 6.
[61] *Ibid.*, 1922-1923, p. 7.

Bank the balance of all Assigned Revenues to guarantee this arrangement.[62]

While the British Bank of West Africa thus came to the aid of Liberia, in return for worthwhile compensation, the American bankers declined every proposal for the amelioration of Liberia's condition. Following their refusal to make a loan to Liberia in 1914, Assigned Revenues of the country fell from $359,409 in that year to $185,716 in 1915-1916, and to $161,449 in 1917-1918. As a result of this decline there was no residue to pay over to the Liberian Government after the payment of interest, and the time soon came when the Receivership found it impossible to meet interest payments to the Fiscal Agent in New York. When the British Government in 1916 issued a proclamation prohibiting all exports on British vessels to Liberia, making the situation look even blacker, the Liberian Government proposed that interest and sinking fund payments be suspended after July 1, 1916.[63] But the bankers declined the suggestion, following which the Receivership, after a determined economy, brought interest payments up to date in 1916. It fell, however, into arrears on sinking fund. The bankers and the Receiver finally made an agreement in May, 1923, under which sinking fund payments would be resumed and past arrears gradually paid off within the next nine years. In 1924-1925 the customs administration paid up the balance of arrears due the customs employees.[64] The difficulties of the government were reflected in the fact that in 1917 the price of Liberian bonds dropped to 85 and in 1921 to 55.[65]

7. *The Loan That Failed*

Upon the entrance of the United States into the World War in 1917, Liberia followed suit, and at America's request. The Allies wished Liberia to take this action apparently in order to gain control of the German cable station at Monrovia and to drive out German trade which had dominated Liberia.[66] Apparently Liberia believed that

[62] On January 14, 1925, the Liberian legislature passed a law in regard to the 1923 depositary agreement with the Bank of West Africa. In order to meet claims and other obligations not covered by the ordinary budget and depositary agreement and in order to meet a deficit, the Republic now enacted emergency taxation apart from its contractual obligations, solely for the purpose of meeting this deficit. For this purpose a special tax on recruiting agents, income from the highway fund, revenue from the port and harbor dues, and a 6% ad-valorem special tax on dry goods were set aside for an extraordinary budget which brought in a revenue of $51,445. Out of this budget the Secretary was authorized to pay interest on the three per cent bonds, League of Nations arrears, a sum of $1,080. to Baron Lehman; claims of merchants and certain other claims of officials.

[63] *Foreign Relations of the United States*, 1916, p. 462.

[64] *Annual Report of the General Receiver of Customs*, 1924-1925, p. 8.

[65] *Stock Exchange Year Book*, London, 1917, p. 91; 1921, p. 99.

[66] It was the contention of Secretary of State, C. E. Hughes, that the United States wished to obtain control over the palm-oil of Liberia,—a product used in

she would secure more European shipping after this action had been taken.

A few months previously—in April, 1917—the American government sternly informed the Liberian Government that if it did not wish to lose America's support[67] it must speedily enact reforms combining the interior and the war departments, establishing an auditor, reducing the salaries of members of the legislature to a maximum of $500 a year, and reforming the post office department, the militia, Frontier Force, and finances generally.[68]

As a result of this note the Liberian Legislature was convoked in special session in July, 1917, and enacted a law creating an auditor, consolidating revenue, and combining the departments of the interior and education. Later it reduced the salaries of the legislature. Having made these changes but discouraged by the financial and administrative difficulties into which the country had been plunged, the Liberian Government sent a memorandum to the Government of the United States on January 10, 1918, stating that in the opinion of the cabinet the dangers threatening the Republic were so imminent as to "warrant a strong and candid appeal" to the United States for a loan of five million dollars with which to cancel the 1912 loan, to establish a receivership entirely under American control, to take up its internal debt, and to develop the country. It also asked for the "loan of additional American agents."[69]

In September, 1918, the United States Treasury established a credit of five million dollars in favor of Liberia under authority of the Second Liberty Loan Act of September 24, 1917,[70] which authorized the President to place credits at the disposal of the Allies, for the purpose of prosecuting the War. This loan to Liberia was conditional upon the in-

connection with the making of munitions, and that this was a consideration in extending credits to Liberia under the Liberty Loan Act. "Credit for Government of Liberia," *Hearings before the Committee on Ways and Means,* House of Representatives on H. J. Res. 270, April 19, 1922, Part 2, p. 144.

[67] Cf. Vol. II, p. 741, for this warning.

[68] Note of April 4, 1917, *Foreign Relations of the United States,* 1917, p. 878. For the proposals in regard to native policy cf. Vol. II, p. 812. The State Department also asked that certain steps to restrict the liquor traffic should be taken.

[69] The text of this and other documents is printed in an addenda to "Credit for Government of Liberia," *ibid.,* Part I, p. 113.

[70] Section 2 of the Act of September 24, 1917 declared that "For the purpose of more effectually providing for the national security and defense and prosecuting the war," the Secretary of the Treasury was authorized to establish credits with the United States, for any foreign governments then engaged in war with the enemies of the United States; and to the extent of the credits thus established, the Secretary was authorized to purchase at par the bonds of such governments. *United States Statutes at Large,* 65th Congress, Vol. 40, 1917-1919, Part I, p. 289. Some doubt as to the legality of the Liberian loan, which was not strictly for war purposes, has been expressed. Cf. "Credit for Government of Liberia," *ibid.,* p. 21.

auguration of a program of rehabilitation. In November, 1918, the State Department handed notes to the British and French representatives [71] notifying them of the establishment of the credit, and stating that the United States planned through an amendment of the 1912 loan agreement to convert the loan and its administration into an "all-American receivership," which would control internal as well as external revenue.[72]

In the meantime the United States advanced twenty-six thousand dollars out of the above sum to pay the expenses of a Liberian delegation to the Paris Peace Conference.[73] Negotiations as to the terms upon which the remainder of the five million dollars would be advanced were continued between representatives of the United States and Liberia at the Paris Peace Conference.[74]

In July, 1919, Mr. Lansing, the American Secretary of State, presented a memorandum to the Liberian Government, which declared that the United States would make available the remainder of the five million dollars credit on condition that Liberia carry out certain reforms and effectively safeguard the "open door." It provided that American citizens should act as "Commissioners to establish and maintain a just and equitable administration of the hinterland and to preserve order therein." The credit would be used to pay up all arrears on the 1912 loan and all unbonded claims against the Republic or Receivership.[75]

Mr. King, who was then Liberian Secretary of State, and who accepted this agreement, wrote to President Howard from Paris, "We shall have to give America a free hand in our affairs and be prepared to make some sacrifice of what we call our 'sovereign rights.' . . . We shall have to put up with some of the bitter drugs which may be found necessary to put us on our feet in a sound and healthy condition."

On June 15, 1920, a Memorandum of Agreement was signed by the two governments, providing for a five per cent loan on these terms. Pending general economic recovery, the United States agreed for a period of five years to advance an amount necessary to meet the administrative expenses of the Liberian Government, not to exceed four hundred thousand dollars annually.[76]

[71] German rights in Liberia had already been extinguished by Liberia's declaration of war. [72] *Ibid.*, p. 116.

[73] Cf. *Congressional Record,* 67th Congress, 2nd session, September 11, 1922, p. 12342.

[74] In January, 1919, the Liberian Legislature passed an act authorizing the President to conclude an agreement, according to a later amendment, subject to the approval of the Legislature. *Acts,* 1919-1920, Chapter XVI.

[75] What purports to be the text of this memorandum is printed in the *Campaign Booklet of the People's Party,* Monrovia, December, 1922.

[76] *Memorandum,* Legation of the United States of America, Monrovia, Liberia, June 15, 1920.

In return for this loan of five million dollars the Liberian Government agreed to place not only the customs but the internal revenue under the control of the General Receiver who would be assisted by three Receivers and an Auditor. To govern native tribes, a Commissioner General of the Interior, four or more District Commissioners, and three or more military officers would be selected, a total of at least thirteen American officials, all "designated" by the President of the United States. The General Receiver should approve the budget before transmission to the Liberian Legislature, and control the amount of the customs duties to be paid over to the Liberian Government for its current administrative expenses. After paying interest on the loan, administrative expenses, and other charges, the Receivership should pay one-half of the Surplus Account under the sole order of the Republic and the other half to the Improvements Account to be expended on education and public works with the consent of the Receiver. No concession could be granted by the Liberian Government without first being favorably reported upon by the Financial Adviser.

While this agreement which placed the collection of all revenue, the administration of native and military affairs, and the control of virtually all government expenditures in American hands was accepted by the President of the United States, it did not prove popular with the residents of Monrovia. Mr. King, who had signed the agreement in Paris, declared upon his return home that he had been deceived as to its terms. He would rather resign than submit to these proposals. The Legislature in a special session held in August, 1920, declined to accept the loan upon these terms but authorized the appointment of commissioners to continue negotiations. The American State Department replied that it would expect that such a commission should be "fully authorized to reach a definite agreement which would be accepted and put into force without delay." It also requested that Mr. King, who was now President and who had handled the negotiations at Paris, should head the commission.[77] On January 6, 1921, the Liberian Legislature authorized the President to go to the United States to conclude an agreement "on the basis of the Legislature Amendments."[78] Since the original negotiations for the loan had been carried on with the Wilson Administration and since the President's emergency powers would expire with the termination of the War, it would have been natural for the Liberian Commission to hasten to Washington as soon as possible. But apparently Mr. King did not feel that he could go to Washington and oppose the original loan agreement

[77] "Credit for Government of Liberia," *Hearings, cited,* p. 119.
[78] *Acts,* 1920-1921, p. 4.

which he had accepted at Paris. Consequently, the Liberian Commission purposely delayed its visit, arriving in the United States on March 6, 1921, two days after Harding's inauguration.[79] On July 2, 1921, the state of war with Germany being declared at an end,[80] thereafter it became necessary for the President to secure the consent of Congress to any loan.

Negotiations between the State Department and the Liberian Commission were now conducted to determine the conditions upon which the money should be advanced. An agreement was finally signed on October 28, 1921, providing for a five per cent loan of five million dollars guaranteed upon Liberia's revenues, and stipulating the purposes for which it should be used.[81] For a period of years this loan might be utilized to pay the ordinary administrative deficit. For this purpose the maximum annual expenditure of the Liberian Government was fixed at $560,000. The collection and administration of this revenue was vested in a Financial Commission composed of a Financial Commissioner with a salary of fifteen thousand dollars a year assisted by a Deputy Commissioner having a salary of ten thousand dollars. It included an Auditor, a Comptroller of Customs, a Commissioner General of the Interior and a Director General of Sanitation, each receiving six thousand a year.[82] Ten administrative assistants (Class II) would also be appointed at a salary of four thousand each; while two other assistants would receive three thousand each. These officials were to act as comptrollers of customs, district commissioners, and technical advisers. Four officers would be appointed to take charge of the Frontier Force. All of these officials were to be designated by the President of the United States, but "appointed"—to satisfy a constitutional difficulty—by the President of Liberia.[83] Some of these officials were actually sent out to Liberia by the American Government. The Liberian Government could not make any loan except with the written approval

[79] *Message of the President,* 1921, p. 24.

[80] Cf. *Treaties, etc., of the United States,* Vol. III, p. 2597. Section 2 of the Third Liberty Loan Act, April 4, 1918, declared that "the authority granted by this section to the Secretary of the Treasury to establish credits for foreign Governments, as aforesaid, shall cease upon the termination of the war between the United States and the Imperial German Government." *United States Statutes at Large,* 65th Congress 1917-1919, Vol. 40, Part I, p. 504. Cf. Act of September 24, 1917, Section 2, *ibid.,* p. 288.

[81] The funds were to be applied as follows: (1) refunding present indebtedness —$2,189,614, (2) advances on account of Liberian Budget for administrative expenses (during a term of five years)—$500,000, (3) road construction—$482,700, (4) telegraphic communications—$75,000, (5) harbor buoys and lighthouses—$24,000, (6) port, $700,000, (7) other public works, etc.—$135,000, (8) custom houses—$100,000; total of $4,206,314. "Credit for Government of Liberia," *Hearings, cited,* p. 48.

[82] These were called Administrative Assistants of Class I.

[83] The text of this agreement is printed in "Credit for Government to Liberia," *Hearings, cited,* p. 124.

of the Financial Commission, and it could not grant any concession or franchise until after it had been favorably reported by the Commission. At the same time, the Liberian Government and the Secretary of State signed a Depositary Agreement.

Except for the fact that the word "Receivership" was abolished in favor of the word "Finance Commission," it appears that this agreement which the Liberian Government signed in October, 1921, in Washington, was more severe than the 1920 memorandum. The number of American officials in Liberia was increased from thirteen to twenty-two. The charge on the Liberian budget for their total salaries would have been $109,700 a year, exclusive of travelling expenses. This sum, together with the $250,000 annual interest on a loan of five million dollars, would have nearly equalled the whole customs returns of Liberia in 1923.[84] To cover any administrative deficit, the agreement provided, however, for advances out of the loan, and it was believed that as a result of American supervision, trade and revenue would increase. Despite its onerous provisions, Mr. King and the other members of the Commission accepted the Agreement, doubtless influenced by the fact that it made possible an increase of Liberian salaries which had been so pitilessly cut during the War.

When the terms of this agreement became known to the Liberian people, upon the return of the Commission to Liberia in December, 1921, bitter opposition at once developed. Many Liberians believed that the acceptance of this agreement meant the end of Liberia's independence. Nevertheless, the Legislature in January, 1922, acquiesced because of the immediate financial gains to be derived from the agreement and because of the fear of foreign powers.[85]

Steps were now taken to obtain the approval of Congress. As early as June 22, 1921, Secretary Hughes wrote Senator Penrose, suggesting a resolution approving such a loan. On July 29, President Harding wrote to the President of the Senate that the loan was an obligation which the executive could not discharge without the approval of Congress. The Committee on Ways and Means of the House held hearings on the subject in March and in April, 1922, before which Secretary Hughes declared that this loan was a moral obligation upon the United States. He said: "I came to the conclusion that as we had notified Liberia that this credit was open; as we had asked the British and French to retire, and to make no further plans, and assured them that we had an American program here and did not want or desire anything to stand in the way of carrying

[84] $359,700: $372,098. Cf. *Annual Report of the General Receiver, 1924-1925*, p. 2.

[85] Cf. Vol. II, p. 846.

out that American program, after Liberia had lost her reasonable opportunities in the meantime to enter into negotiations with others, it was our duty to go ahead and make our word good. I thought that to default on one's word in such case would be regarded among business men in private affairs as very sharp practice, and I felt that it was our duty to go ahead, and I so informed the President."[86] On May 10, 1922, the House finally voted, by a narrow majority of one hundred and forty-eight to one hundred and thirty-nine, to authorize the loan.[87] Some Congressmen feared that the loan would prove profitable to banks which had purchased depreciated bonds but which would under the agreement redeem them at par.[88] In 1921 the price of Liberian bonds had dropped to 55,[89] but as the result apparently of the refunding proposals they rose to 102½ in 1922.[90] It was pointed out that these stocks were not held, however, at that time by New York bankers but by European investors.[91]

While the Committee on Finance favorably reported the proposal in the Senate,[92] it met opposition from the floor,[93] and after a number of amendments were offered, the resolution was finally recommitted to the Finance Committee by a vote of forty-two to thirty-three without instructions.[94]

The proposed Liberian loan had met its death, and there was general rejoicing in Liberia. In his Inaugural Address of 1924, President King said: "Past experience whispers to our ears, a cautious tread along these lines. Foreign loans carry with them too many political entanglements."[95] The Liberian Government now stopped chasing rainbows and settled down

[86] "Credit for Government of Liberia," *Hearings, cited,* Part II, p. 145.

[87] *Congressional Record,* May 10, 1922, p. 6707.

[88] By a vote of one hundred and sixty-six to one hundred and twenty-three the House defeated an amendment providing that no part of the money loaned should be used to pay any indebtedness which existed prior to August 1, 1914. *Ibid.,* p. 6705.

[89] *Stock Exchange Year Book,* London, 1921, p. 99.

[90] *Ibid.,* 1922, p. 112.

[91] Statement of Mr. Hughes, "Credit for Government of Liberia," *Hearings, cited,* Part II, p. 147. He stated that no attempt of any kind had been made to influence the State Department.

[92] *Congressional Record,* May 31, 1922, p. 7889.

[93] Senator Borah declared that "the claims which were taken care of in this way were claims which had been bought up for 10 to 20 cents on the dollar, and that they are now being turned in and taken care of by the Government of the United States and the taxpayers of the United States on the basis of dollar for dollar." *Congressional Record,* September 11, 1922, p. 12339. In a telegram to Senator Borah, J. P. Morgan, Kuhn Loeb and the National City Bank declared that the combined present holdings of these firms in Liberian bonds were less than five thousand dollars for which they had paid 90 per cent, and which they had held for ten years. *Ibid.,* September 14, 1922, p. 12575. But this telegram did not affect the substance of Mr. Borah's contention.

[94] *Ibid.,* November 27, 1922, p. 287.

[95] *Inaugural Address,* 1924, p. 18.

to enact a large number of reforms which have elsewhere been described. The administration partially opened up the interior to trade; imposed port and harbor duties; erected three lighthouses; levied new taxes; increased the tariff; installed a coastwise telephone system; embarked on a road program, and greatly increased the collections of internal revenue. At the end of 1925, government revenues were 275 per cent higher than in 1918. There was a small surplus, and there was no balance due to the Bank of West Africa at the end of the year.[96] Between 1922 and 1925, Liberia made an earnest effort to regenerate herself.

[96] *Liberian News,* December, 1925, p. 6.

CHAPTER 102

THE FIRESTONE AGREEMENTS

1. *The British Rubber Monopoly*

LARGELY as a result of the automobile, the hundred million people who inhabit the United States have become the largest consumers of rubber in the world. Before the World War, the rubber estates of the Malaysia, partly British and partly Dutch, drove out of business the rubber plantations of Africa and the wild rubber gathered in South America and Africa; so that to-day the United States is obliged to import about ninety per cent of its rubber from the Far East. In an effort to check the slump in rubber prices at the close of the World War, the British Government adopted a system, called the Stevenson plan, to control rubber production in the Straits Settlements so as to maintain a price which it regarded to be fair to the producer.[1] The average yearly price of plantation rubber in New York was as follows:

Average Rubber Prices

	cents per pound		cents per pound
1914	65.33	1920	36.30
1915	65.85	1921	16.30
1916	72.50	1922	17.50
1917	72.23	1923	29.45
1918	60.15	1924	26.20[1a]
1919	48.70		

[1] In May, 1922, a Committee headed by Sir James Stevenson informed the Secretary of State for the Colonies that in order to reduce the production of Plantation Rubber to the level of probable consumption in 1922 the restriction of at least seventy-five per cent of normal production would be required. The Committee expressed its "grave concern" at the position of the industry in British Colonies "unless steps are taken to reduce stocks, and, further, to prevent overproduction of rubber so long as the potential normal production continues to be substantially in excess of consumption." To limit production it recommended a gradual scale of export duties, varying with the percentage of standard production (i.e., the output during a previous specified period). When more than the standard production is exported, a prohibitive duty is fixed. *Report of a Committee upon the Rubber Situation in British Colonies and Protectorates,* Cmd. 1678 (1922). Also *Supplementary Report of the Committee appointed to investigate and report upon the present Rubber Situation in British Colonies and Protectorates.* Cmd. 1756 (1922).

[1a] Figures submitted by Mr. Herbert Hoover, Secretary of Commerce, to the Committee on Interstate and Foreign Commerce, House of Representatives, 69th Congress, first session, *Hearings on H. Res.* 59 in regard to Crude Rubber, Coffee, etc.

In 1923 and later years Mr. Herbert Hoover made speeches attacking foreign rubber monopolies and especially the Stevenson plan. He implied that the British rubber grower and the British government, through this plan was mulcting the American public. Yet he made these charges despite the fact that the price of rubber in 1923 and 1924 was less than half the price in 1914. While in 1921 the price of rubber fell to 16.30 cents, this condition was due to a world-wide slump which American business could not expect to be indefinitely maintained. While the price of rubber in 1925 reached a peak of $1.21, in the summer of 1927 it fell to 35 cents—a little more than half of the price in 1914.[2]

Mr. Hoover's rigorous efforts to promote American trade and to extend America's rubber plantations helped [2a] to induce Congress to vote an appropriation of five hundred thousand dollars to enable the Department of Commerce to investigate the possibilities of developing the rubber plantation industry, and other essential raw materials.[3]

Attention soon came to be directed toward Liberia where wild rubber abounds and where Sir Harry Johnston's concern—the Liberia Development Company—operated a rubber plantation before the War.

[2] The Department of Commerce attributes this fall in prices to the "campaign for conservation in use of rubber" which it waged among American rubber consumers. *Fourteenth Annual Report of the Secretary of Commerce,* 1926, Washington, p. 39.

[2a] In talking to Congressmen in regard to the combination in rubber and other raw materials, Mr. Hoover stated that "The time has come when we must prepare for some sort of national defence against this price control." *New York Times,* February 23, 1923, p. 4, col. 2. Cf. also his article, "America Solemnly Warns Foreign Monopolists of Raw Materials," *Current History,* December, 1925, p. 307, and a Washington despatch: "An important factor in the Administration program for combatting the high price of crude rubber, due to the British export restrictions, is the potential field for production of crude rubber in Liberia, by American interests, it was indicated by Herbert Hoover, Secretary of Commerce, who is much interested in the efforts of American producers and manufacturers of rubber products to find new fields for rubber production.

"Mr. Hoover gave his approval to pending proposals of American interests to follow the lead of Harvey Firestone who is contemplating the establishment of extensive rubber plantations in Liberia. . . ." *Christian Science Monitor,* August 24, 1925, p. 3, col. 5.

Cf. also Mr. Hoover's statement before the Committee on Interstate and Foreign Commerce, 69th Congress, first session, *Hearings on Crude Rubber, Coffee, etc.* H. J. Res. 59, 1926, p. 1.

In one section of the 1926 Annual Report of the Department of Commerce the statement is made that "one of the main functions of the Department of Commerce is promoting foreign trade. . . . Finding foreign markets is thus a major task both of American business and of the American Government" (p. 29). In a later section, we are told that "the just complaint of consumers drags our Government into relations which should be left to the higgling of the market. This injection of the Government inevitably results in the arousing of national feeling. . . ." (p. 37).

[3] *United States Statutes at Large,* Vol. 42 (1923), p. 1536. The studies of the Department of Commerce on "Essential Raw Materials" are published in what is called a "Trade Promotion Series."

The exports of crude rubber from Liberia in the past are reported as follows:[4]

1906	101 tons
1911	46 "
1912	42 "
1913	40 "
1917	31 "
1919	127 "
1920	57 "
1921	6 "
1923	3 "
1926	166 "

2. *The Firestone Negotiations*

In December, 1923, Mr. Harvey S. Firestone, the head of a rubber tire company in Akron, Ohio, who shared or inspired Mr. Hoover's fears as to a British rubber monopoly, sent out to Liberia a representative[5] who made an investigation of the soil and harbor facilities but who paid little attention to the question of labor supply. On June 5, 1924, the Firestone representative transmitted proposals to the Liberian Government requesting a concession upon terms declared to "represent a most sound and equitable basis for the establishment of a large and successful rubber growing industry in the Republic of Liberia." The Firestone Company asked for a lease of the Mount Barclay rubber plantation—the rubber property which had belonged to the Liberia Rubber Corporation. It offered to rent this plantation for a dollar an acre for the first year—a total of two thousand dollars—with an option of renewal for ninety-nine years. The object of this concession was to experiment with the soil and with the cost of production. In case the experiment proved satisfactory, Firestone proposed to lease for ninety-nine years a million acres at the rate of five cents an acre annually for the first six years, on the understanding that the Liberian Government would give "reasonable co-operation in securing sufficient labor for the efficient operation of the Plantation." In a third agreement Firestone offered to improve the Monrovia harbor at an expenditure not to exceed $300,000 which would be reimbursed by the Liberian Government, plus six per cent interest.

In reply to these proposals, the Liberian Government requested that the rent for the Mount Barclay plantation be fixed at $15,000 a year instead of $2000 and that the size of the main concession be limited to

[4] H. N. Whitford and A. Anthony, *Rubber Production in Africa,* United States Department of Commerce, "Trade Promotion Series," Washington, 1926, p. 131.
[5] *Message of the President,* 1924, p. 54.

500,000 acres, subject to a rent of six cents an acre and a rubber tax equivalent to five per cent of the market price of the product. The latter tax would not, however, go into effect until after fifteen years. On the next day the Firestone representative declared that it was "impossible" to accept these modifications in the original plan since "they would add such a heavy financial burden to our investment and overhead expenses as to make our development economically unsound." Rubber production in the Orient had been successful because the governments had granted thousands of acres of land free of rent and had constructed lines of communication without expense to the producers. The whole object of the Firestone proposal, he declared, was to make Liberia "a large factor in the rubber market of the world." Since the Company would be obliged to invest in public improvements in Liberia, it must insist upon a lease of a million acres. Moreover, it would not be profitable to pay the $15,000 rent demanded for the Mount Barclay plantation. In a later communication the Firestone representative said that the proposed development was presented "with the spirit and idea of further strengthening the traditional bonds of friendship and amity that have always existed between the peoples of Liberia and the United States of America."

On June 19, 1924, the two parties finally reached a tentative agreement in which the Liberian Government fixed the rent of the Barclay plantation after the first year at $6,000 a year and a rubber export tax of two and a half per cent, and granted Firestone the right to choose a million instead of a five hundred thousand acre lease at a rent of five cents an acre for the first six years. Firestone operators now took over the operation of the Mount Barclay plantation, and preparations to choose rubber land and to develop the harbor commenced. Meanwhile, Mr. Firestone's agent returned to the United States to gain the signature of his principal to the agreements in regard to the Mount Barclay plantation, the Million Acre Lease, and the Harbor. These agreements were placed before the Liberia Legislature which met in December, 1924. In his opening address, President King said, "For the development of our country, we must give liberal encouragement to foreign capital. . . . Brush aside the old usual scare, now worn out by age of 'selling the country.' Cease looking to foreign Governments for assistance in the shape of loans for the development of our country. . . . In considering proposals from strong and reliable foreign capitalists, for the development of the economic resources of our country, we should not permit our views to be obscured or warped by narrow and self considerations of immediate and direct financial gains accruing to the Government. . . ."[6]

[6] *Message of the President,* 1924, p. 56.

On January 13, 1925, the Liberian Legislature approved the three agreements, and authorized the President "to enter into final Agreements with the said Harvey S. Firestone substantially on the terms, conditions and stipulations set forth in the said draft Agreements and correspondence incidentally thereto." [7]

Upon the receipt of the news of this action, the writer was informed that Mr. Firestone cabled President King asking him to hold the Legislature in session until his representative could return to Liberia to bring about the final ratification of the agreements; as an additional incentive he offered to pay the salaries of the members of the Legislature thus detained. Instead of accepting this proposal, President King adjourned the Legislature and went upon a visit to the hinterland, leaving the government in charge of his Cabinet. During his absence, Mr. Firestone's representative returned with what purported to be the three original agreements, as approved by Mr. Firestone. The Cabinet supposed that the deal had been consummated upon the terms which the Legislature had approved. But upon reading the agreements through, they found that Mr. Firestone had inserted a clause "K" in the agreement relating to the million-acre concession, which declared that the operation of the agreement should be dependent upon the acceptance of a loan by the Liberian Government on the same terms as the loan which the American Senate had rejected in 1921.[8]

This proposal threw the city of Monrovia into a furor. They had never wanted the 1921 loan upon the terms which the American Government had laid down. They knew that there was no prospect now of getting a similar loan from the American Government. Consequently, they interpreted Clause "K" to mean that Mr. Firestone should personally loan the government five million dollars and appoint twenty-two officials to administer Liberia's financial, military, and native affairs.[9]

The Cabinet at first flatly refused to have anything to do with a loan of this character, especially when connected with the concessions which Mr. Firestone wished to acquire.[10]

The apprehensions of some Liberians were aroused by the petition from the Universal Negro Improvement Association in August, 1924,[11] which

[7] *Acts*, 1924-1925, p. 24.

[8] Cf. Vol. II, p. 816.

[9] Cf. Vol. II, p. 814.

[10] In July, 1925, the *Liberian News*, an administration paper, in an editorial entitled "The American Occupation of Haiti and the Firestone Group," declared, "We stated clearly and emphatically that we do not need a loan with humiliating conditions. That does not mean that we do not see the good of a loan if properly administered. We are not blind as to the great development programme which the Administration is endeavouring to put through."

[11] Cf. Vol. II, p. 730.

said among other things that "It is our firm belief that the Firestone concessions in Liberia will lead them ultimately to seek the usurpation of the government, even as has been done with the black Republic of Haiti after similar white companies entered there under the pretense of developing the country. . . . We are asking you, therefore, if it is possible, not to ratify the concessions and to guard most jealously the freedom and integrity of your dear country." [12] But recalling the "French menace" and the need of American protection, they finally agreed that if a loan were necessary it should be obtained from a source entirely independent of Mr. Firestone. The Cabinet did not want the industrial and financial interests of the country tied up in the hands of one man. Consequently, the Liberian Government instructed Mr. Barclay, the Secretary of State, to discuss a loan upon these terms, as well as the planting agreements during his visit to America in connection with the French boundary.[13-14] Mr. Barclay left Liberia in July, 1925, and returned in December. While in New York, as the guest of the American Government, in company with the Financial Adviser of Liberia, he saw Mr. Firestone and other people concerned. As a result of conversations, he signed three agreements on September 16, 1925, with the Firestone Rubber Company, and one agreement with the "Finance Corporation of America" for a seven per cent loan of five million dollars. The terms of these various agreements are discussed in detail later.[15]

Meanwhile, vigorous publicity in the United States and elsewhere in regard to these rubber plans in Liberia was being carried on. Mr. Firestone's agents devoted a whole issue to the enterprise in the *Firestone Non-Skid,* a trade journal, of December, 1925. In this paper it was declared that the cost of reclaiming the jungle and bringing rubber into bearing would be at least a hundred dollars an acre, or a total of $100,000,000 for the fully developed lease. Such a development would require the employment of 350,000 laborers,[16] and would produce approximately 200,000 tons of rubber or half of the present world production. In a statement published in the *Non-Skid,* Mr. Firestone declared, "Liberia offered the best of natural advantages. The labor supply is indigenous and practically inexhaustible. The Government welcomed our proposals and offered most advantageous terms and conditions. Liberians consider themselves more or less a protectorate of America and want American capital to develop the country. They gave us the greatest concession of its kind ever made." The *Firestone Non-Skid* also reprinted a despatch

[12] Text in *Philosophy and Opinions of Marcus Garvey,* Vol. II, p. 392.
[13-14] Cf. Vol. II, p. 793. [15] Cf. Vol. II, p. 826.
[16] On page four of the *Non-Skid* the number is fixed at 300,000.

from the *London Morning Post,* stating that Mr. Firestone would employ thirty thousand [17] Americans in Liberia on this project. Mr. Firestone's managers at Monrovia received a large number of this particular edition of the *Non-Skid* for distribution to Liberians, among whom Mr. Firestone's suggestion in regard to an American protectorate and the employment of thirty thousand Americans in Liberia created something of a furor. To appease these ruffled feelings, Mr. Firestone's managers now gave assurances that this statement which had been innocently distributed was British propaganda and that Mr. Firestone would not, of course, attempt to bring this number of Americans to the country. But the incident led to mutterings among part of the Monrovia population that the "country had been sold out to the white man," and to an amendment by the Legislature limiting the number of "white employees" of Mr. Firestone in Liberia to fifteen hundred men.[18]

The four agreements were presented to the Legislature in December, 1925. After vigorous discussion, the Legislature in an act of January 30, 1926,[19] adopted the Firestone Agreements, subject to a number of amendments restricting the Company's exemption from taxation, limiting the number of Americans as above, and providing that disputes arising out of the agreement should be referred to the Liberian courts subject to a later arbitration. It was finally agreed that disputes should be referred to three arbitrators, one nominated by the President of Liberia, one by Firestone, and a third by the Supreme Court of Liberia. In case either party were dissatisfied, they might apply for a further arbitration which Liberia agreed to arrange with the State Department of the United States.[20] The Legislature made more serious amendments in the Loan Agreement.[20a]

While none of these amendments altered the fundamental principle of the Planting Agreements, it is understood that they disturbed Mr. Firestone who felt that the Liberian Government was not showing the proper spirit toward his willingness to invest tremendous sums of money in their country. For a time he suspended work on clearing rubber land, while the engineers from the J. G. White Company, who in theory had been

[17] The *Morning Post* declared that "thirty thousand Americans will very far exceed the total European population in the four British dependencies, Gambia, Sierra Leone, the Gold Coast and Nigeria. . . ."

[18] Act of January 30, 1926, *Acts,* 1925-1926, p. 7.

[19] *Acts,* 1925-1926, p. 7.

[20] Cf. also Article IV (n) Firestone Agreement, Appendix.

In another amendment the Legislature said that "articles for the welfare of employees" which are exempt from customs duties should be limited to hospital supplies and games. It also struck out the words "before so doing" in the article in the original agreement requiring it to pay compensation for damages caused by the construction of roads through the concession.

[20a] Cf. Vol. II, p. 839.

working on the harbor, were called home. Upon the adjournment of the Legislature in the spring of 1926, Mr. De la Rue, the Financial Adviser of the Liberian Government, returned to the United States to take up with Mr. Firestone the possibility of accepting these amendments. About the same time the American State Department recalled Reverend Hood, the negro clergyman who had been the American Minister in Monrovia, and sent out in his place as *chargé d'affaires,* Mr. Reed Paige Clark, who had resigned as General Receiver of Customs in 1916 virtually because the Liberian Government would not keep its books in order. While Mr. Clark soon dissipated any feeling of ill-will, the recall of a negro minister at this juncture and the substitution of a white man who had experienced official difficulties with the government, at first nearly made him *persona non grata* upon arrival, and aroused fears among some Liberians as to the designs of the United States.

After proceeding to Akron, Ohio, in order to obtain Mr. Firestone's attitude on various questions, Mr. Clark sailed for Liberia, arriving in the spring of 1926.

Mr. De La Rue returned to Monrovia in the fall, and the amended agreements were placed before the Liberian Legislature. Meanwhile Mr. H. S. Firestone, Jr., arrived at Monrovia to sponsor them.

President King and the Firestone interests soon reached an agreement on all points except upon the provision in the loan contract that the Liberian Government should not make a new loan of any kind, whether for refunding or any other purpose, for a period of thirty years. After a long period of contention, a compromise was reached and the period set at fifteen years under circumstances described elsewhere.[21]

During the course of the debate in the Legislature, Senator Van Pelt vehemently denounced the Firestone proposals, to which President King replied that he, the Senator, had deliberately misrepresented the facts and would be impeached if he did not confine himself to the truth. The senator thereafter voted for the Firestone proposals.

One example of the tense feeling over the Firestone matter occurred at this time, when a representative of the Firestone interests in Monrovia and a member of the Harvard Medical Mission, who happened to be staying at the Firestone quarters, decided to go pigeon shooting. The Firestone representative instructed his Liberian chauffeur to be on hand at 5 a.m. But when the chauffeur arrived only at 6 a.m. his master forcibly reproved the chauffeur by slapping his face. The Harvard doctor who for the moment had disappeared, returned in time to see this chastisement being imposed; and, taking the Liberian for a thief who had robbed

[21] Cf. Vol. II, p. 888.

the Firestone house on the previous night, seized him by the arms, while the Firestone representative hit him again. Thus restoring discipline, the party drove away. Meanwhile other Liberians had witnessed the affair, and when the hunters returned at 10. a. m. they were met by the Chief of Police and a swarming crowd of negroes who had entered the Firestone premises. The Chief of Police ordered the Harvard doctor under arrest and obliged him to march through the streets of Monrovia surrounded by a crowd of cursing Liberians shouting "To hell with Firestone" and a number of more expressive oaths. The Firestone representative was arrested later. The Liberian court imposed a heavy fine upon the two hunters, following which a local attorney entered suit for several thousand dollars on behalf of the assaulted Liberian. Quickly intervening, President King ordered the return of the fines and forbade the courts to hear the suit for damages on the ground of "public policy." The Legislature later passed a resolution of apology.

This excitement having subsided, the Liberian Legislature finally approved the four agreements. Mr. Firestone has now entered the Liberian rubber business in earnest, and the loan agreement went into force the first of July, 1927.

The rights which Mr. Firestone has obtained in Liberia are based on three Planting Agreements—Agreement Number One relating to the Mount Barclay Rubber plantation; Agreement Number Two providing for a million acre lease; Agreement Number Three relating to the harbor.

3. *Agreement Number One*

In the first agreement Mr. Firestone acquires the lease of the Mount Barclay rubber plantation which consists of two thousand acres of bearing rubber trees. This land which was acquired from the Liberian Government by the British Rubber Corporation in 1906 was abandoned during the World War because the Corporation could not afford to pay the rubber tax of twelve cents a pound.[22] Agreement Number One leases this plantation for ninety-nine years to Mr. Firestone at the rent of a dollar an acre for the first year and of six thousand dollars for the whole plantation annually thereafter. This agreement was entered into by the government without any judicial decision to the effect that the British Rubber Company had forfeited title to the property and without any understanding as to whether the British Company should be compensated

[22] When the rubber exported was the product of the Exporter's plantation, one-half of this tax should be returned. *The Laws and Regulations Governing the Treasury Service*, Liberia, 1873-1924, p. 27. This tax was repealed in 1923. The Firestone concession expressly fixes the rubber tax as described below.

for the improvements which it had made. It is understood that the British Government has made representations to Liberia on this point and that the question is still pending.

4. *Agreement Number Two*

Agreement Number Two provides for the lease for a term of ninety-nine years of a million acres of land suitable for the production of rubber or other agricultural products, or any lesser area that may be selected by Mr. Firestone. All products of the Firestone plantations and all machinery and other supplies for the land shall be exempt from customs duties and from any internal tax, except a revenue tax on rubber exports. But this exemption does not apply to employees nor to laborers. The Company is moreover liable to the Emergency Relief fund and vehicle taxes.[23] The Firestone Company has the exclusive right upon lands which it selects to construct highways, railways, and waterways for the efficient development of the property. Mr. Firestone declined to agree to the government proposal that these roads should be open to the public[24]—a position which seems ungenerous in comparison with obligations of concession holders in the Belgian Congo. The concession merely provides that all trails across the Firestone lands used immemorially by the population shall be kept open. The Company may construct at its expense lines of communication outside the lands selected under the Agreement at the termination of the concession. It may also construct telegraphs and telephones outside the lands leased—which the government may use in time of war or other emergency. Firestone has the right to use all timber upon the lands selected under the Agreement, but if he sells such timber for export he must pay a royalty of two cents per cubic foot. He may engage in any operation upon the land, but his mining operations will be subject to the mining laws.[24-25]

[23] This was an amendment of the Legislature in 1926, *Acts*, p. 8.

[24, 25] Other clauses provide that should the operations of the Firestone Company cease for three consecutive years, its rights become extinguished. These rights shall not be sold or transferred to any person or group without the previous consent of the Liberian Government. The government reserves the right to construct roads and communications through any plantation of the Lessee; but it shall pay to the Lessee damages caused by such construction, in accordance with the general law of Liberia. The Lessee has the right to develop for his own use water power upon any of his lands, and he may construct power lines. Lines of communication constructed by the Lessee outside of his tracts are exempt from all taxation so long as they are used only for operations on the land. At the expiration of the lease the buildings and improvements erected by the Lessee upon the land shall become the property of the Government of Liberia without charge.

If the Liberian Government grants to any other firm any rights in connection with the production of rubber in Liberia upon more favorable terms than those

Mr. Firestone agrees to select from year to year land as may be convenient within the maximum of a million acres and "in accordance with the economical and progressive development of its holding." The government will be notified of the blocs thus selected. Firestone agrees to pay an annual rental of six cents an acre upon the land actually under development, and within five years he agrees to pay rent on not less than twenty thousand acres—a minimum income to the Liberian Government at the end of five years of twelve hundred dollars. Should a million acres be selected, annual rent would bring in sixty thousand dollars—about three times what the Liberian Government makes in head money on the Kru boys.

Six years after the Agreement is accepted, the Firestone Plantation Company agrees to pay a one per cent tax on the value of its exports calculated at the price prevailing in New York—which would be about seven dollars per ton at present prices (thirty-five cents a pound—1927). If Mr. Firestone at the end of six years produces ten thousand tons of rubber, this will bring to the government a revenue of seventy thousand dollars a year. But if the price drops to the 1920 figure (sixteen cents), the revenue per ton will be only $3.20 a ton or $32,000 for ten thousand tons.

The Company agrees not to import unskilled foreign labor except in the event the local labor supply proves inadequate, and only after obtaining the consent of the government.

The arbitration clause has already been discussed.[26]

5. *Agreement Number Three*

Agreement Number Three provides that in case Agreements One and Two are consummated, Mr. Firestone will within five years construct and keep in repair the harbor of Monrovia. In return the Liberian Government agrees to repay to Mr. Firestone a sum not to exceed the total of three hundred thousand dollars, aside from the costs of repairs. As a guarantee that this sum would eventually be paid, the draft agreement of June, 1924, assigned to Mr. Firestone the Port and Harbor dues "until said dues shall have repaid the capital sum expended by Lessee on harbour improvements with interest thereon at six percentum per annum." But apparently believing that this was inadequate security, Mr. Firestone inserted in the revised agreement of September, 1925, a provision that the

granted to the Firestone Company, such more favorable terms shall inure to the benefit of the Lessee.

The Company may lease lands from the government upon favorable terms in all ports of entry.

[26] Cf. Vol. II, p. 824.

government must repay him for the cost of construction at the rate of seven per cent a year, and in the event it issues the second installment of bonds provided for in the Loan Agreement [27] the government shall apply the first avails of the sale of such bonds to the payment of the harbor. At any time before such payment Mr. Firestone has the option to take payment in bonds of this issue at the rate of nine hundred dollars for each bond of the face amount of one thousand dollars. Thus instead of relying wholly upon the port and harbor dues for the return of his money [28] Mr. Firestone plans to take it out of the new Loan. It is not clear from the revised agreement whether the sum which the Liberian Government must refund is limited to three hundred thousand dollars or whether it extends to the whole cost of construction.[29] It is improbable that the sum of three hundred thousand dollars will go very far towards the construction of a harbor at Monrovia or at any other West Coast port. The Gold Coast Government has already expended more than ten million dollars on the construction of Takoradi Harbor, and the end is not yet.[30] Having induced Liberia to accept the loan partly for the purpose of building the harbor, it is understood that Mr. Firestone has decided not to proceed with his harbor plans because of the tremendous expense which would be involved.

Such are the Three Planting Agreements: the first which gives to Mr. Firestone the Mount Barclay rubber plantation; the second which gives him the right to lease a million acres of rubber land and the third which obligates him to construct a harbor with his own funds and engineers, subject to reimbursement by the Liberian Government at an interest rate of seven per cent. The advantages which Liberia will gain from the Firestone agreements were enumerated by the Liberian *Star* as follows: "For Liberia, (a) these leases mean direct increase of public revenues by the payments of rents, commissions and duties by the lessee, (b) construction of ports and harbours, and the development of the interior thereby making Liberia the most important spot in Africa, (c) indirectly the Government will be helped as the company will employ thousands of

[27] Cf. Vol. II, p. 839.

[28] The Agreement of 1925 simply states that harbor dues shall not be excessive and shall be fixed with the purpose of covering only the reasonable cost of maintenance, and the establishment of a reasonable sinking fund to liquidate cost of construction within a period of twenty years.

[29] Paragraph (a) of Article II provides that the government will repay Mr. Firestone the expenditure made for construction and repair work, not to exceed three hundred thousand dollars, aside from cost of repairs; but (c) of the same Article provides that the government "shall repay to Lessee all amounts expended in harbour construction and repair work hereunder," with interest thereon at seven per cent after January 2, 1931.

[30] *A Review of the Events of 1920-1926,* The Gold Coast, by the Governor, Sir F. F. Guggisberg, Accra, pp. 85, 91.

Liberians, thereby helping to solve the unemployment problem; this means relief to many homes and individuals and an increase in consumption which means larger imports and exports and consequently larger revenues.

"(d) Our people will be encouraged in industry and agriculture as the Representatives of Mr. Firestone are open to give advice and assistance to individuals who will plant rubber and other agricultural products." [31]

Great as these advantages are, there are certain disadvantages which should be discussed.

6. *The Open Door*

The American Government has taken a traditional stand in favor of what it calls the open door—equal economic opportunity for the business of all nations in the backward parts of the world. It has interpreted the open door to prohibit "exclusive" concessions—concessions which would give to the nationals of one country a monopoly of the resources in the territory concerned.

In a note of June 29, 1911, to the German Ambassador, Secretary of State Knox declared, "I wish to assure your Government that the United States does not and will not seek for its citizens any exclusive or preferential commercial rights or privileges in Liberia, and as the friendly adviser of Liberia it will counsel the maintenance of absolute economic equality for the nationals of all powers." [32]

It is difficult, however, to determine when a concession is monopolistic and when it is not. Mr. Firestone has secured a concession giving him the right to choose a million acres throughout the country. He plans to choose blocs of land along the coast at distances which can easily be reached by short roads. Liberia is a small country; because of the absence of transport facilities and the presence of 1,500,000 natives on the land, it is by no means unlikely that when Mr. Firestone has chosen a million acres of vacant land, there will be very little good land left for other concessionaires. In forbidding the Liberian Government to refund the debt for twenty years Mr. Firestone has found another if indirect means of keeping out competition. The fact that the American Government has encouraged this concession therefore may increase the belief of European

[31] *The Star*, February 29, 1926, p. 8.

[32] *Foreign Relations of the United States*, 1911, p. 346.

In its note of May 12, 1920, in regard to Mesopotamia, the United States suggested an agreement with Great Britain providing that "no exclusive economic concessions covering the whole of any mandated region or sufficiently large to be virtually exclusive shall be granted," and that "reasonable provision shall be made for publicity of application for concessions" so that American firms should not be placed at a disadvantage with nationals of the mandatory power. Cmd. 1226, p. 3.

governments that the United States is interested in the open door doctrine only when it works to the advantage of American capital.

7. *Native Land and the Agreements*

In encouraging the Firestone activities in Liberia, the American Departments of State and of Commerce have lined themselves up with the commercial interests in France and in England who have been pressing the French and British Governments to allow the entrance of the plantation system in their respective territories in West Africa. In this struggle between the European plantation and the native small-farm school the United States has apparently thrown its influence against the native farmer in favor of the outside capitalist.

In the large majority of cases, the plantation system in Africa has had one or more of the following results: (1) the confiscation of native land, (2) compulsory recruiting, (3) the mistreatment of native labor.[32a] The larger the plantation the larger these abuses have usually been. There are few if any plantations in Africa of a million acres in size. In order to determine whether the Firestone plantation will lead to the same abuse as the plantation system in other parts of Africa, it is necessary to examine the steps so far taken to safeguard native interests.

By the spring of 1926 the Firestone managers in Liberia had mapped out six blocks of land along the Dukwia River, each of which has four thousand acres or a total of twenty-four thousand acres which are being cleared of brush. The Company hopes to plant eighty thousand acres a year until the million acres limit is reached. By May, 1926, the Company had employed two thousand men in clearing the land, a number which has since increased to 11,000. The Company pays native labor on its plantation along the Dukwia River a shilling a day. The more experienced workers receive a shilling, three pence. The laborers are obliged to purchase food out of this money—rice being furnished them at cost—a policy which has led to considerable criticism in Monrovia because half and sometimes more of the weekly wage goes for this purchase. The Firestone Company has authorized the establishment of stores where native workers may make purchases at the same prices which prevail in Monrovia.

The Firestone managers are much alive to the necessity of treating labor well. When boys come in from the bush, they are given three days in which to build temporary huts. Plans are now being carefully worked out for the construction of model villages, equipped with sanitary kitchens, a water supply and latrines. It is probable that out of enlightened self-interest the Firestone Company will treat its labor as well as the best

[32a] These results are discussed in detail in other sections, cf. index under Labor.

plantations and mines in the Belgian Congo or in South Africa treat their labor. Moreover, the Firestone Company is starting a trade school, and it is sponsoring a special study of yellow fever and another investigation into the customs of the Liberia native. These efforts indicate that the managers are taking a long view of the situation.

But experience elsewhere in Africa has shown that the treatment of individual laborers actually under European employment is of less fundamental importance than the methods by which this labor is induced to accept employment and the effect which such employment has upon the development of native life as a whole. If the continent of Africa becomes covered with vast European concessions as the only form of industrial enterprise, the African would soon—if indeed he is not already in some areas—become a serf to European capitalism.

This result becomes almost inevitable if European plantations acquire control over land which belongs to natives under customary law and which they need as the basis for an independent existence. In an attempt to protect such interests, the Firestone Agreement Number Two provides that "Tribal reserves of land set aside for the communal use of any tribe within the Republic are excluded from the operation of this Agreement. Should any question arise as to the limits and extent of such reserves such questions shall be finally determined by the Secretary of the Interior"—a Liberian official.[33] The practical failure of such efforts to protect native interests in land has already been discussed. It is doubtful whether the Liberian Government, which has not in the past had the reputation of being a vigilant defender of its native wards, will succeed in this end any more than have the Governments of the Congo and Equatorial Africa which have attempted the same policy of creating native enclaves.[34] In Liberia a "tribal reserve" means tribal land held under a collective deed from the government.[35] Although a number of chiefs have rushed to the government to obtain such deeds since the Firestone concession has been granted, many of them obviously know nothing of this procedure. Moreover, the question whether or not these deeds have been or shall be issued depends upon a county land commissioner who keeps no adequate records and who conceivably may charge extortionate sums before granting the necessary documents. Without such a tribal deed, a native tribe has no guarantee that the Firestone Company will not appropriate its land. Firestone representatives insist that before choosing their concession-blocks they allow the chiefs in a locality to select what land they wish. But this policy does not depend upon legal guarantees but upon the goodwill of

[33] Cf. Art. IV (1) Firestone Agreement, Appendix.
[34] Cf. Vol. II, pp. 253, 527. [35] Cf. Vol. II, p. 735.

the Firestone managers who do not presumably have a profound knowledge of the native language or customs.

8. *Compulsory Labor*

The experience in other parts of Africa shows that the development of large-scale European industry inevitably outruns the local labor supply—a condition which leads employers to invoke the aid of governments in scouring the surrounding territory for men. Inevitably the system has led as has been seen, to forms of compulsion, to the disorganization of native village life, a high death rate in labor compounds and depopulation in the villages.[36] Strenuous recruiting efforts have produced a labor supply of about three hundred thousand in the Belgian Congo out of a total population of 10,500,000; and efforts of a different kind in Kenya have produced a labor supply of 169,000 out of a population of 2,500,000. But Mr. Firestone has declared that the labor supply of Liberia is "practically inexhaustible" and that his development will require three hundred thousand or three hundred and fifty thousand men.[37] Now the total able-bodied male population of Liberia is only between three hundred thousand and four hundred thousand [37a] and it is difficult to believe that, despite the persuasive powers of the Firestone recruiters and of the Liberian Government, Mr. Firestone will be able to place under his employ—to the exclusion of other employers—the entire adult male population of the country. Such a number would equal the number employed by several hundred different employers in the Congo which has a total population five times that of Liberia, and it would be nearly twice the number under European employment in Kenya, having a population of 2,500,000.[38]

The Firestone managers are much too intelligent to believe that it will really be possible to employ 300,000 men. Yet their signed statements which have not been repudiated, must be taken at their face value as far as judging the enterprise is concerned. Mr. Firestone's statements are therefore another illustration of the ignorance or the carelessness of many capitalists who invest money in the African continent. They are confident that the labor is there. After investing their capital, they find that the labor is not forthcoming in large enough numbers to keep their capital employed, and having thousands of dollars at stake, knowing little

[36] Cf. Index, Compulsory Labor.

[37] *Firestone Non-Skid,* December, 1925. H. S. Firestone, "We Must Grow Our Own Rubber," *Country Gentleman,* April, 1926, p. 123. Cf. also H. S. Firestone and S. Crowther, *Men and Rubber,* New York, 1926, p. 268.

[37a] One-fifth of the total population of 1,500,000 or 2,000,000.

[38] Cf. Vol. I, p. 346.

of the social organization of the continent, and believing that the native would work if he was not lazy, they come to demand that the government impose compulsion not only to spare them financial loss but "to do the native good."

Already this cycle has begun to turn in Liberia. Agreement Number Two provides that the Liberian Government will "encourage, support and assist the efforts of the Lessee to secure and maintain an adequate Labor supply." As early as 1912 the Liberian Government passed a law establishing a Labor Bureau, the object of which was to "regulate and supervise the labor situation, to procure laborers and to protect the rights of such laborers engaged by Liberians or foreigners with the Republic."[39] The Act added, "Nothing in this Act shall be construed to compel laborers to engage themselves to work under the provisions of this Act only. . . ."

This Labor Bureau was not, however, established until after the negotiation of the Firestone Agreement. In his 1925 message to the Legislature, President King asked the appropriation of a sum to bring this Bureau into existence.[40]

In the spring of 1926 the government established this Labor Bureau at the head of which it appointed a Commissioner, under the control of the Secretary of the Interior. According to this Commissioner, the Bureau will supply annually a total of 10,000 men to the Firestone Plantations—two thousand men from each county. By June, 1926, the Bureau already had supplied the Plantations with six hundred men. It sent out requisitions to each Native and District Commissioner who in turn divided up contingents among the chiefs. According to the Commissioner, the Firestone Plantations paid the chiefs one cent a day for each boy, and the same sum to the Government Bureau.

Thus under this system, which is similar to that which has produced wholesale compulsory labor in other parts of Africa, the Firestone Plantations Company is making it financially worth while for the government and for the chiefs to keep the plantations supplied. The concession Agreement Number Two imposes on the government the obligation to cooperate in securing these men. As Liberian officials and chiefs are already accustomed to imposing compulsion whether in securing men for road work or for Fernando Po, there is no reason to believe that they will employ any different methods in obtaining labor for the Firestone Plantations. The larger the acreage cleared, the greater will become the pressure for labor.

For the moment the entrance of Mr. Firestone may not have had this

[39] *Acts*, 1912, p. 52. Cf. also Art. II, (h) Firestone Agreement, Appendix.
[40] *Message of the President*, 1925, p. 31.

result to any great extent, simply because the opportunities for paid employment in Liberia are so limited. Because of the absence of transport facilities and other incentives, the native population is not engaged to any large degree in agriculture. Hundreds of natives are being obliged to work free for the government, and a number of them likewise work almost for nothing upon Liberian farms where some of them are held as pawns. Many of these natives are now flocking to the Firestone Plantations to escape the system of unpaid servitude under which some of them have been held. Chiefs are complaining that they have found it more difficult than before to find men for the roads. Likewise natives who hitherto have sought work in Fernando Po can now find employment at home. The natives so far have not been asked to sign a contract requiring them to work for a fixed period, such as six months in Kenya or a year in the Belgian Congo. The labor is casual—in theory natives may come and go as they like.

For the time being, the effect on the native population of this territory may therefore be beneficial. But this effect cannot long remain if Mr. Firestone undertakes the development of a million acres and the employment of three hundred thousand men, and if he continues to rely upon the chiefs as recruiting agents. Unless he is different from every other employer in Africa (and so far he has committed exactly the same errors) the time will soon come when, confronted by an acute labor shortage, he will utilize the machinery at his disposal to conscript men wherever they can be found. In a colony, the administration of which is responsible to European opinion, the activities of European capital are subject to some form of restraint. But Liberia is an independent country in control of a negro aristocracy which in the past has not been over-diligent in its concern for the aboriginal population. In such a country, it is probable that foreign capital, once entrenched, will have a relatively free hand. In theory the American State Department should attempt to prevent the abuses of American capital abroad. Instead of controlling the investment of such capital, it seems to have indiscriminately encouraged it without consideration of the social consequences.[41]

From the social standpoint, it has been repeatedly demonstrated that the native farm system is superior to the plantation system, and that once the plantation system is introduced into a country, the demand for wage-earners inevitably tends to snuff out native production.[42] The development of native farms depends to a certain extent upon the educational guidance

[41] Cf. The reply of the Secretary of State to Mr. Hoover's suggestion that some control be imposed to restrict American loans abroad to productive purposes only. *New York Times*, May 4, 1927, p. 3.

[42] Cf. Index, Native Agriculture.

of a government, which is lacking in the case of Liberia. Nevertheless, the most fundamental *sine qua non* for native production is a system of roads which within the last few years the Liberian Government has begun to install. The development of native production, however, will be necessarily checked by the Firestone operations. Monrovia traders already complain that piassava and coffee exports are beginning to decline. The Firestone managers state that they wish to help native producers of rubber and that they expect natives, after laboring on their plantations, to return to their homes and become producers on their own. It will be greatly to their credit if they carry out this formula. But it is difficult to see how it may be realized as long as the plantations will require such a large number of wage-earners.

As a result of the entrance of the Firestone Plantation Company, Monrovia has awakened from a half-century's stupor, and business has begun to "hum." More hard money is in circulation than ever before. While most of this goes to private interests, the government has already also secured a few thousand dollars a year additional revenue. Many American missionaries and educators are enheartened; they now believe that Liberia will survive.

Spectacular as has been the change, it should be pointed out that between 1922 and 1925 the Liberian Government made slow but steady progress, as a result of which revenue—both internal and external—was increasing. The economic and financial future of the country looked brighter than for many years. American capital then appeared to tempt Liberia with the hope of immediate and, in the eyes of the local people, fabulous gains. Whether these gains will be accompanied by the social injuries which have resulted from the plantation system in other parts of Africa will depend upon whether Mr. Firestone carries out his plans. If, instead of planting a million acres to rubber and employing three hundred thousand men, he limits his activities to the cultivation of ten thousand acres and the employment of twenty thousand men, the social advantages of his effort, given the exceptional circumstances in which Liberia finds herself, may equal its disadvantages.

The fact that the price of rubber has dropped from about $1.10 at the time when Mr. Firestone's enthusiasm over Liberia was at its height to thirty-five cents in 1927 may lead him for financial reasons to contract his plans.

Such are the merits and demerits of the Firestone rubber concession. They have been accompanied by a large-scale financial transaction—the topic of the next chapter.

CHAPTER 103

THE LOAN THAT SUCCEEDED

1. *Clause "K" and the Firestone Loan*

WHEN the efforts to secure an American loan failed in 1921 the Monrovia population celebrated in general rejoicing. They did not wish to be burdened with financial obligations which simply refunded past debts, nor did they wish to submit to the control which any such loan would have imposed. Government officials and others accepted the entrance of the Firestone interests because they believed that by means of its activities economic life could be instilled into the country without the need of a loan. The original Firestone agreement was drawn up upon this basis. But apparently believing that the Liberian Government lacked the resources to repay his proposed investment in the harbor and to construct roads throughout the country which the evacuation of his rubber required,[1] Mr. Firestone inserted into the draft agreement, without consulting the Liberians, the famous clause K which made the ratification of the Planting Agreements dependent upon Liberia's acceptance of a loan upon the terms negotiated in 1921.[1a] This proposal, as we have seen, was resolutely rejected. The Liberian Cabinet stated that if a loan were necessary it should be made by interests entirely independent of Mr. Firestone.

To satisfy this desire, Mr. Firestone arranged that the Liberian Government should borrow five million dollars from a body called the "Finance Corporation of America." While the Liberians may have believed that this is an independent organization, it is apparently an institution which Mr. Firestone established and financed for the purpose of making this loan.

On September 16, 1925, the Secretary of State of Liberia, the Financial Adviser, the Firestone representatives, the Finance Corporation of America,

[1] Firestone may also build his own roads (cf. Vol. II, p. 827), but he apparently wishes the government to help.

[1a] Agreement Number Two of September, 1925, also provided that the Lessee should use its best efforts to secure either from the government or with the approval of the Secretary of State of the United States from some other person or persons a loan of not less than five million dollars to establish a credit for public improvements.

—which was called the Buyer—and the National City Bank of New York —the Fiscal Agent—signed a Loan Agreement in New York City. Two days before approving the Planting Agreements, the Liberian Legislature approved the Loan Agreement, subject to amendments in eleven different articles.[2] These amendments seriously changed the provisions of the original agreement, and, following the intervention of interested Americans, the Legislature passed a second act on February 18, 1926,[3] which restored some of the original provisions—in a manner discussed later. The Planting and Loan Agreements, as thus amended, were now taken by the American Financial Adviser to the United States for the purpose of ascertaining the wishes of Mr. Firestone. After several months' delay, Mr. Firestone agreed to accept most of the modifications.

But a vital difference of opinion arose over the refunding provision modifications of the Liberian Legislature. The original draft of the Loan Agreement provided that until the government repaid the whole amount of the loan, no floating debt could be created or loan made except with the written approval of the Financial Adviser. But the Legislature inserted an amendment to the effect that the government could without the approval of the Financial Adviser negotiate a refunding loan for the retirement of the present loan. In other words, it wished to have the opportunity of decreasing the heavy interest charges and to escape from the control which the proposed loan would impose. But this provision did not satisfy Mr. Firestone. Apparently he believed that under such a provision the Liberian Government might after several years make a refunding loan with French or British interests who would supplant the American officials in the Liberian Government and who might receive rubber concessions. The result might be to subject Mr. Firestone to competition and in other ways impair the investment of millions of dollars. It seems that he insisted on this loan and the control it gave him over the Liberian Government to protect his capital. Consequently, Mr. Firestone, Jr., who arrived in Monrovia in the fall of 1926, demanded the insertion of a provision in the Loan Agreement to the effect that the Liberian Government should not refund the loan for a period of thirty years. President King resolutely opposed any plan for tying up the future of his country for a term longer than fifteen years. A deadlock now arose; as a result Mr. Firestone, Senior, finally told his son to call the deal off and come home. At this juncture the American diplomatic representative at Monrovia advised Mr. King that the responsibility for defeating Liberia's economic rehabilitation would fall upon Mr. King's shoulders

[2] Act of January 28, 1926, *Acts*, 1925-1926, p. 10.
[3] *Ibid.*, p. 20.

alone. Mr. King thereupon agreed to give Mr. Firestone a financial monopoly for a period of twenty years—a term which Mr. Firestone accepted. The loan was finally approved in an act of December 8, 1926.

2. *Its Terms*

In the preamble of the Loan Agreement as finally adopted, the Liberian Government represented that it wished to adjust its outstanding indebtedness and to arrange for the construction of certain public works, encourage agriculture and education, develop sanitary organization and the Frontier Force, and provide generally for the economic development of the country.

To effect these ends, the Government agreed to issue forty-year bonds to the amount of $5,000,000 upon which it agreed annually to pay seven per cent interest and a certain sum to be applied to a sinking fund.[4] The uses to which this loan is to be put are discussed later.

The first draft of the Loan Agreement provided that the loan should be charged as a first lien on all revenues of the Liberian Government from any source whatever. But in the law of January 28, 1926, the Liberian Legislature provided that it should be a first lien only on the customs duties and head money; "in the event the above revenues should prove insufficient for the service of the loan, the Government undertakes to allocate from its other revenues such a sum as shall be sufficient to make up the deficiency."[5] The draft agreement provided that customs duties and all other taxes should be collected through the Customs, Postal and Internal Administration, to be maintained by the government under the supervision and *direction* (my italics) of the Financial Adviser and certain assistants who should cooperate with the Liberian officials. It also provided that the Financial Adviser should be designated by the President of the United States but appointed by the President of Liberia. He is removed by the President of Liberia upon the request of the President of the United States.[6] The Auditor and Assistant Auditor are appointed by

[4] The Agreement provides that every May and November, Liberia shall remit to the Fiscal Agent, which is the National City Bank of New York, an amount sufficient to pay the interest to become due on all the bonds outstanding on the next interest payment date, and in addition, after a certain date to pay such proportion of the sum of $70,000 as the aggregate principal amount of bonds theretofore issued shall bear to the total authorized issue of $5,000,000. Money in the sinking fund shall be applied to purchase or redemption of bonds at a price not to exceed 102. For its services the Fiscal Agent receives a sum equivalent to one-quarter of one per cent of the face amount of all interest coupons as paid, and to one-eighth of one per cent of the principal amount of all bonds as retired.

[5] *Acts,* 1925-1926, p. 11. This amendment was not modified in the Act of February 18, 1926.

[6] This method of retaining the power of removal and appointment nominally in the hands of the Liberian President was adopted in order to conform to the pro-

agreement between the government and the Fiscal Agent. The Deputy Adviser and Inspectors are nominated by the Financial Adviser (who must first report the names of such officers to the Secretary of State of the United States). They are then appointed and commissioned by the President of Liberia. These officers were to be subject to removal by the President of Liberia at the request of the Financial Adviser. But the latter provision was altered by the Legislature so as to authorize the President under certain circumstances to remove these officials without the Adviser's consent.

The draft agreement fixed the salary of the Financial Adviser at $12,500, and provided that the aggregate salaries of the other five civil officials should not exceed the aggregate sum of $40,000—or an average of $8000 apiece. The aggregate salaries of the four officers who were to reorganize the Frontier Force should not exceed $16,000. The strength of this service should be fixed by agreement between the President of Liberia and the Financial Adviser. The fiscal officers should supervise, *direct and control* (my italics) the collection of the Revenues of the Republic from whatever source they may arise. But the Liberian Legislature struck out the words "direction," and "direct and control" as italicized above. In other words, the American officials under the new loan merely have the power of "supervision" over external and internal revenue. This is in marked contrast to the 1912 loan which vested customs duties, "irrevocably in a Customs Receivership, which shall be *administered*" (my italics) by four foreign Receivers. The word "Receiver" has disappeared altogether from the new agreement. The Legislature even changed the names of the two inspectors of revenue provided for in the new agreement to "Supervisors." It is apparent therefore that the Liberian Government believes that foreign control over the collection of revenue under the 1927 agreement is less rigorous than under the 1912 agreement. Since the powers of these officials are not defined there is room for wide differences of opinion which may create many difficulties in the future.

The draft agreement provided for the employment of ten foreign officials—the Financial Adviser, a Deputy Financial Adviser, an Inspector General of Customs, an Inspector General of Internal Revenue, a bonded auditor, a bonded assistant auditor, and four officers for the Frontier Force. In addition to their salaries all of these officials should receive free quarters, medical attendance, and travel expenses when on duty; the civilians are

visions of the Liberian Constitution which provides (Article III) that the President shall nominate, and, with the advice and consent of the Senate, appoint and commission all officers of the government.

entitled also to receive travelling expenses to Liberia and return to the United States once every two years, together with a reasonable leave at full pay every two years.

In the law of January 28, 1926, the Liberian Legislature reduced the salary of the Financial Adviser from $12,500 to ten thousand dollars; abolished the post of Deputy Adviser and of Assistant Auditor, and fixed the total aggregate salaries of the three remaining officials at eighteen thousand dollars. Likewise it reduced the number of military officers from four to two and fixed their aggregate salaries at eight thousand dollars. It abolished free quarters for both classes of officials. But at the intervention of interested parties the Legislature in the Act of February 18, 1926, restored free quarters to all officials, revived the position of Assistant Auditor on condition that a second Assistant Auditor be appointed (presumably a Liberian) by the President of Liberia alone; and fixed the aggregate salaries of the four civil officials, excluding the Liberian Assistant Auditor, at thirty-two thousand dollars. As a result of these amendments the Liberian Legislature decreased the total number of officials from ten to seven (excluding the Liberian Assistant Auditor), and increased the power of removal of the President of Liberia.

The Liberian Government agrees that the Secretary of the Treasury, the Interior, and War, and the Postmaster-General and other officials should cooperate with the Financial Adviser to bring about order and system in the finances of the government and to that end the Financial Adviser shall devise rules and regulations in regard to the collection and application of public revenues. After approval by the President of Liberia,[7] these regulations shall enter into effect.

The government agrees that its revenues shall be applied, first, to the payment of the cost of collecting revenues, including the salaries of officials and employees, and the expense of maintaining the Frontier Force; secondly, to the payment of the Depository[8] of such sums as may be necessary to enable the government to pay estimated current administrative expenses; third, to the payment of interest and sinking fund on the loan. Any sums which remain shall be credited to an account called the Reserve Account to be used for the improvement of public education and public works, except in emergency when such sums may be applied to some purpose not covered by the ordinary budget. The original draft provided that moneys could be transferred for expenditure from the Reserve Account only with the consent of the Financial Adviser. But the Liberian Legislature added that the consent of the Liberian Secretary of the Treasury

[7] This proviso was inserted by the Legislature.
[8] Cf. Vol. II, p. 809.

should also be necessary for such transfers. In case of disagreement, the matter should be settled by the President of Liberia.[9]

The government is obliged to enact an itemized budget prepared at least thirty days before the opening of the Legislature by the Secretary of the Treasury in consultation with the Financial Adviser whose duty it shall be to assure that the amounts to be appropriated shall not exceed the resources of the government and that all expenditures imposed by this Agreement are included in the budget. In the event of the failure of the Adviser to approve the budget as prepared by the Secretary of the Treasury, the budget of the previous year shall be operative in so far as it applies to the ordinary operating expenses of the government and the expenditures imposed by the Agreement.[10]

But the Financial Adviser may refuse to approve the budget only when disbursements imposed by the Agreement are not included in the budget or when the estimated expenditures exceed estimated revenues.[11]

The rate of revenues and receipts allocated to the service of the loan shall not be decreased without approval of the Fiscal Agent but may be increased so as to meet the expenses of the service of the loan and the expenses of the administration.

The Liberian Government undertakes to establish the pre-audit system whereby all accounts of the government before payment shall be presented to the Auditor and shall be audited. The Auditor, upon submission of any such account and after examination of the appropriation to which it is chargeable to ascertain that the same has not been over-expended and that the account is correct, shall approve the transfer from the general deposit account of the government in the official depository, to the disbursement account of a sum sufficient to meet the Secretary of the Treasury's check for the particular account and payee specified. Moreover, no payment shall be made except under the warrant of the President.

In comparison with the 1912 agreement the 1927 agreement does not specifically establish a Customs Receivership but merely provides for a Supervisor of Customs. It goes further, however, than the 1912 agreement in providing for a Supervisor of Internal Revenue whose powers are equally undefined. The net result of the provisions of the 1927 agreement would seem to be the extension of American control over the collection of Liberian revenue. Moreover, the 1912 agreement made no provision for

[9] The amendment also provided that in case revenues were insufficient to meet ordinary expenditures and interest charges, etc., the government could apply the funds in the Reserve Account for this purpose.

[10] The proceedings of the Liberian Legislature relating to finance shall be reported stenographically, and copies furnished to the Financial Adviser and other officers.

[11] This last sentence was added by legislative amendment.

an outside auditor. In this respect, the 1927 agreement has made a change of vital importance. Once the revenues of the Liberian Government, whether from customs or from internal taxes, are paid into the bank, they cannot be expended without the prior approval of an American Auditor and his American assistant, who cannot be removed by the Liberian Government.[12] This Auditor sees to it that the money in the Treasury is expended only in accordance with government appropriations and on behalf of the proper party. It would appear that under the 1927 Loan Agreement the Treasurer of the Republic of Liberia has less freedom in making disbursements than does the native treasurer of the Egba Kingdom in Nigeria.[13] The person appointed as Auditor to the Liberian Government will probably be the most powerful as well as the most unpopular person in the country. But his unpopularity may be shared by the other American officials who are almost bound to come into fundamental conflict with the Liberian authorities over the extent of their authority which the Agreement does not define. It is therefore probable that frequent recourse to the arbitral features of the Loan Agreement will be taken—namely, to arbitrators one of whom shall be appointed by each of the parties to the dispute; and if such arbitrators cannot agree among themselves, the Secretary of State of the United States and the Government of Liberia shall collaborate in finding a basis for a final decision. Because of the indefiniteness of this procedure, differences may also constantly arise.

Such is the control which the new agreement establishes over Liberia. What does Liberia get in return? The Finance Corporation of America agrees to buy forty year seven per cent bonds to the face amount of $2,500,000.[14] The Liberian Government is entitled to sell the second half of $2,500,000 but the Finance Corporation is under no obligation to make any purchases. The agreement obligates the Liberian Government to redeem with this sum all the outstanding five per cent 1912 bonds which would not otherwise be due until 1952—a sum which represents about $1,185,200. Out of the remaining proceeds the cost of all expenses incident to the preparation of the agreement, the execution of the bond, and the fees of the Buyer's Counsel must be paid. The United States Government receives $35,610 to repay with interest the advances made to the Liberian Government for the expenses of its delegation to the Paris Peace Conference.[15]

After paying these sums, the government must pay off its internal funded

[12] It may, however, remove the Liberian assistant auditor.
[13] Cf. Vol. I, p. 714.
[14] Payment for these bonds is spread over a period of three years.
[15] This was paid on July 6, 1927. *The United States Daily,* July 7, 1927, p. 1, Col. 4.

and floating debt. The balance, if any, is to be expended upon the improvements mentioned in the preamble.

In a memorandum of December 30, 1925, the Secretary of the Treasury of Liberia placed the claims against and obligations of the government as follows:

1. Amount required to settle the 1912 Loan.................	$1,250,000
2. Amount to redeem Internal 3 per cent Bonds............	160,000
3. Amount to care for proposed five per cent Bonds with one year's interest	600,000
4. Out-claims	50,000
	$2,060,000

The new bonds are sold at a discount of ten per cent, so that Liberia will realize out of the $2,500,000 only $2,250,000. When the above total is subtracted, the sum available for productive employment is $190,000 out of which the costs incident to the preparation of the Agreement, including Counsel's fee, and the amount of $36,000 due the American Treasury must be paid.

In return the Liberian Government accepts a new loan of $2,500,000 at seven per cent in place of the present loan of $1,185,200 at five per cent and of an internal indebtedness funded at three and five per cent. The 1912 loan upon which interest and sinking fund is being regularly paid would have been terminated in 1952 but the 1927 loan will not expire until 1967. Thus the new Agreement increases charges from about $100,000 to $175,000 a year—and extends these charges for a period of 15 years. Likewise, salary charges are increased. The new salary of the Financial Adviser of $10,000 exceeds the aggregate salaries of the three Receivers under the 1912 Agreement. The other civilian officials under the 1927 Agreement must be paid an aggregate of $32,000. Thus the Agreement imposes a total of $42,000 for salaries in addition to $175,000 interest charges. After 1930 Liberia must also pay $35,000 a year sinking fund which brings the total obligations under the 1927 Agreement, together with the $8000 for military officers, to a total of $260,000 a year, which is about two-fifths of the Liberian expenditures for 1925 (or $591,420). These charges do not include commissions due the Fiscal Agent and other fees.

While the charges on the budget of Liberia are thus increased by this transaction, foreign bondholders gain. Money now invested in the 1912 five per cent issue will be released for investment in the seven per cent issue. Moreover, the 1912 bonds have been redeemed at 100, although the price in 1921 was 55-65. Likewise the German and Dutch traders in Monrovia who acquired Liberian three per cent bonds at a heavy discount will make a profit of probably 100 per cent or even more when these obligations are redeemed.

3. *Liberian Opposition*

The Liberian Government and the people of Monrovia realized the burden which the 1927 Agreement contemplated and they did not see any financial reason why they should refund a five per cent bond issue which would expire in 1952 with a seven per cent forty-year loan which would not expire until 1967. Neither did they wish to accept the financial and administrative control envisaged by the Loan Agreement.

Consequently, when Mr. Barclay returned from New York in December, 1925, a meeting of the Legislature, Cabinet, and Supreme Court, held to discuss these terms, declared itself practically unanimous against the proposed Agreement. The Secretary of the Treasury pointed out in a memorandum how costly the proposal would be to Liberia and how only several hundred thousand dollars would be secured from it for productive purposes. Despite the provision in regard to the issuance of a second $2,500,000 there was no guarantee that such bonds would be issued or purchased. It was pointed out that, judging by Liberia's experience in the past, the bankers would take up only sufficient bonds to cover the amount necessary for refunding purposes—the remainder would go unsold. The Attorney-General declared that the loan was unconstitutional. Every Cabinet member with whom the writer talked expressed the opinion that such a loan would be harmful to the financial interests of the country.

Neverthless, two weeks later, President King and his Cabinet reluctantly decided to accept the principal of the loan, subject to the amendments which the Legislature proposed, and it finally went into effect on July 1, 1927.

In response to the question why they agreed to this loan in the face of early opposition and manifestly unfavorable terms, all of them gave the same reply: The State Department of the United States told us to accept this loan. Upon further investigation the writer found that the State Department did not openly urge the Liberian Government to accept this loan, but it did state that in its opinion the Firestone investments offered a unique opportunity for the financial rehabilitation of Liberia and that it hoped that the Liberian Government would not make any amendments to a plan which would defeat the acceptance of the plan as a whole.

4. *The Intervention of the State Department*

Under ordinary circumstances, the Liberian Government would probably not have paid attention to such "advice." But for the last few years [16]

[16] Cf. Vol. II, p. 792.

Liberia had been engaged in a boundary dispute over the village of Zinta with the French, and many Liberians had come to believe that France wished to annex the Liberian hinterland.

In June, 1925, just before the departure of Secretary Barclay to the United States, the *Liberian News* declared, "It is now a matter of clear knowledge to all of us that French Colonial policy is directed at the curtailment and absorption of important portions of our territory. . . ." It stated that the policy of the French Government was to create disrespect among the aboriginal Liberians for Liberian rule so that the aborigines would throw "themselves into the arms of all-powerful France."[17] In the following month, the *Agricultural World* wrote that as a result of the news that Mr. Barclay had been requested "to go in all haste to Washington in the interest of the government's critical situation *re* our Franco-Liberian hitch on the hinterland boundary, a highly feverish excitement seized the public mind. . . . An appeal to the United States Government was absolutely necessary in the premises, in order that the Republic of Liberia be protected from the encroachments of the French colonial troops. . . ."[18]

A year later the *Agricultural World* declared that "as soon as it is known in Europe that Firestone and Liberia have reached a mutual understanding, the French trouble will be over." In March, 1926, *The Star,* a paper edited by the private secretary of President King, declared that "France may over-run Liberia like Germany did Belgium, and Liberian soil will become the battle ground of contention and struggle for decision as to who shall be the dominating power in Africa, France or England."[19]

In an earlier number, the same paper declared that "not a citizen in the country would approve of a Loan from either private or public sources in France or England; Liberians would not in one moment think of granting to English or French Concessionaires large areas of lands and other rights as are granted to Firestone for the reason that British and French nationals have political ambitions and aspirations in competition with ours. . . . The investment of large American capital in Foreign Countries demands *adequate* [his italics] protection to that capital. The

[17] *The Liberian News,* June, 1925, p. 7.

[18] July, 1925, p. 4. This paper implied that the French invaded the boundary out of spite at President King's visit to Sierra Leone. In an editorial on the Riffs the *Liberian News* declared (October, 1925, p. 6), "France poses before the world as the only white race which grants entire equality to the darker races, yet she continues to carry on her rapacious policy of occupying the lands of coloured people by brute force."

[19] "Liberia's American Policy—the Whys," by the editor, *The Star,* March 31, 1926, p. 52.

adequate protection of which we speak is not local, or it does not consist of defending the capitalist against internal interruptions or troubles which might be settled through our courts of justice or by our limited military force, but it consist [*sic*] in protecting the capitalist against Foreign Aggression or gradual absorption such as has been practiced upon our Republic for the past number of year. . . . The Legislature is therefore justified in passing resolutions approving of the loan. . . ." [20]

Likewise President King declared in his 1926 message to the Liberian legislature, "The participation of safe and responsible American Capital in the economic development of Liberia is indeed a phase of our Foreign Policy 'not built upon abstractions. It is the result of a practicable conception of our national interest arising' out of the unshakable belief of all Liberian Administrations, that the Government and Peoples of the United States of America sincerely desire to see Liberia's independence maintained. . . ."

Support to this belief came from Mr. H. S. Firestone who declared to a committee of the American Congress in 1926 that "If America is to attain any decree of independence in its source of supply of rubber as well as other materials which are now in the hands of foreign monopoly, our Government must give proper encouragement to capital and must assure the industries interested that it will lend its utmost assistance in protecting our investments." [21] It seems clear that in accepting the wishes of the American State Department and of Mr. Firestone in regard to the concession and the loans, the Liberians believed they were obtaining not only the investment of capital but a guarantee of the United States against attack.

It is impossible for the writer to believe that the State Department of the United States would consciously trade the diplomatic support of this country in return for concessions to American capital especially when these concessions, while highly advantageous to American interests, are unfavorable to Liberia and may lead to the organized exploitation of the aboriginal population. Nevertheless, the State Department did support the position that the French Government had refused to survey the boundary and had deliberately "created" border incidents as a pretext to occupy Liberian territory. The State Department seemed also to take the point of view before the survey that the town of Zinta was on the Liberian side of the boundary. The survey proved that this view was incorrect. Moreover,

[20] *Ibid.*, February 29, 1926, p. 8.

[21] *Hearings before the Committee on Interstate and Foreign Commerce*, House of Representatives, 69th Congress, first session. On H. Res. 59 in regard to Crude Rubber, Coffee, etc., p. 254.

the American assumption that the border raids had been "created" by the French officials overlooked the nature of most African boundaries which are artificial and across which tribes have constantly fought in the absence of a military force to prevent disputes, or any inter-boundary judicial machinery such as has been established along the Uganda-Congo frontiers. In view of these raids and of the ineffectiveness of the Liberian Frontier Force, it was not difficult for the people of Monrovia, supported by this attitude at Washington, to believe that the French wished to take their country. This may or may not have been true. Nevertheless, Liberia is a member of the League of Nations and if her government had aired the matter before the Assembly[22] the French menace might have disappeared as quickly as it did after the Liberian Legislature voted the Firestone concessions and the Loan.[23] But apparently the Liberian Government takes little stock in the good offices of the League of Nations, since the United States is not a member. It deliberately chose, therefore, to take the Firestone Agreements and the loans upon the terms which have been outlined. For its part, the American Government urged the Liberian Government to accept this loan not only to induce Firestone to rehabilitate the country but in order to destroy the last vestiges of control which the French and British Governments theoretically maintained over the Customs Receivership under the 1912 Agreement. It seems that these two governments agreed, tacitly at least, to relinquish this control in 1918,[24] on the understanding that the American Government loan was to materialize. At the failure of this loan, their claims could probably have legally been revived. But instead of negotiating with the French and British Governments in regard to the surrender of these claims, the American State Department apparently believed it would be better to have Liberia negotiate a new loan agreement, placing Liberian finance under exclusive American control.

5. *American Control*

Wholly apart from its political aspects, American financial control over Liberia presents certain economic and administrative features which do not conform to standards followed elsewhere. The loans of 1871, 1906, 1912, and 1927 which have been responsible for the establishment of this form of control have been almost wholly non-productive to the Liberian Government.[25] Nevertheless, as a result of this form of control and the service on these loans the Liberian Government is obliged to pay out more

[22] This proposal was made by the *Liberian News,* June, 1925, p. 7.
[23] Cf. Vol. II, p. 837 ff.
[24] Cf. Vol. II, p. 812.
[25] Cf. Vol. II, p. 797 ff.

than one-half of its customs revenues. In 1913-1914 the total cost was as follows:

Service on the Loan	$108,000
Cost of Administration of Customs	86,996
Total Cost	$194,996

In that year the customs collected amounted to $359,409. Therefore, 54.2 per cent of the customs receipts were absorbed in non-productive purposes. The cost of collection alone amounted to 24.2 per cent. In 1924-1925 the situation was as follows:

Service on the Loan	$172,800 [1]
Cost of Administering the Customs	117,081 [2]
Total Cost	$289,881

[1] *Annual Report of the General Receiver of Customs*, 1924-25, p. 4.

[2] Excluding Liberian Boundary Survey, Liberian Government Bank Account, etc., but including Financial Adviser's allowance of one thousand dollars. See Comparative Statement of Accounts. *Ibid.*

The customs yielded in 1924-1925 $482,000. Therefore, 60 per cent customs was consumed by interest charges and cost of collection.[26] Collection expenses alone amount to 24.2 per cent in contrast to Sierra Leone where they amount only to 4.5 per cent and in Nigeria to 2.7 per cent of the customs revenues collected. These great differences at once create the assumption that there is something fundamentally defective in the American system of control. Costs of collection are high partly because Liberia's trade is low. The United States has assumed no responsibility in giving the country a system of communications and agricultural aid so as to make large trade increases possible. Moreover, the American officials in Liberia are not officials of the United States. The American State Department has less to do with them than does the National City Bank of New York. Theoretically they are officials of the Liberian Government, but as a matter of fact the Liberian Government has no discretion in choosing them, since they are designated by the President of the United States or by the Financial Adviser. Moreover, the Liberian Government cannot remove the Financial Adviser and despite the amendment of the Legislature it will have great difficulty in removing the other officials without the Adviser's consent. A situation exists, therefore, in which foreigners who are supposedly responsible to the Liberian Government have a position of control over the government. In other words,

[26] These costs in Liberia will be increased more than seventy-five thousand dollars a year by the 1927 Agreement. As a result of the new developments in Liberia, trade and revenue will also increase. Whether or not these increases will offset the increased charges imposed by the 1927 Agreement upon the Liberian budget remains to be seen.

this system is not only expensive but irresponsible. In fact, the system is expensive probably because it is irresponsible.

These characteristics are illustrated by the methods of compensating the present Financial Adviser. Under the 1912 Loan Agreement the salary of the American Financial Adviser was fixed at five thousand dollars a year. The proposed 1921 loan increased the salary of this official to $12,500 a year. Upon the failure of that loan the Liberian Government, without the passage of any legislation except for the lump sum appropriated in the budget and without the consent of the bankers, granted an additional allowance to the Financial Adviser of one thousand dollars a year and gave him other perquisites.[27] A salary of six thousand dollars or even ten thousand dollars is not exorbitant for the position of Financial Adviser of Liberia; but any system under which a government which the Adviser is supposed to control may upon its own authority increase the salary of the Adviser at once vitiates the system of control. No one questions the personal integrity of the present Financial Adviser nor his desire to serve the interests of Liberia. It is understood, moreover, that following the negotiation of the 1927 Agreement he did not wish to return to Liberia. Yet the fact is that he holds the position at a salary increase of from six thousand dollars to $10,000. Under any such system, no matter who the individuals concerned may be, occasions may arise where the self-interest of the American officials may be opposed to the interests of the government whom they are supposed to serve.

In Nigeria, the Gold Coast, and in Sierra Leone the British Government has taken over the administration of the country partly in order to advance the commercial interests of the outside world. It has given a great deal in return. It has poured nearly 6,239,000 pounds in the form of imperial loans and grants-in-aid,[28] at a low interest rate into those territories for the purpose of establishing railways and other public works; it has given doctors and schools to the people; it is teaching them improved agricultural methods and training them eventually to govern themselves. The American Government in Liberia has not assumed any of these responsibilities. Yet through its good offices, Americans have received in Liberia concessions which they could not receive any place else in Africa

[27] The accounts of the receivership are kept in a confusing way. Except for the allowance of one thousand dollars, the salary account is not itemized. Moreover, it is impossible to determine from the accounts how much money is actually expended on sinking fund as distinct from regular interest payments under the 1912 loan.

[28] In 1927 the Colony of Nigeria issued a loan of 4,250,000 pounds at 5 per cent interest, while in 1925 the Gold Coast Government issued a loan of 4,628,000 pounds at 4½ per cent interest in contrast to the rate of seven per cent charged to the Liberian Government.

or, for that matter, in the Philippines, and it has imposed a system of financial control upon Liberia which absorbs more than one-half of its customs revenues.

By accepting the Firestone concession and the Firestone loan, the Liberian Government has accomplished its diplomatic aim; it has anchored American interests in the country and thus forestalled the real or imaginary aggressions of England and of France. But increased economic activity in Liberia will impose additional exactions upon the native population which may lead to grave abuses. The United States may thus find itself in the position of fostering conditions in Liberia which will make forced labor almost inevitable, and at the same time of shielding Liberia from the efforts of outside opinion to protect the native population. It should be pointed out that the Legislature which ratified the Firestone agreements represents merely the fifty thousand "civilized" Liberians on the coast.

In safeguarding themselves from the French, the Liberians believed that they were safeguarding their independence. But if the administration proves unable to cope with the increasing burden which the entrance of American capital will impose upon it, the American Government may by the sheer force of events be obliged to terminate the independence of Liberia, not only to protect American interests but to safeguard the aboriginal population. Already some Liberians are beginning to wonder if they are not going the way of Haiti and the Philippines. After pointing out that the Philippine people had objected to Mr. Firestone's requests for rubber concessions because such concessions would interfere with their prospects for independence, the *Liberian Tribune* says: "In our own case, the chances may not be any more favourable than they were for the Filipinos, at most we are not certain whether as soon as we attach our signature in a definitive manner to these proposals we will have jeopardized that which of all things is dearest to us—our autonomy—and have effected a deal with the devil." [29]

6. *"Secret Diplomacy"*

Thus far the text of the Loan Agreement has not been published.[30] The Firestone Rubber Company, the National City Bank, which is the Fiscal Agent of the Loan, the "Finance Corporation of America," and the American State Department have all refused to give the writer the text. It is understood that the State Department has even declined to give it to the

[29] *Liberian Tribune*, December and January, 1926.

[30] The text of one of the Firestone Planting Agreements was finally printed in the Acts of the Liberia Legislature, and is reprinted in the Appendix.

Department of Commerce. The writer has therefore been obliged to rely upon texts received from Liberia. Despite this secrecy, these agreements are public in nature. The American Government is related to the Loan Agreement to the extent that the President of the United States officially designates the Financial Adviser to the Liberian Government, and recommends the military officers to be appointed to the Frontier Force, and that the Financial Adviser informs (and presumably consults with) the State Department in regard to the appointment of the other Americans who control the financial activities of the Liberian Government. Moreover, the State Department under certain contingencies arranges the arbitration of disputes under both Firestone and Loan Agreements. As a result of these agreements the State Department, unless it departs radically from the policy which it follows in Latin America and China, will defend American capital and American control over Liberia against British, French or German aggression. Yet the State Department received no authorization from Congress to make these commitments and it now declines to give out the text upon which they are based presumably on the ground that the American Government is not a party to the Agreements. It is difficult to see the logic of this contention inasmuch as the President of the United States and the State Department assume definite obligations under these Agreements.

The activity of the Departments of State and Commerce in promoting, in the midst of this secrecy, American enterprise in Liberia, and the disregard or lack of knowledge of the American Government of the effect of the entrance of such enterprise upon the people and Government of Liberia is disconcerting not only because of this particular instance but because it is symptomatic of what may happen on a larger scale in the future. America has become the reservoir for the capital of the world. If "backward" countries are to be developed by their European owners, they must receive American capital. At the present time Portugal is attempting to float a large loan in the United States for its African territories. Its purpose is not only economic but political. It wishes to escape from the dependence upon European capital; it wishes to follow the example of Liberia in obtaining American support against absorption by European powers. It is important that the United States, the people of which do not wish to be associated in a territorial scramble or in the abusive exploitation of primitive peoples, should work out methods to direct foreign investments along intelligent and socially beneficial lines.

APPENDIX XL. CONSTITUTION OF THE REPUBLIC OF LIBERIA

APPENDIX XLI. AGREEMENT FOR REFUNDING LOAN 1912

APPENDIX XLII. THE FIRESTONE AGREEMENT

APPENDIX XL

CONSTITUTION OF THE REPUBLIC OF LIBERIA

The end of the institution, maintenance, and administration of government, is to secure the existence of the body politic, to protect it, and to furnish the individuals who compose it with the power of enjoying in safety and tranquillity, their natural rights, and the blessings of life; and whenever these great objects are not obtained, the people have a right to alter the government and to take measures necessary for their safety, prosperity, and happiness.

THEREFORE, we the people of the Commonwealth of Liberia, in Africa, acknowledging with devout gratitude, the goodness of God, in granting to us the blessings of the Christian Religion, and political, religious and civil liberty, do, in order to secure these blessings for ourselves and our posterity, and to establish justice, insure domestic peace, and promote the general welfare, hereby solemnly associate and constitute ourselves a Free, Sovereign and Independent State by the name of the REPUBLIC of LIBERIA, and do ordain and establish this Constitution for the government of the same.

ARTICLE I

BILL OF RIGHTS

SECTION. 1. All men are born equally free and independent, and have certain natural, inherent and inalienable rights, among which, are the rights of enjoying and defending life and liberty, of acquiring, possessing and protecting property, and of pursuing and obtaining safety and happiness.

SECTION. 2. All power is inherent in the people; all free governments are instituted by their authority and for their benefit and they have a right to alter and reform the same when their safety and happiness require it.

SECTION 3. All men have a natural and inalienable right to worship God according to the dictates of their own conscience, without obstruction or molestation from others: all persons demeaning themselves peaceably, and not obstructing others in their religious worship, are entitled to the protection of law in the free exercise of their own religion, and no sect of christian shall have exclusive privileges or preference over any other sect; but all shall be alike tolerated; and no religious test whatever shall be required as a qualification for civil office, or the exercise of any civil right.

SECTION 4. There shall be no slavery within this Republic. Nor shall any citizen of this Republic, or any person resident therein, deal in slaves, either within or without this Republic, directly or indirectly.

SECTION 5. The people have a right at all times, in an orderly and peaceable manner to assemble and consult upon the common good, to instruct their representatives, and to petition the government, or any public functionaries for the redress of grievances.

SECTION 6. Every person injured shall have remedy therefor, by due courses of law; justice shall be done without sale, denial or delay; and in all cases, not arising under martial law or upon impeachment, the parties shall have state right to a trial by jury, and to be heard in person or by counsel, or both.

SECTION 7. No person shall be held to answer for a capital or infamous crime, except in cases of impeachment, cases arising in the army or navy, and petty offences, unless upon presentment by a grand jury; and every person criminally charged shall have a right to be seasonably furnished with a copy of the charge, to be confronted with the witness against him,—to have compulsory process for obtaining witnesses in his favor; and to have a speedy, public, and impartial trial by a jury of the vicinity. He shall not be compelled to furnish or give evidence against himself; and no person shall for the same offence, be twice put in jeopardy of life or limb.

SECTION 8. No person shall be deprived of life, liberty, property or privilege, but by judgment of his peers or the law of the land.

SECTION 9. No place shall be searched, nor person seized on a criminal charge, or suspicion, unless upon warrant lawfully issued, upon probable cause supported by oath, or solemn affirmation, specially designating the place or person, and the object of the search.

SECTION 10. Excessive bail shall not be required, nor excessive fines imposed, nor excessive punishments inflicted. Nor shall the Legislature make law impairing the obligation of contracts; nor any law rendering any act punishable in any manner in which it was not punishable when it was committed.

SECTION 11. All elections shall be by ballot; and every male citizen of twenty-one years of age, possessing real estate, shall have the right of suffrage.

SECTION 12. The people have a right to keep and to bear arms for the common defence. And as in time of peace armies are dangerous to liberty, they ought not to be maintained without the consent of the Legislature; and the military power shall always be held in exact subordination to the civil authority and be governed by it.

SECTION 13. Private property shall not be taken for public use without just compensation.

SECTION 14. The powers of this government shall be divided into three distinct departments: Legislative, Executive, and Judicial; and no person belonging to one of these departments shall exercise any of the powers belonging to either of the others. This section is not to be construed to include Justice of the Peace.

SECTION 15. The liberty of the press is essential to the security of freedom in a state; it ought not, therefore, to be restrained in this Republic. The press shall be free to every person who undertakes to examine the proceedings of the legislature, or any branch of government; and no law shall ever be made to restrain the rights thereof. The free communication of thoughts and opinions, is one of the invaluable rights of man, and every citizen may freely speak, write and print, on any subject, being responsible for the abuse of that liberty. In prosecutions for the publication of papers, investigating the official conduct of officers, or men in a public capacity, or where the matter published is proper for public information the truth thereof may be given in evidence. And in all indictment for libels, the jury shall have right to determine the law and the facts, under the direction of the court, as in other cases.

SECTION 16. No subsidy, charge, impost, or duties ought to be established, fixed, laid or levied, under any pretext whatsoever, without the consent of the people, or their representatives in the Legislature.

SECTION 17. Suits may be brought against the Republic in such manner, and in such cases as the Legislature may by law direct.

SECTION 18. No person can, in any case, be subject to the law martial, or to any penalties or pains, by virtue of that law (except those employed in the army or navy, and except the militia in actual service) but by the authority of the Legislature.

SECTION 19. In order to prevent those who are vested with authority from becoming oppressors, the people have a right at such periods, and in such manner, as they shall establish by their frame of government, to cause their public officers to return to private life, and to fill up vacant places, by certain and regular elections and appointments.

SECTION 20. That all prisoners shall be bailable by sufficient sureties: unless for capital offences, when the proof is evident, or presumption great: and the privilege and benefit of the writ of *habeas corpus* shall be enjoyed in this Republic, in the most free, easy, cheap, expeditious and ample manner, and shall not be suspended by the legislature, except upon the most urgent and pressing occasions, and for a limited time, not exceeding twelve months.

ARTICLE II

LEGISLATIVE POWERS

SECTION 1. That the Legislative power shall be vested in a Legislature of Liberia, and shall consist of two separate branches—a House of Representatives and a Senate, to be styled the Legislature of Liberia: each of which shall have a negative on the other, and enacting style of their acts and laws shall be, "It is enacted by the Senate and House of Representatives of the Republic of Liberia in Legislature assembled."

SECTION 2. The Representatives shall be elected by, and for the inhabitants of the several counties of Liberia, as follows: The county of Montserado shall have four representatives, the county of Grand Bassa, shall have three, and the county of Sinoe, shall have one, all counties hereafter which shall be admitted into the Republic shall have one representative and for every ten thousand inhabitants one shall be added. No person shall be a representative who has not resided in the county two whole years immediately previous to his election and who shall not, when elected, be an inhabitant of the county and does not own real estate of not less value than one hundred and fifty dollars in the county in which he resides, and who shall not have attained the age of twenty-three years. The representatives shall be elected quadrennially, and serve four[1] years from the time of their election.

SECTION 3. When a vacancy occurs in the representation of any county by death, resignation, or otherwise, it shall be filled by a new election.

SECTION 4. The House of Representatives shall elect their own Speaker and other officers; they shall also have the sole power of impeachment.

SECTION 5. The Senate shall consist of two members from Montserado County, two from Bassa County, two from Sinoe County, and two from each county which may be hereafter incorporated into this Republic. No person shall be a Senator who shall not have resided three whole years immediately previous to his election in the Republic of Liberia, and who shall not, when elected, be an inhabitant of the county which he represents, and who does not own real estate of not less value than two hundred dollars in the county which he represents, and who shall not have attained the age of twenty-five years. The Senator shall serve for six years and shall be elected quadrennially, and those elected in A.D. 1905 shall retain their seats for six[1] years from the time of their election, and all who are otherwise elected shall serve for six years.

SECTION 6. The Senate shall try all impeachments: the Senate being first sworn or solemnly affirmed to try the same impartially, and according to law; and no person shall be convicted but by the concurrence of two thirds of the Senators present. Judgment in such cases shall not extend beyond removal from office, and disqualification to hold an office in the Republic; but the party may be tried at law for the same offence. When either the President or Vice-President is to be tried, the Chief Justice shall preside.

SECTION 7. It shall be the duty of the Legislature, as soon as conveniently may be, after the adoption of this Constitution, and once at least in every ten years afterwards, to cause a true census to be taken of each town and county of the Republic of Liberia; and a representative shall be allowed every town having a population of ten thousand inhabitants; and for every additional ten thousand in the counties after the first census, one representative shall be added to that county, until the number of representatives shall amount to thirty; and afterwards one representative shall be added for every thirty thousand.

SECTION 8. Each branch of Legislature shall be Judge of the election returns and qualifications of its own members. A majority of each shall be necessary to transact business, but a less number may adjourn from day to day and compel the attendance of absent members. Each house may adopt

[1] Amendment 1907.

its own rules of proceedings, enforce order, and with the concurrence of two thirds may expel a member.

SECTION 9. Neither house shall adjourn for more than two days without the consent of the other; and both houses shall always sit in the same town.

SECTION 10. Every bill or resolution which shall have passed both branches of the Legislature, shall, before it becomes a law, be laid before the President for his approval; if he approves, he shall sign it; if not, he shall return it to the Legislature with his objections. If the Legislature shall afterward pass the bill or resolution by a vote of two thirds in each branch, it shall become a law. If the President shall neglect to return such bill or resolution to the Legislature with his objections for five days after the same shall have been so laid before him, the Legislature remaining in session during that time, such neglect shall be equivalent to his signature.

SECTION 11. The Senators and Representatives shall receive from the Republic a compensation for their services to be ascertained by law; and shall be privileged from arrest except for treason, or felony, or breach of the peace while attending at, going to, or returning from the session of the Legislature.

ARTICLE III

EXECUTIVE POWER

SECTION 1. The Supreme Executive Power shall be vested in a President who shall be elected by the people, and shall hold his office for a term of four years.[1] He shall be Commander-in-Chief of the army and navy. He shall, in the recess of the Legislature, have power to call out the militia or any portion thereof, into actual service in defence of the Republic. He shall have power to make treaties, provided the Senate concur therein by a vote of two thirds of the Senators present. He shall nominate, and with the advice and consent of the Senate, appoint and commission all Ambassadors and other public Ministers and Consuls, Secretaries of State, of War, of the Navy, and of the Treasury, Attorney General, all Judges of Courts, Sheriffs Coroners, Marshals, Justices of the Peace, Clerks of Courts, Registers, Notaries public, and all other officers of State, civil and military, whose appointment may not be otherwise provided for by the Constitution or by standing laws. And in the recess of the Senate, he may fill any vacancies in those offices, until the next session of the Senate. He shall receive all Ambassadors and other public Ministers. He shall take care that the laws be faithfully executed. He shall inform the Legislature from time to time of the condition of the Republic, and recommend any public measures for their adoption which he may think expedient. He may, after conviction, remit any public forfeitures and penalties, and grant reprieves and pardons for public offences except in the case of impeachment. He may require information and advice from any public officer, touching matters pertaining to his office. He may, on extraordinary occasions,

[1] Amendment 1907.

convene the Legislature, and may adjourn the two houses whenever they cannot agree as to the time of adjournment.

SECTION 2. There shall be a Vice-President who shall be elected in the same manner, and for the same term as that of the President, and whose qualifications shall be the same. He shall be President of the Senate, and give the casting vote when the house is equally divided on any subject. And in case of the removal of President from office, his death, resignation, or inability to discharge the powers and duties of the said office, the same shall devolve on the Vice-President; and the Legislature may by law provide for the cases of removal, death, resignation or inability, both of the President, and Vice-President declaring what officer shall then act as President and, such officer shall act accordingly until the disability be removed or a President shall be elected. When a vacancy occurs in the office of Vice-President by reason of death, resignation or otherwise after any regular election of President and Vice-President, the President shall immediately call a special election to fill said vacancy.[1]

SECTION 3. The Secretary of State shall keep the records of the State and all the records and papers of the Legislative body, and all other public records and documents not belonging to any other department, and shall lay the same, when required, before the President or Legislature. He shall attend upon them when required and perform such other duties as may be enjoined by law.

SECTION 4. The Secretary of the Treasury, or other person who may by law be charged with custody of the public monies shall, before he receive such monies, give bonds to the State with sufficient sureties, to the acceptance of the Legislature, for the faithful discharge of his trust. He shall exhibit a true account of such monies when required by the President or Legislature, and no monies shall be drawn from the Treasury, but by warrant from the President, in consequence of appropriation made by law.

SECTION 5. All Ambassadors and other public Ministers and Consuls, the Secretary of State, of War, of the Treasury and of the Navy, the Attorney General, and Post Master General shall hold their office during the pleasure of the President. All justices of the Peace, Sheriffs, Coroners, Marshals, Clerks of Court, Registers, and Notaries Public, shall hold their offices for the term of two years from the date of their respective commissions; but may be removed from office within that time by the President at his pleasure; and all other officers whose term of office may not be otherwise limited by law, shall hold their offices during the pleasure of the President.

SECTION 6. Every civil officer may be removed from office by impeachment for official misconduct. Every such officer may also be removed by the President upon the address of both branches of the Legislature, stating their particular reason for his removal.

SECTION 7. No person shall be eligible to the office of President who has not been a citizen of this Republic for at least five years, and who shall not

[1] Amendment 1907.

have attained the age of thirty-five years; and who is not possessed of unencumbered real estate of the value of six hundred dollars.

SECTION 8. The President shall at stated times receive for his service compensation which shall neither be increased nor diminished during the period for which he shall have been elected. And before he enters on the execution of his office, he shall take the following oath or affirmation: I do solemnly swear (or affirm) that I will faithfully execute the office of President of the Republic of Liberia, and will, to the best of my ability, preserve, protect and defend the Constitution and enforce the laws of the Republic of Liberia.

ARTIVLE IV

JUDICIAL DEPARTMENT

SECTION 1. The Judicial power of this Republic shall be vested in one Supreme Court, and such subordinate Courts as the Legislature may from time to time establish. The Judges of the Supreme Court, and all other judges of the Courts shall hold their office during good behaviour; but may be removed by the President, on the address of two thirds of both houses for that purpose, or by impeachment and conviction thereon. The Judges shall have salaries established by law which may be increased, but not diminished during their continuance in office. They shall not receive other perquisites or emoluments whatever from parties or others, on account of any duty required of them.

SECTION 2. The Supreme Court shall have original jurisdiction in all cases affecting ambassadors, or other public ministers and consuls, and those to which a County shall be a party. In all other cases the Supreme Court shall have appellate jurisdiction, both as to law and fact, with such exception and under such regulations as the Legislature shall from time to time make.

SECTION 3. The judges of the Supreme Court shall be a Chief Justice and two Associate Justices.[1]

ARTICLE V

MISCELLANEOUS PROVISIONS

SECTION 1. All laws now in force in the Commonwealth of Liberia and not repugnant to the Constitution, shall be in force as the laws of the Republic of Liberia, until they shall be repealed by the Legislature.

SECTION 2. All judges, magistrates, and other officers now concerned in the administration of justice in the commonwealth of Liberia, and all other existing civil and military officers therein, shall continue to hold and discharge the duties of their respective offices, in the name and by the authority of the Republic, until others shall be appointed and commissioned in their stead, pursuant to the Constitution.

SECTION 3. All towns and municipal corporations within the Republic,

[1] Amendment 1907.

constituted under the laws of the Commonwealth of Liberia shall retain their existing organizations and privileges, and the respective officers thereof shall remain in office, and act under the authority of this Republic, in the same manner and with the like power as they now possess under the laws of said Commonwealth.

SECTION 4. The first election of President, Vice-President, Senators and Representatives, shall be held on the first Tuesday in October in the Year of our Lord Eighteen Hundred and Forty-Seven in the same manner as the election of members of the Council is held in the Commonwealth of Liberia, and the votes shall be certified and returned to the Colonial Secretary, and the result of the election shall be ascertained, posted and notified by him, as is now by law provided, in case of such members of the Council.

SECTION 5. All other election of President, Vice-President, Senators and Representatives, shall be held in representative towns on the first Tuesday in May every four years;[1] to be held and regulated in such manner as the Legislature may by law prescribe. The returns of votes shall be made to the Secretary of State, who shall open the same and forthwith issue notices of the election to the persons apparently so elected Senators and Representatives: and all such returns shall be by him laid before the Legislature at its next ensuing session, together with a list of the names of the persons who appear by such returns to have been duly elected Senators and Representatives; and the persons appearing by said returns to be elected, shall proceed to organize themselves accordingly as the Senate and House of Representatives. The votes for President shall be sorted, counted and declared by the House of Representatives. And if no person shall appear to have a majority of such votes the Senators and Representatives present, shall in convention, by joint ballot elect from among the persons having the three highest number of votes, a person to act as President for the ensuing term.

SECTION 6. The Legislature shall assemble once at least in every year, and such meeting shall be on the first Monday in January unless a different day shall be appointed by law.

SECTION 7. Every Legislator and other officer appointed under this constitution shall, before he enters upon the duties of his office, take and subscribe a solemn oath or affirmation to support the Constitution of this Republic, and faithfully and impartially to discharge the duties of such office. The presiding officer of the Senate shall administer such oath or affirmation to the President, in convention of both houses; and the President shall administer the same to the Vice-President, to Senators and to the Representatives in like manner. When the President is unable to attend, the Chief Justice of the Supreme Court may administer the oath or affirmation to him at any place, and also to the Vice-President, Senators and Representatives, in convention. Other officers may take such oath or affirmation before the President, Chief Justice, or any other person who may be designated by law.

[1] Amendment 1907.

SECTION 8. All elections of public officers shall be made by a majority of the votes except in cases otherwise regulated by the Constitution or by law.

SECTION 9. Offices created by the Constitution which the present circumstances of the Republic do not require that they shall be filled, shall not be filled until the Legislature shall deem it necessary.

SECTION 10. The property of which a woman may be possessed at the time of her marriage, and also that of which she may afterwards become possessed, otherwise than by her husband, shall not be held responsible for his debts, whether contracted before or after marriage. Nor shall the property thus intended to be secured to the woman be alienated otherwise than by her free and voluntary consent, and such alienation may be made by her either by sale, devise or otherwise.

SECTION 11. In all cases in which estates are insolvent, the widow shall be entitled to one third of the personal estate, during her natural life, and to one third of the personal estate which she shall hold in her own right subject to alienation by her, by devise or otherwise.

SECTION 12. No person shall be entitled to hold real estate in this Republic, unless he be a citizen of the same. Nevertheless this article shall not be construed to apply to Colonization, Missionary, Educational, or other benevolent institutions, so long as the property or estate is applied to its legitimate purpose.

SECTION 13. The great object of forming these Colonies being to provide a home for the dispersed and oppressed Children of Africa, and to regenerate and enlighten this benighted continent, none but Negroes, person or persons of Negro descent, shall be admitted to citizenship in this Republic.[1]

SECTION 14. The purchase of any land by any citizen or citizens from the aborigines of this country for his or their own use, or for the benefit of others as estate or estates in fee simple shall be considered null and void to all intent and purpose.

SECTION 15. The improvement of the native tribes and their advancement in the arts of agriculture and husbandry being a cherished object of this government, it shall be the duty of the President to appoint in each county some discreet person whose duty it shall be to make regular and periodical tours through the country for the purpose of calling the attention of the natives to those wholesome branches of industry, and of instructing them in the same and the Legislature shall, as soon as can conveniently be done, make provisions for these purposes by the appropriation of money.

SECTION 16. The existing regulation of the American Colonization Society in the Commonwealth relative to emigrants shall remain the same in the Republic until regulated by compact between the Society and the Republic; nevertheless, the Legislature shall make no law prohibiting emigration. And it shall be among the first duties of the Legislature to take measures to arrange the future relation between the American Colonization Society and this Republic.

[1] Amendment 1907.

Section 17. This constitution may be altered whenever two thirds of both branches of the Legislature, shall deem it necessary; in which cases alterations or amendments shall first be considered and approved by the Legislature by the concurrence of two thirds of the members of each branch and afterwards by them submitted to the people, adopted by two thirds of all electors at the next quadrennial meeting for the election of Senators, and Representatives.

Done in CONVENTION, at Monrovia in the county of Montserado by the unanimous consent of the people of the Commonwealth of Liberia, this twenty-sixth day of July in the Year of Our Lord One Thousand Eight Hundred and Forty-Seven, and of the REPUBLIC the first. In witness whereof we have hereto set our names

MONTSERADO COUNTY

S. Benedict, President.
H. Teage,
Elijah Johnson,
J. N. Lewis,
Beverly R. Wilson,
J. B. Gripon,

GRAND BASSA COUNTY

John Day,
Amos Herring,
A. W. Gardner,
Ephraim Titler,

COUNTY OF SINOE

R. E. Murray.

Jacob W. Prout, Secretary to the Convention.

APPENDIX XLI

AGREEMENT FOR REFUNDING LOAN 1912

AN AGREEMENT made the seventh day of March, in the year one thousand nine hundred and twelve, between the REPUBLIC OF LIBERIA, hereinafter called the Republic, of the first part and J. P. Morgan & Co., Kuhn Loeb & Co., the National City Bank of New York, and the First National Bank of New York, hereinafter called the bankers, acting for themselves and for Robert Fleming & Co., of London, England, Banque de Paris et des Pays Bas, of Paris, France; M. M. Warburg & Co., of Hamburg, Germany; and Hope & Co., of Amsterdam, Holland, and for such other banking houses and banking institutions of Germany, France, England, and other countries as now are or hereafter may become associated with them, of the second part:

The Republic represents to the Bankers (*a*) that Schedule A hereto embraces, as of December 31, 1910, the entire funded debt of the Republic, external and internal, and all indebtedness of the Republic incident to the current administration of the Government of the Republic, and all claims against the Republic, including claims disputed by the Republic as to their validity or amount, or both, and (*b*) that Schedule B hereto embraces all funded debt of the Republic, external and internal, and all indebtedness of the Republic and claims against the Republic, the payment of which is, or has been, directly or indirectly charged, or is claimed to be charged on any of the customs of the Republic on exports or imports, or on the rubber tax, or on head moneys, or on any part of any thereof or on other revenues of the Republic from whatever source derived.

The Republic desires to adjust its indebtedness and proposes, for that purpose, to create a Loan, as hereinafter provided and hereinafter termed the Loan, to be charged as a first lien (*a*) on all customs duties of the Republic receivable on and after July 1, 1912, whether in respect of imports or exports, and (*b*) on the revenues receivable on and after said date from the tax on rubber, and as a lien subject only to the existing charge thereon in favor of the firm of A. Woermann, (*c*) on the revenues receivable on and after said date from head moneys, and to be secured, as a first charge, on all such customs duties and rubber revenues of the Republic and subject only as aforesaid on such head moneys of the Republic; such customs duties and rubber revenues and subject only as aforesaid, such head moneys to be collected through a Customs Receivership in which shall be vested, irrevocably, during the life of the Loan, subject only as aforesaid, the control of all the customs of the Republic and of said rubber tax and head moneys and the administration and collection thereof and the application thereof to the payment of the interest on, and the instalments of the Sinking Fund of, the Loan, and otherwise to the service of the Loan, and which shall be administered by a General Receiver to be, from time to time, designated by the President of the United States of America and subject to removal at his pleasure, and three Receivers to be from time to time designated, respectively, by the governments of the German Empire, the Republic of France and the United Kingdom of Great Britain and Ireland, and subject to removal, respectively, at the pleasure of the Government making the designation; and the Republic, for the purpose of so securing the Loan, is about to request the designation of the said General Receiver and Receivers, who shall collect and administer, during the life of the Loan, all the customs duties of the Republic and the revenues from said rubber tax and subject as aforesaid from said head moneys.

For a valuable consideration, it is agreed as follows:

First. The Republic will forthwith undertake negotiations with the present holders of the external debt of the Republic, and with the holders of the internal debt of the Republic, for the adjustment of such debt, either by the acceptance of bonds of the Loan or of cash or partly bonds and partly cash. The Bankers will co-operate with the Republic in such negotiations, and the Republic will in any event and notwithstanding any termination by the Bankers of this Agreement reimburse them for their out-of-pocket expenses heretofore or hereafter incurred in that behalf or otherwise in connection with this Agreement. If such negotiations shall, on or before July 1, 1912, result in the acceptance, in manner and form satisfactory to the Bankers, by holders of such external and internal debt, in such amounts of both classes as the Republic and the Bankers shall deem necessary to ensure the financial success of the Loan, of terms of adjustment thereof approved by the Republic and by the Bankers, the provisions of Article Second, Third, Fourth, Fifth, Sixth, Seventh, Eighth, Ninth, Tenth, Eleventh and Twelfth of this Agreement shall have effect.

Second. The Republic will create the Five Per Cent. Sinking Fund Gold Bonds of the Republic to an aggregate principal amount, not exceeding, in any event, one million seven hundred thousand dollars ($1,700,000) in gold coin of the United States of America of or equal to the present standard of weight and fineness. The Five Per Cent. Bonds shall be for the principal amounts respectively of one thousand dollars ($1,000) United States gold coin and five hundred dollars ($500) United States gold coin, and, if the Bankers shall so request, of one hundred dollars ($100) United States gold coin, and shall be issued in such amounts of said respective denominations as the Bankers may request.

The Five Per Cent. Bonds shall be in English language, and shall also be expressed in such other languages, if any, as the Bankers may request, and they, and the accompanying coupons, shall be in such form as the Bankers may approve. The Five Per Cents Bonds shall have the seal of the Treasury Department impressed thereon, and shall either be signed by the Secretary of the Treasury of the Republic, or shall all bear his engraved fac-simile signature; and, in the latter case shall be signed by some officer or person specially designated for that purpose by the Secretary of the Treasury of the Republic. The coupons to be attached to said bonds shall be in the English language only and shall bear the engraved fac-simile signature of the Secretary of the Treasury of the Republic. The Five Per Cent. Bonds shall each bear a certificate authenticating such bonds, and stating that all customs of the Republic on exports and imports and the revenues from said rubber tax and all other revenues of the Republic charged with the payment of the Loan are, during the life of the Loan and for the purpose of securing said bonds, vested irrevocably in a Customs Receivership administered by a General Receiver designated by the President of the United States of America, and three Receivers designated respectively by the governments of the German Empire, the Republic of France and the United Kingdom of Great Britain and Ireland, and which, for the service of the Loan, is charged throughout said period with the administration and collection, without the intervention of any Liberian official, of all customs of the Republic and of said rubber tax and of said all other revenues charged with the payment of the Loan and the application thereof, in the first instance, to the payment of the interest on, and the instalments of the Sinking Fund of, said bonds and otherwise to the service of the Loan. Such certificate shall be in such form as the Bankers may approve, and shall be executed on behalf of the Republic by the Fiscal Agents of the Loan. No Five Per Cent. Bond shall be valid or entitled to the benefits of this Agreement without such certificate so executed, and such certificate shall be conclusive evidence that the Five Per Cent. Bond, so executed and authenticated, has been issued in pursuance of this Agreement, and is entitled to the benefits hereof. The Five Per Cent. Bonds and coupons shall also bear such other signatures and such countersignatures (whether written or by engraved or printed fac-similes) and such seals as shall be required by the Stock Exchanges of New York, and London and Paris, and in Germany, or any of them. On the reverse of the Five Per Cent. Bonds, there shall be engraved or printed such extracts from the law authorizing or approving the Loan and this Agreement, and from this Agreement, as the Bankers may request.

The Five Per Cent. Bonds shall be in coupon form, registrable as to principal. The bonds of each denomination shall be designated by a distinctive letter and shall be numbered. They shall be engraved so as to meet the requirements of the Stock Exchanges of New York, London and Paris and in Germany, and in all other respects conform to the requirements of said Exchanges for listing the same thereon.

The Five Per Cent. Bonds shall mature in forty years from their date, and shall bear interest at the rate of five per centum per annum payable semi-annually. The principal and interest of the Five Per Cent. Bonds shall be payable in the City of New York, U. S. A., at the officcs of the Fiscal Agents of the Loan and in gold coin of the United States of or equal to the present standard of weight and fineness. Such bonds, if the Bankers shall so determine, shall also be payable at the option of the holder, both as to principal and interest, in London, England, at the fixed rate of exchange of four dollars and eighty-seven cents ($4.87) to the pound sterling; in Paris, France, at the fixed rate of exchange of five francs, seventeen and a half centimes to the dollar; and in Hamburg, Germany, at the fixed rate of exchange of four marks, twenty pfennige to the dollar; in Amsterdam, Holland, at the fixed rate of exchange of 2.49 florins to the dollar; and in Antwerp and Brussels, Belgium, and in Geneva, Switzerland, at the equivalent of the amount payable in Paris at the day's rate of sight drafts on Paris; and at such places in said respective cities and in such other cities as the Bankers may designate.

The Five Per Cent. Bonds shall be subject to purchase for the Sinking Fund on any half-yearly interest day not later than ten years from their date, at a premium of two and a half per cent. and on any half-yearly interest day thereafter at par, in each case on six weeks' notice given as prescribed in Article Fifth.

The Five Per Cent. Bonds shall always be exempt, both as to principal and interest, from all taxes already established by or within the Republic or that may in future be established by or within the Republic by any authority.

THIRD. The Loan represented by the Five Per Cent. Bonds, shall constitute a direct liability and obligation of the Republic, which pledges its good faith and credit for the punctual payment of the principal and interest of the Loan, and agrees in each year to incorporate in its annual budget of expenditures an amount which shall be sufficient to meet in full, for such year, all amounts required for, or incident to, the service of the Loan, which term, wherever used herein, shall be deemed to include the payment of all amounts which, under the Five Per Cent. Bonds or this Agreement, the Republic undertakes or may undertake, or is, or may be, required, to pay in connection with the Loan, and whether for interest, Sinking Fund, or expenses.

FOURTH. The principal and interest of the Five Per Cent. Bonds and the instalments of the Sinking Fund and all other amounts required for, or incident to, the service of the Loan, shall be and are hereby secured as a first charge on all customs receivable by the Republic, on and after the first day of July, 1912, whether such customs be imposed on exports or imports, and on all revenues receivable on and after said date from said rubber tax, and as a charge subject only to the existing charge thereon in favor of the firm of A. Woermann, on all revenues receivable on and after said date from head moneys, and the Republic grants, assigns and transfers all such customs and all such revenues as security for the Loan. Such customs and rubber revenues, and, subject to such charge, such head moneys revenues, are hereinafter termed collectively the Assigned Revenues.

The Republic covenants as hereinafter in this Article set forth:

(*a*) That for the purpose of securing the Five Per Cent. Bonds, the control, during the life of the Loan, of the administration and collection of the customs of the Republic, whether on exports or imports, and of said rubber tax and, subject only as aforesaid, of said head moneys and the application of all customs of the Republic and of all revenues from said rubber tax in the first instance and subject only as aforesaid from said head moneys to the payment of the interest on and the instalments of the Sinking Fund of, the Loan, and otherwise to the service of the Loan, shall be vested irrevocably in a Customs Receivership, which shall be administered by a General Receiver, to be from time to time designated by the President of the United States of America and subject to removal at his pleasure and by three Receivers to be from time to time designated respectively by the Governments of the German Empire, the Republic of France and the United Kingdom of Great Britain and Ireland, and subject to removal, respectively, at the pleasure of the Government making the designation; that the Republic will request the President of the United States to designate, from time to time during the life of the Loan, some person as General Receiver, any such appointee to act during the pleasure of the President and to be subject to removal by the President, and also, will request the governments of the German Empire, the Republic of France and the United Kingdom of Great Britain and Ireland to designate respectively, from time to time during the life of the Loan, the persons to act as Receivers, such persons to act respectively during the pleasure of the government which designates him and to be subject to removal at the pleasure of said government, and that prior to May 1, 1912, the President of the United States and the governments of the German Empire, the Republic of France, and the United Kingdom of Great Britain and Ireland, shall agree to comply with such request, such request and agreement to be in form satisfactory to the Bankers.

During the absence or inability to act of the General Receiver or during a vacancy, the Receiver located at or nearest Monrovia shall act as General Receiver.

By the terms of such arrangement, in order to assure the faithful and efficient administration and collection of the Assigned Revenues and their application in accordance with this Agreement, the Customs Receivership shall be administered by a General Receiver so designated, and three Receivers so designated who shall act under the direction of the General Receiver, which said General Receiver and Receivers shall collect, without the intervention of any Liberian official, and administer, during the life of the Loan and in accordance with the terms of this Agreement all the customs duties on exports or imports accruing at the several customs houses now open, or which shall hereafter be opened, in the Republic, and the revenues from said rubber tax and subject only as aforesaid, the revenues from said head moneys. All other officials and employees of the Customs Receivership shall be appointed by the Liberian Government, but the General Receiver and Receivers, or a majority of them, may suspend without pay or temporarily appoint any of such other officials or employees of the Customs Receivership, and such temporary suspensions or appointments shall remain in effect until the said officials or employees are permanently removed or appointed by the Liberian Government. The General Receiver and Receivers, or a majority of them, shall have power to prescribe such rules and regulations for the collection and administration of the Assigned Revenues as they deem necessary and the Republic, to assure the collection of the Assigned Revenues and the enforcement of the laws, rules and regulations pertaining thereto, shall place and maintain at the disposal of the Customs Receivership an adequate customs guard and patrol service, both on land and sea, and shall provide by law for the establishment of such customs guard and patrol service, and in the event of the failure on the part of the Republic so to provide, the General Receiver and Receivers, or a majority of them, shall have power to establish such customs guard and patrol service and may pay the expenses thereof out of the Assigned Revenues collected by the Customs Receivership. The Republic will also provide by law for the payment of all customs duties and of all said rubber revenues and subject only as aforesaid of all head moneys to the General Receiver and Receivers, and give to them all needful aid and assistance to the full extent of its power; the accounts of the Customs Receivership to be rendered monthly to the Secretary of the Treasury of the Republic and to be subject to examination and verification by the proper officers of the Republic and the compensation, allowances and other emoluments of General Receiver and of the Receivers for their own services to be fixed respectively at five thousand dollars and two thousand five hundred dollars per annum.

(*b*) that the customs on exports and imports and said rubber tax and said head moneys, imposed by the Republic and in force at the date of this Agreement shall, during the life of the Loan, be payable only in gold and the rates and amounts thereof shall not be decreased, until for two consecutive calendar years next preceding any change, the amount of the Assigned Revenues collected by the Customs Receivership shall, after payment thereout of the costs and expenses of such collection, have been in excess of $500,000 United States gold; nor then, unless on the basis of exportations and importations and of rubber production and of head moneys to the like amount and of the like character as during said two calendar years, the total amount of the Assigned Revenues collected by the Customs Receivership, after deduction of the average amount for said two years, of the costs and expenses of collection of the Assigned Revenues would, at such altered rates have been for each of such two years, in excess of the sum of $500,000 United States gold; nor then unless such decrease shall, by its terms, continue only to the end of any fiscal year in which the amount of the Assigned Revenues collected by the Customs Receivership for such fiscal year, after payment thereout of the costs and expenses of such collection, shall be less than said sum of $500,000 United States gold.

(*c*) For the further security of the revenues, the Republic forthwith will establish, and will hereafter maintain, a Frontier Police Force sufficient for the maintenance of internal peace within the territories of the Republic, and will, from time to time and as often as may be necessary, request the President of the United States of America to designate trained military officers to organize and drill such Frontier Police Force; the Republic will bear and discharge all salaries, wages and other expenses of such establishment and maintenance, and the General Receiver and Receivers, or a majority of them, may out of any part of the Assigned Revenues otherwise payable to the Republic, set aside such amounts as may be necessary for that purpose, and, under the direction of the Republic, pay the moneys so reserved, in discharge of such expenses.

(*d*) The General Receivership shall also exercise the functions of Financial Adviser to the Republic and the Secretary of the Treasury of the Republic and the Financial Adviser shall co-operate to bring order and system into the finances of the Republic. Before the opening of each regular session of the Legislature of the Republic, the Secretary of the Treasury shall prepare, with the approval of the Financial Adviser, a statement in detail of the probable receipts of the Republic for the ensuing fiscal year from all sources; of the amounts required during such fiscal year for the service of any outstanding Government Loan and all other amounts chargeable, under existing laws or outstanding contracts or engagements of the Republic or otherwise in any manner, against such receipts; and of the residue of governmental receipts estimated to be available for appropriation by the Legislature. This statement, so approved by the Financial Adviser, shall be submitted by the Secretary of the Treasury to the Legislature at the beginning of its session and shall constitute the official estimate of the receipts and fixed charges of the Republic for such fiscal year. The aggregate of all appropriations, regular or special, for such fiscal year, shall not exceed the official estimate of the amount available for appropriation by the Legislature. Within ten days after the adjournment of the Legislature, the Secretary of the Treasury shall prepare a statement of all appropriations, regular and special, which shall have been authorized. If the aggregate of such appropriations shall exceed the official estimate of the amount available for appropriation, a Board of Revision consisting of the President of the Republic, the Secretary of the Treasury and the Financial Adviser shall adjust such appropriations in such manner that the aggregate amount of the appropriations, when so adjusted, shall not exceed the official estimate of the amount available for appropriation by the Legislature, and the amounts of the appropriations, so fixed by the Board of Revision, shall be thereafter binding upon the Secretary of the Treasury and the accounting officials. Pending any adjustment of appropriations by the Board of Revision the Customs Receivership may withhold payment from the Republic of any part of the Assigned Revenues otherwise payable to the Republic. The

Board of Revision shall not have power to reduce any appropriation for the service of the Loan without the consent of the General Receiver and Receivers, or a majority of them.

The Secretary of the Treasury and the Financial Adviser shall co-operate in putting into effect a system of financial administration, which shall secure economy in the use and expenditure of the public funds and a proper accounting of all moneys received and disbursed by the Republic, and to this end the Financial Adviser shall make recommendations to the Legislature of any changes which may be desirable in the laws governing the collection, custody and disbursement of public moneys and shall advise with the Secretary of the Treasury in the preparation of ordinances and regulations for the purpose of carrying into effect existing laws, or administrative arrangements not inconsistent with law, for the collection, custody and disbursement of public moneys in the Republic.

The Financial Adviser will inform the Receivers of important matters upon which his advice has been taken, and will consult with them in all questions referred to him for advice which do not concern bookkeeping and accounting or technical matters of finance. Upon such consultation with the Receivers, the opinions of the General Receiver and Receivers, or a majority of them, shall prevail as the advice of the Receivership.

The Assigned Revenues in each year shall be applied:

(1) first to the payment, as they arise, of the costs and expenses of the collection, administration and application by the Customs Receivership, of the Assigned Revenues, including the cost of exchange in making remittances thereof for the service of the Loan;

(2) thereafter to the payment by the Customs Receivership to the Fiscal Agents of the Loan monthly, on the first day of each month during the life of the Loan, of an amount equal to twenty per cent. of the gross receipts from the Assigned Revenues during the preceding month, but never less than eight thousand six hundred dollars United States gold; such amounts to be applied by the Fiscal Agents to the expenses of the service of the Loan, including the cost of change in making remittance to Europe for payment of interest or other purposes, to the payment of the interest on the Five Per Cent. Bonds as such interest matures, and thereafter to creation of a Sinking Fund;

(3) thereafter to the payment, by the Customs Receivership, of any other amounts which the Republic has agreed to pay, or may hereafter become liable to pay, under this Agreement, or to the Fiscal Agent of the Loan;

(4) thereafter to the payment, by the Customs Receivership of any other amounts which, in pursuance of legislation or agreement, may be made, or may become, payable by the Customs Receivership out of the Assigned Revenues otherwise payable to the Republic;

(5) thereafter to the payment, by the Customs Receivership, of any residue to the Republic.

If the Assigned Revenues shall be insufficient in any month to meet the payments called for by the foregoing clauses (1), (2) and (3), any deficit shall be made up out of the Assigned Revenues of the succeeding months otherwise payable pursuant to the foregoing clauses (4) and (5).

The Republic, during the life of the Five Per Cent. Bonds, will at all times maintain in the Borough of Manhattan in the City of New York, U. S. A., a Fiscal Agency of the Loan, which shall also be the Transfer Agency of the Five Per Cent. Bonds.

The Republic hereby constitutes the National City Bank of New York, the Fiscal Agent of the Loan during the life of the Loan.

In case a vacancy shall from any cause occur in the Fiscal Agency, a successor to the Fiscal Agents of the Loan so ceasing to act, may, with the approval of the President of the United States of America, be appointed by the Republic by designation in writing under the hand of the Secretary of the Treasury of the Republic, a counterpart whereof shall be delivered to such successor Fiscal Agents and a counterpart filed in the Department of State of the United States of America. Until such appointment by the Republic, the President of the United States of America shall appoint a successor by an instrument in writing executed by him, which shall be delivered to the successor Fiscal Agents so appointed and a counterpart thereof filed in the said Department of State, but any successor subsequently appointed such Fiscal Agents of the Loan by the Republic, with the approval of said President of the United States, shall immediately supersede any successor so appointed by said President. Any successor to the National City Bank of New York in such Fiscal Agency of the Loan, however appointed, shall be a trust company carrying on business in the Borough of Manhattan, in the City of New York, and having a capital and surplus aggregating at least two million dollars.

FIFTH. The Five Per Cent. Bonds shall be payable prior to their maturity by the operation of a cumulative Sinking Fund, to be created as provided in Clause (2) of Article Fourth, by the use, for that purpose, out of the amounts payable to the Fiscal Agents of the Loan in accordance with said clause, of all sums not required for the expenses of the service of the Loan and for the payment of interest on the Loan and the Republic covenants that the amount so available and paid for the Sinking Fund, shall, for the first year of the life of the Loan and for each year thereafter, be not less than the sum of fourteen thousand five hundred dollars in United States gold. The Republic may, at any time, make, or cause to be made, additional payments to the Fiscal Agents of the Loan for account of the Sinking Fund to be applied to the purchase of the Five Per Cent. Bonds as provided in this article. Any and all of the Five Per Cent. Bonds shall be subject to purchase for the Sinking Fund at the times and prices and upon the notice as in this Article provided.

All amounts so received by the Fiscal Agents of the Loan applicable to, or for account of the Sinking Fund, within 10 years from the date of the Five Per Cent Bonds, shall be applied by the Fiscal Agents of the Loan, so far as may be reasonably practicable, to the purchase in the open market of Five Per Cent. Bonds at prices not exceeding 102½ and accrued interest and, unless so applied and to the extent to which the same shall not be so applied, shall be annually applied to the purchase, at said premium of two and a half per cent, of Five Per Cent. Bonds the numbers of which shall be drawn by lot.

All amounts received by the Fiscal Agents of the Loan, applicable to, or for account of the Sinking Fund, subsequent to the expiration of said period of 10 years, shall be applied by the said Fiscal Agents, so far as reasonably practicable, to the purchase in the open market of Five Per Cent. Bonds at not exceeding par and accrued interest, and, unless so applied, and to the extent to which the same shall not be applied, shall be annually applied, as hereinafter provided, to the purchase, at par, of Five Per Cent. Bonds the numbers of which shall be drawn by lot.

Drawings by lot for the purposes of the Sinking Fund, shall be made at the office of the Fiscal Agents of the Loan in the City of New York, by or under the supervision of said Fiscal Agents, and shall be made on such day between the first day and the fifteenth day of the third calendar month preceding the redemption date in each year, and in such manner, as said Fiscal Agents may, in their sole discretion, determine. Notice of the result of any such drawing which, if part only of the outstanding Five Per Cent. Bonds shall be drawn, shall specify the numbers of the bonds so drawn, shall be published by the Fiscal Agents of the Loan, on behalf of the Republic, not less than twice a week for six successive weeks, in two daily newspapers of general circulation in the City of New York, and not less than once a week for six successive weeks in two daily newspapers of general circulation in each other city in which the Five Per Cent. Bonds may be made payable, the first publication to be not later than the fifteenth day of the calendar month next following the date of such drawing. The Five Per Cent. Bonds so drawn shall be purchased upon the interest day next following the date of the drawing, and from and after such interest day the holders thereof will cease to be entitled to interest thereon, and the title to all interest subsequently maturing shall vest in the Fiscal Agents of the Loan for the benefit of the Sinking Fund.

All bonds drawn for purchase for the Sinking Fund must be presented with all coupons maturing after the day on which they are to be so purchased, and shall be paid for on presentation thereof on or after such day; and, at the option of the holder, at any of the places at which said bonds shall be expressed to be payable.

No expenses of any character in connection with the drawing and purchase of bonds shall be charged against the Sinking Fund, but all such expenses, including the cost of remittances to Europe for the purposes of the Sinking Fund, of cabling if deemed necessary by the Fiscal Agents of the Loan, for publication in Europe, the numbers of bonds drawn by lot for purchase and of publication thereof as aforesaid, shall be deemed expenses incident to the service of the Loan.

All Five Per Cent. Bonds at any time or in any manner purchased by means of the Sinking Fund shall be appropriately stamped by the Fiscal Agents of the Loan as no longer negotiable and as belonging to the Sinking Fund, but such bonds shall not be cancelled and shall continue to bear interest, and the Fiscal Agents of the Loan shall collect the interest thereon as such interest matures, and the amounts so collected and the interest on any unpresented Five Per Cent. Bonds at any time designated for purchase for the Sinking Fund and accruing after the day on which they are to be purchased, shall also become part of the Sinking Fund and be applied by the Fiscal Agents of the Loan to the purchase for the Sinking Fund of outstanding Five Per Cent. Bonds in the manner aforesaid and upon the terms and conditions.

All moneys held in the Sinking Fund under any of the provisions of this Article, shall be held by the Fiscal Agents of the Loan for the further security of the outstanding Five Per Cent. Bonds until applied to the purchase of Five Per Cent. Bonds for the Sinking Fund, or until the designation by lot of Five Per Cent. Bonds for purchase, but from and after any designation by lot of the bonds for purchase, such moneys shall, to the extent required to effect such purchase of the bonds so designated, be held for the payment of the purchase price of the bonds so designated for purchase.

When the principal and interest of all other Five Per Cent. Bonds shall have been paid in full or moneys deposited with the Fiscal Agents of the Loan for their purchase in accordance with this Article, or, at maturity, for their payment, and all payments called for by any of the provisions of this Agreement shall have been made by the Republic, all the Five Per Cent. Bonds held in the Sinking Fund shall be cancelled by said Fiscal Agents and having been so cancelled, shall thereafter be physically destroyed in the presence of a representative of said Fiscal Agents and a representative of the Republic, who shall respectively execute in duplicate a certificate attesting such destruction, and deliver one counterpart thereof to the Republic and one counterpart to said Fiscal Agents.

SIXTH. The legislation on the part of the Republic required to authorize this Agreement and the action called for by this Agreement having been enacted within the period hereinafter limited for that purpose, and the arrangement to be made in pursuance of the covenants of the Republic set out in subdivision (*a*) of Article Fourth of this Agreement having, within the period hereinafter limited for that purpose, been duly effected, and the President of the United States of America having, within said period, designated the General Receiver in accordance with such arrangement, and the Governments of Germany, France and Great Britain having respectively designated or agreed to designate Receivers the Republic will deliver to the Fiscal Agents of the Loan.

(A) the Five Per Cent. Bonds to such amount as, under the accepted and approved terms of adjustment of the indebtedness of the Republic, external or internal, shall be required for delivery to the holders of such indebtedness who have accepted such adjustment and have thereby agreed to accept bonds in payment in whole or in part, of said existing indebtedness held by them; said bonds to be received by the Fiscal Agents of the Loan, as the agents of the Republic, for delivery, on behalf of the Republic, for the purposes mentioned; and

(B) the Five Per Cent. Bonds to such amount, as at the price at which said bonds are to be purchased as hereinafter stated, shall be requisite to provide the necessary funds to make cash payment to holders of the indebtedness of the Republic to whom, under the accepted and approved terms of adjustment, payment may be required to be made in cash, and to provide the funds for the compensation and expenses of the Bankers under this Agreement, and for the expenses and the compensation of the Fiscal Agents of the Loan and for the other expenses of the adjustment of the indebtedness of the Republic; the amount of such expenses of and of such compensation of the Fiscal Agents of the Loan and of such other expenses of adjustment, to be subject to the approval of the Bankers; said bonds to be received by the Fiscal Agents of the Loan as the agents of the Republic for sale and delivery to the Bankers against payment by the Bankers to said Fiscal Agents of the purchase price thereof.

Deliveries of the bonds to be so purchased by the Bankers pursuant to the foregoing clause B of this Article shall be made to the Bankers, at the cost in all respects of the Republic, in such amount of the respective denominations, as the Bankers shall request, at the City of New York, and in such cities in Europe as the Bankers may designate, and the bonds so delivered shall bear all stamps required to entitle them to circulate in the country in which delivery shall be so designated to be made. Said purchase shall be made by the Bankers within twenty days after receiving notice from the Fiscal Agents of the Loan of their readiness to make delivery.

The purchase price of said bonds to be purchased by the Bankers shall be at the rate of nine hundred and fifty dollars per bond of $1,000, together with the interest accrued on said bonds; and for the amount of the compensation and expenses of the Bankers under this Agreement, the Bankers shall be entitled to be credited on such purchase price.

The bonds received by the Fiscal Agents of the Loan pursuant to the foregoing clause A of this Article, and the net proceeds of the bonds so sold to the Bankers, shall be applied by the Fiscal Agents of the Loan, in accordance with the accepted and approved terms of adjustment of the outstanding indebtedness of the Republic, to the payment to holders of said indebtedness accepting such adjustment of the amounts, in bonds or in cash, or both, to which they may be respectively entitled.

For the services rendered by them under this Agreement, the Bankers shall be entitled in addition to all their out-of-pocket expenses including legal charges, (a) to a commission of 2½ per cent. on the face amount of all the

Five Per Cent. Bonds to which the holders of the debt of the Republic accepting such adjustment shall be entitled by the terms of such adjustment, and (b) to a commission of 5 per cent. on the face amount of all the Five Per Cent. Bonds which the Bankers shall so be required to purchase.

The Five Per Cent. Bonds representing the residue of the Loan shall be executed by or on behalf of the Republic and delivered to the Fiscal Agents of the Loan, and the Fiscal Agents of the Loan shall make proper reservation thereout in respect of indebtedness embraced in the approved offer of adjustment, but the holders of which shall not have accepted such adjustment; and in respect of any moneys to which such holders would have been entitled, shall make reservation of bonds based on the price paid by the Bankers for bonds purchased by the Bankers under this Article. The Fiscal Agents shall from time to time certify such bonds reserved against unadjusted indebtedness and from time to time deliver the same, upon the order of the Secretary of the Treasury of the Republic, to the holders of unadjusted indebtedness accepting an adjustment thereof, and shall make such delivery at such rates as shall be stated in such order of the Secretary of the Treasury, but never exceeding the terms of adjustment approved by the Bankers.

The Fiscal Agents of the Loan shall from time to time certify the remainder of said bonds not so reserved, and after January 1, 1915, any bonds then reserved against unadjusted indebtedness of the Republic, and deliver the same upon the order of the Secretary of the Treasury of the Republic, countersigned by the General Receiver and on payment to the Fiscal Agents of the Loan of the gross proceeds of the sale thereof. Such proceeds shall be held by the Fiscal Agents of the Loan and paid from time to time solely to reimburse the Republic for expenditures made by it for public improvements in Liberia of a character and to an amount approved by the General Receiver and Receivers, or a majority of them.

SEVENTH. Any question herein required to be passed upon jointly by the General Receiver and Receivers may, pending such joint action, be provisionally decided by the General Receiver, and such provisional decisions shall be of full force and effect unless and until finally disposed of by such joint action. The General Receiver and Receivers shall meet at least once a year, before the convening of the Legislature, or may hold special meetings upon the call of the General Receiver or upon the unanimous request of the Receivers, for the purpose of considering and finally determining such questions requiring their joint action. At such meetings the General Receiver and Receivers shall each have one vote and all questions requiring their joint action shall be decided by a majority of the votes of those present and voting, and in case the votes shall be equally divided the vote of the General Receiver shall be final and conclusive.

EIGHTH. For the purpose of facilitating the sale by the Bankers of the Five Per Cent. Bonds, the Secretary of the Treasury of the Republic shall prepare prospectuses of the issue, in form approved by the Bankers, which shall be signed by said Secretary of the Treasury or by some other functionary acting in his name. The Republic will furnish to the Bankers all the documents necessary in connection with such prospectuses. The Republic will make, or cause to be made, application for an official quotation for the Five Per Cent. Bonds on the Stock Exchanges in New York, London, Paris, Amsterdam, Antwerp, Brussels and Geneva, and on such Stock Exchanges in Germany as the Bankers may request, and will, for that purpose, prepare the necessary prospectuses, which shall be signed by the Secretary of the Treasury of the Republic or some other officer or person acting in his name, and will take, and undertake to take, all such actions, and make, and undertake to make, all such payments, as may be requisite in order to secure an official quotation for the Five Per Cent. Bonds on such exchanges, and will pay the stamp or other duties on the Five Per Cent. Bonds, if any, required by the laws of any country in which such official quotation may be obtained.

Ninth. None of the provisions of this Agreement shall be deemed or construed to create any trust or obligation in favor of any holder of any of the outstanding obligations or indebtedness of the Republic, or in favor of any holder of any coupons or claims for interest on, or in respect of, any thereof, or in favor of any holder of any claim against the Republic.

Tenth. Wherever any of the terms "United States gold coin" or "United States gold," or "gold coin of the United States" or "gold coin of the United States of America" is used in this Agreement, each of such terms shall be understood as meaning gold coin of the United States of America of or equal to the standard of weight and fineness existing at the date of this Agreement. Wherever the term "United States" or "said United States" is used in this Agreement, each of such terms shall be understood as meaning the United States of America. Wherever the term "the Loan" is used in this Agreement, said term shall be understood as meaning the loan represented by the Five Per Cent. Bonds. For the purpose of this Agreement, the expenses incident to the service of the Loan shall include the remuneration and expenses of the Fiscal Agents of the Loan, the cost of remittances to Europe of funds for any of the purposes of the Five Per Cent. Bonds, or of this Agreement, including the payment of coupons and interest and the purchase of bonds for the Sinking Fund, the cost of publication of notice of payment of coupons and interest, of publication of numbers of bonds drawn for purchase and of cabling such numbers to Europe for publication. In construing this Agreement, the life of the Five Per Cent. Bonds shall be deemed to be the period from the date or earlier issue of the Five Per Cent. Bonds, until all of the Five Per Cent. Bonds, at any time issued, shall have been fully paid and all the other undertakings on the part of the Republic in said bonds and in this Agreement contained shall have been satisfied.

Eleventh. The Republic will pay the stamp or other duties, if any, to which, under the laws of the Republic, this Agreement is or may be subject in Liberia, and shall bear, as part of the expenses incident to the service of the Loan, the charges of any depositary, including storage charges, the expenses of publication of notices of payment of coupons and interest at maturity and of drawings of bonds for purchase for the Sinking Fund, and of cabling, if deemed necessary by the Bankers, the numbers of bonds drawn for purchase for the Sinking Fund. The Republic shall also bear and pay the expenses of engraving and printing the Five Per Cent. Bonds and of delivering said bonds in Europe as may be required by the Bankers.

TWELFTH. In case definitive bonds shall not be ready for delivery in accordance with the foregoing provisions of this Agreement, the Republic shall, if the Bankers so request, issue and deliver, duly authenticated, an interim bond or interim bonds in such form as the Bankers may approve, and in case of the issue of such interim bonds, the Republic will deliver, against the surrender of such interim bonds, definitive bonds as soon as the same can be prepared for delivery. Any such interim bonds shall, at the request of the Bankers, provide for the delivery of definitive bonds of an equal face amount in such denominations as the Bankers may request.

THIRTEENTH. Within thirty days after this Agreement and the action on part of the Republic called for by this Agreement, shall have been duly authorized, ratified and approved by the Republic and in accordance with the laws of the Republic, the Republic shall file with the Department of State of the United States of America and with the Foreign Offices of the German Empire, the Republic of France and the United Kingdom of Great Britain and Ireland an original executed counterpart of this Agreement.

FOURTEENTH. Any notice under this Agreement from the Bankers or from the Fiscal Agents of the Loan to the Republic, shall be given in writing addressed to the Republic at the Department of State of the United States of America and either delivered at said Department of State, or sent through the mails, registered, postage prepaid; and service of such notice shall be deemed complete at the expiration of thirty days from such delivery or such deposit in the mails. Any notice from the Republic to the Bankers or the Fiscal Agents of the Loan shall be given in writing addressed to the Bankers or to the Fiscal Agents of the Loan, as the case may be, to whom such notice is given, and delivered, at the office of the Fiscal Agents of the Loan in the City of New York.

FIFTEENTH. The respective firms constituting the Bankers act as copartnerships, and said term shall be understood as referring to, and shall include, said firms as now constituted, or as they may be hereafter from time to time constituted, as well as any successor to said firms.

SIXTEENTH. This Agreement shall be deemed to be, and shall be construed as, a New York contract. In construing the Five Per Cent. Bonds if also executed in some language other than English, the statement thereof in the English language shall govern.

SEVENTEENTH. The Republic will procure all such legislation as may be required for the complete authorization and legislation of this Agreement and of the Five Per Cent. Bonds and of all action called for by this Agreement on the part of the Republic, and such legislation shall be enacted before July 1, 1912, and unless enacted within said period, this Agreement may, at any time thereafter, be terminated by the Bankers at their election.

EIGHTEENTH. Time shall be deemed of the essence of this Agreement.

In witness thereof, the Republic of Liberia has caused this agreement to be signed on its behalf by Roland P. Falkner, the financial representative of the Republic thereunto duly authorized, and the bankers have severally subscribed this agreement the day of the year first above written.

THE REPUBLIC OF LIBERIA.
By ROLAND P. FALKNER, Financial Representative.

J. P. MORGAN CO.
KUHN LOEB CO.
THE NATIONAL CITY BANK OF NEW YORK.
By SAMUEL MCROBERTS, Vice President.
A. KAVANAGH, Cashier.

FIRST NATIONAL BANK OF NEW YORK.
By CHARLES D. NORTON, Vice President.

APPENDIX XLII

THE FIRESTONE AGREEMENT

AN ACT APPROVING THE AGREEMENT BETWEEN THE GOVERNMENT OF LIBERIA AND THE FIRESTONE PLANTATIONS COMPANY

It is enacted by the Senate and House of Representatives of the Republic of Liberia in Legislature assembled:—

Agreement with Firestone Plantation Company approved.

SECTION 1. That from and after the passage of this Act the Agreement between the Government of Liberia and the Firestone Plantations Company hereinunder recited, be and the same is hereby approved.

MEMORANDUM OF AGREEMENT made and entered into at the city of Monrovia this 2nd day of October in the year of our Lord Nineteen Hundred and Twenty-six by and between THE GOVERNMENT OF THE REPUBLIC OF LIBERIA hereinafter styled the Government, and FIRESTONE PLANTATIONS COMPANY, a Corporation organized and existing under and by virtue of the laws of the State of Delaware, with principal office in the City of Akron, State of Ohio, United States of America, hereinafter styled the Lessee WITNESSETH:—

ARTICLE I

That the Government hath agreed and by these presents doth agree to grant, demise and to farmlet unto the Lessee for the period of Ninety-nine years from this date an area of land within the boundaries of the Republic of Liberia of one million acres or any lesser area that may be selected by the Lessee from time to time within said period of Ninety-nine years; such land to be suitable for the production of rubber or other agricultural products.

But should the Lessee fail:

(a) To notify the Government of its acceptance of the conditions herein contained and stipulated within six months after the execution of this Agreement by the Government of Liberia;

(b) Or within one year thereafter to commence the selection of lands hereunder;

Then in such case the obligation of the Government under this Agreement shall be discharged and ended.

ARTICLE II

The Government further agrees the Lessee shall during the life of this Agreement have and enjoy the following additional rights and exemptions:

(a) All products of Lessee's plantations and all machinery, tools, supplies and buildings established, constructed or placed upon the leased land or elsewhere for the operation and development of the Lessee's land holdings and all leasehold interests, improvements and other property, franchises, rights and income shall be free of and exempt from any internal revenue or other tax, charge, or impost except the revenue tax provided for in Article III, Paragraph (d), provided, however that the exemption herein granted shall not affect the liability of the Lessee for the payment of the Emergency Relief Fund nor for the payment of the tax leviable on vehicles.

It is understood and agreed that this exemption shall not apply to Lessee's employees, labourers or servants.

(b) All machinery, tools and supplies of all kinds purchased and imported by Lessee for the operation and development of the lands held by Lessee under this Agreement and for the welfare of the employees of Lessee's enterprise shall be exempt from all customs dues or other import duties. But such import duties, if any, as are now required by the "Agreement for refunding loan, 1912," or any modification thereof, shall be paid by the Lessee until such Agreement shall be so modified as to reduce or abrogate such duties required on such imports by Lessee; in which event, Lessee shall be required to pay only such import duties as are demanded by such Agreement as modified. It is understood and agreed that the word "welfare" used in this paragraph shall connote only hospital supplies and games and that any articles which may be used by the Lessee in trade or barter or in payment for labour shall not be deemed "supplies" within the meaning of this section.

(c) Lessee shall have the exclusive right and privilege upon the lands which shall be selected under this Agreement to construct highways, railways and waterways for the efficient operation and development of the properties. It is agreed that all trails across such lands used immemorially by the population shall be subject and open to free use by the public.

(d) Lessee shall have the right to construct and establish at its own expense lines of communication such as highways, roadways, waterways and railways outside the lands selected under this Agreement. Such routes may be so located by the Lessee as to best serve the purpose of efficient operation of its plantations and enterprises but the Lessee agrees to consult the Government in the matter of such location. All highways and roadways in this paragraph mentioned shall upon completion become public property. But the Government in any event shall not be required to refund to the Lessee any sums of money expended by it in the construction and maintenance of such highways, roadways, waterways or railways.

(e) The Lessee shall have the right to construct and establish lines of communication for the purpose of more efficiently operating its plantations and enterprises such as telegraph lines, telephone lines and wireless stations outside of the confines of the lands selected under this Agreement, subject to the provisions of paragraph (h), Article IV of this Agreement; and to the extent necessary for such purpose may use, without the payment of rent for such land, any Government lands not already devoted to some other use. The Government in case of war or other emergency shall have the right to use such lines of communication.

(f) The Lessee shall have the right to cut and use all timber upon the lands covered by this Agreement but if it shall engage in the sale of lumber to be removed from such lands for export it shall pay the Government royalty of two (2) cents per cubic foot for the lumber so sold, in gold coin of the United States of the present standard weight and fineness.

(g) The Lessee shall have the right to engage in any operations other than agricultural upon the lands held under this Agreement and to utilize any product or materials of or upon said lands; but any mining or other similar operations shall be subject to the laws of the Republic of Liberia unless the parties hereto shall agree upon special terms therefor.

(h) The Government warrants to the Lessee the title to all lands selected by it upon which the Government shall accept the rental or compensation as herein provided and will defend and protect such title for the benefit of the Lessee.

The Government further agrees that it will encourage, support and assist the efforts of the Lessee to secure and maintain an adequate labour supply.

ARTICLE III

The Lessee in consideration of the Agreements herein by the Government hath agreed and by these presents doth agree as follows:

(a) To notify the Government within a period of six (6) months after the execution of this Agreement by the Government of Liberia of its acceptance or rejection of the conditions and stipulations of this Agreement.

(b) Beginning one year after the acceptance by the Lessee of this Agreement it shall select from year to year land suitable for the production of rubber and other agricultural products in such areas or quantities within the maximum limit of one million acres of land as may be convenient to it and in accordance with the economical and progressive development of its holding and said Lessee shall upon the selection of location of any tract or tracts of land notify the Government of such selection and the boundaries thereof. But the Lessee shall within five years of the final execution of this Agreement select and begin the payment of rent upon a total of not less than twenty thousand acres.

Upon written notice by the Lessee to the Government of Liberia of Lessee's intention to make a selection of land hereunder within a named territory Lessee shall have six (6) months thereafter to select land within such territory and upon the filing by Lessee with the Government within such six (6) months or written notice of the selection of land within such designated territory the title of such selected land shall vest in Lessee for the purpose named in this agreement.

It is not intended hereby to deny Lessee the right to make selection of lands hereunder without such previous notification of intention to select within six (6) months; but if such last named notification is filed the same shall have the effect of preventing others from acquiring title within such territory during such six (6) months.

(c) As and when the Lessee takes possession of lands selected by it under this Agreement Lessee shall pay to the Government rental at the rate of six (6) cents per acre yearly and every year in advance in gold coin of the United States of the present standard of weight and fineness.

Such payments shall be made to the Secretary of the Treasury of Liberia or to such other Officer as may be by law provided, it being understood and agreed that the rent herein provided to be paid by the Lessee shall be due to be paid by it to the Government upon all areas of land selected by it as and when such areas are selected.

(d) Six (6) years after the acceptance by the Lessee of this Agreement and annually thereafter, the Lessee shall pay to the Government a revenue tax equivalent to one per centum of the value of all rubber and other commercial products of its plantation shipped from Lessee's plantations calculated on the price of such products prevailing in New York market at the time of the arrival of the shipment in New York.

(e) Any taxes which may become payable by virtue of the laws of the Republic by any person or persons carried on the payroll of the Lessee, if the Lessee so desires, shall be collected as follows:—The Lessee may come to an arrangement with the Treasury Department of the Republic of Liberia which shall regulate the method of collection and payment of such taxes. But the Lessee shall in no event be held to collect in any year the tax for a greater number of employees than the average employed during the year.

(f) Should the rent reserved on any piece or parcel of ground selected by the Lessee be behind or unpaid on any day of payment whereon the same ought to be paid as herein provided, or if default should be made in any of the covenants hereinbefore contained on the part of Lessee to be paid, kept and performed, and if such default in the payment of rent or otherwise shall continue after six months written notice of the existence of such default served by the Government upon the Lessee, then it shall be lawful for the Government to cancel this lease as to that piece or parcel of ground, the rent for which is in default or in respect of which piece or parcel any other default exists as specified in such notice, and to re-enter into and upon the said demised premises and to again repossess and enjoy the same. But if the Lessee shall, within said period of six (6) months after written notice as aforesaid, make good the default complained of in said notice, no right of cancellation shall thereafter exist because of such default. The notice required by this paragraph to be served on the Lessee shall be delivered to the representative of the Lessee in the Republic of Liberia and a duplicate to the President of the Lessee at its head office in the City of Akron, State of Ohio, United States of America. The Lessee shall promptly notify the Government of any change in the location of its head office and thereafter any such notice shall be addressed accordingly.

ARTICLE IV

It is further agreed between the parties hereto as follows:—

(a) The Lessee will not import unskilled foreign labour for the carrying out of any operations or development undertaken by virtue of this or any other grant except in the event the local labour supply should prove inadequate to the lessee's needs. In the event that the local labour supply should prove inadequate as aforesaid Lessee undertakes to import only such foreign unskilled labour as shall be acceptable to the Government of Liberia. It is understood and agreed that Lessee shall not have in its employ in Liberia more than 1500 white employees at any one time.

(b) Should the operations of the Lessee under this Agreement cease for a period of three consecutive years then all and singular of the rights of the Lessee hereunder shall become extinguished and void and this Agreement shall become of no effect but such cancellation of this Agreement shall not affect any rights granted by the Government to the Lessee under any other Agreement.

(c) The rights by this Agreement granted to the Lessee shall not be sold, transferred or otherwise assigned by the Lessee to any person, firm, group or trust without the written consent thereto of the Liberian Government previously had and obtained.

(d) The Government reserves the right to construct roads, highways, railroads, telegraph and telephone lines and other lines of communication through any and all plantations owned and operated by Lessee; but the Government shall pay to Lessee all damage which will be caused to Lessee's property by the construction and operation of such roads or other lines of communication; such damage to be ascertained in accordance with the General law of the Republic of Liberia.

(e) The Lessee shall have the right to develop for its own use such natural water power and hydroelectric power as may be capable of development upon any of the tracts of land selected by the Lessee under this Agreement and Lessee shall have the right to construct and maintain power lines over any Government lands in order to convey power so developed from one tract of land selected by Lessee to any other tract.

(f) Tribal reserves of lands set aside for the communal use of any tribe within the Republic of Liberia are excluded from the operation of this Agreement. Should any question arise as to the limits and extent of such reserves such question shall be finally determined by the Secretary of Interior of Liberia on a reference by the Lessee.

(g) Lines of communication such as telegraph, telephone lines, railroads and canals constructed and established by Lessee outside the confines of the Lessee's tracts selected hereunder shall during the life of this Agreement be exempted from all taxation so long as they be used only for the purposes of the operations of Lessee upon lands held under this Agreement. In the event that such lines of communication shall be used by Lessee for general commercial purposes to serve others for hire then while so used they shall be subject to taxation under the general laws of Liberia.

(h) It is further agreed that at the expiration of the term of this lease hereinabove provided for of any extension thereof or upon the cancellation of the Agreement at any earlier time such buildings and improvements erected by the Lessee upon the land selected hereunder as shall not have been removed before the expiration or cancellation of the lease shall become the property of the Government of Liberia without charge or condition.

(i) It is further agreed that if hereafter the Government shall grant to any other person, firm or corporation any rights in connection with the production of rubber in Liberia upon more favourable terms and conditions in any respect than those granted in this Agreement such more favourable terms and conditions shall inure to the benefit of the Lessee herein the same as if such more favourable terms and conditions were incorporated herein.

(j) It is further agreed that the Lessee shall use its best efforts to secure either from the Government of the United States or with approval of the Secretary of State of the United States from some other person or persons a loan of not less than five million dollars to establish a credit for public developments in the Republic of Liberia to the end that the credit may be a revolving credit set up through reserves so as to meet the future requirement of funds for such developments. Such loan shall be upon terms and conditions to be negotiated by a Commission appointed by the President of Liberia who shall proceed promptly to the United States for this purpose. It is understood that such terms and conditions as may be agreed upon shall be subject to the approval of the Legislature of the Republic of Liberia.

(k) Wherever in this Agreement the Government grants to the Lessee the right to build and operate a railroad or to use the highways and waterways, it is understood that the Lessee is not seeking and is not granted public utility or common carrier privileges and that the same are not intended to be conveyed to it.

(l) Wherever in said Agreements the Lessee is granted the right to construct and maintain telephone or telegraph lines or wireless stations it is understood that the rights intended to be conveyed permit the establishment of such lines of means of communication for the private use of the Lessee in the operation of its business and that the Lessee does not seek and is not granted the right to establish and maintain any public services.

(m) During the life of this Agreement the Lessee shall at all times have access to the port and harbour facilities at Monrovia, or in any other district of the Republic where it may be carrying on operations, upon not less favourable terms than is accorded others under existing treaties and the laws of the Republic of Liberia. It shall be privileged to lease available lands in all ports of entry from the Government upon favourable terms.

(n) All or any questions in dispute arising out of this Agreement between the Government and the Lessee which cannot be harmonized or adjusted by the Lessee and the Government shall be referred to the Liberian Supreme

Court or any one of the justices thereof for arbitration on application of either party; and said Court shall make appointment of three arbitrators (one of whom shall be nominated for such purpose to said Court by the President of Liberia, and one of whom shall be nominated for such purpose to said Court by the representative of the Lessee in charge of Lessee's affairs in the Republic of Liberia, the third arbitrator being the Court's selection without nomination) to hear and determine such dispute within five days after application being filed, upon first being satisfied of the service of notice of such application at least five days previous to the filing of the application (a) by delivery of a copy of the application to the Attorney General of Liberia, or in his absence, to the officer in charge of his office when said application is made by the Lessee, and (b) by delivery of a copy of the application to the representative of the Lessee in charge of Lessee's affairs in the Republic of Liberia and by mailing a duplicate thereof on the same date by registered mail to the President of the Lessee at its head office in the city of Akron, State of Ohio, United States of America, when said application is made by the Government.

That the arbitrators so appointed as aforesaid shall render their decision of the question or questions in dispute in writing and file same with the Clerk of the Supreme Court, together with copy of testimony taken and statement of proceedings had within fifteen days after their appointment as aforesaid. Unless an application for further arbitration, as hereinafter provided, be made by either party within a period of four months after said decision is given, said decision shall be a definitive settlement of the question or questions in dispute and shall be binding upon both parties, their agents or assigns, and the Government of Liberia agrees to make said decision operative. Should however, either party feel aggrieved at the decision of the arbitrators then the Government agrees to arrange with the United States Department of State for a further arbitration of the question or questions submitted by either or both parties; provided however, that in the case of such further arbitration each party shall bear its own respective costs; and provided further that the procedure for such further arbitration shall be as follows:

Written notice of desire for further arbitration shall be given by either party to the other within four months after the written decision of the arbitrators in the first instance has been filed with the Clerk of the Supreme Court; Thereupon both parties shall prepare and file with the Clerk of the Supreme Court within sixty days after service of the notice written statements of the questions in disputes, and these statements together with a copy of the testimony and proceedings of the arbitrators together with a copy of their decision, shall be certified by the Clerk of the Supreme Court and delivered within five days after receipt of said papers in his office to the Secretary of State of Liberia who will thereupon promptly arrange with the United States Department of State for further arbitration of the questions in dispute, the decision of which arbitration shall be final and binding upon both parties to this Agreement.

It is understood and agreed that the final decision shall become effective thirty days after such final decision has been rendered and shall not be retroactive. It is also understood and agreed that during the period of arbitration, the Lessee shall be permitted by the Government to carry on without interference, all operations under this Agreement, including the operations involved in the subject matter of dispute, which the Lessee had undertaken, and, being undertaken, had not been objected to by the Government prior to the dispute arising. It is understood, however, that the fact there was no objection on the part of the Government shall not prejudice its rights in the subject matter of dispute.

It is hereby expressly understood and agreed that the arbitration procedure provided for herein does not apply to civil or criminal proceedings to be brought by or against employees of Lessee in Liberia.

IN WITNESS WHEREOF the parties hereto have hereunto set their hands and seals the day and year first above written.

FOR THE GOVERNMENT OF LIBERIA

WITNESS:

....

SECRETARY OF STATE

FIRESTONE PLANTATIONS COMPANY

....

By PRESIDENT

Attest:

SECRETARY.

When effective. SECTION 2. This Act shall take effect immediately and be published in hand bills. Any law to the contrary notwithstanding.

Approved November 18, 1926.

GENERAL APPENDICES

Appendix XLIII—General Act of the Conference of Berlin. Signed February 26, 1885.

Appendix XLIV—General Act of the Brussels Conference Relative to the African Slave Trade, etc. Signed July 2, 1890.

Appendix XLV—Convention Revising the General Act of Berlin and the General Act of Brussels. Signed at Saint-Germain-en-Laye, September 10, 1919.

Appendix XLVI—Note on the Convention relating to the Liquor Traffic in Africa. Signed at Saint-Germain-en-Laye, September 10, 1919, and the Convention.

Appendix XLVII—Slavery Convention, League of Nations, Geneva, September 25, 1926.

Appendix XLVIII—"Education Policy in British Tropical Africa," Memorandum of the Advisory Committee on Native Education in the British Tropical African Dependencies, Cmd. 2374 (192).

Appendix XLIX—"Declaration of Rights of the Negro Peoples of the World."

Appendix L—Statistical Tables.

1. Population and Area of the African Territories.
2. a. Comparative Public Debt.
   b. British Colony Loans.
3. Comparative Revenue, Expenditure and Trade.
4. Per Capita Revenue, Expenditure and Trade.
5. Relation between Trade and Government Expenditures.
6. Direction of Foreign Trade.
   a. British Territory—1925.
   b. French Territory—1924.
7. Native Welfare Expenditures—1926.
8. Christian Missionaries and Converts in Africa.
9. Public Debt of British Territories.

General Appendices

APPENDIX XLIII

THE BERLIN ACT

GENERAL ACT of the Conference of Berlin, relative to the Development of Trade and Civilization in Africa; the free Navigation of the Rivers Congo, Niger, &c.; the suppression of the Slave Trade by Sea and Land; the occupation of Territory on the African Coasts, &c. Signed at Berlin, 26th February, 1885.

(Translation)

In the Name of Almighty God.

Preamble.

HER Majesty the Queen of the United Kingdom of Great Britain and Ireland, Empress of India; His Majesty the German Emperor, King of Prussia; His Majesty the Emperor of Austria, King of Bohemia, &c., and Apostolic King of Hungary; His Majesty the King of the Belgians; His Majesty the King of Denmark; His Majesty the King of Spain; the President of the United States of America; the President of the French Republic; His Majesty the King of Italy; His Majesty the King of the Netherlands, Grand Duke of Luxemburg, &c., His Majesty the King of Portugal and the Algarves, &c.; His Majesty the Emperor of All the Russias; His Majesty the King of Sweden and Norway, &c.; and His Majesty the Emperor of the Ottomans, wishing, in a spirit of good and mutual accord, to regulate the conditions most favourable to the development of trade and civilization in certain regions of Africa, and to assure to all nations the advantages of free navigation on the two chief rivers of Africa flowing into the Atlantic Ocean; being desirous, on the other hand, to obviate the misunderstanding and disputes which might in future arise from new acts of occupation ("prises de possession") on the coast of Africa; and concerned, at the same time, as to the means of furthering the moral and material well-being of the native populations, have resolved, on the invitation addressed to them by the Imperial Government of Germany, in agreement with the Government of the French Republic, to meet for those purposes in Conference at Berlin, ...
....

Freedom of Trade in Basin of the Congo, &c.

1. A Declaration relative to freedom of trade in the basin of the Congo, its embouchures and circumjacent regions, with other provisions connected therewith.

Slave Trade, by Sea or Land.

2. A Declaration relative to the slave trade, and the operations by sea or land which furnish slaves to that trade.

Neutrality of Territories comprised in the Conventional Basin of the Congo.

3. A Declaration relative to the neutrality of the territories comprised in the Conventional basin of the Congo.

Navigation of the Congo, &c.

4. An Act of Navigation for the Congo, which, while having regard to local circumstances, extends to this river, its affluents, and the waters in its system ("eaux qui leur sont assimilées"), the general principles enunciated in Articles CVIII and CXVI of the Final Act of the Congress of Vienna, and intended to regulate, as between the Signatory Powers of that Act, the free navigation of the waterways separating or traversing several States—these said principles having since then been applied by agreement to certain rivers of Europe and America, but especially to the Danube with the modifications stipulated by the Treaties of Paris (1856), of Berlin (1878), and of London (1871 and 1883).

Navigation of the Niger.

5. An Act of Navigation for the Niger, which, while likewise having regard to local circumstances, extends to this river and its affluents the same principles as set forth in Articles CVIII and CXVI of the Final Act of the Congress of Vienna.

Future Occupations on the Coast of Africa.

6. A Declaration introducing into international relations certain uniform rules with reference to future occupations on the coast of the African Continent.

And deeming it expedient that all these several documents should be combined in one single instrument, they (the Signatory Powers) have collected them into one General Act, composed of the following Articles:—

CHAPTER I.—DECLARATION RELATIVE TO FREEDOM OF TRADE IN THE BASIN OF THE CONGO, ITS MOUTHS AND CIRCUMJACENT REGIONS, WITH OTHER PROVISIONS CONNECTED THEREWITH.

Freedom of Trade to all Nations.

ART. I. The trade of all nations shall enjoy complete freedom:—

Basin of the Congo Defined.

I. In all the regions forming the basin of the Congo and its outlets. This basin is bounded by the watersheds (or mountain ridges) of the adjacent basins, namely, in particular, those of the Niari, the Ogowé, the Schari, and the Nile, on the north; by the eastern watershed line of the affluents of Lake Tanganyika on the east; and by the watersheds of the basins of the Zambesi and the Logé on the south. It therefore comprises all the regions watered by the Congo and its affluents, including Lake Tanganyika, with its eastern tributaries.

Maritime Zone Defined.

2. In the maritime zone extending along the Atlantic Ocean from the parallel situated in 2° 30′ of South Latitude to the mouth of the Logé.

Northern Boundary.

The northern boundary will follow the parallel situated in 2° 30′ from the coast to the point where it meets the geographical basin of the Congo, avoiding the basin of the Ogowé, to which the provisions of the present Act do not apply.

Southern Boundary.

The southern boundary will follow the course of the Logé to its source, and thence pass eastwards till it joins the geographical basin of the Congo.

Eastern Boundary.

3. In the zone stretching eastwards from the Congo Basin as above defined, to the Indian Ocean from 5 degrees of North Latitude to the mouth of the Zambesi in the south, from which point the line of demarcation will ascend the Zambesi to 5 miles above its confluence with the Shiré, and then follow the watershed between the affluents of Lake Nyassa and those of the Zambesi, till at last it reaches the watershed between the waters of the Zambesi and the Congo.

Free Trade Principles applied to Signatory Powers, and to such Independent States as may approve the same.

It is expressly recognized that in extending the principle of free trade to this eastern zone, the Conference Powers only undertake engagements for themselves, and that in the territories belonging to an independent Sovereign State this principle shall only be applicable in so far as it is approved by such State. But the Powers agree to use their good offices with the Governments established on the African shore of the Indian Ocean for the purpose of obtaining such approval, and in any case of securing the most favourable conditions to the transit (traffic) of all nations.

Free Access of all Flags to Coast-line.

ART. II. All flags, without distinction of nationality, shall have free access to the whole of the coast-line of the territories above enumerated.

Navigation of Rivers; of Congo and its Affluents, and Lakes, Ports and Canals.

To the rivers there running into the sea to all the waters of the Congo and its affluents, including the lakes, and to all the ports situate on the banks of these waters, as well as to all canals which may in future be constructed with intent to unite the watercourses or lakes within the entire area of the territories described in Article I.

Transport, Coasting Trade, and Boat Traffic.

Those trading under such flags may engage in all sorts of transport, and carry on the coasting trade by sea and river, as well as boat traffic, on the same footing as if they were subjects.

No Taxes to be levied on Wares Imported (with slight exceptions).

ART. III. Wares, of whatever origin, imported into these regions, under whatsoever flag, by sea or river, or overland, shall be subject to no other taxes than such as may be levied as fair compensation for expenditure in the interests of trade, and which for this reason must be equally borne by the subjects themselves and by foreigners of all nationalities.

Differential Duties forbidden.

All differential dues on vessels, as well as on merchandize, are forbidden.

No Import or Transit Duties to be levied on Merchandize.

ART. IV. Merchandize imported into these regions shall remain free from import and transit dues.

Question to be reconsidered after 20 years.

The Powers reserve to themselves to determine after the lapse of 20 years whether this freedom of import shall be retained or not.

No Monopolies or Favours to be granted.

ART. V. No Power which exercises or shall exercise sovereign rights in the above-mentioned regions shall be allowed to grant therein a monopoly or favour of any kind in matters of trade.

Protection of Persons and Property, movable and immovable Possessions; Professions.

Foreigners, without distinction, shall enjoy protection of their persons and property, as well as the right of acquiring and transferring movable and immovable possessions; and national rights and treatment in the exercise of their professions.

ART. VI.—*Provisions relative to Protection of the Natives, of Missionaries and Travellers, as well as relative to Religious Liberty.*

Preservation and Improvement of Native Tribes; Slavery, and the Slave Trade.

All the Powers exercising sovereign rights or influence in the aforesaid territories bind themselves to watch over the preservation of the native tribes, and to care for the improvement of the conditions of their moral and material well-being, and to help in suppressing slavery, and especially the slave trade.

Religious and other Institutions. Civilization of Natives.

They shall, without distinction of creed or nation, protect and favour all religious, scientific, or charitable institutions, and undertakings created and organized for the above ends, or which aim at instructing the natives and bringing home to them the blessings of civilization.

Protection of Missionaries, Scientists, and Explorers.

Christian missionaries, scientists, and explorers, with their followers, property, and collections, shall likewise be the objects of especial protection.

Religious Toleration.

Freedom of conscience and religious toleration are expressly guaranteed to the natives, no less than to subjects and to foreigners.

Public Worship.

The free and public exercise of all forms of Divine worship, and the right to build edifices for religious purposes, and to organize religious missions belonging to all creeds, shall not be limited or fettered in any way whatsoever.

Art. VII—Postal Régime.

Postal Union.

The Convention of the Universal Postal Union, as revised at Paris the 1st June, 1878, shall be applied to the Conventional basin of the Congo.

The Powers who therein do or shall exercise rights of sovereignty or Protectorate engage, as soon as circumstances permit them, to take the measures necessary for the carrying out of the preceding provision.

Art. VIII—Right of Surveillance vested in the International Navigation Commission of the Congo.

Surveillance of International Navigation Commission of the Congo in territories where no Power shall exercise rights of Sovereignty or Protectorate.

In all parts of the territory had in view by the present Declaration, where no Power shall exercise rights of sovereignty or Protectorate, the International

Navigation Commission of the Congo, instituted in virtue of Article XVII, shall be charged with supervising the application of the principles proclaimed and perpetuated ("consacrés") by this Declaration.

In all cases of difference arising relative to the application of the principles established by the present Declaration, the Governments concerned may agree to appeal to the good offices of the International Commission, by submitting to it an examination of the facts which shall have occasioned these differences.

CHAPTER II.—DECLARATION RELATIVE TO THE SLAVE TRADE

Suppression of the Slave Trade by Land and Sea; and of Slave Markets.

Art. IX. Seeing that trading in slaves is forbidden in conformity with the principles of international law as recognized by the Signatory Powers, and seeing also that the operations, which, by sea or land, furnish slaves to trade, ought likewise to be regarded as forbidden, the Powers which do or shall exercise sovereign rights or influence in the territories forming the Conventional basin of the Congo declare that these territories may not serve as a market or means of transit for the trade in slaves, of whatever race they may be. Each of the Powers binds itself to employ all means at its disposal for putting an end to this trade and for punishing those who engage in it.

CHAPTER III — DECLARATION RELATIVE TO THE NEUTRALITY OF THE TERRITORIES COMPRISED IN THE CONVENTIONAL BASIN OF THE CONGO.

Neutrality of Territories and Territorial Waters.

Art. X. In order to give a new guarantee of security to trade and industry, and to encourage, by the maintenance of peace, the development of civilization in the countries mentioned in Article 1, and placed under the free trade system, the High Signatory Parties to the present Act, and those who shall hereafter adopt it, bind themselves to respect the neutrality of the territories, or portions of territories, belonging to the said countries, comprising therein the territorial waters, so long as the Powers which exercise or shall exercise the rights of sovereignty or Protectorate over those territories, using their option of proclaiming themselves neutral, shall fulfil the duties which neutrality requires.

Hostilities not to extend to Neutralized States.

Art. XI. In case a Power exercising rights of sovereignty or Protectorate in the countries mentioned in Article I, and placed under the free trade system, shall be involved in a war, then the High Signatory Parties to the present Act, and those who shall hereafter adopt it, bind themselves to lend their good offices in order that the territories belonging to this Power and comprised in the Conventional free trade zone shall, by the common consent of this Power and of the other belligerent or belligerents, be placed during the war under the rule of neutrality, and considered as belonging to a non-belligerent State, the belligerents thenceforth abstaining from extending hostilities to the territories thus neutralized, and from using them as a base for warlike operations.

Serious Disagreements between Signatory Powers to be referred to Mediation.

ART. XII. In case a serious disagreement originating on the subject of, or in the limits of, the territories mentioned in Article I, and placed under the free trade system, shall arise between any Signatory Powers of the present Act, or the Powers which may become parties to it, these Powers bind themselves, before appealing to arms, to have recourse to the mediation of one or more of the friendly Powers.

Or to Arbitration.

In a similar case the same Powers reserve to themselves the option of having recourse to arbitration.

CHAPTER IV.—ACT OF NAVIGATION FOR THE CONGO.

The Congo and its Branches open to the Merchant Vessels of all Nations.

XIII. The navigation of the Congo, without excepting any of its branches or outlets, is, and shall remain, free for the merchant ships of all nations equally, whether carrying cargo or ballast, for the transport of goods or passengers. It shall be regulated by the provisions of this Act of Navigation, and by the Rules to be made in pursuance thereof.

Congo. Equality of Treatment to all Nations; Coasting Trade; Boat Traffic.

In the exercise of this navigation the subjects and flags of all nations shall in all respects be treated on a footing of perfect equality, not only for the direct navigation from the open sea to the inland ports of the Congo and *vice versâ,* but also for the great and small coasting trade, and for boat traffic on the course of the river.

Congo. Privileges: Riverain and non-Riverain States; Companies, Corporations, and Private Persons.

Consequently, on all the course and mouths of the Congo there will be no distinction made between the subjects of Riverain States and those of non-Riverain States, and no exclusive privilege of navigation will be conceded to Companies, Corporations, or private persons whatsoever.

Congo. International Law.

These provisions are recognized by the Signatory Powers as becoming henceforth a part of international law.

Congo. No Restrictions or Obligations to be imposed.

ART. XIV. The navigation of the Congo shall not be subject to any restriction or obligation which is not expressly stipulated by the present Act.

Congo. No Landing or other Dues.

It shall not be exposed to any landing dues, to any station or depôt tax, or to any charge for breaking bulk, or for compulsory entry into port.

Congo. No Transit Dues on Ships or Goods.

In all the extent of the Congo the ships and goods in process of transit on the river shall be submitted to no transit dues, whatever their starting-place or destination.

Congo. No Maritime or River Tolls to be levied (with certain exceptions).

There shall be levied no maritime or river toll based on the mere fact of navigation, nor any tax on goods aboard of ships. There shall only be levied taxes or duties having the character of an equivalent for services rendered to navigation itself, to wit:—

Congo. Harbour Dues on Wharves, &c.

1. Harbour dues on certain local establishments, such as wharves, warehouses, &c., if actually used.

The Tariff of such dues shall be framed according to the cost of constructing and maintaining the said local establishments; and it will be applied without regard to whence vessels come or what they are loaded with.

Congo. Pilot Dues.

2. Pilot dues for those stretches of the river where it may be necessary to establish properly-qualified pilots.

The Tariff of these dues shall be fixed and calculated in proportion to the service rendered.

Congo. Lighthouse and such like Dues.

3. Charges raised to cover technical and administrative expenses incurred in the general interest of navigation, including lighthouse, beacon, and buoy duties.

The last-mentioned dues shall be based on the tonnage of vessels as shown by the ship's papers, and in accordance with the Rules adopted on the Lower Danube.

No Differential Duties to be levied.

The Tariffs by which the various dues and taxes enumerated in the three preceding paragraphs shall be levied, shall not involve any differential treatment and shall be officially published at each port.

Congo. Power reserved of revising Tariffs after 5 years.

The Powers reserve to themselves to consider, after the lapse of 5 years, whether it may be necessary to revise, by common accord, the above-mentioned Tariffs.

Congo. Affluents of the Congo.

Art. XV. The affluents of the Congo shall in all respects be subject to the same rules as the river of which they are tributaries.

Congo. Streams, Lakes, and Canals.

And the same rules shall apply to the streams and rivers as well as the lakes and canals in the territories defined in paragraph 2 and 3 of Article I.

At the same time the powers of the International Commission of the Congo will not extend to the said rivers, streams, lakes, and canals, unless with the assent of the States under whose sovereignty they are placed. It is well understood, also, that with regard to the territories mentioned in paragraph 3 of Article I, the consent of the Sovereign States owning these territories is reserved.

Congo. Roads, Railways, or lateral Canals open to all Nations.

Art. XVI. The roads, railways, or lateral canals which may be constructed with the special object of obviating the innavigability or correcting the imperfection of the river route on certain sections of the course of the Congo, its affluents, and other water-ways placed under a similar system, as laid down in Article XV, shall be considered in their quality of means of communication as dependencies of this river, and as equally open to the traffic of all nations.

Congo. Tolls.

And, as on the river itself, so there shall be collected on these roads, railways, and canals only tolls calculated on the cost of construction, maintenance, and management, and on the profits due to the promoters.

As regards the Tariff of these tolls, strangers and the natives of the respective territories shall be treated on a footing of perfect equality.

Congo. International Navigation Commission of the Congo.

Art. XVII. There is instituted an International Commission, charged with the execution of the provisions of the present Act of Navigation.

Congo. Each Power to be Represented by One Delegate with One Vote Only.

The Signatory Powers of this Act, as well as those who may subsequently adhere to it, may always be represented on the said Commission, each by one Delegate. But no Delegate shall have more than one vote at his disposal, even in the case of his representing several Governments.

Congo. Payment of Delegates, Agents, and Employés.

This Delegate will be directly paid by his Government. As for the various agents and employés of the International Commission, their remuneration shall be charged to the amount of the dues collected in conformity with paragraphs 2 and 3 of Article XIV.

The particulars of the said remuneration, as well as the number, grade and powers of the agents and employés, shall be entered in the Returns to be sent yearly to the Governments represented on the International Commission.

Congo. Inviolability of Members and Agents, their Offices and Archives.

ART. XVIII. The members of the international Commission, as well as its appointed agents, are invested with the privilege of inviolability in the exercise of their functions. The same guarantee shall apply to the offices and archives of the Commission.

Congo. Constitution of the Commission.

ART. XIX. The International Commission for the Navigation of the Congo shall be constituted as soon as five of the Signatory Powers of the present General Act shall have appointed their Delegates.

Congo. Nomination of Delegates to be notified to German Government.

And pending the constitution of the Commission the nomination of these Delegates shall be notified to the Imperial Government of Germany, which will see to it that the necessary steps are taken to summon the meeting of the Commission.

Congo. Navigation, River Police, Pilot, and Quarantine Rules.

The Commission will at once draw up navigation, river police, pilot, and quarantine Rules.

These Rules, as well as the Tariffs to be framed by the Commission, shall, before coming into force, be submitted for approval to the Powers represented on the Commission. The Powers interested will have to communicate their views with as little delay as possible.

Congo. Infringement of Rules.

Any infringement of these Rules will be checked by the agents of the International Commission wherever it exercises direct authority, and elsewhere by the Riverain Power.

In the case of an abuse of power, or of an act of injustice, on the part of any agent or employé of the International Commission, the individual who considers himself to be aggrieved in his person or rights may apply to the Consular Agent of his country. The latter will examine his complaint, and if he finds it *primâ facie* reasonable, he will then be entitled to bring it before the Commission. At this instance then, the Commission, represented by at least three of its members, shall, in conjunction with him, inquire into the conduct of its agent or employé. Should the Consular Agent look upon the decision of the Commission as raising questions of law ("objections de droit"), he will report on the subject to his Government, which may then have recourse to the Powers represented on the Commission, and invite them to agree as to the instructions to be given to the Commission.

ART. XX. The International Commission of the Congo, charged in terms of Article XVII with the execution of the present Act of Navigation, shall in particular have power—

Congo. Works necessary to assure Navigability of the Congo.

1. To decide what works are necessary to assure the navigability of the Congo in accordance with the needs of international trade.

On those sections of the river where no Power exercises sovereign rights, the International Commission will itself take the necessary measures for assuring the navigability of the river.

On those sections of the river held by a Sovereign Power the International Commission will concert its action ("s'entendra") with the riparian authorities.

Congo. Pilot Tariff and Navigation Dues.

2. To fix the pilot tariff and that of the general navigation dues as provided for by paragraphs 2 and 3 of Article XIV.

The Tariffs mentioned in the first paragraph of Article XIV shall be framed by the territorial authorities within the limits prescribed in the said Article.

The levying of the various dues shall be seen to by the international or territorial authorities on whose behalf they are established.

Congo. Administration of Revenue.

3. To administer the revenue arising from the application of the preceding paragraph. (2).

Congo. Quarantine Establishment.

4. To superintend the quarantine establishment created in virtue of Article XXIV.

Congo. Appointment of Officials and Employés.

5. To appoint officials for the general service of navigation, and also its own proper employés.

Congo. Sub-Inspectors.

It will be for the territorial authorities to appoint Sub-Inspectors on sections of the river occupied by a Power, and for the International Commission to do so on the other sections.

The Riverain Power will notify to the International Commission the appointment of Sub-Inspectors, and this Power will undertake the payment of their salaries.

In the exercise of its functions, as above defined and limited, the International Commission will be independent of the territorial authorities.

Congo. Employment of War Vessels by Navigation Commission.

Art. XXI. In the accomplishment of its task the International Commission may, if need be, have recourse to the war vessels of the Signatory Powers of this Act, and of those who may in future accede to it, under reserve, however, of the instructions which may be given to the Commanders of these vessels by their respective Governments.

Congo. War Vessels so employed Exempt from Navigation Duties.

Art. XXII. The war vessels of the Signatory Powers of this Act that may enter the Congo are exempt from payment of the navigation dues provided for in paragraph 3 of Article XIV.

Congo. Otherwise liable to Payment of Pilot and Harbour Dues.

But unless their intervention has been called for by the International Commission or its agents, in terms of the preceding Article, they shall be liable to the payment of the pilot or harbour dues which may eventually be established.

Congo. Loans for Technical and Administrative Expenses.

Art. XXIII. With the view of providing for the technical and administrative expenses which it may incur, the International Commission created by Article XVII may, in its own name, negotiate loans to be exclusively guaranteed by the revenues raised by the said Commission.

The decisions of the Commission dealing with the conclusion of a loan must be come to by a majority of two-thirds. It is understood that the Governments represented on the Commission shall not in any case be held as assuming any guarantee, or as contracting any engagement or joint liability ("solidarité") with respect to the said loans, unless under special Conventions concluded by them to this effect.

The revenue yielded by the dues specified in paragraph 3 of Article XIV shall bear, as a first charge, the payment of the interest and sinking fund of the said loans, according to agreement with the lenders.

Congo. Quarantine Establishment at Mouth of the Congo.

Art. XXIV. At the mouth of the Congo there shall be founded, either on the initiative of the Riverain Powers, or by the intervention of the International Commission, a quarantine establishment for the control of vessels passing out of as well as into the river.

Congo. Sanitary Control over Vessels.

Later on the Powers will decide whether and on what conditions a sanitary control shall be exercised over vessels engaged in the navigation of the river itself.

Congo. Freedom of Navigation of the Congo and Territorial Waters during War.

ART. XXV. The provisions of the present Act of Navigation shall remain in force in time of war. Consequently all nations, whether neutral or belligerent, shall be always free, for the purposes of trade, to navigate the Congo, its branches, affluents, and mouths, as well as the territorial waters fronting the embouchure of the river.

Congo. Roads, Railways, Lakes, and Canals included.

Traffic will similarly remain free, despite a state of war, on the roads, railways, lakes, and canals mentioned in Articles XV and XVI.

Congo. Transport of Contraband of War excepted.

There will be no exception to this principle, except in so far as concerns the transport of articles intended for a belligerent, and in virtue of the law of nations regarded as contraband of war.

Congo. Neutrality of Works and Establishments.

All the works and establishments created in pursuance of the present Act, especially the tax-collecting offices and their treasuries, as well as the permanent service staff of these establishments, shall enjoy the benefits of neutrality ("placés sous le régime de la neutralité"); and shall, therefore, be respected and protected by belligerents.

CHAP. V.—ACT OF NAVIGATION FOR THE NIGER.

Niger. The Niger and its Branches open to the Merchant Vessels of all Nations.

ART. XXVI. The navigation of the Niger, without excepting any of its branches and outlets, is and shall remain entirely free for the merchant ships of all nations equally, whether with cargo or in ballast, for the transportation of goods and passengers. It shall be regulated by the provision of this Act of Navigation, and by the Rules to be made in pursuance of this Act.

Niger. Equality of Treatment to all Nations; Coasting Trade; Boat Traffic.

In the exercise of this navigation the subjects and flags of all nations shall be treated, in all circumstances, on a footing of perfect equality, not only for the direct navigation from the open sea to the inland ports of the Niger, and *vice versâ,* but for the great and small coasting trade, and for boat trade on the course of the river.

Niger. Privileges: Riverain and non-Riverain States; Companies, Corporations, and Private Persons.

Consequently, on all the course and mouths of the Niger there will be no distinction made between the subjects of the Riverain States and those of non-Riverain States; and no exclusive privilege of navigation will be conceded to companies, corporations, or private persons.

Niger. International Law.

These provisions are recognized by the Signatory Powers as forming henceforth a part of international law.

Niger. No Restrictions or Obligations to be imposed on Navigation.

ART. XXVII. The navigation of the Niger shall not be subject to any restriction or obligation based merely on the fact of navigation.

Niger. No Landing or other Dues to be imposed.

It shall not be exposed to any obligation in regard to landing-station or depôt, or for breaking bulk, or for compulsory entry into port.

Niger. No Transit Dues on Ships or Goods to be levied.

In all the extent of the Niger the ships and goods in process of transit on the river shall be submitted to no transit dues, whatever their starting place or destination.

Niger. No Maritime or River Tolls to be levied (with certain exceptions)

No maritime or river toll shall be levied or based on the sole fact of navigation, nor any tax on goods on board of ships. There shall only be collected taxes or duties which shall be an equivalent for services rendered to navigation itself.

Niger. No Differential Duties to be levied.

The Tariff of these taxes or duties shall not warrant any differential treatment.

Niger. Affluents of the Niger.

ART. XXVIII. The affluents of the Niger shall be in all respects subject to the same rules as the river of which they are tributaries.

Niger. Roads, Railways, or lateral Canals open to all Nations.

ART. XXIX. The roads, railways, or lateral canals which may be constructed with the special object of obviating the innavigability or correcting the imperfections of the river route on certain sections of the Niger, its affluents, branches, and outlets, shall be considered, in their quality of means of communication, as dependencies of this river, and as equally open to the traffic of all nations.

Niger. Tolls.

And, as on the river itself, so there shall be collected on these roads, railways, and canals only tolls calculated on the cost of construction, maintenance, and management, and on the profits due to the promoters.

As regards the Tariff of these tolls, strangers and the natives of the respective territories shall be treated on a footing of perfect equality.

Niger. British Engagements. Waters of the Niger and its Affluents, &c., under British Sovereignty or Protection, to be subject to the principles above described.

ART. XXX. Great Britain undertakes to apply the principles of freedom of navigation enunciated in Articles XXVI, XXVII, XXVIII, and XXIX on so much of the waters of the Niger, its affluents, and outlets, as are or may be under her sovereignty or protection.

Niger. Rules of Navigation to be established.

The rules which she may establish for the safety and control of navigation shall be drawn up in a way to facilitate, as far as possible, the circulation of merchant ships.

Niger. Great Britain not restricted from making any Rules not Contrary to above Engagements.

It is understood that nothing in these obligations shall be interpreted as hindering Great Britain from making any Rules of navigation whatever which shall not be contrary to the spirit of these engagements.

Niger. Foreign Merchants and all Trading Nationalities to be protected the same as British Subjects.

Great Britain undertakes to protect foreign merchants and all the trading nationalities on all those portions of the Niger which are or may be under her sovereignty or protection as if they were her own subjects: provided always that such merchants conform to the rules which are or shall be made in virtue of the foregoing.

Niger. French Engagements, with regard to Waters of the River, &c., under her Sovereignty or Protection.

ART. XXXI. France accepts, under the same reservations, and in identical terms, the obligations undertaken in the preceding articles in respect of so much of the waters of the Niger, its affluents, branches, and outlets, as are or may be under her sovereignty or protection.

Niger. Engagements of the other Signatory Powers.

ART. XXXII. Each of the other Signatory Powers binds itself in the same way in case it should ever exercise in the future rights of sovereignty or protection over any portions of the waters of the Niger, branches, or outlets.

Niger. Freedom of Navigation of the Niger and Territorial Waters during War.

ART. XXXIII. The arrangements of the present Act of Navigation will remain in force in time of war. Consequently, the navigation of all neutral or belligerent nations will be in all time free for the usages of commerce on the Niger, its branches, its affluents, its mouths, and outlets, as well as on the territorial waters opposite the mouths and outlets of that river.

Niger. Roads, Railways, and Canals included.

The traffic will remain equally free in spite of a state of war on the roads, railways, and canals mentioned in Article XXIX.

Niger. Transport of Contraband of War excepted.

There will be an exception to this principle only in that which relates to the transport of articles destined for a belligerent, and considered, in virtue of the law of nations, as articles contraband of war.

CHAP. VI.—DECLARATION RELATIVE TO THE ESSENTIAL CONDITIONS TO BE OBSERVED IN ORDER THAT NEW OCCUPATIONS ON THE COASTS OF THE AFRICAN CONTINENT MAY BE HELD TO BE EFFECTIVE.

Notification of Acquisitions and Protectorates on Coasts of African Continent.

ART. XXXIV. Any Power which henceforth takes possession of a tract of land on the coasts of the African Continent outside of its present possessions, or which, hitherto without such possessions, shall acquire them, as well as the Power which assumes a Protectorate there, shall accompany the respective act with a notification thereof, addressed to the other Signatory Powers of the present Act, in order to enable them, if need be, to make good any claims of their own.

Establishment of authority in Territories occupied on Coasts, Protection of existing Rights. Freedom of Trade and Transit.

ART. XXV. The Signatory Powers of the present Act recognize the obligation to insure the establishment of authority in regions occupied by them on the coasts of the African Continent sufficient to protect existing rights, and, as the case may be, freedom of trade and of transit under the conditions agreed upon.

CHAP. VII.—GENERAL DISPOSITIONS.

Reservations as to Modifications.

ART. XXXVI. The Signatory Powers of the present General Act reserve to themselves to introduce into it subsequently, and by common accord, such modifications and improvements as experience may show to be expedient.

Liberty of other Powers to adhere to Act.

ART. XXXVII. The Powers who have not signed the present General Act shall be free to adhere to its provisions by a separate instrument.

Adhesions to be notified to all the Powers.

The adhesion of each power shall be notified in diplomatic form to the Government of the German Empire, and by it in turn to all the other Signatory or adhering Powers.

Acceptance of all Obligations and Admission to all Advantages.

Such adhesion shall carry with it full acceptance of all the obligations, as well as admission to all the advantages, stipulated for by the present General Act.

General Act to be Ratified.

ART. XXXVIII. The present General Act shall be ratified with as little delay as possible, the same in no case to exceed a year.

It will come into force for each Power from the date of its ratification by that Power.

Meanwhile, the Signatory Powers of the present General Act bind themselves not to take any steps contrary to its provisions.

Each Power will address its ratification to the Government of the German Empire, by which notice of the fact will be given to all the other Signatory Powers of the present Act.

Where Ratifications are to be deposited.

The ratifications of all the Powers will be deposited in the archives of the Government of the German Empire. When all the ratifications shall have been sent in, there will be drawn up a Deposit Act, in the shape of a Protocol, to be signed by the Representatives of all the Powers which have taken part in the Conference of Berlin, and of which a certified copy will be sent to each of those Powers.

In testimony whereof the several Plenipotentiaries have signed the present General Act and have affixed thereto their seals.

Done at Berlin, the 26th day of February, 1885.

(Here follow the signatures.)

APPENDIX XLIV

THE BRUSSELS ACT

General Act of the Brussels Conference Relative to the African Slave Trade, &c. Signed at Brussels, 2nd July, 1890.

(Translation)

General Act of the Brussels Conference. 2nd July, 1890.

In the name of God Almighty.

HER Majesty the Queen of the United Kingdom of Great Britain and Ireland, Empress of India;

His Majesty, the German Emperor, King of Prussia, in the name of the German Empire;

His Majesty the Emperor of Austria, King of Bohemia, &c., and Apostolic King of Hungary;

His Majesty the King of the Belgians;

His Majesty the King of Denmark;

His Majesty the King of Spain, and in His name Her Majesty the Queen Regent of the Kingdom;

His Majesty the King-Sovereign of the Independent State of the Congo;

The President of the United States of America;

The President of the French Republic;

His Majesty the King of Italy;

His Majesty the King of the Netherlands, Grand Duke of Luxemburg, &c.;

His Majesty the Shah of Persia;

His Majesty the King of Portugal and the Algarves, &c.;

His Majesty the Emperor of All the Russias;

His Majesty the King of Sweden and Norway, &c.;

His Majesty the Emperor of the Ottomans; and

His Highness the Sultan of Zanzibar;

Equally animated by the firm intention of putting an end to the crimes and devastations engendered by the traffic in African slaves, of effectively protecting the aboriginal populations of Africa, and of assuring to that vast continent the benefits of peace and civilization;

Wishing to give a fresh sanction to the decisions already taken in the same sense and at different periods by the Powers; to complete the results obtained by them; and to draw up a collection of measures guaranteeing the accomplishment of the work which is the object of their common solicitude;

Have resolved, on the invitation addressed to them by the Government of His Majesty the King of the Belgians, in agreement with the Government of Her Majesty the Queen of the United Kingdom of Great Britain and Ireland, Empress of India, to assemble with this object a Conference at Brussels, and have named as their Plenipotentiaries, that is to say: [omitted]

Who, furnished with full powers which have been found in good and due form, have adopted the following provisions:—

CHAP. I—SLAVE TRADE COUNTRIES. MEASURES TO BE TAKEN IN PLACES OF ORIGIN.

ART. I. The Powers declare that the most effective means for counteracting the Slave Trade in the interior of Africa are the following:—

Organization of Administrative, Judicial, Religious, and Military Services.

1. Progressive organization of the administrative, judicial, religious, and military services in the African territories placed under the sovereignty or protectorate of civilized nations.

Fortified Stations in the Interior. Man-hunts.

2. The gradual establishment in the interior, by the responsible Power in each territory, of strongly occupied stations, in such a way as to make their protective or repressive action effectively felt in the territories devastated by man-hunts.

Roads and Railways.

3. The construction of roads, and in particular of railways, connecting the advanced stations with the coast, and permitting easy access to the inland waters, and to the upper reaches of streams and rivers which are broken by rapids and cataracts, so as to substitute economical and speedy means of transport for the present means of portage by men.

Steam-boats on inland Waters and on Lakes. Fortified Posts on Banks.

4. Establishment of steam-boats on the inland navigable waters and on the lakes, supported by fortified posts established on the banks.

Telegraph Lines.

5. Establishment of telegraphic lines assuring the communication of the posts and stations with the coast and with the administrative centres.

Expeditions and Flying Columns.

6. Organization of expeditions and flying columns to keep up the communication of the stations with each other and with the coast, to support repressive action, and to assure the security of roadways.

Fire Arms and Ammunition.

7. Restriction of the importation of fire-arms, at least of modern pattern, and of ammunition, throughout the entire extent of the territories infected by the slave trade.

Posts, Stations, and Cruizers, in Inland Waters.

ART. II. The stations, the cruizers organized by each Power in its inland waters, and the posts which serve as ports for them shall, independently of their principal task, which is to prevent the capture of slaves and intercept the routes of the Slave Trade, have the following subsidiary duties:—

Protection to Natives.

1. To serve as a base and, if necessary, as a place of refuge for the native populations placed under the sovereignty or the protectorate of the State to which the station belongs, for the independent populations, and temporarily for all others in case of imminent danger; to place the populations of the first of these categories in a position to co-operate for their own defence;

Arbitration in Intestine Wars.

To diminish intestine wars between tribes by means of arbitration;

Agricultural Works and Industrial Arts.

To initiate them in agricultural works and in the industrial arts so as to increase their welfare;

Barbarous Customs. Cannibalism. Human Sacrifices.

To raise them to civilization and bring about the extinction of barbarous customs, such as cannibalism and human sacrifices.

Commercial Undertakings.

2. To give aid and protection to commercial undertakings;

Contracts of Service with Natives.

To watch over their legality, especially by controlling contracts of service with natives;

Permanent Centres. Commercial Establishments, &c.

And to lead up to the foundation of permanent centres of cultivation and of commercial establishments.

Protection of Missions.

3. To protect, without distinction of creed, the missions which are already or may hereafter be established.

Sanitary Service. Assistance, &c., to Explorers.

4. To provide for the sanitary service, and to grant hospitality and help to explorers and to all who take part in Africa in the work of repressing the Slave Trade.

Repression of the Slave Trade. Engagement of each Power.

ART. III. The Powers exercising sovereignty or protectorate in Africa, in order to confirm and give greater precision to their former declarations, undertake to proceed gradually, as circumstances permit, either by the means above indicated, or by any other means which they may consider suitable, with the repression of the Slave Trade; each State in its respective Possessions and under its own direction. Whenever they consider it possible they will lend their good offices to the Powers which, with a purely humanitarian object, may be engaged in Africa upon a similar mission.

Engagements of Powers may be delegated to Chartered Companies, but Powers remain responsible.

ART. IV. The Powers exercising sovereignty or protectorate in Africa may, however, delegate to Chartered Companies all or a portion of the engagements which they assume in virtue of Article III. They remain, nevertheless, directly responsible for the engagements which they contract by the present General Act, and guarantee the execution thereof.

National Associations and Private Enterprises.

The Powers promise to receive, aid, and protect national associations and enterprises due to private initiative, which may wish to co-operate in their Possessions in the repression of the Slave Trade, subject to their receiving previous authorization, which is revocable at any time; subject also to their being directed and controlled, and to the exclusion of any exercise of rights of sovereignty.

Penal Laws to be enacted:—against Offences against the Person, Man-hunts, Mutilation of Adults and Male Infants, Capture of Slaves by Violence.

ART. V. The Contracting Powers undertake, unless this has already been provided for by laws in accordance with the spirit of the present Article, to enact or propose to their respective Legislatures, in the course of one year at latest from the date of the signature of the present General Act, a Law applying, on the one hand, the provisions of their penal laws concerning grave offences against the person, to the organizers and abettors of man-hunts, to perpetrators of the mutilation of adults and male infants, and to all persons who may take part in the capture of slaves by violence;

Also against Offences against Individual Liberty, to Carriers, Transporters, and Dealers in Slaves.

And, on the other hand, the provisions relating to offences against individual liberty, to carriers, transporters, and dealers in slaves.

Accomplices and Accessories.

Accomplices and accessories of the different catagories of slave captors and dealers above specified shall be punished with penalties proportionate to those incurred by the principals.

Arrest and Trial of Guilty Persons.

Guilty persons who may have escaped from the jurisdiction of the authorities of the country where the crimes or offences have been committed, shall be arrested either on communication of the incriminatory evidence by the authorities who have ascertained the violation of the law, or on production of any other proof of guilt by the Power on whose territory they may have been discovered, and shall, without other formality, be held at the disposal of the tribunals competent to try them.

Laws, &c., of each Country to be communicated to the Powers.

The Powers will communicate to each other with the least possible delay the Laws or Decrees already in existence or promulgated in execution of the present Article.

Liberated Slaves.

ART. VI. Slaves liberated in consequence of the stoppage or dispersal of a convoy in the interior of the continent, shall be sent back, if circumstances permit, to their country of origin; if not, the local authorities shall help them as much as possible to obtain means of subsistence, and, if they desire it, to settle on the spot.

Fugitive Slaves. Reception in Official Camps and Stations, or on Government Vessels on Lakes and Rivers.

ART. VII. Any fugitive slave claiming on the continent the protection of the Signatory Powers shall obtain it, and shall be received in the camps and stations officially established by them, or on board Government vessels plying on the lakes and rivers.

Private Stations or Vessels not to grant Asylum without permission.

Private stations and vessels are only permitted to exercise the right of asylum subject to the previous sanction of the State.

Importation of Fire-arms and Ammunition prohibited within defined Zone, except in certain Cases, and under certain Conditions.

Art. VIII. The experience of all nations who have intercourse with Africa having shown the pernicious and preponderating part played by fire-arms in Slave Trade operations, as well as in intestine wars between native tribes; and this same experience having clearly proved that the preservation of the African populations, whose existence it is the express wish of the Powers to safeguard, is a radical impossibility if restrictive measures against the trade in fire-arms and ammunition are not established; the Powers decide, in so far as the present state of their frontiers permits, that the importation of fire-arms, and especially of rifles and improved weapons, as well as of powder, balls, and cartridges, is, except in the cases and under the conditions provided for in the following Article, prohibited in the territories comprised between the 20th parallel of north latitude and the 22nd parallel of south latitude, and extending westward to the Atlantic Ocean, and eastward to the Indian Ocean and its dependencies, comprising the islands adjacent to the coast as far as 100 nautical miles from the shore.

Fire-arms and Ammunition. Exceptional Cases in which they may be imported, and under what Conditions.

Art. IX. The introduction of fire-arms and ammunition, when there shall be occasion to authorize it in the Possessions of the Signatory Powers which exercise rights of sovereignty or of protectorate in Africa, shall be regulated in the following manner in the zone laid down in Article VIII, unless identical or more rigorous regulations have been already applied:—

Deposit of Arms (and Gunpowder . . .) in Warehouses.

All imported fire-arms shall be deposited, at the cost, risk, and peril of the importers, in a public warehouse placed under the control of the Administration of the State.

As to their Withdrawal.

No withdrawal of fire-arms or imported ammunition shall take place from such warehouses without the previous authorization of the Administration. This authorization shall, except in cases hereinafter specified, be refused for the withdrawal of all arms of precision, such as rifles, magazine-guns, or breech-loaders, whether whole or in detached pieces, their cartridges, caps, or other ammunition intended for them.

Private Warehouses under needful Guarantees.

At the seaports the respective Governments may permit the establishment of private warehouses, under conditions affording the needful guarantees; but only for ordinary powder and flint-lock guns, and to the exclusion of improved arms and their ammunition.

Individual Exceptions. Weapons carried by Travellers for Personal Defence.

Besides the measures directly taken by Governments for the arming of the public force and the organization of their defence, individual exceptions shall be admitted for persons affording sufficient guarantees that the arms and ammunition delivered to them will not be given, assigned, or sold to third persons, and for travellers provided with a declaration of their Government stating that the weapon and ammunition are destined exclusively for their personal defence.

Licences to bear Arms.

In the cases provided for in the preceding paragraph, all arms shall be registered and marked by the authorities appointed for the control, who shall deliver to the persons in question licences to bear arms, indicating the name of the bearer and showing the stamp with which the arm is marked. These licences are revocable in case of proved abuse, and will be issued for five years only, but may be renewed.

Gun-powder.

The rule above set forth as to warehousing shall also apply to gun-powder.

Withdrawal of Flint-lock Unrifled Guns and Trade Powder.

Only flint-lock unrifled guns and common gun-powder, called trade powder ("poudres de traite"), can be withdrawn from the warehouses for purposes of sale. At each withdrawal of arms and ammunition of this kind for sale, the local authorities shall determine the regions in which these arms and ammunition may be sold.

Slave Trade Regions excepted.

The regions infected by the Slave Trade shall always be excluded.

Lists to be kept of Arms and Ammunition withdrawn, and how disposed of.

Persons authorized to take arms or powder out of the warehouses shall present to the Administration every six months detailed lists indicating the destinations of the said fire-arms and powder sold, as well as the quantities still remaining in store.

Importation, Sale, and Transport of Fire-arms and Ammunition required by Authorities of an Inland State.

ART. X. The Governments shall take all measures they may deem necessary to ensure as complete a fulfilment as possible of the provisions respecting the importation, sale, and transport of fire-arms and ammunition, as well as to prevent either the entry or exit thereof by their inland frontiers, or the conveyance thereof to regions where the Slave Trade exists.

The authorization of transit within the limits of the zone specified by Article VIII cannot be withheld when the arms and ammunition are to pass across the territory of a Signatory or adherent Power in the occupation of the coast, towards inland territories placed under the sovereignty or protectorate of another Signatory or adherent Power, unless this latter Power have direct access to the sea through its own territory. Nor, if this access be completely interrupted, can the authorization of transit be withheld.

Declaration to be made.

Any demand for transit must be accompanied by a declaration emanating from the Government of the Power having the inland Possessions, and certifying that the said arms and ammunition are not destined for sale, but are for the use of the authorities of such Power, or of the military forces necessary for the protection of the missionary or commercial stations, or of persons mentioned by name in the declaration.

Rights reserved of Territorial Power on the Coast.

Nevertheless, the territorial Power of the coast retains the right to stop, exceptionally and provisionally, the transit of arms of precision and ammunition across its territory, if, in consequence of inland disturbances or other serious danger, there is ground for fearing that the dispatch of arms and ammunition might compromise its own safety.

Information as to Traffic in Fire-arms and Ammunition to be communicated by the Powers to each other.

ART. XI. The Powers shall communicate to each other information relating to the traffic in fire-arms and ammunition, the licences granted, and the measures of repression in force in their respective territories.

Arms and Ammunition. Penal Laws to be passed on the Subject.

ART. XII. The Powers undertake to adopt or to propose to their respective Legislatures the measures necessary to insure that those who infringe the prohibitions laid down in Articles VIII and IX, and their accomplices, shall, besides the seizure and confiscation of the prohibited arms and ammunition, be punished either by fine or by imprisonment, or by both penalties together, in proportion to the importance of the offence, and in accordance with the gravity of each case.

Fire-arms and Ammunition to be prevented from crossing Inland Frontiers of European Possessions into Regions of the Zone.

ART. XIII. The Signatory Powers who have Possessions in Africa in contact with the zone specified in Article VIII, bind themselves to take the necessary measures for preventing the introduction of fire-arms and ammunition across their inland frontiers into the regions of the said zone, at least that of improved arms and cartridges.

Duration of System for 12 years, and afterwards from two years to two years, unless revised.

ART. XIV. The system established under Articles VIII to XIII inclusive shall remain in force for twelve years. In case none of the Contracting Parties shall have notified, twelve months before the expiration of this period, their intention of putting an end to it, nor shall have demanded its revision, it shall continue to remain obligatory for two more years, and shall thus continue in force from two years to two years.

CHAP. II.—CARAVAN ROUTES AND LAND TRANSPORT OF SLAVES.

Watching Routes of Slave-dealers; Stopping and Pursuit of Convoys on the March.

ART. XV. Independently of the repressive or protective action which they exercise in the centre of the Slave Trade, the stations, cruizers, and posts, the establishment of which is provided for in Article II, and all other stations established or recognized according to the terms of Article IV by each Government in its possessions, will furthermore have the mission of watching, so far as circumstances permit, and in proportion to the progress of their administrative organization, the routes on their territory followed by the slave-dealers, of stopping the convoys on the march, and of pursuing them wherever they can legally take action.

Establishment of Posts near Passage or Terminal Points on the Coast, and at Points of Intersection of Principal Caravan Routes crossing Zone.

ART. XVI. In the regions of the coast known to serve habitually as places of passage or terminal points for Slave Traffic coming from the interior, as well as at the points of intersection of the principal caravan routes crossing the zone contiguous to the coast already subject to the influence of the Sovereign or Protecting Powers, posts shall be established, under the conditions and with the reservations mentioned in Article III, by the authorities responsible for such territories, with the purpose of intercepting the convoys and liberating the slaves.

Prevention of Sale or Shipment of Slaves, and Stoppage of Man-hunters and Slave-dealers.

ART. XVII. A strict supervision shall be organized by the local authorities at the ports and in the countries adjacent to the coast, with the view of preventing the sale and shipment of slaves brought from the interior, as well as the formation and departure for the interior of bands of man-hunters and slave-dealers.

Inspection of Caravans.

Caravans arriving at the coast or its vicinity, as well as those arriving in the interior at a locality occupied by the authorities of the territorial Power, shall, on arrival, be submitted to a minute inspection as to the persons composing them.

Individuals may be liberated on certain Conditions.

Any individual ascertained to have been captured or carried off by force or mutilated, either in his native country or on the way, shall be liberated.

Liberated Slaves.

ART. XVIII. In the Possessions of each of the Contracting Powers the Administration shall have the duty of protecting liberated slaves, of repatriating them if possible, of procuring for them means of subsistence, and in particular of providing for the education and support of abandoned children.

Application of Penal Arrangements.

ART. XIX. The penal arrangements provided for in Article V shall be made applicable to all crimes or offences committed in the course of operations for the transport of and traffic in slaves on land, whenever proved.

Any person having incurred a penalty in consequence of an offence provided for by the present General Act, shall be under the obligation of providing security before he is allowed to undertake any commercial operation in countries where the Slave Trade is carried on.

CHAP. III.—REPRESSION OF THE SLAVE TRADE BY SEA.

§ I. *General Provisions.*

Repression of the Slave Trade in the Maritime Zone.

ART. XX. The Signatory Powers acknowledge the opportuneness of taking steps in common for the more effective repression of the Slave Trade in the maritime zone in which it still exists.

Definition of Maritime Zone.

ART. XXI. This zone extends, on the one hand, between the coasts of the Indian Ocean (those of the Persian Gulf and of the Red Sea included) from the Beloochistan to Point Tangalane (Quilimane), and, on the other hand, a conventional line which first follows the meridian of Tangalane till it meets the 26th degree of south latitude; is then merged in this parallel, then passes round the Island of Madagascar by the east, keeping 20 miles off the east and north shore, till it crosses the meridian of Cape Amber. From this point the limit of the zone is determined by an oblique line which extends to the coast of Beloochistan, passing 20 miles off Cape Ras-el-Had.

Right of Search, Visit, and Detention of Vessels at Sea.

ART. XXII. The Signatory Powers of the present General Act, between whom there are special Conventions for the suppression of the Slave Trade, have agreed to restrict to the above-mentioned zone the clauses of these Conventions concerning the reciprocal right of visit, search, and detention ("droit de visite, de recherche, et de saisie") of vessels at sea. (See also Article XXIII.)

Right Limited to Vessels of less than 500 tons burthen.

ART. XXIII. The same Powers have also agreed to limit the above-mentioned right to vessels of less than 500 tons burthen.

Stipulation may be Revised.

This stipulation shall be revised as soon as experience shall have shown the necessity of such revision.

Confirmation of Slave Trade Treaties between Contracting Powers to General Act.

ART. XXIV. All other provisions of the Conventions concluded between the aforesaid Powers, for the suppression of Slave Trade, remain in force in so far as they are not modified by the present General Act.

Fraudulent Use of Flag. Stoppage by Powers of Transport of Slaves on Vessels authorized to use their Flag.

ART. XXV. The Signatory Powers undertake to adopt effective measures for preventing the usurpation of their flag, and putting a stop to the transport of slaves on vessels authorized to fly their colours.

Rapid Exchange of Information respecting Slave Trade Operations.

ART. XXVI. The Signatory Powers undertake to adopt all measures necessary for facilitating the rapid exchange of information calculated to bring about the discovery of persons taking part in Slave Trade operations.

International Bureau to be established at Zanzibar.

ART. XXVII. At least one International Bureau shall be created; it shall be established at Zanzibar. The High Contracting Parties undertake to forward to it all the documents specified in Article XLI, as well as information of all kinds likely to assist in the suppression of the Slave Trade.

Freedom of Fugitive Slaves on board Ships of War.

ART. XXVIII. Any slave who may have taken refuge on board a ship of war flying the flag of one of the Signatory Powers, shall be immediately and definitively freed; such freedom, however, shall not withdraw him from the competent jurisdiction, if he has committed a crime or offence at common law.

Right of Slaves detained against their will on board a Native Vessel to claim their Liberty.

ART. XXIX. Every slave detained against his wish on board a native vessel shall have the right to claim his liberty.

His freedom may be declared by any Agent of one of the Signatory Powers on whom the General Act confers the right of ascertaining the status of persons on board such vessels; such freedom, however, shall not withdraw him from the competent jurisdiction if he has committed a crime or offence at common law.

§ II. *Regulations concerning the Use of the Flag and Supervision by Cruizers.*

1. *Rules respecting the Grant of the Flag to Native Vessels; and respecting Crew Lists and Manifests of Black Passengers.*

Supervision over Native Vessels.

ART. XXX. The Signatory Powers undertake to exercise a strict supervision over the native vessels authorized to fly their flag in the zone indicated in Article XXI, and over the commercial operations carried on by such vessels.

Meaning of term "Native Vessel."

ART. XXXI. The term "native vessel" applies to vessels fulfilling one of the two following conditions:—

1. It must present the outward appearance of native build or rig.
2. It must be manned by a crew of whom the captain and the majority of the seamen belong by origin to a country having a sea-coast on the Indian Ocean, the Red Sea, or the Persian Gulf.

Conditions on which any of the Treaty Powers shall authorize Native Vessels to fly their Flag.

ART. XXXII. Authority to fly the flag of one of the said Powers shall in future only be granted to such native vessels as shall satisfy all the three following conditions:—

1. Their fitters-out or owners must be either subjects of or persons protected by the Power whose flag they claim to fly.
2. They must furnish proof that they possess real estate situated in the district of the authority to whom their application is addressed, or to supply a solvent security as a guarantee for any fines to which they may eventually become liable.

3. Such fitters-out or owners, as well as the captain of the vessel, must furnish proof that they enjoy a good reputation, and especially that they have never been condemned for acts of Slave Trade.

Authority to be renewed yearly, and may be suspended or withdrawn.

ART. XXXIII. The authorization, when granted, shall be renewed every year. It can at any time be suspended or withdrawn by the authorities of the Power whose colours the vessel flies.

Other Precautions to be taken.

ART. XXXIV. The deed of authorization shall bear the indications necessary to establish the identity of the vessel. The captain shall have the custody of it. The name of the native vessel and the indication of its tonnage shall be inlaid and painted in Latin characters on the stern; and the initial or initials of the name of the port of registry, as well as the registration number in the series of numbers of that port, shall be printed in black on the sails.

Crew List. Provisions.

ART. XXXV. A crew list shall be issued to the captain of the vessel at the port of departure by the authorities of the Power whose colour it flies. It shall be renewed each time the vessel is fitted out, or, at latest, at the end of a year, and in conformity with the following provisions:—

1. The list shall be *viséed* at the moment of departure by the authority who has issued it.

2. No negro can be engaged as a seaman on a vessel without having been previously questioned by the authority of the Power whose colours it flies, or, failing such authority, by the territorial authority, with a view to establish that he has contracted a free engagement.

3. Such authority shall see that the proportion of seamen and boys is not out of proportion to the tonnage or rig of the vessels.

4. The authority who shall have interrogated the men before their departure shall inscribe them on the crew list, in which they shall be mentioned with a short description of each of them against his name.

5. In order the more effectively to prevent any substitution, the seamen may, moreover, be provided with a distinctive mark.

Embarkation of Negro Passengers.

ART. XXXVI. If the captain of a vessel should desire to embark negro passengers, he shall make declaration thereof to the authority of the Power whose colours he flies, or, failing such authority, to the territorial authority. The passengers shall be interrogated, and after it has been ascertained that they embark of their own free will, they shall be inscribed in a special manifest, bearing the description of each of them against the name, and indicating especially sex and height. Negro children shall not be admitted as passengers unless they are accompanied by their relations, or by persons whose respectability is well known. On departure the passenger manifest shall be *viséed* by the aforesaid authority after it has been called over. If there are no passengers on board, this shall be specially mentioned on the crew list.

Negro Passengers. Forms to be observed by the Captain of a Vessel on arrival at any Port of Call or Destination.

Art. XXXVII. On arrival at any port of call or of destination, the captain of the vessel shall show to the authority of the Power whose flag he flies, or, failing such authority, to the territorial authority, the crew list, and, if need be, the passenger manifests previously delivered. Such authority shall check the passengers arrived at their destination or stopping at a port of call, and shall mention their landing in the manifest.

On departure the said authority shall affix a fresh *visa* to the list and to the manifest, and shall call over the passengers.

Landing of Negro Passengers.

Art. XXXVIII. On the African coast and on the adjacent islands no negro passenger shall be shipped on board a native vessel, except in localities where there is a resident authority belonging to one of the Signatory Powers.

Throughout the zone mentioned in Article XXI no negro passenger shall be landed from a native vessel, except at a place in which there is a resident authority belonging to one of the High Contracting Powers, and unless such authority is present at the landing.

Cases of *force majeure* which may have caused an infraction of these provisions shall be examined by the authority of the Power whose colours the vessel flies, or, failing such authority, by the territorial authority of the port at which the inculpated vessel puts in.

Exceptions to the above:—

Partially decked Vessels with not more than 10 Men.

Art. XXXIX. The provisions of Articles XXXV, XXXVI, XXXVII, and XXXVIII are not applicable to vessels only partially decked, having a maximum crew of 10 men, and satisfying one of the two following conditions:—

Fishing Vessels. Territorial Waters.

1. That it is exclusively employed in fishing within territorial waters.

Small Coasting Traders.

2. That it is occupied in the small coasting trade between different ports of the same territorial Powers and never goes further than 5 miles from the coast.

Special Licences to be granted.

These different boats shall receive, according to circumstances, from the territorial or Consular authority, a special licence, renewable, every year, and revocable under the conditions provided for in Article XL, and the uniform model of which, annexed to the present General Act, shall be communicated to the International Information Office.

Licences to be withdrawn in certain Cases.

ART. XL. All acts or attempted acts of slave trade legally brought home to the captain, fitter-out, or owner of a vessel authorized to fly the flag of one of the Signatory Powers, or holding the licence provided for in Article XXXIX, shall entail the immediate withdrawal of the said authorization or licence.

Penalties for Offences.

All offences against the provisions of Section 2 of Chapter III shall in addition be punished by the penalties enacted by special Laws and Ordinances of each of the Contracting Powers.

Forms of Documents to be deposited at International Information Office.

ART. XLI. The Signatory Powers undertake to deposit at the International Information Office specimen forms of the following documents:—

1. Licences to fly the flag;
2. Crew list;
3. Manifest of negro passengers.

These documents, the tenour of which may vary according to the different Regulations of each country, shall compulsorily contain the following particulars, drawn up in a European language:—

Authorization to fly the Flag.

1. As regards the authorization to fly the flag:

(a.) The name, tonnage, rig, and principal dimensions of the vessel;

(b.) The register number and the signal letter of the port of registry.

(c.) The date of obtaining the licence, and the office held by the person who has issued it.

The Crew List.

2. As regards the crew list:

(a.) The name of the vessel, of the captain, and of the fitter-out or owner;

(b.) The tonnage of the vessel;

(c.) The register number and the port of registry of the vessel, its destination, and the particulars specified in Article XXV.

Manifest of Negro Passengers.

3. As regards the manifest of negro passengers:

The name of the vessel which conveys them, and the particulars indicated in Article XXXVI for the proper identification of the passengers.

The Signatory Powers shall take the necessary measures in order that the territorial authorities or their Consuls may send to the said office certified copies of all authorizations to fly their flag, as soon as such authorizations shall have been granted, as well as notice of the withdrawal of any such authorization.

The provisions of the present Article only concern the papers intended for native vessels.

2. *Detention of Suspected Vessels.*

Verification of Ship's Papers of Suspected Vessels.

ART. XLII. When the officers in command of vessels of war of any of the Signatory Powers have reason to believe that a vessel of less than 500 tons burthen, found in the above-mentioned zone, is engaged in the Slave Trade, or is guilty of the fraudulent use of a flag, they may proceed to the verification of the ship's papers.

Jurisdiction in Territorial Waters.

The present Article does not imply any change in the present state of things as regards jurisdiction in territorial waters.

Conduct of Naval Officer on board Suspected Vessel.

ART. XLIII. With this object, a boat, commanded by a naval officer in uniform, may be sent on board the suspected vessel after it has been hailed to give notice of such intention.

The officer sent on board the vessel detained shall act with all possible consideration and moderation.

Verification of Ship's Papers. Examination of Documents.

ART. XLIV. The verification of the ship's papers shall consist in the examination of the following documents:—

1. As regards native vessels, the papers mentioned in Article XLI.
2. As regards other vessels, the documents required by the different Treaties or Conventions remaining in force.

The verification of the ship's papers only authorizes the muster of the crew and passengers in the cases and under the conditions provided for in the following Article.

Investigation of the Cargo or Search.

ART. XLV. Investigation of the cargo or search can only take place with respect to a vessel navigating under the flag of one of the Powers which have concluded, or may conclude, special Conventions as mentioned in Article XXII, and in accordance with the provisions of such Conventions.

Detained Vessels. Forms to be observed.

ART. XLVI. Before quitting the detained vessel, the officer shall draw up a Minute according to the forms and in the language of the country to which he belongs.

This Minute shall be dated and signed by the officer, and shall relate the facts.

The captain of the detained vessel, as well as the witnesses, shall have the right to cause to be added to the Minute any explanations they may think expedient.

Detained Vessels. Report to be made to Government.

ART. XLVII. The Commander of a man-of-war who may have detained a vessel under a foreign flag shall in all cases make a Report thereon to his own Government, and state the grounds upon which he acted.

Detained Vessels. Copy of Report to be sent to International Information Office.

ART. XLVIII. A summary of this Report, as well as a copy of the Minute drawn up by the officer sent on board the detained vessel, shall be sent as soon as possible to the International Information Office, which shall communicate the same to the nearest Consular or territorial authority of the Power whose flag was used by the vessel in question. Duplicates of these documents shall be kept in the archives of the office.

Vessels detained on Suspicion. Where to be taken to.

ART. XLIX. If, in carrying out the supervision provided for in the preceding Articles, the officer in command of the cruizer is convinced that an act of Slave Trade has been committed on board during the passage, or that irrefutable proofs exist against the captain, or fitter-out, to justify a charge of fraudulent use of the flag, of fraud, or of participation in the Slave Trade, he shall take the detained vessel to the nearest port of the zone where there is a competent authority of the Power whose flag has been used.

Appointment in Zone of territorial or Consular Authorities or Delegates.

Each Signatory Power undertakes to appoint in the zone territorial or Consular authorities, or Special Delegates competent to act in the abovementioned cases; and to notify such appointments to the International Information Office.

Suspected Vessels to be handed over to Cruizer of their own Nation.

The suspected vessel can also be handed over to a cruizer of its own nation, if the latter consents to take charge of it.

3. *Examination and Trial of Vessels seized.*

Investigation by Competent Authority.

Art. L. The authority referred to in the preceding Article, to whom the detained vessel has been handed over, shall proceed to make a full investigation, according to the laws and rules of his country, in the presence of an officer belonging to the foreign cruizer.

Fraudulent Use of Flag.

Art. LI. If it is proved by the inquiry that the flag has been fraudulently used, the detained vessel shall remain at the disposal of its captor.

Slaves on board for Sale or other Slave Trade Offence.

Art. LII. If the examination shows an act of Slave Trade, made clear by the presence on board of slaves destined for sale, or by any other Slave Trade offence provided for by special Convention, the vessel and cargo shall remain sequestrated in charge of the authority who has directed the inquiry.

Disposal of Captain, Crew, and Slaves.

The captain and crew shall be handed over to the Tribunals fixed by Articles LIV and LVI. The slaves shall be set at liberty as soon as judgment has been delivered.

Liberated Slaves.

In the cases provided for by this Article, liberated slaves shall be disposed of in accordance with the special Conventions concluded, between the Signatory Powers. In default of such Conventions, the said slaves may be handed over to the local authority, to be sent back, if possible, to their country of origin; if not, such authority shall help them so far as possible to obtain means of subsistence, and, if they desire it, to settle on the spot.

Vessels illegally detained.

Art. LIII. If it should be proved by the inquiry that the vessel has been illegally detained, a right will accrue to an indemnity in proportion to the damages suffered by the vessel being taken out of its course. The amount of this indemnity shall be fixed by the authority which has directed the inquiry.

Appeal to Tribunals.

Art. LIV. In case the officer of the capturing vessel should not accept the conclusions of the inquiry carried on in his presence, the matter shall, as a matter of course, be handed over to the Tribunal of the nation under whose flag the captured vessel sailed.

No exception shall be made to this rule, unless the disagreement arises in respect of the amount of the indemnity provided for in Article LIII, when it shall be fixed by arbitration, as specified in the following Article.

Appointment of Arbitrators and Umpire.

ART. LV. The capturing officer, and the authority which has directed the inquiry, shall each appoint an Arbitrator within 48 hours; and the two Arbitrators shall have 24 hours to choose an Umpire. The Arbitrators shall, as far as possible, be chosen from among the Diplomatic, Consular, or Judicial officers of the Signatory Powers. Natives in the pay of the Contracting Governments are formally excluded. The decision shall be taken by majority of votes, and shall be considered final. If the Court of Arbitration is not constituted within the time indicated, the procedure in respect of indemnity and damages shall be in accordance with the provisions of Article LVIII, paragraph 2.

Tribunal to be referred to of Nation whose Colours have been used.

ART. LVI. Cases shall be referred with the least possible delay to the Tribunal of the nation whose colours have been used by the accused. Nevertheless, Consuls or any other authority of the same nation as the accused, specially commissioned to that effect, may be authorized by their Government to deliver judgment instead and in the place of the Tribunals.

Procedure and Judgment.

ART. LVII. The procedure and judgment in regard to offences against the provisions of Chapter III shall always take place in as summary a manner as is permitted by the Laws and Regulations in force in the territories subject to the authority of the Signatory Powers.

Execution of Judgments.

ART. LVIII. Any judgment of the national Tribunal, or of the authorities referred to in Article LVI, declaring that the detained vessel did not carry on Slave Trade, shall be immediately executed, and the vessel shall be entirely free to continue its course.

In such cases the captain or fitter-out of a vessel detained without legitimate ground of suspicion, or which has been subjected to annoyance, shall have the right of claiming damages, the amount of which shall be fixed by agreement between the Governments directly interested, or by arbitration, and shall be paid within a period of six months from the date of the judgment acquitting the captured vessel.

Condemnation of Vessel. Lawful Prize.

ART. LIX. In case of condemnation, the sequestered vessel shall be declared a lawful prize for the benefit of the captor.

Punishment of Captain, Crew, and others.

The captain, crew, and all other persons found guilty shall be punished according to the gravity of the crimes or offences committed by them, and in accordance with Article V.

Special and other Tribunals.

ART. LX. The provisions of Articles L to LIX do not affect in any way the jurisdiction or procedure of existing special Tribunals, or of those which may hereafter be formed to take cognizance of Slave Trade offences.

Instructions to Naval Commanders.

ART. LXI. The High Contracting Parties undertake to make known to each other reciprocally the instructions which they may give to the commanders of their men-of-war navigating the seas of the zone referred to, for carrying out the provisions of Chapter III.

CHAPTER IV.—COUNTRIES TO WHICH SLAVES ARE SENT, THE INSTITUTIONS OF WHICH RECOGNIZE THE EXISTENCE OF DOMESTIC SLAVERY.

Importation, Transit, and Exit, and Traffic in Slaves to be prohibited.

ART. LXII. The Contracting Powers whose institutions recognize the existence of domestic slavery, and whose Possessions, whether in or out of Africa, consequently serve, in spite of the vigilance of the authorities, as places of destination for African slaves, engage to prohibit the importation, transit, and exit, as well as traffic in slaves. They shall organize the most active and the strictest supervision at all places where the arrival, transit, or exit of African slaves takes place.

Liberated Slaves.

ART. LXIII. Slaves liberated under the provisions of the preceding article shall, if circumstances permit, be sent back to the country from whence they came. In all cases they shall receive letters of freedom from the competent authorities, and shall be entitled to their protection and assistance for the purpose of obtaining means of subsistence.

Fugitive Slaves.

ART. LXIV. Every fugitive slave arriving at the frontier of any of the Powers mentioned in Article LXII shall be considered free, and shall have the right to claim letters of freedom from the competent authorities.

Sales, &c., null and void.

ART. LXV. Any sale or transaction to which the slaves referred to in Article LXIII and LXIV may have been subjected through circumstances of any kind whatsoever shall be considered as null and void.

Slaves on board Native Vessels.

ART. LXVI. Native vessels flying the flag of one of the countries mentioned in Article LXII, if there is any indication that they are employed in

Slave Trade operations, shall be subjected by the local authorities in the ports they frequent to a strict verification of their crew and passengers, both on arrival and departure. Should African slaves be on board, judicial proceedings shall be taken against the vessel and against all persons who may be implicated. Slaves found on board shall receive letters of freedom through the authorities who effected the seizure of the vessels.

Penal Provisions.

Art. LXVII. Penal provisions in harmony with those provided for by Article V shall be issued against persons importing, transporting, and trading in African slaves, against the mutilators of children or of male adults, and those who traffic in them, as well as against their associates and accomplices.

Ottoman Law against Negro Slave Trade.

Art. LXVIII. The Signatory Powers recognize the great importance of the Law respecting the prohibition of the Negro Slave Trade sanctioned by His Majesty the Emperor of the Ottomans on the 4th (16th) December, 1889 (22 Rebi-ul-Akhir, 1307), and they are assured that an active supervision will be organized by the Ottoman authorities, especially on the west coast of Arabia and on the routes which place this coast in communication with the other possessions of His Imperial Majesty in Asia.

Persian Supervision in its Territorial Waters, Inland Routes, &c.

Art. LXIX. His Majesty the Shah of Persia consents to organize an active supervision in the territorial waters, and on those portions of the coast of the Persian Gulf and Gulf of Oman which are under his sovereignty, and over the inland routes which serve for the transport of slaves. The Magistrates and other authorities shall receive the necessary powers for this purpose.

Steps to be taken by the Sultan of Zanzibar.

Art. LXX. His Highness the Sultan of Zanzibar consents to give his most effective support for the repression of crimes and offences committed by traders in African slaves on land as well as at sea. The Tribunals created for this purpose in the Sultanate of Zanzibar shall strictly apply to the penal provisions mentioned in Article V.

Establishment of a Liberation Office in Zanaibar.

In order the better to ensure the freedom of liberated slaves, both in virtue of the provisions of the present General Act and of the Decrees issued in this matter by His Highness and his predecessors, a Liberation Office shall be established at Zanzibar.

Diplomatic, Consular, and Naval Assistance to Local Authorities.

Art. LXXI. Diplomatic and Consular Agents and naval officers of the Contracting Powers shall, within the limits of existing conventions, give their assistance to the local authorities in order to assist in repressing the Slave Trade where it still exists.

Presence at Slave-trading Trials.

They shall be entitled to be present at trials for slave trading brought about at their instance, without, however, being entitled to take part in the deliberations.

Liberation Offices.

ART. LXXII. Liberation offices, or institutions in lieu thereof, shall be organized by the Administrations of the countries to which African slaves are sent, for the purposes specified in Article XVIII.

Periodical Exchange of Statistical Data.

ART. LXXIII. The Signatory Powers having undertaken to communicate to each other all information useful for the repression of the Slave Trade, the Governments whom the present Chapter concerns shall periodically exchange with the other Governments statistical data relating to slaves detained and liberated, as well as the legislative and administrative measures for suppressing the Slave Trade.

CHAPTER V.—INSTITUTIONS INTENDED TO INSURE THE EXECUTION OF THE GENERAL ACT.

§ I. *The International Maritime Office.*

Institution at Zanzibar. Representatives.

ART. LXXIV. In accordance with the provisions of Article XXVII, an international Office is instituted at Zanzibar, in which each of the Signatory Powers may be represented by a Delegate.

Constitution. Regulations.

ART. LXXV. The Office shall be constituted as soon as three Powers have appointed their Representatives.

It shall draw up Regulations fixing the mode of exercising its functions. These Regulations shall immediately be submitted for the approval of those Signatory Powers who shall have notified their intention of being represented in the Office, and who shall come to a decision with regard to them with the least possible delay.

Expenses.

ART. LXXVI. The expenses of this institution shall be divided in equal parts among the Signatory Powers mentioned in the preceding Article.

Object. Centralization of Documents and Information. Repression of the Slave Trade in the Maritime Zone.

ART. LXXVII. The object of the Office at Zanzibar shall be to centralize all documents and information of a nature to facilitate the repression of the Slave Trade in the maritime zone. For this purpose the Signatory Powers undertake to forward to it within the shortest possible time:—

1. The documents specified in Article XLI.

2. Summaries of the Reports and copies of the Minutes referred to in Article XLVIII.

3. The list of territorial or Consular authorities and Special Delegates competent to take action as regards detained vessels, according to the terms of Article XLIX.

4. Copies of Judgments and Decrees of Condemnation delivered in accordance with Article LVIII.

5. All information likely to lead to the discovery of persons engaged in the Slave Trade in the above-mentioned zone.

Archives accessible to Naval Officers and others.

ART. LXXVIII. The archives of the Office shall always be open to naval officers of the Signatory Powers authorized to act within the limits of the zone defined in Article XXI as well as to the territorial or judicial authorities, and to Consuls specially appointed by their Governments.

Translations of Documents.

The Office shall supply to foreign officers and agents authorized to consult its archives translations in a European language of documents written in an Oriental language. It shall make the communications provided for in Article XLVIII.

Auxiliary Offices.

ART. LXXIX. Auxiliary Offices in communciation with the Office at Zanzibar may be established in certain parts of the zone, on agreement beforehand between the interested Powers.

They shall be composed of Delegates of such Powers, and established in conformity with Articles LXXV, LXXVI, and LXXVIII.

Documents and Information, where to be forwarded.

The documents and information specified in Article LXXVII, so far as they relate to the part of the zone specially concerned, shall be sent to them direct by the territorial and Consular authorities of the region in question, without prejudice to the communication to the Zanzibar Office provided for by the same Article.

Annual Reports to be prepared.

ART. LXXX. The Office at Zanzibar shall draw up within the two first months of every year, a Report upon its own operations, and those of the auxiliary Offices, during the past year.

§ II. *Exchange between the respective Governments of Documents and Information relating to the Slave Trade.*

International Communications.

ART. LXXXI. The Powers shall communicate to each other to the fullest extent, and with the least delay which they shall consider possible—

Laws and Regulations.

1. The text of the Laws and administrative Regulations, whether already existing, or enacted in application of the clauses of the present General Act.

Statistical Information.

2. Statistical information concerning the Slave Trade, slaves detained and liberated, and the traffic in arms, ammunition, and spirituous liquors.

Central Office at Brussels.

ART. LXXXII. The exchange of these documents and information shall be centralized in a special office attached to the Foreign Office in Brussels.

Information to be supplied by Office at Zanzibar.

ART. LXXXIII. The Office at Zanzibar shall forward to it every year the report mentioned in Article LXXX upon its operations during the past year, and upon those of the auxiliary offices which may have been established in accordance with Article LXXIX.

Information to be published and communicated to the Powers.

ART. LXXXIV. The documents and information shall be collected and published, periodically, and addressed to all the Signatory Powers. This publication shall be accompanied every year by an analytical table of the legislative, administrative, and statistical documents mentioned in Articles LXXXI and LXXXIII.

Expenses to be shared by Signatory Powers.

ART. LXXXV. The office expenses and the expenditure incurred for correspondence, translation, and printing shall be shared by all the Signatory Powers, and shall be recovered through the Foreign Office at Brussels.

§ III. *Protection of Liberated Slaves.*

Establishment of Offices or Institutions.

ART. LXXXVI. The Signatory Powers, having recognized the duty of protecting liberated slaves in their respective possessions, undertake to establish, if they should not already exist, in the ports of the zone determined by Article XXI and in such parts of their said Possessions as may be places for the capture, passage, and arrival of African slaves, as many Offices or institutions as they may deem sufficient, the business of which will specially consist in freeing and protecting the slaves in accordance with the provisions of Articles VI, XVIII, LII, LXIII, LXVI.

Letters of Freedom. Registers.

Art. LXXXVII. Such Offices, or the authorities charged with this service, shall deliver letters of freedom, and keep a register thereof.

Liberation of Slaves and Punishment of Offenders.

On receiving notice of an act of Slave Trade or of illegal detention, or at the instance of the slaves themselves, the said Offices or authorities shall exercise all necessary diligence to insure the liberation of the slaves and the punishment of the offenders.

Legal Procedure against Slaves accused of Crime.

The delivery of letters of freedom should in no case be delayed if the slave be accused of a crime or offence against common law. But after the delivery of the said letters, the ordinary legal procedure shall take its course.

Refuges for Women. Education of Children.

Art. LXXXVIII. The Signatory Power shall encourage the foundation in their Possessions of establishments of refuge for women and of education for liberated children.

Access of Free Slaves to Offices.

Art. LXXXIX. Freed slaves shall always be able to resort to the Offices to be protected in the enjoyment of their liberty.

Punishment for depriving Liberated Slaves of their Letters of Freedom or of their Liberty.

Whoever shall have used fraud or violence to deprive a liberated slave of his letters of freedom or of his liberty shall be considered as a slave-dealer.

CHAPTER VI.—RESTRICTIVE MEASURES CONCERNING THE TRAFFIC IN SPIRITUOUS LIQUORS.

Zone within which Articles of Act respecting Spirituous Liquors shall apply.

Art. XC. Justly anxious respecting the moral and material consequences which the abuse of spirituous liquors entails on the native populations, the Signatory Powers have agreed to apply the provisions of Articles XCI, XCII, and XCIII within a zone extending from the 20th degree north latitude to the

22nd degree south latitude, and bounded by the Atlantic Ocean on the west, and on the east by the Indian Ocean and its dependencies, comprising the islands adjacent to the shore up to 100 marine miles from the coast. . . .

Importation of Distilled Liquors prohibited.

Art. XCI. In the regions of this zone where it shall be ascertained that, either on account of religious belief or from other motives, the use of distilled liquors does not exist or has not been developed, the Powers shall prohibit their importation.

Manufacture of Distilled Liquors to be also prohibited.

The manufacture therein of distilled liquors shall equally be prohibited.

Limits of Zones to be notified to the Powers.

Each Power shall determine the limits of the zone of prohibition of alcoholic liquors in its Possessions or Protectorates, and shall be bound to notify the limits thereof to the other Powers within the space of six months.

Cases in which Prohibition can be suspended.

The above prohibition can only be suspended in the case of limited quantities for the consumption of the non-native population, and imported under the system and conditions determined by each Government.

Import Duties on Spirituous Liquors to be Levied by neighbouring States.

Art. XCII. The Powers having Possessions or exercising Protectorates in the regions of the zone which are not placed under the system of prohibition, and into which spirituous liquors are at present either freely imported or pay an import duty of less than 15 fr. per hectolitre up to 50 degrees centigrade, undertake to levy on these spirituous liquors an import duty of 15 fr. per hectolitre up to 50 degrees centigrade for the three years next after the present General Act comes into force. At the expiration of this period the duty may be increased to 25 fr. for a fresh period of three years. At the end of the sixth year it shall be submitted to revision, taking as a basis the average results produced by these Tariffs, for the purpose of then fixing, if possible, a minimum duty throughout the whole extent of the zone where the system of prohibition referred to in Article XCI should not be in force.

The Powers retain the right of maintaining and increasing the duties beyond the minimum fixed by the present article in those regions where they already possess that right.

Art. XCIII. Distilled liquors manufactured in the regions referred to in Article XCII, and intended for inland consumption, shall be subject to an excise duty.

This excise duty, the collection of which the Powers undertake to insure as far as possible, shall not be lower than the minimum import duty fixed by Article XCII.

ART. XCIV. The Signatory Powers which have possessions in Africa contiguous to the zone specified in Article XC undertake to adopt the necessary measures for preventing the introduction of spirituous liquors into the territories of the said zone across their inland frontiers.

ART. XCV. The Powers shall communicate to each other, through the Office at Brussels, and according to the terms of Chap. V, information relating to the traffic in spirituous liquors within their respective territories.

CHAPTER VII.—FINAL PROVISIONS.

Repeal of all Stipulations of Conventions opposed to this Act.

ART. XCVI. The present General Act repeals all contrary stipulations of Conventions previously concluded between the Signatory Powers. (See also Art. 24. . . .)

Modifications or Improvement of Act.

ART. XCVII. The Signatory Powers, without prejudice to the stipulations contained in Articles XIV, XXIII, and XCII, reserve the right of introducing into the present General Act later on, and by common agreement, such modifications or improvements as experience may prove to be useful.

Permission to other Powers to accede, subject to Conditions.

ART. XCVIII. Powers who have not signed the present General Act shall be allowed to adhere to it.

The Signatory Powers reserve the right to impose the conditions which they may deem necessary on such adhesion.

If no conditions should be stipulated, adhesion implies full acceptance of all the obligations and full admission to all the advantages stipulated by the present General Act.

The Powers shall concert among themselves as to the steps to be taken to procure the adhesion of States whose co-operation may be necessary or useful in order to insure the complete execution of the General Act.

Adhesion shall be effected by a separate Act. It shall be notified through the Diplomatic channel to the Government of His Majesty the King of the Belgians, and by that Government to all the Signatory and adherent States.

Ratifications.

ART. XCIX. The present General Act shall be ratified within a period which shall be as short as possible, and which shall not in any case exceed one year.

Each Power shall address its ratification to the Government of His Majesty the King of the Belgians, which shall give notice thereof to all the other Signatory Powers of the present General Act.

The ratifications of all the Powers shall remain deposited in the archives of the Kingdom of Belgium.

As soon as all the ratifications have been produced, or at latest one year after the signature of the present General Act, their deposit shall be recorded in a Protocol which shall be signed by the representatives of all the Powers which have ratified.

A certified copy of this Protocol shall be forwarded to all the Powers interested.

Commencement of Act.

ART. C. The present General Act shall come into force in all the Possessions of the Contracting Powers on the 60th day after the date of the Protocol of Deposit provided for in the preceding article.

In witness whereof the respective Plenipotentiaries have signed the present General Act, and have thereto affixed their seals.

Done at Brussels the 2nd day of the month of July, 1890.

APPENDIX XLV

THE REVISED ACT OF BERLIN, 1919

Convention

Revising the

General Act of Berlin, February 26, 1885,

and the

General Act and Declaration of Brussels, July 2, 1890.

Signed at Saint-Germain-en-Laye, September 10, 1919.
Presented to Parliament by Command of His Majesty.

THE UNITED STATES OF AMERICA, BELGIUM, THE BRITISH EMPIRE, FRANCE, ITALY, JAPAN AND PORTUGAL;

Whereas the General Act of the African Conference, signed at Berlin on February 26, 1885, was primarily intended to demonstrate the agreement of the Powers with regard to the general principles which should guide their commercial and civilising action in the little known or inadequately organised regions of a continent where slavery and the slave trade still flourished; and

Whereas by the Brussels Declaration of July 2, 1890, it was found necessary to modify for a provisional period of fifteen years the system of free imports established for twenty years by Article 4 of the said Act, and since that date no agreement has been entered into, notwithstanding the provisions of the said Act and Declaration; and

Whereas the territories in question are now under the control of recognised authorities, are provided with administrative institutions suitable to the local conditions, and the evolution of the native populations continues to make progress;

Wishing to ensure by arrangements suitable to modern requirements the application of the general principles of civilisation established by the Acts of Berlin and Brussels,

Have appointed as their Plenipotentiaries: (names omitted)

Who, after having communicated their full powers recognised in good and due form,

Have agreed as follows:

Article 1.

The Signatory Powers undertake to maintain between their respective nationals and those of States, Members of the League of Nations, which may adhere to the present Convention a complete commercial equality in the territories under their authority within the area defined by Article 1 of the General Act of Berlin of February 26, 1885, set out in the Annex hereto, but subject to the reservation specified in the final paragraph of that article.

Annex.

Article 1 of the General Act of Berlin of February 26, 1885.

The trade of all nations shall enjoy complete freedom:

1. In all the regions forming the basin of the Congo and its outlets. This basin is bounded by the watersheds (or mountain ridges) of the adjacent basins, namely, in particular, those of the Niari, the Ogowé, the Shari, and the Nile, on the north; by the eastern watershed line of the affluents of Lake Tanganyika on the east; and by the watersheds of the basins of the Zambesi and the Logé on the south. It therefore comprises all the regions watered by the Congo and its affluents, including Lake Tanganyika, with its eastern tributaries.

2. In the maritime zone extending along the Atlantic Ocean from the parallel situated in 2° 30′ of south latitude to the mouth of the Logé.

The northern boundary will follow the parallel situated in 2° 30′ from the coast to the point where it meets the geographical basin of the Congo, avoiding the basin of the Ogowé, to which the provisions of the present Act do not apply.

The southern boundary will follow the course of the Logé to its source, and thence pass eastwards till it joins the geographical basin of the Congo.

3. In the zone stretching eastwards from the Congo Basin as above defined, to the Indian Ocean from 5° of north latitude to the mouth of the Zambesi in the south, from which point the line of demarcation will ascend the Zambesi to 5 miles above its confluence with the Shiré, and then follow the watershed between the affluents of Lake Nyassa and those of the Zambesi, till at last it reaches the watershed between the waters of the Zambesi and the Congo.

It is expressly recognised that in extending the principal of free trade to this eastern zone, the Conference Powers only undertake engagements for themselves, and that in the territories belonging to an independent Sovereign State this principle shall only be applicable in so far as it is approved by such State. But the Powers agree to use their good offices with the Governments established on the African shore of the Indian Ocean for the purpose of obtaining such approval, and in any case of securing the most favourable conditions to the transit (traffic) of all nations.

Article 2.

Merchandise belonging to the nationals of the Signatory Powers, and to those of States, Members of the League of Nations, which may adhere to the present Convention, shall have free access to the interior of the regions specified in Article 1. No differential treatment shall be imposed upon the said merchandise on importation or exportation, the transit remaining free from all duties, taxes or dues, other than those collected for services rendered.

Vessels flying the flag of any of the said Powers shall also have access to all the coast and to all maritime ports in the territories specified in Article 1; they shall be subject to no differential treatment.

Subject to these provisions, the States concerned reserve to themselves complete liberty of action as to the customs and navigation regulations and tariffs to be applied in their territories.

Article 3.

In the territories specified in Article 1 and placed under the authority of one of the Signatory Powers, the Nationals of those Powers, or of States, Members of the League of Nations, which may adhere to the present Convention shall, subject only to the limitations necessary for the maintenance of public security and order, enjoy without distinction the same treatment and the same rights as the nationals of the Power exercising authority in the territory, with regard to the protection of their persons and effects, with regard to the acquisition and transmission of their movable and real property, and with regard to the exercise of their professions.

Article 4.

Each State reserves the right to dispose freely of its property and to grant concessions for the development of the natural resources of the territory, but no regulations on these matters shall admit of any differential treatment between the nationals of the Signatory Powers and of States, Members of the League of Nations, which may adhere to the present Convention.

Article 5.

Subject to the provisions of the present chapter, the navigation of the Niger, of its branches and outlets, and of all the rivers, and of their branches and outlets, within the territories specified in Article 1, as well as of the lakes situated within those territories, shall be entirely free for merchant vessels and for the transport of goods and passengers.

Craft of every kind belonging to the nationals of the Signatory Powers and of States, Members of the League of Nations, which may adhere to the present Convention shall be treated in all respects on a footing of perfect equality.

Article 6.

The navigation shall not be subject to any restriction or dues based on the mere fact of navigation.

It shall not be exposed to any obligation in regard to landing, station, or depôt, or for breaking bulk or for compulsory entry into port.

No maritime or river toll, based on the mere fact of navigation, shall be levied on vessels, nor shall any transit duty be levied on goods on board. Only such taxes or duties shall be collected as may be an equivalent for services rendered to navigation itself. The tariff of these taxes or duties shall not admit of any differential treatment.

ARTICLE 7.

The affluents of the rivers and lakes specified in Article 5 shall in all respects be subject to the same rules as the rivers or lakes of which they are tributaries.

The roads, railways or lateral canals which may be constructed with the special object of obviating the innavigability or correcting the imperfections of the water route on certain sections of the rivers and lakes specified in Article 5, their affluents, branches and outlets, shall be considered, in their quality of means of communication, as dependencies of these rivers and lakes, and shall be equally open to the traffic of the nationals of the Signatory Powers and of the States, Members of the League of Nations, which may adhere to the present Convention.

On these roads, railways and canals only such tolls shall be collected as are calculated on the cost of construction, maintenance and management, and on the profits reasonably accruing to the undertaking. As regards the tariff of these tolls, the nationals of the Signatory Powers and of States, Members of the League of Nations, which may adhere to the present Convention, shall be treated on a footing of perfect equality.

ARTICLE 8.

Each of the Signatory Powers shall remain free to establish the rules which it may consider expedient for the purpose of ensuring the safety and control of navigation; on the understanding that these rules shall facilitate, as far as possible, the circulation of merchant vessels.

ARTICLE 9.

In such sections of the rivers and of their affluents, as well as on such lakes, as are not necessarily utilised by more than one riverain State, the Governments exercising authority shall remain free to establish such systems as may be required for the maintenance of public safety and order, and for other necessities of the work of civilisation and colonisation; but the regulations shall not admit of any differential treatment between vessels or between nationals of the Signatory Powers and of States, Members of the League of Nations, which may adhere to the present Convention.

ARTICLE 10.

The Signatory Powers recognise the obligation to maintain in the regions subject to their jurisdiction an authority and police forces sufficient to ensure protection of persons and of property and, if necessary, freedom of trade and of transit.

Article 11.

The Signatory Powers exercising sovereign rights or authority in African territories will continue to watch over the preservation of the native populations and to supervise the improvement of the conditions of their moral and material well-being. They will, in particular, endeavour to secure the complete suppression of slavery in all its forms and of the slave trade by land and sea.

They will protect and favour, without distinction of nationality or of religion, the religious, scientific or charitable institutions and undertakings created and organised by the nationals of the other Signatory Powers and of States, Members of the League of Nations, which may adhere to the present Convention, which aim at leading the natives in the path of progress and civilisation. Scientific missions, their property and their collections, shall likewise be the objects of special solicitude.

Freedom of conscience and the free exercise of all forms of religion are expressly guaranteed to all nationals of the Signatory Powers and to those under the jurisdiction of States, Members of the League of Nations, which may become parties to the present Convention. Similarly, missionaries shall have the right to enter into, and to travel and reside in, African territory with a view to prosecuting their calling.

The application of the provisions of the two preceding paragraphs shall be subject only to such restrictions as may be necessary for the maintenance of public security and order, or as may result from the enforcement of the constitutional law of any of the Powers exercising authority in African territories.

Article 12.

The Signatory Powers agree that if any dispute whatever should arise between them relating to the application of the present Convention which cannot be settled by negotiation, this dispute shall be submitted to an arbitral tribunal in conformity with the provisions of the Covenant of the League of Nations.

Article 13.

Except in so far as the stipulations contained in Article 1 of the present Convention are concerned, the General Act of Berlin of 26th February, 1885, and the General Act of Brussels of 2nd July, 1890, with the accompanying Declaration of equal date, shall be considered as abrogated, in so far as they are binding between the Powers which are Parties to the present Convention.

Article 14.

States exercising authority over African territories, and other States, Members of the League of Nations, which were parties either to the Act of Berlin or to the Act of Brussels or the Declaration annexed thereto, may adhere to the present Convention. The Signatory Powers will use their best endeavours to obtain the adhesion of these States.

This adhesion shall be notified through the diplomatic channel to the Government of the French Republic, and by it to all the Signatory or adhering States. The adhesion will come into force from the date of its notification to the French Government.

Article 15.

The Signatory Powers will reassemble at the expiration of ten years from the coming into force of the present Convention, in order to introduce into it such modifications as experience may have shown to be necessary.

The present Convention shall be ratified as soon as possible.

Each Power will address its ratification to the French Government, which will inform all the other Signatory Powers.

The ratifications will remain deposited in the archives of the French Government.

The present Convention will come into force for each Signatory Power from the date of the deposit of its ratification, and from that moment that Power will be bound in respect of other Powers which have already deposited their ratifications.

On the coming into force of the present Convention, the French Government will transmit a certified copy to the Powers which, under the Treaties of Peace, have undertaken to accept and observe it. The names of these Powers will be notified to the States which adhere.

In faith whereof the above-named Plenipotentiaries have signed the present Convention.

Done at Saint-Germain-en-Laye, the 10th day of September, 1919, in a single copy, which will remain deposited in the archives of the Government of the French Republic, and of which authenticated copies will be sent to each of the Signatory Powers.

APPENDIX XLVI

Note on the Convention of Saint Germain Relating to the Liquor Traffic in Africa signed September 10, 1919.

While as far as the natives are concerned, the liquor traffic has been excluded from East Africa, it was introduced into West Africa several hundred years ago in connection with the purchasing of slaves. Although the slave traffic has long since been abolished, the liquor traffic has remained. The bulk of such imports have consisted of so-called "trade" spirits prepared especially for native consumption. In southern Nigeria, such spirits were for a period used by natives as a medium of exchange and for a time certain courts, contrary to government instructions, even accepted gin in payment of fines.[1]

In the Act of Brussels, signed in 1890, the European powers and the United States declared that they were "justly anxious concerning the moral and material consequences to which the abuse of spirituous liquors subjects the native population."[2] In this Act they agreed, among other things, to prohibit the importation of distilled liquors into zones where its use had not been developed; and to impose certain rates of duties (periodically increased before the World War) on the importation of alcohol into their tropical African possessions.[3] While the governments established prohibited zones in certain areas usually inhabited by Moslems such as northern Nigeria and Mauretania, the measures prescribed by the Act of Brussels did not succeed in diminishing liquor imports. The quantities of spirits imported into Nigeria rose from 2,906,000 gallons in 1901 to 3,948,000 gallons in 1910. The duties on these imports furnished between 53 per cent and 61 per cent of the total revenue of the southern Nigeria Government. A similar situation existed on the Gold Coast. Moreover, in 1903 a total of 6,271,104 litres of alcohol was imported into French West Africa, a figure which in 1911 stood at 8,506,774. Most of these imports consisted of so-called "trade" spirits coming from Holland or Germany.

As early as 1895 Bishop Tugwell of the Church Missionary Society called attention to the abuses of the liquor traffic in Nigeria.[4] As a result of the efforts of missionaries, backed by the Native Races and the Liquor Traffic United Committee in England, a prohibition campaign was launched. Moved

[1] *Report of Southern Nigeria Liquor Committee,* Cd. 4906, (1908), p. 7.
[2] Article XCX.
[3] Cf. Convention of June 8, 1899, *British and Foreign State Papers,* Vol. 91, p. 6; Convention of November 3, 1906, *ibid.*, vol. ii. p. 490.
[4] His letter to the *Times* and a reply from Governor Carter of Lagos is reprinted in *Liberia,* November, 1895, p. 38.

by this appeal, the British Government appointed a commission to inquire into the liquor trade in southern Nigeria. After taking evidence which was criticized as representing largely the pro-liquor point of view, the Commission came to the conclusion that "there is absolutely no evidence of race deterioration due to drink. . . . There is nothing to complain of as regards the quality of the spirits imported into Nigeria. . . ."[5] Nevertheless, others believed that these spirits contained many injurious, foreign materials.

While he did not deny the truth of the above findings, Sir Frederick Lugard, who became Governor of Nigeria a few years later, wrote that spirits were a sterile import upon which the native wasted over one and a half million sterling annually, without securing any improvement in his standard of comfort or productive output. He declared that it was a "disgrace" to an administration that the bulk of its customs and nearly half its revenues should be derived from this source. He declared that the consumption of spirits, a foreign product, automatically decreased native purchases of British imports of a more useful character.[6]

This reasoning led the Colonial Office in 1918 to instruct the West Coast colonies to enact legislation prohibiting the importation of "trade" spirits.

The movement for the prohibition of spirits in the French colonies attracted even greater support. In 1913 the Council of Administration of the Upper Senegal and Niger Colony and the Chamber of Commerce at Kayes passed resolutions in favor of the complete prohibition of alcohol.[7] Three years later the *Union Coloniale Française* urged the French Government to prohibit alcohol in its colonies.[8] In 1919 the French Government prohibited the importation of all foreign spirits in West Africa, excepting Togo.[9] But at the protest of the British Government that this prohibition violated the open door, the decree was repealed in so far as it affected Dahomey and the Ivory Coast where the open door had been guaranteed by a treaty between France and England in 1898. In the other colonies in French West Africa the prohibition against foreign spirits remains.

In September, 1919, seven governments signed at Saint Germain a new liquor convention[10] the preamble of which declared that "it is necessary to prohibit the importation of distilled beverages rendered more especially dangerous to the native populations by the nature of the products entering into their composition or by the opportunities which a low price gives for their extended use. . . ." In the convention proper, the powers agreed to impose an

[5] *Report of Southern Nigeria Liquor Committee, cited,* p. 18. A criticism of the work of this Commission will be found in a pamphlet of the Liquor Traffic Committee, entitled *The Liquor Traffic in Southern Nigeria,* London, 1910. This document was answered by E. D. Morel, in *The Attack upon the Commission of Inquiry into the Spirit Trade in Southern Nigeria,* London, 1910.

[6] Cmd. 468, p. 55.

[7] Le Barbier, *La Côte d'Ivoire,* Paris, 1916, p. 159.

[8] *Les Colonies et la Défense Nationale,* Paris, 1916, p. 237.

[9] Decree of July 8, 1919, Dareste, *Recueil de Législation, de Doctrine et de Jurisprudence Coloniales,* 1920, p. 8.

[10] The text of this convention is printed on p. 950.

import duty of not less than eight hundred francs per hectolitre of pure alcohol upon all distilled beverages which could be legally imported. The convention also forbade the importation of (a) distilled beverages containing certain oils or chemical products recognized as injurious, and also of (b) "Trade spirits of every kind."

It seems clear from the body and preamble that the purpose of the framers of this Convention was to exclude from the African colonies Dutch gin and similar spirits, which, while containing no injurious materials apart from alcohol, were designed specifically for native consumption at a cheap price. This interpretation was given to the convention by the British colonies which in 1919 enacted ordinances prohibiting the entrance of "trade" spirits which were defined as "spirits imported, or of a kind previously imported, for sale to natives, and not generally consumed by Europeans. . . ."[11] As a result of this legislation the imports of Dutch gin into the Gold Coast, Nigeria, and Sierra Leone were almost negligible in 1920 and 1921.

Meanwhile the French Government delayed in ratifying the Convention of Saint Germain. Following the British protest against the exclusion of foreign spirits, the French Government admitted both "trade" and ordinary spirits into Dahomey, the Ivory Coast, and Togoland, subject only to the ordinary duties. Many British natives crossed the French frontier to purchase these spirits and other French goods, while the spirits were also smuggled into British territory. The British Committee on Trade and Taxation reported that the prohibition of "trade" spirits in British territory was "adversely affecting British trade."[12] Sir Hugh Clifford, the new Governor of Nigeria, attacked the abolition of "trade" spirits on the ground that it reduced revenue.[13] He also declared that since this abolition the native had merely increased his consumption of palm wine which had led to the destruction of valuable palm trees. This result has, however, been denied.[14] The Dutch Government also approached the British authorities with a view to the readmission of Dutch gin. It is understood that there is some British capital invested in Dutch distilleries.

The various considerations led a Conference of the Controllers of Customs of British West Africa in October, 1921, to recommend that the previous definition of "trade" spirits should be changed so as to readmit Dutch gin and all other spirits, no matter how cheap, which are manufactured from fermented grape-juice, barley, rye, maize, sugar cane, or a mash of cereal grains, provided they are free from extraneous materials which are injurious.[15]

[11] Cf. Section 2, Liquor Ordinance, Number 26 of 1919, *Laws of Nigeria,* Vol. II, p. 1230.
[12] Cmd. 1600, p. 29.
[13] *Address by the Governor,* the Nigeria Council, 1923, p. 18.
[14] Cf. the statement of the Lieutenant-Governor of the southern provinces of Nigeria, *Minutes, Nigerian Council,* 1916, p. 35.
[15] Cf. the Liquor Amendment Ordinance, 1924 and 1925, *Supplement to the Laws of Nigeria,* 1926, p. 43.

In 1922 Dutch gin, which is consumed only by natives, returned to Africa.[16] Commenting on this change in policy the native editor of the *African Messenger,* a Nigerian paper (August 2, 1922), declared that the readmission of Dutch gin "which has never in the past done this country any good nor ever will" was a "dark blot" on the government.[17]

A native paper on the Gold Coast also said that "after some juggling with definition and description of what should be known as trade gin, the traffic has regained its old hold. . . . There is a disgraceful state of affairs. . . . Africa will yet be free and dry. . . ."[18] At the present time the Gold Coast derives about five million dollars a year from duties on liquors, which is nearly twice what it was before the War. One-third of the revenue of the country comes from this source. In Nigeria, however, only two per cent of the revenue and in Sierra Leone, 9.2 per cent come from such duties.

At present, the only restriction upon the importation of Dutch gin is a duty of twenty-five francs a gallon. As a result of the imposition of this heavy duty the imports of spirits into Nigeria are only about a tenth of what they were in 1913, while the imports on the Gold Coast in 1924[18a] were 34.1 per cent of what they were in 1914. This policy of levying high duties has therefore had the effect of diminishing the consumption of all kinds of spirits in West Africa. Nevertheless, it seems that the authors of the Saint Germain Convention had intended to prohibit the entrance of Dutch gin. Following its readmission into British territory, the President of the *Union Coloniale Française* wrote to the Secretary of the Native Races and the Liquor Traffic Committee in London that "The French traders learn with infinite regret the increase of trade spirits,—which are being continually introduced into the British colonies of West Africa. They find this to be in formal contradiction with the stipulations of the Convention of Saint Germain. . . ."[19]

It is difficult to say, however, whether the action of the British Government constitutes a violation of the 1919 convention. By imposing a heavy duty, heavier than that prescribed in the convention, the British Government has increased the price of Dutch gin so that to-day it cannot be purchased for less than 5s.6d a bottle.[20] Whether or not this is a "low price" depends upon the purchasing power of the native and his degree of thirst. This formula is so

[16] Cf. the Gold Coast Trade Report, *Gold Coast Gazette* (extraordinary number), May 30, 1925, p. 7.

In the writer's opinion, Mr. Ormsby-Gore committed a serious error when he said, "Nowadays only the high-class beverages such as are ordinarily consumed by well-to-do Europeans in this country can be obtained in British West Africa. The spirits specially manufactured 'for the natives' have disappeared." *Visit to West Africa, cited,* Cmd. 2744.

[17] Cf. also the Resolution of the Synod of the Diocese of Lagos. *Proceedings, Second Session of the Second Synod,* p. 45.

[18] "The Liquor Traffic," *Gold Coast Independent,* July 3, 1926.

[18a] *Gold Coast Gazette, cited,* p. 8.

[19] *Procès-Verbaux, Union Coloniale Française* (West Africa section), 1923, p. 132.

[20] In French Togo and in Liberia the writer purchased bottles for a shilling each.

indefinite that each government apparently may enforce it as it chooses. As a result of heavy duties, the price of Dutch gin in British territories is much higher than in French territories. This difference leads to smuggling and to British assertions that the French are violating the convention. The French have, however, imposed the duties prescribed by the convention[20a] and naturally take the position that if the British wish to impose duties higher than those prescribed by the convention they should only blame themselves for the results. The French also insist that according to the proper interpretation of the treaty, which they would follow, had they the cooperation of the British, Dutch gin should be excluded altogether from these territories.[21]

In reply to a demand of the Bishop of London in April, 1926, in favor of abolition of spirits in West Africa, the Secretary of State for Colonies, Mr. Amery, stated that "to prohibit the importation of alcoholic drinks in the coastal districts, where the natives have for more than half a century been accustomed to drink imported spirits, would be contrary to their wishes. . . . It is considered impracticable to prevent Europeans in West Africa from drinking alcoholic beverages, and to allow Europeans to do so, but to forbid Europeanised natives to do so, would be a form of racial discrimination, which could hardly be defended if those natives protested."

Mr. Amery seems to overlook the fact that a policy of discrimination is already followed in East Africa where Europeans but not natives may purchase spirits, and in the prohibited zones such as Northern Nigeria in West Africa. Nevertheless, the argument is a strong one; and it can effectively be answered only by the abolition of spirits for white and black alike. Opinion in West Africa by no means unanimously supports the statement of Mr. Amery that it is impracticable to prohibit spirits for Europeans. Judged from the amount of drunkenness one sees in the colonies, the prohibition of spirits to Europeans is more desirable than to blacks.

The French, Belgian, and Portuguese Governments are moving toward a policy which, while encouraging the use of wines and beers, will prohibit the use of whiskey, gin, and other spirits. If these three governments should propose a convention abolishing spirits, the British Government which has defended the traffic in the past would be placed in a difficult position.

The following table shows how the importation of Dutch gin has increased in recent years (gallons have been converted to litres) and also how serious the situation is, comparatively speaking, on the Gold Coast and in French Togo.

[20a] At present they are three times as high as the figure named in 1919, or 2400 francs a hectolitre.

[21] In May, 1921, the French Government prohibited the importation of "trade" spirits into Africa and in December of that year the Governor-General defined "trade" spirits to mean all spirits excluding those made from distillation of the grape, sugar cane or fruit—thereby excluding Dutch gin which is made from grain. *Recueil,* 1921, p. 924. Following the readmission of Dutch gin into British colonies the French Government removed the ban on territories adjoining British Colonies, notably in Togo, Dahomey, and the Ivory Coast. Elsewhere foreign spirits are still excluded.

Dutch Gin in West Africa

	1920	1921	1922	1923	1924	1925	
	Liters Imported from Holland	Liters				Liters	Per Capita
British Colonies							
Gold Coast	1,214	none	362,620	2,206,600	2,670,200	3,840,200	1.67
Nigeria		182	342,464	382,310	817,986	1,244,864	.07
Sierra Leone	none	1,527	93,350	34,610	40,327	42,860	.28
French Colonies							
Togo		63,163	103,600	90,247	269,751	506,832	.68
Dahomey	135,700	12,500	2,600	267,200	381,600	413,000	.49
Ivory Coast	34,100	57,200	100	66,700	221,900	303,900	.20

The next table shows the consumption during 1924 and 1925 of all alcoholic liquors in the British and French colonies in West Africa. It shows that the average per capita consumption in British colonies is nearly 200 per cent greater than in French colonies.

CONSUMPTION OF ALL ALCOHOLIC LIQUORS

Comparison of British and French West African Colonies

	1924 (liters)	1924 Consumption Per capita (liters)	1925 (liters)	1925 Consumption Per capita (liters)
French Colonies				
French West Africa	1,895,779	.154	2,020,163	.165
French Equatorial Africa	39,865	.014	94,276	.033
Cameroon	111,775	.040	80,220	.029
Togo	389,434	.521	556,290	.745
Total for the above French Colonies	2,436,853	.130	2,750,949	.150
British Colonies				
Gold Coast	3,048,100	1.328	4,233,500	1.840
Nigeria	1,619,100	.087	2,364,400	.127
Sierra Leone	138,000	.89	145,300	.094
Gambia	12,500	.059	11,800	.056
Total for the above British Colonies	4,817,700	.212	6,755,000	.298
Per capital relation of the British total to French total	.212 / .130	163. %	.298 / .150	199. %

Source:—British data—Cmd. 2467 (1924) and Cmd. 2690 (1925).
French data—Annual Reports Cameroons and Togo for 1924 and 1925. *Bulletin Mensuel de l'Agence Economique de l'Afrique Occidental Française,* 1924 and 1925.

In the Belgian Congo legislation prohibits the sale to natives of fermented drinks containing more than eight degrees of alcohol, and of distilled alcohol containing more than three degrees.[22]

During the World War, a régime of prohibition prevailed in the French Cameroons. In an *arrêté* of September 12, 1919, this rule was changed to the extent that the sale to natives of wines and beers (*boissons hygièniques*) was authorized. It is still illegal, however, to sell spirits to natives in the Cameroons. In 1925 the Cameroons Government proposed to adopt a rule limiting the number of places selling liquor to natives to one per thousand individuals and the number of places selling to Europeans to one per twenty

[22] *Codes et Lois,* p. 514.

Europeans. The rate of licenses should vary in accordance with population and kind of liquor sold from six hundred to four thousand francs.[23]

Partly as a result of these restrictions the consumption of liquor is much lower in the Cameroons than in Togo, as the following table shows:

PER CAPITA CONSUMPTION OF ALCOHOLIC LIQUORS

TOGO AND CAMEROONS

1924

	CAMEROONS		TOGO	
	I Liters per capita	II Annual cost per capita	III Liters per capita	IV Annual cost per capita
Brandies	.012	fr. .222	.003	fr. .033
Rum and Whiskey	.009	.082	.101	.514
Gin	.001	.023	.412	2.858
Liqueurs	.006	.057	.005	.078
TOTAL SPIRITS	.029	.384	.521	3.483
Wines and Beers	.487	1.775[1]	.312	1.127
GRAND TOTAL	.516	2.159	.833	4.610

Source:—Annual Reports for 1924.

[1] Estimated by valuing at same price as for Togo.

[23] *Rapport Annuel du Cameroun,* 1925, p. 6.

CONVENTION

RELATING TO

THE LIQUOR TRAFFIC IN AFRICA

AND

PROTOCOL.

Signed at Saint-Germain-en-Laye, September 10, 1919.

(Translation.)

THE UNITED STATES OF AMERICA, BELGIUM, THE BRITISH EMPIRE, FRANCE, ITALY, JAPAN AND PORTUGAL,

Whereas it is necessary to continue in the African territories placed under their administration the struggle against the dangers of alcoholism which they have maintained by subjecting spirits to constantly increasing duties;

Whereas, further, it is necessary to prohibit the importation of distilled beverages rendered more especially dangerous to the native populations by the nature of the products entering into their composition or by the opportunities which a low price gives for their extended use;

Whereas, finally, the restrictions placed on the importation of spirit would be of no effect unless the local manufacture of distilled beverages was at the same time strictly controlled; . . .

ARTICLE 1.

The High Contracting Parties undertake to apply the following measures for the restriction of the liquor traffic in the territories which are or may be subjected to their control throughout the whole of the continent of Africa, with the exception of Algiers, Tunis, Morocco, Libya, Egypt and the Union of South Africa.

The provisions applicable to the continent of Africa shall also apply to the islands lying within 100 nautical miles of the coast.

ARTICLE 2.

The importation, distribution, sale and possession of trade spirits of every kind, and of beverages mixed with these spirits, are prohibited in the area referred to in Article 1. The local Governments concerned will decide respectively which distilled beverages will be regarded in their territories as falling within the category of trade spirits. They will endeavour, as far as possible, to establish a uniform nomenclature and uniform measures against fraud.

ARTICLE 3.

The importation, distribution, sale and possession are also forbidden of distilled beverages containing essential oils or chemical products which are recognised as injurious to health, such as thujone, star anise, benzoic aldehyde, salicylic esters, hyssop and absinthe.

The local Governments concerned will likewise endeavour to establish by common agreement the nomenclature of those beverages whose importation, distribution, sale and possession according to the terms of this provision should be prohibited.

ARTICLE 4.

An import duty of not less than 800 francs per hectolitre of pure alcohol shall be levied upon all distilled beverages, other than those indicated in Articles 2 and 3, which are imported into the area referred to in Article 1, except in so far as the Italian colonies are concerned, where the duty may not be less than 600 francs.

The High Contracting Parties will prohibit the importation, distribution, sale and possession of spirituous liquors in those regions of the area referred to in Article 1 where their use has not been developed.

The above prohibition can be suspended only in the case of limited quantities destined for the consumption of non-native persons, and imported under the system and conditions determined by each Government.

ARTICLE 5.

The manufacture of distilled beverages of every kind is forbidden in the area referred to in Article 1.

The importation, distribution, sale and possession of stills and of all apparatus or portions of apparatus suitable for distillation of alcohol and the rectification or redistillation of spirits are forbidden in the same area, subject to the provisions of Article 6.

The provisions of the two preceding paragraphs do not apply to the Italian colonies; the manufacture of distilled beverages, other than those specified in Articles 2 and 3, will continue to be permitted therein, on condition that they are subject to an excise duty equal to the import duty established in Article 4.

ARTICLE 6.

The restrictions on the importation, distribution, sale, possession and manufacture of spirituous beverages do not apply to pharmaceutical alcohols required for medical, surgical or pharmaceutical establishments. The importation, distribution, sale and possession are also permitted of:

1. Testing stills, that is to say, the small apparatus in general use for laboratory experiments, which are employed intermittently, are not fitted with rectifying heads, and the capacity of whose retort does not exceed one litre;

2. Apparatus or parts of apparatus required for experiments in scientific institutions;

3. Apparatus or parts of apparatus employed for definite purposes, other than the production of alcohol, by qualified pharmacists and by persons who can show good cause for the possession of such apparatus;

4. Apparatus necessary for the manufacture of alcohol for commercial purposes, and employed by duly authorised persons, such manufacture being subject to the system of control established by the local administrations.

The necessary permission in the foregoing cases will be granted by the local administration of the territory in which the stills, apparatus, or portions of apparatus are to be utilised.

Article 7.

A Central International Office, placed under the control of the League of Nations, shall be established for the purpose of collecting and preserving documents of all kinds exchanged by the High Contracting Parties with regard to the importation and manufacture of spirituous liquors under the conditions referred to in the present Convention.

Each of the High Contracting Parties shall publish an annual report showing the quantities of spirituous beverages imported or manufactured and the duties levied under Articles 4 and 5. A copy of this report shall be sent to the Central International Office and to the Secretary-General of the League of Nations.

Article 8.

The High Contracting Parties agree that if any dispute whatever should arise between them relating to the application of the present Convention which cannot be settled by negotiation, this dispute shall be submitted to an arbitral tribunal in conformity with the Covenant of the League of Nations.

Article 9.

The High Contracting Parties reserve the right of introducing into the present Convention by common agreement after a period of five years such modifications as may prove to be necessary.

Article 10.

The High Contracting Parties will use every effort to obtain the adhesion to the present Convention of the other States exercising authority over the territories of the African Continent.

This adhesion shall be notified through the diplomatic channel to the Government of the French Republic, and by it to all the signatory or adhering

States. The adhesion will come into effect from the date of the notification to the French Government.

ARTICLE 11.

All the provisions of former general international Conventions relating to the matters dealt with in the present Convention shall be considered as abrogated in so far as they are binding between the Powers which are parties to the present Convention.

The present Convention shall be ratified as soon as possible.

Each Power will address its ratification to the French Government, who will inform all the other signatory Powers.

The ratifications will remain deposited in the archives of the French Government.

The present Convention will come into force for each signatory Power from the date of the deposit of its ratification, and from that moment that Power will be bound in respect of other Powers which have already deposited their ratifications.

On the coming into force of the present Convention, the French Government will transmit a certified copy to the Powers which under the Treaties of Peace have undertaken to accept and observe it, and are in consequence placed in the same position as the Contracting Parties. The names of these Powers will be notified to the States which adhere.

In faith whereof the above-named Plenipotentiaries have signed the present Convention.

Done at Saint-Germain-en-Laye, the tenth day of September, one thousand nine hundred and nineteen, in a single copy which will remain deposited in the archives of the Government of the French Republic, and of which authenticated copies will be sent to each of the signatory Powers.

At the moment of signing the Convention of even date relating to the Liquor Traffic in Africa, the undersigned Plenipotentiaries declare in the name of their respective Governments that they would regard it as contrary to the intention of the High Contracting Parties and to the spirit of this Convention that pending the coming into force of the Convention a contracting Party should adopt any measure which is contrary to its provisions.

Done at Saint-Germain-en-Laye, in a single copy, the tenth day of September, one thousand nine hundred and nineteen.

APPENDIX XLVII

LEAGUE OF NATIONS SLAVERY CONVENTION

Geneva, September 25th, 1926.

Whereas the signatories of the General Act of the Brussels Conference of 1889-90 declared that they were equally animated by the firm intention of putting an end to the traffic in African slaves;

Whereas the signatories of the Convention of Saint-Germain-en-Laye of 1919 to revise the General Act of Berlin of 1885 and the General Act and Declaration of Brussels of 1890 affirmed their intention of securing the complete suppression of slavery in all its forms and of the slave trade by land and sea;

Taking into consideration the report of the Temporary Slavery Commission appointed by the Council of the League of Nations on June 12th, 1924;

Desiring to complete and extend the work accomplished under the Brussels Act and to find a means of giving practical effect throughout the world to such intentions as were expressed in regard to slave trade and slavery by the signatories of the Convention of Saint-Germain-en-Laye, and recognising that it is necessary to conclude to that end more detailed arrangements than are contained in that Convention;

Considering, moreover, that it is necessary to prevent forced labour from developing into conditions analogous to slavery;

Have decided to conclude a Convention and have accordingly appointed as their Plenipotentiaries:

....

Who, having communicated their full powers, have agreed as follows:

Article 1.

For the purpose of the present Convention, the following definitions are agreed upon:

1. Slavery is the status or condition of a person over whom any or all of the powers attaching to the right of ownership are exercised.

2. The slave trade includes all acts involved in the capture, acquisition or disposal of a person with intent to reduce him to slavery; all acts involved in the acquisition of a slave with a view to selling or exchanging him; all acts of disposal by sale or exchange of a slave acquired with a view to being sold or exchanged, and, in general, every act of trade or transport in slaves.

Article 2.

The High Contracting Parties undertake, each in respect of the territories placed under its sovereignty, jurisdiction, protection, suzerainty or tutelage, so far as they have not already taken the necessary steps:

(*a*) To prevent and suppress the slave trade;

(*b*) To bring about, progressively and as soon as possible, the complete abolition of slavery in all its forms.

Article 3.

The High Contracting Parties undertake to adopt all appropriate measures with a view to preventing and suppressing the embarkation, disembarkation and transport of slaves in their territorial waters and upon all vessels flying their respective flags.

The High Contracting Parties undertake to negotiate as soon as possible a general Convention with regard to the slave trade which will give them rights and impose upon them duties of the same nature as those provided for in the Convention of June 17th, 1925, relative to the International Trade in Arms (Articles 12, 20, 21, 22, 23, 24, and paragraphs 3, 4 and 5 of Section II of Annex II) with the necessary adaptations, it being understood that this general Convention will not place the ships (even of small tonnage) of any High Contracting Parties in a position different from that of the other High Contracting Parties.

It is also understood that, before or after the coming into force of this general Convention, the High Contracting Parties are entirely free to conclude between themselves, without, however, derogating from the principles laid down in the preceding paragraph, such special agreements as, by reason of their peculiar situation, might appear to be suitable in order to bring about as soon as possible the complete disappearance of the slave trade.

Article 4.

The High Contracting Parties shall give to one another every assistance with the object of securing the abolition of slavery and the slave trade.

Article 5.

The High Contracting Parties recognise that recourse to compulsory or forced labour may have grave consequences and undertake, each in respect of the territories placed under its sovereignty, jurisdiction, protection, suzerainty or tutelage, to take all necessary measures to prevent compulsory or forced labour from developing into conditions analogous to slavery.

It is agreed that:

(1) Subject to the transitional provisions laid down in paragraph (2) below, compulsory or forced labour may only be exacted for public purposes.

(2) In territories in which compulsory or forced labour for other than public purposes still survives, the High Contracting Parties shall endeavour progressively and as soon as possible to put an end to the practice. So long as such forced or compulsory labour exists, this labour shall invariably be of an exceptional character, shall always receive adequate remuneration, and shall not involve the removal of the labourers from their usual place of residence.

(3) In all cases, the responsibility for any recourse to compulsory or forced labour shall rest with the competent central authorities of the territory concerned.

Article 6.

Those of the High Contracting Parties whose laws do not at present make adequate provision for the punishment of infractions of laws and regulations enacted with a view to giving effect to the purposes of the present Convention undertake to adopt the necessary measures in order that severe penalties may be imposed in respect of such infractions.

Article 7.

The High Contracting Parties undertake to communicate to each other and to the Secretary-General of the League of Nations any laws and regulations which they may enact with a view to the application of the provisions of the present Convention.

Article 8.

The High Contracting Parties agree that disputes arising between them relating to the interpretation or application of this Convention shall, if they cannot be settled by direct negotiation, be referred for decision to the Permanent Court of International Justice. In case either or both of the States Parties to such a dispute should not be parties to the Protocol of December 16th, 1920, relating to the Permanent Court of International Justice, the dispute shall be referred, at the choice of the Parties and in accordance with the constitutional procedure of each State, either to the Permanent Court of International Justice or to a court of arbitration constituted in accordance with the Convention of October 18th, 1907, for the Pacific Settlement of International Disputes, or to some other court of arbitration.

Article 9.

At the time of signature or of ratification or of accession, any High Contracting Party may declare that its acceptance of the present Convention does not bind some or all of the territories placed under its sovereignty, jurisdiction, protection, suzerainty or tutelage in respect of all or any provisions of the Convention; it may subsequently accede separately on behalf of any one of them or in respect of any provision to which any one of them is not a party.

Article 10.

In the event of a High Contracting Party wishing to denounce the present Convention, the denunciation shall be notified in writing to the Secretary-General of the League of Nations, who will at once communicate a certified true copy of the notification to all the other High Contracting Parties informing them of the date on which it was received.

The denunciation shall only have effect in regard to the notifying State, and one year after the notification has reached the Secretary-General of the League of Nations.

Denunciation may also be made separately in respect of any territory placed under its sovereignty, jurisdiction, protection, suzerainty or tutelage.

Article 11.

The present Convention, which will bear this day's date and of which the French and English texts are both authentic, will remain open for signature by the States Members of the League of Nations until April 1st, 1927.

The Secretary-General of the League of Nations will subsequently bring the present Convention to the notice of States which have not signed it, including States which are not Members of the League of Nations, and invite them to accede thereto.

A State desiring to accede to the Convention shall notify its intention in writing to the Secretary-General of the League of Nations and transmit to him the instrument of accession, which shall be deposited in the archives of the League.

The Secretary-General shall immediately transmit to all the other High Contracting Parties a certified true copy of the notification and of the instrument of accession, informing them of the date on which he received them.

Article 12.

The present Convention will be ratified and the instructions of ratification shall be deposited in the office of the Secretary-General of the League of Nations. The Secretary-General will inform all the High Contracting Parties of such deposit.

The Convention will come into operation for each State on the date of the deposit of its ratification or of its accession.

APPENDIX XLVIII

EDUCATION POLICY IN BRITISH TROPICAL AFRICA

ADVISORY COMMITTEE ON NATIVE EDUCATION IN THE BRITISH TROPICAL AFRICAN DEPENDENCIES.

Appointed by the Secretary of State for the Colonies, 24th November, 1923.

Terms of Reference:—

"To advise the Secretary of State on any matters of Native Education in the British Colonies and Protectorates in Tropical Africa which he may from time to time refer to them; and to assist him in advancing the progress of education in those Colonies and Protectorates."

MEMORANDUM.

EDUCATIONAL POLICY IN BRITISH TROPICAL AFRICA.

As a result on the one hand of the economic development of the British African Dependencies, which has placed larger revenues at the disposal of the Administrations, and on the other hand of the fuller recognition of the principle that the Controlling Power is responsible as trustee for the moral advancement of the native population, the Governments of these territories are taking an increasing interest and participation in native education, which up to recent years has been largely left to the Mission Societies.

In view of the widely held opinion that the results of education in Africa have not been altogether satisfactory, and with the object of creating a well-defined educational policy, common to this group of Dependencies—comprising an area of over 2½ million square miles with a population of approximately 40 million—the Secretary of State decided in 1923 to set up an Advisory Committee on Education in British Tropical Africa.

The Committee feels that it has now reached a point at which it is possible to formulate the broad principles which in its judgment should form the basis of a sound educational policy, and with the approval of His Majesty's Government, set forth these views to the local Governments, together with some indication of the methods by which they should be applied.

The following outline has accordingiy been drawn up. Supplementary memoranda on special subjects may be added from time to time.

Encouragement and Control of Voluntary Educational Effort.

Government welcomes and will encourage all voluntary educational effort which conforms to the general policy. But it reserves to itself the general direction of educational policy and the supervision of all Educational Institutions, by inspection and other means.

Co-operation.

Co-operation between Government and other educational agencies should be promoted in every way. With this object Advisory Boards of Education should be set up in each Dependency upon which such agencies and others who have experience in social welfare should be accorded representation. These Boards would be advisory to the Government, and would include senior officials of the Medical, Agricultural, and Public Works Departments, together with missionaries, traders, settlers, and representatives of native opinion, since education is intimately related to all other efforts, whether of Government or of citizens, for the welfare of the community. The Board should be supplemented in the provinces by Educational Committees.

Adaptation to Native Life.

Education should be adapted to the mentality, aptitudes, occupations and traditions of the various peoples, conserving as far as possible all sound and healthy elements in the fabric of their social life; adapting them where necessary to changed circumstances and progressive ideas, as an agent of natural growth and evolution. Its aim should be to render the individual more efficient in his or her condition of life, whatever it may be, and to promote the advancement of the community as a whole through the improvement of agriculture, the development of native industries, the improvement of health, the training of the people in the management of their own affairs, and the inculcation of true ideals of citizenship and service. It must include the raising up of capable, trustworthy, public-spirited leaders of the people, belonging to their own race. Education thus defined will narrow the hiatus between the educated class and the rest of the community whether chiefs or peasantry. As a part of the general policy for the advancement of the people every department of Government concerned with their welfare or vocational teaching—including especially the departments of Health, Public Works, Railways, Agriculture—must co-operate closely in the educational policy. The first task of education is to raise the standard alike of character and efficiency of the bulk of the people, but provision must also be made for the training of those who are required to fill posts in the administrative and technical services, as well as of those who as chiefs will occupy positions of exceptional trust and responsibility. As resources permit, the door of advancement, through higher education, in Africa must be increasingly opened for those who by character, ability and temperament show themselves fitted to profit by such education.

Religion and Character Training.

The central difficulty in the problem lies in finding ways to improve what is sound in indigenous tradition. Education should strengthen the feeling of responsibility to the tribal community, and, at the same time, should strengthen will power; should make the conscience sensitive both to moral and intellectual truth; and should impart some power of discriminating between good and evil, between reality and superstition. Since contact with civilization—and even education itself—must necessarily tend to weaken tribal authority and the sanctions of existing beliefs, and in view of the all-prevailing belief in the supernatural which affects the whole life of the African it is essential that what is good in the old beliefs and sanctions should be strengthened and what is defective should be replaced. The greatest importance must therefore be attached to religious teaching and moral instruction. Both in schools and in training colleges they should be accorded an equal standing with secular subjects. Such teaching must be related to the conditions of life and to the daily experience of the pupils. It should find expression in habits of self-discipline and loyalty to the community. With such safeguards, contact with civilization need not be injurious, or the introduction of new religious ideas have a disruptive influence antagonistic to constituted secular authority. History shows that devotion to some spiritual ideal is the deepest source of inspiration in the discharge of public duty. Such influences should permeate the whole life of the school. One such influence is the discipline of work. Field games and social recreations and intercourse are influences at least as important as class-room instruction. The formation of habits of industry, of truthfulness, of manliness, of readiness for social service and of disciplined co-operation, is the foundation of character. With wise adaptation to local conditions such agencies as the Boy Scout and Girl Guide Movements can be effectively utilised provided that good Scout Masters are available. The most effective means of training character in these ways is the residential school in which the personal example and influence of the teachers and of the older pupils—entrusted with responsibility and disciplinary powers as monitors—can create a social life and tradition in which standards of judgment are formed and right attitudes acquired almost unconsciously through imbibing the spirit and atmosphere of the school.

The Educational Service.

The rapid development of our African Dependencies on the material and economic side demands and warrants a corresponding advance in the expenditure on education. Material prosperity without a corresponding growth in the moral capacity to turn it to good use constitutes a danger. The well-being of a country must depend in the last resort on the character of its people, on their increasing intellectual and technical ability, and on their social progress. A policy which aims at the improvement of the condition of the people must therefore be a primary concern of Government and one of the first charges on its revenue. But success in realising the ideals of education must depend largely on the outlook of those who control policy and on their capacity and enthusiasm. It is essential, therefore, that the status and conditions of service of the Education Department should be such as to attract the best available men, both British and African. By such men only can the policy contemplated in this memorandum be carried into effect. It is open to consideration whether a closer union between the administrative and educational branches of the service would not conduce to the success of the policy advocated. Teachers from Great Britain should be enabled to retain their superannuation benefits, and to continue their annual superannuation contributions, during short service appointments to approved posts in Africa.

Grants-in-Aid.

The policy of encouragement of voluntary effort in education has as its corollary the establishment of a system of grants-in-aid to schools which conform to the prescribed regulations and attain the necessary standard. Provided that the required standard of educational efficiency is reached, aided schools should be regarded as filling a place in the scheme of education as important as the schools conducted by Government itself. The utilisation of efficient voluntary agencies economises the revenues available for educational purposes.

The conditions under which grants-in-aid are given should not be dependent on examination results.

Study of Vernaculars, Teaching and Text-Books.

The study of the educational use of the vernaculars is of primary importance. The Committee suggests co-operation among scholars, with aid from Governments and Missionary Societies, in the preparation of vernacular text-books. The content and method of teaching in all subjects, especially History and Geography, should be adapted to the conditions of Africa. Text-books prepared for use in English schools should be replaced where necessary by others better adapted, the foundations and illustrations being taken from African life and surroundings. Provision will need to be made for this by setting aside temporarily men possessing the necessary qualifications. In this work co-operation should be possible between the different Dependencies with resulting economy.

Native Teaching Staff.

The Native Teaching Staff should be adequate in numbers, in qualifications, and in character, and should include women. The key to a sound system of education lies in the training of teachers, and this matter should receive primary consideration. The principles of education laid down in this memorandum must be given full and effective expression in institutions for the training of teachers of all grades, if those principles are to permeate and vitalize the whole educational system. The training of teachers for village schools should be carried out under rural conditions, or at least with opportunities of periodical access to such conditions, where those who are being trained are in direct contact with the environment in which their work has to be done. This purpose can often best be served by the institution of normal classes under competent direction in intermediate or middle rural schools. Teachers for village schools should, when possible, be selected from pupils belonging to the tribe and district who are familiar with its language, traditions and customs. The institution of such classes in secondary and intermediate schools should be supplemented by the establishment of separate institutions for the training of teachers and by vacation courses, and teachers' conferences.

Since in the early stages of educational development the training given to teachers must necessarily be very elementary, it is indispensable, if they are to do effective work, that they should from time to time be brought back for further periods of training—say every five years. The greater efficiency which would result from this system might be expected to compensate for any consequent reduction in the number of teachers which financial considerations might render necessary.

Visiting Teachers.

As a means of improving village schools and of continuing the training of their teachers, the system of specially trained visiting (or itinerant) teachers is strongly to be commended. Such teachers must be qualified to enter sympathetically into the problems of education in rural areas. Visiting the schools in rotation, they will remain some time with each, showing the local teacher out of their wider experience how a particular task should be done, or a better method introduced. By bringing to the village schools new ideas and fresh inspiration and encouragement they will infuse vitality into the system. As far as possible the visiting teacher should be of the same tribe as the pupils in the group of schools he visits, knowing their language and customs. The visiting teachers should be prepared to learn as well as to teach. They should be brought together annually for conference and exchange of experiences.

Inspection and Supervision.

A thorough system of supervision is indispensable for the vitality and efficiency of the educational system. The staff of Government Inspectors must be adequate, and their reports should be based on frequent and unhurried visits and not primarily on the results of examinations. It is their duty to make the educational aims understood and to give friendly advice and help in carrying them out.

Each mission should be encouraged to make arrangements for the effective supervision of its own system of schools, but such supervision should not supersede Government inspection.

Technical Training.

Technical industrial training (especially mechanical training with power-driven machinery) can best be given in Government workshops, provided that an Instructor for Apprentices is appointed to devote his entire time to them; or in special and instructional workshops on a production basis. The skilled artisan must have a fair knowledge of English and Arithmetic before beginning his apprenticeship in order that he may benefit by instruction and be able to work to dimensional plans. Instruction in village crafts must be clearly differentiated from the training of the skilled mechanic.

Vocational Training.

Apprentices and "Learners" in vocations other than industrial should be attached to every Government department, *e.g.,* Medical, Agricultural, Forestry, Veterinary, Survey, Post Office (telegraphy), etc., and should, as a general rule, sign a bond to complete the prescribed course of instruction together, if so required, with a prescribed period of subsequent service. It should be the aim of the educational system to instil into pupils the view that vocational (especially the industrial and manual) careers are no less honourable than the clerical, and of Governments to make them at least as attractive—and thus to counteract the tendency to look down on manual labour.

Education of Girls and Women.

It is obvious that better education of native girls and women in Tropical Africa is urgently needed, but it is almost impossible to over-state the delicacy and difficulties of the problem. Much has already been done, some of it wise, some of it—as we now see—unwise. More should be done at once (not least in regard to the teaching of personal and domestic hygiene), but only those who are intimately acquainted with the needs of each Colony and, while experienced in using the power of education, are also aware of the subtlety of its social reactions, can judge what it is wise to attempt in each of the different Dependencies.

We are impressed by the fact that mere generalisations on the subject are not needed and may be misleading. In regard to the education of its girls and women, Tropical Africa presents not one problem, but many. Differences in breed and in tribal tradition should guide the judgment of those who must decide what it is prudent to attempt. (*a*) Clever boys, for whom higher education is expedient, must be able to look forward to educated mates. (*b*) The high rate of infant mortality in Africa, and the unhygienic conditions which are widely prevalent make instruction in hygiene and public health, in the care of the sick and the treatment of simple diseases, in child welfare and in domestic economy, and the care of the home, among the first essentials, and these, wherever possible, should be taught by well qualified women teachers. (*c*) Side by side with the extension of elementary education for children, there should go enlargement of educational opportunities for adult women as well as for adult men. Otherwise there may be a breach between the generations, the children losing much that the old traditions might have given them, and the representatives of the latter becoming estranged through their remoteness from the atmosphere of the new education. To leave the women of a community untouched by most of the manifold influences which pour in through education, may have the effect either of breaking the natural ties between the generations or of hardening the old prejudices of the elder women. Education is a curse rather than a blessing if it makes women discontented or incompetent. But the real difficulty lies in imparting any kind of education which has not a disintegrating and unsettling effect upon the people of the country. The hope of grappling with this difficulty lies in the personality and outlook of the teachers.

Female education is not an isolated problem, but is an integral part of the whole question and cannot be separated from other aspects of it.

Organisation of School System.

School systems in their structure will rightly vary according to local conditions. It is suggested that when completed a school system would embody the following educational opportunities so far as the conditions prevalent in the Colony or District allow:—

(*a*) Elementary education both for boys and girls, beginning with the education of young children.

(*b*) Secondary or intermediate education, including more than one type of school and several types of curricula.

(*c*) Technical and vocational schools.

(*d*) Institutions, some of which may hereafter reach University rank and many of which might include in their curriculum some branches of professional or vocational training, *e.g.,* training of teachers, training in medicine, training in agriculture.

(*e*) Adult Education. This, which is still in an experimental stage, will vary according to local need. But it is recommended that those responsible for the administration of each Colony should keep adult education constantly in view in relation to the education of children and young people. The education of the whole community should advance *pari passu,* in order to avoid, as far as possible, a breach in good tribal traditions by interesting the older people in the education of their children for the welfare of the community.

March, 1925.

APPENDIX XLIX

"DECLARATION OF RIGHTS OF THE NEGRO PEOPLES OF THE WORLD"

DRAFTED and adopted at Convention held in New York, 1920, over which Marcus Garvey presided as Chairman, and at which he was elected Provisional President of Africa.

(Preamble)

"Be it Resolved, That the Negro people of the world, through their chosen representatives in convention assembled in Liberty Hall, in the City of New York and the United States of America, from August 1 to August 31, in the year of our Lord, one thousand nine hundred and twenty, protest against the wrongs and injustices they are suffering at the hands of their white brethren, and state what they deem their fair and just rights, as well as the treatment they propose to demand of all men in the future."

We complain:

I. "That nowhere in the world, with few exceptions, are black men accorded equal treatment with white men, although in the same situation and circumstances, but, on the contrary, are discriminated against and denied the common rights due to human beings for no other reason than their race and color."

"We are not willingly accepted as guests in the public hotels and inns of the world for no other reason than our race and color."

II. "In certain parts of the United States of America our race is denied the right of public trial accorded to other races when accused of crime, but are lynched and burned by mobs, and such brutal and inhuman treatment is even practised upon our women."

III. "That European nations have parcelled out among themselves and taken possession of nearly all of the continent of Africa, and the natives are compelled to surrender their lands to aliens and are treated in most instances like slaves."

IV. "In the southern portion of the United States of America, although citizens under the Federal Constitution, and in some states almost equal to the whites in population and are qualified land owners and taxpayers, we are, nevertheless, denied all voice in the making and administration of the laws and are taxed without representation by the state governments, and at the same time compelled to do military service in defense of the country."

V. "On the public conveyances and common carriers in the Southern portion of the United States we are jim-crowed and compelled to accept separate and inferior accommodations and made to pay the same fare charged for first-class accommodations, and our families are often humiliated and insulted by drunken white men who habitually pass through the jim-crow cars going to the smoking car."

VI. "The physicians of our race are denied the right to attend their patients while in the public hospitals of the cities and states where they reside in certain parts of the United States."

"Our children are forced to attend inferior separate schools for shorter terms than white children, and the public school funds are unequally divided between the white and colored schools."

VII. "We are discriminated against and denied an equal chance to earn wages for the support of our families, and in many instances are refused admission into labor unions, and nearly everywhere are paid smaller wages than white men."

VIII. "In Civil Service and departmental offices we are everywhere discriminated against and made to feel that to be a black man in Europe, America and the West Indies is equivalent to being an outcast and a leper among the races of men, no matter what the character and attainments of the black man may be."

IX. "In the British and other West Indian Islands and colonies, Negroes are secretly and cunningly discriminated against, and denied those fuller rights in government to which white citizens are appointed, nominated and elected."

X. "That our people in those parts are forced to work for lower wages than the average standard of white men and are kept in conditions repugnant to good civilized tastes and customs."

XI. "That the many acts of injustice against members of our race before the courts of law in the respective islands and colonies are of such a nature as to create disgust and disrespect for the white man's sense of justice."

XII. "Against all such inhuman, unchristian and uncivilized treatment we here and now emphatically protest, and invoke the condemnation of all mankind."

"In order to encourage our race all over the world and to stimulate it to a higher and grander destiny, we demand and insist on the following Declaration of Rights:

1. "Be it known to all men that whereas, all men are created equal and entitled to the rights of life, liberty and the pursuit of happiness, and because of this we, the duly elected representatives of the Negro peoples of the world, invoking the aid of the just and Almighty God do declare all men, women, and children of our blood throughout the world free citizens, and to claim them as free citizens of Africa, the Motherland of all Negroes."

2. "That we believe in the supreme authority of our race in all things racial; that all things are created and given to man as a common possession; that there should be an equitable distribution and apportionment of all such things, and in consideration of the fact that as a race we are now deprived

of those things that are morally and legally ours, we believe it right that all such things should be acquired and held by whatsoever means possible."

3. "That we believe the Negro, like any other race, should be governed by the ethics of civilization, and, therefore, should not be deprived of any of those rights or privileges common to other human beings."

4. "We declare that Negroes, wheresoever they form a community among themselves, should be given the right to elect their own representatives to represent them in legislatures, courts of law, or such institutions as may exercise control over that particular community."

5. "We assert that the Negro is entitled to even-handed justice before all courts of law and equity in whatever country he may be found, and when this is denied him on account of his race or color such a denial is an insult to the race as a whole and should be resented by the entire body of Negroes."

6. "We declare it unfair and prejudicial to the rights of Negroes in communities where they exist in considerable numbers to be tried by a judge and jury composed entirely of an alien race, but in all such cases members of our race are entitled to representation on the jury."

7. "We believe that any law or practice that tends to deprive any African of his land or the privileges of free citizenship within his country is unjust and immoral, and no native should respect any such law or practice."

8. "We declare taxation without representation unjust and tyrannous, and there should be no obligation on the part of the Negro to obey the levy of a tax by any law-making body from which he is excluded and denied representation on account of his race and color."

9. "We believe that any law especially directed against the Negro to his detriment and singling him out because of his race or color is unfair and immoral, and should not be respected."

10. "We believe all men entitled to common human respect and that our race should in no way tolerate any insults that may be interpreted to mean disrespect to our color."

11. "We deprecate the use of the term 'nigger' as applied to Negroes, and demand that the word 'Negro' be written with a capital 'N'."

12. "We believe that the Negro should adopt every means to protect himself against barbarous practices inflicted upon him because of color."

13. "We believe in the freedom of Africa for the Negro people of the world, and by the principle of Europe for the Europeans and Asia for the Asiatics; we also demand Africa for the Africans at home and abroad."

14. "We believe in the inherent right of the Negro to possess himself of Africa, and that his possession of same shall not be regarded as infringement on any claim or purchase made by any race or nation."

15. "We strongly condemn the cupidity of those nations of the world who, by open aggression or secret schemes, have seized the territories and inexhaustible wealth of Africa, and we place on record our most solemn determination to reclaim the treasures and possession of the vast continent of our forefathers."

16. "We believe that all men should live in peace one with the other, but when races and nations provoke the ire of other races and nations by attempting to infringe upon their rights, war becomes inevitable, and the attempt in any way to free one's self or protect one's rights or heritage becomes justifiable."

17. "Whereas, the lynching, by burning, hanging or any other means, of human beings is a barbarous practice, and a shame and disgrace to civilization, we therefore declare any country guilty of such atrocities outside the pale of civilization."

18. "We protest against the atrocious crime of whipping, flogging and overworking of the native tribes of Africa and Negroes everywhere. These are methods that should be abolished, and all means should be taken to prevent a continuance of such brutal practices."

19. "We protest against the atrocious practice of shaving the heads of Africans, especially of African women or individuals of Negro blood, when placed in prison as a punishment for a crime by an alien race."

20. "We protest against segregated districts, separate public conveyances, industrial discrimination, lynchings and limitations of political privileges of any Negro citizen in any part of the world on account of race, color or creed, and will exert our full influence and power against all such."

21. "We protest against any punishment inflicted upon a Negro with severity, as against lighter punishment inflicted upon another of an alien race for like offense, as an act of prejudice and injustice, and should be resented by the entire race."

22. "We protest against the system of education in any country where Negroes are denied the same privileges and advantages as other races."

23. "We declare it inhuman and unfair to boycott Negroes from industries and labor in any part of the world."

24. "We believe in the doctrine of the freedom of the press, and we therefore emphatically protest against the suppression of Negro newspapers and periodicals in various parts of the world, and call upon Negroes everywhere to employ all available means to prevent such suppression."

25. "We further demand free speech universally for all men."

26. "We hereby protest against the publication of scandalous and inflammatory articles by an alien press tending to create racial strife and the exhibition of picture films showing the Negro as a cannibal."

27. "We believe in the self-determination of all peoples."

28. "We declare for the freedom of religious worship."

29. "With the help of Almighty God, we declare ourselves the sworn protectors of the honor and virtue of our women and children, and pledge our lives for their protection and defense everywhere, and under all circumstances from wrongs and outrages."

30. "We demand the right of unlimited and unprejudiced education for ourselves and our posterity forever."

31. "We declare that the teaching in any school by alien teachers to our

boys and girls, that the alien race is superior to the Negro race, is an insult to the Negro people of the world."

32. "Where Negroes form a part of citizenry of any country, and pass the civil service examination of such country, we declare them entitled to the same consideration as other citizens as to appointments in such civil service."

33. "We vigorously protest against the increasingly unfair and unjust treatment accorded Negro travelers on land and sea by the agents and employees of railroad and steamship companies and insist that for equal fare we receive equal privileges with travelers of other races."

34. "We declare it unjust for any country, State or nation to enact laws tending to hinder and obstruct the free immigration of Negroes on account of their race and color."

35. "That the right of the Negro to travel unmolested throughout the world be not abridged by any person or persons, and all Negroes are called upon to give aid to a fellow Negro when thus molested."

36. "We declare that all Negroes are entitled to the same right to travel over the world as other men."

37. "We hereby demand that the governments of the world recognize our leader and his representatives chosen by the race to look after the welfare under such governments."

38. "We demand complete control of our social institutions without interference by any alien race or races."

39. "That the colors, Red, Black and Green, be the colors of the Negro race."

40. "Resolved, That the anthem 'Ethiopia, Thou Land of Our Fathers,' etc., shall be the anthem of the Negro race."

THE UNIVERSAL ETHIOPIAN ANTHEM

(Poem by Burrell and Ford.)

I.

Ethiopia, thou land of our fathers,
Thou land where the gods loved to be,
As storm cloud at night suddenly gathers
Our armies come rushing to thee.
We must in the fight be victorious
When swords are thrust outward to gleam;
For us will the vict'ry be glorious
When led by the red, black and green.

Chorus.

Advance, advance to victory,
Let Africa be free;
Advance to meet the foe
With the might
Of the red, the black and the green.

II.

Ethiopia, the tyrant's falling,
Who smote thee upon thy knees,
And thy children are lustily calling
From over the distant seas.
Jehovah, the Great One, has heard us,
Has noted our sighs and our tears,
With His spirit of Love He has stirred us
To be One through the coming years.
CHORUS—Advance, advance, etc.

III.

O, Jehovah, thou God of the ages,
Grant unto our sons that lead
The wisdom Thou gave to Thy sages,
When Israel was sore in need.
Thy voice thro' the dim past has spoken,
Ethiopia shall stretch forth her hand,
By Thee shall all fetters be broken,
And Heav'n bless our dear fatherland.
CHORUS—Advance, advance, etc.

41. "We believe that any limited liberty which deprives one of the complete rights and prerogatives of full citizenship is but a modified form of slavery."

42. "We declare it an injustice to our people and a serious impediment to the health of the race to deny to competent licensed Negro physicians the right to practise in the public hospitals of the communities in which they reside, for no other reason than their race and color."

43. "We call upon the various governments of the world to accept and acknowledge Negro representatives who shall be sent to the said governments to represent the general welfare of the Negro peoples of the world."

44. "We deplore and protest against the practice of confining juvenile prisoners in prisons with adults, and we recommend that such youthful prisoners be taught gainful trades under humane supervision."

45. "Be it further resolved, that we as a race of people declare the League of Nations null and void as far as the Negro is concerned, in that it seeks to deprive Negroes of their liberty."

46. "We demand of all men to do unto us as we would do unto them, in the name of justice; and we cheerfully accord to all men all the rights we claim herein for ourselves."

47. "We declare that no Negro shall engage himself in battle for an alien race without first obtaining the consent of the leader of the Negro people of the world, except in a matter of national self-defense."

48. "We protest against the practice of drafting Negroes and sending them to war with alien forces without proper training, and demand in all cases that Negro soldiers be given the same training as the aliens."

49. "We demand that instructions given Negro children in schools include the subject of 'Negro History,' to their benefit."

50. "We demand a free and unfettered commercial intercourse with all the Negro people of the world."

51. "We declare for the absolute freedom of the seas for all peoples."

52. "We demand that our duly accredited representatives be given proper recognition in all leagues, conferences, conventions or courts of international arbitration wherever human rights are discussed."

53. "We proclaim the 31st day of August of each year to be an international holiday observed by all Negroes."

54. "We want all men to know we shall maintain and contend for the freedom and equality of every man, woman and child of our race, with our lives, our fortunes and our sacred honor."

These rights we believe to be justly ours and proper for the protection of the Negro race at large, and because of this belief we, on behalf of the four hundred million Negroes of the world, do pledge herein the sacred blood of the race in defense, and we hereby subscribe our names as a guarantee of the truthfulness and faithfulness hereof in the presence of Almighty God, on the 13th day of August, in the year of our Lord, one thousand nine hundred and twenty."

APPENDIX L

STATISTICAL TABLES

1. Population and Area of the African Territories.
2. a. Comparative Public Debt.
   b. British Colony Loans.
3. Public Debt of British Territories.
4. Comparative Revenue, Expenditure and Trade.
5. Per Capita Revenue, Expenditure and Trade.
6. Relation between Trade and Government Expenditures.
7. Direction of Foreign Trade.
   a. British Territory—1925.
   b. French Territory—1924.
8. Native Welfare Expenditures—1926.
9. Christian Missionaries and Converts in Africa.

1. POPULATIONS, AREAS AND POPULATION DENSITIES IN AFRICAN TERRITORIES

Territory	Total Population	Census Date	Area		No. of Persons per Sq. Mile
			Kilometers	Miles	
Nigeria	18,660,717	1921	....	365,602	51.0
French West Africa	12,283,216	1921	3,739,202	1,443,706	8.5
Belgian Congo	10,500,000	1923	2,350,000	907,335	11.6
Union of South Africa	7,293,927	1924	....	473,089	15.4
Ruanda-Urundi	5,008,025	1921	52,112	20,120	249.1
Tanganyika	4,123,493	1924	....	373,494	11.1
Angola	4,119,000	....	....	484,800	8.4
Mozambique	3,500,000	1923	....	426,712	8.2
Uganda	3,145,449	1924	....	110,300	28.6
French Equatorial Africa	2,845,936	1921	2,256,700	870,000	3.3
French Cameroons	2,771,873	1924	431,320	168,500	16.4
Kenya	2,606,509	1924	....	245,060	10.6
Gold Coast	2,298,433	1921	....	91,690	25.3
Sierra Leone	1,541,311	1921	....	27,250	56.5
Liberia	1,500,000	1926	....	42,000	35.8
Nyasaland	1,207,983	1925	....	39,964	29.5
Northern Rhodesia	1,004,182	1924	....	291,000	3.5
Southern Rhodesia	899,573	1921	....	150,353	6.0
French Togo	747,437	1924	56,700	22,050	33.8
Basutoland	543,078	1921	....	11,716	46.0
South West Africa	225,855	1921	....	322,393	0.7
Zanzibar	221,925	1924	....	1,020	217.5
Bechuanaland	158,152	1921	....	275,000	0.6
Swaziland	113,772	1921	....	6.678	16.9

2. *a.* COMPARATIVE PUBLIC DEBT

Including Extinguished Debt

TERRITORY	Amount Advanced by Home Government	Colony Loans	Total Public Debt	Amount of Debt per Hundred Persons	Exports—1925
French	Fr.	Fr.	£	£	£
French[1] West Africa	*Before 1911* 261,118,306	1903 65,000,000 1907 100,000,000 1910 14,000,000 1913 167,000,000	6,071,183	49.5	8,820,914
French Equatorial Africa[1, 4]	*Before 1911* 67,000,000 *Later* 40,000,000	1909 21,000,000 1914 171,000,000 1926 300,000,000	5,990,000	210.3	668,697
Belgian Congo[1]	75,000,000	791,000,000	8,660,000[5]	82.6	6,285,739
Liberia[2]		£513,874	£513,874	34.3	358,962
British	£	£	£	£	
Nigeria	5,708,117	23,558,548	29,266,665	157.0	17,170,161
Gold Coast	529,929	11,791,000	12,320,929	538.0	8,753,999
Sierra Leone	800	2,250,000	2,250,800	146.1	1,510,353
Kenya	10,261,355[3]	5,000,000	15,261,355	585.0	2,724,629
Uganda	6,233,970[3]		6,233,970	198.0	5,097,215
Tanganyika	3,494,000		3,494,000	84.6	3,007,879
Northern Rhodesia	238,000		238,000	23.7	454,054
Nyasaland	1,215,300		1,215,300	100.8	690,378
Somaliland	2,297,462		2,297,462	661.0	
TOTAL			£93,813,538		£55,542,980

[1] Amounts converted to pounds sterling at the rate of 100 francs to the pound.

[2] Conversion rate was 4.865 dollars to the pound.

[3] The amount advanced for the Uganda Railway, £8,056,916, has been divided between the public debts of Uganda and Kenya.

[4] Bruel, in *L'Afrique Equatoriale Française,* p. 501, estimates that between 1895 and 1911 this colony cost France 66,783,889 fr. Since 1911, it is estimated that an additional amount of 40,000,000 has been expended. But an accurate comparison of advances is impossible because the home government in France, unlike that in England, bears the expense of the Colonial military forces.

[5] The amount given by E. Mahaim (*La Belgique Restaurée,* Brussels, 1926) plus 30,000,000 fr. advanced by Belgium since Dec. 31, 1922, the date of his estimate.

b. BRITISH COLONY LOANS

Date	*Amount* £	*Rate of Interest %*
Nigeria.		
1905	2,000,000	3½
1908	1,232,000	3½
1911	812,932	3½
1919	6,363,226	6
1921	3,200,390	6
1923	5,700,000	4
1927	4,250,000	5
Gold Coast.		
1902	1,035,000	3
1903	63,000	3
1909	1,030,000	3½
1914	1,035,000	4
1920	4,000,000	6
1925	4,628,000	4½
Sierra Leone.		
1904	1,250,000	3½
1913–14	1,000,000	4
Kenya.		
1921	5,000,000	6

4. COMPARATIVE TABLE OF REVENUE, EXPENDITURE AND TRADE

Pounds

Territory	Ordinary Revenue	Ordinary Expen-diture	Imports	Exports	Total Trade
Nigeria	5,403,050	6,484,284	16,278,349	17,170,161	33,448,510
French West Africa	3,442,593[1]	3,442,593	10,979,881	8,820,914	19,800,795
Belgian Congo	2,712,555	2,732,950	8,762,452	6,285,739	15,048,191
British South Africa	28,500,000	26,951,819	63,223,986	87,001,612	150,225,598
Ruanda-Urundi	95,849	95,849	149,902	99,532	249,434
Tanganyika	1,542,700	1,468,584	2,863,917	3,007,879	5,871,796
Angola	1,019,144	1,625,000	2,531,450	2,336,638	4,868,088
Mozambique	2,372,990	2,372,990	2,902,403	1,579,924	4,482,327
Uganda	1,306,761	1,298,941	2,788,365	5,097,215	7,885,580
French Equatorial Africa	277,500	310,500	888,270	668,697	1,556,967
French Cameroons	298,273	298,273	1,260,863	1,130,850	2,391,713
Kenya	2,315,808	2,385,666	7,492,252	2,724,629	10,216,881
Gold Coast	2,713,520	2,820,933	8,821,000	9,815,000	18,636,000
Sierra Leone	681,609	639,956	1,941,314	1,627,916	3,569,230
Liberia	146,716	146,716	432,095	358,962	791,057
Nyasaland	322,160	320,857	665,381	690,378	1,355,759
Northern Rhodesia	309,794	340,326	662,642	454,054	1,116,694
Southern Rhodesia	2,005,000	1,946,458	3,918,107	5,723,207	9,641,314
Togo	147,372	147,372	763,185	615,768	1,378,953
Basutoland	264,950	263,610	850,978	756,106	1,607,084
South West Africa	772,000	778,545	2,189,851	2,828,222	5,018,073
Zanzibar	487,168	481,410	1,789,682	1,912,407	3,702,089
Bechuanaland	91,750	95,407			
Swaziland	79,991	83,381	No records of trade kept		
Total	57,309,253	57,532,420	142,156,325	160,705,810	302,862,135

[1] Including advances from the home government.

5. COMPARATIVE TABLE OF PER CAPITA REVENUE, EXPENDITURE AND TRADE

Pounds Sterling

(Typically, 1925)

Territory	Ordinary Revenue	Ordinary Expen-diture	Imports	Exports	Total Trade
Nigeria	.290	.347	.871	.920	1.791
French West Africa	.281	.281	.895	.718	1.613
Belgian Congo	.259	.260	.835	.598	1.433
British South Africa	3.910	3.698	8.690	11.950	20.640
Ruanda-Urundi	.019	.019	.030	.020	.050
Tanganyika	.375	.356	.695	.730	1.425
Angola	.247	.395	.615	.567	1.182
Mozambique	.678	.678	.829	.451	1.280
Uganda	.415	.413	.888	1.620	2.508
French Equatorial Africa	.097	.109	.312	.235	.547
French Cameroons	.108	.108	.455	.408	.863
Kenya	.888	.915	2.871	1.046	.....
Gold Coast	1.182	1.226	3.838	4.270	8.108
Sierra Leone	.442	.414	1.260	1.056	2.316
Liberia	.098	.098	.288	.239	.527
Nyasaland	.267	.265	.552	.573	1.125
Northern Rhodesia	.308	.339	.659	.452	1.111
Southern Rhodesia	2.230	2.166	4.360	6.370	10.730
Togo	.197	.197	1.020	.825	1.845
Basutoland	.488	.485	1.568	1.392	2.960
South West Africa	3.430	3.450	9.710	12.530	22.740
Zanzibar	2.206	2.175	8.075	8.665	16.740
Bechuanaland	.580	.603			
Swaziland	.703	.732			

6. RELATION BETWEEN TRADE AND GOVERNMENT EXPENDITURES 1925-1926[1]

Territory	Ratio Expenditures to Exports	Ratio Expenditures to Total Trade	Percent Exports to Imports
Nigeria	37.8	19.4	105%
French West Africa	39.1	17.4	80%
Belgian Congo	43.4	18.1	72%
British South Africa	31.0	17.8	138%
Ruanda-Urundi	96.2	33.4	66%
Tanganyika	48.8	25.0	105%
Angola	69.7	33.4	92%
Mozambique	150.0	52.9	54%
Uganda	25.5	16.5	183%
French Equatorial Africa	46.6	20.3	75%
Cameroons	26.5	12.5	90%
Kenya	87.5	23.4	36%
Gold Coast	28.8	15.1	111%
Sierra Leone	39.4	17.9	84%
Liberia	41.0	18.6	83%
Nyasaland	46.3	23.6	104%
Northern Rhodesia	75.0	30.5	69%
Southern Rhodesia	34.0	20.2	146%
Togo	23.9	10.7	81%
Basutoland	34.9	16.3	88%
South West Africa	27.3	15.5	129%
Zanzibar	25.1	13.0	107%

[1] The ratio of expenditure to trade is somewhat above the real ratio since we have been obliged to use the trade figures for 1925 and the estimated expenditures for 1926 in most of the territories.

7. DIRECTION OF FOREIGN TRADE

a. British Territory—1925

Territory	Imports		Exports		Total	
	British Empire	Foreign	British Empire	Foreign	British Empire	Foreign
	%	%	%	%	%	%
Nigeria	76.7	23.3	55.6	44.4	66.1	33.9
Gold Coast	67.75	32.25	35.29	64.71	50.72	49.28
Sierra Leone	67.25	32.75	76.01	23.99	71.24	28.76
Kenya and Uganda	68.99 (10.9)	31.01	84.2 (21.0)	15.8	76.04 (16.43)	23.96
Tanganyika	64.49 (17.24)	35.51	68.86 (1.81)	31.14	66.67 (9.53)	33.33
Zanzibar	71.5 (30.9)	28.5	63.7 (28.7)	36.3	65.19 (28.77)	34.81

Figures in parenthesis indicate trade with British India.

b. French Territory—1924

Territory	Imports		Exports		Total Trade	
	French	Foreign	French	Foreign	French	Foreign
	%	%	%	%	%	%
Senegal	49.2	50.8	74.0	26.0	60.3	39.7
Sudan	51.1	48.9	...	...	55.1	44.9
Upper Volta	3.3	96.7	...	...	.9	99.1
Guinea	35.7	64.3	52.1	47.9	41.5	58.5
Ivory Coast	41.9	58.1	52.0	48.0	48.0	52.0
Dahomey	25.6	74.4	38.0	62.0	32.5	67.5
Total West Africa	44.5	55.5	62.3	37.7	52.7	47.3
Togo	20.5	79.5	40.3	59.7	31.5	68.5
Gaboon	59.4	40.6	44.1	55.9	52.3	47.7
Middle Congo	42.5	57.5	22.9	77.1	33.6	66.4
Ubangi-Shari	42.8	57.2	7.5	92.5	24.9	75.1
Tchad	31.3	68.7	3.1	96.9	10.0	90.0
Cameroons	43.6	56.4	27.6	72.4	32.6	67.4
*Total Equatorial Africa	52.7	47.3	30.0	70.0	41.6	58.4

* Does not include Cameroons.

8. NATIVE WELFARE EXPENDITURES

1926

Territory	Agriculture, Veterinary, Forest		Education		Medicine and Sanitation		Total Welfare	
	Amount Per 100 Persons £	Percent of Expenditures	Amount Per 100 Persons £	Percent of Expenditures	Amount Per 100 Persons £	Percent of Expenditures	Amount Per 100 Persons £	Percent of Expenditures
French West Africa [1]	1.081	4.04	1.089	4.07	1.298	4.34	3.468	12.45
Togo [1]	1.189	6.03	1.078	5.47	2.608	13.21	4.877	24.71
Cameroons [1]	.162	1.71	.331	3.49	1.296	13.70	1.789	18.90
French Equatorial Africa [1]	.080	.88	.155	1.70	.875	9.62	1.110	12.20
Average French	.796	3.76	.833	3.94	1.289	6.08	2.918	13.78
Belgian Congo [1]	.829	3.19	1.022	3.93	2.889	11.10	4.740	18.22
Nigeria	1.049	2.63	1.175	2.95	2.248	5.64	4.472	11.22
Gold Coast	4.580	3.40	7.820	5.78	11.705	8.67	24.088	17.93
Sierra Leone	2.504	5.68	2.424	5.47	5.120	11.58	10.048	22.73
Average British West Africa	1.510	3.03	1.938	3.89	3.409	6.84	6.857	15.51
Kenya [2]	6.200	6.75	4.249	4.62	7.512	8.18	17.961	19.55
Uganda	2.872	6.95	1.463	3.55	4.370	10.56	8.705	21.06
Tanganyika	3.595	8.38	1.609	3.76	4.680	11.92	9.884	24.06
Zanzibar	15.450	6.91	7.160	3.20	20.700	9.25	43.310	19.36
Average British East Africa [3]	4.051	7.32	2.260	4.09	5.326	9.65	11.638	22.33
Northern Rhodesia	1.000	2.15	.800	1.74	3.330	7.64	5.330	11.53
Nyasaland	1.480	5.59	.330	1.25	2.500	9.44	4.310	16.28
Bechuanaland	6.400	10.71	2.450	4.09	4.370	7.30	13.220	22.10
Basutoland	4.470	9.52	7.350	15.64	8.080	17.19	19.900	42.35
Swaziland	11.480	15.70	3.640	4.97	5.150	7.05	20.270	27.72
Liberia	.010	.12	.317	3.92	....	....	.326	4.03 [4]

[1] Amounts converted to pounds sterling at rate of 100 francs per pound.
[2] Magnitude of these figures may be discounted because of the large number of Europeans benefiting from these expenditures.
[3] Figures for Zanzibar are omitted from the average.

9. PROTESTANT AND CATHOLIC MISSIONARY WORK IN AFRICA[1]

States and Possessions	European Missionaries: Protestant	European Missionaries: Catholic	Baptized Native Population: Protestant	Baptized Native Population: Catholic
I. Independent States:				
Egypt	354	1,642	16,883	173,751
Ethiopia	34	128	21[2]	8,896
Liberia	108	13	18,654	2,282
II. French Possessions:				
Algeria and Tunis	135	297	245	321,117
Morocco	66	467	......	116,000
French West Africa				
Senegal	2	121	35	22,380
Sudan and Upper Volta	14	77	......	5,856
French Guinea	26	47	596	6,136
Ivory Coast	...	44	13,081[3] (Ivory Coast and Dahomey together)	13,183
Dahomey	6	62		17,226
French Equatorial Africa	104	210	3,048	46,909
French Somaliland	...	11	......	387
Cameroons (French)	110	30	86,310	75,490
Togo (French)	...	44	......	40,096
Madagascar	299	581	267,907	336,219
III. British Possessions:				
Anglo-Egyptian Sudan	80	152	244	9,973
Basutoland	60	142	96,855[4]	38,894
Gambia	3	...	1,582	......
Sierra Leone	108	37	35,139	6,150
Gold Coast	81	35	134,583	36,342
Nigeria and British Cameroons	464	142	165,998	68,958
Bechuanaland Protectorate	12	...	16,290	......
Southern Rhodesia	202	241	15,641	24,399
Northern Rhodesia	194	45	14,518	31,501
Nyasaland Protectorate	245	82	65,917	23,800
Kenya Colony	252	135	19,717	10,000
Uganda	112	389	131,209	296,451
South West Africa	105	112	52,288	7,722
Tanganyika Territory	176	295	30,544	91,716

[1] With certain exceptions, compiled from the statistical tables in E. Arens, *Manuel des Missions Catholiques*, Louvain, 1925, Table 23. *Revue de l'Exposition Vaticane*, 1924-1925, p. 643. The *World Missionary Atlas*, New York, 1925, pp. 76-77.

[2] Apparently members of the Abyssinian Church are excluded.

[3] This figure is taken from the 1927 Report of the Wesleyan Society.

[4] From the *Official Year Book of the Union of South Africa*, No. 7, p. 932.

Figures for the Union of South Africa are not given here because many natives form part of organized churches having no European connection. The number of native Christians in the Union is shown on p. 120, Vol. I.

PROTESTANT AND CATHOLIC MISSIONARY WORK IN AFRICA—*Continued*

States and Possessions	*European Missionaries* Protestant	*European Missionaries* Catholic	*Baptized Native Population* Protestant	*Baptized Native Population* Catholic
IV. Belgian Possessions:				
Belgian Congo	900	1,013	59,486	376,980[5]
V. Portuguese Possessions:				
Portuguese East Africa	109	58	24,044	40,000
Angola (with Cabinda)	186	308	3,906	215,467
VI. Italian Possessions:				
Libya	2	173	....	19,500
Eritrea	39	237	2,679	32,800
Italian Somaliland	11	9	210	630
VII. Spanish Possessions:				
Rio Muni and Fernando Po	15	108	2,390	15,500

[5] *Annuaire des Missions Catholiques du Congo Belge,* p. 202. This figure includes Ruanda-Urundi.

The figures in regard to European missionaries may be taken as approximately correct at the time when they were compiled. It seems that the figures for baptized Christians is much less accurate. In addition to baptized Christians both Catholic and Protestant missions have a large number of natives as "catechumens" who are under some form of religious instruction. For the Protestants this figure reaches 721,421 in Africa, and for the Catholics, 1,350,782.

The Protestant and Catholic work on the continent of Africa may be summarized as follows:

	European Missionaries	*Baptized Natives Christians*	*Others under Instruction*	*Total Natives*
Catholic	8,581[6]	4,015,332	1,350,782	5,366,114
Protestant	6,590[7]	1,830,582	721,421	2,552,003
Total Missionaries	15,171	Total Native Christians		7,918,117

[6] This includes 2,501 priests, 543 lay brothers, 5,537 sisters.

[7] This includes 1,999 ordained men, 1,993 wives, 2,348 others.

[8] The total number of Protestant missionaries throughout the world is placed at 29,188. The total number of converts is placed at 8,342,378. The total number of Roman Catholic missionaries (European) throughout the world is placed at 21,975 and the total number of converts at 13,490,606. Protestant figures are from the *World Missionary Atlas,* pp. 76, 77; Catholic figures from Arens, *cited,* Tables 27, 39.

BIBLIOGRAPHY FOR SOUTH AFRICA.[1]

I. AUTHORS.

Barnes, J. F. E. *Segregation and the Alienation of Lands in Natal.* Maritzburg, Natal Witness, Ltd., n. d.

Bosman, W. *The Natal Rebellion of 1906.* London, Longmans, Green & Co., 1907.

Bourquin, Chas. *The Union's Native Problem.* Basutoland, Morija Printing Works, n. d.

Bridgman, F. B. "Social Conditions in Johannesburg," *International Review of Missions.* July, 1926, p. 575.

Brookes, E. H. *History of Native Policy in South Africa from 1830 to the Present Day.* Cape Town, Nasionale Pers., 1924.

Brownlee, F. *Transkei Native Territories. Historical Records.* Lovedale, 1923.

Buxton, Earl. *General Botha.* London, John Murray, 1924.

Campbell, Persia. *Chinese Coolie Emigration to Countries within the British Empire.* London, P. S. King & Son, 1923.

Colvin, Ian. *The Life of Jameson.* 2 vols. London, E. Arnold & Co., 1922.

Cook, A. J. *Why Not the Durban System?* South African Temperance Alliance, 1922.

Cory, Sir G. E. *The Rise of South Africa; a history of the origin of South African colonisation and of its development towards the east from the earliest times.* 4 vols. London, Longmans, Green & Co., 1910-26.

Evans, M. S. *Black and White in South East Africa; a Study in Sociology.* London, Longmans, Green & Co., 1911.

Eybers, G. W., editor. *Select Constitutional Documents Illustrating South Africa History. 1795-1910.* London, G. Routledge & Sons, 1918.

Farrand, Livingston. *Basis of American History.* (Vol. 2 of *The American Nation: A History.*) New York, Harper & Bros., 1904.

Gibson J. Y. *The Evolution of South African Native Policy.* Maritzburg, P. Davis & Sons, 1919.

Harris, John H. *Slavery or "Sacred Trust."* London, Williams & Norgate, 1926.

Harrison, Charles W. F. *The Trade, Industries, Products and Resources of South Africa and Adjacent Territories.* Pietermaritzburg, Natal Witness, 1926.

Hoy, Sir Wm. W. *The Economic Position of South Africa.* Address. London, Pitman & Sons, 1926.

[1] A bibliography of South Africa will be found in the *Official Year Book of the Union of South Africa,* 1910-1924, No. 7, p. 6.

PPP

Jabavu, D. D. T. *The Black Problem.* Papers and Addresses on Various Native Problems. 2d ed. Lovedale, Book Dept.

Jones, J. D. Rheinallt. *The Need of a Scientific Basis for South African Native Policy.* Reprinted from *South African Journal of Science.*

———. *The Land Question in South Africa.* Paper read at European-Bantu Conference, February, 1927.

Jones, Thomas J. *Education in East Africa.* New York, Phelps-Stokes Fund, 1925.

Kentridge, Morris. *Unemployment in South Africa. A Simple Outline.* Johannesburg, L. S. L. Press, n. d.

Kock, Michiel H. de. *An Analysis of the Finances of the Union of South Africa.* Cape Town, Juta & Co., 1922.

Lavis, Archdeacon. "South African Housing Problem." *Cape Times,* March 27, 1923.

Leppan, H. D., and Bosman, G. J. *Field Crops in South Africa.* Pretoria, Central News Agency, 1923.

LeRoy, Rev. A. E. *Does it Pay to Educate the Zulu?* Reprinted from the *South African Journal of Science.* Jan.-Feb. 1919.

Lindley, M. F. *The Acquisition and Government of Backward Territory and International Law; being a treatise on the law and practice relating to colonial expansion.* London, Longmans, Green & Co., 1926.

Loram, C. T. *The Education of the South African Native.* London, Longmans, Green & Co., 1917.

Louw, Eric H. *The Union of South Africa, Past, Present and Future.* (Reprinted from *The Cynosure.*) South African Government Offices.

MacDonald, A. J. *Trade, Politics and Christianity and the East.* London, Longmans, Green & Co., 1916.

McMillan, W. M. *The Cape Colour Question.* London, Faber and Gwyer, 1927.

———. *Crowded Native Areas. Cape Times,* April 13, 1926.

———. *The Land, the Native and Unemployment.* Johannesburg, Council of Education, 1924.

Malherbe, E. G. *Education in South Africa (1652-1922).* Cape Town, Juta & Co., 1925.

Millin, Gertrude. *The South Africans.* London, Constable & Co., 1926.

Muller, Lt. Col. E. H. W. *Address on the Administration of the Transkeian Territories.* Umtata, 1924.

Nathan, Manfred. *South Africa from Within.* London, J. Murray, 1926.

Newton, A. P. *Select Documents Relating to the Unification of South Africa.* 2 vols. London, Longmans, Green & Co., 1924.

Nielson, Peter. *The Black Man's Place in South Africa.* Cape Town, Juta & Co., 1922.

Olivier, Lord. *The Anatomy of African Misery.* London, Hogarth Press, 1927.

Plaatje, Sol T. *Native Life in South Africa before and since the European War and the Boer Rebellion.* London, P. S. King, (1916?).

———. *Some of the Legal Disabilities Suffered by the Native Population of the Union of South Africa and Imperial Responsibility.* Pamphlet. London, The African Telegraph, n. d.

Ross, E. A. *Report on Employment of Native Labor in Portuguese Africa.* New York, Abbott Press, 1925.

Saunders, F. A. *Municipal Control of Locations.* (Paper at the Association of Municipal Corporations of Cape Province, 1920.)

Schreiner, Olive. *Thoughts on South Africa.* New York, F. A. Stokes Co., 1923.

Selbourne, Earl of. *Report. Labour on the Transvaal Mines.* Cd. 2786, London. H. M. Stationery Office, 1905.

Stubbs, Ernest. *Tightening Coils. An Essay on Segregation.* Pretoria, 1925.

Theal, George M. *Ethnology and Conditions of South Africa before 1905.*

———. *History of Africa South of the Zambesi, 1505-1795.* 3 vols.

———. *History of South Africa, South of the Zambesi, 1795-1872.* 5 vols.

———. *History of South Africa, 1873-1884.* 2 vols. Allen and Unwin, London.

Wiggett, C. G. *The Native Labor Regulation Act.* (No. 15 of 1911.) Cape Town, Juta & Co., 1924.

II. DOCUMENTS AND PERIODICALS.

Accounts and Papers. Vol. LXI. London. H. M. Stationery Office, 1904.

Annual Report, Transvaal Chamber of Mines, 1924.

Annual Report of the Board of Management of Native Recruiting Corporation, Ltd. Johannesburg, Argus Publishing Co., 1918.

Articles of Association and Memorandum of Association of the Native Recruiting Corporation, Ltd. Johannesburg, Argus Publishing Co., 1918.

The Bantu Union of the Cape Province. Lovedale, C. P., Lovedale Mission Press, 1919.

Basutoland Census. 3rd May, 1921. Pretoria, Government Printing Office, 1922.

"The Better Control and Management of Native Affairs." Editorial, *The South African Outlook,* April 1, 1927, p. 65.

Blue Book on Native Affairs. 1910. Dept. of Native Affairs. U. G. 17-1911. Cape Town, Cape Times, Ltd.

The Blytheswood Review. A South African Journal. Blytheswood, Blytheswood Press, C. P.

British South African Annual. Cape Town, Hortors, Ltd.,

British and Foreign State Papers. Vol. 95 (1901-1902). Great Britain, Foreign Office. London. H. M. Stationery Office, 1905.

Calendar. South African Native College for 1925. Fort Hare, Alice, C. P.

Colonial Reports—Annual. No. 1317. Bechuanaland Protectorate. Report for 1925-26. London. H. M. Stationery Office, 1926.

Correspondence Relating to Native Disturbances in Natal. Cmd. 2905. London, H. M. Stationery Office, 1906.

Correspondence on the Subject of the Draft Immigrants' Restriction Bill, 1911. U. G. 7-1911. Cape Town.

The Drink Problem in South Africa. Cape Town, South African Temperance Alliance, 1924.

Estimates of the Expenditure to be defrayed from Revenue funds ending 31st March, 1926 (excluding Railways and Harbours Administration). U. G. 3 and U. G. 38, 1925. Cape Town, Cape Times, Ltd., 1925.

Final Report of the Crofters Commission. 1911-1912. Cd. 6788. London, H. M. Stationery Office, 1913.

Finance Accounts. Loan Funds and Miscellaneous Funds (exclusive of Railways and Harbours). Financial Year 1919-20. With the Report of the Controller and Auditor-General. Cape Town, Cape Times, Ltd., 1920.

Fixa a Despesa e Orça a Receita da Provincia de Moçambique. 1925-1926. Lourenço Marques, Imprensa Nacional, 1925.

General Hertzog's Solution of the Native Question. (Johannesburg Joint Council of Europeans and Natives. Memorandums 1 and 2.) Johannesburg, R. L. Esson & Co., 1927.

Government Gazette of the Union of South Africa.

Grievances Memorial with a Relative Exposition of the Native Question. Queenstown, Daily Representative, 1920.

Hertslet, E. *The Map of Africa by Treaty.* 3 vols. 2nd ed. London, Harrison and Son, 1896.

House of Assembly Debates. Feb. 1, 1926. Cape Town, Cape Times, Ltd.

Immigration Regulation Act. Cmd. 7111. London, H. M. Stationery Office, 1914.

Joint Sitting of Both Houses of Parliament, May, 1926. Cape Town, Cape Times, Ltd., 1926.

Labour on the Transvaal Mines. Cmd. 2786. London, H. M. Stationery Office, 1905.

Lovedale Missionary Institution. Annual Report. Lovedale, Mission Press, 1925.

Majority Report of the Eastern Transvaal Natives Land Commission. U. G. 31-1918. Cape Town.

Memorandum on Government Native and Coloured Bills. Published by Head Office, South African Party, Pretoria, 1926.

Memorandum on the four Native Bills. June 3, 1926. Cape Argus.

Regulations of the Union of South Africa, 1910-1916. Vol. III.

Minute addressed to the Honourable Minister of Native Affairs by the Hon. Sir W. H. Beaumont. (Natives Land Commission) U. G. 25-16. Cape Town, Cape Times, Ltd., 1916.

Minutes of Evidence of the Eastern Transvaal Natives Land Committee. U. G. 32-1918. Cape Town.

Minutes of Evidence of the Natal Natives Land Committee. U. G. 35-1918. Cape Town.

Native Affairs in Natal. Cmd. 4378. London, H. M. Stationery Office, 1908.

Natives Land Act, 1913, Amendment Bill, 1927. C. 1424. Pretoria, 1926.

Official Gazette of the High Commissioner for South Africa. (Published by Authority.) Pretoria.

Official Report of Proceedings. Industrial and Commercial Workers' Union of South Africa. Cape Town, A. Hodder, 1923.

Official Year Book of the Union of South Africa. 1910-1924. No. 7. Pretoria, 1925.

Pondoland General Council, Proceedings at the Session of 1925 and Estimates of Revenue and Expenditure for 1925-1926. Umtata, The Territorial News, Ltd., 1925.

Proceedings of the First General Assembly of the Bantu Presbyterian Church of South Africa, 1923.

Proceedings of the Third General Assembly, Bantu Presbyterian Church, 1925. Lovedale Institution Press.

Proceedings of the Transkeian Territories General Council. Annual. Umtata, Territorial News, Ltd.

Proclamations and Regulations relating to the Constitution and Functions of Councils in the Transkei, 1905. Cape Town.

Report, Local Natives Land Committee, Cape Province. U. G. 8-1918. Cape Town.

Report, Third Census of the Population of the Union of South Africa, 1921. Pretoria, 1924.

Report of the Board of Management. Witwatersrand Native Labor Association, 1924.

Report of Commission appointed to inquire into the cause of Native Disturbances at Port Elizabeth, 23 October, 1920. U. G. 34-1922. Cape Town.

Report of the Commission appointed to Enquire into the Rebellion of the Bondelzwarts. U. G. 16-1923. Cape Town.

Report of the Committee of Inquiry regarding Public Hospitals and Kindred Institutions. U. G. 30-1925. Cape Town.

Report of the Commission on Assaults on Women. U. G. 39-1913. Cape Town.

Report of the Department of Native Affairs. U. G. 7-1919. Cape Town.

Report of the Decisions of the Native High Court. Natal.

Report of the Economic Commission. U. G. 12-1914. Cape Town.

Report of the Economic and Wage Commission. (*1925.*) U. G. 14-1926. Cape Town.

Report of the Government of the Union of South Africa on South-West Africa for 1925. U. G. 26-1926. Cape Town.

Report of the Housing Committee. Pretoria, Gov. Prtg. and Stationery Office, 1920.

Report of the Indian Inquiry Commission. Cmd. 7265. London, H. M. Stationery, 1914.

Report of the Inter-Departmental Committee on the Native Pass Laws. 1920. U. G. 41-1922. Cape Town, Cape Times, Ltd.

Report of the Local Natives Land Committee. U. G. 34-1918. Cape Town.

Report of the Low Grades Mines Commission. U. G. 34-1920. Cape Town.

Report of the Martial Law Inquiry Judicial Commission. U. G. 35-1922. Pretoria.

Report of the Mining Industry Board. U. G. 39-1922. Cape Town, Cape Times, Ltd.

Report of the Department of Native Affairs, 1912, 1913-1918, 1919-21. U. G., 33-1913, 7-1919, 34-1922. Cape Town.

Report of the Natal Natives Affairs Commission, 1906-1907. Cd. 3889. London, H. M. Stationery Office, 1908.

Report of the Native Affairs Commission for the year 1921, 1922, 1924. U. G., 15-1922, 36-1923, 40-1925. Cape Town, Cape Times, Ltd.

Report of Native Churches Commission. U. G. 39-1925. Cape Town.

Report of the Native Grievances Inquiry, 1913-1914. U. G. 37-1914. Cape Town, Cape Times, Ltd.

Report of the Natives Land Commission. U. G. 22-1916. Cape Town, Cape Times Ltd., 1916.

Report of the Natives Land Committee, Western Transvaal. U. G. 23-1918, Cape Town.

Report of the Native Recruiting Corporation, 1925.

Report of the Orange Free State. Local Natives' Land Committee. U. G. 22-1918. Cape Town.

Report of the Proceedings of the Fifth General Missionary Conference of South Africa. 1921. Durban, Commercial Printing Co., 1922.

Report of the Select Committee on the Mines and Works Act, 1911, Amendment Bill. Cape Town, Cape Times, Ltd., 1925.

Report of the Small Holdings Commission. (Transvaal.) U. G. 51-1913. Cape Town.

Report of the South Africa Native Affairs Commission, 1903-1905. Cmd. 2399. London, H. M. Stationery Office, 1905.

Report of the Transvaal Labour Commission. Cmd. 1896. London, H. M. Stationery Office, 1909.

Report of the Transvaal Missionary Association for the years 1919-1924. Cleveland (Transvaal), Mission Press, 1925.

Report of the Tuberculosis Commission. U. G. 34-1914. Cape Town.

Report of the Witwatersrand Native Labour Association. Johannesburg, Argus Co., Ltd., 1913.

Report with Annexure being Schedule of areas recommended for Native Occupation. U. G. 8-1918. Cape Town.

Reports of Cases decided in the Native Appeal Courts of the Transkeian Territories. 1910-1911. Cape Town, Cape Times, Ltd., 1912.

The Round Table. A quarterly review. London. Macmillan & Co., Ltd.
Rules and Regulations for the Guidance of Civil Commissioners, Resident Magistrates and others. Cape of Good Hope, 1904.
South Africa Law Reports. Transvaal Provincial Division. 1924.
Some Observations on Professor Ross' Report. Portuguese Government. (Translation.) Geneva, Imprimerie du Journal de Genève, 1925.
South African Native College. Reports for 1925. Alice, Cape Province, S. A.
Statutes of the Cape of Good Hope.
Statute Law of the Transvaal. 1839-1910.
Statutes of Natal, 1845-1899. 1903.
Statutes of the Union of South Africa.
Statutes, Proclamations, and Government Notices, Applied to the Transkeian Territories of the Cape of Good Hope. Cape Town, J. C. Juta & Co., 1917.
Transkeian Territories. General Council. *Proceedings and Reports of Select Committees at the Session of 1924. Annual Reports and Accounts for 1923 and 1924.* Umtata. Territorial News, Ltd., 1924. Also annual.
Transvaal Labour Importation Ordinance. Cmd. 2086. London, H. M. Stationery Office, 1904.
Transvaal Labour Question. Cmd. 2026. London, H. M. Stationery Office, 1904.
The Union of South Africa. A Résumé. Issued under the auspices of the Administration of Railways and Harbours, Union of South Africa. Johannesburg, Radford, Adlington, Ltd. 1927.

BIBLIOGRAPHY FOR BASUTOLAND.

I. AUTHORS.

Dutton, E. A. T. *The Basuto of Basutoland.* London, J. Cape, 1923.

Ellenberger, D. F. *History of the Basuto, Ancient and Modern.* London, Caxton Publishing Co., 1912.

Favre, Edouard. *La Vie d'un Missionaire français, François Coillard, 1834-1904.* Paris, Société des Missions Évangeliques, 1922.

Lagden, Sir Godfrey. *The Basutos.* New York, D. Appleton & Co., 1910. 2 vols.

Mackintosh, C. W. *Coillard of the Zambesi.* London, T. Fisher Unwin, 1907.

Smith, F. M. Urling. *A Report on Native Education in Basutoland, 1925-1926.* Cape Town, 1926.

II. DOCUMENTS AND PERIODICALS.

Colonial Reports—Annual. No. 1294. Basutoland. Report for 1925. London, H. M. Stationery Office, 1926.

High Commissioner's Proclamations and Notices. Cape Town, Argus Printing and Publishing Co., 1909.

Map of Basutoland. London, Edward Stanford, Ltd.

Minutes of Native Advisory Council. Maseru, 1924, 1925.

Report of the Commissioners Appointed to determine Land Claims and to effect a Land Settlement in British Bechuanaland. Cd. 4889. London, H. M. Stationery Office, 1886.

Newspapers.

The Bulawayo Chronicle.

Bloemfontein Friend. March 28, 1923.

Manchester Guardian. December 16 and 24, 1924.

Naledi Ea Lesotho Labohlano. June 22, 1923.

Proclamations and Notices. (Basutoland.) Pretoria, Government Printer, 1920, 1922, 1924.

Report of Proceedings of the Basutoland National Council. Cd. 4196. London, H. M. Stationery Office, 1908.

Sobhuza II and Miller. *Law Reports* A. C. 1926, p. 518.

Special Reports on Educational Subjects. Cd. 7622. London, H. M. Stationery Office, 1905.

Statutory Rules and Orders, 1903.

Swaziland. Annual Report for 1907-1908. Cd. 4448-5. London, H. M. Stationery Office, 1909.

BIBLIOGRAPHY FOR RHODESIA.

I. AUTHORS.

Coillard, François. *Le Haut Zambèze.* Paris, Berger-Levrault & Cie, 1898.

———. *On the Threshold of Central Africa. A Record of 20 years' pioneering among the Barotsi of the Upper Zambesi.* Translated from the French by Catharine W. Mackintosh. London, Hodder & Stoughton, 1897.

Cripps, Arthur S. *The Sabi Reserve. A Southern Rhodesia Native Problem.* Oxford, Basil Blackwell, 1920.

Gouldsbury, C., and Sheane, H. *The Great Plateau of Northern Rhodesia, being some impressions of the Tanganyika Plateau.* London, E. Arnold, 1911.

Harris, John H. *British-African Commerce. The new Policy of taxing the raw produce of the native.* London, The Anti-Slavery and Aborigines Protection Society.

———. *The Chartered Millions; Rhodesia and the Challenge to the British Commonwealth.* London, The Swarthmore Press, Ltd., 1920.

Hewetson, W. M. *Environmental Influence affecting Blondes in Rhodesia and their Bearing on the Future.* Salisbury, Simpkin Co., 1922.

Hole, H. M. *The Making of Rhodesia.* London, Macmillan & Co., 1926.

Hone, P. F. *Southern Rhodesia.* London, G. Bell & Sons, 1909.

Olivier, S. "Are we going to act justly in Africa?" *Contemporary Review,* 1920, p. 198.

———. "Native Land Rights in Rhodesia." *Ibid.* August, 1926.

Rolin, Henri. *Les Lois et l'administration de la Rhodesie.* Brussels, E. Bruylant, 1913.

Scott, Leslie. *The Struggle for Native Rights in Rhodesia.* London, Anti-Slavery and Aborigines Protection Society, 1918.

Smith, Edwin W. *The Christian Mission in Africa; a study of the International Conference at Le Zoute, Belgium, Sept. 14-21, 1926.* London, International Missionary Council, 1926.

———. *The Golden Stool, some aspects of the Conflict of cultures in modern Africa.* London, Holburn Publishing House, 1926.

———, and Dale, A. M. *The Ila Speaking Peoples of Northern Rhodesia.* London, Macmillan & Co., 1920.

Stirke, D. W. *Barotseland, Eight Years among the Barotse.* London, J. Bale Sons & Danielsson, Ltd., 1922.

II. DOCUMENTS AND PERIODICALS.

Administration Revenue and Expenditure in Southern and Northern Rhodesia. Cmd. 7532. London, H. M. Stationery Office, 1914.

Blue Book for 1924. (K. 825.) Livingstone, Government Printer.

Colonial Reports—Annual. No. 1292. Northern Rhodesia. Report for 1924-25. London, H. M. Stationery Office, 1926.

Correspondence Relating to the Constitution of Southern Rhodesia. Cmd. 7264. London, H. M. Stationery Office, 1914.

Correspondence with the Anti-Slavery and Aborigines Protection Society relating to the Native Reserves in Southern Rhodesia. Cmd. 547. London, H. M. Stationery Office, 1920.

Directors' Report and Accounts. July 24, 1924. The British South Africa Company.

Draft Estimates of the Revenue and Expenditures of Northern Rhodesia for the year 1927-28. Livingstone, Government Printer, 1926.

Estimates of Expenditure to be defrayed from Revenue funds during the year ending 31st March, 1927. C. S. R. 17-1926. Salisbury, Government Printer, 1926.

Government Gazette. Published by Authority. Colony of Southern Rhodesia. Salisbury.

The Independent. A Weekly Journal devoted to the Promotion of Rhodesia Mining, Farming and General Interests. Salisbury.

Interim Report, Southern Rhodesian Native Reserves Commission, 1915. Cd. 8674. London, H. M. Stationery Office, 1915.

Legislative Council Debates. 1922-23 and following years.

Lord Buxton's Committee's Report. Cmd. 1273. London, H. M. Stationery Office, 1921.

Memorandum of Agreement. Cmd. 7637. London, H. M. Stationery Office, 1895.

Native Reserves in Southern Rhodesia. Cmd. 1042. London, H. M. Stationery Office, 1920.

Ordinances of Northern Rhodesia. Livingstone, Government Printer, 1925.

Proceedings of the General Missionary Conference of Northern Rhodesia. Lovedale Institution Press, 1924.

Proceedings of the Southern Rhodesia Missionary Conference. Salisbury, Argus Printing and Publishing Co., 1922, 1924.

Report of the Chief Native Commissioner for the year 1924. C. S. R. 7-1925. Salisbury, Government Printer, 1925.

Report of the Chief Veterinary Surgeon for the year 1924. C. S. R. 3-1925. Salisbury, Government Printer, 1925.

Report of the Commission appointed to enquire into the matter of Native Education in all its bearings in the Colony of Southern Rhodesia. C. S. R. 20-1925. Salisbury, Government Printer.

Report of the Commissioner of taxes for the year ended 31st of March, 1926. C. S. R. 19-1926. Salisbury, Government Printer, 1926.

Report of Cost of Living Committee. Southern Rhodesia. Salisbury, Gov. Printer, 1921.

Report of the Director of Education for 1925. C. S. R. 14-1926. Salisbury, Government Printer, 1926.

Report of the East Africa Commission. Cmd. 2387. London, H. M. Stationery Office, 1925.

Report of the Land Commission, 1925. C. S. R. 3-1926. Salisbury, Government Printer, 1925.

Report of the Medical Inspector of Schools for the year 1925. Salisbury, Government Printer, 1925.

Report of the Native Affairs Committee of Enquiry, 1910-1911. Salisbury, Government Printer, 1911.

Report of the Secretary of the Department of Agriculture for the year 1925. C. S. R. 11-1926. Salisbury, Government Printer, 1926.

Report of the Secretary of the Department of Mines and Public Works on Roads for the year 1924. C. S. R. 9-1925. Salisbury, Government Printer, 1925.

Report on Defence for the year 1925. C. S. R. 6-1926. Salisbury, Government Printer, 1926.

Report on the Public Health for the year 1924-25. C. S. R. 16-1925. Salisbury, Government Printer, 1925.

Report, Rhodesia Native Labour Bureau, 1925.

Rhodesia Chamber of Mines Report, 1925.

The Rhodesia Herald.

Special Reference as to the Ownership of the Unalienated Land in Southern Rhodesia. (In the Privy Council.) Law Reports, A. C., 1919, p. 211.

The Statute Law of Southern Rhodesia. Salisbury.

Statutory Rules and Orders, 1924.

The Times. (London.)

BIBLIOGRAPHY FOR NYASALAND.

I. AUTHORS.

Hetherwick, A. "Nyasaland to-day and to-morrow." *Journal of the African Society,* Vol. 17, 1917, p. 19.

Johnston, Sir Harry H. *British Central Africa.* 2nd ed. London, Methuen & Co., 1898.

Werner, A. *The Natives of British Central Africa.* London, n.p., 1906.

II. DOCUMENTS AND PERIODICALS.

Approved Estimates, 1925-27. (Nyasaland Protectorate.) Zomba, Government Printer, 1926.

Blue Book for the year 1925. (Nyasaland Protectorate.) Zomba, Government Printer, 1925.

British Cotton Growing Association. *Nineteenth Annual Report, 1923.*

British and Foreign State Papers. Vol. 85 (1892-93). Great Britain. Foreign Office. London, H. M. Stationery Office.

Colonial Reports—Annual. No. 1296. Nyasaland. Report for 1925. London, H. M. Stationery Office, 1926.

East African Standard, March 12, 1927.

Nyasaland Rules and Orders. C. 23. London, H. M. Stationery Office, 1917.

Ordinances of Nyasaland.

Report of the Commission appointed by His Excellency the Governor to enquire into various matters and questions concerned with The Native Rising within the Nyasaland Protectorate. (6819.) Zomba, Government Printer, 1916.

Report of a Commission to enquire into and report upon certain matters connected with the Occupation of Land in Nyasaland Protectorate. (10582.) Zomba, Government Printer.

Report of the East Africa Commission. Cmd. 2387. London, H. M. Stationery Office, 1925.

BIBLIOGRAPHY FOR ZANZIBAR.

I. AUTHORS.

Ingrams, W. H., and Hollingsworth, L. W. *A School History of Zanzibar.* London, Macmillan & Co., 1925.

Jeevanjee, A. M. *An Appeal on Behalf of the Indians in East Africa.* Mazgaon, Bombay, British India Press, 1912.

Lyne, R. N. *Zanzibar in Contemporary Times.* London, Hurst & Blackett, Ltd., 1905.

McDermott, P. J. *British East Africa, or Ibea; a History of the formation and work of the Imperial East Africa Company.* London, Chapman & Hall, 1895.

Strandes, J. *Die Portugiesenzeit von Deutsch und Englisch-Ost-Afrika.* Berlin, D. Reimer, 1899.

Woolf, L. *Empire and Commerce in Africa; a Study in Economic Imperialism.* London, G. Allen & Unwin, 1919?

II. DOCUMENTS AND PERIODICALS.

Annual Trade Report of the Zanzibar Protectorate for the year 1925. Zanzibar, Government Press, 1926.

Correspondence Respecting the Retirement of the Imperial British East Africa Company. Cmd. 7646. London, H. M. Stationery Office, 1895.

Estimates of Revenue and Expenditures of the Zanzibar Protectorate for the year 1926. Zanzibar, Government Printer, 1926.

Memorandum on the Report of the Commission on Agriculture, 1923. Poona, Aryabhushan Press, 1924.

Recent Rebellion in British East Africa. Cmd. 8274. London, H. M. Stationery Office, 1896.

Report from the Select Committee on Slave Trade (East Coast of Africa). Great Britain. Parliamentary Papers. Vol. XII. London, 1871.

Report of the Commission on Agriculture, 1923. Zanzibar, Government Printer, 1923.

Slavery in Zanzibar. Cmd. 7707. London, H. M. Stationery Office, 1895.

Statutory Rules and Orders (Zanzibar). 1926.

Zanzibar Government Report on the Zanzibar Protectorate from 1911 to 1923. Zanzibar, Government Printer, 1923.

Zanzibar. An Account of its People, Industries and History. Zanzibar, the Local Committee of the British Empire Exhibition, 1924.

Zanzibar Law Reports.

BIBLIOGRAPHY FOR KENYA.

I. AUTHORS.

Beech, M. H. "Kikuyu System of Land Tenure." *Journal of the African Society,* Vol. XVII, 1917, pp. 46, 136.

Browne, G. St. Orde. *The Vanishing Tribes of Kenya.* Philadelphia, J. B. Lippincott, 1925.

Church, Archibald. *East Africa, a New Dominion.* London, H. F. & G. Witherby, 1927.

Churchill, Winston. *My African Journey.* London, Hodder and Stoughton, 1908.

Cobb, E. Powys. *The Thermopylæ of Africa, Kenya Colony.* Nairobi, 1923.

Eliot, Sir Charles. *The East African Protectorate.* London, E. Arnold, 1905.

Hardinge, Sir A. *Report by Sir A. Hardinge on the Condition and Progress of the East Africa Protectorate from its Establishment to the 20th July, 1897.* Cmd. 8683. London, H. M. Stationery Office, 1897.

Hobley, C. W. *Bantu Beliefs and Magic.* London, A. F. & G. Witherby, 1922.

———. *Eastern Uganda, an Ethnological Survey.* London, Anthropological Institute of Great Britain and Ireland, 1902.

———. *Ethnology of A-kamba and other East African Tribes.* Cambridge, University Press, 1910.

Hollis, A. C. *The Masai, Their Language and Folklore.* Oxford, Clarendon Press, 1905.

———. *The Nandi, Their Language and Folk-lore.* Oxford, Clarendon Press, 1909.

Jacobs, S. "The Labour Problem." *East African Standard,* Oct. 23, 1926.

Johnston, Sir H. H. *The Uganda Protectorate.* London, Hutchinson & Co., 1902.

Leakey, Canon H. *Memorandum regarding Kikuyu Land Tenure.*

Leys, Norman M. *Kenya.* London, L. & V. Woolf, 1924.

Lugard, Frederick. *The Dual Mandate in British Tropical Africa.* Edinburgh, W. Blackwood & Sons, 1922.

McDermott, P. L. *British East Africa or Ibea.* London, Chapman & Hall, 1895.

Merker, M. *Die Masai. Ethnographische monographie eines ost-afrikanischen Semitenvolkes.* Berlin, D. Reimer, 1904.

Reuter, E. B. *The American Race Problem.* New York, Crowell, 1927.

Roscoe, John. *Twenty-five Years in East Africa.* Cambridge, University Press, 1921.

Ross, McGregor W. *Kenya From Within.* London, Allen and Unwin, 1927.

Routledge, W. S. and K. *With a Prehistoric People, the Akikuyu of British East Africa.* London, E. Arnold, 1910.

Sandford, G. R. *An Administrative and Political History of the Masai Reserve.* A Semi-Official history published by the Government. Nairobi, 1919.

Williams, L. F. R. *India in 1923-24.* Calcutta, Central Publication Branch, 1924.

II. DOCUMENTS AND PAPERS.

Abridged Report of the Forest Department. (Kenya Colony and Protectorate.) For year ending 31st December, 1924. Nairobi, East African Standard, Ltd.

Abridged Report on the Post and Telegraph Department. For the year 1924. (Kenya Colony and Protectorate and Uganda Protectorate.) Nairobi, Government Printing Office, 1925.

Agricultural Census of the Colony and Protectorate of Kenya for 1924-1925. 5th-6th Annual Report. Department of Agriculture. Nairobi, Swift Press, 1924-1925.

Annual Medical Report for the year ending December 31st, 1922, including the Annual Report of the Bacteriological Laboratory for the year 1922. Nairobi, Government Printer, 1923 and following years.

Annual Report of the Department of Agriculture. 1924.

Annual Trade Report of Kenya and Uganda for the year ended 31st December, 1924. (Colony and Protectorate of Kenya and Uganda.) Nairobi, East African Standard, Ltd., 1925.

The British Indian Colonial Merchants' Association. *The Kenya Decision:—Why and How India resents it.* Bombay, The Committee of the British Indian Colonial Merchants' Association.

Colonial Reports—Annual. No. 1227, 1282, 1321. Colony and Protectorate of Kenya. Report for 1923-25. London, H. M. Stationery Office, 1924-26.

Compulsory Labour for Government Purposes. (Kenya.) Cmd. 2464. London, H. M. Stationery Office, 1925.

"Correspondence between the Colonial Office and the Anti-Slavery Society." *The Anti-Slavery Reporter and Aborigines' Friend.* Jan., 1926, p. 139.

Correspondence regarding the modification of the Boundary between British Mandated Territory and Belgian Mandated Territory in East Africa. Cmd. 1974. London, H. M. Stationery Office, 1923.

Correspondence relating to the Flogging of Natives by certain Europeans at Nairobi. Cmd. 3562. London, H. M. Stationery Office, 1907.

Correspondence relating to Masai. Cmd. 5584. London, H. M. Stationery Office, 1911.

Correspondence with the Government of Kenya relating to Lord Delamere's acquisition of land in Kenya. Cmd. 2629. London, H. M. Stationery Office, 1926.

Despatch on Native Labour. Cmd. 873. London, H. M. Stationery Office, 1920.

Despatch to the officer administering the Government of the Kenya Colony and Protectorate relating to native Labour. Cmd. 1509. London, H. M. Stationery Office, 1921.

Draft Estimates of the Revenue and Expenditure for the year 1926. (Colony and Protectorate of Kenya.) Nairobi, Government Printer, 1925.

East Africa Law Reports.

East Africa Protectorate Gazette.

The East Africa Red Book for 1925-1926. Nairobi, East African Standard, Ltd.

Constitution and Rules, Convention of Associations. Nairobi.

Economic Commission. *Final Report.* Nairobi, 1919.

Economic and Financial Committee. *First Interim Report.* (Colony and Protectorate of Kenya.) Nairobi, Government Printing Dep., 1922.

———. *Interim Report on Native Labour.* Nairobi, Government Press, 1925.

———. *Report on the Dairy Industry.* Nairobi, Swift Press, 1924.

———. *Second Interim Report.* Nairobi, Government Press, 1922.

Education Department. *Departmental Instruction Governing Native Education in Assisted Schools.* Nairobi, Government Press, 1922.

———. *Annual Report,* 1924. Nairobi, East African Standard.

Explanatory Statement in Connection with the Supplementary Appropriation Ordinance, 1926. (Colony and Protectorate of Kenya.) Nairobi, Government Press, 1926.

Financial Report and Statement for the year 1925. Nairobi, Government, 1926.

First Supplementary Estimates, 1926. Nairobi, Government Press.

General Information as to Kenya Colony and Protectorate. Revised Ed. Issued by Oversea Settlement Office. London, H. M. Stationery Office, 1924.

Government Lands in British East Africa and Uganda. House of Commons Paper 312. London, H. M. Stationery Office, 1907.

House of Commons Debates. July 20, 1911. London.

House of Lords Paper, 158. London, H. M. Stationery Office, 1907.

The Indian Problem in Kenya. Being a selection from speeches, articles and correspondence appearing in the East African Press. Nairobi, East African Standard, Ltd., 1922.

Memorandum on Indians in Kenya. Cmd. 1922. London, H. M. Stationery Office, 1923.

Kenya, Uganda and Zanzibar. Great Britain Foreign Office. Peace Handbook No. 96. London, H. M. Stationery Office, 1920.

The Kenya Medical Journal. (Published monthly.) Nairobi, The East African Standard.

Kikuyu, 1918. Report of the United Conference of Missionary Societies in British East Africa. Nairobi, Swift Press, 1918.

Kikuyu, 1898-1923. Semi-Jubilee Book of the Church of Scotland Mission, Kenya Colony. Edinburgh, Wm. Blackwood & Sons, 1923.

Land and Land Conditions in the Colony and Protectorate of Kenya. Nairobi, Land Department, 1922.

Land Tenure Commission Report. (Colony and Protectorate of Kenya.) Nairobi, East African Standard, Ltd., 1922.

Legislative Council. *Address by the Acting Governor.* (Colony and Protectorate of Kenya.) Nairobi, Government Press, 1925.

Memorandum on Transport Development and Cotton Growing in East Africa. Cmd. 2463. London, H. M. Stationery Office, 1925.

Minutes of the Proceedings of the Legislative Council of East Africa. (First Session.) 1920. (East Africa Protectorate.) Nairobi, Government Press.

Minutes of the Proceedings of the Legislative Council of the Colony of Kenya. Nairobi, Government Press.

Mombasa Diocesan Synod. *Constitution including Fundamental Provisions, Laws and Regulations.* Nairobi, Swift Press.

Nairobi Disturbances and Government Native Employees. Government Circular 22, March 27, 1922.

Native Affairs Department. *Annual Report, 1923, 1924.* (Colony and Protectorate of Kenya.) Nairobi.

"Native Diets." *Kenya Medical Journal.* August, 1925.

Native Labour Commission, 1912-1913. *Evidence and Report.* (East Africa Protectorate.) Nairobi, Government Press.

Native Punishment Commission. *Report.* (Colony and Protectorate of Kenya.) Nairobi, Government Press, 1923.

The Official Gazette of the Colony and Protectorate of Kenya. (Special Issue.) Nairobi.

Ordinances and Regulations. 1876-1902. East Africa Protectorate.

Position of Indians in East Africa. Cmd. 1311. London, H. M. Stationery Office, 1921.

Proposed Schemes of Federation of Missionary Societies working in British East Africa. Nairobi & Mombasa, 1913.

Rats in Relation to Disease with a particular reference to Plague and its prevention and eradication by the prevention and destruction of rats. (Colony and Protectorate of Kenya.) Medical Department. Health Pamphlet No. I. Nairobi, Government Press, 1922.

Report of the East Africa Commission. Cmd. 2387. London, H. M. Stationery Office, 1924-5.

Report of the East Africa Guaranteed Loan Committee Appointed by the

Secretary of State for the Colonies. Cmd. 2701. London, H. M. Stationery Office, 1926.
Report of the Labour Bureau Commission, 1921. (Colony and Protectorate of Kenya.) Nairobi.
Report of the Land Settlement Commission. (East Africa Protectorate.) Nairobi, Government Press, 1919.
Report of the Land Tenure Commission. Nairobi, 1922.
Report on the Agricultural Prospects of the Plateau of the Uganda Railway. Cmd. 787. London, H. M. Stationery Office, 1902.
Report on the Census on Non-Natives. (Colony and Protectorate of Kenya.) Nairobi, Government Press, 1921.
Report on the East Africa Protectorate. Cmd. 1626. London, H. M. Stationery Office, 1903.
Report on the Pastoral and Agricultural Possibilities of the East Africa Protectorate. Krugersdorf Transvaal, 1902, pamphlet.
Report on the Trade and Commerce of East Africa. Great Britain. Overseas Trade Dept. London, H. M. Stationery Office, 1926.
Report on the Uganda Railway. Cmd. 9331. London, H. M. Stationery Office, 1899.
Second Supplementary Estimates, 1926. (Colony and Protectorate of Kenya.) Nairobi, Government Press.
Statement of the Colony's Financial Position, March, 1926. (Colony and Protectorate of Kenya.) Nairobi, Government Press, 1926.
Statement of Unforeseen Expenditure for the Quarter Ending 31st December, 1925. Nairobi, Government Press, 1926.
Tenure of Land in the East Africa Protectorate. Cmd. 4117. London, H. M. Stationery Office, 1908.
Tours in the Native Reserves and on the Native Development in Kenya. Cmd. 2573. London, H. M. Stationery Office, 1926.
The Tukuyu Conference. Proceedings and Resolutions. Nairobi, East African Standard, Ltd., 1925.

BIBLIOGRAPHY FOR TANGANYIKA.

I. AUTHORS.

Amery, L. S. *Union and Strength: a Series of Papers on Imperial Questions.* London, E. Arnold, 1912.

Browne, Major A. St. J. Orde. *Labour in the Tanganyika Territory.* Colonial No. 19. London, H. M. Stationery Office, 1926.

Cilento, R. W. *The White Man in the Tropics.* Service Publication. (Tropical Division) No. 7. Commonwealth of Australia, Department of Health, 1925. Melbourne, H. J. Green, 1925.

Cornydon, R. T. "Problems of Eastern Africa." *Journal of the African Society,* Vol. 21, 1922, p. 177.

Daye, P. *Avec les Vainqueurs de Tabora. Notes d'un Colonial belge en Afrique Orientale allemande.* Paris, Perrin & Cie, 1918.

———. *L'Empire Coloniale Belge.* Brussels, Editions du "Soir," 1923.

Dundas, Charles. *Kilimanjaro and Its People.* London, H. F. & G. Witherby, 1924.

Fendall, C. P. *The East African Force, 1915-1919.* London, H. F. & G. Witherby, 1921.

Gregory, J. W. "Inter-racial Problems and White Colonization in the Tropics." Report of the *British Association for the Advancement of Science,* 1924, p. 125.

Johnston, Sir Harry H. *British Central Africa; an attempt to give some account of a portion of the territories under British influence north of Zambesi.* London, Methuen & Co., 1898.

———. *A History of the Colonization of Africa by Alien Races.* 2d ed. Cambridge, University Press, 1913.

———. "The Political Geography of Africa before and after the War." *Geographical Journal,* Vol. 45, 1915, p. 286.

Lettow-Vorbeck, P. E., von. *My Reminiscences of East Africa.* London, Hurst & Blackett, Ltd., 1920.

Meyer, Hans. *Das Deutsche Kolonialreich.* Leipzig, Verlag das Bibliographischen Instituts, 1909-10.

Robertson, Sir Benj. *Report on Settlement of Indian Agriculturists in Tanganyika.* Cmd. 1912. London, H. M. Stationery Office, 1921.

Schnee, Henrich. *Deutsch-Ostafrika im Weltkriege.* Leipsig, Quelle and Meyer, 1919.

———. *Deutsches Kolonial-Lexikon.* Leipsig, Quelle and Meyer, 1920.

Wahis, Baron. "La Participation belge à la Conquête du Cameroun et de l'Afrique orientale allemande." *Congo,* 1920, pp. 1-45.

Zimmermann, A. *Geschichte der Deutschen Kolonial Politik.* Berlin, E. S. Mittler & Sohn, 1914.

Van Vechten, Carl. *Nigger Heaven.* New York, A. A. Knopf, 1926.

II. DOCUMENTS AND PERIODICALS.

Annual Medical Report for the year ending Dec. 31st, 1923. (Tanganyika Territory.)

Annual Report by the Treasurer for the financial year 1924-25. Dar es Salaam, 1925.

Annual Report for the years 1923, 1924-1925. (*Tanganyika Railways.*) London, Waterlow & Sons, Ltd., 1924.

Annual Report of the Department of Land, Survey and Mines for the year 1923. Dar es Salaam. Government Printer.

Annual Report of the Department of Veterinary Science and Animal Husbandry. Dar es Salaam, Government Printer.

Annual Report of the Education Department. Dar es Salaam, 1925.

Blue Book for the year ended 31st Dec., 1924. Dar es Salaam, Government Printer.

"A Central African Confederation." *Journal of the African Society.* Vol. 17, p. 276.

Collection of Judgments. The Mavrommatis Palestine Concessions. Permanent Court of International Justice, the Hague. Series A. No. 2. 1924.

Correspondence regarding the modification of the Boundary between British Mandated Territory and Belgian Mandated Territory in East Africa. Cmd. 1974. London, H. M. Stationery Office, 1923.

Die deutschen Schutzgebiete in Afrika und der Südsee, 1912-1913. Amtliche Jahresberichte, Berlin, 1914.

Estimates of the Revenue and Expenditures of Tanganyika Territory for the year 1925-1926. Dar es Salaam, Government Printer.

"Kenya and Co-ordination." *Tanganyika Times.* Jan. 22, 1927.

Die Landes-Gesetzgebung des Deutsch-Ostafrikanischen Schutzgebeits, 1911. Dar es Salaam.

Mambo Leo. (Monthly Publication.) Dar es Salaam.

Memorandum dealing with the Care of Native Labour on Plantations. Dar es Salaam, 1925.

Memorandum on Railway Development by Sir E. Grigg. November-December, 1926.

Newspapers.

African Comrade. Dar es Salaam.

Dar es Salaam Times—later *The Tanganyika Times.* Dar es Salaam.

East African Standard. Nairobi.

Non-Native Census, 1921 Report. Dar es Salaam, Government Printer.

Ordinances of Tanganyika.

Official Journal of the League of Nations. Geneva.

Permanent Mandates Commission, League of Nations. Geneva. *Minutes of annual sessions.*

Rapport sur l'administration belge du Ruanda-Urandi. Chambre des Representants, 1922-1923. Brussels.

Der Reichshaushalts-etat und der Haushalts-etat für die Schutzgebiete für das Rechnungsjahr 1913. Berlin, 1913.

Report by His Britannic Majesty's Government to the Council of the League of Nations on the Administration of Tanganyika Territory, Annual. London, H. M. Stationery Office.

Report in *Medical Journal of Australia,* September 18, 1920, p. 292.

Report of the Department of Agriculture for the year 1924-1925. Dar es Salaam.

Report of the East Africa Commission. Cmd. 2387. London, H. M. Stationery Office, 1924-5.

Report of Proceedings, Conference between Government and Missions, 1925.

"Report on the Bondelzwarts Rebellion." *Annexes to the Minutes of the Third Session, Permanent Mandates Commission.* A. 19 (annexes) 1923. VI.

Report on East Africa Protectorate. Cmd. 1626. London, H. M. Stationery Office, 1903.

Report on the Native Census, 1921. Dar es Salaam, Government Printer.

Statutory Rules and Orders.

Summary of Proceedings. Conference of Governors of the East African Dependencies, 1926.

Tanganyika. Great Britain Foreign Office. Peace Handbook No. 113. London, H. M. Stationery Office, 1920.

The Tanganyika Territory Gazette. Published under the authority of His Excellency the Governor. (Weekly) Dar es Salaam.

Trade Report for the year 1925. Dar es Salaam, Government Printer.

Treatment of Natives in German Colonies. Great Britain Foreign Office. Peace Handbook No. 114. London, H. M. Stationery Office, 1920.

BIBLIOGRAPHY FOR UGANDA.

I. AUTHORS.

Baskerville, Rosetta Gage. *The Flame Tree and other Folk-lore Stories from Uganda.* London, Sheldon Press, 1925.

———. *The King of the Snakes and other Folk-lore Stories from Uganda.* London, The Sheldon Press, 1922.

Baunard, Louis. *Le Cardinal Lavigerie.* Paris, J. de Gigord, 1912. 2 vols.

Carter, Judge. "The Clan System, Land Tenure and Succession among the Baganda." Reprint from Law Quarterly Review in *Uganda Law Reports,* Vol. I, p. 99.

Cook, Albert and Katherine. *Amagezin Agokuzalisa. A Manual of Midwifery in Luganda.* London, The Sheldon Press, 1923.

French, C. N. *Report on the Cotton Growing Industry in Uganda, Kenya and the Mwanza District of Tanganyika.* Empire Cotton Growing Corporation, 1925.

Himbury, Sir Wm. "Some Promising Empire Cotton Fields with Special Reference to a recent Trip through India, Uganda and the Soudan." (Reprinted by permission from *United Empire.*) London, 1925.

Johnston, Sir Harry H. *The Uganda Protectorate.* London, Hutchinson & Co., 1902.

Jones, H. Gresford. *Uganda in Transformation.* London, Church Missionary Society, 1926.

Lugard, Frederick. *The Dual Mandate in British Tropical Africa.* London, W. Blackwood & Sons, 1922.

———. *The Rise of our East African Empire; early efforts in Nyasaland and Uganda.* London, W. Blackwood & Sons, 1893.

———. *The Story of the Uganda Protectorate.* London, A. Marshall & Son, 1900.

———. *Uganda and its People.* New York, M. F. Mansfield & Co., 1901.

Portal, Gerard. *The British Mission to Uganda.* London, E. Arnold, 1894.

Rolin, Henri. *Le Droit de l'Uganda.* Bruxelles, E. Bruylant, 1910.

Roscoe, J. *The Baganda; an account of their native customs and beliefs.* London, Macmillan, 1911.

———. "Uganda and some of its Problems." *Journal of the African Society.* Vol. XXII, 1923, p. 105.

Staples, E. G. *Lectures in Elementary Agriculture.* Department of Agriculture, Uganda, 1925.

Stock, Eugene. *The History of the Church Missionary Society.* London, Church Missionary Society, 1899.

Wallis, H. R. *The Handbook of Uganda.* 2nd ed. London, Published for the Government of the Uganda Protectorate by the Crown agents for the Colonies, 1920.

Willis, J. J. *An African Church in the Building.* London, 1925.

———. *The Church of Uganda.* London, Longmans, Green & Co., 1914.

Wilson, Thomas R. *British Possessions in East Africa. Rights in East Africa.* Washington, Government Printing Office, 1924.

II. DOCUMENTS AND PERIODICALS.

Annual Medical and Sanitary Report. Entebbe, Government Press.

Annual Report of the Bacteriological Department. Entebbe, Government Press.

Annual Report of the Church Missionary Society for Africa and the East, 126th year. London, 1924-25.

Annual Report of the Department of Agriculture. Entebbe, Government Press.

Annual Report of the Education Department. Entebbe, Government Press.

Annual Report of the Land and Survey Department. Entebbe, Government Press.

Annual Report of the Public Works Department. Entebbe, Government Press.

Annual Report of the Veterinary Department. Entebbe, Government Press.

Annual Report on Venereal Disease Measures. 1922. Entebbe, Government Press.

The Baganda Land Holding Question. Prepared by the Bataka Community. (For Private Circulation only.) Kampala, Uganda Printing and Publishing Co., n. d.

Blue Book. (Uganda Protectorate.) For the year ended 31st Dec., 1924. Entebbe, Government Press.

Census Returns, 1921. Entebbe, Government Press.

Colonial Reports—Annual. No. 1280. Uganda. Report for 1924. London, H. M. Stationery Office, 1926.

Department of Agriculture. *Agricultural Education, No. I.* Lectures in Elementary Agriculture. Kampala, Department of Agriculture, 1925.

Draft Colonial Estimates. Uganda, Government Press, 1926.

Egibambo ebiva mu Kitabo Ekitukuvu.

Ekitabo kyo Bwami Bwabami Bomu Buganda.

Famine in the Busoga District of Uganda. Cmd. 4358. London, H. M. Stationery Office, 1908.

Further Report on Tuberculosis and Sleeping Sickness in Equatorial Africa. League of Nations Health Organization, 1922. C. H. 281.

General Information as to the Uganda Protectorate. Issued by the Immigrants' Information Office. London, Love & Malcomson, 1910.

Handbook for East Africa Uganda and Zanzibar. Mombasa, Government Printing Press, 1906.

Instructions regarding Collection of Poll Taxes by Chiefs in the Kingdom of Buganda. Uganda, Government Press, n. d.

Interim Report on Tuberculosis and Sleeping Sickness in Equatorial Africa. League of Nations Health Organization. C. 8. M. 6. 1924. III.

Kenya, Uganda and Zanzibar. Great Britain Foreign Office. Peace Handbook No. 96. London, H. M. Stationery Office, 1920.

Laws and Regulations of the Church of Uganda, 1917. As passed by the Synod, June, 1917.

The Lukiko's Reply to the Question of Allotment of Land in Buganda. March 18, 1922.

Map of Uganda. Geographical Section, General Staff. No. 2465. Drawn and printed at the War Office, London, 1919.

Laws of the Uganda Protectorate.

Medical Missions in Uganda. Annual Report of the Church Medical Society. (Pamphlet.)

Mission Churches and Schools. Uganda. Government Circular. No. 16 of 1917.

Papers respecting Proposed Railway from Mombasa to Lake Victoria Nyanza. Cmd. 6560. London, H. M. Stationery Office, 1892.

Provisional Syllabus of Studies, Intermediate Schools. Education Department. Entebbe, Government Press, 1925.

Purchase of Native Land by Non-Natives. Uganda. Land Office Leaflet. No. 2 of 1913.

Regulations for the Employment in government service of Natives who have not been admitted to the Native Civil Service. (Sanctioned by the Secretary of State.) Entebbe, Government Press, 1925.

Regulations for the Employment of unskilled Labour. Approved by His Excellency the Governor. Entebbe, Government Press, 1924.

Regulations setting forth conditions, etc., of a Native Civil Service. (Sanctioned by the Secretary of State.) Uganda, Government Press, 1924.

Report of the Committee Appointed to Consider the Question of Native Land Settlement in Ankole, Bunyoro, Busogo and Toro, with appendices. Entebbe, Government Press, 1914.

———. *Appendix to Reports of the Committee Appointed to Consider the Question of Native Land Settlement in Ankole, Bunyoro, Busoga and Toro.* Entebbe, Government Press, 1915.

Report of the Department of Public Works. Uganda, Government Press, 1923.

Report of the General Manager on the Administration of the Railway and Marine Services for year ended 31st December, 1924. Entebbe, Government Press.

Report of the Uganda Development Commission, 1920. Entebbe, Government Press, 1920.

Report on the Measures adopted for the Suppression of Sleeping Sickness. Cmd. 4991. London, H. M. Stationery Office, 1910.

Report on Trade Conditions in British East Africa. Cape Town, Cape Times, 1919.

Second Annual Report, 1915. Singo Planters Association. Buganda.

Summary of the Proceedings of the Legislative Council of Uganda. Second Session. Entebbe, Government Press, 1921.

The Uganda Chamber of Commerce. *Annual Report of the Committee, 1923.* Kampala, Uganda Printing and Publishing Co.

Uganda Cotton Industry. Cmd. 4910. London, H. M. Stationery Office, 1909.

The Uganda News. Kampala.

Uganda Railway. Statement of actual and estimated expenditure against capital. Account and Betterment and Renewal Funds. Nairobi-Uganda Railway Press, 1925.

"Un grand Seminaire régional des Pères-Blancs dans l'Afrique des Grands Lacs." *Revue de l'Exposition Missionaire Vaticane,* 1924-1925, p. 669.

BIBLIOGRAPHY FOR NIGERIA.

I. AUTHORS.

Ajisafe, A. K. *History of Abeokuta.* Suffolk, London, 1924.

———. *The Laws and Customs of the Yoruba People.* London, G. Routledge & Sons, Ltd., 1924.

Bacon, Reginald H. *Benin, the City of Blood.* New York, E. Arnold, 1897.

Bain, A. D. N. *The Nigerian Coalfield.* Geological Survey of Nigeria. Bulletin, No. 6.

Barnes, A. C. "Chemical Investigations into the Products of the Oil Palm." *Special Bulletin of the Agricultural Department.* Lagos, 1924.

———. "Mechanical Processes for the Extraction of Palm Oil," *Ibid.,* 1925.

Binger, L. G. *Du Niger au Golfe de Guinée.* 2 vols. Paris, Libraire Hachette & Cie., 1892.

Boisragon, Alan. *The Benin Massacre.* London, Methuen & Co., 1897.

Clifford, Sir Hugh. *Address by the Governor-General, Sir Hugh Clifford, President of the Nigerian Council.* Newcastle-upon-Tyne, Doig Bros., 1920.

Coke, S. A. *The Rights of Africans to organize and establish Indigenous Churches, unattached to and uncontrolled by Foreign Church Organization.* Published by request. Lagos, "Tika-tore" Press, 1917.

Desplagnes, Louis. *Le Plateau Central Nigerien.* Paris, Émile Larose, 1907.

Elgee, C. H. *The Evolution of Ibadan.* Lagos, Government Printer, 1914.

Falconer, J. D. *The Geology of the Plateau Tin Fields.* Geological Survey of Nigeria. Bulletin No. 1, 1921.

———. *The Southern Plateau Tinfields and the Sura Volcanic Line.* Geological Survey of Nigeria. Bulletin No. 9, 1926.

——— and Raeburn, C. *The Northern Tinfields of Bauchi Province.* Geological Survey of Nigeria. Bulletin No. 4, 1923.

Fitzpatrick, J. F. J. "Nigeria's Curse—The Native Administration." *The National Review,* Dec., 1924.

Folarin, Adebesin. *The Demise of the Independence of Egbaland.* Lagos, "Tika-Tore" Press, 1919.

———. *The Oke Iho-Isehin Escapade.* Lagos, "Tika-Tore" Press, 1918.

Healey, J. J. C., and Rayner, T. C. *Land Tenure in West Africa.* Lagos, 1898.

Johnson, Samuel. *The History of the Yoruba from the earliest times to the beginning of the British Protectorate.* London, G. Routledge & Sons, Ltd., 1921.

Losi, Prince John B. O. *The History of Abeokuta.* 2nd ed. Lagos, C. M. S. Bookshop, 1921.

Lugard, Lady. (Flora L. Shaw.) *A Tropical Dependency. An outline of the ancient history of the western Soudan with an account of the modern settlement of Northern Nigeria.* London, J. Nesbit & Co., 1906.

Lugard, F. D. *Amalgamation of Northern and Southern Nigeria, and Administration, 1912-1919.* Cmd. 468. London, H. M. Stationery Office, 1919.

———. *Revision of Instructions to Political Officers, on Subjects Chiefly Political and Administrative, 1913-1918.* London, 1919.

———. *Northern Nigeria. Report, 1900-1901.* Cmd. 788-16. London, H. M. Stationery Office, 1902.

———. *Northern Nigeria. Memorandum on the taxation of natives in Northern Nigeria.* Cmd. 3309. London, H. M. Stationery Office, 1907.

Macaulay, Herbert. *Henry Carr must go!* (Brochure.) Lagos, 1924.

———. *British West Africa. An Open Comment upon the views on Nigerian Public Affairs Expressed in London by Dr. John Randle.* Lagos, Samadu Press, 1922.

McPhee, A. *The Economic Revolution in British West Africa.* London, Routledge, 1926.

Meek, C. K. *The Northern Tribes of Nigeria.* 2 vols. London, Oxford University Press, 1925.

Morel, E. D. *The Attack upon the Commission of Inquiry into the Spirit Trade in Southern Nigeria.* Liverpool, John Richards & Sons, 1910.

———. *Nigeria, Its Peoples and its Problems.* London, Smith, Elder & Co., 1911.

Oke, G. A. *A Short History of the United Native African Church, 1891-1903.* Lagos, Shalom Printing Press, 1918.

Ormsby-Gore, W. G. A. *Visit to West Africa.* Cmd. 2744. London, H. M. Stationery Office, 1926.

Orr, C. W. J. *The Making of Northern Nigeria.* London, Macmillan & Co., 1911.

Raeburn, C. *The Tinfields of Nassarawa and Ilorin Provinces.* Geological Survey of Nigeria. Bulletin No. 5, 1924.

Russ, W. *The Phosphate Deposits of Abeokuta Province.* Geological Survey of Nigeria. Bulletin No. 7, 1924.

Schultze, A. *The Sultanate of Bornu.* Translated by P. A. Benton. London, H. Milford, 1913.

Speed, Edwin Arney. *Report of E. A. Speed.* Ibadan, 1916.

———. *Laws of the Protectorate of Northern Nigeria: Schedule to the Statute Laws Revision Proclamation.* London, 1910.

Stock, Eugene. *History of the Church Missionary Society, its environment, its men and its work.* London, Church Missionary Society, 1899.

Talbot, P. A. *The Peoples of Southern Nigeria. A Sketch of their history, ethnology and languages with an abstract of the 1921 census.* 4 vols. London, Oxford University Press, 1926.

Temple, C. L. *Native Races and Their Rulers; Sketches and studies of official life and administrative problems in Nigeria.* Cape Town, Argus Printing and Publishing Co., 1918.

Thomas, Norman W. *Anthropological Report on Ibo-Speaking Peoples of Nigeria.* London, Harrison & Sons, 1914.

Wilson, R. C. *Brown Coal in Nigeria.* Geological Survey of Nigeria. Occasional Paper No. 1, 1925.

———. *The Geology of the Western Railway.* Geological Survey of Nigeria. Bulletin No. 2, 1922.

——— and Bain, A. D. N. *The Geology of the Eastern Railway.* Geological Survey of Nigeria. Bulletin No. 8, 1925.

II. DOCUMENTS AND PERIODICALS.

Annual Bulletin of the Agricultural Department. (Nigeria.) Lagos, Government Printer.

Annual General Report. Nigeria, 1926.

Annual Report of the Agricultural Department for the year 1925. Lagos, Government Printer, 1926.

Annual Report of the Customs Department of Nigeria for the year 1925. Lagos, Government Printer, 1926.

Annual Report of the Education Department. (Northern Province.) 1925.

Annual Report of the Forest Administration of Nigeria for the year 1924. Lagos, Government Printer, 1925.

Annual Report of the Lands Department, Southern Provinces, for the year 1924. Lagos, Government Printer, 1925.

Annual Report of the Medical and Sanitary Department and Medical Research Institute for the year 1924. Lagos, Government Printer, 1926.

Annual Report of the Mines Department. Lagos.

Blue Book. (Colony and Protectorate of Nigeria.) 1924. Lagos, Government Printer, 1925.

British and Foreign State Papers. Vol. 41 (1851-52). Great Britain, Foreign Office.

Colonial Reports—Annual. Northern Nigeria. No. 409, 516. 1902, 1905-6. London, H. M. Stationery Office, 1903, 1907.

Constitution of the Synod and other Regulations for the Diocese of Lagos. Newcastle-upon-Tyne, Doig Bros., 1920.

Constitution and Regulations of the Nigerian National Democratic Party. Lagos, Samadu Press.

Correspondence and Papers. West African Lands Committee.

Deputation from the Lagos auxiliary of the Anti-Slavery and Aborigines Protection Society. *The Lagos Land Question.* Lagos, "Tikatori" Printing Works, 1912.

Egba Administration Bulletin. April 10, 1926. Abeokuta.

Egba Government Gazette. No. 1. 1911. Abeokuta.

Estimates 1926-1927. (Nigeria.) Lagos, Government Printer, 1926.

Forestry Manual. Lagos, Government Printer, 1924.
Gazetteer of Bauchi Province. (Nigeria Northern Provinces.) London, Waterlow & Sons, Ltd., 1920.
Gazetteer of Ilorin Province. (Nigeria Northern Provinces.) London, Waterlow & Sons, Ltd., 1921.
Gazetteer of Kano Province. London, Waterlow & Sons, Ltd., 1921.
Gazetteer of the Kontagora Province. London, Waterlow & Sons, Ltd., 1920.
Gazetteer of Nupe Province. London, Waterlow & Sons, Ltd., 1920.
Gazetteer of Sokoto Province. (Nigeria Northern Province.) London, Waterlow & Sons, Ltd., 1920.
Gazetteer of Zaria Province. (Nigeria Northern Province.) London, Waterlow & Sons, Ltd., 1920.
Instruments of Government. (Nigeria.) Lagos, Government Printer, 1923.
Laws of the Colony of Southern Nigeria, 1908.
Laws of Nigeria, 1923. Vol. III.
Legislative Council Debates. Lagos.
Liquor Traffic in Southern Nigeria as set forth in the Report of the Government Committee of Inquiry, 1909. An examination and a Reply. London, The Native Races and the Liquor Traffic, a United Committee 1910.
National Congress of British West Africa, March 11 to 29, 1920.
Native Administration Estimates for the Year 1925-26. (Southern Provinces.) Lagos, Government Printer, 1925.
Native Administration Estimates for the year 1926-27. (Northern Provinces.) Lagos, Government Printer, 1926.
Newspapers.
The African Hope, 1919, 1920. Lagos.
The African World. London.
Lagos Weekly Record. 1923.
Nigerian Council. *Sessional Papers No. I of 1920. Correspondence relating to the Policy to be adopted with regard to projected Commercial enterprises for cotton-growing on a larger scale in the Tropical African Colonies and Protectorates.*
The Nigeria Handbook. London, 1925.
Nigerian Law Journal. Nov. 1925. Lagos.
Nigerian Railway and Udi Coal Mines. Administrative Report for the Year ending 31st March, 1925. (With Appendices.) Ebute Metta, Sup. of Press, 1925.
Northern Nigeria Lands Commission. Minutes of Evidence and Appendices. Cd. 5103. London, H. M. Stationery Office, 1910.
Notes on Nassarawa Province, Nigeria. London, Waterlow & Sons, Ltd., 1920.
Proceedings, First Meeting of the Nigerian Council. Dec. 31, 1914.
Proceedings of the Third Conference of the Senior Members of the West African Medical Staff. Lagos, Government Printer, 1926.

Regulations made under the Customs Ordinance (Chapter 130). Nigeria. No. 6 of 1924. Lagos, Government Printer.

Report of the Committee of Enquiry into the Liquor Trade in Southern Nigeria. Cmd. 4906. London, H. M. Stationery Office, 1908.

Report of the Natal Native Affairs Commission, 1906-1907. Cmd. 3889. London, H. M. Stationery Office, 1908.

Report of the Proceedings at an Interview on the Water Rate Question. May 6, 1916. Lagos.

Report of the Proceedings of the Second Session of the Second Synod of the Diocese of Lagos. Newcastle-upon-Tyne, Doig & Co., Ltd., 1924.

Report on a Tour in the Eastern Provinces by the Secretary for Native Affairs. Lagos, Government Printer, 1923.

Revised Constitution of the United African Church, 1921. Lagos.

Rules and Orders of the Legislative Council of Nigeria. Lagos, Government Printer, 1924.

Staff List. (Nigeria.) Published by authority. Lagos, Government Press, 1925.

The Trade and Customs Laws. (Nigeria.) Lagos, Government Printer, 1924.

Trade Statistical Abstract No. 5, for the year ended 31st December, 1913. Lagos, Government Printing Office, 1914.

Treasurer's Report on the year 1924-1925. (Nigeria.) Lagos, Government Printer, 1925.

BIBLIOGRAPHY FOR THE GOLD COAST.

I. AUTHORS.

Ahuma, S. R. B. Attoh. *The Gold Coast Nation and National Conscience.* Liverpool, 1911.

Armitage, C. H. *The Tribal Markings and Marks of Adornment of the Natives of the Northern Territories of the Gold Coast Colony.* London, Harrison & Sons, Ltd., 1924.

Belfield, H. C. *Report on the Legislation Governing the Alienation of Native Lands in the Gold Coast Colony and Ashanti.* Cmd. 6278. London, H. M. Stationery Office, 1912-13.

Claridge, W. Walton. *A History of the Gold Coast and Ashanti.* 2 vols. London, John Murray, 1915.

Clupp, T. F. *The Forest Officers' Handbook of the Gold Coast, Ashanti and the Northern Territories.* London, Published for the Government of the Gold Coast by the Crown Agents for the Colonies, 1922.

Crowther, Francis, compiler. *Notes for the Guidance of District Commissioners, Gold Coast Colony.* Accra, Government Press, 1916.

———. *Report on operations of Town Councils.* Accra, Government Press, 1913.

Fraser, A. G. "Denationalization." *The Gold Coast Review,* June-Dec., 1925.

Guggisberg, Sir Frederick G. *The Gold Coast. A Review of the Events of 1920-1926, and the Prospects for 1927-28.* Accra, Government Printing Works, 1927.

———. *The Gold Coast. A Review of the Events of 1925-1926 and the Prospects of 1926-27.* Accra, Government Press, 1926.

Hayford, Casely. *Ethiopia Unbound.* London, C. M. Phillips, 1911.

———. *Gold Coast Native Institutions.* London, Sweet & Maxwell, 1903.

———. *The Truth About the West African Land Question.* 2nd ed. London, C. M. Phillips, 1913.

McPhee, Allan. *The Economic Revolution in British West Africa.* London, Routledge, 1916.

Rattray, R. S. *Ashanti.* Oxford, Clarendon Press, 1923.

Redwar, H. H. Hayes. *Commentaries on Some Ordinances of the Gold Coast.* 1909.

Rierman, V. L. O. *History of Trinity College.* Kandy, Madras, 1922.

Sarbah, J. M. *Fanti Customary Laws.* 2nd ed. London, W. Clowes & Sons, 1904.

Simpson, Wm. J. R. *Report on Sanitary matters in various West African colonies and the outbreak of plague in the Gold Coast.* Cmd. 4718. London, H. M. Stationery Office, 1909.

———. *Report to the Secretary of State for the Colonies on the Sanitary Condition of the Mines and Mining Villages in the Gold Coast and Ashanti.* London, Crown Agents for the Colonies, 1925.

Thompson, H. N. *Report on Forests.* Gold Coast. Cmd. 4993. London, H. M. Stationery Office, 1910.

II. DOCUMENTS AND PERIODICALS.

Accounts and Papers. Vol. LXIX. London, 1867.

"Achimota." *Round Table,* December, 1925.

Blue Book. (Gold Coast Colony.) Accra, Government Printing Office, 1910 and later years.

British and Foreign State Papers. Vol. 65. (1873-74). Great Britain Foreign Office.

Census Report, 1921, for the Gold Coast Colony, Ashanti, the Northern Territories and the Mandated Area of Togoland. Accra, Government Printing Department, 1923.

Colonial Reports. Annual No. 1207. Gold Coast. Report for 1922-23. London, H. M. Stationery Office, 1924.

Colonial Reports—Annual. No. 1229, 1287. Northern Territories of the Gold Coast. Report for 1923-24, 1924-25. London, H. M. Stationery Office, 1925-26.

Committee on Edible and Oil-Producing Nuts and Seeds. Cmd. 8247. London, H. M. Stationery Office, 1916.

Correspondence and Papers laid before the West African Lands Committee. Great Britain Colonial Office Library.

Correspondence Relative to the Cession of the Dutch Settlements to the British Government. Cmd. 670. London, H. M. Stationery Office, 1872.

Criminal Code. (1920 Revision) (Gold Coast Colony). London, Waterlow & Sons, Ltd., 1922.

Despatch from His Excellency the Governor to the Secretary of State for the Colonies on the System of Education, etc., Sessional Paper IX, 1925-26. Accra, Government Printing Department, 1925.

Departmental Reports. 1909-1914, 1924-1926. (Government of the Gold Coast.) Accra, Government Printer.

"Do we Spend too much?" *Gold Coast Independent,* May 22, 1926.

Forestry and Forest Reserves. Conference held at Government House on 16 January, 1924. Accra, Government Printing Department, 1924.

Further Correspondence Relating to the National Congress of British West Africa. Gold Coast Sessional Paper X, 1920-21.

The Gold Coast Chiefs' List. 1924. Published by the Native Affairs Department. (Corrected up to 31st December, 1921.) Accra, 1925.

Gold Coast Estimates, 1926-27. Accra, Government Printing Department.

Gold Coast Estimates, 1927-28. Accra, Government Printing Department.

The Gold Coast Forests. Accra, Government Press, 1922.

The Gold Coast Gazette.

The Gold Coast Gazette. Supplementary. (*Customs Annual Trade Report.*) Accra, Published by authority, 1925.

Gold Coast Gazette. (*Trade Supplement.*) *1924.*

The Gold Coast Handbook, 1924.

The Gold Coast Independent. Accra. (Weekly publication.)

Gold Coast News. (Published generally from Official Records but not an Official Publication.)

Gold Coast Railway Administration Report for the year 1924-25. Sekondi, Railway Press, 1925.

Gold Coast Railway. *Classified List No. 3 of African Pensionable Staff employed on open Lines establishment and Temporary Clerical Staff as at 31st December, 1925.* Sekondi, Accounts Office.

———. *Classified List No. 35 of European Staff Employed on open Lines, Harbours, Works, Surveys, Deviations and Construction.* (*Corrected to 31st December, 1925.*) Sekondi, Accounts Office.

The Gold Coast Review. Accra, Government Printer.

In the Matter of the Proposed Forest Bill, 1911. Memorandum.

Instructions to District Commissioners. (Gold Coast.) Accra, Government Press, 1915.

Judgments of the Full Courts held at Accra and Cape Coast in September, 1920, and March-April, 1921. Accra, Government Press, 1923.

Judgments of the Full Courts held at Accra and Seccondee with the Divisional Court Judgments appealed from in March and April, 1922. Accra, Government Press, 1924.

Judgments of the Full Court held at Cape Coast in September 1919. Accra, 1920.

Junior Trade Schools of the Gold Coast Colony. (Gold Coast.) Ordered to be printed by His Excellency the Governor. Accra, 1923.

Laws of the Gold Coast Colony.

Legislative Council Debates. Session 1921-1922. (Gold Coast Colony.) Accra, Government Press.

Memorandum from the Members of the Gold Coast Bar to the Hon. W. G. A. Ormsby-Gore, M.P., Under Secretary of State for the Colonies. Accra.

The Memorandum marked A referred to in the Petition of the Gold Coast Aborigines' Rights Protection Society dated the 28th September, 1926. ("A." In the matter of the Gold Coast.) London, Ashurst, Morris, Crisp & Co.

Minutes of the Legislative Council and Sessional Papers. Accra, Government Printing Department, 1925.

National Congress of British West Africa. *Resolutions of the Conference*

of Africans of British West Africa, held at Accra, Gold Coast. From 11th to 29th March, 1920. Accra, Electric Law Press.
"National Poverty the Result of Extravagance." *Gold Coast Independent.* June 15, 1926.
Northern Territories of the Gold Coast. Annual Report for 1924-25. Accra, Government Printing Department.
Petition for amendment of the Gold Coast Colony (Legislative Council) Order in Council, 1925. In the Matter of the Gold Coast Colony. (Ex parte the Gold Coast Aborigines Rights' Protection Society.) London, Ashurst, Morris, Crisp & Co.
Petition for the Reconstitution of the Several Legislative Councils and the Constitution of Houses of Assembly and other Reforms. In the Matter of British West Africa. (Ex Parte National Congress of British West Africa.) London, Electric Law Press, 1920.
Preliminary Report by Sir W. J. Simpson on Investigation Regarding the High Death-rate of Mines Labourers. (Gold Coast.) Ordered to be printed by His Excellency the Governor, 1925.
Report by the Town Councils Committee on the Constitution and Working of the Existing Town Councils in the Colony. (Gold Coast.) Sessional Paper XVII, 1922-23. Accra, Government Press, 1923.
Report of the Committee appointed by the Governor to advise on the question of instituting a building society for African officials in the Gold Coast Colony. (Gold Coast.) Accra.
Report of an Inquiry on a Commission by His Excellency the Governor issued under the Commissions of Inquiry Ordinance and dated 26th February, 1925. (Gold Coast.) Sessional Paper X, 1925-26. Accra, Government Printing Department, 1925.
Report of the Proceedings of the Standing Finance Committee of the Legislative Council at the meeting held on the 5th January, 1927. (Gold Coast.) Accra, 1927.
Report from the Select Committee appointed to consider the state of the British Settlements on the Western Coast of Africa. No. 412. Sessional Papers, Vol. V. London, 1865.
Report of the Proceedings of a Meeting between the League of Nations Union and the Delegates of the National Congress of British West Africa.
Report of the Proceedings of the Standing Finance Committee of the Legislative Council at the meeting held on 16th February, 1927. Accra, 1927.
Report on the Agricultural Department for the period April, 1924-March, 1925. (Government of the Gold Coast.)
Report on Ashanti for 1924-25. Accra.
Report on the Births and Deaths for the period, April, 1924-March, 1925. (Government of the Gold Coast.) Accra.
Report on the Central Province for the period April, 1924-March, 1925. (Government of the Gold Coast.) Accra.

Report on a Conference of Representatives of the Government and the Missions on the Subject of the Adoption of a Common Script for Gold Coast Languages. (Gold Coast.) Accra, 1925.

Report on the Customs and Marine Departments for the Year 1925. (Government of the Gold Coast.) Accra, 1926.

Report on the Eastern Province, 1924-25. (Government of the Gold Coast.) Accra.

Report on the Education Department for the period April, 1924-March, 1925. (Government of the Gold Coast.) Accra.

Report on the Forestry Department for the period April, 1924-March, 1925. (Government of the Gold Coast.) Accra.

Report on the Medical and Sanitary Department for the period April, 1924-March, 1925. (Government of the Gold Coast.) Accra.

Report on the Mines Department for the period April, 1924-March, 1925. (Government of the Gold Coast.) Accra, Government Printer.

Report on the Objections lodged with the Colonial Secretary against the Application of the Municipal Corporations Ordinance, 1924, to the town of Accra with the Minutes of Evidence. Sessional Paper I, 1925-26. (Gold Coast.) Accra, 1925.

Report on the Police Department for the period April, 1924-March, 1925. (Government of the Gold Coast.) Accra.

Report on the Posts and Telegraphs Department for the period April, 1924-March, 1925. (Government of the Gold Coast.) Accra.

Report on the Survey Department for the period April, 1924-March, 1925. (Government of the Gold Coast.) Accra.

Report on the Western Province for the period April, 1924-March, 1925. (Government of the Gold Coast.) Accra.

Report upon the Customs relating to the tenure of land on the Gold Coast. London, Waterlow & Sons, 1895.

Returns of the African Population in towns and villages of the Colony, Ashanti, the Northern Territories and the Mandated Area of Togoland. Accra.

The Scottish Mission. (*Gold Coast Colony and Ashanti.*) *Report and Accounts for 1924. Synod Minutes, July, 1924.* Edinburgh, Lorimer & Chalmers.

Some Judgments of Divisional and Full Courts held in the Gold Coast Colony. (Gold Coast.) Accra, Government Press, 1919.

Standing Rules and Orders of the Legislative Council of the Gold Coast Colony. Accra, 1923.

West Africa, Palm Oil and Palm Kernels. Colonial No. 10. London, H. W. Stationery Office, 1925.

West African Chamber of Mines, Annual Report, 1910-11. London.

BIBLIOGRAPHY FOR SIERRA LEONE.

I. AUTHORS.

Alldridge, Thomas J. *A Transformed Colony. Sierra Leone as it was and as it is.* London, Seeley & Co., 1910.

Butt-Thompson, F. W. *Sierra Leone in History and Tradition.* London, H. F. & G. Witherby, 1926.

Claude, George. *The Rise of British West Africa.* London, Houlston & Sons, 1904.

Denton, James. "History of Fourah Bay College." *Jubilee Volume of the Sierra Leone Native Church,* London, 1917.

Goddard, T. N. *The Handbook of Sierra Leone.* London, Grant Richards, 1925.

John, J. L. "Memorandum on the Evolution of the Legislative Council of Sierra Leone." *Legislative Council Debates,* 1924-25.

Luke, H. C. *A Bibliography of Sierra Leone.* London, Oxford University Press, 1925.

Maxwell, J. C. *Note on Land Tenure in Sierra Leone Protectorate.* Freetown, 1922.

Michell, Harold. *An Introduction to the Geography of Sierra Leone.* London, Waterlow & Sons, Ltd., 1919.

O'Brien, Sir Charles. *Report of the Commission into the Affairs of the Freetown Municipality.* May-July, 1926. Freetown.

Thomas, Northcote W. *Anthropological report on Sierra Leone.* London, Harrison & Sons, 1916.

Wallis, Charles B. *The Advance of our West African Empire.* London, T. F. Unwin, 1903.

II. DOCUMENTS AND PERIODICALS.

Addresses by the Governor on the occasion of the opening of the Legislative Council, 1923, 1924, 1925.

Annual Medical and Sanitary Report for the year 1924. Freetown, Gov. Print. Office, 1925.

Annual Report of the Education Department, 1924. Freetown, Gov. Print. Office, 1925.

Annual Report of the Headquarters District for the year 1924. Freetown, Gov. Print. Office, 1925.

Annual Report of the Lands and Forests Department for the year 1924. Freetown, Gov. Print. Office, 1926.

Annual Report of the Northern Province for the year 1924. Freetown, Gov. Print. Office, 1925.

Annual Report of the Public Works Department for the year 1924. Freetown, Gov. Print. Office, 1925.

Annual Report of the Southern Province for the year 1924. Freetown, Gov. Print. Office, 1925.

Auditor's Report on the Accounts of the Municipality of Freetown. 1923-1924. Sessional Paper, No. 7 of 1925.

Blue Book, 1924. (Sierra Leone.) Freetown, Gov. Print. Office, 1925.

Colonial Report—Annual. No. 1320. Sierra Leone, Report for 1925. London, H. M. Stationery Office, 1926.

Correspondence Regarding Unlawful Societies. Cmd. 6961. London, H. M. Stationery Office, 1913.

Correspondence respecting the grant of exclusive Rights for the Extraction of Oil from Palm-fruits. Cmd. 6561. London, H. M. Stationery Office, 1912-13.

Financial Report for the year 1924. Freetown, Gov. Print. Office, 1925.

The Judicial System of the Sierra Leone Protectorate. Freetown, Gov. Print. Office, 1926.

Laws of Sierra Leone.

Legislative Council Debates. Session 1923-24. Freetown, Gov. Print. Office, 1925.

Minutes of the Legislative Council. Session 1923-24. Freetown, Gov. Print. Office, 1925.

Papers Relating to Amounts paid by Kru Seamen and Headmen to the Kru Tribal Fund and the Administration of that Fund. Sessional Papers No. I of 1925.

Proposed Sierra Leone College of Agriculture and Teachers' College at Njala. Sessional Paper, No. 13 of 1925.

Report and Summary of the Census of 1921. London, Waterlow & Sons, Ltd., 1922.

Report on the Subject of the Insurrection in the Sierra Leone Protectorate. 1898. Cmd. 9388. London, H. M. Stationery Office, 1899.

Sierra Leone Oil Palm Industries and the Establishment of Oil Palm Plantations. Sessional Paper, No. 12 of 1925.

The Sierra Leone Outlook. Published monthly by West African Conference of United Brethren in Christ. Freetown, Sierra Leone.

Trade Report for the year 1925. Freetown, Gov. Print. Office, 1926.

West Africa, Palm Oil and Palm Kernels. Colonial No. 10. London, H. M. Stationery Office, 1925.

GENERAL FRENCH BIBLIOGRAPHY.

I. AUTHORS.

Arens, Bernard. *Manuel des Missions Catholiques.* Édition française. Louvain, Éditions du Museum Lessianum, 1925.

Augagneur, Victor. *Erreurs et brutalités coloniales.* (Édition originale.) Paris, Éditions Montaigne, 1927.

Beaulieu, Paul. *De la Colonisation chez les Peuples Modernes.* 6th ed. Paris, Felix Alcan, 1908.

Blondel, Charles. *La Mentalité Primitive.* Paris, Delamain et Boutelleau, 1926.

Boulard, J. P. *Étude Juridique et Critique des Conseils Généraux des Colonies françaises.* Paris, Augustin Challamel, 1902.

Boussenot, Georges. *La France à Outre-Mer Participe à la Guerre.* (Publications de l'Informateur Parlementaire.) Paris, Felix Alcan, 1916.

Brawley, Benj. *Africa and the War.* New York, Duffield & Co., 1918.

Brunel, Louis. *L'État et l'Individuel dans la Colonisation française moderne.* Paris, Thorin et Fils, 1898.

Charmeil, Pierre. *Les Gouverneurs Généraux des Colonies françaises. Leur Pouvoirs et leur Attributions.* Paris, Ernest Sagot & Cie., 1922.

Darcy, Jean. *La Conquête d'Afrique.* Paris, Perrin Cie., 1900.

Deville, Victor. *Partage de l'Afrique.* Paris, Joseph André & Cie., 1898.

Dewavrir, M., Delibert, P., Houdard, M. *Comment Mettre en Valeur nôtre Domaine Colonial.* (Librairie des Sciences Politiques et Sociales.) Paris, M. Rivière et Cie., 1920.

Doucet, Robert. *Les Colonies françaises. Leur Avenir Économique, Leur Mise en Valeur.* Paris, Dubois & Bauer, 1921.

———. *Commentaires sur la Colonisation.* Paris, Émile Larose, 1926.

Duguit, L. *Traité de Droit Constitutionnel.* 5 vols. Paris, Ancienne Librairie Fonteming et Cie., 1921.

Dumas, Paul. *Les Français d' Afrique et le Traitement des Indigès.* Paris, Augustin Challamel & Cie., 1889.

Durkheim, Emile. *Les Règles de la Méthode Sociologique.* 3e ed. (Bibliothèque de Philosophie Contemporaine.) Paris, F. Alcan, 1904.

———. *Sociologie et Philosophie.* (Bibliothèque de Philosophie Contemporaine.) Paris, F. Alcan, 1924.

Fidel, Camille. *La Paix Coloniale Française.* (Petite Bibliothèque de la Ligue des Patriotes VI.) Paris, Librairie de la Société du Recueil Sirey, 1918.

Gaudart, E. *Le Régime Financier des Colonies Françaises.* Paris, Berger-Levrault, 1911.

Geoffroy, Fernand. *L'Organisation Judiciaire des Colonies Françaises.* Paris, Émile Larose, 1913.

Germain, Prosper. *La France Africaine.* Paris, Plon-Nourrit & Cie., 1907.

Gibbons, H. A. *The New Map of Africa.* New York, The Century Co., 1916.

Girault, Arthur. *Principes de Colonisation et de Législation Coloniale.* 4e ed. Paris, L. Tenin, 1922.

Harmand, Jules. *Domination et Colonisation.* Paris, E. Flammarion, 1910.

Homberg, O. "La France des Cinq Parties du Monde." *Revue des Deux Mondes,* December 15, 1926, and other numbers.

Hubert, L. *L'Eveil d'un Monde.* Paris, Felix Alcan, 1909.

———. *Politique Africaine.* Paris, Dujarric & Cie., 1904.

Johannet, Réné. *Le Principe des Nationalités.* Paris, Nouvelle Librairie Nationale, 1923.

Kingsley, Mary H. *West African Studies.* London, Macmillan & Co., 1899.

Ladd, Durant F. *Trade and Shipping in West Africa; A Report.* Washington, Government Printing Office, 1920.

Lemire, Charles. *Le Peuplement de nos Colonies, Concessions de Terres.* 4e ed. Paris, Augustin Challamel, 1900.

Lévé, Général. "La préparation de la guerre et l'armée indigène." *Revue Politique et Parlementaire,* 1923, p. 373. Paris, Rédaction et Administration, 1923.

Levy-Bruel, Lucien. *Les Fonctions Mentales dans les Sociétés Inférieures.* Paris, Felix Alcan, 1910.

———. *La Mentalité Primitive.* Paris, Felix Alcan, 1923.

Lucas, Sir Charles, ed. *The Empire at War.* 4 vols. London, H. Milford, 1921-26.

Mangin, Charles. *La Force Noire.* Paris, Librairie Hachette, 1910.

———. *Regards sur la France d'Afrique.* 12th ed. Paris, Plon-Nourrit & Cie., 1924.

Mérignhac, A. *Traité de Législation et d'Économie Coloniales.* Paris, Recueil Sirey, 1925.

Morel, E. D. *Affairs of West Africa.* London, W. Heinnemann, 1902.

Moulin, Alfred. *L'Afrique à travers les Ages.* Paris, Paul Ollendorf, 1920.

Raboisson, M. *Étude sur les Colonies et la Colonisation au Regard de la France.* Paris, Augustin Challamel, 1877.

Rambaud, Alfred. *La France Coloniale; Histoire, Géographie, Commerce.* Paris, Armand Colin & Cie., 1893.

Réné-Boisneuf, A. *Manuel du Conseiller Géneral des Colonies.* Paris, Émile Larose, 1922.

Rouard de Card, E. *La France et les Autres Nations Latines en Afrique.* Bibliothèque Internationale et Diplomatique XXXIX.) Paris, A. Pedone, 1903.

Rouard de Card, E. *Le Prince de Bismarck et l'Expansion de la France en Afrique.* Paris, A. Pedone, 1918.

———. *Les Territoires Africains et les Conventions Franco-Anglaises.* (Bibliothèque Internationale Diplomatique XXXVIII.) Paris, A. Pedone, 1901.

———. *Traités de délimination concernant l'Afrique Française.* Paris, A. Pedone, 1910.

———. *Les Traités de Protectorat Conclus par la France en 1870-1895.* (Bibliothèque Internationale Diplomatique XXXV.) Paris, A. Durand et Pedone-Lauriel, 1897.

Sarraut, A. *La Mise en Valeur de Colonies Françaises.* (Bibliothèque Politique et Economique.) Paris, Payot, 1923.

Terrier, Auguste, et Mourey, Charles. *L'Expansion française et la Formation territoriale.* Paris, Émile Larose, 1910.

Terradini, Captain. *Essai sur la Défense des Colonies.* Paris, Henri Charles-Lavauzelle, 1905.

Vignon, Louis. *Un Programme de Politique Coloniale. Les Questions Indigènes.* Paris, Plon-Nourrit & Cie., 1919.

Welden, Ellwood A. *French Possessions in Tropical Africa.* Washington, Government Printing Office, 1924.

Woolf, L. *Empire and Commerce in Africa. A Study in Economic Imperialism.* London, G. Allen & Unwin, n. d.

II. DOCUMENTS AND PERIODICALS.

Annales de Médecine et de Pharmacie Coloniales. Paris, Imprimerie Nationale, 1926.

Annuaire des Entreprises Coloniales. Paris, l'Union Coloniale Française, 1926.

Annuaire du Ministère des Colonies. Paris, A. Dupin, Editeur, 1918-1921.

Annuaire et Mémoires du Comité d'Études Historiques et Scientifiques. Gorée, Gouvernement Général de l'Afrique Occidentale Française, 1916.

Annuaire Statistique. (République Française.) Paris, Imprimerie Nationale, 1925.

Aspirations Indigènes et les Missions. Compte Rendu de la troisième semaine de Missiologie de Louvain. Louvain, E. Desbarax, 1925.

Bulletin de l'Agence Génerale des Colonies. Paris.

Bulletin de la Société de Pathologie Exotique. Paris.

Bulletin des Lois de la République Française. Paris, Imprimerie Nationale, 1872.

Bulletin des Lois de l'Empire Français. Paris, Imprimerie Nationale, 1857.

Bulletin des Lois du Royaume de France. Paris, Imprimerie Nationale, 1840.

Bulletin des Matières Grasses. Marseilles, Chamber of Commerce, 1924.

Bulletin Officiel. Ministère des Colonies. Paris. Monthly.

Clercq, M. de. *Recueil des Traités de la France, 1713 à 1893.* 20 vols. Paris, A. Pedone, 1880-95.

Commission Consultative Coloniale, *Les Colonies et la Défense Nationale.* Paris, Augustin Challamel, 1916.

Compte Rendu des Travaux du Congrès Colonial de Marseilles. Paris, Augustin Challamel, 1907. Similar proceedings of the 1922 Congress have been published.

Conférence Coloniale. Paris. Instituée par M. A. Maginot, 1917. Paris, Émile Larose, 1917.

Dareste, P. *Recueil de Législation, de Doctrine et de Jurisprudence Coloniales.* Paris, G. Goddes.

Discours Annuel à l'ouverture de la Session du Conseil du Gouvernement. Paris, 1924.

Les Fonctionnaires Coloniaux: Documents Officiels. Institut Colonial International. 2 vols. Paris, A. Colin & Cie., 1897.

Journal Officiel de la République Française, 1907-1908, 1918-1920, 1921-1926.
1. Chambre des Députés. 3. Décrets et Lois.
2. Débats Parlementaires. 4. Documents Administratifs.

Manuel H *l'Usage des Troupes Employées Outremer.* Paris, Charles Lavauzelle & Cie., 1924.

Martens, G. F. *Nouveau Recueil Général de Traités.* 3e Series. Leipzig, Dieterich, 1909-24.

Renseignements Coloniaux et Documents. Paris, Le Comité de l'Afrique et le Comité du Maroc.

Renseignements Généraux sur le Commerce des Colonies Françaises et la Navigation en 1919. Paris, Bureau de Vente des Publications Coloniales Officielles.

Revue des Sciences Politiques. Paris.

Revue des Deux Mondes. Paris.

Revue du Monde Musulman. (La Mission Scientifique du Maroc.) Paris.

Revue Économique Internationale. Brussels.

Troupes Coloniales Organisation Générale. Paris, Charles Lavauzelle & Cie., 1924.

La Vie Economique. Paris, Comité National d'Études, 1927.

World Missionary Atlas. New York, Institute of Social and Religious Research, 1925.

BIBLIOGRAPHY FOR FRENCH WEST AFRICA.

I. AUTHORS.

Allegret, M. E. *La Situation Réligieuse des Peuples de l'Afrique Occidentale et Équatoriale Française.* Paris, Société des Missions Evangeliques, 1923.

Amniann, P., Dennis, G., Henry Y. *Études et Avant-Projets sur l'Amélioration de la Culture de l'Arachide.* Paris, Émile Larose, 1922.

Angoulvant, G. *La Pacification de la Côte d'Ivoire, 1908-1915.* Paris, Émile Larose, 1916.

Arcin, A. *Histoire de la Guinée Française.* Paris, Augustin Challamel, 1911.

Aspe-Fleurimont. *La Guinée Française, Conakry et les Rivières du Sud.* Paris, Augustin Challamel, 1900.

Azan, Paul. *L'Armée Indigène Nord-Africaine.* Paris, Lavauzelle, 1925.

Bancal, Paul. *Compte-Rendu Sommaire de la Conférence Faite à la Chambre de Commerce de Saint-Louis.* Saint-Louis, Lesgourges. 1926.

Bélime, E. *La Production du coton en Afrique Occidentale Française.* Paris, Publications du Comité du Niger, 1925.

Berlioux, E. P. *André Brue ou l'Origine de la Colonie française du Sénégal.* Paris, Guillaumin & Cie., 1874.

Bertin, A. *Mission Forestière Coloniale. I. Les Bois de la Côte d'Ivoire.* Paris, Émile Larose, 1918.

Binger, Gustave. *Du Niger au Golfe de Guinée, par le Pays du Kong et le Mossi.* 2 vols. Paris, Librairie Hachette et Cie. 1892.

Bressoles, Henry. *Organisation Financière Locale de l'Afrique Occidentale Française.* (Thesis. Université de Bordeaux.) Bordeaux, Imprimerie de l'Université, 1922.

Chailley, J. *L'Inde Britannique.* Paris, A. Colin, 1910.

Chéron, G. *La Société Noire de l'Afrique Occidentale française.* Paris, Vonvalot-Jouve, 1908.

Clozel, F. J. *Dix ans à la Côte d'Ivoire.* Paris, Augustin Challamel, 1906.

———. et Villamur, R. *Les Coutumes Indigènes de la Côte d'Ivoire.* Paris, Augustin Challamel, 1906.

Collieaux, M. "L'Histoire de l'ancien Royaume de Kénédougou." *Bulletin d'Études Historiques et Scientifiques.* Gorée, Imprimerie du Gouvernement Général, 1924.

Cosnier, Henri. *L'Ouest Africain Français. Ses Réssources Agricoles. Son Organisation Économique.* Paris, Émile Larose, 1921.

Courter, M. *Étude sur le Sénégal.* Paris, Augustin Challamel, 1903.

Cousturier, Lucie. *Les Inconnus chez eux.* Paris, F. Rieder, 1925.

Cultur, P. *Les Origines de l'Afrique Occidentale; Histoire du Sénégal du XVe Siècle à 1870.* Paris, Émile Larose, 1910.

Deherme, G. *L'Afrique Occidentale Française; Action politique, action économique, action sociale.* Paris, Bloud & Cie., 1908.

Delafosse, M. *Enquête sur la Famille, la Propriété et la Justice chez les Indigènes des Colonies Françaises d'Afrique.* (Société Antiesclavagiste de France.) Paris, Masson & Cie., 1914.

———. *Haut-Sénégal-Niger.* Paris, Émile Larose, 1912.

Despagnet, Frantz. *Essai sur les Protectorats, étude de droit international.* Paris, Librairie de la Société du recueil général des lois et des arrêts, 1896.

Faidherbe, L. L. *Le Zénaga de Tribus Sénégalaises; Contribution à l'étude de la langue berbère.* Paris, Ernest Leroux, 1877.

———. *Le Sénégal. La France dans l'Afrique Occidentale.* Paris, Librairie Hachette & Cie., 1889.

Faulong, L. *Les Rapports Financiers de la Métropole et de L'Afrique Française Occidentale depuis 1825 jusqu' à nos jours.* (Thesis. Université de Paris.) Paris, Girard & Briere, 1910.

Faure, C. *Histoire de la Presqu'ile du Cap Vert et des Origines de Dakar.* Paris, Émile Larose, 1914.

Forgeron, J. B. *Le Protectorat en Afrique Occidentale Française et les Chefs Indigènes.* (Thesis. Université de Bordeaux.) Bordeaux, Y. Cadoret, 1920.

Foussagrives, Jean. *Notice sur le Dahomey.* (Publiée à l'Occasion de l'Exposition Universelle.) Paris, Alcan Levy, 1900.

François, G. *Notre Colonie du Dahomey; Sa formation—on développement—son avenir.* Paris, Larose, 1906.

Gaffarel, Paul. *Comptoirs de l'Afrique Occidentale Française de 1830 à 1870.* Dijon, Eugène Jacquot, 1910.

———. *Le Sénégal et le Soudan Français.* Paris, Charles Delagrave, 1890.

Gallieni, Lt. Col. *Deux Campagnes au Soudan Français. 1886-1888.* Paris, Hachette & Cie., 1891.

Gaston, Joseph. *La Côte d'Ivoire. Le Pays—Les Habitants.* Paris, Émile Larose, 1917.

Gatélet, Lieut. *Histoire de la Conquête du Soudan Français.* Paris, Berger Levrault & Cie., 1901.

Gilbert-Devallons et Joucla, Edmond. *Jurisprudence de la Chambre de Homologation.* Gorée, Imprimerie du Gouvernement Général, 1910.

Hardy, Georges. *Une Conquête Morale. L'Enseignement en Afrique Occidentale-Française.* Paris, Librairie Armand Colin, 1917.

———. *La Mise en valeur du Sénégal de 1817 à 1854.* Paris, Émile Larose, 1921.

Hélo, Général. *La Colonisation et la Main-d'Oeuvre au Soudan et en Haute-Volta.* Publication du Comité du Niger. (Agence Économique du Gouvernement Général de l'Afrique Occidentale Française.)

Henry, Joseph. *L'Âme du Peuple Africain. Les Bambara.* Münster, Anthropos-Bibliotek, 1910.

Henry, Yves. *Études et Projets d'Amélioration d'Exploitation du Palmier à Huile.* (Inspection Générale de l'Agriculture.)

Hubert, Lucien. *Politique Africaine.* Paris, Dujarric & Cie., 1904.

Huot, Lt. Col. *La Renaissance du Maroc. Dix ans de Protectorat.* Rabat, 1923.

Joucla, Edmond. *Bibliographie de l'Afrique Occidentale Française.* Paris, E. Sausot & Cie., 1912.

Lamine, Gueye. *De la Situation Politique du Sénégal.* Thesis. Paris, 1922.

Le Barbier, L. *Dans la Haute-Guinée.* (Journal de route.) Paris, Dujarric & Cie., 1904.

Lenz, Oscar. *Tombouctou, Voyage au Moroc, au Sahara et au Soudan.* Traduit par Pierre Lehautcourt. 2 vols. Paris, Hachette & Cie., 1886.

Lesbau, Auguste. *De la Condition des Gens de Couleur Libres Sous L'Ancien Régime.* (Thesis. Université de Poitiers.) Poitier, A. Masson, 1903.

Levy-Bruel, Lucien. *How Natives Think.* Translated by Lilian A. Clare. London, George Allen & Unwin, 1926.

Louveau, Edmond. *Essai sur l'Influence Sociale et Économique des Religions de l'Afrique Occidentale Française.* (Thesis. Université de Paris.) Paris, Maurice d'Albigny, 1920.

Machat, J. *Documents sur les Établissements Français de l'Afrique Occidentale au XVIIIe Siècle.* Paris, Augustin Challamel, 1906.

Mangin, Charles. *La Mission des Troupes Noires.* Paris, Comité de l'Afrique Française, 1911.

Marc, L. *Le Pays Mossi.* Paris, Émile Larose, 1909.

Mavidal, J. *Le Sénégal. Son État Présent et son Avenir.* Paris, Benjamin Duprat, 1863.

Meniaud, Jacques. *Haut-Sénégal-Niger.* (Soudan Français.) Paris, Émile Larose, 1912.

Meunier, P. *Organisation et Fonctionnement de la Justice Indigène en Afrique Occidentale Française.* Paris, Augustin Challamel, 1914.

Monnier, Marcel. *France Noire.* (*Côte d'Ivoire et Soudan.*) Paris, E. Plon, Nourrit & Cie., 1894.

Monod, J. L. *Deuxième Livret de l'Écolier Noir. Language et Lecture.* Paris, Librarie Delagrave, 1921.

———. *Histoire de l'Afrique Occidentale Française.* Paris, Librairie Delagrave, 1926.

Monteil, Charles. *Les Bambara du Ségou et du Kaarta.* Publications du Comité à Études Historique et Scientifiques. Paris, Émile Larose, 1924.

Nogaro, B., et Weil, Lt. Col. L. *La Main-d'-Œuvre étrangère et coloniale pendant la Guerre.* (Histoire Économique et Sociale de la Guerre Mondiale. Série française.) Paris, Les Presses Universitaires de France, 1926.

Noirot, Ernest. *À Travers le Fouta-Diallon et le Bamboue. Souvenirs de Voyage.* Paris, Maurice Dreyfous, 1885.

Olivier, M. *Le Sénégal.* Paris, Émile Larose, 1907.

Pasquier, G. *L'Organisation des Troupes Indigènes en Afrique Occidentale Française.* (Thesis. Université de Paris.) Paris, Émile Larose, 1912.

Pelleray, Emmanuel. *L'Afrique Occidentale Française.* Paris, Édition Nôtre Domaine Colonial, 1923.

Pierre, P. C., et Teppoz, L. *Notice sur les Maladies Épizotiques en Afrique Occidentale.* Dakar, Grande Imprimerie Africaine, 1921.

Poulet, George. *Les Maures de l'Afrique Occidentale Française.* Paris, Augustin Challamel, 1904.

Proust, Louis. *Visions d'Afrique.* Paris, Librairie Aristide Quillet, 1925.

Renouard, G. *L'Ouest Africain et les Missions Catholiques.* Paris, H. Oudin, 1904.

Roux, Émile. *Manuel à l'Usage des Administrateurs et du Personnel des Affaires Indigènes de la Colonie du Sénégal.* Paris, Augustin Challamel, 1911.

Rowling, F., and Wilson, C. E. *Bibliography of African Christian Literature.* London, Conference of Missionary Societies of Great Britain and Ireland, 1923.

Sabatie, A. *Le Sénégal. Sa Conquête et son Organisation. 1364-1925.* Saint-Louis. Imprimerie du Gouvernement.

Schweitzer, Albert. *On the Edge of the Primeval Forest.* London, A. & C. Black, Ltd., 1922.

Séché, Alphonse. *Les Noirs. D'Après des Documents Officiels.* Paris, Payot & Cie., 1919.

Sonolet, Louis. *L'Afrique Occidentale Française.* 4ᵉ ed. Paris, Librairie Hachette & Cie., 1912.

———, et Peres, A. *Méthode de Lecture et d'Écriture de l'Écolier Africain.* Paris, Librairie Armand Colin, 1915.

———. *Moussa et Gigla, Histoire de deux Petits Noirs.* Paris, Armand Colin, 1919.

Tauxier, L. *Le Noir du Yatenga.* (Études Soudanaises.) Paris, Émile Larose, 1917.

Villamur, Roger, et Delafosse, Maurice. *Les Coutumes Agni.* Paris, Augustin Challamel, 1904.

ARTICLES FROM *Annales de Médecine et de Pharmacie Coloniales.*

Abbatucci, Dr. "Une révolution thérapeutique dans le traitement de la maladie du sommeil." Vol. 24, 1926, p. 83.

Cartron et Bacque, Drs. "Notes sur la vaccination antipneumococcique et la sérothérapie antipneumococcique chez les tirailleurs Sénégalais à Biskra (Algerie), 1919-1920." Vol. 18, 1920, p. 46.

Cheyssial, Dr. "Expérimentation de la Méthode de D'Hérelle en Guinée française pour la destruction des acridiens." Vol. 20, 1923, p. 341.

Clapier, Dr. "La Trypanosomiase sur l'Oubangui." Vol. 18, 1920, p. 32.

———. "L'Endémie pianique sur le bas-Oubangui. Essai de lutte anti-pianique, 1920." Vol. 19, 1920, p. 319.

———. "La bilharziose chez le tirailleur sénégalais." Vol. 24, 1926, p. 56.

Clouard, Dr. "Note au sujet de l'état sanitaire des contingents indigènes du corps d'armée colonial pendant l'année 1922." Vol. 21, 1923, p. 323.

Coliboeuf, Dr. "Notes sur l'origine et l'évolution d'une épidémie de méningite cérébro-spinale dans le territoire militaire du Niger." Vol. 20, 1922, p. 40.

Cosvy, Dr. "Organisation de la lutte contre la peste dans la commune de Tananarive." Vol. 23, 1925, p. 33.

Le Dentu, R. "L'état sanitaire de la population indigène: le fonctionnement du service de l'assistance médicale dans la colonie de la Haute-Volta pendant l'année 1912." Vol. 21, 1923, p. 133.

Emily, Dr. "Note au sujet de l'état sanitaire des contingents indigènes du corps d'armée colonial, pendant l'année 1923." Vol. 22, 1924, p. 377.

Ferris, Dr. "La dysenterie et l'hépatite suppurée au Dahomey." Vol. 19, 1921, p. 200.

Garnier, Gaide, Drs., etc. "L'épidémie d'influenza de 1918-1919 dans les colonies françaises (Suite et fin)." Vol. 20, 1922, p. 43.

Gauducheau, Dr. "Comment combler le déficit alimentaire des indigènes dans les colonies françaises." Vol. 23, 1925, p. 289.

Gautier, Dr. "Considérations générales sur la morbidité et la mortalité des Européens et des indigènes au Dahomey, pendant l'année 1921 (extrait du rapport annuel)." Vol. 20, 1922, p. 347.

———. "La fièvre jaune au Dahomey en avril et mai 1924." Vol. 22, 1924, p. 198.

———. "La rage au Dahomey." Vol. 20, 1922, p. 74.

Georgelin, Dr. "Note au sujet de deux cas de pseudo-mejiase rampante (creeping disease—myiase linéaire) larbisch du Sénégal." Vol. 21, 1923, p. 182.

Gouzien, Dr. "Faits épidémiologiques en Afrique occidentale française et accords sanitaires particuliers." Vol. 23, 1925, p. 66.

Heckenroth, Dr. "Organisation générale du Congrès de Saint-Paul-de-Loanda et propositions en vue de la préparation du Congrès de Dakar (1927)." Vol. 22, 1924, p. 5.

Huot, Dr. "L'épidémie d'influenza de 1918-1919 dans les colonies françaises." Vol. 20, 1922, p. 443.

Jamot, Dr. "De l'utilisation des naturels de l'Afrique Équatoriale pour la lutte contre la maladie du sommeil." Vol. 19, 1925, p. 85.

Judet de la Combe, Dr. "Note sur la fièvre typhoïde et la vaccination anti-typhoïdique chez les tirailleurs sénégalais en Algérie." Vol. 21, 1923, p. 77.

Lasnet, Dr. "État sanitaire des troupes noires de l'armée du Rhin. (Troupes Sénégalaises) pendant l'hiver 1919-1920." Vol. 18, 1920, p. 1.

Leger, Marcel. "L'endémic palustre à la Guyane française." Vol. 18, 1920, p. 109.

———. "La lèpre dans les colonies françaises." Vol. 18, 1920, p. 109.

———. "Le paludisme au Sénégal, et en particulier à Dakar." Vol. 23, 1925, p. 265.

Noèl, Dr. "Tache bleue congénitale, dite 'mongolique' chez nègres Africains." Vol. 20, 1922, p. 158.

Nogue, Dr. "L'épidémie de fièvre recurrente en Afrique occidentale française." Vol. 22, 1924, p. 36.

———. "Résumé des communications avant trait à l'étiologie et à la thérapeutique des principales maladies observées en Afrique occidentale." Vol. 22, 1924, p. 36.

———. "Note sur l'épidémie de peste au Sénégal en 1914." Vol. 19, 1921.

Patenostre, Dr. "Notes sur la médecine et l'obstétrique indigènes en Afrique occidentale française." Vol. 23, 1925, p. 332.

Rigollet, Dr. "Les méningites épidémiques en Afrique occidentale française." Vol. 23, 1925, p. 279.

Spire, Dr. "Historique des différentes épidémies de fièvre jaune au Dahomey." Vol. 19, 1921, p. 335.

———. "La lèpre au Dahomey." Vol. 19, 1921, p. 166.

II. DOCUMENTS AND PERIODICALS.

L'Afrique Occidentale française. (Collection de l'Action Nationale.) Paris, Augustin Challamel.

Allocation par le Président de la Chambre de Commerce de Dakar. 1926.

Annuaire du Gouvernement Général de l'Afrique Occidentale Française. Paris, Emile Larose, 1922.

Annuaire du Sénégal et Dépendances pour l'année 1869. Saint Louis, Imprimerie du Gouvernement, 1869.

Bibliothèque Administrative. Brazzaville.

Budget de la Circonscription de Dakar et Dépendances. (Annexe au Budget Général.) Gorée, 1926.

Budget de l'Exploitation du Chemin de Fer de Conakry au Niger. (Annexe au Budget Général.) Gorée, Imprimerie du Gouvernement Général, 1926.

Budget de l'Exploitation de Chemin de Fer de la Côte d'Ivoire. Exercice, 1926. Gorée, Imprimerie du Gouvernement Général, 1926.

Budget du Service Local. (Colonie du Dahomey.) Porto-Novo, Imprimerie du Gouvernement, 1926.

Budget du Service Local. (Côte d'Ivoire.) Bingerville, Imprimerie du Gouvernement, 1926.

Budget du Service Local de la Guinée Française. Conakry, Imprimerie du Gouvernement, 1926.

Budget Local de la Colonie de la Mauritanie. Gorée, Imprimerie du Gouvernement Général, 1926.

Budget Local de la Colonie du Niger. Gorée, Imprimerie du Gouvernement Général, 1926.

Budget Local de la Haute-Volta. Bamako, Imprimerie du Gouvernement, 1926.

Budget Local du Sénégal. Saint Louis, Imprimerie du Gouvernement, 1926.

Budget Local du Soudan Français. Koulouba, Imprimerie du Gouvernement du Soudan Français, 1925.

Bulletin de l'Enseignement de l'Afrique Occidentale Française. No. 157. Gorée, Imprimerie du Gouvernement Général, 1925.

Bulletin du Comité de l'Afrique Française. Paris, Comité de l'Afrique Française.

Bulletin du Comité d'Études Historiques, et Scientifiques de l'Afrique Occidentale Française. Paris, Émile Larose, 1923.

Bulletin Mensuel de l'Agence Économique de l'Afrique Occidentale Française. Paris, Librairie Larose, 1927.

Conseil Colonial. (Colonie du Sénégal.) Stenographic Report of Proceedings, 1917, 1922, 1924. Saint Louis, Imprimerie du Gouvernement.

Journal Officiel de la Dahomey.

Journal Officiel de la Guinée Française.

Journal Officiel de Madagascar et ses Dépendances. 1926.

Journal Officiel du Haut-Sénégal-Niger. 1917.

Journal Officiel du Sénégal.

Justice Indigène. Jurisprudence de la Chambre d'Homologation. Gorée, Imprimerie du Gouvernement, 1910.

Justice Indigène. Instruction aux Administrateurs sur l'Application du Décret du 16 août, 1912. Paris, Imprimerie Ternaux, 1913.

Une Mission au Sénégal. Exposition Universelle de 1900. (Les Colonies Françaises.) Paris, Augustin Challamel, 1900.

Newspapers:

L'Afrique Française. Paris.
Les Continents. Paris.
Démocratie du Sénégal. Dakar.
Dépêche Coloniale et Maritime. Paris.
Écho de la Côte Occidentale d'Afrique. Dakar.
La Gazette Coloniale Économique et Financière. Paris.
Le Monde Colonial Illustré. Paris.
L'Ouest Africain Français. Dakar.
Le Temps. Paris.
La Tribune. Dakar.
La Vie Technique, Industrielle, Agricole, et Coloniale. Paris, Numéro Spécial. Hors Série.

Nos Champs des Mission. 3d ed. Paris, Société des Missions Evangéliques, 1922.

Projet de Loi présenté à la Chambre des députés portant fixation du Budget Général de l'Exercice. 1925. Paris, Imprimerie Nationale, 1924.

Rapport, Budget Général. (*Ministère de la Guerre.*) Sénat, No. 95 of 1921. Paris.

Rapport, Budget Général de l'Exercise. 1925. (*Ministère des Colonies.*) Chambre des Députés, No. 518. Paris.

Rapport par M. A. Lebrun au nom de la Commission des finances chargé d'examiner le projet. Rapport, Budget General. (*Ministère des Colonies.*) 1926. Session Ordinaire. Paris.

Rapport relatif à la Constitution des Cadres et Effectifs. Chambre des Députés, No. 6087. Paris, 1923.

Recueil des Textes concernant le Recrutement des Troupes indigènes en Afrique Occidentale Française. Dakar.

Recueil des textes relatifs à l'emploi de la Force Armée et à la Requisition des Troupes régulières pour le maintien de l'ordre public dans les colonies du Gouvernement Général de l'Afrique Occidentale Française. Gorée, 1924.

Règlement Intérieur du Conseil Colonial. (Gouvernement Général de l'Afrique Occidentale Française.) Saint Louis, 1925.

Réglementation du Travail indigène en Afrique Occidentale Française. Gorée, Imprimerie du Gouvernement, 1926.

Sénégal-Soudan. (Exposition Universelle de 1903. Les Colonies Françaises.) Paris, Augustin Challamel, 1900.

Tarif Officiel des Douanes de l'Afrique Occidentale Française. (Revue des Questions Coloniales et Maritimes. Organe Mensuel de la Société des Études Coloniales et Maritimes.) Paris, 1922.

Textes fixant les Tarifs des Frais de Justice en Afrique Occidentale Française. Gorée, Imprimerie du Gouvernement, 1925.

Textes portant Réorganisation de l'enseignement en Afrique Occidentale française. Gorée, Imprimerie du Gouvernement Général, 1924.

BIBLIOGRAPHY FOR EQUATORIAL AFRICA.

I. AUTHORS.

Augagneur, V. "Le Mouvement de la population en Afrique Équatoriale française. Influence de la maladie du sommeil." *Revue d'Hygiène.* June, 1922, Vol. 46, p. 509 ff.

Blanchard et Laigret, Drs. "Modifications survenues depuis 1908, dans la distribution de la maladie du sommeil en Afrique Équatoriale française, et situation actuelle." *Annales de Médecine et de Pharmacie Coloniales.* Vol. 24, 1926, p. 67 ff.

Boudarie, P. "Propos de Politique Coloniale." *Revue Indigène,* 1925, p. 22.

Boyé, Dr. "Fonctionnement technique des secteurs de prophylaxie de la maladie du sommeil, dans l'Afrique équatoriale française, pendant l'année 1921." *Annales de Médecine et de Pharmacie Coloniales.* Vol. 20, 1922, p. 194 ff.

———. "La rage canine au Moyen-Congo," *Ibid.,* Vol. 20, 1922, p. 228 ff.

Bruel, G. *L'Afrique Équatoriale Française.* Paris, Émile Larose, 1918.

Burdo, Adolphe. *Les Arabes dans l'Afrique Centrale.* Paris, E. Dentu, 1885.

Cadier, Charles. *Sauvons les Paiens du Gabon.* (Récits Missionaires illustrés. No. 19.) Paris, Société des Missions Évangéliques, 1924.

Challaye, Felicien. *Le Congo Français. La Question Internationale du Congo.* Paris, Felix Alcan, 1909.

Chapeyron, Dr. "Considérations générales sur la climatologie, l'hygiène et la pathologie de la région de Fort-Lamy." *Annales de Médecine et de Pharmacie Coloniales.* Vol. 20, 1922, p. 188 ff.

Chevalier, A. *L'Afrique Centrale Française.* Paris, Augustin Challamel, 1908.

Cureau, A. *Les Sociétés Primitives de l'Afrique Equatoriale.* Paris, A. Colin, 1912.

Devallée, J. "Le Baghirmi." *Bulletin de la Société des Recherches Congolaises.* No. 7, pp. 3-76. Brazaaville, 1925.

Du Chaillu, Paul. *Explorations and Adventures in Equatorial Africa.* Revised ed. New York, Harper & Bros., 1871.

Dujarric, Gaston. *La Vie de Sultan Rabah. Les Français au Tchad.* (Librairie Africain et Coloniale.) Paris, J. André, 1902.

Franc, Louis. *De l'Origine des Pahouins.* Paris, A. Maloine, 1905.

Gentil, Émile. *La Chute de l'Empire de Rabah.* Paris, Hachette & Cie., 1902.

Georgelin, Dr. "Maladies endémiques et endémo-épidémiques constatées au Gabon pendant l'année 1921-1922." *Annales de Médecine et de Pharmacie Coloniales.* Vol. 21, 1923, p. 209 ff.

Gide, A. *Voyage au Congo. Carnets de route.* Paris, Librairie Gallimard, 1927.

Grébert, F. *Au Gabon.* Paris, Sociétés des Missions Evangéliques, 1922.

Guillet, Dr. "Fièvre récurrente à tiques à Brazaaville." *Annales de Médecine et de Pharmacie Coloniales.* Vol. 22, 1924, p. 77.

Hovélacque, A. *Les Nègres de l'Afrique Sud-Equatoriale.* (Bibliothèque Anthropologique.) Paris, Lecrosnier & Babe, 1889.

Huot, N. L. "L'épidémie d'influenza de 1918-1919 dans les colonies françaises." *Annales de Médecine et de Pharmacie Coloniales.* Vol. 19, 1921, p. 443.

———. "Rôle capital des conditions d'existence de l'indigène de la forêt équatoriale et, en premier lieu, du facteur alimentaire, dans les variations de gravité de l'endémie trypanique." *Annales de Médecine et de Pharmacie Coloniales.* Vol. 21, 1923, p. 163 ff.

———. "Valeur physique du recrutement indigène dans les colonies du Gabon, du Moyen-Congo, de Oubangui-Chari et dans les territoires du Tchad." *Annales de Médecine et de Pharmacie Coloniales.* Vol. 20, 1922, p. 361 ff.

Laigret, Dr. "La rage en Afrique Équatoriale française." *Annales de Médecine et de Pharmacie Coloniales.* Vol. 24, 1926, p. 77 ff.

Macey, P. *Statut International du Congo.* Paris, Lechavalier, 1912.

Mary, R. "Les Concessions en Afrique Équatoriale française." *Les Cahiers des Droits de l'Homme.* Paris, May 10, 1927.

Massiou, Jacques. *Les Grandes Concessions au Congo Français.* (Thesis. Université de Paris.) Paris, E. Sagot & Cie., 1920.

Morel, E. D. *Affairs of West Africa.* London, W. Heinemann, 1902.

Ney, Napoleon, ed. *P. Savorgnan de Brazza. Conférence et Lettres.* Paris, 1887.

Reimer, O. *Das französische Congogebeit.* Mors, J. W. Spaarmann, 1909.

Rouget, Fernand. *L'Expansion Coloniale au Congo français.* 2d ed. Paris, Émile Larose, 1906.

———. *L'Afrique Equatoriale Illustrée.* Paris, Émile Larose, 1913.

Schweitzer, A. *On the Edge of the Primeval Forest.* Trans. by C. T. Campion. London, A. & C. Black, Ltd., 1922.

Suldey, Dr. "Une épidémie de béribéri au Gabon. Considérations cliniques, thérapeutiques et prophylactique." *Annales de Médecine et de Pharmacie Coloniales.* Vol. 20, 1922, p. 176 ff.

Tardieu, André. *Le Mystère d'Agadir.* Paris, Calmann-Levy, 1912.

Vassal, G. M. *Life in French Congo.* London, T. F. Unwin, 1925.

Vassal, Dr. J. "La maladie du sommeil en Afrique Équatoriale française." *Bulletin de la Société de Pathologie Exotique.* Vol. 17, 1924.

Von Oppenheim, M. F. *Rabeh und das Tschad-seegebiet.* Berlin, Ernst Vohsen, 1902.

Witte, de Jehan. *Les Deux Congo.* Paris, Plon-Nourrit et Cie., 1913.

II. DOCUMENTS AND PERIODICALS.

Agence Économique de l'Afrique Équatoriale française et le Chemin de Fer de Brazaaville à l'Ocean. Gouvernement Général de l'Afrique Equatoriale française. 1925.

Emprunt de l'Afrique Equatoriale française. (A Prospectus.) Paris, Gouvernement Général de l'Afrique Équatoriale française, 1913.

Further Report on Tuberculosis and Sleeping Sickness in Equatorial Africa. C. H. 281. Health Organisation. League of Nations.

Interim Report on Tuberculosis and Sleeping Sickness in Equatorial Africa. Health Organization. League of Nations. C. 8. M. 6. 1924. III.

Journal Officiel du Congo Français. Imprimerie du Gouvernement, 1904.

Journal Officiel de l'Afrique Équatoriale française. Brazaaville, 1923.

Notions Prætiques sur la Prophylaxie de la Maladie du Sommeil. Bibliothèque Administrative, No. 1. Paris, 1925.

Organisation du Service de la Main d'Œuvre du Chemin de Fer. Bibliothèque Administrative, No. 3. Paris, 1925.

"Une Mission d'Étude Pratiques au Moyen-Congo." *Afrique française. Renseigements Coloniaux,* 1920.

Rapport d'Ensemble sur les opérations des Sociétés Concessionaires 1899-1904. Union Congolaise Française, Paris, 1906, p. 10.

Sultanat du Haut-Oubangui. *Compte-Rendu à l'Assemblée Générale Ordinaire des Actionnaires.* Paris, Degaudens.

BIBLIOGRAPHY FOR THE TWO FRENCH MANDATES.

I. AUTHORS.

Allegret, E. *La Mission du Cameroun.* Récits Missionaires Illustrés. No. 20. Paris, Société des Missions Évangeliques, 1924.

Beer, G. L. *African Questions at the Paris Peace Conference.* New York, Macmillan Co., 1923.

Brau, Dr. "Lutte contre la maladie du sommeil au Cameroun." *Annales de Médecine et de Pharmacie Coloniales.* Vol. 23, 1925, p. 403.

Christol, Frank. *Quatre ans au Cameroun.* Paris, Société des Missions Évangéliques, 1923.

Henric, Dr. "L'organisation et le fonctionnement du Service de santé, du Service de l'assistance et du Service de l'hygiène au Togo." *Annales de Médecine et de Pharmacie Coloniales.* Vol. 19, 1921, p. 100.

Hope, F. H. "The Frank James Industrial School." *The Drum Call,* October, 1923. Vol. II. Kribi, Cameroun, Mission Protestante Américaine.

Huot, Dr. "La prophylaxie de la maladie du sommeil dans la région de Doume (territoires du Cameroun), octobre 1920-juin 1922." *Annales de Médecine et de Pharmacie Coloniales.* Vol. 21, 1923, p. 5.

Johnson, Harry. *George Grenfell and the Congo.* 2 vols. London, Hutchinson & Co., 1908.

Lepine, Dr. "Rapport sur une Tournée d'inspection médicale dans la région ouest du Cameroun. (mai-juin, 1920.)" *Annales de Médecine et de Pharmacie Coloniales.* Vol. 18, 1920, p. 97.

Letonturier, Dr. "Rapport sur le fonctionnement du Service de Santé au Cameroun pendant l'année 1923." *Annales de Médecine et de Pharmacie Coloniales.* Vol. 22, 1924, p. 396.

Lonjarret, Dr. "La trypanosomiase humaine dans le Territoire du Togo." *Annales de Médecine et de Pharmacie Coloniales.* Vol. 20, 1922, p. 18.

Lucas, Charles. *The Empire at War.* Edited for the Royal Colonial Institute. 4 vols. London, Oxford University Press, 1924.

Mansfeld, A. *West-Afrika, Urwald und Stepenbilder.* Berlin, Dietrich Reimer, 1908.

Ritter, Karl. *Neu-Kamerun.* Veröffentlichungen des Reichskolonialamts, No. 4. Jena, 1912.

Riemer, Otto. *Das französische Congogebiet.* Mörs, J. W. Spaarmann, 1900.

Robineau, Dr. "Le traitement de la lèpre dans les léproseries d'Ebolowa, au

Cameroun." *Annales de Médecine et de Pharmacie Coloniales.* Vol. 20, 1922, p. 22.

Schnee. *Deutsches Kolonial Lexikon.* Leipzig, Von Quelle & Meyer, 1920.

Zimmermann, A. *Geschichte der Deutschen Kolonial-politik.* Berlin, E. S. Mittler und Sohn, 1914.

II. DOCUMENTS AND PERIODICALS.

Budget Annexe de la Construction du Port de Douala et du Chemin de Fer du Centre. 1926.

Budget Local et Budget Annexe de l'exploitation du Chemin de Fer et du Wharf. Territoire du Togo. 1926. École Professionnelle.

Budget de Recettes et des Dépenses. Yaoundé, Imprimerie du Gouvernement, 1925. *Ibid.*, Lome, 1925.

Congressional Record of the United States of America. Vol. 65. March 3, 1923. Washington, D. C.

Die deutschen Schutzgebiete in Afrika und der Südsee, 1912-13. Berlin, E. S. Mittler und Sohn, 1914.

Draft Estimates of the Revenue and Expenditure of Tanganyika Territory. 1926-27. Dar es Salaam, Government Printer.

Guide de la Colonisation au Cameroun. Commissariat de la République Française au Cameroun. Paris, Émile Larose, 1923.

Guide de la Colonisation au Togo. Commissariat de la République Française au Togo. Paris, Émile Larose, 1924.

Journal Officiel du Cameroun. 1921-1926.

Die Landesgesetzgebung für das Schutzgebiet Kamerun. Berlin, E. S. Mittler und Sohn, 1910.

Landesgesetzgebung des Schutzgebietes Togo. Berlin, E. S. Mittler und Sohn, 1910.

Official Journal of the League of Nations.

Newspapers.

The Gold Coast Leader. Cape Coast.

Gazette du Cameroun.

Gazette du Togo.

Le Temps. Paris.

Permanent Mandates Commission. Geneva.

Annexes to the Minutes of the Third Session. A. 19. 1923. VI.

Annexes to the Minutes of the Fourth Session. A. 13. 1924. VI.

Report on the Work of the Fourth Session. A. 15. 1924. VI.

Minutes of the Sixth Session. C. 386 M. 132. 1925. VI.

Minutes of the Ninth Session. C. 405 M. 144. 1926. VI.

Rapport Annuel sur l'administration du territoire du Cameroun. Paris, Imprimerie Générale Lahure.

Rapport Annuel sur l'administration du territoire du Togo. Paris, Imprimerie Générale Lahure.

Rapport au Ministre des Colonies sur l'administration des Territoires occupés du Cameroun de la conquête au 1e r Juillet, 1921. Journal Officiel de la République française. 1921. Documents Administratifs.

Recueil de Tous les Actes ayant organisé la zone d'occupation française du Togo. Oct. 10, 1914, Sept. 11, 1920. Porto Novo, 1921.

Der Reichshaushalts-etat und der Haushalts-etat für die Schutzgebiete, 1913. Berlin, Reichsdruckerei, 1913.

Réglementations domaniales. (Territoire du Cameroun.) Paris, André Taurnon, 1922.

Report by his Britannic Majesty's Government to the Council of the League of Nations on the Administration of Tanganyika Territory for the Year 1925. Colonial No. 18. London, H. M. Stationery Office, 1926.

BIBLIOGRAPHY FOR THE BELGIAN CONGO.

I. AUTHORS.

De Bauw, A. *Le Katanga.* Brussels, Ferdinand Larcier, 1920.

Berger, Paul. *Le Congo.* (Notes résumées fragmentaires et provisoires d'un Cours de Géographie.) Brussels, P. de Troyer, n. d.

Cattier, F. *Étude sur la Situation de l'État Indépendant du Congo.* 2nd ed. Brussels, F. Larcier, 1906.

"Chalux." *Un An au Congo Belge. Les grandes enquêtes de la "Nation Belge."* Brussels, Librairie Albert Dewit, 1925.

Clemens, Samuel (Mark Twain). *King Leopold's Soliloquy. A Defense of his Congo Rule.* Boston, A. R. Warren Co., 1905.

Corman, l'Abbé Alfred. *Annuaire de Missions Catholiques au Congo belge.* Brussels, Librairie Albert Dewit, 1924.

David, Dr. *Vade-Mecum, à l'usage des Infirmiers et des Assistants Médicaux Indigènes.* Brussels, Ministère des Colonies, 1922.

Daye, P. *L'Empire Colonial Belge.* Brussels, "Soir," 1923.

Defontennoy, Father. *Bulletin trimestriel de la ligue pour la protection et l'évangélisation des noirs.* No. 2. 1924.

De Jonghe. "L'Instruction publique au Congo belge." *Congo,* April, 1922, p. 501.

Delcommune, A. *L'Avenir du Congo Belge Menacé.* 2nd ed. 2 vols. Brussels, J. Lebeque & Cie., 1921.

Delhaise, Le Commandant. *Les Warega. Sociologie Descriptive.* (Collection de Monographies Ethnographiques. V.) Brussels, Albert Dewit, 1909.

Dom, Père P. *Les Jésuites belges et les Missions.* Gand, 1924.

Dryepondt. "Relations Belgo-Portuguais." *L'Essor Colonial et Maritime,* Nov. 4, 1926.

Duchesne, Gov. "Du Droit des Indigènes sur les Palmerais Naturelles." *Bulletin des Matières Grasses.* 1925, p. 86.

Elst, F. V. *Le Katanga.* Brussels, Ferdinand Larcier, 1913.

Fourche, Dr. J. A. "Rapport de la Mission contre la Maladie du Sommeil. Société Internationale Forestière et Minière du Congo." *Annales de la Société Belge de Médecine Tropicale,* Jan. 1926.

Franck, Louis. *Études de Colonisation comparée.* Brussels, Falk Fils, 1924.

Geerinck, J. *Guide Commercial du Congo Belge.* Brussels, Lesigne, 1924.

Gohr, A. *De l'organisation judiciaire et de la compétence en matière civil et commerciale au Congo.* Liege, H. Vaillant-Carmanne, 1910.

Habran, Louis. *Coup d'Oeil sur le Problème Politique et Militaire du Congo Belge.* Brussels, 1925.

———. *Le Congo Belge dans la guerre mondiale: la question de l'embouchure du Congo.* Brussels, 1919.

Halewyck, Michel. *La Charte Coloniale.* 4 vols. Brussels, M. Weissenbruch, 1910-19.

Heyse, T. "L'application du Contrat tripartite dans les Concessions de la Société des Huileries du Congo Belge." *Congo,* Jan. 1926, p. 8.

———. *Le Régime du Travail au Congo Belge.* 2nd ed. Brussels, Goemaere, 1924.

Hostelet, G. "La Colonie." *La Belgique Restaurée,* edited by E. Mahaim, pp. 615, 618. Brussels, M. Lamertin, 1926.

Hutereau, Armand. *Histoire des Peuplades de l'Uele et de l'Ubangi.* Brussels, Goemaere, n. d.

———. *Notes sur la vie familiale et juridique de quelque populations du Congo Belge.* Brussels. A. Schepens, 1910.

Janssen, F. "Le Commerce extérieur de la Colonie en 1925." *Congo,* Jan. 1927, p. 14.

———. *Le Développement et l'avenir économique du Congo belge.* Extrait des Annales de la Société Scientifique de Bruxelle. XLVI, p. 9. Brussels, Librairie Coloniale, 1926.

Johnston, Sir Harry H. *George Grenfell and the Congo.* London, Hutchinson & Co., 1908.

Jonnart. "Contrat Tripartite." *Notre Colonie,* April 21, 1925.

de Lannoy, C. *L'Organisation Coloniale Belge.* Brussels, Henri Lamertin, 1913.

Le Grand, Père L. "De la légalité des villages chrétiens." *Congo,* June, 1922, p. 1.

Lejeune, Leo. *Louis Franck, Ministre des Colonies. 1918-1924.* Brussels, J. Vermant, 1925.

Leonard, H. "Les concessions de mines au Congo Belge dans les régions outre le Katanga." *Congo,* Jan. 1925, p. 1.

Leplae, M. "La Question Agricole." Annexe I à *La Politique Économique au Congo Belge.* The Report of the Permanent Committee of the Colonial Congress. Brussels, Bibliothèque Congo, 1924.

———. "La Situation de l'Agriculture au Congo Belge." *Congo,* Oct. 1920, p. 492, ff.

Lippens, Maurice. *Notes sur le Gouvernement du Congo Belge, 1921-1922.* Gand, Herckenroth, 1923.

Louwers, Octave. *Le Congo Belge et le Pangermanisme Colonial.* Paris, Émile Larose, 1918.

———. *Éléments du Droit de l'État Indépendant du Congo.* Brussels, M. Weissenbruch, 1907.

Masoin, F. *Histoire de l'État Indépendant du Congo.* 2 vols. Namur, Picard-Babon, 1912.

Millman, W. *Primer of Agriculture for Tropical Schools.* London, S. P. C. K., 1923.

Morel, E. D. *Future of the Congo.* London, Smith, Elder & Co., 1909.

Moulaert, Col. W. G. A. "Les Mines de Kilo-Moto." *Congo,* February, 1926, p. 155.

Pearson & Mouchet. *The Practical Hygiene of Native Compounds in Tropical Africa.* London, Bailière, Tindall & Co., 1923.

Rinchon, P. D. "Note sur le marché des esclaves au Congo du XVe au XIXe siècle." *Congo,* October, 1925, p. 388.

Rodhain, J. "Les grands problèmes de l'Hygiène et l'organisation du Service Médical au Congo belge." *Congo,* June, 1926, p. 11.

Roome, W. J. W., compiler. *The Ethnographic Survey of Africa.* London, E. Stanford, 1925.

Rutten, Gov. General. "Notes de Démographie Congolaise." *Congo,* Dec. 1920, p. 260.

———. "Démographie Congolaise." *Congo,* June, 1921, p. 6.

Salkin, P. *Études Africaines.* Brussels, Ferdinand Sarcier, 1920.

Schwetz, J. "Contribution à l'Étude de la Démographie Congolaise." *Congo,* March, 1923, p. 305.

———. "Deuxième contribution à l'étude de la Démographie Congolaise." *Congo,* March, 1924, p. 341.

Segaert, Henri. *Un Terme au Congo Belge. Notes sur la vie coloniale.* Brussels, A. Van Assche, 1919.

Smith, H. S. *Yakusu. The Very Heart of Africa.* London, Marshall Brothers, Ltd., 1911.

Tibbaut, E. "L'Assistance sociale au Congo—L'Évolution juridique de la société indigène, Annuaire des Missions." *Congo,* Nov., 1926, p. 485.

Torday, E., and Joyce, T. A. *Notes Ethnographiques sur les peuples communément appelés Bakuba, ainsi que sur les peuplades apparentées les Bushongo.* (Annales du Musée du Congo Belge.) Brussels, Falk fils, 1912.

Trolli, Dr. "Le service médical au Congo Belge depuis sa création jusqu'en 1925." *Congo,* Feb., 1927, p. 189.

Vanderyst, Père Hyac. "Les Concessions de forêts secondaires et de palmeraies congolaises." *Congo,* Dec., 1925, p. 731.

———. "Démographie et exploitation intensive des palmeraies en Afrique occidentale." *Congo,* January, 1924, p. 64.

Van der Kerken, G. "Compte Rendu et Rapports." *IIe Congrès Colonial Belge.* Brussels, Imprimerie Lesigne, 1926.

———. "Le Problème des terres vacantes au Congo Belge." *Notre Colonie.* Jan., 1926.

———. *Les Sociétés Bantous du Congo Belge et les Problémes de la Politique Indigène.* Brussels, Émile Bruylant, 1919.

Van de Straeten, Edgar. *Essai sur l'Évolution Économique du Congo Belge.* Brussels, R. Weverbergh, 1925.

Vandervelde, Émile. *La Belgique et le Congo.* Paris, Félix Alcan, 1911.
Van Oye, Paul. "Kongoet bet Bevokings probleem in Belgie." *Vlaamschen Gids,* June, 1925.
———. "Les pisicultures dans les pays tropicaux." *Congo,* Jan., 1926, p. 16.
Verlaine, Louis. *Contribution à la Recherche de la Méthode de Colonisation.* 2 vols. Brussels, E. Denis, 1923.
Vermeersch, A. *La Question Congolaise.* Brussels, Imprimerie Scientifique, 1906.
Waltz, Heinrich. *Das Konzessionswesen im Belgischen Kongo.* (Veröffentlichungen des Reichs-Kolonialamts.) 2 vols. Jena, Gustav Fischer, 1917.
Wauters, A. J. *L'État Indépendant du Congo.* Brussels, Librairie Falk fils, 1899.
———. *Histoire Politique du Congo Belge.* Brussels, Pierre Van Fleteren, 1911.
Williams, Robert. "The Cape to Cairo Railway," *Journal of the African Society.* July, 1921, p. 256.
Wilson, C. E., and Rowling, F. *Bibliography of African Christian Literature.* London, Conference of Missionary Societies of Great Britain and Ireland, 1923.

II. DOCUMENTS AND PERIODICALS.

Annuaire Officiel. (Ministère des Colonies.) Brussels, A. Lesigne, 1925.
Annales Parlementaires. Sénat. March, 1924.
Annales Parlementaires. Chambre des Répresentants, July, 1924.
Bourse du Travail du Katanga, Rapports. December, 1923. Brussels, J. Schicks.
Budget des Recettes et des Dépenses Ordinaire du Congo Belge, Chambre des Répresentants, No. 240, 1926, and others.
Bulletin Administratif et Commercial du Congo Belge. Boma.
Bulletin Agricole du Congo. Vol. V. 1914. Brussels.
Bulletin Officiel du Congo Belge. Brussels. 1919-1926.
Comité Spécial du Katanga. 1923. Brussels, J. Lesigne, 1924.
Compte-Rendu Analytique. July 22, 1924. Belgium. Senate.
Compte-Rendu Analytique des séances du Conseil colonial. 1908-1909, 1926.
Congo. Revue Générale de la Colonie Belge. Brussels.
Congo General Missionary Conference Reports. Bolenge. 1907, 1918, 1921, 1924.
Correspondence and Report from His Majesty's Consul at Boma respecting the Administration of the Independent State of the Congo. Cd. 1933. London, H. M. Stationery Office, 1904.
Despatch to certain of His Majesty's Representatives abroad in regard to alleged Cases of Ill-treatment of Natives and to the Existence of Trade Monopolies in the Independent State of the Congo. Cmd. 1809. London, H. M. Stationery Office, 1904.

Documents Parlementaires. Chambre des Réprésentants, 1907-1908, 1924-1926.

École de Stanleyville. Programmes. Dirigée par les Frères Maristes.

Die Grosse Politik der Europäischen Kabinette 1871-1914. Berlin, Deutsche Verlagsgesellschaft für Politik und Geschichte, 1926.

L'Illustration Congolaise. Journal bi-mensuel de propagande coloniale. Brussels, C. Van Cortenbergh.

Instructions, Politique Indigène. Congo Belge, Province Orientale. Stanleyville, 1920.

Journal Administratif de la Province du Katanga. Secrétaire Provincial. Elizabethville. (Monthly.)

Lois et Arrêtés Royaux de la Belgique.

Louwers, O., et Grenade, I. *Code et Lois du Congo Belge.* 2nd ed. Brussels, M. Weissenbruch, 1923.

Louwers, O., et Touchard, A. *Jurisprudence de l'État Indépendant du Congo.* 2 vols. Brussels, M. Weissenbruch, 1905.

———. *Recueil Usuel de la Législation* (État Indépendant du Congo). Brussels, M. Weissenbruch.

Les Matières grasses du Congo Belge autres que les Huiles d'Elaais. (Ministère des Colonies.) Brussels, Sociétée Anonyme, 1925.

Missions Catholique du Congo Belge. Instructions au Missionaires. Wettern, Belgique, Imprimerie de Meester & Fils, 1920.

"Les Missionaires de Scheut." Monograph. *Revue de l'Exposition Missionaire Vaticane,* 1924-1925.

Newspapers.

L'Avenir Colonial Belge. Kinshasa.

L'Essor Colonial et Maritime. Brussels.

Information Coloniale. Kinshasa.

Le Moniteur Général des Intérêts Coloniaux de Belgique. Courrier d'Outremer. Brussels.

Parliamentary Debates. Great Britain. House of Commons. 1903, 1905.

Pasicrisie Belge. Brussels, 1913.

Permanent Mandates Commission. Minutes. League of Nations. Geneva.

La Politique Financière du Congo Belge. Rapport au Comité permanent du Congrès Colonial. (Bibliothèque Congo.) Brussels, Goemaere, 1925.

"La Politique scolaire dans les colonies anglaises de l'Afrique." *Congo,* Sept., 1925, p. 193.

Projet d'Organisation de l'Enseignement libre au Congo Belge avec le Concours des Sociétés des Missions Nationales. Brussels, Société Anonyme, 1925.

Programme de l'Enseignement. Guide pour l'Instituteur. Stanleyville, Congo-Belge, 1924.

La Question Sociale au Congo. Rapport au Comité du Congrès Colonial National. (Bibliothèque-Congo.) Brussels, Goemaere, 1924.

Rapport Annuel sur l'Activité de la Colonie du Congo Belge. 1917, 1921-1925. (Chambre des Représentants.) Brussels, M. Hayez.

"Rapport de la Commission pour l'Étude du Problème de la Main d'Oeuvre au Congo Belge." *Congo,* May-June, 1925, p. 21.

"Rapport du Bureau du Comité permanent du Congrès Colonial National sur la question de l'Enseignement au Congo." *Congo,* July, 1922, p. 165.

Rapports préliminaires, Sessions de Bruxelles de 1923. Brussels, Institut Colonial International, 1923.

Rapport de la Commission Instituée pour la Protection des Indigènes. Bulletin Officiel du Congo Belge. Brussels, 1913, 1920, 1924.

Rapport présenté par le Gouvernement Belge au Conseil de la Société des Nations au Sujet de l'Administration du Ruanda-Urundi. Brussels, F. Van Gompel, 1924.

Recueil à l'usage des fonctionnaires et des agents du Service Territorial au Congo Belge. Published by the Minister of Colonies, 4th ed. Brussels. Société Anonyme, 1925.

Recueil de la Législation Minière du Katanga. Brussels, J. Dioncre.

Recueil Financier. Annuaire des Valeurs cotées au bourses de Belgique. 33e année,-I. Brussels, Émile Bruylant, 1926.

Recueil Mensuel des Circulaires, Instructives et Ordres de Service. Congo Belge, Gouvernement Général. Boma. Monthly.

Recueil Mensuel du Congo Belge. Boma. Monthly.

Recueil Usuel de la Législation avec des notes de concordance et la jurisprudence des tribunaux de l'état. Edited by A. Lycops et G. Touchard. Brussels, P. Weissenbruch, 1923.

Réglement Général sur la Compatibilité Publique. (Finances. Congo Belge.) Boma, 1926.

Réglement d'Hygiène pour la Force Publique. Boma, 1921.

Revue de Doctrine et de Jurisprudence Coloniales. Brussels, Société Anonyme.

Statistique du Commerce Extérieur du Congo Belge, 1923. (Ministère des Colonies.) Brussels, Goemaere, 1925.

Union Minière du Haut-Katanga, Rapports, 1925. Brussels, Société Anonyme, 1926.

Verbatim Report of the Five Days' Congo Debate in the Belgian House of Representatives. Translated from official shorthand report and annotated by E. D. Morel. Liverpool, John Richardson & Sons, 1906.

BIBLIOGRAPHY FOR LIBERIA.

I. AUTHORS.

Allen, G. W. *The Trustees of Donations for Education in Liberia.* Boston, Thomas Todd Co., 1923.

Armstrong, S. C. *Emigration to Liberia.* An address delivered before the American Colonization Society, January 21, 1821. Published by request. Washington, 1879.

Ashmun, J. *History of the American Colony in Liberia.* Washington, Way and Gideon, 1826.

Bishop of Masasi. "The Educational Value of Initiatory Rites." *International Review of Missions.* April, 1927, p. 192.

Delafosse, M. *Les Libériens et les Baoulé.* Paris, Librairie Africaine et Coloniale, 1901.

Durrant, Robert E. *Liberia. A Report.* 2nd ed. Monrovia, African International Corporation, Ltd., 1924.

Ellis, G. W. *Negro Culture in West Africa.* New York, Neale Publishing Co., 1914.

Falkner, R. P. "The United States and Liberia." *American Journal of International Law.* July, 1910, p. 529.

Firestone, H. S. "We Must Grow our own Rubber." *Country Gentleman,* April, 1926, p. 123.

——— and Crowther, Samuel. *Men and Rubber.* New York. Doubleday, Page & Co., 1926.

Grimes, L. A. *Report and Opinions of the Attorney-General.* Monrovia, 1923.

Hoover, Herbert. "America Solemnly warns Foreign Monopolies of Raw Materials." *Current History.* Dec. 1925, p. 307.

Howe, M. A. DeWolfe. *African Colonization. An address delivered before the American Colonization Society, 21 January, 1879.* Washington, Published by Request, 1879.

Jacques-Garvey, Amy, editor. *Philosophy and Opinions of Marcus Garvey.* 2nd ed. New York, Universal Publishing House, 1923.

Johnston, Sir Harry H. *Liberia.* 2 vols. London, Hutchinson & Co., 1906.

Jore, L. *La République de Libéria.* Paris, Librairie de la Société du Recueil Sirey, 1912.

Karnga, Abayomi. *A Guide to our Criminal and Civil Procedure.* Monrovia, College of West Africa Press, 1914.

———. *Liberia before the new world.* London, F. I. Phillips, 1923.

Karnga, Abayomi. *The Negro Republic of West Africa.* Monrovia, College of West Africa Press, 1909.

———. *The New Liberia and other Orations.* Grand Cape Mount, Douglas Muir, 1925.

Kingsley, Mary. *Travels in West Africa.* London, Macmillan & Co., 1897.

———. *West African Studies.* London, Macmillan & Co., 1899.

Lesage, Charles. *La Rivalité anglo-germanique. Les Cables Sous-Marins Allemands.* Paris, Plon-Nourrit & Cie, 1915.

Maugham, R. C. F. *The Republic of Liberia.* London, George Allen & Unwin, 1920.

Millman, W. "The Tribal Initiation Ceremony of the Lokele." *International Review of Missions,* July, 1927.

Mills, Lady Dorothy. *Through Liberia.* London, Buckworth, 1926.

Moore, J. B. *Digest of International Law.* 8 vols. Washington, Gov. Print. Off., 1906.

Piolet, R. P. "Les Missionaires et les Coutumes Indigènes." *Bibliothèque Coloniale Internationale, Rapports préliminaires,* 1923, p. 324.

Reeves, H. W. *The Black Republic.* London, H. F. Witherby, 1923.

Richardson, J. D. *Messages and Papers of the Presidents, 1789-1897.* Washington, Gov. Print. Off.

Schlunk, M. "The Relation of Missions to Native Society." *International Review of Missions,* July, 1927.

Scott, Emmet J. "Is Liberia worth saving?" *Journal of Race Development.* January, 1911, p. 291.

Starr, Frederick. *Liberia.* Chicago, F. Starr, 1913.

Tolliver, James A. *Rules and Regulations for the Circuit Courts of the Republic of Liberia.* July, 1912.

Warren, G. W. *The Duty of Strengthening Liberia. An address delivered at the Sixty-Third Annual Meeting of the American Colonization Society, 20 January, 1880.* Washington, Published by Request, 1880.

Wauwermans, H. E. *Le prémices de l'œuvre d'émancipation africaine. Libéria. Histoire de la Fondation d'un état nègre libre.* Brussels, Institut National de Geographie, 1885.

Whitford, H. W., and Anthony, Alfred. *Rubber Production in Africa.* U. S. Department of Commerce. Trade Promotion Series. No. 34. Washington, Gov. Print. Offi., 1926.

II. DOCUMENTS AND PERIODICALS.

Acts passed by the Legislature of the Republic of Liberia. Published by Authority, Monrovia.

Affairs in Liberia. U. S. Senate Document No. 457, 61 Congress. Washington, Gov. Print. Off., 1910.

Agreement for Government Refunding Loan. Monrovia, College of West Africa Press, 1911.

An Act Regulating the Use of the Highways, Roads and Streets and the Operation of Vehicles Thereon. Monrovia, Published by Authority, 1925.

An Agreement between the Governments of His Catholic Majesty the King of Spain and the Republic of Liberia for the Recruitment of Labor. Monrovia, 1914.

Annual Report of the General Receiver of Customs and Financial Advisor to the Republic of Liberia, 1924-25. Monrovia, 1925.

Annual Report of the Secretary of State for Foreign Affairs, Liberia, 1913. Monrovia, Government Printing Office.

Les Aspirations Indigènes et les Missions. Compte-Rendu de la Troisième Semaine de Missiologie de Louvain. Louvain, E. Desbarax, 1925.

Brief Account of Proceedings on the Occasion of the Retirement of President J. J. Roberts and the Inauguration of Hon. S. A. Benson. Edited by E. W. Blyden. Liberia, G. Killian, 1856.

"A Brief Review of the Land Question in Maryland County." *Cape Palmas Reporter,* Vol. I, No. 2 (1898).

Budgetary Estimates and Appropriations for the year 1925. Published by Authority, Monrovia, 1925.

Catalogue of Liberia College, Monrovia, Liberia for 1916 and Historical Register. Brookline, Mass., Riverdale Press, 1919.

Code of Justices of the Peace, Republic of Liberia, 1907. Monrovia, College of West Africa Press.

Congressional Record, 67th Congress, 1922. United States.

Constitution, Government and Digest of the Laws of Liberia, 1825. Washington, Way and Gideon, 1825.

"Credit for Government of Liberia," *Hearings before the Committee on Ways and Means, House of Representatives, on H. J. Res. 270,* April 19, 1922. Part 2, p. 144.

Customs Tariff. 1910. With Amendments and Definitions. Monrovia.

Customs Service. Republic of Liberia. Import, Export and Shipping Statistics. Compiled by the Customs Receivership, 1924.

Departmental Regulations Governing the Administration of the Interior of the Republic of Liberia. 1913. Monrovia.

Despatches relating to the Frontier between Sierra Leone and the Republic of Liberia at the Mouth of the Mano River. Sierra Leone Sessional Paper No. 3 of 1923.

Eleventh Annual Report of the American Society for Colonizing the Free People of Color of the United States, 1828. Washington, J. C. Dunn.

Firestone Non-Skid. Akron, Ohio, Dec., 1925.

Foreign Relations of the United States. 1892, 1893, 1910, 1911, 1915, 1916, 1917.

Fourteenth Annual Report of the Secretary of Commerce, 1926. Washington.

Franco-Liberian Agreement, Concluded Sept. 8, 1909. Monrovia, 1909.

General Rules or Constitution for the Government of the True Whig Party. Paynesville, Liberia, 1919.

The Government of the Sires and the Government of the Sons, or The Colony and Republic of Liberia Considered. An Address delivered before the Corporation of Monrovia on the thirty-third Anniversary of Liberian independence, July 26, 1880, by Henry de Witt Brown. Published by Request, 1880.

Hearings before the Committee on Interstate and Foreign Commerce, House of Representatives, on H. J. Res. 59. Crude Rubber, Coffee, etc., 69th Congress, 1st Session. Washington, Gov. Print. Off., 1926.

The Impartial Administration of Justice: the Corner Stone of a Nation. Address to the Executive Committee of the Liberian Bar Association, 1909.

The Independent Republic of Liberia. (*Its Constitution and Declaration of Independence.*) Phila., W. F. Geddes, 1848.

Laws Governing the Commissioners, Officers and Men of the Liberian Force within Native Districts in the Interior. Issued by the President, 1910.

Laws Relating to the Militia. Compiled by E. Barclay in 1921. Republic of Liberia. Monrovia, R. A. Phillips, 1921.

The Laws and Regulations Governing the Treasury Service. 1875-1924. Monrovia, J. J. Harris.

The Liberian Blue Book. A Compilation of Laws before 1857. Monrovia, Government Printing Office.

Liberia. Bulletin No. 6, 1895. Issued by the American Colonization Society. Washington, D. C.

Liberia Official Gazette. Published by Authority. Monrovia.

Manuel des Missions Catholiques. Louvain, Editions du Museum Lessianum, 1925.

Memorial of the Semi-Centennial Anniversary of the American Colonization Society, Washington, 1867.

Messages of the President. Annual. Monrovia, Government Printing Office.

"Minutes of the Voujama Conference." *Liberian Gazette,* August 31, 1925.

Newspapers.

Agricultural World. Monrovia.

Cape Palmas Reporter. Monrovia.

Christian Science Monitor. Boston, Mass.

The Liberian Express and Agricultural World. Monrovia.

Liberian News. Monrovia.

Liberian Recorder. Monrovia.

Liberian Star. Monrovia.

Liberian Tribune. Monrovia.

New York Times. New York.

United States Daily. Washington.

Official Journal. Liberia Annual Conference of the Methodist Episcopal Church. Monrovia, Methodist Mission Press, 1925.

Official Journal of the Montserrado District Conference of the Methodist Episcopal Church. Monrovia, Methodist Mission Press, 1924.
Opinions and Decisions of the Supreme Court of the Republic of Liberia (Annual). Monrovia, Government Printing Office.
Platform of the People's Party, Campaign of 1927.
Program of the Agricultural Development in Liberia. Monrovia, Liberian Government, 1924.
Proposed Platform and Campaign Booklet of the People's Party. Issued by the Publicity Committee of the People's Party. Monrovia, 1922.
Report and Opinions of L. A. Grimes, Attorney-General of Liberia, 1923, 1924, Monrovia.
Report of Commander W. F. Lynch in Relation to his Mission to the Coast of West Africa. U. S. 33d Cong. 1st Sess. House Ex. Docs. No. 1, Part 3, pp. 329-393. Washington, 1853.
Report of a Committee Appointed by the Secretary of State for the Colonies to Investigate and Report upon the Present Rubber Situation in British Colonies and Protectorates. Cmd. 1678. London, H. M. Stationery Office, 1922.
Report of the Condition of Liberia College made to the New York State Colonization Society and the Trustees of Donations for Education in Africa of the State of Massachusetts. March 25, 1879. New York, W. S. Gottsberger (1879).
Report of the Corporation of Foreign Bondholders, 1913, 1925. London.
Report of the Naval Committee to the House of Representatives, August, 1850, in favor of the establishment of a line of Mail Steamships to the Western Coast of Africa. Washington, Gideon & Co., 1850.
Report of the President of Liberia College Respecting his Visit to the United States of America. Monrovia, Methodist Mission Press, 1923.
Report of the Secretary of the Treasury. 1919, 1920, 1923. Republic of Liberia, Treasury Department, Monrovia.
Report of the Special Committee of the House of Representatives on the Public Accounts. Monrovia, J. Killian, 1864.
Rules and Regulations for the Circuit Courts of the Republic of Liberia. Edited by J. A. Toliver. Monrovia, 1912.
Sierra Leone. *Annual Medical and Sanitary Report, 1924.* Freetown.
Blue Book, 1924. Freetown.
Estimates of Revenue and Expenses, 1926. Freetown, 1925.
Sessional Paper No. 3 of 1923.
Stock Exchange Year Book, 1917. London, T. Skinner & Co.
Supplementary Report on the Rubber Situation in British Colonies and Protectorates. Cmd. 1756. London, H. M. Stationery Office, 1922.
Temporary Slavery Commission. *Minutes of the Second Session.* C. 426. M. 157. 1925. VI. Geneva.
Treaties, Conventions, International Acts, Protocols and Agreements between

the United States of America and other Powers, 1776-1923. 3 vols. Washington, Government Printing Office, 1910-1923.

United States Statutes at Large. Vol. 40, 1917-19. Part I, p. 289.

Vade Mecum. (For Schools of the Republic.) Compiled by Secretary of Public Instruction, B. W. Payne, M.D. Monrovia, Methodist Mission Press, 1924.

Visit of the President of Liberia to Sierra Leone. Sierra Leone Sessional Paper No. 5 of 1925.

World Missionary Atlas. New York, Institute of Social and Religious Research, 1925.

INDEX